Alexej Tolstoi
Peter der Erste

Zweiter Band

Aufbau-Verlag
Berlin und Weimar
1988

Алексей Толстой
ПЕТР ПЕРВЫЙ
Книга вторая и третья

*Aus dem Russischen übersetzt
von Maximilian Schick*

3. Auflage 1988
Alle Rechte an dieser Ausgabe Aufbau-Verlag Berlin und Weimar
Einbandgestaltung Manfred Kloppert
Typographie Gisela Deutsch
Karl-Marx-Werk, Graphischer Großbetrieb, Pößneck V 15/30
Printed in the German Democratic Republic
Lizenznummer 301. 120/221/88
Bestellnummer 611 554 0
I/II 01200
A. Tolstoi, Ges. Werke in Einzelb.
ISBN 3-351-00626-8
Peter der Erste 1–2
ISBN 3-351-00888-0

Zweites Buch

Erstes Kapitel

I

Die Hähne krähten im trüben Dämmerlicht. Träge graute der Februarmorgen. Die Nachtwächter räumten, über die langen Schöße ihrer Schafpelze stolpernd, die Sperrbäume beiseite. Niedrig zog Herdrauch über den Erdboden, in den winkligen Gassen roch es nach frischgebackenem Brot. Eine berittene Wachabteilung fragte im Vorbeireiten die Wächter, ob es in der Nacht auch keine Raubüberfälle gegeben hätte.

„Keine Überfälle?" antworteten die Wächter. „In der ganzen Umgebung wird geplündert..."

Träge erwachte Moskau aus dem Schlaf. Die Glöckner stiegen auf die Kirchtürme und warteten, sich räuspernd vor Kälte, auf den ersten Glockenschlag des Iwan Weliki. Langsam und schwer dröhnte über den nebligen Straßen das Fastengeläut. Knarrend öffneten sich die Kirchentüren. Mit speichelbenetzten Fingern nahm der Küster vom Docht der Ewigen Lampe die Schnuppen ab. Bettler, Sieche und Krüppel kamen angetrottet, um ihren Platz am Kirchenportal einzunehmen. Keiften und zankten sich halblaut auf nüchternen Magen. Bekreuzigten und verneigten sich vor den brennenden Kerzen, die im Dunkel der Vorhalle schimmerten.

Barfuß hüpfte eilig ein Blöder herbei – stinkend, mit nacktem Rücken, im Haar, noch vom Sommer her, Kletten. Die Bettler vor dem Kirchenportal ächzten: Der Gottesmann hielt ein riesiges Stück rohes Fleisch in der Hand. Wieder würde er also etwas sagen, daß ganz Moskau anfing zu tuscheln. Dicht vor der Tür ließ er sich nieder, vergrub seine pockennarbige Nase im Schoß und wartete, bis mehr Volk zusammenkäme.

Auf der Straße war es hell geworden. Pforten wurden geöffnet und zugeschlagen. Kaufleute, die in den Handelsreihen ihre Läden hatten, gingen in straff gegürteten Röcken vorüber. Nicht so munter wie einst schlossen sie ihre Läden auf. Krähenschwärme flatterten unter den windzerfetzten Wolken. Den ganzen Winter über hatte der Zar die Vögel mit Menschenaas gefüttert, in Schwärmen ohne Zahl waren die Krähen, wer weiß, woher, herbeigeflogen, hatten alle Kuppeln verdreckt. Das Bettelvolk am Kirchenportal flüsterte, vorsichtig sich umblickend: „Krieg und Seuche wird's geben. Dreieinhalb Jahre, so steht es geschrieben, wird die Scheinherrschaft dauern..."

Früher war die Kitai-Stadt um diese Stunde voller Lärm und Geschrei, überall drängten sich Menschen. Von weit her, durch die Vorstadt jenseits der Moskwa, rollten einst Wagenzüge mit Getreide heran, auf der Landstraße aus Jaroslawl brachte man Geflügel und Holz, aus Moshaisk kamen Kaufleute dreispännig angefahren. Sieh dich aber heute um: Von zwei Wagen nur sind die Bastmatten abgenommen, und der Händler hält faules Fleisch feil. Die Hälfte der Läden ist zugenagelt. In den Vorstädten aber und jenseits der Moskwa ist alles leer und wüst. Von den Strelitzenhäusern sind sogar die Dächer abgerissen.

Auch in den Kirchen wird es immer leerer. Viel Volk hat sich vom Glauben abgewandt; die rechtgläubigen Popen haben sich ja von den Fleischtöpfen verlocken lassen. Sie halten jetzt zu denen, die den ganzen Winter in Moskau geköpft und gehängt haben. In so mancher Kirche wartet der Pope mit der Messe; mit emporgestrecktem Bart schreit er zum Glöckner hinauf: „Läute die große Glocke, du Schafskopf, zieh stärker..." Doch alles Läuten hilft nichts, das Volk geht an der Kirche vorbei, will sich nicht mit drei Fingern bekreuzigen. Die Altgläubigen lehren: „Drei Finger sind ein schamloses Zeichen, spreizet zwei Finger und stecket den Daumen hindurch. Man weiß ja, wer lehrt, sich mit diesem schamlosen Zeichen zu bekreuzigen."

In den Straßen wurde es nun immer lebhafter: Bojarengesinde, Müßiggänger, allerhand Leutchen, die sich die Nacht um die Ohren geschlagen hatten, obdachlose Strolche kamen des Wegs. Viele drängten sich vor der Schenke und warteten, bis sie geöffnet würde, schnupperten: Es roch nach Knoblauch und Pasteten. Vom andern Ufer der Neglinnaja kamen Schlittenzüge mit Pulver, gußeisernen Kanonenkugeln, Hanf und Eisen. Auf der holprigen Bahn ins Schlittern geratend, glitten sie die Böschung zum Moskwa-Fluß hinab und schlugen die Landstraße nach Woronesh ein. Berittene Dragoner in neuen Halbpelzen, fremdländische Hüte auf dem Kopf, schnauzbärtig, als seien sie keine Russen, fluchten gräßlich und drohten den Fuhrleuten mit den Reitpeitschen. Das Volk murrte: „Die Deutschen hetzen unseren Zaren zu einem neuen Krieg auf. Der hat in Woronesh bei den Deutschen und den deutschen Weibern sein Volk und seinen Glauben vollends vergessen!"

Die Tür der Schenke öffnete sich. Auf der Schwelle zeigte sich der allen bekannte Schankwirt. Die Leute standen wie erstarrt, keiner lachte, alle begriffen, welches Unglück ihm widerfahren war: Das Gesicht des Schankwirts war nackt; gestern hatte man ihm auf dem Landamt, wie es der Ukas befahl, den Bart abgenommen. Er kniff die Lippen zusammen, als weine er, warf einen Blick auf die fünf niedrigen Kirchenkuppeln, bekreuzigte sich und sagte mürrisch: „Tretet ein..."

Schräg gegenüber, am Kirchenportal, sprang der Blöde, das Stück Fleisch zwischen den Zähnen, wie ein Hund hin und her. Weiber und Männer kamen angelaufen und starrten ihn staunend an. Glücklich das Gotteshaus, das sich ein Blöder erkoren. Aber heutzutage konnte so etwas auch gefährlich werden. Im Sprengel der alten Pimen-Kirche hatte genau so ein Blöder gelebt, für den man dort sorgte; eines Tages hatte er in der Kirche den Ambo betreten, die Finger wie Hörner an den Kopf gehalten und kreischend vor allem Volk geschrien: „Betet mich an! Oder habt ihr *mich* nicht erkannt?..." Soldaten hatten den Blöden samt dem Popen und dem Diakon festgenommen und aufs Preobrashenski-Amt zum Fürst-Cäsar Fjodor Jurjewitsch Romodanowski gebracht.

Plötzlich erscholl Geschrei: „Aus dem Weg, aus dem Weg!", und über der Menge tauchten mit roten Federn geschmückte Hüte, Perücken und rasierte Schnauzen auf: Vorreiter auf

Beipferden. Das Volk drückte sich an die Zäune, suchte auf Schneehaufen Zuflucht. Ein vergoldeter geschlossener Schlitten mit Glasfenstern sauste vorüber. Steif wie eine Holzpuppe saß darin ein geschminktes Frauenzimmer, ein mit Diamanten besetztes Filzhütchen auf dem hochgekämmten, mit Bändern geschmückten Haar, die Hände bis an die Ellbogen in einem Zobelsack. Alle erkannten das Mensch, die Zarin von Kukui, Anna Mons. Sie fuhr nach den Handelsreihen. Dort eilten schon die Krämer geschäftig hin und her, liefen ihr entgegen und schleppten Seide und Samt an den Schlitten.

Die rechtmäßige Zarin aber, Jewdokija Fjodorowna, war in diesem Herbst, als der erste Schnee fiel, in einem einfachen Schlitten nach Susdal ins Kloster gebracht worden, für immer – dort konnte sie ihr Los beweinen...

2

"Brüder, liebe Leute, zahlt mir ein Gläschen... Bei Gott, schwer ist mir ums Herz... Mein Taufkreuz hab ich gestern vertrunken..."

"Wer bist du denn?"

"Ein Ikonenmaler aus Palech, von alters her arbeiten wir dort. Aber heutzutage kann man dabei verhungern..."

"Wie heißt du?"

"Andrjuschka."

Der Mann hatte weder Mütze noch Hemd, nichts als Fetzen am Leibe. Glühende Augen, ein schmales Gesicht. Er schien jedoch höflich zu sein, war gesittet an den Tisch getreten, an dem Gäste beim Schnaps saßen. So einen konnte man nicht leichten Herzens abweisen.

"Schon gut, setz dich zu uns..."

Sie schenkten ihm ein. Nahmen ihr Gespräch wieder auf. Ein überaus schlauer, schwachsichtiger Bauer mit magerem Hals erzählte: "Hat man die Strelitzen hingerichtet – nun gut, das ist des Zaren Sache." Er hob seinen krummen Finger. "Uns geht das nichts an... Aber..."

Ein rundlicher Vorstadtkrämer im Strelitzenrock – viele trugen jetzt alte Strelitzenröcke und -kappen, gaben doch die Strelitzenweiber den Plunder unter Tränen fast um nichts weg – klopfte mit den Fingernägeln gegen den Zinnbecher. „Das ist es grade, dieses ‚Aber'... Das ist es grade!..."

Der schlaue Bauer winkte ihm mit dem Finger ab. „Wir auf dem Lande halten uns still. Bloß bei euch in Moskau wird gleich Sturm geläutet... Es wird schon seinen Grund gehabt haben, daß man die Strelitzen an den Mauern aufgehängt, dem Volk einen Schrecken eingejagt hat. Nicht darum geht es, Krämer... Ihr wundert euch, meine Lieben, warum nichts nach Moskau gebracht wird? Da könnt ihr lange warten. Es wird noch ärger kommen... Heute zum Beispiel, da lachen ja die Hühner... Ich hab ein Fäßchen gesalzene Fische nach Moskau gebracht. Habe sie fürs eigene Haus eingesalzen, aber sie fingen an zu riechen. Ich fuhr auf den Markt und dachte mir, womöglich setzt es noch Prügel für eine so stinkige Ware – doch in ein, zwei Stunden war alles weg... Nein, Moskau ist jetzt ein verlorener Ort..."

„Ach, wie recht du hast!" seufzte der Ikonenmaler.

Der Bauer warf einen Blick auf ihn und meinte sachlich: „Da heißt es im Ukas: Bis Fastnacht sind die Strelitzen von den Mauern abzunehmen und vor die Stadt zu schaffen. Dabei sind's an achttausend. Schön. Und wo nimmt man die Schlitten und Pferde her? Wieder muß also der Bauer herhalten? Und wozu sind die Vorstädte da? Sollen sie doch die Vorstädte zu Spanndiensten heranziehen."

Die feisten Backen des Vorstadtkrämers bebten. Er schüttelte vorwurfsvoll den Kopf und wandte sich an den Bauern.

„Was redest du da, Bauer... Hättest den Winter über Tag für Tag an den Mauern vorübergehen sollen... Wenn der Schneesturm tobt und die Leichen im Wind schaukeln... Wir haben an diesem Schrecken genug..."

„Selbstverständlich wäre es leichter gewesen, sie gleich zu beerdigen", sagte der Bauer. „Am Sonntag nach Fastnacht haben wir ganze achtzehn Schlitten mit Waren in die Stadt gebracht, waren eben dabei, die Bastmatten abzunehmen, als die Soldaten über uns herfielen: ‚Rasch ausgeladen!' – ‚Wieso? Warum?' – ‚Halt den Mund!' Sie bedrohten uns mit ihren Säbeln und kippten die Schlitten um. Ein Faß eingemachter Pilze hatte ich mitgebracht – umgestürzt haben sie es, die Satanskerle. ‚Vorwärts!' schrien sie. ‚Zum Warwarskije-Tor.' Am Warwarskije-Tor aber lagen an die dreihundert Strelitzen aufgeschichtet. ‚Lade sie auf den Schlitten, du Schweinehund ...' Ohne zu essen und zu trinken, ohne die Pferde zu füttern, haben wir bis tief in die Nacht hinein Leichen fahren müssen. Als wir ins Dorf zurückkamen, schämten wir uns, den Leuten in die Augen zu sehen."

An den Tisch trat ein Unbekannter. Krachend stellte er eine vierkantige Schnapsflasche auf den Tisch.

„Die Dummen sind ja dazu da, um Lasten zu schleppen", sagte er und nahm ungezwungen am Tisch Platz. Schenkte allen aus der Flasche ein, zwinkerte den Zechern zu. „Zum Wohle!" Ohne sich den Schnurrbart zu wischen, begann er, eine Knoblauchzehe zu kauen. Wind und Wetter hatten sein Gesicht gegerbt, es glühte, der graugesprenkelte Bart war leicht gelockt.

Der schwachsichtige Bauer nahm behutsam das ihm gereichte Gläschen.

„Dumm nennt man den Bauern, dumm, aber weißt du, der Bauer kennt sich aus ..." Er wog das Gläschen in der Hand, trank es aus und schmatzte befriedigt. „Nein, meine Lieben ..." Er langte nach dem Knoblauch. „Habt ihr heute morgen den Schlittenzug nach Woronesh gesehen? Drei Felle zieht man den Bauern ab. Zahl Zins, zahl Gülten, zahl deinem Herrn Futtergeld, zahl dem Schatzamt Steuern, zahl Straßengeld, und kommst du auf den Markt, dann heißt es wieder zahlen ..."

Der Mann mit dem graugesprenkelten Bart riß den Mund auf, daß man seine großen Zähne sah, und lachte. Der Bauer stockte und zog die Luft durch die Nase ein.

„Schön. Und jetzt sollen wir noch Pferde für des Zaren Kriegstroß stellen. Auch Zwieback verlangt man von uns ... Nein, meine Lieben! Seht euch doch mal in den Dörfern um und zählt, wieviel Höfe noch bewohnt sind. Und wo sind die übrigen? Die könnt ihr suchen. Heut sind fast alle drauf und dran, sich aus dem Staube zu machen. Der Bauer ist dumm, solange er satt ist. Zieht ihr ihm aber sein Letztes unter dem Hintern weg..." – er zupfte sich am Bart und verneigte sich –, „dann nimmt er ein Paar neue Bastschuhe und macht sich auf den Weg – wohin es ihn gelüstet!"

„Nach Norden... An die Seen... In die Einöde..." Der Ikonenmaler rückte an ihn heran und blitzte ihn mit seinen dunklen Augen an.

Der Bauer stieß ihn zurück. „Still, du!"

Der Vorstadtkrämer sah sich um, beugte sich über den Tisch und flüsterte: „Kinder, das stimmt, viele fliehen vor Angst an den Belo-See, an den Wol-See, an den Matka-See, an den Wyg-See... Dort ist es still." Seine gedunsenen Wangen zuckten. „Nur die werden am Leben bleiben, die flüchten..."

Die schwarzen Pupillen des Ikonenmalers weiteten sich, er wandte sich bald dem einen, bald dem anderen Zecher zu.

„Er hat recht... Wir haben in Palech zu den großen Fasten sechshundert Ikonen gemalt... Im Vergleich zu den früheren Jahren ist's wenig. Heuer haben wir in Moskau keine einzige verkauft. Nichts als Klagen und Zetern hört man in Palech. Wie kommt das? Wir malen mit hellen Farben, den Namen Jesu schreiben wir mit zwei ‚I'.* Die segnende Hand stellen wir mit drei Fingern dar. Und das Kreuz auf unseren Bildern hat drei Querbalken. Alles, wie es die rechtgläubige Kirche verlangt. Begreift ihr nun? Unsere Abnehmer aber sind die Kaufleute aus den Handelsreihen. Korsinkin, Djatschkow, Wikulin. Die sagen uns: ‚So dürft ihr nicht malen. Diese Bilder müßt ihr verbrennen, sie sind ketzerisch: Man sieht die Pfote...' – ‚Was für eine Pfote?'" Der Ikonenmaler schluchzte kurz auf. Der Vorstadtkrämer klapperte, tief über den Tisch gebeugt, mit den Zähnen. „‚Ja', sagen sie, ‚die Spur *seiner* Pfote. Habt ihr mal eine Vogelspur auf dem Boden gesehen, vier Striche?... Und auf euren Heiligenbildern seht ihr das gleiche...' – ‚Wo denn?' – ‚Und das Kreuz? Merkt ihr nun was? Solche Ware bringt uns nicht nach Moskau. Jetzt hat es ganz Moskau begriffen, woher der Gestank kommt...'".

Der Bauer blinzelte – es war schwer zu sagen, ob ihn die Worte überzeugt hatten oder nicht. Der Mann mit dem ge-

* Die nikonianische Schreibweise ist „Iissus", die alte „Issus".

sprenkelten Bart kaute mit spöttischem Lächeln am Knoblauch. Der Vorstadtkrämer nickte zustimmend.

Plötzlich schob er, sich umsehend, die Lippen vor und flüsterte: „Und der Tobak? Wo steht es geschrieben, daß der Mensch Rauch schlucken soll? Denkt daran, wer es ist, aus dessen Rachen der Rauch quillt. Was sagt ihr da? Für achtundvierzigtausend Rubel sind alle Städte und ganz Sibirien dem Engländer Carmarthenow in Pacht gegeben, daß er dort Tobak verkaufe. Und ein Ukas schreibt vor, die Leute sollen dieses Höllenkraut Nikotiana rauchen ... Wer hat dabei die Hand im Spiel? Und der Tee, und der Kaffee? Und die Kartoffel, dieses gottverfluchte Gewächs! Des Antichrist Geilheit ist die Kartoffel! All dieses Giftkraut kommt aus den überseeischen Ländern, und bei uns handeln damit die Lutherischen und die Katholischen. Wer Tee trinkt, ist des Teufels Knecht. Wer Kaffee trinkt, der ist Kaiphas' Bruder ... Pfui Deibel, lieber verrecke ich, ehe ich so was in meinem Laden feilhalte ..."

„Womit handelst du denn?" fragte ihn der Graugesprenkelte.

„Was ist das schon für ein Handel heutzutage! Die Deutschen handeln, und wir haben das Zusehen. Hast du den Owsej Rshow und seinen Bruder Konstantin gekannt? Strelitzen aus dem Regiment Hundertmark. Mein Laden ist dicht bei der Badeanstalt, die ihnen gehörte. Solche Leute gibt es heutzutage nicht mehr. Beide hat man aufs Rad geflochten. Wie oft hat der Owsej gesagt: ‚Das ist die Strafe dafür, daß wir damals, Anno zwoundachtzig, im Kreml auf die frommen Alten nicht gehört haben. Wir Strelitzen hätten damals alle zum alten Glauben stehen müssen. Keinen einzigen Ausländer würde es jetzt in Moskau geben, der Glaube wäre wieder stark, und das Volk würde satt und zufrieden sein. Und jetzt wissen wir nicht einmal, wie wir unsere Seele retten sollen ...' Solche gerechten Menschen haben den ganzen Winter über an den Mauern im Winde geschaukelt. Jetzt, wo keine Strelitzen mehr da sind, kann man mit uns ungestraft umspringen, wie man will. Uns allen wird man den Bart abnehmen, uns alle noch zwingen, Kaffee zu trinken. Ihr werdet's sehen ..."

„Haben wir das letzte Stück Brot aufgezehrt, ziehen wir im Frühjahr alle davon", sagte der Bauer entschieden.

„Brüder!" Sehnsüchtig starrte der Ikonenmaler durchs nasse Fenster. „Brüder, im Norden warten unser wunderbare Wildnis, ruhige Zufluchtsstätten, ein Leben ohne Unruhe..."

In der Schenke wurde es immer lauter und schwüler, immer öfter wurde die mit einer Bastmatte bespannte Tür aufgestoßen und krachend zugeschlagen. Betrunkene stritten sich, am Schanktisch stand ein bis an die Hüften nackter Mann, ohne Kreuz um den Hals, und flehte den Wirt an, ihm ein Gläschen Schnaps auf Borg zu geben. Ein anderer wurde an den Haaren in den Flur gezerrt und dort – wohl nicht unverdient – mit wüstem Geschrei jämmerlich verprügelt.

Am Tisch blieb ein Bettler stehen. Sein Rücken war so gekrümmt, als hätte man ihn zusammengeklappt. Auf zwei Krückstöcke gestützt, lächelte er, und sein Gesicht verzog sich in tausend freundliche Fältchen. Der Mann mit dem graugesprenkelten Bart warf einen Blick auf ihn und runzelte die Brauen.

Der Krumme sagte: „Woher des Flugs, mein Falke?"

„Von hier ist's nicht zu sehen. Mach, daß du weiterkommst, was willst du hier?"

„Nosch egnal mov nod?"* fragte rasch mit halblauter Stimme der Krumme.

„Geh, hier kennt man mich..."

Der Krumme fragte nicht weiter, schob sein schütteres Bärtchen vor und stapfte auf seinen Krückstöcken durch die Schenke.

Der Vorstadtkrämer fragte erschrocken: „Wer ist denn das?"

„Ein Wandersmann von der Waisenstraße", antwortete der Gesprenkelte schroff.

„Was war das für eine Sprache, in der er dich angeredet hat?"

„Die Vogelsprache."

„Er schien dich zu kennen, Freundchen..."

„Frag weniger, und du wirst klüger sein..." Der Gesprenkelte strich die Krumen aus dem Bart und legte seine großen

---

* Rotwelsch, dessen sich die Hausierer aus Wladimir, die Sektierer, zuweilen auch Straßenräuber bedienten. Die Worte wurden von hinten nach vorn gesprochen. (Anm. d. Verf.)

Hände auf den Tisch. „Also höre ... Ich komme vom Don, bin in Geschäften hier."

Der Krämer rückte rasch näher und blinzelte. „Was kaufst du denn?"

„Schießpulver; ich brauche etwa zehn Faß. Ein halb Hundert Pud Blei. Gutes Tuch für Schnürröcke. Eisen, um Hufe zu beschlagen, und Nägel. Geld habe ich genug."

„Gutes Tuch und Eisen läßt sich beschaffen. Mit Blei und Pulver wird's schwerfallen: woanders als beim Fiskus ist nichts aufzutreiben."

„Das ist es ja gerade, mußt eben zusehen, es anderswo zu bekommen."

„Ich hätte schon einen bekannten Amtsschreiber. Dem muß man aber was zustecken."

„Das versteht sich von selbst ..."

Der Krämer hakte hastig seinen Halbpelz zu und sagte, er wolle sich Mühe geben, den Amtsschreiber würde er sofort holen, und lief davon. Der Bauer bekam Lust, sich an dem Geschäft zu beteiligen. Er runzelte die Stirn und räusperte sich.

„Lammwolle hab ich, vielleicht brauchst du Leder, lieber Freund? Sieh einer an, fünfzig Pud Blei. Ihr Kosaken wollt wohl Krieg führen?"

„Nein, Wachteln schießen."

Der Gesprenkelte wandte sich ab. Der Krumme mit den Krückstöcken näherte sich wieder. Die Mütze mit den Almosen in der Hand, setzte er sich neben ihn und sagte, ohne ihn anzusehen: „Guten Tag, Iwan ..."

„Guten Tag, Owdokim", erwiderte der Gesprenkelte und sah ebenfalls an ihm vorbei.

„Wir haben uns lange nicht gesehen, Ataman ..."

„Schlägst dich wohl mit Betteln durch?"

„Siech und schwach bin ich. Den Sommer über habe ich mich in den Wäldern umhergetrieben, bin aber zu alt dazu. Hab es satt – es ist Zeit, ans Sterben zu denken ..."

„Wart noch ein Weilchen ..."

„Warum denn, ist vielleicht etwas Gutes zu erwarten?"

Mit einem spöttischen Lächeln starrte Iwan durch den Qualm auf die Betrunkenen. Seine Augen blickten kühl. Leise, nur den Mundwinkel bewegend, sagte er: „Wir bereiten am Don einen Aufstand vor."

Owdokim beugte sich über seine Mütze und überzählte die Kupfermünzen.

„Ich weiß nicht recht", meinte er, „hab aber läuten hören, die Donkosaken seien still und friedlich geworden, sitzen auf ihren Gehöften und mehren ihre Habe..."

„Viel Volk ist zu uns geflüchtet, verwegene Burschen. Die werden losschlagen, und die Kosaken kommen ihnen dann zu Hilfe... Versagen sie uns aber ihre Hilfe, dann ist alles eins, dann heißt es entweder fortziehen, nach der Türkei, oder als Hörige auf ewig Moskau untertan sein... Damals, vor Asow, haben wir dem Zaren beigestanden, jetzt läßt er das ganze Dongebiet seine Faust fühlen. Die Flüchtigen hat er auszuliefern befohlen. Popen haben sie uns aus Moskau geschickt, um den alten Glauben auszurotten. Vorbei ist es mit dem stillen Don..."

„Für so ein Unternehmen ist ein großer Mann vonnöten", bemerkte Owdokim, „es könnte sonst so enden wie damals unter Stepan..."*

„Einen Mann hätten wir schon – der wird seinen Kopf nicht so leichtsinnig zu Markte tragen wie Stepan, ein richtiger Führer ist das. Alle Altgläubigen werden sich auf seinen Ruf erheben..."

„Du hast mich um meine Ruhe gebracht, Iwan, verlockt hast du mich, Iwan, und ich war schon drauf und dran, mich ins friedliche Leben zurückzuziehen."

„Komm im Frühjahr zu uns. Wir brauchen die alten Atamane. Wir werden kräftiger dreinfahren als unter Stepan..."

„Schwerlich, schwerlich. Wie viele sind denn von uns nach jenem Blutbad übriggeblieben? Vielleicht nur du und ich..."

Atemlos kam der Krämer zurück und zwinkerte vielsagend. Ihm folgte gemessenen Schritts ein kahlköpfiger Amtsschreiber in einem braunen deutschen Rock mit Messingknöpfen und abgetragenen Filzstiefeln. Im Knopfloch an der Brust steckte ein Gänsekiel. Ohne Gruß setzte er sich mit verächtlicher Miene an den Tisch. Das Gesicht voller Gier, die Augen

* Das heißt: unter Stepan (Stenka) Rasin. (Anm. d. Verf.)

trüb, wahre Antichristaugen, die Nasenflügel gebläht, daß man bis tief in das Innere der Nase sehen konnte.

Der Krämer flüsterte ihm, ohne sich an den Tisch zu setzen, von hinten ins Ohr: „Kusma Jegorytsch, das ist der Mann, der..."

„Plinsen", sagte mit gepreßter Stimme der Amtsschreiber, ohne ihn zu beachten, „Plinsen mit Fischbauch..."

3

Fürst Roman, des Fürsten Boris Sohn, aus dem Geschlecht der Buinossow, im vertrauten Kreis Roman Borissowitsch genannt, saß nur mit Hemd und Unterhose bekleidet auf dem Bettrand und kratzte sich ächzend Brust und Achselhöhlen. Aus alter Gewohnheit griff er nach dem Bart, zog aber rasch die Hand zurück; alles kahl, stachelig, widerlich. „Ua-cha-cha-cha-a-a...", gähnte er, den Blick auf das kleine Fenster gerichtet. Trübe und langweilig graute der Tag.

In früheren Jahren hätte Roman Borissowitsch um diese Zeit bereits den Marderpelz angelegt, hätte würdevoll die Bibermütze tief in die Stirn geschoben und wäre, den langen Stab in der Hand, über die knarrenden Bohlen auf die Freitreppe hinausgetreten. Wohl anderthalbhundert Knechte warteten seiner im Hof; einige hielten die Pferde vor dem geschlossenen Schlitten, andere liefen zum Tor. Forsch zogen sie die Mützen und verbeugten sich, daß der Oberleib nur so hinunterschnellte, die aber, die näher standen, küßten dem Bojaren die Füße. Den Fürsten unter die Arme fassend und ihn stützend, setzten sie ihn in den Schlitten. Jeden Morgen, bei jedem Wetter, fuhr Roman Borissowitsch in den Palast, um zu warten, bis sich des Zaren klare Augen – und darauf die strahlenden Augen der Zarewna – ihm zuwenden würden. Und so manches Mal war es ihm geglückt, diesen Blick zu erhaschen...

Alles vorbei! Erwacht man morgens: Mein Gott, war es denn wirklich vorbei? Einfach nicht zu glauben. Einst hatte er ein geruhsames Leben geführt, hatte Ansehen genossen... Da hängt sie an der Bretterwand, an der nichts hängen sollte, die

um teuflischer Verführung willen gemalte schamlose holländische Dirne mit hochgeschürztem Rock. Der Zar hatte befohlen, sie im Schlafgemach aufzuhängen, vielleicht zum Hohn, vielleicht zur Strafe. Man mußte sich fügen...
Fürst Roman Borissowitsch blickte mürrisch auf die Kleidung, die so, wie er sie gestern abend hingeworfen hatte, auf der Bank lag: die quergestreiften wollenen Weiberstrümpfe, die kurzen Hosen, vorn und hinten zu eng, der grüne, wie Blech steife Rock mit Posamenten. Am Nagel die schwarze Perücke, aus der der Staub selbst mit Stöcken nicht auszuklopfen war. Wozu das alles?

„Mischka!" rief der Bojar mißmutig. Durch die niedrige, mit rotem Tuch bespannte Tür stürzte ein wendiges Bürschlein in langem russischem Hemd ins Gemach. Er verbeugte sich und warf das Haar zurück. „Mischka, ich will mich waschen." Das Bürschlein nahm ein Kupferbecken und einen Krug mit Wasser. „Halt doch das Becken ordentlich... Gieß mir Wasser über die Hände..."

Roman Borissowitsch prustete mehr in die hohlen Hände, als daß er sich wusch – widerlich war es, so etwas Kahles, Stachliges zu waschen. Brummend setzte er sich aufs Bett, um die Hosen anzuziehen. Mischka hielt ihm ein Tellerchen mit Kreide und ein reines Läppchen hin.

„Was soll das?" rief Roman Borissowitsch.

„Zum Zähneputzen."

„Weg damit!"

„Ganz wie es Ihnen beliebt... Als Seine Majestät der Zar kürzlich angeordnet hat, man solle sich die Zähne putzen, hat mir die Bojarin befohlen, Ihnen jeden Morgen die Kreide zu reichen..."

„Kriegst gleich den Teller in die Fresse, du redest mir zuviel."

„Ganz wie es Ihnen beliebt..."

Nachdem Roman Borissowitsch sich angekleidet hatte, machte er einige Bewegungen – wie das drückte, wie eng, wie steif das war! Wozu nur? Aber es war streng befohlen: Der Adel hat im Dienst in deutscher Tracht und mit Allongeperücke zu erscheinen. Man mußte sich fügen! Er nahm die

Perücke vom Nagel – wer weiß, von welchem Weibsbild die Haare stammen mochten – und stülpte sie voller Abscheu auf. Mischka, der versuchte, die fest gewickelten Locken zu ordnen, bekam eins auf die Hand. Dann trat der Fürst in den Flur, wo im Ofen knisternd das Feuer brannte. Von unten, aus der Küche, wohin eine steile Treppe hinabführte, roch es nach etwas Bitterem, Angebranntem...

„Mischka, wonach stinkt es so? Wird wohl wieder Kaffee gekocht?"

„Seine Majestät der Zar hat der Bojarin und den jungen Bojarinnen befohlen, morgens Kaffee zu trinken, darum kochen wir ihn auch..."

„Weiß ich. Grinse nicht so unverschämt."

„Ganz wie es Ihnen beliebt..."

Mischka öffnete die mit Stoff bespannte Tür in den Saal. Roman Borissowitsch bekreuzigte sich andächtig und trat ans Betpult. Auf einer samtenen Decke lag das aufgeschlagene, wachsbetropfte Horologium. Er nahm die Schnuppen von der Kerze ab. Setzte die eiserne Brille mit den runden Gläsern auf. Benetzte den Finger, wandte die Seite um und versank in Gedanken, den Blick in die Ecke gerichtet, wo die Silberbeschläge der Heiligenbilder matt schimmerten – nur ein einziges grünliches Flämmchen brannte vor dem Bild des Wundertäters Nikolaus.

Grund genug hatte er ja, sich Gedanken zu machen. Wenn es so weitergeht, droht allen alten Geschlechtern, Fürsten und Adel, Ruin, von Unbill und Schimpf ganz zu schweigen. So, den Adel wollen sie ausrotten! Versucht's nur... Unter Iwan Grosny hat man's schon versucht, die fürstlichen Häuser auszurotten... Aufruhr und Wirren waren die Folge... Auch heutigentags wird es mit einem Aufstand enden... Das Rückgrat des Staates sind wir... Richtet man uns zugrunde, so bricht auch der Staat zusammen, das Leben wird zweck- und ziellos... Willst du vielleicht über Hörige herrschen, Zar?... Blödsinn!... Jung ist er noch, hat noch nicht genügend Verstand, und selbst den hat er wohl in Kukui versoffen...

Roman Borissowitsch schob die Brille zurecht und machte sich ans Lesen; er las mit näselnder Stimme, wie es der Brauch verlangte. Seine Gedanken jedoch schweiften irgendwo weitab von den Worten des Buches...

Fünfzig Knechte hat man zur Armee einberufen... Fünfhundert Rubel habe ich für den Bau der Woronesher Flotte hergeben müssen... Auf dem Gut bei Woronesh haben sie mir das Getreide fast umsonst abgenommen, sämtliche Speicher haben sie ausgeräumt. Drei Weizenernten hatte ich dort liegen, hab gewartet, bis die Preise steigen würden... Vor aufsteigendem Zorn verspürte er Bitterkeit im Munde. Jetzt, heißt es, sollen alle Klostergüter eingezogen werden, alle Einkünfte dem Fiskus zufallen... Zehn Faß Pökelfleisch soll ich noch liefern... Ach, du mein Gott, was wollen sie nur mit dem Pökelfleisch anfangen?...

Er las weiter. Hinter der in Blei gefaßten Glimmerscheibe dämmerte grünlich der Morgen. Kniend und mit der Stirn den Boden berührend, verrichtete Mischka an der Türschwelle sein Morgengebet.

In der Fastnachtswoche hat man den alten Geschlechtern Schimpf und Schmach angetan! Wohl dreihundert Vermummte sind in die Häuser eingedrungen, um Mitternacht, manchmal noch später. Grauenhaft! Die Gesichter mit Ruß beschmiert. Besoffen. Nicht zu erkennen, wer von ihnen der Zar ist. Fraßen sich voll, besoffen sich, bekotzten alles, zerrissen den Mägden die Röcke. Meckerten wie Böcke, krähten wie Hähne, schnatterten wie Enten...

Roman Borissowitsch trat von einem Fuß auf den anderen – ihm fiel ein, wie man ihm zu Fastnacht, nachdem man ihm so viel Wein eingeflößt hatte, daß er ganz starr war, die Hosen auszog und ihn in einen Korb mit Eiern setzte. Das ist doch kein Spaß mehr! Seine Frau hatte es gesehen, Mischka hatte es gesehen... Ach, du mein Gott! Wozu nur? Wozu das alles?

Roman Borissowitsch sann angestrengt: Was mochte die Ursache all dieses Unheils sein? War es vielleicht die Strafe für die Sünden? In Moskau tuschelte man, der Versucher sei gekommen. Die Katholischen und Lutherischen seien seine Diener, die fremdländischen Waren trügen alle des Antichrist Siegel. Das Ende der Welt sei da.

Mit kupferrotem, verzerrtem Gesicht starrte Roman Borissowitsch auf das Flämmchen der Kerze. Zweifel stiegen in ihm auf: Unmöglich. Der Herr wird es nicht zulassen, daß der russische Adel zugrunde geht. Warten und dulden heißt es. Ach, du mein Gott ...

Nach beendetem Gebet setzte er sich unter der Wölbung am Fenster an den mit einem Teppich bedeckten Tisch. Schlug ein dickleibiges Heft auf, in dem verzeichnet war, wer Geld entliehen hatte, von wem die Schuld eingetrieben worden war, welches Dorf seine Abgaben in bar oder in Getreide oder in Lebensmitteln entrichtet hatte. Langsam blätterte er eine Seite nach der anderen um und bewegte dabei die rasierten Lippen.

In der Tür zeigte sich Senka, der um seines scharfen Verstandes und der Härte willen, mit der er das Gesinde behandelte, aus einem Hörigen zum Verwalter gemacht worden war. Er war der reine Kettenhund: Bis auf den letzten Groschen preßte er aus den Leuten heraus, was dem Bojaren zukam. Er stahl natürlich, aber mit Maß und Bedacht, und gab nie zu, daß er seinen Herrn bestehle, mochte man ihm selbst das Messer an die Kehle setzen. So manches Mal hatte ihn Roman Borissowitsch an dem üppigen Bart gepackt, der seine feisten Wangen bedeckte, hatte ihn durchs Zimmer geschleift und mit dem Kopf gegen die Wand gestoßen. „Du hast mich bestohlen, hast doch gestohlen, gestehe! ..." Senka sah mit seinen braunroten Augen, ohne mit der Wimper zu zucken, dem Bojaren ins Gesicht, als stände der Herrgott selber vor ihm. Erst wenn der Fürst abließ, ihn zu schlagen, hob er den Schoß seines Bauernkittels, schneuzte sich die weiche Nase und klagte unter Tränen: „Unrecht tust du, Roman Borissowitsch, deine Diener so zu schlagen. Gott mag dir verzeihen, ich bin in nichts vor dir schuldig..."

Senka also zwängte sich seitlings durch die halboffene Tür, bekreuzigte sich mit einem Blick auf das Bild des Wundertäters Nikolaus, verneigte sich vor dem Bojaren und fiel auf die Knie.

„Nun, Senka, was bringst du Gutes?"

„Alles, Gott sei Dank, in Ordnung, Roman Borissowitsch."

Senka schlug, immer noch kniend, die Augen zur Decke empor und machte sich daran, ausführlich zu berichten, von wem und wieviel am vorhergehenden Tage Geld eingegangen, woher und was gebracht worden war, wer seine Schuld noch nicht getilgt hatte. Zwei Bauern, Fedka und Koska, die mit den Zahlungen ständig im Rückstand waren, hatte er aus dem Dorf Iwankowo hergebracht und sie seit dem vorigen Abend im Hof stehen lassen, zur Bestrafung...

Roman Borissowitsch riß staunend den Mund auf – war's die Möglichkeit, daß die Leute nicht zahlen wollten? Sah im Heft nach: Fedka hatte im Vorjahr sechzig Rubel genommen – ein neues Haus wollte er sich zimmern, Pferdegeschirr und ein neues Pflugschar anschaffen, auch Saatgut brauchte er. Koska hatte siebenunddreißig Rubel und fünfzig Kopeken geliehen – wird wohl auch eine Lüge gewesen sein, daß er das Geld für die Wirtschaft brauchte.

„Ach, dieses Pack, ach, diese Gauner! Hast du wenigstens gesagt, daß sie eine ordentliche Tracht Prügel bekommen?"

„Seit gestern abend werden sie geprügelt", antwortete Senka, „jeder von zwei Knechten, schonungslos, wie ich befohlen habe. Nehmen Sie sich die Sache nicht zu Herzen, Roman Borissowitsch, Väterchen; sollten Fedka und Koska ihre Schuld nicht bezahlen, so haben wir ja ihre Schuldscheine, dann machen wir sie eben auf zehn Jahre zu Hörigen. Wir brauchen Knechte..."

„Geld brauche ich und keine Knechte!" Roman Borissowitsch schleuderte den Gänsekiel auf den Tisch. „Knechten muß ich zu essen und zu trinken geben, und dann kommt der Zar und steckt sie noch unter die Soldaten..."

„Wenn Sie Geld brauchen, machen Sie es so wie Iwan Artemjitsch Browkin; der hat in der Vorstadt jenseits der Moskwa eine Leinweberei eingerichtet und liefert dem Fiskus Segeltuch. Seine Geldkatze will schier platzen..."

„Ja, hab's gehört. Wird wohl nichts als Gerede sein."

Browkins Weberei ließ Roman Borissowitsch schon lange keine Ruhe, Senka brachte fast jeden Tag die Rede darauf; man merkte gleich, daß er bei diesem Unternehmen einen schönen Batzen beiseite zu bringen hoffte. Nein, Naryschkin, Lew Kirillowitsch – des Zaren Oheim –, der versteht es besser: Er gibt sein Geld einem Holländer, van der Viek in der Deutschen Siedlung, der schickt es nach Amsterdam auf die Börse gegen Zins, so daß Naryschkin jedes Jahr allein sechshundert Rubel Zinsen für seine zehntausend Rubel bekommt. Sechshundert Rubel, ohne einen Finger zu rühren!

„Unsere Großväter führten ein geruhsames Leben, wußten nicht, was Sorgen sind", sagte Roman Borissowitsch. „Dabei war's um den Staat besser bestellt." Er zog den Schafpelz an, den ihm Senka hinhielt. „Wir saßen mit dem Zaren zusammen, und er ging mit uns zu Rate – das waren alle unsere Sorgen. Jetzt aber möchte man am liebsten des Morgens nicht aufwachen..."

Roman Borissowitsch schritt – treppauf, treppab – die kalten Gänge entlang. Auf seinem Wege öffnete er eine verquollene Tür; säuerlicher, heißer Dunst schlug ihm entgegen, im Hintergrund des Raumes unterschied er mit Mühe im Schein eines brennenden Kienspans vier Knechte – barfuß, im bloßen Hemd –, die Schafwolle walkten. „Nur zu, nur zu, arbeitet brav, vergeßt Gott nicht!" sagte Roman Borissowitsch. Die Knechte antworteten nichts.

Er ging weiter und öffnete die Tür zur Kammer, in der die Stickerinnen saßen. Etwa zwanzig Mägde und Mädchen sprangen von ihren Sitzen am Tisch und am Stickrahmen auf und verneigten sich tief vor ihm. Der Bojar rümpfte die Nase. „Na, eine Luft ist hier bei euch, Mädchen... Nur zu, arbeitet brav, vergeßt Gott nicht..."

Auch in die Schneiderwerkstatt und in die Gerberei, wo Häute in Kübeln mit Säure und Lohe lagen, warf Roman Borissowitsch einen Blick. Mürrisch dreinschauende Gerberknechte walkten die Häute mit den Händen. Senka zündete die Kerze in der runden, mit kleinen Lichtöffnungen versehenen Laterne an und nahm die schweren Vorhängeschlösser von den Kammern und Gelassen ab, in denen die Vorräte aufbewahrt wurden. Alles war in Ordnung. Roman Borissowitsch stieg in den zweiten Hof hinunter. Inzwischen war es hell geworden, Wolken bedeckten den Himmel. Am Brunnen wurden Schafe getränkt. Vom Tor bis zum Heuboden standen mit Heu beladene Wagen. Die Bauern nahmen die Mützen ab. „Hört, Bäuerlein, die Fuhren sind aber reichlich klein", rief Roman Borissowitsch.

Überall aus den baufälligen Hütten und Katen ohne Schornstein zog Rauch ab, ballte sich im Winde und hing schwer über dem Hof. Ringsum lagen in Haufen Asche und Mist. Gefrorene Wäsche knarrte an den Stricken. Vor dem Stall standen barhaupt, das Gesicht der Wand zugekehrt und gesenkten Kopfs von einem Fuß auf den anderen tretend, zwei Bauern. Beim Anblick des die Freitreppe hinabsteigenden Bojaren stürzten ein paar stämmige Knechte aus dem Stall, griffen nach den am Boden liegenden Knüppeln und ließen sie voller Eifer auf Gesäß und Schenkel der Bauern niedersausen.

„Mein Gott, wofür nur?" stöhnten Fedka und Koska.

„Recht so, recht so, sie haben's verdient, schlagt nur zu", ermunterte Roman Borissowitsch, auf der Treppe stehend, die Knechte.

Fedka, ein hochaufgeschossener, pockennarbiger Bauer mit rotem Gesicht, wandte sich um.

„Gnädigster Herr, Roman Borissowitsch, wir haben ja nichts ... Bei Gott, das letzte Korn haben wir schon vor Weihnachten aufgegessen. Nimm unser Vieh, wenn's schon sein muß, wer kann denn solche Schmerzen aushalten ..."

Senka wandte sich an Roman Borissowitsch. „Sein Vieh ist klein und mager ... Er lügt ... Wir könnten aber seine Tochter nehmen, die Hälfte seiner Schuld wäre dann getilgt. Den Rest kann er abarbeiten."

Roman Borissowitsch verzog das Gesicht und wandte sich ab. „Ich werd's mir überlegen. Heute abend sprechen wir darüber."

Hinter den Rauchschwaden, hinter den kahlen Bäumen erklang wehmütig eine Glocke. Über den rostigen Kuppeln stob ein Krähenschwarm empor. „Herr, vergib uns unsere Sünden", murmelte Roman Borissowitsch, warf noch einen Blick auf seine Wirtschaft und ging in den Speisesaal Kaffee trinken.

Fürstin Awdotja und die drei Prinzessinnen saßen am Ende des Tisches auf holländischen Klappstühlen. Die Brokatdecke vor ihnen war zurückgeschlagen, damit sie darauf keine Flekken machten. Die Fürstin trug eine russische weite Sommerjacke aus dunklem Samt, auf dem Kopf eine ausländische Haube, die Prinzessinnen deutsche Schleppkleider: Natalja ein pfirsichfarbenes, Olga ein gestreiftes grünes, die älteste, Antonida, ein Kleid von der Farbe „unvergeßliche Abendröte". Alle hatten das Haar hoch aufgesteckt und mit Mehl bestreut. Ihre prallen Backen waren geschminkt, die Brauen geschwärzt, die Handflächen rot gefärbt.

Früher war natürlich sowohl der Fürstin Awdotja als auch den Mädchen der Zutritt zum Speisesaal streng verwehrt gewesen – sie saßen in ihren Kemenaten am Fensterchen und stickten; zur Sommerzeit vergnügten sie sich im Garten auf der Schaukel. Eines Tages war der Zar mit seinen betrunkenen Kumpanen ins Haus gekommen. Auf der Schwelle des Speisesaals blieb er stehen und rollte schrecklich die Augen. „Wo sind die Töchter? An den Tisch mit ihnen..." Man lief nach ihnen. Entsetzen, Verwirrung, Tränen. Mehr tot als lebendig brachte man die drei dummen Trinen herbei. Der Zar tätschelte jeder das Kinn. „Kannst du tanzen?..." Wie sollten sie! Den Mädchen stürzten vor Scham die Tränen aus den Augen. „Müßt es ihnen beibringen. Zu Fastnacht müssen sie Menuett, Kontertanz und Polonäse tanzen können..." Er packte den Fürsten Roman am Rock und schüttelte ihn, durchaus nicht im Scherz. „Sorge für gute Manieren und Politesse im Haus, merk dir's!..." Die Mädchen wurden an den Tisch gesetzt, und man nötigte sie, Wein zu trinken. Und siehe da, einfach erstaunlich war es: Sie tranken, die Schamlosen. Bald darauf fingen sie an zu lachen, als ob auch das für sie nichts Neues wäre.

Es blieb nichts anderes übrig, als im Hause gute Manieren und „Politesse" einzuführen. Fürstin Awdotja staunte nur in ihrer Einfalt über alles, aber die Mädchen wurden im Handumdrehen keck, dreist und anspruchsvoll. Sie verlangten bald das eine, bald das andere. Sticken wollten sie nicht mehr. Saßen vom frühen Morgen an aufgedonnert da, amüsierten sich, tranken Tee und Kaffee.

Roman Borissowitsch trat in den Saal. Warf einen scheelen Blick auf die Töchter. Die neigten nur leicht den Kopf. Awdotja stand auf und verbeugte sich. „Guten Tag, Väterchen..."

Antonida zischte: „Setzen Sie sich, maman..." Roman Borissowitsch hätte nach der Morgenkühle gern einen Kräuterschnaps getrunken und etwas Knoblauch dazugenommen. Ein Schnäpschen würde man ihm vielleicht noch geben, aber an Knoblauch war nicht zu denken...

„Weiß nicht, hab keine rechte Lust auf Kaffee heute. Sollte ich mich vielleicht da draußen auf der Treppe verkühlt haben? Mutter, schenk mit einen Bitteren ein."

„Jeden Morgen, Papa, hört man von Ihnen nur eins: Schnaps", sagte Antonida. „Wann werden Sie sich bloß daran gewöhnen..."

„Schweig, du Stute", schrie Roman Borissowitsch, „oder ich nehme die Peitsche..."

Die Prinzessinnen rümpften die Nasen. Awdotja stellte nach altem Brauch mit einer Verbeugung das Glas vor den Fürsten und flüsterte ihm zu: „Iß nur dazu, Väterchen, nach Herzenslust..."

Er leerte das Glas und prustete befriedigt. Biß in eine Gurke, die Lauge tropfte ihm auf den Rock. Weder Sauerkraut mit Preiselbeeren auf dem Tisch noch kleingehackte, eingesalzene Pilze mit Zwiebeln. Ein kleines Pastetchen kauend, das – weiß der Teufel, womit – gefüllt war, fragte er nach dem Sohn: „Wo ist Mischka?"

„Er sitzt über seiner Arithmetik, Väterchen. Weiß wirklich nicht, wie sein Köpfchen das alles fassen soll..."

Die pockennarbige Olga, die besonders auf „Politesse" versessen war, sagte, die Lippen verziehend: „Mischka streicht den ganzen Tag über mit den Knechten herum. Gestern hat er wieder im Stall auf der Zupfgeige musiziert und Karten um Nasenstüber gespielt..."

„Er ist ja noch ein Kind", stöhnte Awdotja.

Eine Weile herrschte Schweigen. Natalja, die jüngste der Schwestern, ein lachlustiges, zappliges junges Ding, beugte sich zum Fenster, die Glimmerscheiben in dem Fensterrahmen waren vor kurzem durch Glasscheiben ersetzt worden. „Ach, ach, Mädchen! Gäste sind gekommen!"

Die Mädchen sprangen aufgeregt auf und schüttelten die erhobenen Hände, damit sie weiß würden. Die Hausmägde liefen herbei, um das schmutzige Geschirr abzuräumen und die Decke auf den Tisch zu breiten. Der Hofmeister – wie jetzt der ehemalige Hausverwalter genannt wurde –, ein alter gottesfürchtiger Diener, glattrasiert und prunkvoll herausstaffiert, als ginge es zum Mummenschanz, stieß den Stab auf den Boden und meldete, die Bojarin Wolkowa sei vorgefahren. Mißmutig stand Roman Borissowitsch vom Tisch auf, um den Besuch galant zu empfangen: den Hut zu schwenken, mit den Beinen auszuschlagen. Und wer war es denn, vor dem er, der Fürst Buinossow, diese Komödie spielen mußte! Diese Bojarin Wolkowa hatte man vor sieben Jahren noch Sanka genannt, mit dem zerfetzten Rocksaum hatte sie sich die Rotznase gewischt. Aus einem Bauernhofe, wie man ihn sich ärmer nicht denken konnte, stammte sie. Ihr Vater, Iwaschka Browkin, war ein höriger Bauer, der nicht einmal zum Hofgesinde gehörte. Von Rechts wegen wäre ihr Platz bis an ihr Lebensende am rauchigen Herd gewesen. Und jetzt, sieh da: Der Hofmeister meldet sie an. In vergüldeter Karosse kommt sie vorgefahren! Ihr Mann ist beim Zaren gut angeschrieben. Wolkow war der Sohn einer Base des Fürsten Roman. Der Satan mochte ihrem Vater geholfen haben, Kaufmann zu werden; jetzt sind ihm, heißt es, alle Lieferungen für die Armee übertragen.

Der Hofmeister riß die Tür auf, die nach altem Brauch niedrig und eng war, ein gelbrosa Kleid rauschte über die Schwelle. Die entblößten Schultern wiegend, den Kopf mit dem gleichmütigen, schönen Gesicht in den Nacken geworfen, trat die Bojarin Wolkowa mit gesenkten Wimpern ein. Blieb mitten im Saale stehen. Mit spitzen Fingern, an denen die Ringe funkelten, schürzte sie ihre gebauschten, mit Spitzen besetzten und mit Rosen bestickten Röcke, schob das Füßchen vor – ein Atlasschuhchen mit zwei Zoll hohem Absatz – und machte, nach allen Regeln der französischen Etikette, einen Knicks, ohne das vordere Knie zu beugen. Nach rechts und links neigte sie den gepuderten Kopf mit den Straußenfedern. Nach beendeter Reverenz schlug sie die blauen Augen auf und ließ lächelnd ihre weißen Zähne sehen.

„Bon jour, princesses!"

Die Buinossow-Mädchen verschlangen, ihrerseits mit den

Hintern in die Tiefe tauchend, den Gast gierig mit den Augen. Roman Borissowitsch nahm den Hut in die Hand und schwenkte ihn, Beine und Arme spreizend, hin und her.

Man bat die Bojarin, Platz zu nehmen und eine Tasse Kaffee zu trinken. Befragte sie nach dem Befinden ihrer Angehörigen und Hausgenossen. Die Mädchen musterten ihr Kleid und ihre Frisur.

„Ach, ach, die Coiffüre wird natürlich von Fischbein gehalten!"

„Und uns legt man Stäbchen und Lappen unter das Haar."

Sanka antwortete: „Ein Unglück ist es mit den Coifeuren. In ganz Moskau gibt es nur einen einzigen. Zu Fastnacht mußten die Damen eine Woche lang auf ihn warten, und denen, die sich beizeiten hatten frisieren lassen, blieb nichts anderes übrig, als auf einem Stuhl sitzend zu schlafen... Ich habe Vater gebeten, mir einen Coiffeur aus Amsterdam kommen zu lassen."

„Bestellen Sie dem werten Iwan Artemjitsch meinen Gruß", sagte der Fürst. „Wie steht's mit seiner Weberei? Ich habe schon lange die Absicht, sie mir anzusehen. Ein neues Unternehmen, ein interessantes Unternehmen..."

„Vater ist in Woronesh. Auch Wassja ist zur Zeit in Woronesh, im Gefolge des Zaren."

„Haben's gehört, haben's gehört, Alexandra Iwanowna."

„Wassja hat mir gestern geschrieben." Sanka griff mit zwei Fingern in das tief ausgeschnittene Mieder – Roman Borissowitsch blinzelte unwillkürlich: Die Frau wird sich doch nicht ganz entblößen – und zog ein hellblaues Brieflein hervor. „Wenn man nur meinen Wassja nicht nach Paris schickt!"

„Was schreibt er denn?" fragte, sich räuspernd, der Fürst. „Was berichtet er vom Zaren?"

Sanka entfaltete langsam das Brieflein, ihre Stirn legte sich in Falten, Wangen und Hals färbten sich rot. Dann flüsterte sie: „Es ist noch nicht lange her, daß ich lesen gelernt habe. Sie müssen mich schon entschuldigen..."

Mit dem Finger die fett hingekritzelten Zeilen mit den vielen Abkürzungszeichen und Schnörkeln entlanggleitend, begann sie zu lesen, wobei sie jedes Wort bedächtig aussprach: „Guten Tag, Saschenka, mein Augenlicht, wünsche Dir Wohlergehen auf lange Jahre. Von uns in Woronesh ist folgendes zu melden: Demnächst werden wir unsere Flotte auf dem Don vom Stapel lassen, und damit wäre unser Aufenthalt hier zu Ende. Ich will Dich nicht erschrecken, habe aber läuten hören, der Zar wolle mich zusammen mit Andrej Artamonowitsch Matwejew nach dem Haag und hierauf nach Paris schicken. Weiß nicht recht, wie ich mich dazu stellen soll; weit ist es, und mir bangt ein wenig davor. Wir alle sind, Gott sei gedankt, wohlauf. Herr Pieter läßt Dich grüßen; neulich gedachten wir Deiner bei der Abendtafel. Tag für Tag plagt und müht er sich ab. Arbeitet auf der Werft wie ein gemeiner Mann. Schmiedet selber Nägel und Klammern und kalfatert auch selber. Nicht einmal den Bart zu schaben haben wir Zeit, er läßt niemanden zu Atem kommen, hat die Leute fast zu Tode gehetzt. Doch die Flotte haben wir gebaut..."

Roman Borissowitsch trommelte mit den Fingernägeln auf den Tisch. „Tja... Selbstverständlich, die Flotte, tja... Schmiedet selber, kalfatert selber... Weiß eben nicht, wohin mit der Kraft..."

Sanka war mit dem Lesen zu Ende. Wischte sich leicht die Lippen. Sie faltete das Brieflein und schob es in ihr Mieder.

„Zu Ostern kommt der Zar zurück, ich werde ihm zu Füßen fallen... Zu gern möchte ich nach Paris..."

Antonida, Olga und Natalja schlugen die Hände über dem Kopf zusammen. „Ach, ach, ach!" Fürstin Awdotja bekreuzigte sich. „Wie du mich erschreckt hast, meine Liebe, nein, so was – nach Paris... Das ist doch sicher ein Höllenpfuhl!"

Sankas blaue Augen wurden dunkel, sie preßte die beringten Hände an die Brust.

„Ach, wie ich mich in Moskau langweile! Am liebsten würde ich gleich ins Ausland fliegen. Bei der Zarin Praskowja Fjodorowna lebt ein Franzose, der Unterricht in ‚Politesse' erteilt, er unterrichtet auch mich. Was der alles erzählt!" Sie schöpfte rasch Atem. „Jede Nacht träume ich davon, daß ich in einer himbeerfarbenen Robe Menuett tanze, besser als alle tanze, der Kopf schwirrt mir, die Kavaliere machen ehrerbietig Platz, und König Ludwig tritt auf mich zu und überreicht mir eine Rose... So langweilig ist es in Moskau geworden. Gott sei

Dank, daß man wenigstens die Strelitzen von den Mauern abgenommen hat, eine Heidenangst habe ich vor Toten..."

Die Bojarin Wolkowa hatte ihren Besuch beendet. Roman Borissowitsch blieb noch eine Weile am Tisch sitzen und befahl, den gedeckten Schlitten anzuspannen, um ins Hofamt zu fahren. Heuer mußte jeder dienen. Als ob es in Moskau nicht Federfuchser genug gäbe. Edelleute hat man hingesetzt zum Kritzeln. Er selber aber schwingt, über und über mit Teer beschmiert, nach Tabak stinkend, die Axt und trinkt mit Arbeitern Schnaps.

„Ach, wie schlimm, ach, wie langweilig", seufzte Fürst Roman Borissowitsch, in den Schlitten kletternd.

4

Am Spasskije-Tor bemerkte Roman Borissowitsch im tiefen Graben, in dem hie und da morsche Pfähle aus dem Eis ragten, wohl zwei Dutzend mit Bastmatten bedeckte Schlitten. Mit gesenktem Kopf standen die mageren Klepper da. Am Abhang des Grabens legte träge ein Bauer mit einem Brecheisen die eingefrorene Leiche eines Strelitzen frei. Der Tag war grau. Auch der Schnee war grau. Über den Roten Platz, die mit Mist bedeckte ausgefahrene Schlittenbahn entlang, trotteten gesenkten Kopfs Leute in Röcken aus grobem Tuch. Die Turmuhr gab einen knarrenden Laut von sich und begann heiser zu schlagen, einst pflegte sie hell und klingend die Stunden zu künden. Roman Borissowitsch war bekümmert.

Der Schlitten fuhr über die baufällige Brücke durch das Spasskije-Tor. Im Kreml gingen die Leute, als wären sie auf dem Markt, mit der Mütze auf dem Kopf herum. An den von Pferden benagten Pfählen hielten einfache Schlitten. Roman Borissowitschs Herz krampfte sich zusammen. Verödet war diese Stätte, für immer hatten sich die hellen Augen geschlossen, die einst dort an jenem Fensterchen des Zarengemachs wie Lämpchen zum Ruhme des Dritten Romes leuchteten. Welch eine Öde!

Roman Borissowitsch ließ vor der Tür des Amts halten. Niemand kam, um dem Fürsten aus dem Schlitten zu helfen. Er kletterte allein heraus. Stieg, schwer Atem holend, die überdachte Außentreppe empor. Die Stufen voller Schneespuren, alles bespien. Irgendwelche Leute in Halbpelzen liefen die Treppe hinab; fast hätten sie den Fürsten gestoßen. Der letzte – ein Mann mit graugesprenkeltem Bart – streifte dreist mit stechendem Blick sein Gesicht.

Roman Borissowitsch blieb mitten auf der Treppe stehen und stieß entrüstet mit dem Stock auf. „Mütze ab! Du hast die Mütze abzunehmen!"

Seine Worte verhallten ungehört. Solche Sitten herrschten jetzt im Kreml.

Im Amt, in den niedrigen Sälen Ofendunst, Gestank, die Dielen nicht gefegt. An langen Tischen sitzen Ellbogen an Ellbogen die Schreiber, knirschend gleiten die Federn über das Papier. Den gekrümmten Rücken streckend, kratzt sich einer den struppigen Kopf, ein anderer kratzt sich unter den Achseln. An kleinen Tischen hocken pfiffige, in allen Kniffen beschlagene Kanzlisten – eine Meile weit riecht jeder von ihnen nach in Öl gebackenen Fladen –, sie blättern in Heften und lassen ihre Finger die Zeilen der Bittgesuche entlanggleiten. Durch die schmutzigen Fensterscheiben dringt trübes Licht. Im Saal geht zwischen den Tischen der Amtsvorsteher auf und ab, ein Rat mit einer Brille auf der pockennarbigen Nase.

Roman Borissowitsch schritt würdevoll durch die Säle aus einer Abteilung in die andere. Arbeit gab es im Großen Hofamt genug, und verzwickte Arbeit: Der Obhut des Amts waren des Zaren Gelder, die Schatzkammern, das Gold- und Silbergeschirr anvertraut, das Amt erhob Zölle, zog die Kosaken- und Strelitzensteuern ein sowie die Postgelder und die Abgaben, die den der Krone gehörenden Dörfern und Städten auferlegt waren. Doch nur der Amtsvorsteher und die alten Abteilungsleiter kannten sich in diesen Geschäften aus. Die dem Amt neu zugeteilten Bojaren saßen den lieben Tag in einem kleinen, gut geheizten Saal und starrten, sich in ihrer engen deutschen Kleidung ganz unglücklich fühlend, durch die trüben Fensterchen auf den verödeten Zarenpalast, wo sie einst auf der zu des Zaren Schlafgemach führenden Freitreppe, auf dem Bojarenplatz, in Zobelpelzen, mit Seidentüchlein sich fächelnd, herumgestanden und über wichtige Staatsgeschäfte Zwiesprache gepflogen hatten.

So manches furchtbare Ereignis hatte dieser Platz gesehen. Jenen baufälligen, jetzt vernagelten Treppenaufgang war einst, der Überlieferung zufolge, Zar Iwan Grosny hinabgeschritten, als er mit seinen Opritschniki aus dem Kreml nach der Alexandrowskaja Sloboda fortzog, um seinen Grimm und seine Wut gegen die großen Bojarengeschlechter zu kehren. Die Köpfe schlug er ihnen ab, briet sie auf Pfannen und pfählte sie. Zog ihre Erbgüter ein. Doch Gott ließ es nicht zu, daß die Bojaren gänzlich ausgerottet wurden. Zu neuem Leben erstanden die großen Geschlechter.

Aus dem Fenster jenes hölzernen Palastes mit den Messinghähnen auf dem zwiebelförmigen Dach hatte sich der verfluchte Grischka Otrepjew gestürzt, ein anderer Verderber des glorreichen russischen Bojarentums. Einer Wüste glich das Moskauer Land, Brandstätten und Menschengebein an den Straßen, doch Gott ließ es wiederum nicht zu. Zu neuem Leben erstanden die großen Geschlechter.

Heuer ballten sich abermals Gewitterwolken – zur Strafe für unsere Sünden. „Wehe, wehe", seufzten träge die Bojaren im dumpfen Saal an den kleinen Fenstern. Jedes Mittel scheint ihnen recht, um uns unterzukriegen. Die Bärte haben sie allen abgeschnitten, jeder muß dienen, unsere Söhne haben sie in die Regimenter gesteckt, in fremde Lande geschickt...
„Wehe, wehe, doch Gott wird es auch diesmal nicht zulassen..."

Beim Eintritt in den Saal bemerkte Roman Borissowitsch, daß man von oben heute wieder mit einer neuen Überraschung aufgewartet hatte. Die feisten Weiberbacken des alten Fürsten Martyn Lykow bebten. Der Dumarat Iwan Jendogurow und der Kämmerer Lawrenti Swinjin lasen stockend einen Erlaß. Ab und zu hoben sie den Kopf, und das einzige, was sie hervorzubringen vermochten, war: „Ach, ach!"

„Fürst Roman, nimm Platz, hör zu", sagte fast weinend Fürst Martyn. „Wie soll das nur werden? Jetzt kann uns ein jeder beschimpfen und verunglimpfen. Eine Zuflucht gab es noch für uns, und die nimmt man uns jetzt."

Jendogurow und Swinjin gingen von neuem daran, den Erlaß des Zaren zu buchstabieren. Darin stand, daß die Fürsten und Bojaren, die Räte und der Moskauer Adel ihn, den Zaren und Großfürsten usw. usw., mit ihren Klagen über ihnen angetanen Schimpf arg belästigen. An dem und dem Tage sei ihm, dem Zaren usw., eine Klage des Fürsten Martyn, des Fürsten Grigori Sohn, aus dem Geschlecht Lykow, zugegangen, daß man ihn auf der Freitreppe des Palastes beschimpft und verunglimpft habe, beschimpft und verunglimpft aber habe ihn Aljoschka Browkin, Leutnant des Preobrashenski-Regiments. Als er an der Freitreppe vorüberging, habe dieser dem Fürsten Martyn zugerufen: „Was starrst du mich so *wild* an, ich bin nicht mehr dein Knecht, früher warst du ein Fürst, heute aber bist du nichts als *eine Fabel* ..."

„Ein Bube ist er, ein Bauernlümmel", schrie Fürst Martyn, und seine Wangen bebten. „Vor lauter Aufregung ist es mir damals aus dem Gedächtnis geschwunden, aber er hat weit Schlimmeres geschrien."

„Was war's denn, was er damals geschrien hat, Fürst Martyn?" fragte Roman Borissowitsch.

„Was, was! Er schrie, viele haben es gehört: ,Martyn, alter Affe, Kahlkopf ...'"

„Nein, so was, wie kränkend." Roman Borissowitsch schüttelte den Kopf. „Sag mal, ist dieser Aljoschka nicht zufällig Iwan Artemjitschs Sohn?"

„Weiß der Teufel, wessen Sohn er ist!"

„Der Zar und Großfürst usw.", fuhren Jendogurow und Swinjin fort, „hat befohlen, auf daß man ihn in diesen für den Staat so schweren Zeitläuften fürder nicht mehr belästige, für solche Belästigung und Beunruhigung vom Kläger, dem Fürsten Martyn, zehn Rubel einzutreiben und selbiges Geld unter die Armen zu verteilen, ferner von jetzo an alle Klagen über angetanen Schimpf zu verbieten ..."

Als sie den Erlaß zu Ende gelesen hatten, rümpften sie die Nase.

Fürst Martyn brauste von neuem auf. „Eine Fabel! Faß mich

doch an, bin ich etwa eine Fabel? Wir stammen vom Fürsten Lytschko ab! Im dreizehnten Jahrhundert ist Fürst Lytschko aus Ungarland hierhergekommen, gefolgt von dreitausend mit Speeren bewaffneten Kriegern. Von Lytschko stammen die Lykows ab und die Fürsten Brjuchaty und die Taratuchins und Suponews, und vom jüngsten Sohn die Buinossows..."

„Das lügst du! Fabeln erzählst du, Fürst Martyn!" Roman Borissowitsch wandte sich jäh mit dem ganzen Körper auf der Bank um, seine Brauen zogen sich zusammen, seine Augen blitzten. Ach, wären die Wangen nicht so nackt und der verzerrte Mund nicht so glattgeschabt, furchtbar wäre der Anblick des Fürsten Roman gewesen. „Von jeher haben die Buinossows an des Zaren Tisch weiter oben als die Lykows gesessen. Wir stammen in lückenloser Ahnenreihe von den regierenden Fürsten zu Tschernigow ab. Ihr Lykows aber habt euch selber unter Iwan Grosny ins Adelsbuch eingetragen. Wer hat ihn denn gesehen, den Fürsten Lytschko, als er aus Ungarland zu uns kam?"

Fürst Martyn rollte die Augen, die Tränensäcke unter den Augen bebten, sein Gesicht mit der dicken Oberlippe verzog sich, als wollte er weinen. „Die Buinossows! War's nicht der Prätendent, der Räuber von Tuschino, der in seinem Lager euch eure Güter zu Lehn gegeben?"

Beide Fürsten erhoben sich von der Bank und musterten einander vom Kopf bis zu den Füßen. Und es wäre zu lautem Zank und Streit gekommen, hätten sich nicht Jendogurow und Swinjin eingemischt. Sie redeten den beiden zu und beschwichtigten sie. Die Fürsten wischten sich Stirn und Hals mit ihren Tüchlein und nahmen, jeder auf einer anderen Bank, Platz.

Vor lauter Langeweile erzählte der Dumarat Jendogurow, worüber die Bojaren in der Staatsduma schwatzen – ganz verzweifelt sind die Ärmsten, denn der Zar und seine Ratgeber in Woronesh wissen nur eins: Geld und immer wieder Geld. Schöne Ratgeber hat er sich ausgesucht: unsere und fremdländische Kaufleute, dazu Leute von unbekannter Herkunft, außerdem Zimmerleute, Schmiede, Matrosen, lauter solche Burschen; man staunt nur, daß ihnen der Henker bisher die Nasenflügel nicht ausgerissen hat. Der Zar leiht ihren verbrecherischen Ratschlägen sein Ohr. Die wahre Staatsduma tagt in Woronesh. Aus allen Städten laufen dort die Klagen der Krämer und Kaufleute ein; die haben glücklich ihren Herrn gefunden. Und mit diesem hergelaufenen Pack wollen sie den türkischen Sultan bezwingen. Ein Mann aus der Gesandtschaft des Prokopi Wosnizyn hat aus Karlowitz nach Moskau geschrieben, die Türken machten sich über die Woronesher Flotte lustig, weiter als bis zur Donmündung würde sie nicht kommen, alle Schiffe würden dort stranden.

„Ach, du lieber Gott, warum können wir denn nicht in Frieden leben, was brauchen wir mit den Türken anzubinden", meinte der friedfertige Lawrenti Swinjin. Drei seiner Söhne waren zur Armee, der vierte zur Flotte einberufen. Der Alte fühlte sich vereinsamt.

„Was soll das heißen: in Frieden?" fragte Roman Borissowitsch und sah ihn mit zornig aufgerissenen Augen an. „Vor allem solltest du dich, Lawrenti, deiner niedrigen Abkunft eingedenk, nicht vor den anderen ins Gespräch mischen." Er schlug sich auf den Schenkel. „Was heißt das: mit den Türken, mit den Tataren in Frieden leben? Wozu haben wir dann den Fürsten Wassili Golizyn zweimal nach der Krim gesandt?"

Fürst Martyn warf, den Blick auf den Ofen gerichtet, hin: „Nicht alle haben Stammgüter südlich von Woronesh und Rjasan."

Roman Borissowitschs Nasenflügel blähten sich, doch er ließ die Worte unbeachtet. „In Amsterdam zahlt man für das Pud polnischen Weizen einen Gulden. Und in Frankreich noch mehr. In Polen wissen die Pans nicht, wo sie mit all dem Gold hin sollen. Sprich einmal mit Iwan Artemjitsch Browkin, der wird dir erzählen, wo das Geld auf der Straße liegt. Ich aber hab den Branntweinbrennereien mein vorjährig Korn mit Müh und Not um dreieinhalb Kopeken das Pud verkauft. Wie soll ich mich nicht ärgern: Da hab ich ganz dicht bei mir hier den Worona-Fluß, dort den Don, ich hätte meinen Weizen zur See ausführen können. Ein groß Ding wär es, wenn uns der Herr den Sieg über den Sultan verleihen würde. Und du redest da-

her: in Frieden leben! Hätten wir wenigstens ein Städtchen an der Küste, sei's auch nur Kertsch. Weiter: Haben wir als das Dritte Rom etwa nicht die Pflicht, uns um das Heilige Grab zu sorgen? Oder haben wir gar kein Gewissen mehr?"
„Mit dem Sultan werden wir nicht fertig, das ist klar. Eine Torheit, daß wir mit ihm Händel suchen", sagte Fürst Martyn erleichtert. „Daß wir aber Getreide im Überfluß haben, dafür laßt uns Gott danken. Werden wenigstens nicht verhungern. Wir sollten bloß nicht darauf versessen sein, unsern Töchtern Schleppen an den Röcken anzubringen und galante Manieren im Hause einzuführen..."
Roman Borissowitsch schwieg eine Weile, dann fragte er, den Blick zwischen den gespreizten Beinen auf ein Astloch in der Diele gerichtet: „Soso. Wer ist es denn, der seinen Töchtern Schleppen an den Röcken anbringt?"
„Solche Hohlköpfe, die in der Deutschen Siedlung Kaffee um zwei und drei Tschetwertak das Pfund kaufen, kann selbstverständlich kein einziger Bauer durchfüttern." Fürst Martyns schlaffes Kinn zitterte, während er zum Ofen hinüberschielte. Er schien offenbar wieder Streit zu suchen...
Die Tür wurde jäh aufgerissen. Winterfrost drang ins Gemach, und in den stickigen Raum stürzte ein rotwangiger Offizier mit rundem Gesicht und aufgeworfener Nase, seine Perücke war zerzaust und der kleine Dreispitz tief in die Stirn geschoben. Seine schweren Kanonenstiefel und der grüne Rock mit den breiten roten Aufschlägen waren über und über mit Schneeklumpen bedeckt. Er mußte wohl einen tollen Ritt durch Moskau hinter sich haben.
Als Fürst Martyn des Offiziers gewahr wurde, öffnete er den Mund und sperrte ihn dann ganz auf – vor ihm stand der Mann, der ihn beleidigt hatte: Alexej Browkin, Leutnant des Preobrashenski-Regiments, einer der Günstlinge des Zaren.
„Bojaren, laßt die Geschäfte..." Aljoschka nahm in der Eile die Hand nicht von der aufgerissenen Tür. „Franz Jakowlewitsch liegt im Sterben..."
Er schüttelte die Locken seiner Perücke, blitzte die Anwesenden dreist an – wie all dieses von Peter großgezogene junge Volk von unbekannter Herkunft – und eilte sporenkli-

rend davon, daß die morschen Dielen des Amts unter seinen Absätzen krachten. Mit scheelem Blick sahen ihm die kahlköpfigen Amtsvorsteher nach: Könntest etwas bescheidener sein, respektloser Gauch, bist hier schließlich nicht im Pferdestall.

5

Eine Woche zuvor hatte Franz Jakowlewitsch Lefort in seinem Palast mit dem dänischen und dem brandenburgischen Gesandten getafelt. Tauwetter war eingetreten, von den Dächern tropfte es. Im Saal war es heiß. Franz Jakowlewitsch hatte den Rücken dem Kamin mit den lodernden Scheiten zugekehrt und erzählte voll Begeisterung von großen Plänen. Immer mehr in Hitze geratend, hob er den aus einer Kokosnuß geschnitzten Pokal und trank auf den Bruderbund des Zaren Peter mit dem König von Dänemark und dem Kurfürsten von Brandenburg. Vor den Fenstern gaben, sobald der Haushofmeister am Fenster sein Tuch schwenkte, gleichzeitig zwölf Kanonen auf grellgrünen Lafetten donnernd Ehrensalven ab. In weißen Schwaden verhüllte der Pulverrauch den strahlenden Himmel.

Lefort lehnt sich auf seinem zierlichen, vergoldeten Stuhl zurück, seine Augen leuchteten, die Locken seiner Perücke klebten ihm an den blaß gewordenen Wangen.

„Ganze Wälder von Mastholz rauschen an den Ufern unserer großen Flüsse. Mit unseren Fischen allein könnten wir alle Länder der Christenheit ernähren. Flachs und Hanf können wir selbst auf Tausenden von Werst anbauen. Und die Wilde Steppe? Die südlichen Steppen, wo sich ein Reiter im Grase verbergen kann! Haben wir erst die Tataren von dort vertrieben, so werden wir Vieh haben wie Sterne am Himmel. Haben wir Bedarf an Eisen – das Erz liegt unter unseren Füßen. Im Ural sind ganze Berge aus Eisen. Womit können uns denn die Länder Europas in Erstaunen setzen? Mit Manufakturen könnt ihr aufwarten? Wir werden Engländer und Holländer kommen lassen und unsere eigenen Leute dazu anhalten. Ehe ihr's euch verseht, werden wir selber alle möglichen Manufakturen haben. Dem einfachen Volk werden wir Wissenschaften und Künste beibringen. Dem Kaufmann, dem Gewerbetreibenden solches Ansehen verschaffen, wie sie es sich nie hätten träumen lassen."

So sprach Lefort in seinem Rausch zu den angetrunkenen Gesandten. Vom Wein und von seinen Reden waren sie ganz benommen. Im Saal war es schwül. Lefort befahl dem Haushofmeister, beide Fenster zu öffnen, und sog mit Vergnügen den kühlen Duft des Tauwetters mit geblähten Nasenflügeln ein. Bis Sonnenuntergang weihte er seinen großen Plänen Becher um Becher. Am Abend fuhr er zum polnischen Gesandten und tanzte und trank dort bis zum Morgen.

Am nächsten Tag fühlte sich Franz Jakowlewitsch ganz gegen seine Gewohnheit müde. Er zog seine mit Hasenfell gefütterte Jacke an, band sich ein Seidentuch um den Kopf und befahl, niemanden vorzulassen. Dann versuchte er, einen Brief an Peter zu schreiben, aber selbst das ging über seine Kraft – ihn fröstelte, er setzte sich an den Kamin und hüllte sich fester in seine Jacke. Man holte den italienischen Arzt Pollicolo. Der beschnüffelte Harn und Schleim, schnalzte mit der Zunge und kratzte sich die Nase. Er gab dem Admiral ein Abführmittel und ließ ihn zur Ader. Nichts half. In der Nacht stellte sich starkes Fieber ein, und Franz Jakowlewitsch verlor das Bewußtsein.

Pastor Strumpf drängte sich nur mit Mühe, hinter dem Kirchendiener, der ein Glöckchen schwang, durch die Menge im großen Saal. Leforts Palast summte von Stimmen – ganz Moskau hatte sich hier eingestellt. Türen knallten, Zugluft drang in den Raum. Kopflos hasteten Diener hin und her, manche von ihnen waren bereits betrunken. Leforts Frau, Jelisaweta Franzewna, empfing den Pastor an der Tür, die in das Schlafzimmer ihres Gatten führte – das Gesicht verwelkt, voll roter Flecken, die melancholische Nase vom Weinen geschwollen. Ihre himbeerfarbene Robe war in der Eile nachlässig geschnürt, dünne Haarsträhnen hingen unter der Perücke herab. Die Admiralin war beim Anblick der so zahlreich erschienenen Würdenträger zu Tode erschrocken. Russisch sprach sie so gut wie gar nicht, ihr ganzes Leben hatte sie in den Hinterzimmern verbracht. Sie legte die gefalteten Hände auf die Brust des Pastors und flüsterte: „Was soll ich tun? Soviel Gäste. Herr Pastor Strumpf, geben Sie mir einen Rat, soll ich vielleicht einen Imbiß reichen lassen? Alle Diener sind wie von Sinnen, keiner hört auf mich. Die Schlüssel von den Vorratskammern liegen beim armen Franz unter dem Kissen." Tränen stürzten aus ihren blaßgelben Augen, sie griff ins Mieder, zog ein nasses Taschentuch hervor, verbarg darin ihr Gesicht. „Herr Pastor Strumpf, ich fürchte mich, in den Saal zu gehen, ich verliere immer gleich den Kopf ... Wie soll das werden, wie soll das werden, Pastor Strumpf? ..."

Der Pastor sprach mit einer den Umständen angemessenen Baßstimme zu der Admiralin einige tröstende Worte. Er strich mit der flachen Hand über sein blaurasiertes Gesicht, als wolle er alle eitlen irdischen Gedanken verscheuchen, und trat in das Schlafgemach.

Lefort lag in einem breiten, zerwühlten Bett. Sein Oberkörper ruhte halb aufgerichtet auf den Kissen. Stoppeln bedeckten seine eingefallenen Wangen und den Schädel mit der hohen Stirn. Pfeifend flog sein Atem, seine gelben Schlüsselbeine traten hervor, als versuche er noch immer, sich in das Leben wie in ein Kumt zu zwängen. Die geöffneten Lippen waren vom Fieber trocken und rissig. Nur die Augen lebten – schwarz, reglos.

Der Arzt Pollicolo nahm Pastor Strumpf beiseite, kniff bedeutsam die Augen zu und legte sein Gesicht in Falten.

„Die Sehnen", sagte er, „die, wie uns unsere Wissenschaft lehrt, die Seele mit dem Leib verbinden, sind in diesem Falle bei dem Herrn Admiral so dicht mit Schleim verstopft, daß die Kanäle, durch die die Seele zum Leibe Zugang findet, mit jeder Minute enger werden und man deren endgültigen Verstopfung gewärtig sein muß."

Pastor Strumpf nahm leise am Kopfende des Bettes neben dem Sterbenden Platz. Lefort war erst vor kurzem aus seinen Fieberträumen erwacht, sichtlich beunruhigte ihn etwas. Als er seinen Namen nennen hörte, richtete er mühsam seinen Blick auf den Pastor und wandte ihn dann wieder dem Kamin zu, in dem ein feuchtes Holzscheit qualmte. Dort ruhte oberhalb der den Kamin zierenden Schnörkel Neptun, der Gott der Meere, den Dreizack in der Hand, unter seinem Ellbogen strömte aus einer vergoldeten Vase goldenes Wasser, das in goldenen Schnörkeln zerfloß. In der Mitte, in dem schwarzen Schlund, qualmte das Holzscheit.

Strumpf sprach, bemüht, den Blick des Admirals auf das Kruzifix zu lenken, von der Hoffnung auf die ewige Seligkeit, die keinem Lebenden versagt ist. Lefort murmelte undeutlich etwas vor sich hin. Strumpf beugte sich zu seinen violetten Lippen hinab.

Mit keuchendem Atem flüsterte Lefort: „Mach nicht viel Worte..."

Dennoch kam der Pastor seiner Pflicht nach: Er erteilte dem Sterbenden Absolution und reichte ihm das heilige Abendmahl. Als er das Gemach verlassen hatte, richtete sich Lefort auf den Ellbogen auf. Man verstand, daß er nach dem Haushofmeister verlange. Jemand lief nach ihm und fand den weinenden Alten in der Küche. Mit vom Weinen geschwollenem Gesicht, den mit Straußenfedern geschmückten Hut auf dem Kopf, den Stab in der Hand, trat der Haushofmeister an das Fußende des Bettes.

Franz Jakowlewitsch sagte zu ihm: „Ruf die Musikanten... die Freunde... Pokale..."

Auf den Zehenspitzen traten die Musikanten ins Zimmer, ohne Livreen, jeder in dem, was er gerade anhatte. Pokale mit Wein wurden gebracht. Die Musikanten stellten sich im Kreis um das Bett auf, sie führten die Instrumente an den Mund, und aus sechzig Hörnern – von Silber, Messing und Holz – ertönte die prunkvolle Weise eines Menuetts.

Leforts leichenblasses Gesicht war tief in die Kissen gesunken. Seine Schläfen waren eingefallen wie bei einem Pferd. Unerbittlich flammten seine Augen. Man reichte ihm einen Pokal, aber er war nicht mehr imstande, die Hand zu heben, der Wein ergoß sich auf seine Brust. Beim Klang der Musik verlor er von neuem das Bewußtsein. Seine Augen nahmen nichts mehr wahr.

Lefort war tot. In Moskau wußten die Leute vor eitel Freude nicht, was sie anfangen sollten. Aus war es jetzt mit der Fremdherrschaft, aus mit der Siedlung Kukui. Verreckt war der verdammte Ratgeber. Alle wußten es, alle hatten es gesehen: Mit verruchten Tränken hatte er den Zaren Peter bezaubert, aber sagen durfte man nichts. Das war die Strafe für die Tränen der Strelitzen. Für immer würde nun das Nest des Antichrist – Leforts Palast – veröden ...

Die Leute erzählten: Auf dem Sterbelager hätte Lefort befohlen, die Musikanten sollten ihm aufspielen, die Narren Purzelbäume schlagen, die Tänzerinnen tanzen, und er selber wäre, grün wie eine Leiche, von seinem Lager aufgesprungen und herumgehopst. Auf den Dachböden des Palastes aber hätte man die Höllengeister pfeifen und heulen hören!

Sieben Tage lang stellten sich Bojaren, Offiziere und Beamte jeden Ranges am Sarge des Admirals ein. Mit verhohlener Freude und Furcht betraten sie den hohen Saal. In seiner Mitte stand auf einem Katafalk der bis zur Hälfte mit einem schwarzen seidenen Überwurf bedeckte Sarg. Vier Offiziere wachten mit blanken Degen am Sarg, vier unten, am Katafalk. Die Witwe saß in Trauerkleidung vor dem Katafalk auf einem Klappstuhl.

Die Bojaren stiegen die Stufen zum Katafalk empor und berührten, Nase und Lippen abgewandt, um sich nicht zu verunreinigen, mit der Wange die blaue Hand dieses Satans von Admiral. Dann schritten sie auf die Witwe zu, verneigten sich tief vor ihr, mit den Fingern den Boden berührend, und – weg waren sie.

Am achten Tage traf Peter aus Woronesh ein; unterwegs hatte er unzählige Pferde zu Tode gehetzt. Sein sechsspänniger lederner Reiseschlitten sauste durch Moskau geradewegs in den Hof von Leforts Palast. Die nassen Flanken der verschiedenfarbigen Pferde flogen. Unter der Schlittendecke kam eine Hand zum Vorschein, die nach dem Riemen tastete, um ihn aufzuschnallen.

Aus dem Palast trat gerade Alexandra Iwanowna Wolkowa, auf der Freitreppe war außer ihr niemand zu sehen. Sanka dachte, daß, nach den Pferden zu urteilen, irgendein Mann von geringer Herkunft vorgefahren sei. Sie ärgerte sich, daß ihrer Karosse der Weg versperrt war. „Mach, daß du fortkommst mit deinen Kleppern, hörst du, was stehst du mir hier im Weg", rief sie dem Kutscher des Zaren zu.

Die herausgestreckte Hand konnte die Schnalle nicht finden, riß wütend den Riemen der Decke ab, und aus dem Schlitten kletterte ein Mann in einer Samtkappe mit Ohrenklappen, einem langen, mit grauem Tuch besetzten Schafpelz und Filzstiefeln. Jetzt stand er – baumlang – vor ihr; Sanka mußte den Kopf in den Nacken werfen, um ihn zu sehen. Ein rundes Gesicht mit eingefallenen Wangen, die Augen leicht geschwollen, das dunkle Schnurrbärtchen gesträubt. Mein Gott, der Zar!

Peter reckte die steif gewordenen Beine, seine Augenbrauen zogen sich zusammen. Er hatte die junge Frau erkannt, deren Brautvater er gewesen, lächelte ihr mit einem Fältchen seines kleinen Munds kaum merklich zu, stieß mit dumpfer Stimme hervor: „So ein Unglück, so ein Unglück..." Und ging, mit den Ärmeln des Schafpelzes schlenkernd, in den Palast. Sanka folgte ihm.

Die Witwe erstarrte auf ihrem Stuhl beim Anblick des Zaren, sprang auf, wollte ihm zu Füßen fallen. Peter umarmte sie, drückte sie an die Brust und blickte über ihren Kopf hinweg auf den Sarg. Diener liefen herbei, nahmen Peter den Pelz ab. In seinen Filzstiefeln schritt er ungelenk auf den Sarg zu, um von dem Toten Abschied zu nehmen. Lange stand er da, die Hand auf dem Sargrand. Dann beugte er sich hinab und küßte seinen lieben Freund auf Stirn und Hände. Seine Schultern zuckten unter dem grünen Leibrock, sein Nacken straffte sich.

Sankas Augen, die auf seinen Rücken gerichtet waren, füllten sich mit Tränen, sie stützte, wie es Bäuerinnen tun, das Kinn in die Hand und schluchzte leise und kläglich. Unendliches Mitleid fühlte sie in sich aufsteigen. Wie ein kleiner Junge schnaufend, stieg Peter die Stufen des Katafalks hinab. Blieb vor Sanka stehen. Sie nickte ihm wehmütig zu.

„So einen Freund werde ich nie wieder finden", sagte er. Er führte die Hand an die Augen und schüttelte das dunkle, von der Reise zerzauste lockige Haar. „Freud und Leid haben wir miteinander geteilt. Waren ein Herz und eine Seele . . ." Plötzlich nahm er die Hand von den Augen, sah sich um, seine Tränen waren versiegt, er glich jetzt einem Kater. In den Saal traten, sich hastig bekreuzigend, etwa zehn Bojaren.

Dem Rang nach, die Vornehmsten an der Spitze, näherten sie sich beflissen Peter Alexejewitsch, beugten das Knie und preßten, die flachen Hände auf den Boden gestützt, die Stirn fest an die Eichenbohlen.

Peter hob keinen von ihnen auf, umarmte keinen, nickte selbst keinem von ihnen zu – fremd und hochmütig stand er vor ihnen. Die Flügel seiner kurzen Nase blähten sich.

„Ihr freut euch, ihr freut euch, ich seh's!" sagte er zweideutig und ging aus dem Palast, zu seinem Schlitten zurück.

6

In diesem Herbst war in der Deutschen Siedlung neben der evangelischen Kirche ein Backsteinhaus nach holländischem Vorbild errichtet worden, mit acht Fenstern, die auf die Straße gingen. Auf Anordnung des Hofamtes hatte man es in größter Eile, in zwei Monaten, gebaut. In dieses Haus zog Anna Iwanowna Mons mit ihrer Mutter und ihrem Bruder Willim ein.

Hier besuchte sie der Zar, ohne ein Hehl daraus zu machen, und blieb häufig über Nacht bei ihr. In Kukui und auch in Moskau nannte man darum dieses Haus nicht anders als: der Zarin Palast. Anna Iwanowna lebte auf großem Fuße: Sie hielt sich einen Haushofmeister und livrierte Diener, im Stall standen zwei Sechsgespanne kostbarer polnischer Pferde und Wagen jeglicher Art.

Hier konnte man nicht mehr, wie einst bei Mons in der Osterie, im Vorbeigehen eintreten, um einen Krug Bier zu leeren. „Hehe", gedachten die Deutschen vergangener Zeiten, „es ist doch gar nicht so lange her, daß das blauäugige Annchen, ein sauberes Schürzchen vorgebunden, die vollen Krüge vor die Gäste auf den Tisch stellte und wie ein Heckenröslein errötete, wenn ein gutmütiger Zecher, ihr das Mädchenpopochen tätschelnd, sagte: ,Nun, Kleinchen, schlürf den Schaum weg, dir die Blume, mir das Bier ...'"

Jetzt verkehrten im Hause Mons von den Einwohnern aus Kukui nur ehrbare Kaufherren und Manufakturbesitzer, und auch die nur an Festtagen, wenn sie zu Tisch geladen waren. Es wurde selbstverständlich gescherzt, doch mit Wahrung des Anstands. Zu Annchens Rechten saß stets Pastor Strumpf. Er liebte es, etwas Unterhaltsames oder Belehrendes aus der römischen Geschichte zu erzählen. Die behäbigen Gäste hoben bedächtig die Bierkrüge und seufzten gerührt über die Vergänglichkeit alles Irdischen. Anna Iwanowna hielt vor allem auf gute Sitten in ihrem Hause.

In diesen Jahren war sie zu voller Schönheit erblüht: Ihr Gang war voll Würde, ihr Blick war ruhig, sittsam und wehmütig. Was man auch reden, wie tief man sich auch hinter ihrer gläsernen Karosse her verneigen mochte, der Zar besuchte sie allerdings nur, um bei ihr über Nacht zu bleiben. Aber was weiter? Das Landamt belehnte Anna Iwanowna mit einigen Dörflein. Auf den Bällen brauchte sie, was Schmuck anlangte, den anderen nicht nachzustehen, und auf der Brust trug sie ein Bildnis Peter Alexejewitschs von der Größe eines Tellerchens und ganz mit Diamanten besetzt. Es fehlte ihr an nichts, sie brauchte sich nichts zu versagen. Doch weiter wollte die Sache nicht gedeihen.

Die Zeit verstrich. Peter lebte größtenteils in Woronesh oder jagte auf Postpferden vom südlichen zum nördlichen Meer. Anna Iwanowna sandte ihm Briefchen und, wenn sich die Gelegenheit bot, je ein halb Dutzend Zitronen und Apfelsinen, die ihr aus Riga zugestellt wurden, sowie mit Kardamom gewürzte Würste und Kräuterschnäpse. Aber kann man denn einen Geliebten mit Briefen und Gaben auf lange an sich fesseln? Wie, wenn irgendein Frauenzimmer ihn in seine Netze lockte, ihm Herz und Sinne betörte? Nächtelang wälzte sie sich schlaflos auf ihrem Federbett. Alles war so unsicher, unklar, zweideutig. Feinde, Feinde ringsum, die nur darauf warten, daß die Mons strauchele.

Selbst Anna Iwanownas vertrautester Freund, Lefort, hatte unbestimmt zu lächeln gepflegt, sobald sie verblümt die Rede darauf brachte, wie lange noch Pieter ein ungeordnetes Junggesellendasein zu führen gedenke, hatte dann wohl Annchen zärtlich in die Wange gekniffen und gemeint: „Gut Ding will Weile haben!..." Ach, niemand wollte es begreifen: Nicht nach dem Zarenthron, nicht nach der Macht stand Anna Iwanowna der Sinn – ein unruhig, ein unsicher Ding war die Macht. Nein, nur an Beständigkeit, Ehrbarkeit und Schicklichkeit dachte sie.

Eins nur blieb übrig: Liebestränke, Zauberei. Auf der Mutter Rat schlüpfte Anna Iwanowna eines Nachts aus dem Bett, in dem Peter fest schlief, und nähte in den Saum seines Rocks ein kleines Läppchen mit ihrem Blut ein. Er aber reiste nach Woronesh, ließ den Rock in Preobrashenskoje zurück und legte ihn seitdem kein einziges Mal an. Die alte Mons empfing in den Hinterzimmern Weiber, die sich mit Zauberei befaßten. Doch ihnen den Namen dessen zu offenbaren, dem der Zauber galt, scheuten sich sowohl Mutter wie Tochter. Auf Zauberei stand bei Fürst-Cäsar Romodanowski der Wippgalgen.

Hätte jetzt ein schlichter Mann – mit Vermögen – Anna Iwanowna liebgewonnen, ach, alles hätte sie für ein geruhsames Leben hingegeben. Ein blitzsauberes Häuschen, sei's auch ohne Haushofmeister; die Sonnenlichter spielen auf den gebohnerten Dielen, süß duftet der Jasmin auf den Fensterbänken, aus der Küche riecht es nach gebranntem Kaffee, Ruhe spendend hallen die Glockenschläge vom Kirchturm, und ehrbare Leute ziehen im Vorübergehen voll Hochachtung den Hut vor Anna Iwanowna, die mit ihrer Handarbeit am Fenster sitzt...

Nach Leforts Tod war es Anna Iwanowna, als laste eine schwarze Wolke auf ihr. In diesen sieben Tagen – bis Pieter kam – weinte sie so viel, daß Mutter Mons den Arzt Pollicolo kommen ließ. Er verordnete Spülungen und Abführmittel, um den überflüssigen Schleim zu entfernen, der sich infolge der schmerzlichen Aufregung im Blute angesammelt hatte. Anna Iwanowna erwartete mit Entsetzen – ohne selbst den Grund recht zu begreifen – die bevorstehende Ankunft des Zaren. Sie sah noch sein erdiges Gesicht mit der vom Zahnschmerz geschwollenen Wange vor sich, als er nach einer der furchtbarsten Strelitzenhinrichtungen bei Lefort saß. In seinen weitgeöffneten Augen war der Zorn erstarrt. Die vom Frost geröteten Hände lagen vor dem leeren Teller. Er aß nichts, hörte nicht auf die Scherze der Tafelrunde. Den Scherzenden klapperten die Zähne. Ohne jemanden anzusehen, sprach er unverständlich vor sich hin: „Nicht vier Regimenter waren es, ihre Zahl ist Legion ... Wenn sie den Kopf auf den Richtblock legen, bekreuzigen sie sich alle mit zwei Fingern ... Für die Vergangenheit, für ein Bettlerdasein ... Um nackt und bloß zu leben, Narren in Christo zu spielen ... Spießer! Nicht mit Asow, mit Moskau hätten wir beginnen müssen!"

Noch heute erschauerte Anna Iwanowna, wenn sie Pieters in jenen Tagen gedachte. Sie fühlte, in ein grausam unruhiges Leben riß sie von ihrem stillen Fenster dieser Qual und Pein mit sich bringende Mensch. Wozu? Sollte er wahrhaftig der Antichrist sein, wie die Russen flüstern? Abends im Bett rang sie beim sanften Schein der Wachskerze die Hände und schluchzte verzweifelt: „Mutter, Mutter, was soll ich tun? Ich liebe ihn nicht. Kommt er, so ist er voll Ungeduld ... Ich aber bin wie tot ... Vielleicht wäre es besser, ich läge im Sarg wie der arme Franz."

Noch nicht angekleidet, die Lider geschwollen, sah Anna Iwanowna eines Morgens plötzlich durchs Fenster, wie auf der holprigen Straße hinter dem Staketenzaun der Reiseschlitten des Zaren hielt. Diesmal blieb sie ruhig: Soll er mich nur so sehen, wie ich bin, mit der Haube auf dem Kopf, mit dem Wolltuch um die Schultern. Peter durchschritt den Vorgarten, auch er bemerkte sie im Fenster und nickte ihr, ohne zu lächeln, zu. Im Flur wischte er sich an der Matte die Füße ab. Nüchtern und ruhig.

„Guten Tag, Annuschka", sagte er sanft. Küßte sie auf die Stirn. „Verwaist sind wir." Er setzte sich an die Wand, neben die Wanduhr, deren Pendel mit dem lachenden Messinggesicht hin und her schwang. Er sprach halblaut, als staunte er, daß der Tod einen so törichten Fehler begangen hatte. „Franz, Franz ... Ein schlechter Admiral warst du, aber eine ganze Flotte wert. Ein schwerer Schlag ist das für mich, ein schwerer Schlag, Annuschka ... Erinnerst du dich noch, wie er mich zum erstenmal zu dir brachte, du warst noch ein junges Mädchen, wie du erschrakst, ich könnte die Spieldose zerbrechen... Der Tod hat sich vergriffen... Franz ist nicht mehr da! Ich kann's nicht fassen..."

Anna Iwanowna hörte zu, bis an die Augen in ihr Wolltuch gehüllt. Das Gespräch kam ihr unerwartet, sie wußte nicht, was sie erwidern sollte. Die Tränen rannen ihr ins Tuch. Hinter der Tür klapperte leise Geschirr. Sie schluchzte auf und murmelte mit von Tränen erstickter Stimme, daß Franz es jetzt sicherlich beim lieben Gott gut habe. Peter sah sie befremdet an...

„Pieter, Sie haben nach Ihrer Ankunft noch nichts gegessen, ich bitte Sie, zum Imbiß zu bleiben. Es gibt heute Bratwürstchen, die Sie so gern mögen..."

Voller Wehmut sah sie, daß auch die Würstchen ihn nicht verlocken konnten. Sie setzte sich zu ihm, nahm seine Hand, die nach dem Schafpelz roch, und bedeckte sie mit Küssen.

Er strich ihr mit der anderen Hand über das Haar unter der Haube. „Heute abend komm ich auf ein Stündchen... Na, laß schon, laß schon, die ganze Hand hast du mir mit deinen Tränen naß gemacht. Geh, bring mir ein Würstchen und ein Gläschen Schnaps... Geh, geh... Ich hab heute noch viel zu tun..."

7

Lefort wurde mit großem Prunk beigesetzt. Im Trauerzug marschierten drei Regimenter mit Kanonen und gesenkten Fahnen. Hinter dem Katafalk, den sechzehn Pferde, eins vor das andere gespannt, zogen, trug man auf Kissen den Hut, den Degen und die Sporen des Admirals. Es folgte ein Reiter in schwarzer Rüstung und federgeschmücktem Helm, eine zu Boden gekehrte Fackel in der Hand. Hierauf kamen Botschafter und Gesandte in Trauerkleidung. Nach ihnen Bojaren, Kämmerer, Mitglieder der Staatsduma und der Moskauer Adel, wohl an die tausend Mann. Die Regimentstrompeter bliesen, gedämpft klangen die Trommeln. Den Zug eröffnete Peter an der Spitze der ersten Kompanie des Preobrashenski-Regiments.

So mancher Bojar setzte sich, da er den Zaren nicht in der Nähe sah, in Trab und überholte allmählich die fremdländischen Gesandten, um sich in die erste Reihe der Prozession einzugliedern. Die Gesandten zuckten die Achseln und flüsterten miteinander. Auf dem Friedhof wurden sie gänzlich zurückgedrängt. Roman Borissowitsch Buinossow und der äußerst beschränkte Fürst Stepan Belosselski schritten, sich am Katafalk festhaltend, dicht neben den Rädern dahin. Viele Russen waren angeheitert – sie hatten sich in aller Frühe schon zum Leichenbegängnis eingestellt, und der Magen knurrte ihnen; ohne den Leichenschmaus abzuwarten, hatten sie, eng gedrängt um die mit kalten Platten reichgedeckten Tische, sich an Speis und Trank gütlich getan.

Als der Sarg auf den aus dem Grab ausgehobenen gefrorenen Lehm gestellt worden war, trat hastig Peter heran. Er warf einen Blick auf die glattrasierten, im Nu ängstlich dreinblickenden Gesichter der Bojaren und bleckte so wütend die Zähne, daß gar mancher von ihnen sich hinter dem Rücken seines Vordermanns zu verstecken suchte.

Mit einer Kopfbewegung rief er den wohlbeleibten Lew Kirillowitsch heran. „Warum haben die sich vorgedrängt, sich vor die Gesandten gestellt? Wer hat das angeordnet?"

„Ich hab's ihnen schon vorgehalten, hab geschimpft, sie wollen auf mich nicht hören", antwortete leise Lew Kirillowitsch.

„Hunde!" Und dann lauter: „Hunde sind's, keine Menschen!" Peter reckte krampfhaft den Hals, zuckte mit dem Kopf und schlug mit dem Bein im Kanonenstiefel aus. Die Botschafter und Gesandten drängten sich durch den ihnen Platz machenden Haufen der Bojaren zum Grabe, wo neben dem offenen Sarg der Zar, allen fremd, in seinem Tuchrock fröstelnd, einsam dastand. Alle warteten erschrocken, was er weiter anstellen würde. Er bohrte den Degen in den Boden, beugte die Knie und preßte sein Gesicht an die sterblichen Überreste dessen, der ein kluger Freund, ein Abenteurer, ein lockerer Kumpan, ein Zecher und sein treuer Gefährte gewesen. Erhob sich und wischte sich zornig die Augen.

„Nagelt den Sarg zu ... Laßt ihn hinab ..."

Die Trommeln wirbelten, die Fahnen senkten sich, die Kanonen krachten und spien weiße Rauchwolken aus. Einem Kanonier, der vor lauter Gaffen nicht aufgepaßt und keine Zeit gefunden hatte, zurückzuspringen, riß eine Kugel den Kopf ab. In Moskau sagte man an jenem Tage: „Einen Satan hätten wir glücklich eingescharrt, der andere aber ist geblieben, hat wohl noch zu wenig Menschen umgebracht."

8

Die ehrbaren Handel und Gewerbe treibenden Leute stiegen, nachdem sie ihre Schlitten vor dem Tor zurückgelassen und ihre Mützen abgenommen hatten, die lange, fast in der Mitte des Hofs beginnende überdachte Treppe zum Preobrashenski-Palast hinauf. Die „Gäste"* und die Mitglieder der Kaufmannsgilde kamen mit Dreigespannen, in teppichbelegten Schlitten vorgefahren und traten in ihren mit Hamburger Tuch bezogenen Fuchs- und Fehpelzen ohne Scheu ein. Der in Verfall geratene Saal war schlecht geheizt. Ungeniert betrachteten sie die rissige Decke, die sich an einigen Stellen bereits gesenkt hatte, das von Motten zerfressene rote Tuch, mit dem Bänke und Türen bespannt waren, und sagten: „Schön ist es hier nicht. Da sieht man wieder, wie die Bojaren wirtschaften. Ein Jammer, ein Jammer..."
In aller Eile hatte man die Kaufmannschaft nach dem Gildenregister in den Palast entboten. So mancher war indes nicht erschienen, aus Furcht, man könnte ihn zwingen, aus dem Geschirr der Nikonianer zu essen und Tabak zu rauchen. Die Kaufleute ahnten schon, wozu der Zar sie hierher beschieden hatte. Hatte doch unlängst ein Dumarat auf dem Roten Platz bei Trommelschlag den Allerhöchsten Erlaß verlesen: „Seiner Majestät ist kundbar geworden, daß den Kaufherren und Mitgliedern der Kaufmannsgilde sowie allen Handel und Gewerbe treibenden Leuten der Vorstädte in vielen Fällen, so sie mit den Gerichten zu tun haben, von seiten der Wojewoden, Gerichtsbehörden und jeglichen Ranges Leuten *großer Verlust und*

* Bevollmächtigte der Regierung aus den Reihen der reichen Kaufherren. (Anm. d. Verf.)

Schaden in ihren Geschäften verursacht wird... In seiner Gnade hat Seine Majestät der Zar befohlen, daß für all ihre Streitfragen, Prozesse und Klagen, für ihre Handelsgeschäfte und für die Eintreibung der Staatsrevenuen *ihre Ältesten zuständig sein sollen, zu ihren Ältesten* aber sollen sie alljährlich nach eigenem Wunsch und Ermessen ehrbare und rechtschaffene Leute aus ihrer Mitte *wählen*, und von ihnen soll immer einer der Erste sein und einen Monat lang präsidieren..." In den Städten, Vorstädten und Siedlungen sollten die Handel- und Gewerbetreibenden nach eigenem Wunsch und Ermessen ehrbare und rechtschaffene Leute zu Landältesten wählen, um Recht zu sprechen und Strafen zu verhängen und Steuern einzuziehen, zur Eintreibung der Zölle und Schankeinnahmen aber Zoll- und Schankvögte. Eine besondere Ältestenkammer sollte gebildet werden, wo die Ältesten sich miteinander beraten und alle Handels- und Steuerfragen regeln könnten, alswelche Kammer sich in allen strittigen Fällen sowie mit ihren Klagen unter Umgehung der Ämter unmittelbar an den Zaren zu wenden hatte.

Der Ältestenkammer wurde im Kreml, in der Nähe der Kirche Johannes des Täufers, das Gebäude des alten Zarenpalastes mitsamt den Kellergewölben zur Verwahrung der Gelder angewiesen.

Für eine so bedeutende Sache scheuten die Moskauer Kaufleute keine Ausgaben, war's doch noch gar nicht so lange her, daß sie den Kreml nur barhaupt betreten durften, und auch dies nur mit Vorsicht, jetzt aber saßen sie selber dort. Der baufällige Palast bekam ein neues Dach, das wie Silber gleißte, innen und außen wurde er frisch gestrichen. Fensterscheiben wurden eingesetzt, nicht aus Glimmer, sondern Glasscheiben. Vor den Kellergewölben stellte man eine eigene Wache auf.

Dafür, daß die Kaufmannschaft jetzt von den Wojewoden nicht mehr geschröpft und von den Ämtern nicht mehr ausgesaugt wurde, mußte sie an Steuern das Doppelte zahlen. Das Schatzamt fand dabei offensichtlich seinen Vorteil. Und die Kaufmannschaft? Wie man's nimmt...

In der Tat, mit den Wojewoden, mit den hohen und kleinen Beamten war es nicht mehr zum Aushalten gewesen. Gierig waren sie wie die Wölfe, sah man sich nicht vor, so bissen sie einem die Gurgel durch, in Moskau schleppten sie einen von Gericht zu Gericht, bis man nackt und bloß war, in den Provinzstädten und Siedlungen ließen sie einen in ihrem Hof fast zu Tode peitschen. Das stimmte schon ...

Viele aber – natürlich die Schlaueren – wußten sich anzupassen und lebten gar nicht so schlecht: Dem Wojewoden steckten sie ein paar Rubel zu, dem Kanzlisten sandten sie etwas Zucker, Tuch oder Fisch, den Steuereinnehmer luden sie zu einem Imbiß. So manchen reichen Kaufherrn gab es, wo selbst der Teufel, geschweige der Wojewode und Amtsschreiber, nicht draus hätte klug werden können, wieviel er eigentlich an Waren und Geld besaß. Was so große Tiere wie Mitrofan Schorin, den ersten Mann der Kaufmannsgilde, oder Alexej Sweschnikow betraf – von denen wußte jeder, wie es um sie bestellt war, sogar der Metropolit war in ihrem Hause ein häufiger Gast. Die wären bereit, der Ältestenkammer selbst dreifache Steuern zu zahlen – dort standen sie in hohem Ansehen, hatten die Macht in den Händen, dort herrschte Ordnung. Aber so ein Waska Rewjakin, der ältere zum Beispiel? In seinem Laden in der Eisenwarenreihe hat er alles in allem für drei Altyn auf Lager – sitzt da und wischt sich mit einem Läppchen die Augen. Dabei munkeln jedoch gutunterrichtete Leute, daß er an die dreitausend Leibeigene besitze, alles bis über die Ohren verschuldete Bauern. Nur wenige Kaufleute gab es, von Bauern und Krämern ganz zu schweigen, die nicht zu hohem Zins bei ihm Geld geliehen hätten. Keine Stadt, keine Siedlung, wo Rewjakin nicht ein Eisenwarenlager oder einen kleinen Laden aufgemacht hatte, als deren Besitzer seine Angehörigen oder Angestellten eingetragen waren. Keine Möglichkeit, ihn zu fassen; glatt und schlüpfrig war er wie ein Aal. Für so einen bedeutete die Ältestenkammer den Ruin – vor seinesgleichen ließ sich nichts verbergen.

In Erwartung des Zaren saßen die angesehenen Kaufherren auf den Bänken, die kleineren Kaufleute warteten stehend. Sie waren sich im klaren: Väterchen Zar wird wohl Geld brauchen und will mit uns offen reden. Schon längst hätte er dies tun sollen. Die zum erstenmal hier waren, blickten nicht ohne Scheu auf die mit Löwen und Vögeln bemalten Türen zu beiden Seiten des Thronplatzes – der Thron selbst stand nicht mehr da, nur der Thronhimmel war noch vorhanden.

Peter erschien plötzlich aus einer Seitentür, in holländischer Tracht, sein Gesicht war gerötet, er mochte wohl getrunken haben. „Guten Tag, guten Tag", wiederholte er gutmütig, drückte den einen die Hand, klopfte andren auf die Schulter oder tätschelte ihnen den Kopf. Ihm folgten: Mitrofan Schorin und Alexej Sweschnikow in ungarischen Schnürröcken; die Brüder Ossip und Fjodor Bashenin – ernst und gewichtig dreinblickende Männer, mit aufgezwirbeltem Schnurrbart, in fremdländischen, an den Schultern knapp anliegenden Tuchröcken; der gedrungene und würdevolle Iwan Artemjitsch Browkin – ein Neureicher mit glattrasiertem Gesicht und rabenschwarzer, bis an den Nabel herabwallender Perücke; der mürrische Dumarat Ljubim Domnin und irgendein, seiner Kleidung nach zu urteilen, einfacher Handwerker aus der Vorstadt, den keiner kannte, mit Zigeunerbart und hoher, kahler Stirn. Er schien sichtlich verlegen und folgte den anderen als letzter.

Peter setzte sich auf eine Bank, die Hände auf die gespreizten Knie gestützt. „Setzt euch, setzt euch", wandte er sich an die näher herangetretenen Kaufleute. Sie sperrten sich. Er befahl ihnen, sich zu setzen, und zuckte krampfhaft mit dem Kopf. Die älteren Kaufherren setzten sich sogleich. Der Dumarat Ljubim Domnin blieb stehen, zog aus der hinteren Tasche eine Schriftrolle und kaute an seinen trockenen Lippen. Sofort sprangen die Brüder Ossip und Fjodor Bashenin auf und schlugen, ihre englischen Hüte eng an den Leib gepreßt, würdevoll die Augen nieder. Mit einer Kopfbewegung wies Peter auf sie.

„Solcher Leute sollten wir mehr haben. Ich will Ossip und Fjodor vor allen hier Versammelten auszeichnen. In England, in Holland wird man für trefflichen Handel, für treffliche Manufakturen ausgezeichnet, auch wir sollten diesen Brauch bei uns einführen. Hab ich recht?" Er wandte sich nach rechts und nach links, zog eine Braue in die Höhe. „Was sitzt ihr denn da und wollt nicht mit der Sprache heraus? Fürchtet wohl, ich könnte euch um Geld angehen! Ein neues Leben heißt es beginnen, Kaufleute, das ist es, was ich will."

Momonow, ein reicher Tuchhändler, verneigte sich und

fragte: „Wie soll man das verstehen, Majestät, ein neues Leben beginnen?"

„Aufhören, für euch allein zu leben. Meine Bojaren sitzen wie die Dachse in ihren Höhlen. Euch steht das nicht an, ihr seid Handeltreibende. Müßt lernen, nicht jeder für sich zu handeln, ihr müßt Kompanien bilden. Die Ost-Indische Kompanie in Holland ist eine vortreffliche Einrichtung: Gemeinsam bauen ihre Mitglieder Schiffe, gemeinsam treiben sie Handel. Verdienen viel Geld. Bei ihnen sollten wir in die Lehre gehen. In Europa gibt es Akademien, wo man es lernt. Wollt ihr, so bauen wir eine Börse, nicht schlechter als die in Amsterdam. Bildet Kompanien, gründet Manufakturen. Euer Wissen läuft nur auf eins hinaus: Wer nicht betrügt, verdient nichts..."

Ein junger Kaufmann, der den Zaren mit verzückten Augen angestarrt hatte, schlug plötzlich mit seiner Mütze auf die flache Hand. „Das stimmt, so halten wir's..." Man zog ihn an den Rockschößen zurück. Er zuckte, den Kopf nach allen Seiten drehend, die Achseln. „Etwa nicht? Stimmt's vielleicht nicht? Nichts als betrügen tun wir, nichts als betrügen, wägen falsch und messen falsch..."

Peter lachte auf, böse, heiser, mit rundgeöffnetem Mund. Die Näherstehenden lachten höflich mit. Er brach kurz ab und fuhr streng fort: „Zweihundert Jahre treibt ihr Handel und habt nichts gelernt. Könntet Schätze anhäufen. Aber noch immer die gleiche Misere, das gleiche Elend. Habt ihr eine Kopeke verdient, so lauft ihr gleich in die Schenke. Stimmt's etwa nicht?"

„Nicht ganz, Majestät", sagte Momonow.

„Doch, so ist es!" Er blähte die Nasenflügel. „Fahrt ins Ausland, seht euch dort die Kaufleute an – Könige sind es! Uns fehlt's an Zeit, so lange zu warten, bis ihr's von selber gelernt habt. Manchem Schwein muß man mit Gewalt die Schnauze in den Trog stoßen. Warum lassen mir die Ausländer keine Ruhe? Bitten mich, ihnen bald dies, bald jenes in Pacht zu geben – Wälder, Erzgruben, Fischfang und Jagd. Warum können es unsre Leute nicht schaffen? In Woronesh ist einer, weiß der Teufel, aus welchem Lande, zu mir gekommen; was der mir nicht alles für Projekte unterbreitet, was für Pläne der entwikkelt hat! ‚Euer Land', sagte er, ‚ist eine Goldgrube, ihr selbst aber seid arme Leute...' Wie kommt das? Ich habe dazu geschwiegen. Nun frage ich euch, sind etwa die Menschen in unserem Lande andersgeartet?" Er blickte, die Augen rollend, die Kaufleute an. „Gott hat uns keine anderen gegeben. Müssen nun einmal mit diesen fürliebnehmen, ist's nicht so? Manchmal packt mich eine solche Wut auf die Russen. Eine solche Wut..." Sein Ohr zuckte, die Ader an seinem Halse schwoll an.

Da sagte Iwan Artemjitsch, der neben ihm saß, mit singender Stimme gutmütig: „Lange genug hat man die Russen geprügelt und grundlos geprügelt, darum sind sie so blöde."

„Schafskopf", schrie Peter, „Schafskopf!" und stieß ihm den Ellbogen in die Rippen.

Iwan Artemjitsch machte ein noch dümmeres Gesicht und meinte: „Das ist es ja gerade, das meine ich doch..."

Wohl eine Minute lang starrte Peter wütend auf das glänzende, albern blinzelnde, einfältig lächelnde Gesicht Browkins. Dann gab er ihm mit der flachen Hand einen Klaps auf die Stirn. „Wanka, noch hab ich dir nicht befohlen, den Hofnarren zu spielen!"

Er schien indes selber begriffen zu haben, daß es unklug sei, vor den Kaufleuten aufzubrausen und seinem Zorn freien Lauf zu lassen. Die Kaufherren waren keine Bojaren: Für diese gab es keinen Ausweg, ein Landgut läßt sich nicht in der Tasche davontragen. Der Kaufmann aber ist wie eine Schnecke: Kaum droht ihm Gefahr, so zieht er die Fühlhörner ein und kriecht mit seinem Kapital davon. Und wirklich, im Saal wurde es still, eine gewisse Zurückhaltung machte sich bemerkbar. Iwan Artemjitsch blinzelte Peter mit zugekniffenem Auge schlau an.

„Lies, Ljubim", wandte sich Peter an den Rat.

Die Brüder Bashenin senkten wiederum würdevoll die Augen. Ljubim Domnin las mit hoher Stimme trocken und langsam: „... selbiger Gnadenbrief ist ausgestellt in Ansehung großen Eifers und beflissener Bemühung um den Schiffbau. Im vergangenen Jahre haben Ossip und Fjodor Bashenin im Dorf Wowtschug nach deutschem Vorbild, *ohne Beihilfe übersee-*

ischer Meister, selbständig eine Sägemühle errichtet, um in dieser Mühle Bretter zu schneiden und solche in Archangelsk ausländischen und russischen Kaufleuten zu verkaufen. Und sie haben Bretter geschnitten und sie nach Archangelsk gebracht und über See verschifft. Jetzo beabsichtigen sie, bei selbigem Betrieb eine Werft anzulegen und Schiffe und Jachten zu bauen, um Bretter und anderes russisches Gut über See zu verschiffen. Und wir, der Großmächtige Zar, haben in unserer Gnade ihnen befohlen, in jenem ihrem Dorf Schiffe und Jachten zu bauen und von alledem, was sie für den Bau dieser Schiffe aus dem Ausland kommen lassen, keinen Zoll zu erheben, sowie ihnen zu gestatten, Meister, fremdländische wie russische, auf eigene Kosten zu dingen. So aber diese Schiffe fertig gebauet, sollen sie zum Schutze vor Freibeutern, und um sich gegen fremde Kauffahrer zur Wehr zu setzen, Kanonen und Pulver an Bord führen..."

Lange las noch der Rat. Rollte dann das Reskript mit den daranhängenden Siegeln zusammen, legte es auf die flache Hand und überreichte es Ossip und Fjodor. Die Brüder nahmen es entgegen, traten vor und warfen sich, wie es sich geziemte, schweigend und ernst Peter zu Füßen. Er nahm sie bei den Schultern, hob sie empor und küßte sie, diesmal aber nicht nach Zarenbrauch mit der Wange die Wange streifend, sondern fest auf den Mund.

„Das Wertvolle an der Sache ist, daß wir nun glücklich den ersten Schritt getan hätten", wandte er sich an die Kaufmannschaft. Sein Blick glitt über die Anwesenden und blieb auf dem allen unbekannten Handwerker mit dem Zigeunerbart und der kahlen Stirn haften. „Demidytsch!" Der drängte sich, rücksichtslos um sich stoßend, durch die Menge durch. „Demidytsch, verneige dich vor den Kaufherren... Nikita Demidow Antufjew, Schmied aus Tula. Seine Pistolen und Gewehre sind nicht schlechter als die englischen. Eisen gießt er und schürft Erz. Seine Schwingen sind nur noch nicht stark genug. Besprecht euch mit ihm, ihr Kaufherren, und laßt euch die Sache durch den Kopf gehen. Ich aber bin sein Freund. Tut's not, so geb ich ihm Land und Dörfer. Demidytsch, verneige dich, verneige dich, ich bürge für dich..."

9

„Wer bist du? Was willst du? Wen suchst du hier?"

Mit bösem Blick musterte die breitschultrige Frau Andrej Golikow, den Ikonenmaler aus Palech. Eine Gänsehaut überlief ihn unter seinem braunen löchrigen und zerfetzten Bauernkittel, und er zitterte am ganzen Leib. Ein feuchter Märzwind wehte. Pfeifend fuhr er durch die kahlen Sträucher auf der verfallenden Mauer der Weißen Stadt. Mit unruhigem Gekrächz flogen zerzaust und hungrig die Krähen von den Kehrichthaufen auf. Die unübersteigbaren Zäune des Kaufmanns Wassili Rewjakin zogen sich längs der hier einen Winkel bildenden Moskauer Mauern hin. Unwirtlich war der Ort, eng und menschenleer die Gassen.

„Der Mönch Awraami hat mich hierhergewiesen", flüsterte Andrej und preßte zwei Finger fest an die Stirn. Hinter dem Rücken der Frau, auf dem von Wagenspuren durchfurchten Hof, neben dem baufälligen Schuppen rissen ein paar magere Hunde wütend an ihrer Kette. Starr und steif war Andrjuschka vor Kälte, nur seine Augen glühten heiß. Nach kurzem Zögern ließ ihn die Frau eintreten und wies ihm den Weg über im Schmutz liegende Bretter zu einem hohen und langen Gebäude ohne Treppe und Aufgang. Hoch unter dem Dach knarrten die Fensterläden vor den Glimmerscheiben.

Sie stiegen in einen dunklen Flur hinab, wo es nach Fässern roch. Die Frau pufftete Andrjuschka in die Seite. „Wisch dir die Füße am Stroh ab, bist nicht im Viehstall", und nach kurzem Schweigen fügte sie ebenso unfreundlich hinzu: „Im Namen des Vaters und des Sohnes und des Heiligen Geistes." Sie öffnete die niedrige Tür zum Kellergeschoß. Hier war es warm, die Glut im Ofen beleuchtete die dunklen Heiligenbilder in der Ecke. Andrej warf einen Blick auf die furchtbaren Augen der uralten Bildnisse und bekreuzigte sich lange. Voller Scheu blieb er an der Schwelle stehen. Die Frau setzte sich. Hinter der Wand schallte dumpf vielstimmiger Gesang.

„Wozu hat dich der Mönch hierhergeschickt?"
„Zu einer großen Tat."
„Was ist denn das für eine Tat?"

„Drei Jahre soll ich beim Mönch Nektari verbringen."

„Bei Nektari?" wiederholte die Frau gedehnt.

„Er hat mich hierhergesandt, daß man mir den Weg zu Nektari weise. Ich kann nicht unter Menschen leben, mein Leib hungert, und Grauen überkommt meine Seele. Ich fürchte mich. Nach Einsamkeit, nach der Seligkeit des Paradieses steht mein Sinn..."

Andrjuschka zog schnaubend die Luft durch die Nase ein. „Erbarme dich meiner, Mütterchen, jage mich nicht davon."

„Der Mönch Nektari wird dir die Einsamkeit schon zeigen", meinte die Frau rätselhaft. Ihre im Schein der Glut sichtbaren Augen wurden schmal.

Andrej fing an zu erzählen. Über ein halbes Jahr irrte er bereits im Lande umher, vor Hunger und Kälte dem Tode nah. Mit mancherlei Leuten war er zusammengekommen, zu schlimmen Taten hatte man ihn verführen wollen. „Ich kann's nicht, meine Seele entsetzt sich." Er erzählte, wie er diesen Winter in Schneestürmen unter den löchrigen Dächern der Stadtmauern übernachtet hatte. „Etwas Stroh beschaffte ich mir, deckte mich mit einer Bastmatte zu. Der Sturm heulte, die Schneeflocken wirbelten, die toten Strelitzen schaukelten an ihren Stricken und stießen gegen die Mauer. Nach einer stillen Zufluchtsstätte, nach einem Leben ohne Unruhe dürstete mich in jenen Nächten..."

Als die Frau ihn zur Genüge nach dem Mönch Awraami ausgefragt hatte, erhob sie sich mit einem Seufzer. „Folge mir." Sie führte Andrjuschka wieder durch den dunklen Flur und einige Stufen hinab. Ließ ihn in das Kellergewölbe ein, aus dem der Gesang schallte, und hieß ihn an der Schwelle stehenbleiben. Warmer Duft von Wachs und Weihrauch schlug ihm entgegen. Mehr als dreißig Menschen lagen auf der frisch geschabten Diele auf den Knien. Vor einem mit Samt bedeckten Betpult stand ein Mann mit einer schiefen Schulter, in schwarzer Kutte und Mönchskappe, und las laut. Er wandte eine vergilbte Seite des handgeschriebenen Breviers um und hob seinen zerzausten Bart zu den Kerzenflammen empor. An der ganzen Wand, sogar auf der Diele, brannten Kerzen vor den großen und kleinen Heiligenbildern alter Nowgoroder Schule.

Die Messe wurde nach dem Ritual der keine Priester anerkennenden Sekte zelebriert. Mit eintöniger, näselnder Stimme sang die Gemeinde. Zur Rechten des Mönchs kniete vor den übrigen Betenden der kleine ziegenbärtige Wassili Rewjakin. Er ließ den Rosenkranz durch die Finger gleiten und hob bald die Augen zu den Heiligenbildern empor, bald schielte er, den Kopf kaum umwendend, zu den hinter ihm Knienden, und unter seinem Blick schlugen die Betenden noch inbrünstiger mit der Stirn auf den Boden, bis sie blutete.

Der Mönch mit der schiefen Schulter schlug das Buch zu, hob es über den Kopf empor und drehte sich um; sein Bart war stellenweise ausgerauft, sein Gesicht mit dem gebrochenen Nasenbein noch nicht alt. Mit weitaufgerissenen Augen vor sich hin starrend, als sehe er eine furchtbare Erscheinung, riß er den Mund mit den ausgeschlagenen Zähnen auf und schrie: „Lasset uns der Worte des römischen Papstes Innocenz des Heiligen gedenken: ‚So die Zeit des Antichrist anbricht, wird die Kirche Gottes verfallen, und das unblutige Opfer wird abgeschafft werden. Städte und Flecken, Klöster und Einsiedeleien werden der Versuchung erliegen. Und niemand wird sich retten, außer einer geringen Zahl . . .'"

Furchtbar war die Stimme. Die Betenden warfen sich zu Boden, ihre Schultern zuckten. Mit hoch emporgehobenem Buch stand der Mönch, bis alle schluchzten.

„Brüder, lasset mich euch etwas erzählen", wandte sich der Mönch, das hölzerne Kreuz auf seiner Brust umklammernd, nach beendetem Gottesdienst an die Gemeinde. „Der Gnade des Herrn bin ich teilhaftig geworden. An den Wol-See hat mich unser Herrgott geführt, in die Klause des Einsiedlers Nektari. Ich fiel dem Einsiedler zu Füßen, und er fragte mich: ‚Was ist dein Begehr? Willst du deine Seele oder deinen Leib retten?' Ich antwortete: ‚Die Seele, die Seele!' Und der Einsiedler sagte: ‚Du hast das bessere Teil gewählt, mein Sohn.' Und er ging daran, meine Seele zu retten und mein Fleisch zu kreuzigen. Und an Brotes Statt aßen wir in der Einsiedelei Farnkraut und Sauerklee und Eicheln, schälten die Rinde von den Kiefern, trockneten und stampften sie, mit Fisch gemischt, und dies war unsere Speise. Und der Herr hat uns nicht Hungers sterben lassen. Wieviel hatte ich von meinem Lehrmeister schon vom ersten Tage an zu erdulden: Zweimal täglich geißelte er mich. Selbst am Ostersonntag bekam ich die Geißel zu kosten. Ich habe es berechnet: Im Laufe dieser zwei Jahre, da ich zweimal am Tage gegeißelt wurde, hat man mich im ganzen eintausendvierhundertunddreißigmal gezüchtigt. Die Wunden und Schläge aber, so mir von seiner frommen Hand Tag für Tag zuteil geworden, zähle ich überhaupt nicht. Der Seelenhirt kasteite meinen Leib; was er gerade in der Hand hielt, dessen bediente er sich, um mich, sein Pflegekind, sein noch nicht flügge gewordenes Küchlein, zu unterweisen. Er schlug mich mit dem Krückstock und mit der Mörserkeule, mit dem Schürhaken und mit den Töpfen, darin wir unser Süpplein kochten, auch mit dem Quirl, mit dem wir den Teig rührten. Bis aufs Blut züchtigte mein Lehrmeister meinen Leib, auf daß meine schwarze Seele licht würde. Mit dem Schulterjoch, an dem man die Wassereimer trägt, schlug er mir die Wade aus, um meine Beine an demütiges Knien zu gewöhnen. Und nicht nur mit jeder Art Knüppeln, auch mit Eisen und Steinen und Haarraufen, gar manches Mal selbst mit Ziegeln pflegte er meinen Leib zu kasteien. Damals war es, daß mir die Finger ausgerenkt und die Rippen und Knochen im Leibe gebrochen wurden. Doch der Herrgott ließ mich nicht zugrunde gehen. Heute ist mein Leib kraftlos und schwach, mein Geist aber licht. Brüder, erlahmet nicht, an eure Seele zu denken!"

„Erlahmet nicht, an eure Seele zu denken!" wiederholte dreimal mit schriller Stimme der Mönch, die eingeschüchterte Gemeinde unbarmherzig mit den Blicken durchbohrend. Hier waren die Angehörigen, Verwandten und Knechte Wassili Rewjakins versammelt: seine Gehilfen, Lagerverwalter und Verkäufer. In tiefer Betrübnis hatten sie seufzend der Rede des Mönchs gelauscht. Einige vermochten nicht, dem verzückten Blick des Alten standzuhalten. Andrej Golikow krümmte sich vor Schluchzen; die Hände an die Wangen gepreßt, weinte er und sah durch die Tränen, wie die gelben Strahlen der Kerzenflämmchen das ganze Bethaus wogend erfüllten, als seien es die Fittiche der Erzengel...

Der Mönch verneigte sich tief vor der Gemeinde und trat zur Seite. Seinen Platz nahm Wassili Rewjakin ein, ein untersetzter, grauhaariger Mann. Statt der Augen zwei Spalten, in denen die Pupillen unstet funkelten.

Er ließ den Rosenkranz durch die Finger gleiten und begann mit leiser, inniger Stimme: „Meine Lieben, meine Teuren. Welch ein Grauen! Herzliebe Brüder, welch ein Grauen! Hell und licht war der Tag, aber eine Wolke zog am Himmel auf und hüllte unser ganzes Dasein in Pestgestank..." Er warf einen Blick über die rechte, über die linke Schulter, ob auch niemand hinter ihm stehe. Trat lautlos in seinen weichen Filzstiefeln einen Schritt vor. „Der Antichrist weilt schon unter uns. Hört ihr es? Auf den Kuppeln der nikonianischen Kirche hat er seinen Thron errichtet. Drei zusammengelegte Finger sind sein Zeichen; für die, so sich mit drei Fingern bekreuzigen, gibt es keine Rettung, sie sind bereits sein Fraß. Auch für solche gibt es keine Rettung, die mit den Dreifingrigen Speis und Trank teilen, keine Rettung für die, so sich von Popen das Abendmahl reichen lassen, denn ihre Hostien sind gezeichnet, und ihre Priesterwürde ist eitel Schein. Wie sollen wir uns retten? Wir haben es gehört, wie man sich retten kann. Ich halte keinen zurück – geht, macht euch auf den Weg, meine Lieben, nehmt Qual und Pein auf euch, erleuchtet eure Seelen. Fürsprecher werdet ihr sein uns sündigen und schwachen Menschen. Vielleicht werde auch ich mich auf den Weg machen. Werde meine Speicher und Läden zusperren, die Waren und all mein Hab und Gut unter die Armen verteilen. Eins nur verheißt uns Rettung: der Väter Glaube, Buße und Gottesfurcht..." Bekümmert schüttelte er sein Bärtchen und wischte sich mit dem Ärmel seines Tuchrocks die Wimpern. Die Gemeinde stand stumm da. Keiner atmete, keiner rührte sich. „Wohl dem, dem es eingeht. Doch auch der, dem es nicht eingeht, soll nicht verzweifeln. Die frommen Väter werden es durch ihre Gebete gutmachen. Eines nur fürchtet mehr denn den Tod: daß euch der Böse ein Bein stelle. Es sind nicht mehr die alten Zeiten: Seine unsichtbaren Diener umstehen einen jeden von euch und lauern nur darauf, daß ihr sündiget, lüget, eurem Herrn eine Kopeke unterschlaget. Was will das schon viel sagen, meint ihr?

Eine Kopeke! Nein. Sie werden sich auf euch stürzen, und verloren seid ihr, zu ewiger Qual verdammt. Sorget, daß die frommen Väter nicht aufhören, für euch zu beten..." Er trat noch einen Schritt vor und schlug sich mit dem Rosenkranz auf den Schenkel. „Sieh einer an, was für eine Verlockung: Ältestenkammer! Das ist die Hölle, die wahre Hölle! Von alters her hat die Kaufmannschaft dem Schatzamt Steuern gezahlt, weiter aber ging es niemanden an, womit man handelte, wie man handelte. Hat dir der Herrgott Verstand verliehen, so bist du eben Kaufmann. Ein Dummkopf aber bleibt sein Leben lang Knecht. Älteste wählen! Damit er mir seine Nase in Speicher und Truhe stecke. Alles soll ich ihm auseinandersetzen, alles zeigen. Warum? Wozu? Das Netz des Antichrist werfen sie dem Kaufmann über den Kopf. Und dann – die Post! Wozu? Schick ich einen sicheren Boten nach Weliki-Ustjug, so kommt er rascher an als die Post und richtet meinen Auftrag aus, ohne daß es jemand erfährt. Mit der Post hingegen, da weiß ich nicht, was für ein Mann meinen Brief bestellen wird. Nein, wir brauchen weder Post noch Älteste, wollen weder doppelte Steuern zahlen noch mit Ausländern und Nikonianern Tobak rauchen."

Wider seinen Willen übermannte ihn der Zorn. Mit seiner zitternden, blauvioletten Hand fuhr er in die Tasche, zog ein Tuch hervor und wischte sich über das Gesicht. Den Blick auf die niedergebrannten Kerzen gerichtet, schüttelte er den Kopf, seufzte schwer und brach seine Rede ab. „Kommt, laßt uns zur Nacht essen..."

Alle, die im Bethaus waren, begaben sich durch den Flur und die Küche in das nebenanliegende Kellergeschoß. Sie setzten sich an den mit blauer Glanzleinwand bedeckten Holztisch, an dem in der Ecke unter den Heiligenbildern schon Wassili Rewjakin und drei alte Gehilfen, seine Vettern, zum Nachtmahl Platz genommen hatten. Man bat auch den Mönch unter die Heiligenbilder. Doch der spie plötzlich laut aus und ging zur Tür, zu den auf dem Boden sitzenden Bettlern. Unter ihnen war auch Andrej.

Mitten auf dem Tisch brannte eine Talgkerze. Aus dem Dunkel erschien die strengblickende Frau mit vollen Näpfen. Ab und zu fiel eine Schabe von der Decke herab. Die Leute aßen schweigend, kauten bedächtig, legten leise die Löffel beiseite. Andrej setzte sich näher zu dem Mönch. Den Napf auf den Knien, den Rücken gekrümmt, löffelte der Alte gierig, sich die Lippen verbrennend, die glühheiße Brühe, die ihm auf den zerzausten Bart tropfte, und schob kleine Stückchen Brot in den Mund. Nachdem er gegessen und sein Gebet verrichtet hatte, faltete er die Hände auf dem Bauch. Sein verschleierter Blick zeugte davon, daß er jetzt milder gestimmt war.

Andrej sagte leise zu ihm: „Ehrwürdiger Vater, ich will zum Einsiedler Nektari. Laß mich ziehen."

Der Alte begann hastig zu atmen. Der Blick seiner Augen wurde jedoch wieder stier. „Wenn sich alle zur Ruhe begeben, dann komm ins Bethaus. Ich werde dich auf die Probe stellen."

Andrej erschauerte; von Weh und Verzweiflung übermannt, preßte er seinen Nacken fest an die rauhen Kanten der Bretterwand.

10

Von Süden, aus der Wilden Steppe, wehte ein warmer Wind. Im Laufe einer Woche schmolz der Schnee. Blau spiegelte sich der Lenzhimmel im Hochwasser, das die Ebene bedeckte. Die Flüßchen schwollen an, die Eisdecke des Dons brach. Über Nacht trat der Woronesh-Fluß über die Ufer und überschwemmte die Werften. Von der Stadt bis an den Don wiegten sich vor Anker liegende Schiffe, Brigantinen, Galeeren, Ruderkähne und Barken. Der noch flüssige Teer tropfte von den Bordseiten, die vergoldeten und versilberten Neptunfratzen glänzten. Die zum Trocknen gehißten Segel killten im Wind. In der trüben Flut zerrieben sich knisternd, auf und nieder tauchend, die letzten Eisschollen. Über den Festungsmauern am rechten Ufer des Flusses, Woronesh gegenüber, stiegen Wolken von Pulverrauch in die Höhe, die vom Wind auseinandergetrieben wurden. Kanonendonner rollte über das Wasser dahin, als quille die Erde selbst auf und zerplatze in Blasen.

Auf der Werft wurde Tag und Nacht gearbeitet. An die mit vierzig Kanonen bestückte Fregatte „Festung" legte man letzte Hand an. Mit ihrem hohen geschnitzten Heck und den drei

Masten wiegte sie sich an den neuen Pfählen der Anlegestelle. Ununterbrochen überquerten mit Pulver, Pökelfleisch und Schiffszwieback beladene Frachtkähne den Fluß und machten an der schwarzen Bordseite des Schiffes fest. Die Strömung straffte die Taue, die Schiffsplanken knarrten. Auf der Kommandobrücke am Heck, das Dröhnen der über Deck rollenden Fässer und das Kreischen der Winden übertönend, fluchte auf russisch und portugiesisch Kapitän Pamburg – das Gesicht von Wind und Wetter gebräunt, den gewaltigen Schnauzbart aufgezwirbelt, Augen wie ein toller Widder, die Kanonenstiefel schmutzbespritzt, eine pelzgefütterte Lederjacke über dem Leibrock und ein rotes Seidentuch um den Kopf. „Taugenichtse! Schweinehunde! Carajo!" Mit Aufbietung aller Kräfte wanden die Matrosen Säcke mit Schiffszwieback, Kisten und Fässer nach oben und schleppten sie im Laufschritt in den Kielraum, wo Bootsleute mit hohen Tuchkappen und in braunen Pluderhosen heiser wie Kettenhunde bellten.

Auf dem Berg über dem Fluß ragten windschiefe, spitzgieblige, aus Baumstämmen gefügte Türme empor, hinter den baufälligen Mauern schimmerten die rostigen Kuppeln der Kirchen. Vor der Altstadt, auf dem Bergabhang, sah man verstreute Lehmhütten und hölzerne Arbeiterbaracken. Näher am Fluß erhoben sich die frisch gezimmerten Häuser des neuernannten Admirals Golowin, Alexander Menschikows, des Chefs der Admiralität Apraxin und des Vizeadmirals Cornelis Cruys. Auf dem jenseitigen, niedrigen, mit Holzspänen bedeckten, von Räderspuren durchfurchten Ufer standen rußgeschwärzte, grobgezimmerte Schmieden mit Erddächern, erkannte man die Spanten noch im Bau befindlicher Schiffe; halb unter Wasser stehende Bretterstapel, aus dem Fluß gezogene Flöße, Fässer, Taue und verrostete Anker lagen umher. Schwarzer Rauch quoll aus Kesseln, in denen Pech siedete. Surrend drehten sich die flinken Räder der Reepschläger. Gleichmäßig bewegten sich die Schultern der auf hohen Böcken stehenden Holzsäger. Barfuß liefen die Flößer durch den Schmutz und fischten mit Bootshaken vom Hochwasser fortgeschwemmte Baumstämme aus der Flut.

Die wichtigsten Arbeiten waren beendet, die Flotte vom Stapel gelassen. Es blieb nur die Fregatte „Festung", an der mit besonderer Sorgfalt gearbeitet wurde. In drei Tagen – so lautete der Befehl – sollte an ihrem Mast die Admiralsflagge gehißt werden.

Jeden Augenblick wurde die Tür aufgerissen, immer neue Menschen traten in die Stube und setzten sich, ohne abzulegen, ohne die Füße abzuwischen, auf die Bänke, wer von höherem Rang war, gleich an den Tisch. Im Quartier des Zaren war die Tafel Tag und Nacht gedeckt.

Zahlreiche Kerzen, die in leeren Flaschen steckten, erhellten den Raum. An den Holzwänden hingen Perücken. In der Stube war es heiß, in Schwaden zog der Rauch aus den Tabakpfeifen durch die Luft.

Vizeadmiral Cornelis Cruys schlief am Tisch, das Gesicht in den goldgestickten Ärmelaufschlägen vergraben. Der Schoutbijnacht* der russischen Flotte, der Holländer Julius Rees, ein tollkühner Abenteurer und Seebär, auf dessen Kopf für verschiedene Streiche auf fernen Ozeanen ein Preis von zweitausend Pfund Sterling ausgesetzt war, saß bei einer Flasche Anisschnaps und starrte mit seinem einzigen Auge finster und grimmig in die Kerzenflamme. Der Schiffbaumeister Joe Ney und John Day, beide mit Stoppelbärten – wo sollte man auch bei der sauren Arbeit die Zeit hernehmen, sich das Gesicht zu schaben –, schmauchten ihr Pfeifchen und blinzelten spöttisch dem russischen Meister Fedossej Skljajew zu. Dieser war eben erst gekommen und löffelte, das wollene Halstuch gelockert, den kurzen Halbpelz aufgeknöpft, Nudelsuppe mit Schweinefleisch.

„Fedossej", wandte sich Joe Ney an ihn und blinzelte ihm mit seinen rötlichen Wimpern zu, „Fedossej, erzähl doch, wie du in Moskau gefeiert hast."

Fedossej antwortete nicht und machte sich mit seiner Suppe zu schaffen. Er hatte die Sache wahrhaftig schon über. Im Februar war er aus dem Ausland zurückgekehrt und hätte auf Peter Alexejewitschs Schreiben hin sofort nach Woronesh weiterfahren sollen. Doch der Teufel hatte ihm einen Fallstrick gelegt: In Moskau war er mit Freunden zusammengekommen,

---

* Die holländische Bezeichnung für Konteradmiral.

und dann ging es los. Drei Tage wurde gezecht und geschmaust: Plinsen, Vorspeisen, leckerer Imbiß, Schnaps. Das Ende war, wie vorauszusehen – er befand sich plötzlich im Preobrashenski-Amt.

Als der Zar erfuhr, daß sein lang erwarteter Liebling Fedossej beim Fürst-Cäsar hinter Schloß und Riegel sitze, schickte er einen Eilboten mit einem Schreiben an Romodanowski nach Moskau:

„Mijn Herr König ... Warum hast du unsere Kameraden, Fedossej Skljajew und die anderen, eingesperrt? Solches betrübet mich gar sehr. Ich habe vor allen anderen Skljajew erwartet, sintemal er sich auf den Schiffbau am besten verstehet, du aber hast ihn festzunehmen geruht. Gott sei dein Richter. Ich habe hier wahrhaftig niemanden, der mir behilflich wäre. Ich nehme an, daß es keine Staatsaffäre sein wird. Um Christi willen, lasse ihn frei und schicke ihn hierher. Pieter."

Die Antwort Romodanowskis überbrachte nach zehn Tagen Skljajew selbst:

„Das ist seine Schuld: Er fuhr betrunken mit seinen Kameraden am Schlagbaum vor, es kam zu einem Raufhandel zwischen ihm und Soldaten des Preobrashenski-Regiments. Das Verhör ergab, daß beide Seiten im Unrecht waren. Ich habe Skljajew nach dem Verhör für seine Possen durchpeitschen lassen, auch die Soldaten, so sich an der Schlägerei beteiligt und dann Beschwerde geführt, habe ich item durchpeitschen lassen. Zürne mir nicht darob, ich bin es nicht gewohnt, Unfug durchgehen zu lassen, und wären es Personen von ganz anderem Rang."

Nun gut. Damit wäre, sollte man meinen, die Sache erledigt. Peter Alexejewitsch empfing Skljajew aufs freundlichste, umarmte ihn, klopfte ihm zärtlich auf die Schulter, schlug sich auf die Schenkel und lachte, nein, wieherte, bis ihm die Tränen kamen. „Fedossej, hier bist du nicht in Amsterdam!" Den Brief des Fürst-Cäsar aber las er an der Abendtafel vor.

Als Fedossej mit seiner Nudelsuppe fertig war, schob er den Napf beiseite und griff nach Joe Neys Tabak.

„Jetzt reicht's, habt mich genug gehänselt, ihr Bande", sagte er mit rauher Stimme. „Wart ihr heute schon im Kielraum unten im Heck?"

„Gewiß", antwortete Joe Ney.

„Nein, wart ihr nicht."

John Day nahm bedächtig die Tonpfeife aus dem Mund, verzog seine geraden Lippen und sagte durch die Zähne: „Warum meinst du, daß wir nicht unten im Kielraum waren, Fedossej Skljajew?"

„Darum. Anstatt mich anzuglotzen, solltet ihr lieber eine Laterne nehmen und hinuntersteigen."

„Ein Leck?"

„Das ist es eben: ein Leck. Wie man die Fässer mit dem Pökelfleisch zu verladen begann, gaben die Spanten nach, und von unten drang Wasser ein."

„Das kann nicht sein."

„Und doch ist's so. Ich hab's euch schon früher gesagt, das Gefüge ist zu schwach."

Joe Ney und John Day wechselten einen Blick. Sie erhoben sich gemächlich und stülpten ihre Mützen mit den Ohrenklappen auf den Kopf. Auch Fedossej stand auf, wickelte sich ärgerlich das Tuch um den Hals und nahm eine Laterne. „Ach, ihr, Generale!"

Am Tisch nahmen Offiziere, Seeleute und Meister Platz, alle müde, teerbeschmutzt und lehmbespritzt. Aus einem irdenen Krug schenkten sie sich feurigen, kräftigen Schnaps ein, stürzten einen Becher hinunter und fischten mit den Fingern aus den Schüsseln, was ihnen gerade unter die Hände kam: gebratenes Fleisch, Spanferkel, Rindslippen in Essig. Viele gingen wieder, nachdem sie sich in aller Hast gesättigt hatten, ohne sich zu bekreuzigen und zu bedanken.

An der aus Brettern gezimmerten Scheidewand stand, die breite Schulter an den Pfosten einer kleinen Tür gelehnt, ein Matrose mit schläfrigen Augen, die hohe Tuchkappe aufs Ohr geschoben. Um den sehnigen Hals hing ein geteertes, verknotetes Tauende, das Dagg. Wenn nötig, machte er davon kräftig Gebrauch. Zu allen, die sich der kleinen Tür näherten, sagte er mit leiser und träger Stimme: „Wohin, Hornvieh?"

Hinter der Bretterwand, im Schlafgemach, saßen jetzt die Staatsmänner beisammen: Admiral Fjodor Alexejewitsch Golowin, Lew Kirillowitsch Naryschkin, Fjodor Matwejewitsch Apraxin, Chef der Admiralität, und Alexander Danilowitsch Menschikow. Gleich nach dem Tode Leforts war letztgenannter zum Generalmajor und Gouverneur von Pskow ernannt worden. Man erzählte, Peter sollte, als er nach der Beisetzung Leforts wieder nach Woronesh zurückgekehrt war, gesagt haben: „Zwei Hände hatte ich, eine ist mir geblieben, mag sie auch diebisch sein, aber treu ist sie."

Alexaschka stand in seiner Preobraschenski-Uniform aus feinem Tuch, elegant mit einer Schärpe gegürtet, eine Perücke auf dem Kopf, das schmale Kinn im Spitzenjabot vergraben, vor dem warmen Backsteinofen.

Apraxin und der wohlbeleibte Golowin saßen auf dem noch ungemachten Bett, Naryschkin, die Stirn in die Hand gestützt, am Tisch. Sie hörten dem Dumarat und Außerordentlichen Gesandten Prokofi Wosnizyn zu. Der war eben aus Karlowitz an der Donau vom Kongreß zurückgekehrt, wo die Gesandten von Österreich, Polen, Venedig und Moskowien mit den Türken Friedensverhandlungen geführt hatten.

Den Zaren hatte er noch nicht gesehen. Peter hatte sagen lassen, die Minister sollten sich versammeln und miteinander beraten, er würde später kommen. Wosnizyn, ein Heft mit chiffrierten Aufzeichnungen auf den Knien, berichtete, die Brille auf die Spitze seiner dürren Nase geschoben: „Ich habe mit den türkischen Gesandten, dem Reïs-Efendi Rami und dem Geheimen Rat Mawrokordato, ein Abkommen über ein Armistitium getroffen, mit anderen Worten über die Einstellung der Feindseligkeiten auf eine bestimmte Frist. Mehr konnte ich nicht erreichen. Urteilet selber, meine Herren Minister: In Europa wird jetzt ein solches Süppchen eingebrockt, daß wohl die ganze Welt es wird auslöffeln müssen. Der König von Spanien ist alt und siech, er kann heute oder morgen sterben, ohne einen Nachfolger zu hinterlassen. Der König von Frankreich trachtet danach, seinen Enkel Philipp auf den spanischen Thron zu setzen, er hat ihn bereits verheiratet, hält ihn vorläufig bei sich in Paris zurück und wartet nur auf den Tag, da er ihn krönen kann. Der Kaiser andererseits will seinen Sohn Karl zum König von Spanien machen..."

„Das alles ist uns bekannt, längst bekannt", unterbrach ihn Alexaschka ungeduldig.

„Gedulde dich, Alexander Danilowitsch, ich rede, wie ich es verstehe." Wosnizyn richtete unter den grauen Brauen hervor, über die Brille weg, seinen strengen Blick auf den schönen Menschikow. „Der große Streit zwischen Frankreich und England kommt zum Austrag. Fällt Spanien dem König von Frankreich zu, so gewinnen die französische und spanische Flotte die Übermacht auf allen Meeren. Wird Spanien dem Kaiser gehören, werden die Engländer mit der französischen Flotte allein fertig. Die Engländer verwirren mit ihrem Ränkespiel die europäische Politik. Sie waren es auch, die in Karlowitz die Österreicher mit den Türken versöhnt haben. Um mit dem König von Frankreich Krieg zu führen, muß der Kaiser freie Hand haben. Auch die Türken sind heilfroh, daß sie Frieden schließen können, um Atem zu schöpfen und wieder zu Kräften zu kommen: Prinz Eugen von Savoyen hat ihnen Land und Städte genug abgenommen und für den Kaiser erobert, in Ungarn, in Siebenbürgen und in Morea; die Kaiserlichen können Konstantinopel schon sehen. Die Türken haben jetzt nur eins im Sinn: ihren alten Besitz zurückzubekommen. Sie denken nicht daran, irgendwo in der Ferne Krieg zu führen, sei es mit den Polen, sei es mit uns. Asow zum Beispiel – die Festung ist der Opfer nicht wert, die sie dort bringen müßten."

„Ist denn der türkische Sultan so schwach, wie du uns da zu unserer Beruhigung erzählst? Ich bezweifle es", meinte Alexaschka. Golowin und Apraxin kräuselten spöttisch die Lippen. Lew Kirillowitsch schüttelte, als er sie lächeln sah, gleichfalls lächelnd den Kopf. Alexaschka machte eine Bewegung mit dem Bein, sein Sporn klirrte. „Wenn er wirklich so schwach ist, warum hast du dann nicht ewigen Frieden mit ihm geschlossen? Oder hast du dem Reïs-Efendi zu sagen vergessen, daß bei uns in der Ukraine vierzigtausend Strelitzen Winterquartier bezogen haben, daß in Achtyrka die große Reiterarmee

Scheïns steht und in Brjansk unsere Schiffe bereitliegen, um die Truppen an Bord zu nehmen? Man hat dich ja nicht mit leeren Händen gesandt... Ein Armistitium!"

Prokofi Wosnizyn nahm langsam die Brille ab. Schwer fiel es ihm, sich an die neuen Sitten zu gewöhnen, daß ein hergelaufenes Bürschlein mit einem Außerordentlichen Gesandten so zu sprechen wagte. Er fuhr mit der hageren Hand über das vor Zorn bebende Gesicht, sammelte seine Gedanken. Mit Schimpfen und Zanken war hier natürlich nichts auszurichten.

„Solches ist die Ursache, daß wir statt des Friedens einen Waffenstillstand geschlossen haben, Alexander Danilowitsch. Die kaiserlichen Gesandten haben, ohne uns, die Polen und die Gesandten Venedigs zu verständigen, mit den Türken Verhandlungen angebahnt. Auch die Polen sind insgeheim mit den Türken zu einem Übereinkommen gelangt und haben uns im Stich gelassen. Die Türken wollten, nachdem sie ihre Sache mit den Kaiserlichen zu voller Zufriedenheit ins reine gebracht hatten, anfangs mit uns überhaupt nicht sprechen, so war ihnen der Kamm geschwollen. Wäre dort nicht mein alter Bekannter Alexander Mawrokordato zugegen gewesen, nicht einmal ein Armistitium hätten wir bei ihnen erreicht... Ihr sitzt hier, meine Herren Minister, und denkt, ganz Europa schaue auf euch. Nein, für die sind wir nichts als kleine Politik, richtiger gesagt: überhaupt keine Politik..."

„Na, das ist noch sehr die Frage."

„Wart ab, ereifre dich nicht, Alexander Danilowitsch", fiel ihm Golowin sanft ins Wort.

„Im Gesandtenquartier hat man uns den schlechtesten Platz angewiesen, vor dem Eingang Wachen aufgestellt. Man hat uns verboten, das Haus zu verlassen, jeden Verkehr mit den Türken, mündlichen wie brieflichen untersagt. Schon in Wien hatte ich einen erfahrenen Doktor, einen Polen, in meinen Dienst genommen. Den Doktor schickte ich nun ins türkische Quartier zu Mawrokordato. Als ich ihn das erstemal schickte, ließ Mawrokordato mir seinen Gruß entbieten. Ich schickte ihm zum anderenmal. Mawrokordato ließ mich grüßen und mir sagen, das Wetter sei kalt. Ich freute mich. Nahm meinen himbeerfarbenen, mit Blaufuchs gefütterten Pelz und sandte ihn mit dem Doktor, befahl selbigem, einen großen Bogen um die Gesandtenquartiere zu machen und übers Feld zu fahren. Mawrokordato nahm den Pelz und sandte mir am nächsten Tag Tabak, zwei schöne Pfeifen, ein gut Pfund Kaffee und Schreibpapier. Soso! sagte ich mir, er macht mir ein Gegengeschenk. Und wieder schickte ich ihm eine ganze Fuhre: Preßkaviar, Störrücken, fünf große Hausenbäuche und allerhand Liköre. Fuhr selber zur Nachtzeit ins türkische Quartier, ohne Begleitung, allein, in einfacher Kleidung. Die Türken aber hatten an diesem Tage grade den Friedensvertrag mit dem Kaiser unterzeichnet..."

„Ach!" Alexander stampfte auf, daß der Sporn klirrte.

„Mawrokordato sagte mir: ‚Schwerlich werden wir mit euch zu einem guten Abschluß kommen, wenn ihr unsre festen Plätze am Dnepr nicht zurückgebt, damit wir den Dnepr sperren und euch für immer vom Schwarzen Meer abriegeln können, auch Asow werdet ihr wieder hergeben und dem Khan der Krim, wie vordem, Tribut zahlen müssen...' Da siehst du, Alexander Danilowitsch, wie hochfahrend die Türken schon bei unserer ersten Unterredung mit uns sprachen. Und ich stand allein. Die Verbündeten hatten ihre Sache erledigt und waren abgereist. Ich drohte den Türken mit der Woronesher Flotte. Sie lachten. ‚Zum erstenmal hören wir, daß man tausend Werst weit vom Meer Schiffe baut; fahrt nur ruhig auf dem Don herum, aus der Mündung kommt ihr doch nicht heraus...' Ich drohte ihnen auch mit unserem Heer in der Ukraine, sie aber drohten mir mit den Tataren: ‚Seht euch vor, die Tataren haben jetzt freie Hand, es könnte euch wieder so gehen wie zur Zeit des Dewlet Girej*.' Hätten die Türken nicht andere Sorgen, sie hätten uns mit Krieg überzogen. Ich weiß nicht, Alexander Danilowitsch, vielleicht ist meine Einfalt dran schuld, daß ich nicht mehr erreicht habe, aber Waffenstillstand ist immer besser als Krieg..."

---

* Zur Zeit Iwan Grosnys wurde Moskau von den Krimtataren niedergebrannt, eine halbe Million Menschen wurden umgebracht oder in die Gefangenschaft verschleppt. (Anm. d. Verf.)

Viele Kleinigkeiten blieben noch zu erledigen. Es fehlte an Nägeln. Erst am Vortage war auf der vom Tauwetter fast unfahrbar gewordenen Straße ein Teil des Schlittenzugs mit Eisen aus Tula eingetroffen. In den Schmieden wurde die ganze Nacht hindurch gearbeitet. Jeder Tag war teuer, denn die schweren Schiffe mußten, solange das Hochwasser noch nicht gefallen war, in die Donmündung gebracht werden.

Alle Schmiedeessen lohten. Die Schmiede, die Schürzen voller Brandlöcher vorgebunden und in durchschwitzten Hemden, die stämmigen Zuschläger, nackt bis an die Hüften, mit versengter Haut, die rußgeschwärzten Jungen, die die Glut mit den Blasebälgen schürten – sie alle hielten sich nur mit Mühe auf den Beinen, konnten kaum die Arme rühren, waren schon ganz schwarz im Gesicht. Die Ausruhenden – die Leute wurden im Lauf der Nacht etlichemal abgelöst – saßen ebenfalls in der Schmiede; die einen kauten auf der Schwelle der offenen Tür ihren Dörrfisch, die anderen schliefen auf einem Haufen Holzkohlen.

Obermeister Kusma Shemow, den Lew Kirillowitsch aus seinem Werk in Tula – wohin Shemow aus dem Tulaer Gefängnis zu lebenslänglicher Zwangsarbeit geschickt worden war – hatte kommen lassen, hatte sich die Hand verletzt. Der andere Meister lag, vom Kohlendunst benommen, neben der Schmiede auf feuchten Brettern und stöhnte leise im Nachtwind.

Die Schmiede waren gerade dabei, die Schaufeln des großen Ankers für die „Festung" anzuschweißen. Der Anker, der an einem Flaschenzug am Tragbalken der Decke befestigt war, lag in der Schmiedeesse. Die Gesellen setzten, sich den Schweiß aus dem Gesicht wischend, mit pfeifendem Atem die Hebel der sechs Bälge des Gebläses in Bewegung. Zwei Zuschläger standen in Bereitschaft, die langstieligen Hämmer zu Boden gesenkt.

Shemow stocherte mit der gesunden Hand – die andere war mit einem Lappen umwickelt – in den Kohlen und ermunterte die Arbeiter: „Döst nicht, döst nicht, greift fest zu..."

Peter, in schmutzigem Leinenhemd, eine Schürze aus Segeltuch vorgebunden, Rußflecken auf den eingefallenen Wangen, die Lippen zu einem Hühnersterz zusammengekniffen, wandte mit einer langen Zange behutsam die Ankerschaufel in der Schmiedeesse um. Ein ernst und schwierig Ding war es, ein so großes Stück anzuschweißen.

Shemow drehte sich nach den Arbeitern um, die an den Tauen des Flaschenzuges standen.

„Taue in die Hand... Aufgepaßt..." Und dann zu Peter: „Gerade richtig, sonst verbrennt's..." Peter nickte, ohne seine runden Augen von den Kohlen abzuwenden, und bewegte die Zange. „Fest zugegriffen! Los!"

Hastig zupackend, zogen die Arbeiter am Tau. Der Flaschenzug knirschte. Der vierzig Pud schwere Anker schwebte langsam aus der Esse empor. Funken sprühten wirbelnd durch die Schmiede. Der bis zur Weißglut erhitzte Ankerschaft blieb, vom Zunder knisternd, über dem Amboß hängen. Jetzt hieß es ihn auf die Seite und dicht auf den Amboß legen.

Shemow fuhr, diesmal flüsternd, fort: „Neige ihn, leg ihn auf die Seite. Dichter drauf." Der Anker legte sich auf den Amboß. „Schlag den Zunder ab." Mit einem aufflammenden Reiserbesen wurde der Zunder hinweggefegt. „Her mit der Schaufel!" Er wandte sich nach Peter um und schrie mit wilder Stimme: „Was fackelst du! Mach zu!"

„Sofort."

Peter riß mit einem Ruck die pudschwere Zange aus der Schmiedeesse und verfehlte den Amboß – fast hätte er die weißglühende Schaufel aus der Zange fallen lassen. Vor Anstrengung niederhockend, bleckte er die Zähne und legte die Schaufel an.

„Dichter ran!" rief Shemow und warf den Zuschlägern nur einen Blick zu. Mit keuchender Brust schlugen sie, weit ausholend, der Reihe nach zu. Peter hielt die Schaufel, Shemow klopfte mit dem Hammer im Takt: tak-tak-tak, tak-tak-tak. Glühender Zunder sprühte auf die Schürzen.

Die Schaufel war angeschweißt. Schwer atmend traten die Zuschläger beiseite. Peter warf die Zange in den Wassertrog. Wischte sich mit dem Ärmel die Stirn. Kniff vergnügt die Augen zusammen. Zwinkerte Shemow zu. Der zog sein Gesicht in Falten.

„Na ja, kommt schon vor, Peter Alexejewitsch ... Zieh nur ein andermal die Zange nicht mit so einem Ruck aus dem Feuer, könntest leicht einen verletzen, und den Amboß verfehlst du todsicher. Ich hab für solche Sachen auch Prügel gekriegt."

Peter antwortete nicht, wusch sich die Hände im Kübel, trocknete sie mit der Schürze ab und zog seinen Rock an. Trat aus der Schmiede. Scharf und feucht schlug ihm die Frühlingsluft entgegen. Unter den großen Sternen knirschten die Eisschollen auf dem grauschimmernden Fluß. Schaukelnd flimmerte das Topplicht der „Festung". Die Hände in den Taschen, schritt Peter, leise vor sich hin pfeifend, dicht am Wasser das Ufer entlang.

Der Matrose an der Scheidewand steckte hastig, als er den Zaren gewahr wurde, den Kopf zur Tür hinein und meldete es den Ministern. Peter trat jedoch nicht sofort ins Nebenzimmer – mit Genuß sog er die Wärme und den Tabakqualm ein und beugte sich, die Schüsseln musternd, über den Tisch.

„Hör mal", wandte er sich an einen Mann mit rundem Bart und staunend hochgezogenen Brauen – in dem kleinen Gesicht leuchteten lichtblau die Augen, es war der berühmte Schiffszimmermann Aladuschkin –, „Mischka, reich mir doch das da herüber", er zeigte über den Tisch auf einen Rinderbraten, der mit eingelegten Äpfeln garniert war. Er setzte sich, dem schlafenden Vizeadmiral gegenüber, auf die Bank und leerte langsam, wie ermüdete Menschen zu trinken pflegen, ein Gläschen – feurig rann ihm der Schnaps durch die Adern. Wählte den prallsten Apfel, spie kauend einen Kern aus, gerade auf Cornelis Cruys' Glatze. „Was ist los, bist wohl betrunken?"

Da hob der Vizeadmiral sein übernächtiges Gesicht und sagte mit heiserer Baßstimme: „Windrichtung Südsüdwest, Windstärke eins. Wachhabender Kommodore ist Pamburg. Ich bin dienstfrei." Und ließ den Kopf wieder auf die gestickten Ärmel sinken.

Nachdem Peter gegessen hatte, sagte er: „Warum seid ihr alle so trübselig?" Er legte die Fäuste auf den Tisch. Blieb noch einen Augenblick sitzen, streckte den Rücken. Ging dann ins Nebenzimmer. Setzte sich aufs Bett. Die Minister standen ehrerbietig da. Mit dem Daumen stopfte er sich sein Pfeifchen mit feinem holländischem Tabak und zündete es an der Kerze an, die ihm Alexaschka hinhielt. „Na, willkommen, Außerordentlicher Gesandter."

Wosnizyns altersschwache Beine in Wollstrümpfen knickten ein, die steifen Schöße seines französischen Rocks spreizten sich, er verneigte sich bis zum Boden, daß die Locken seiner Perücke die kotbespritzten Schuhe des Zaren fast berührten. So wartete er, bis ihn Peter aufrichten würde.

Den Ellbogen in das Kissen vergraben, sagte Peter: „Alexaschka, hilf doch dem Außerordentlichen Gesandten auf... Nimm mir's nicht übel, Prokofi, ich bin ein wenig müde..." Wosnizyn schob Menschikow beiseite und richtete sich gekränkt selber auf. „Deine Briefe habe ich gelesen. Du schreibst, ich solle nicht zürnen. Ich zürne dir nicht. Du hast deine Pflicht redlich erfüllt, nach altem Brauch. Ich glaube dir." Er bleckte böse die Zähne. „Die Kaiserlichen! Die Engländer! Schon gut, es ist das letztemal, daß wir als Bittsteller kommen... Setz dich. Erzähle."

Wosnizyn begann wieder von all den ihm angetanen Kränkungen und seinen großen Mühen auf der Gesandtenkonferenz zu erzählen. Peter wußte das alles bereits aus seinen Briefen, zerstreut schmauchte er sein Pfeifchen.

„Dein Knecht, Majestät, hat sich in seiner Einfalt gesagt: Binden wir mit den Türken nicht an, so kann man das Armistitium lange hinziehen. Einen klugen und schlauen Mann sollten wir zu den Türken schicken. Soll er mit ihnen verhandeln, um Zeit zu gewinnen, ihnen dies und jenes Zugeständnis machen; die Muselmänner zu betrügen, Majestät, ist ja keine Sünde, Gott wird es uns verzeihen."

Peter lächelte. Die Hälfte seines Gesichts war im Schatten, aber sein rundes, von der Kerze beleuchtetes Auge blickte streng.

„Was habt ihr noch zu sagen, Bojaren?" Er nahm die Pfeife aus dem Mund und spuckte wohl sechs Ellen weit durch die Zähne. An der Wand gerieten die Schatten, die die gehörnten

Perücken Apraxins und Golowins warfen, ins Schwanken. Eine schwierige Sache, so vom Fleck weg zu antworten. So wie einst in der Duma, geschraubt und unbestimmt, das konnte Peter nicht leiden. Alexaschka rieb die Schultern am warmen Ofen und verzog die Lippen.

„Nun?" fragte ihn Peter.

„Was ist da zu sagen? Prokofi urteilt wie unsere Väter und Vorväter: die Sache in die Länge ziehen! So geht's jetzt nicht mehr..."

Schwer atmend fiel ihm Lew Kirillowitsch hitzig ins Wort. „Gott selbst hat es nicht zugelassen, daß wir mit den Türken Frieden schließen. Der Patriarch von Jerusalem schreibt uns unter Tränen: Schützet das Heilige Grab. Der moldauische und der wallachische Hospodar flehen beinahe auf den Knien: Rettet uns aus der türkischen Knechtschaft. Wir aber – ach, du mein Gott!" Peter warf spöttisch hin: „Heul nur nicht gleich..." Lew Kirillowitsch stockte, riß Mund und Augen auf und – setzte seine Rede fort. „Majestät, das Schwarze Meer müssen wir haben! Wir sind jetzt stark, Gott sei Dank, und die Türken sind schwach... Nicht gegen die Krim ziehen wie Waska Golizyn, sondern über die Donau müssen wir setzen und auf Konstantinopel marschieren, das Kreuz auf der Heiligen Sophia wiederaufrichten."

Die gehörnten Perücken schwankten unruhig hin und her. Peters Auge leuchtete noch immer rätselhaft, schnaufend sog er an seiner Pfeife.

Der ruhige Apraxin sagte leise: „Friede ist besser als Krieg, Lew Kirillowitsch, Krieg kostet Geld. Mit den Türken Frieden schließen, und sei es nur für fünfundzwanzig Jahre, selbst für zehn Jahre, ohne ihnen Asow und die festen Plätze am Dnepr zurückzugeben, was könnte besser sein..." Er blickte verstohlen zu Peter hinüber und seufzte.

Peter erhob sich, doch der Raum war zu klein, um auf und ab zu gehen, er setzte sich auf den Tisch.

„Immer soll ich auf euch, auf den Adel, auf die Grundherren Rücksicht nehmen! Die Adelswehr! Da klettern die feisten Satanskerle auf ihre Gäule und wissen nicht einmal, in welcher Hand man den Säbel zu halten hat. Nichtsnutze, wahrhaftig

Nichtsnutze! Du solltest mal mit den Kaufleuten sprechen! Archangelsk ist das einzige Luftloch, und auch das liegt am Ende der Welt; die Engländer und die Holländer zahlen, was sie wollen, kaufen alles um einen Pappenstiel. Mitrofan Schorin erzählte mir, achttausend Pud Hanf sind in seinen Speichern verfault, drei Jahre lang hat er auf einen annehmbaren Preis gewartet. Diese Schufte aber stolzierten an ihm vorbei und lachten nur. Und das Holz! Das Ausland braucht Holz, alles Holz ist unser, wir aber bitten mit tiefen Bücklingen: Kauft doch! Und Leinen! Iwan Browkin sagt: ‚Lieber verbrenne ich's samt meinen Speichern in Archangelsk, als daß ich es zu solchem Preis fortgebe...' Nein! Nicht ums Schwarze Meer geht es. Auf dem Baltischen Meer müssen wir eigene Schiffe haben."

Das Wort war heraus. Lang und rußgeschwärzt saß er auf dem Tisch und starrte mit weitaufgerissenen Augen die Herren Minister an. Die blickten mürrisch drein. Mit den Tataren, selbst mit den Türken Krieg führen war eine wenn auch schwierige, so doch gewohnte Sache. Aber zur Eroberung des Baltischen Meeres ins Feld ziehen? Gegen Livland und Polen? Mit den Schweden Krieg beginnen? Sich in die europäischen Händel einmischen? Lew Kirillowitsch tastete mit seiner fleischigen Hand den steif abstehenden Rockschoß ab, zog ein nußbraunes Seidentuch hervor und wischte sich das Gesicht. Wosnizyn wiegte den Kopf.

Peter zerrte seinen Tabakbeutel aus der Hosentasche und sagte: „Die Türken werden wir jetzt auf andre Weise, nicht wie Prokofi, um Frieden bitten. Jetzt kommen wir ihnen nicht nur mit einem Blaufuchspelz..."

„Das will ich meinen!" stimmte unvermittelt Alexaschka zu, und seine Augen leuchteten.

II

Mit gestreiften Segeln, die ein lauer Wind blähte, fuhren sie den trüben, wasserreichen Don hinab. Achtzehn Zweidecker, vor und hinter ihnen zwanzig Galeoten, zwanzig Brigantinen, ferner Galeassen, Jachten und Galeeren: sechsundachtzig Kriegsschiffe und fünfhundert Boote mit Kosaken segelten in einer endlosen Reihe durch die Windungen des Flusses.

Von den hohen Verdecken fiel der Blick auf die in jungem Grün prangenden Steppen und die vom Wind gekräuselten, nach dem Hochwasser zurückgebliebenen Seen. Vogelschwärme zogen nach dem Norden. Weiß leuchteten hin und wieder in der Ferne Kreideberge auf. Anfangs hatte man widrigen Wind, Südost, und es kostete viel Mühe, gegen ihn anzukämpfen, bis der Don endlich eine Wendung nach West machte; die Segel killten, die Schiffe wurden weit abgetrieben, wütend brüllten die Kapitäne in die kupfernen Sprachrohre. Der Flottenbefehl lautete: „Es unterstehe sich keiner, hinter dem Kommodoreschiff zurückzubleiben, sondern halte sich in dessen Kielwasser. So einer um drei Stunden zurückbleibt, geht er eines Viertels, um sechs Stunden – zweier Drittel, um zwölf Stunden – seines ganzen Jahressolds verlustig."

Jetzt, wo sich der Don nach Südwesten gewendet hatte, war die Fahrt ein Spiel. Rasch verlosch an den Abenden das flammende feuchte Rot des Himmels. Ein Kanonenschuß krachte an Bord des Flaggschiffs. Die Schiffsglocken schlugen. Lichter krochen an den Masten empor. Die Segel wurden gerefft, klatschend fiel der Anker ins Wasser. An den dunklen Ufern wurden Lagerfeuer angezündet, gedehnt schallten Kosakenstimmen.

Aus dem finsteren Riesenrumpf der „Apostel Petrus" – dessen Kommodore der Zar war – schoß, wie ein Hexenschweif, zischend und die Wachteln aufscheuchend, eine Rakete zu den Sternen empor. In der Messe wurde die Abendtafel gerüstet. Von den Schiffen, die in der Nähe lagen, kamen in diesen ohnehin schon trunkenen Nächten Admirale, Kapitäne und die Kammerbojaren herbei.

Unweit vom Diwnogorski-Kloster stießen sechs von der Schiffbaugesellschaft des Fürsten Boris Alexejewitsch Golizyn gebauten Schiffe zur Flotte. Aus diesem Anlaß wurde am Fuß der Kreideberge Anker geworfen und zwei Tage lang unter freiem Himmel, im Klostergarten, gezecht. Mit Hornmusik und zweideutigen Späßen führte man die Mönche in Versuchung, erschreckte sie mit dem Feuer der achthundert Schiffsgeschütze.

Und wieder blähten sich auf dem Fluß die Segel. An hohen Ufern, an von Flechtzäunen und Erdwällen umgebenen Städtchen ging es vorbei. An neuen Bojaren- und Klostergütern, an Fischereien. Beim Städtchen Panschin zeigten sich am linken Ufer Schwärme berittener Kalmüken mit langen Speeren, am rechten Kosaken mit zwei Geschützen in der Mitte einer viereckigen Wagenburg. Kalmüken und Kosaken standen sich, nach vergeblichen Versuchen, die Pferdeherden und Störfangbezirke friedlich untereinander zu teilen, kampfbereit gegenüber.

Der Wojewode Scheïn fuhr in einer Schaluppe zu den Kalmüken, Boris Alexejewitsch Golizyn zu den Kosaken hinüber. Sie versöhnten die Gegner. Aus diesem Anlaß wurde auf den grünen Hügeln unter den träge dahingleitenden Wolken, unter den vorüberziehenden Kranichschwärmen gezecht. Cornelis Cruys, der seinen Rausch noch nicht ausgeschlafen hatte, befahl, Schildkröten zu fangen, und bereitete eigenhändig eine Suppe. Auch Peter ließ Schildkröten fangen und setzte den Bojaren eine köstliche Speise vor; nachdem sie sie verzehrt hatten, zeigte er ihnen die Schildkrötenköpfe. Dem Wojewoden Scheïn wurde übel. Darob wurde viel gelacht.

Am 24. Mai um die heiße Mittagsstunde tauchten im Süden aus dem Dunstschleier die Bastionen von Asow über dem Meere auf. In gewaltiger Breite strömte hier der Don dahin, dennoch war er nicht tief genug, um den mit vierzig Kanonen bestückten Schiffen die Durchfahrt durch die Mündung zu ermöglichen.

Während der Vizeadmiral die Kutjurma, einen Donarm, peilen ließ und Peter an Bord einer Jacht nach Asow und Taganrog unterwegs war, um die Befestigungen und Forts zu besichtigen, trafen aus Bachtschissarai auf prächtigen Pferden und mit zahlreichem Gepäck Gesandte des Khans ein. Sie errichteten ihre Teppichzelte, pflanzten auf dem Hügel den Buntschuk auf – eine hohe Lanze mit Roßschweif und Halbmond – und schickten einen Dolmetscher, um sich zu erkundigen, ob der Zar den Gruß und die Geschenke des Khans entgegennehmen würde. Den Gesandten gab man zur Antwort, der Zar weile in Moskau, hier befinde sich sein Stellvertreter, Admiral Golowin, mit den Bojaren. Drei Tage wehte der Roßschweif auf dem Hügel. Die Tataren tummelten ihre feurigen Rosse vor den Schlünden der Kanonen. Am vierten Tag erschienen die Gesandten an Bord des Flaggschiffs. Sie breiteten einen weißen anatolischen Teppich aus und legten darauf ihre Geschenke nieder: ein geschmiedetes Sattelgestell, einen Säbel, Pistolen, einen Dolch, ein Zaumzeug – alles recht mäßig, mit Silber verziert und mit billigen Steinen besetzt. Admiral Golowin saß würdevoll auf einem Klappstuhl, die Tataren mit untergeschlagenen Beinen auf dem Teppich. Sie sprachen über den Waffenstillstand, den Wosnizyn geschlossen hatte, über dies und jenes, zupften ihre schütteren, in zwei Spitzen endenden Bärte, tasteten alles mit den Blicken ab, die flink und unstet waren wie die eines Seehundes, und schnalzten mit der Zunge.

„Moskow gutt, Flotte gutt. Aber mit den großen Schiffen kommt ihr durch die Kutjurma nicht durch, erst unlängst hat des Sultans Flotte versucht, in die Donmündung einzulaufen, sie mußte unverrichtetersache nach Kertsch zurücksegeln..."

Alles zeugte davon, daß sie nur als Kundschafter gekommen waren. Schon am nächsten Morgen waren weder Roßschweif noch Zelte, noch Reiter auf dem Hügel zu sehen.

Die Messungen ergaben, daß die Kutjurma zu seicht war. Der Wasserstand des über seine Ufer getretenen Dons fiel mit jedem Tage. Es blieb nur die Hoffnung, daß ein starker Südwest die Meeresfluten in die Mündung treiben würde.

Peter war aus Taganrog zurückgekehrt. Sein Gesicht verfinsterte sich, als er von dem niedrigen Wasserstand hörte. Ein träger Südwind wehte. Brennend heiße Tage brachen an. Der Teer tropfte von den Schiffswänden. Die im Laufe des Winters nur schlecht getrockneten Planken bekamen Risse. Aus den Laderäumen wurde Wasser gepumpt. Reglos, mit gerefften Segeln, lagen die Schiffe im blauen, flimmernden Dunst.

Befehl wurde erteilt, Ballast über Bord zu werfen. Aus den

Laderäumen wurden Fässer mit Pulver und Pökelfleisch an Deck geschafft, auf Barken umgeladen und nach Taganrog übergeführt. Die Schiffe lagen jetzt nicht mehr so tief im Wasser, doch der Wasserstand der Kutjurma fiel weiter.

Am 22. Juni um die Mittagsstunde trat Konteradmiral Julius Rees mit kupferrotem Gesicht und schwerem Schritt aus der Messe, wo es schwül wie in der Badestube war, um von Deck Wasser abzuschlagen. Den Horizont musternd, bemerkte er im Südwesten eine graue, sich rasch ausbreitende Wolke. Nach verrichteter Notdurft warf er noch einen Blick auf die Wolke, kehrte in die Messe zurück, nahm Hut und Degen und sagte laut: „Sturm im Anzug."

Peter, die Admirale und Kapitäne sprangen vom Tisch auf. Zerfetzte Wolken flogen am Himmel dahin. Am Ende der weißlich schimmernden Wasserfläche erhob sich eine finstere Wolkenwand. Wie weißglühendes Eisen brannte die Sonne. Reglos hingen die Flaggen, Wimpel und die an den Wanten trocknende Matrosenwäsche herab. Auf allen Schiffen schrillten die Pfeifen der Bootsleute: „Alle Mann an Deck!" Die Segel wurden geborgen, die Sturmanker ausgeworfen.

Der Himmel war zur Hälfte von der Wolke bedeckt. Das Wasser färbte sich dunkel. Am Horizont flammte ein breiter Lichtstreifen auf. Schriller und unruhiger pfiff der Wind im Takelwerk. Die Wimpel knatterten. In wirbelnden, schwarzen Wolkenfetzen flog wütend eine Bö heran. Die Masten knarrten, vom Sturm losgerissene Unterhosen flatterten von den Wanten davon. Der Wind wühlte die Flut auf, riß das Takelwerk in Stücke. Krampfhaft klammerten sich die Matrosen auf den Rahen an die Taue. Die Kapitäne stampften mit den Füßen und versuchten den anwachsenden Sturm zu überschreien. Schäumende Wellen schlugen gegen die Bordwände. Krachend barst der Himmel, durch Mark und Bein gehend folgte ein Donnerschlag auf den anderen. Feuersäulen fielen vom Himmel.

Peter stand ohne Hut, mit flatternden Rockschößen, sich an die Griffstangen klammernd, auf dem bald emporfliegenden, bald in die Tiefe tauchenden Heck. Betäubt und geblendet, riß er wie ein Fisch den Mund auf. Die Blitze schienen rings um das Schiff mitten in die Wogenkämme einzuschlagen. Julius Rees schrie ihm ins Ohr: „Das ist noch nichts. Gleich kommt der richtige Sturm."

Das Unwetter war vorüber. Es hatte sehr viel Unheil angerichtet. Zwei Matrosen waren am Ufer vom Blitz erschlagen worden. Die Ankertaue waren gerissen, einige Masten geknickt, eine Menge kleiner Schiffe war ans Ufer geschleudert oder zum Kentern gebracht worden. Dafür wehte jetzt aber ein kräftiger Südwest: grade das, was man brauchte.

Der Wasserstand der Kutjurma stieg rasch. Bei Tagesanbruch ging man daran, die Schiffe aus der Mündung zu bugsieren. Ein halb Hundert Ruderboote schleppten an langen Tauen als erstes die „Festung" hinaus. Von Bake zu Bake glitt sie, ohne auch nur ein einziges Mal den Grund mit dem Kiel zu streifen, die Kutjurma hinab ins Asowsche Meer, feuerte einen Kanonenschuß ab und hißte den Wimpel des Kapitäns Pamburg.

Am selben Tage wurden die besonders tiefgehenden Schiffe in See bugsiert: „Apostel Petrus", „Woronesh", „Asow", „Goed Dragers" und „Vijn Dragers".

Am 27. Juni warf die ganze Flotte vor den Bastionen Taganrogs Anker.

Hier ging man im Schutz der Mole daran, die rissig gewordenen Schiffe neu zu kalfatern, zu pichen und anzustreichen, das Takelwerk in Ordnung zu bringen und Ballast zu nehmen. Peter saß tagelang auf einem an der Bordwand der „Festung" mit Seilen befestigten Brett, pfiff und schlug kräftig mit dem Hammer zu oder kletterte in verschmierten Segeltuchhosen, die seinen hageren Hintern prall umspannten, die Strickleiter zum Mast empor, um eine neue Rahe zu befestigen. Stieg wohl auch in den Kielraum hinab, wo Fedossej Skljajew arbeitete, der sich mit John Day und Joe Ney endgültig verkracht und ihnen die unflätigsten Schimpfworte an den Kopf geworfen hatte. Er war grade dabei, die Heckspanten zu festigen.

„Peter Alexejewitsch, stören Sie mich nur um Gottes willen nicht", wandte sich Fedossej an ihn, „der Verband könnte mißraten. Befehlen Sie, mir den Kopf abzuschlagen, wenn Sie wollen, aber lassen Sie mich bei meiner Arbeit in Ruhe."

„Schon gut, schon gut, ich will dir ja bloß zur Hand gehen."

„Gehen Sie lieber Aladuschkin zur Hand, wir zwei geraten uns nur in die Haare..."

Den ganzen Juli über wurde gearbeitet. Konteradmiral Julius Rees drillte unablässig die Schiffsmannschaften, die aus Soldaten des Preobrashenski- und des Semjonowski-Regiments angemustert waren. Darunter gab es viele junge Adlige, die noch nie im Leben das Meer zu Gesicht bekommen hatten. Julius Rees – ein Seemann von altem Schrot und Korn, barsch und beherzt – bleute den Matrosen die Liebe zur See mit dem Tauende ein. Er hieß sie auf den Oberbramrahen, fünfundachtzig Fuß über der Flut, stehen und von Deck in Kleidung und Schuhen kopfüber ins Wasser springen. „Wer ersäuft, ist kein Seemann!" Die Beine gespreizt, die den Stock umklammernden Hände auf dem Rücken, die Kinnlade wie bei einem Bullenbeißer, stand er auf der Kommandobrücke, alles sah er, der einäugige Pirat – ob einer beim Lösen eines Knotens zu langsam war oder ein Tau nicht richtig festgemacht hatte. „Heda, du dreckige Kuh dort am Stengestagsegel, wie stichst du das Fall aus?" Er stampfte mit dem Fuß. „Alle Mann aufs Hinterkastell! Alles wieder von vorn!"

Aus Moskau traf der neuernannte Gesandte ein, Jemeljan Ukrainzew, einer der gewiegtesten Beamten des Auswärtigen Amts; ihn begleiteten der Rat Tscheredejew und die Dolmetscher Lawrezki und Botwinkin. Sie brachten Zobelfelle, Walroßzähne und anderthalb Pud Tee mit, Geschenke für den Sultan und die Paschas.

Am 14. August hißte die „Festung" die Segel und stach, von der gesamten Flotte begleitet, bei starkem Nordost auf Kurs Westsüdwest in See. Am 17. tauchten backbords auf der Nogaiseite die schlanken Minarette von Taman auf, die Flotte überquerte die Meerenge, segelte, die Kanonen abfeuernd und in Rauch gehüllt, an Kertsch vorbei und warf Anker. Die Mauern der Stadt waren uralt, die hohen viereckigen Türme stellenweise eingestürzt. Weder Forts noch Bastionen. Nahe am Ufer lagen vier Schiffe vor Anker. Die Türken waren offensichtlich bestürzt – das hätten sie sich nicht träumen lassen, die ganze Bucht voller Segel und Pulverdampf zu sehen.

Murtasa, der Pascha von Kertsch, ein gepflegter und träger Türke, lugte voller Schreck aus der Schießscharte eines der Festungstürme. Er sandte Agas an Bord des Flaggschiffs der Moskowiter, um in Erfahrung zu bringen, zu welchem Zwecke eine so große Flotte eingetroffen sei. Einen Monat war es erst her, daß die Tataren des Khans der Krim ihm berichtet hatten, die Flotte des Zaren tauge nichts, sei gänzlich unbestückt und könnte nie und nimmer die Sandbänke von Asow forcieren.

„O weh, o weh, o weh ... o weh, o weh, o weh", wimmerte leise Murtasa, einen Zweig des die Schießscharte verdeckenden Strauchs beiseite schiebend, um besser sehen zu können. Immer wieder zählte er die Schiffe. Gab es dann auf. „Wer war es, der den Kundschaftern des Khans Glauben geschenkt hat?" schrie er seine Beamten an, die hinter ihm auf der von den Vögeln verdreckten Zinne des Turms standen. „Wer hat den Tatarenhunden Glauben geschenkt?"

Murtasa stampfte mit den in Pantoffeln steckenden Füßen. Die Beamten, die in dem stillen, weltentlegenen Nest sich satt und rund gefressen hatten und träge geworden waren, preßten die Hand ans Herz und nickten bekümmert mit den Fesen und Turbanen. Sie begriffen, Murtasa würde dem Sultan einen unerfreulichen Bericht senden müssen, und wer weiß, wie die Sache auslief: Mochte der Sultan auch der erlauchte Statthalter des Propheten sein, aber er war jähzornig, und es war schon vorgekommen, daß sich ganz andere Paschas ächzend auf den Pfahl hatten setzen müssen.

Das schiefe Segel der Feluke mit den Agas löste sich von der Bordwand des Flaggschiffs. Murtasa sandte einen Beamten ans Ufer, um seine Abgesandten zur Eile anzutreiben, und machte sich wieder daran, die Schiffe zu zählen. Die Agas, zwei Griechen, erschienen geduckten Kopfs, sie verdrehten die Augen und schnalzten mit der Zunge. Murtasa streckte ihnen grimmig sein feistes Gesicht entgegen.

Sie berichteten: „Der Moskauer Admiral hat uns befohlen, dir seinen Gruß zu entbieten und zu melden, daß sie ihren Gesandten zum Sultan begleiten. Wir sagten dem Admiral, du könntest den Gesandten zur See nicht durchlassen, er solle, wie alle, auf der Krim über Baba reisen. Der Admiral erwiderte: ‚Wollt ihr unsern Gesandten zur See nicht durchlassen, so werden wir ihn mit der gesamten Flotte bis nach Konstantinopel begleiten.'"

Murtasa-Pascha sandte am nächsten Tage einige vornehme Beis zum Admiral. Und die Beis sagten: „Wir haben Mitleid mit euch Moskowitern, ihr kennt unser Schwarzes Meer nicht, in der Not wird auf diesem Meer des Menschen Herz schwarz, darum heißt es auch das Schwarze Meer. Hört auf unseren Rat, schlagt den Landweg über Baba ein."

Admiral Golowin blies nur die Backen auf. „Da habt ihr uns ja einen mächtigen Schreck eingejagt!" Und ein langer Kerl mit glänzenden Augen, in holländischer Tracht, der dicht bei ihm stand, lachte auf, und alle Russen lachten mit.

Was ließ sich da machen? Wie sollte man die moskowitischen Schiffe nicht durchlassen, wo sie im Morgenwind die Segel setzten, nach allen Regeln der Nautik manövrierten, in der Bucht kreuzten und aus ihren Kanonen nach Segeltuchschildern auf schwimmenden Bojen schossen. Versuch es einer, solchen Frechlingen etwas abzuschlagen! Sich auf Allah allein verlassend, zog Murtasa-Pascha die Verhandlungen in die Länge.

Die Schaluppe legte am türkischen Flaggschiff an. An Bord gingen Cornelis Cruys und zwei Ruderer in holländischer Matrosentracht: Peter und Alexaschka. Auf dem Hinterkastell feuerte die türkische Mannschaft zu Ehren des moskowitischen Vizeadmirals eine Salve ab. Admiral Hassan-Pascha trat gemessen aus seiner Kammer auf das Achterdeck, er trug ein weißseidenes Gewand und auf dem Kopf einen mit einem Diamanthalbmond geschmückten Turban. Würdevoll führte er die Finger an die Stirn und Brust. Cornelis Cruys zog den Hut, trat einen Schritt zurück und fegte vor Hassan-Pascha mit den Hutfedern den Boden.

Zwei Stühle wurden gebracht. Die Admirale nahmen unter einem Sonnendach aus Segeltuch Platz. Ein kleiner, dicker

Eunuch – der Koch – brachte auf einem Präsentierbrett ein Schälchen mit Süßigkeiten, eine Kaffeekanne und Täßchen, die nur um ein geringes größer waren als ein Fingerhut. Die beiden Admirale knüpften ein schickliches Gespräch an. Hassan-Pascha erkundigte sich nach dem Befinden des Zaren. Cornelis Cruys antwortete, der Zar sei wohlauf, und erkundigte sich seinerseits nach der Gesundheit Seiner Majestät des Sultans.

Hassan-Pascha verneigte sich bis auf die Tischplatte. „Allah wacht über die Tage Seiner Majestät des Sultans ..." Und sagte dann, wehmütig an Cornelis Cruys vorbeiblickend: „In Kertsch halten wir keine große Flotte. Hier haben wir niemanden zu fürchten. Dafür haben wir im Marmarameer gewaltige Schiffe. Ihre Kanonen sind so groß, daß sie sogar mit drei Pud schweren Steinkugeln schießen können."

Cornelis Cruys schlürfte seinen Kaffee und erwiderte: „Auf unseren Schiffen verwenden wir keine Steinkugeln. Wir schießen mit achtzehn- und dreißigpfündigen Eisenkugeln, die durchschlagen glatt das ganze Schiff."

Hassan-Pascha zog seine schön geschwungenen Brauen kaum merklich in die Höhe. „Wir waren baß erstaunt, als wir sahen, daß bei der Flotte des Zaren Engländer und Holländer, die besten Freunde der Türkei, so beflissen dienen..."

Cornelis Cruys bemerkte mit freundlichem Lächeln: „Oh, Hassan-Pascha, die Menschen dienen dem, der mehr zahlt."

Hassan-Pascha neigte gewichtig den Kopf. „Holland und England stehen in einträglichen Handelsbeziehungen mit Moskowien. Mit dem Zaren in Frieden leben bringt mehr Nutzen als mit ihm Krieg führen. Moskowien ist so reich wie kein anderes Land der Welt."

Hassan-Pascha fragte nachdenklich: „Woher nimmt der Zar soviel Schiffe, Herr Vizeadmiral?"

„Die Moskowiter haben sie in zwei Jahren selber gebaut."

„So, so, so." Hassan-Pascha schüttelte den Kopf.

Dieweil die Admirale sich unterhielten, regalierten Peter und Alexaschka die türkischen Matrosen mit Tabak und brachten sie mit allerhand Späßen zum Lachen. Hassan-Pascha warf ab und zu einen Blick auf diese baumlangen Burschen – allzu neugierig dünkten sie ihn. Einer von ihnen war gerade auf die Mars hinaufgeklettert. Der andere betrachtete mit aufmerksamem Blick die englische Schnellfeuerkanone. Aus Höflichkeit ließ jedoch Hassan-Pascha dies Treiben unbeachtet, schwieg sogar, als seine Matrosen die Moskowiter ins Zwischendeck führten.

Cornelis Cruys bat um die Erlaubnis, an Land zu gehen, um Obst, Süßigkeiten und Kaffee zu kaufen. Hassan-Pascha meinte nach kurzem Besinnen, am Ende könne er selber dem Herrn Vizeadmiral Kaffee verkaufen.

„Brauchst du viel Kaffee?"

„Annähernd für siebzig Golddukaten."

„Abdullah-Allah", rief Hassan-Pascha und stampfte mit der Ferse auf. Watschelnd eilte der Eunuch herbei. Er hörte den Pascha an, lief davon und kam mit einer Waage zurück. Ihm auf dem Fuß folgten Matrosen, die Kaffeesäcke schleppten. Hassan-Pascha rückte seinen Stuhl bequemer zurecht, prüfte die Waage und zog aus dem Busen einen Rosenkranz aus Bernstein, um die Maße zu zählen. Er befahl, einen Sack aufzubinden. Ließ mit halbgeschlossenen Augen die Kaffeebohnen durch die gepflegten Finger gleiten.

„Javakaffee der besten Ernte. Du wirst mir Dank wissen, Herr Vizeadmiral. Ich sehe, du bist ein guter Mensch." Er beugte sich zu Cruys' Ohr vor. „Ich will dein Bestes – rate den Moskowitern ab, weiterzusegeln; hier gibt es viele Riffe und gefährliche Sandbänke an der Küste. Wir selber fürchten diese Gewässer."

„Was brauchen wir an der Küste entlangzufahren", versetzte Cornelis Cruys, „unser Weg führt geradeaus übers Meer, wenn wir nur Wind in die Segel bekommen."

Er händigte ihm siebzig Golddukaten ein. Sie verabschiedeten sich. Cornelis Cruys trat ans Fallreep und rief mit strenger Stimme: „He, Peter Alexejew! . . ."

„Hier", antwortete hastig eine Stimme.

Peter und dicht hinter ihm Alexaschka tauchten aus dem Luk auf, beide einen roten Fes auf dem Kopf. Der Vizeadmiral winkte dem Admiral mit dem Hut zu, nahm am Steuer Platz, und die Schaluppe schoß zum Ufer davon. Peter und Alexaschka legten sich tüchtig in die Riemen und grinsten vergnügt.

Eine Welle der Brandung schleuderte die Schaluppe auf das kiesige Ufer. Vom Festungstor her liefen, an morschen Kähnen und mit grünem Moos bedeckten Pfählen vorbei, Agas und die Beis von vorhin, um den Vizeadmiral zu bitten, er möge die Stadt nicht betreten; brauche er etwas, so würden die Krämer ihm alle benötigten Waren in die Schaluppe bringen. Peter rollte die Augen, vor Zorn schoß ihm das Blut in die Wangen.

Alexaschka sagte, das aufrecht gestellte Ruder in der Hand: „Mijn Herz, so red doch ein Wort... Laß uns mit der Flotte auf Schußweite heransegeln... Wirklich..."

„Uns nicht in die Stadt lassen ist ihr gutes Recht – das ist eine Festung", bemerkte Cornelis Cruys. „Wir wollen uns ein bißchen am Ufer längs der Mauern ergehen, da werden wir alles zu sehen bekommen, was wir brauchen."

12

Murtasa-Pascha wußte keinen anderen Ausweg: Fahrt zu, Allah sei mit euch.

Peter kehrte mit der Flotte zusammen nach Taganrog zurück. Am 28. August umschiffte die „Festung", nachdem sie den Gesandten, den Gesandtschaftsrat und die Dolmetscher an Bord genommen hatte, von vier türkischen Kriegsschiffen begleitet, das Kap Kertsch und fuhr mit halbem Wind die Südküste der Krim entlang.

Die türkischen Schiffe segelten im schäumenden Kielwasser der „Festung". An Bord des vordersten Schiffs befand sich der Aga. Hassan-Pascha war in Kertsch zurückgeblieben – im letzten Augenblick hatte er darum gebeten, man möge es ihm zum mindesten schriftlich geben, daß der Gesandte des Zaren auf eigenen Wunsch weiterfahre und er, Hassan, ihm davon abgeraten habe. Doch auch diese Bitte wurde ihm abgeschlagen.

In Sicht Balaklawas stieg der Aga in ein Boot, ließ sich an die „Festung" heranrudern und bat, Balaklawa anzulaufen, um frisches Trinkwasser an Bord zu nehmen. Verzweifelt fuhr er mit seinem Kaftanärmel durch die Luft und wies auf die rotbraunen Hügel. „Eine schöne Stadt, laßt uns hier landen, bitte."

Kapitän Pamburg brummte, über die Reling gebeugt, mit tiefer Baßstimme: „Als ob wir nicht wüßten, daß der Aga Balaklawa nur darum anlaufen will, weil er von den Einwohnern ein tüchtiges Bakschisch für die Verpflegung des Gesandten erpressen möchte. Ha! Bei uns sind alle Wasserfässer voll bis oben."

Der Aga bekam eine abschlägige Antwort. Der Wind wurde stärker. Pamburg warf einen Blick auf den Himmel und befahl, mehr Segel zu setzen. Die schweren türkischen Schiffe blieben merklich zurück. Auf dem vordersten wurde das Signal gehißt: „Segel einziehen!" Pamburg sah durch das Fernrohr hinüber. Stieß einen portugiesischen Fluch aus. Lief hinunter in die prächtig mit Nußholz getäfelte Messe. Dort saß am Tisch auf der gewachsten Bank der Gesandte Jemeljan Ukrainzew – das Schlingern des Schiffes machte ihn ganz krank, er hatte die Augen geschlossen, die Perücke abgenommen und hielt sie zusammengeballt in der Hand.

Pamburg wetterte: „Diese Satanskerle befehlen mir, die Segel einzuziehen. Ich pfeife darauf. Ich nehme Kurs auf die offene See."

Ukrainzew winkte nur schwach mit der Perücke ab. „Fahr, wohin du willst."

Pamburg ging wieder an Deck, auf die Kommandobrücke. Zwirbelte den Schnurrbart hoch, damit er ihn beim Schreien nicht hindere.

„Alle Mann an Bord! Achtung! Vorderoberbramsegel setzen ... Großsegel ... Kreuzoberbramsegel ... Vorderstengestagsegel ... Fockstagsegel ... Backbord ... Kurs geradeaus ..."

Knirschend und sich auf die Seite legend, machte die „Festung" eine Wendung und floh mit geschwellten Segeln vor den scheinbar stillstehenden Türken hinaus in die Weiten des Pontus, geradewegs auf Konstantinopel zu.

Schief vor dem Wind liegend, glitt das Schiff über die dunkelblaue, vom Nordost aufgewühlte Flut dahin. Die Wellen erhoben ihre Schaummähnen, als wollten sie Ausschau halten, wie weit sie noch in dieser Wasserwüste bis zu den von der Sonne verbrannten Ufern zu rollen hätten. Die sechzehn Mann der Schiffsmannschaft – Holländer, Schweden, Dänen, alles alte Seebären – schmauchten, auf die Wogen blickend, ihr Pfeifchen; die Fahrt ging glatt und spielend vonstatten. Dafür aber lag die Hälfte der Militärmannschaft – Füsiliere und Kanoniere – unten in der Last zwischen Fässern mit Wasser und Pökelfleisch. Pamburg befahl, allen Kranken dreimal am Tage Schnaps zu geben. „An die See muß man sich gewöhnen!"

Ein Tag und eine Nacht vergingen, am nächsten Tag nahm das Schiff die Riffe – tief schnitt es in die Wogen, schöpfte Wasser, in Fetzen flog der Schaum über das Deck. Pamburg pustete nur die Wasserspritzer von seinem Schnurrbart.

Die ganze Gesandtschaft war seekrank. Ukrainzew und der Rat Tscheredejew lagen in einer Kammer auf dem Achterdeck, einer kleinen frischgestrichenen Kajüte, hoben die Köpfe von den Kissen und starrten durch das viereckige Fensterchen. Langsam sank es in die Tiefe hinab, die grüne Flut zischte und hob sich zu den vier Glasscheiben empor, verdunkelte, schwer aufklatschend, die Kammer. Die Scheidewände knarrten, die niedrige Kajütendecke schien sich zu senken. Stöhnend schlossen der Gesandte und der Rat die Augen.

Am 2. September in der Frühe – der Morgen war frisch und klar – rief der Schiffsjunge, ein kleiner Kalmüke, von der Mars: „Land!" Bläulich schimmernd tauchten die hügeligen Umrisse der Bosporusufer auf. In der Ferne glitten schräge Segel dahin. Möwen kamen geflogen und zogen schreiend ihre Kreise über dem hohen geschnitzten Heck. Pamburg befahl, alle Mann an Bord zu pfeifen. „Waschen! Röcke putzen! Perükken aufsetzen!"

Um die Mittagsstunde fuhr die „Festung" mit vollen Segeln an den alten Wachttürmen vorbei in den Bosporus ein. Auf dem Festungswall flogen Signalflaggen am Mast empor: „Wes Landes Schiff?" Pamburg befahl zu antworten: „Ihr müßt die moskowitische Flagge kennen." Vom Ufer wurde signalisiert: „Nehmt den Lotsen an Bord." Pamburg hißte die Signale: „Wir fahren ohne Lotsen."

Ukrainzew legte einen himbeerfarbenen Rock mit goldenen Tressen an und setzte einen federgeschmückten Hut auf, Rat Tscheredejew – ein knochiger Mann mit schmaler Nase, der einem Märtyrer auf den Bildern der Susdaler Schule glich – kleidete sich in einen grünen, silbergestickten Rock und setzte ebenfalls einen Federhut auf. Die Kanoniere nahmen bei ihren Geschützen, die Soldaten, Muskete bei Fuß, auf dem Hinterkastell Aufstellung.

Das Schiff glitt auf der spiegelglatten Meerenge dahin. Links, zwischen trockenen Hügeln, noch nicht abgeerntete Maisfelder, Wasserschöpfräder, auf den Abhängen Schafherden, mit Maisstroh gedeckte Fischerhütten aus Stein. Am rechten Ufer üppige Gärten mit weißen Mauern, Ziegeldächer, zum Wasser hinabführende Treppen. Schwarzgrüne Bäume, Zypressen, schlank wie Spindeln. Von Gestrüpp überwucherte Schloßruinen. Eine runde Kuppel und ein Minarett ragten hinter Baumwipfeln auf. Näher aufs Ufer zuhaltend, erblickten sie köstliche Früchte an den Zweigen. Oliven- und Rosenduft wehte herüber. Die Russen staunten über den Reichtum des türkischen Landes.

„Da reden nun alle: kahlköpfige Muselmänner, aber seht nur, wie sie leben!"

Die in märchenhafter Ferne versinkende Sonne überflutete alles mit ihrem goldenen Licht. Der Abendhimmel färbte sich rasch immer röter und ließ, verlöschend, die Fluten des Bosporus wie Blut aufleuchten. Drei Meilen vor Konstantinopel warf das Schiff Anker. Im bläulichen Nachtdunkel leuchteten große Sterne, wie es sie am Moskauer Himmel nicht gab. Wie ein Nebel spiegelte sich die Milchstraße im Wasser.

An Bord wollte sich niemand zur Ruhe begeben. Die Leute blickten auf die verstummten Ufer, lauschten dem Knarren der Brunnenschwengel, dem trockenen Gezirp der Zikaden. Selbst die Hunde bellten hier anders. In der Tiefe glitten, von der Strömung fortgerissen, seltsame leuchtende Fische vorüber. Die Soldaten saßen still auf den Geschützen und meinten: „Ein reiches Land, und die Leute haben hier wohl ein gutes Leben."

Den Blick nachdenklich auf das Flämmchen der Kerze gerichtet, deren Licht einige große Sterne im schwarzen Fensterchen der Achterdeckkammer überstrahlte, tauchte Jemeljan Ukrainzew seinen Gänsekiel behutsam ins Tintenfaß, prüfte, ob auch nicht ein Härchen an der Spitze der Feder hinge – fand er eines, wischte er die Feder an der Perücke ab –, und schrieb bedächtig, in Geheimschrift, einen Brief an Peter Alexejewitsch:

„... Hier haben wir fast einen Tag und eine Nacht vor Anker gelegen. Am Dritten sind die zurückgebliebenen türkischen Schiffe eingetroffen. Der Aga machte uns mit Tränen in den Augen Vorwürfe, daß wir ihm vorausgeeilt seien, der Sultan würde ihm dafür den Kopf abschlagen lassen, und bat uns, auf ihn hier zu warten; er selber würde den Sultan von unserer Ankunft benachrichtigen. Wir trugen ihm auf, dafür zu sorgen, daß wir vom Sultan mit allen Ehren empfangen würden. Am Abend kam der Aga aus Konstantinopel zurück und erklärte, der Sultan würde uns mit gebührenden Ehren empfangen und Sandals, so nennen sie ihre Boote, schicken, um uns abzuholen. Wir antworteten darauf, daß wir solches ablehnen, wir würden auf unserem Schiffe fahren. So stritten wir uns herum und erklärten uns schließlich bereit, mit den Sandals zu fahren, aber unter der Bedingung, daß die ‚Festung‘ voranfahre.

Am Tage darauf kamen drei mit Teppichen belegte Sandals des Sultans, um uns abzuholen. Wir bestiegen die Boote, und vor uns her segelte die ‚Festung‘. Bald erblickten wir Konstantinopel, eine allen Staunens würdige Stadt. Ihre Mauern und Türme sind zwar alt, doch aus mächtigen Quadern gefügt. Die Dächer der Stadt sind mit Ziegeln gedeckt, herrlich und prächtig stehen die Moscheen da aus weißem Stein, die Sophia aber aus Sandstein. Sowohl Konstantinopel wie die Vorstadt Pera waren vom Schiff aus so deutlich zu sehen, als hätte man sie auf der flachen Hand vor sich. Vom Ufer wurde zu Ehren unserer Ankunft Salut geschossen, und Kapitän Pamburg antwortete mit einem Salut aus allen Geschützen. Wir warfen Anker vor dem Serail des Sultans, der von der Mauer herab auf uns blickte; Sklaven mit Fächern standen hinter ihm und fächelten ihm Kühlung zu.

Am Ufer empfingen uns hundert berittene Leibgardisten und zweihundert Janitscharen mit Bambusstöcken in der Hand. Für mich und den Rat standen prächtig gezäumte Pferde bereit. Sobald wir das Boot verließen, erkundigte sich der Führer der Berittenen nach unserer Gesundheit. Wir stiegen auf die Pferde und ritten durch viele sehr winklige und enge Straßen nach unserem Absteigequartier. Zu beiden Seiten lief das Volk neben uns her.

Über Dein Schiff staunen die Leute hier gar sehr, fragten, wer es gebaut und wie es trotz des niedrigen Wasserstands aus der Donmündung habe auslaufen können. Man erkundigte sich, ob Du viele Schiffe hättest und wie groß sie wären. Ich antwortete, es wären gar viele und sie wären nicht flachbodig, wie man hier faselt, sondern alle seetüchtig. Tausende von Türken, Griechen, Armeniern und Juden kommen, um sich die ‚Festung' anzusehen, sogar der Sultan selber ist gekommen und mit seinem Boot dreimal um unser Schiff gefahren. Vor allem aber sind die Leute des Lobes voll über die Güte unserer Segel und Taue und unseres Mastenholzes. Es gibt indes auch solche, die schelten und sagen, das Schiff sei nicht dicht und stark genug gebaut. Verzeihe, aber meine Meinung ist die: Wir sind nicht mit allzu starkem Wind hierhergesegelt, und doch hat die ‚Festung' in allen Fugen arg gekracht, sich auf die Seite gelegt und Wasser geschöpft. Die Schiffbauer, so sie gebaut – Joe Ney und John Day –, werden wohl dabei ihren Vorteil nicht aus den Augen gelassen haben. Ein Schiff ist kein klein Ding, ist eine gute Stadt wert. Hier besieht man es wohl, bietet jedoch nichts, und einen Käufer dafür gibt es hier nicht ... Verzeihe, wenn ich so schreibe, wie ich es verstehe.

Die Türken aber bauen ihre Schiffe mit großem Eifer, bauen sie fest und stark und dichten sie gut – an Größe stehen sie unseren Schiffen nach, aber Wasser schöpfen sie nicht.

Ein Grieche hat mir gesagt, die Türken fürchteten, in Konstantinopel würde, falls Deine Kaiserliche Majestät das Schwarze Meer zusperren sollte, Mangel eintreten, denn das Korn und Öl, das Bau- und Brennholz kommen ja aus den

Donaustädten. Hier läuft das Gerücht um, Du wärest mit der ganzen Flotte nach Trapezunt und Sinob gesegelt. Man fragte mich danach, und ich antwortete: Ich weiß es nicht, solange ich zugegen war, ist er nicht in See gegangen..."

Pamburg ritt mit seinen Offizieren nach Pera und suchte einige europäische Gesandte auf, um sich nach ihrem Befinden zu erkundigen. Der holländische und der französische Gesandte empfingen die Russen aufs freundlichste, bedankten sich und leerten ein Glas edlen Weins auf das Wohl des Zaren. Dann fuhren die Russen zum dritten, zum englischen Gesandten. Vor der Freitreppe stiegen sie ab und klopften. Ein baumlanger Lakai mit feuerrotem Bart öffnete. Ohne die Türklinke aus der Hand zu lassen, fragte er nach dem Begehr. Pamburg, dessen Augen aufblitzten, setzte ihm auseinander, wer sie wären und was sie wünschten. Der Lakai warf die Tür zu und kam erst nach geraumer Zeit zurück, obgleich die Moskowiter auf der Straße warteten, und sagte dann spöttisch: „Der Gesandte hat sich eben zu Tisch gesetzt und läßt sagen, er habe mit dem Kapitän Pamburg nichts zu besprechen."

„Dann sag nur deinem Gesandten, er möge an einem Knochen ersticken!" schrie Pamburg, schwang sich wütend in den Sattel und jagte die breiten Backsteinstufen, vorbei an Straßenhändlern, nackten Kindern und Hunden, nach Galata hinab, wo er zuvor in Garküchen und Kaffeehäusern und vor den Türen der Freudenhäuser einige seiner alten Freunde bemerkt hatte.

Hier taten sich Pamburg und seine Offiziere am Griechenwein gütlich, bis sie toll und voll waren, randalierten und banden mit englischen Seeleuten an. Bald stellten sich auch seine Freunde ein: Steuerleute für große Fahrt, berühmte Korsaren, die sich in den Schlupfwinkeln Galatas verbargen, und allerhand rätselhaftes Volk. Sie alle lud Pamburg zu einem Schmaus auf die „Festung".

Am nächsten Tage legten am Schiff Kaiks mit Seeleuten verschiedenster Nationen an: Schweden, Holländer, Franzosen, Portugiesen, Mauren – die einen mit Perücken, in Seidenstrümpfen, Degen an der Hüfte, andere mit einem fest um den

Kopf geknoteten roten Tuch, Pantoffeln an den nackten Füßen, Pistolen im breiten Gurt, wieder andere in Lederjacken und Südwestern, die nach gesalzenem Fisch rochen.

Man schmauste auf offenem Deck in den milden Strahlen der Septembersonne. Vor den Tafelnden ragte, von Mauern umgeben, der düstere Palast des Sultans mit seinen dicht vergitterten Fenstern auf, am anderen Ufer der Meerenge grünten üppige Haine und die Gärten von Skutari. Die Musikanten des Preobrashenski- und des Semjonowski-Regiments ließen ihre Hörner erschallen, klapperten mit Holzlöffeln im Takt, sangen Tanzlieder und pfiffen mit den verschiedensten Vogelstimmen den „Frühling".

Pamburg, in himbeerfarbenem, mit Bändern und Spitzen geschmücktem Rock, eine mit Silberpuder bestreute Perücke auf dem Kopf, in der einen Hand einen Pokal, in der anderen ein Tüchlein, sprach, sich ereifernd, zu den Gästen: „Sollten wir tausend Schiffe brauchen, so bauen wir eben tausend. Bei uns sind schon mit achtzig, mit hundert Kanonen armierte Schiffe im Bau. Nächstes Jahr dürft ihr uns im Mittelmeer, im Baltischen Meer erwarten. Alle berühmten Seeleute werden wir in unsre Dienste nehmen. Auf den Ozean werden wir hinausfahren..."

„Eine Salve!" riefen die Seeleute, deren Gesichter sich allmählich dunkelrot gefärbt hatten. „Eine Salve zu Ehren des Kapitäns Pamburg!"

Sie stimmten Matrosenlieder an. Stampften mit den Füßen. Dicht lagerte in der Windstille der Rauch aus den Tabakpfeifen auf dem Deck. Sie merkten nicht, wie die Sonne untergegangen war, wie die Sterne Thraziens auf dieses ungewöhnliche Gelage leuchtend hinabblickten. Um Mitternacht, als die Hälfte der alten Seebären schnarchte, die einen unter dem Tisch, die anderen den in Stürmen ergrauten Kopf zwischen Schüsseln auf die Tafel gelegt, stürzte Pamburg auf die Kommandobrücke.

„Achtung! Bombardiere, Kanoniere, zu den Geschützen! Setzt die Kartusche ein! Stoßt die Kugel ins Rohr! Lunte in Brand! Beide Breitseiten... Feu-e-e-er!"

Sechsundvierzig schwere Geschütze spien gleichzeitig Flammen aus. Über dem schlafenden Konstantinopel schien der Himmel krachend einzustürzen ... Die in Rauch gehüllte „Festung" gab die zweite Salve ab ...

Jemeljan Ukrainzew schrieb, sich der Geheimschrift bedienend: „... große Angst ist über des Sultans Majestät und das gesamte Volk gekommen: Kapitän Pamburg hat den ganzen Tag auf seinem Schiff mit Seeleuten gezecht und sich einen schweren Rausch angetrunken und hat um Mitternacht aus allen Schiffsgeschützen gefeuert, und mehr denn einmal. Und ob dieser Schießerei war in ganz Konstantinopel viel Murrens und groß Gerede, er, der Kapitän, habe mit dieser Nachtschießerei Deiner Majestät Schiffen, so im Schwarzen Meer kreuzen, ein Zeichen geben wollen, sie sollten in die Meerenge einlaufen.

Seine Majestät der Sultan ist in jener Nacht arg erschrocken und so, wie er lag und schlief, aus seinem Schlafgemach gestürzt, auch viele Minister und Paschas sind erschrocken; von jener ungewöhnlichen Schießerei des Kapitäns sind auch zwei schwangere Sultaninnen aus dem oberen Serail vor der Zeit niedergekommen. Dies alles brachte Seine Majestät den Sultan in solche Wut, daß er uns sagen ließ, wir sollten den Kapitän Pamburg absetzen und ihm den Kopf abschlagen. Ich antwortete dem Sultan, mir wäre es unbekannt, aus welchem Grunde der Kapitän geschossen habe, und ich würde ihn darum befragen, und falls Seiner Majestät dem Sultan das Schießen Mißvergnügen bereitet hätte, so würde ich dem Kapitän verbieten, hinfüro zu schießen, und streng auf meinem Befehl bestehen; ihn abzusetzen aber hätte ich keine Ursache. Damit war die Sache erledigt. Der Sultan wird uns am Dienstag empfangen. Die Türken warten auf die Ankunft des Kapitäns Mezzomorta-Pascha, eines ehemaligen algerischen Seeräubers, um sich mit ihm zu beratschlagen, ob man mit Dir Frieden schließen oder Krieg führen solle."

Zweites Kapitel

1

Niedrig stand die Septembersonne über dem waldigen Ufer. Mit jedem Tag, je weiter sie nach Norden kamen, wurde die Gegend öder. Vogelschwärme flogen vom stillen Fluß auf. Gestrüpp, Sümpfe, menschenleere Weiten. Nur ab und zu die Erdhütte eines Fischers und ein ans Ufer gezogener Kahn. Bis zum Belo-See war es noch eine Woche Wegs.

Vierzehn Männer schleppten einen schweren, mit Korn beladenen Frachtkahn. Gesenkten Kopfs, mit herabhängenden Armen stemmten sie die Brust gegen den Schleppgurt. Von Jaroslawl an zogen sie den Kahn. Die Sonne verschwand hinter den schwarzen Zacken der Tannen, und der Himmel lohte noch lange in düsterem Feuerbrand. Vom Kahn rief jemand: „He, macht fest!"

Die Treidler schlugen einen Pfahl in die Erde oder schlangen das Schlepptau um einen Baum. Sie zündeten ein Holzfeuer an. Langsam versank der Tannenwald im milchweißen Nebel über dem sumpfigen Ufer. Langhalsigen Schatten gleich flogen in der Abenddämmerung Enten vorüber. Elche, so groß wie ein Pferd, kamen zur Tränke, die Zweige knickend. Der Wald war voll Tiere, denen noch keiner nachgestellt, die noch keiner aufgescheucht hatte.

Ruder klatschten aufs Wasser – vom Kahn näherte sich in einem Boot der alte Andrej Denissow, dem Kahn und Fracht gehörten; er brachte den Leuten Zwieback, Hirse, mitunter auch Fisch und, war es kein Fasttag, Pökelfleisch. Er prüfte, ob das Tau auch gut festgemacht sei. Die Hände im Ledergurt, blieb er am Feuer stehen: ein rüstiger Mann mit krausem Bart und hellen Augen, in einer Kutte, eine Mönchskappe aus Tuch auf dem Kopf.

„Seid ihr alle wohlauf, Brüder?" fragte er. „Arbeitet fleißig, Gott liebt die Fleißigen. Seid frohen Mutes, alles wird euch vergoldet werden. Welch Glück, daß wir dem nikonianischen Pestgestank entronnen sind. Laßt uns nur an den Onega-See kommen – das ist mir ein Land! Fürwahr, ein Paradies..."

Er zog die Hände aus dem Gürtel und hockte vor dem Feuer nieder. Die müden Leute hörten ihm schweigend zu.

„In jener Gegend lebte am Wyg-Fluß ein Einsiedler. Wie wir, war er vor den Lockungen des Antichrists geflohen. Vordem war er ein Kaufherr gewesen, hatte ein Haus, Läden und Speicher besessen. Eines Tages hatte er eine Erscheinung, sah Flammen und in den Flammen einen Mann und hörte eine Stimme: ‚Der Lockung bin ich erlegen und in alle Ewigkeit verdammt...' Er übergab all sein Hab und Gut seiner Frau und seinen Söhnen und verließ sie. Baute sich eine Klause. Dort lebte er, und den Genuß des Leibes und Blutes Christi ersetzte ihm die glühende Sehnsucht nach dem Flammentode. Mit einem Schüreisen bestellte er ein Stück Land und säte zwei Mützen voll Gerste aus. Er kleidete sich in ein frisch abgezogenes Bockfell, das auf seinem Leib eintrocknete, und so ging er sommers wie winters. All seine Habe bestand aus einem Holznapf nebst Löffel und einem alten handgeschriebenen Brevier. Und bald gewann er solche Macht über die bösen Geister, daß sie ihn nicht mehr denn Fliegen dünkten. Die Menschen begannen ihn aufzusuchen, er hörte ihre Beichte an und reichte ihnen als heiliges Abendmahl ein Blättchen und eine Beere. Er lehrte: Lieber Flammentod als ewige Höllenpein. Ein, zwei Jahre vergingen, und es siedelten sich in seiner Nähe Menschen an. Sie brannten den Wald nieder und machten das Land urbar. Jagten Wild, fingen Fische, sammelten Pilze und Beeren. Alles taten sie gemeinsam, und auch die Speicher und Keller waren gemeinsamer Besitz. Und er trennte sie voneinander: die Frauen für sich und die Männer für sich."

„Recht so", meinte eine rauhe Stimme, „Liebe zum Weib ist nutzloser Zeitvertreib."

Mit munterem Blick suchte Denissow im Dunkel den Sprechenden.

„Dank den Gebeten des Einsiedlers war die Jagd ergiebig, und so manches Mal ging den Leuten ein Fisch ins Netz, so groß, daß es sie ein Wunder dünkte! Auch Pilze und Beeren gediehen in Überfluß. Er gab den Leuten einen Fingerzeig, und sie stießen auf Kupfer- und Eisenerze und bauten Schmieden. Zu einer wahrhaftig heiligen Stätte wurde die Siedlung, geruhsam floß das Leben dahin..."

Aus dem Gestrüpp tauchte Andrjuschka Golikow auf, hockte neben Denissow nieder und blickte ihm in die Augen. Golikow hatte ein Gelübde abgelegt, mit den Treidlern nach Norden zu ziehen. Damals, im Hause Rewjakins, hatte der Einsiedler Andrjuschka die Beichte abgenommen, ihn mit dem ledernen Rosenkranz gezüchtigt und ihm befohlen, sich nach Jaroslawl aufzumachen und dort auf Denissows Frachtkahn zu warten. Von den vierzehn Treidlern waren neun wie er in Erfüllung eines Gelübdes oder ihnen auferlegter Buße mitgezogen.

Denissow fuhr fort: „Als der Einsiedler im Sterben lag, gab er uns beiden, meinem Bruder Semjon und mir, Andrej, seinen Segen und bestimmte uns zu Vorstehern der Einsiedelei am Wyg. Er reichte uns das Abendmahl, und wir brachen auf. Seine Klause stand abseits, in einer kleinen Mulde. Kaum hatten wir uns einige Schritte entfernt, da gewahrten wir einen hellen Schein. Die Klause war in Flammen gehüllt wie ein brennender Busch. Ich wollte hinlaufen, aber Semjon packte mich am Arm. ‚Halt!' Aus den Flammen klang wundersüßer Gesang zu uns herüber. Oben aber, in den Rauchschwaden, wirbelten wie Rußflocken Teufel durch die Luft und kreischten – könnt's mir glauben! Mein Bruder und ich fielen auf die Knie und stimmten einen frommen Gesang an. Am Morgen begaben wir uns an die Brandstätte – unter der Asche hervor sprudelte ein heller Quell. Über der Quelle zimmerten wir ein Wetterdach und richteten ein Kreuz auf für ein Heiligenbild. Können nur keinen Maler finden, der es nach unserem Wunsche ausführen würde."

Golikow schluchzte auf, Denissow strich ihm sanft mit der Hand über das ungekämmte, struppige Haar.

„Eins nur ist sehr schlimm, liebe Brüder, alle drei Jahre werden wir von einer Mißernte heimgesucht. Vorigen Sommer haben die Regengüsse unsere Saaten vernichtet, nicht einmal Stroh haben wir eingebracht, mußten es von weit her heranschaffen. Aber es geht ja um eine heilige Sache, Kinder. Eure Mühen werden gewiß nicht ohne Lohn bleiben."

Denissow redete noch eine Weile. Dann sprach er das Abendgebet, stieg ins Boot und ruderte durch den trüben Streifen der sich im Fluß spiegelnden Abendröte zum Frachtkahn zurück. Die Nächte waren kühl, und die Schlafenden froren in ihren abgerissenen Kleidern.

Im ersten Morgengrauen kam Denissow wieder ans Ufer und weckte die Leute. Sie husteten und kratzten sich. Nach dem Gebet kochten sie Grütze. War die winterkühle Sonne aufgestiegen und hing wie eine trübe Blase im Nebel, spannten sie sich vor den Kahn und stapften in ihren Bastschuhen das feuchte Ufer entlang. Werst um Werst, Tag um Tag. Von Norden krochen schwere Wolken heran, bald blies ein schneidender Wind. Die Scheksna trat über die Ufer.

Die Wolken zogen jetzt niedrig über den unruhigen Fluten des Belo-Sees dahin. Die Treidler schwenkten nach Westen ab, auf Belosersk zu. Wellen schlugen an das öde Ufer und rissen die Menschen um. Immer schwerer wurde es, den Kahn weiterzuschleppen. Um die Mittagsstunde rasteten sie und trockneten ihre Kleider in der Erdhütte eines Fischers. Hier gerieten zwei Mann, die Denissow gedungen hatte, mit ihm wegen der Kost in Streit, forderten ihren Lohn – fünfundsiebzig Kopeken ein jeder – und machten sich auf und davon.

Der Frachtkahn lag gegenüber der Stadt in der Brandung vor Anker. Der Wind wurde immer stärker, ging durch Mark und Bein. Verzweiflung überkam die Leute, wenn sie daran dachten, den Kahn weiter nach Norden schleppen zu müssen. Die von Denissow gedungenen Leute hatten sich samt und sonders mit ihm verzankt und waren davongelaufen, in die umliegenden Fischerdörfer. Von den übrigen hatten die einen Bekannte getroffen, die anderen geduldeten sich noch eine Weile, aber dann waren auch sie mit einem Male weg.

Am Ufer, zwischen nassen Steinen, saßen auf einem kieloben liegenden Boot Andrjuschka Golikow, Iljuschka Dechtarjow – ein flüchtiger Bauer aus Kaschira – und Fedka mit dem Spitznamen Wasch-dich-mit-Dreck, ein Mann mit gekrümmtem Rücken, Landstreicher und ehemaliger Klosterhöriger, der so manches Verhör und so manche Folter hinter sich gebracht hatte. Sie ließen ihre Blicke in die Runde schweifen.

Alles machte hier einen düsteren Eindruck: die vom Schaum der Wellen schneeweiße, trübe Wasserfläche des Sees, die von Norden heraufziehenden schweren Wolken, die niedrige Ebene hinter dem Uferwall und, von Wolken fast verhüllt, die alte, aus Holz gebaute Stadt mit ihren löchrigen Turmhauben, den rostigen Zwiebelkuppeln der Kirchen, den eingefallenen Dächern der hohen Häuser. Am Ufer schwankten im Winde Pfähle, an denen Netze trockneten. Von Menschen war so gut wie nichts zu sehen. Wehmütig läutete ein Glöckchen.

„Denissow, der versteht's, einen mit Worten abzuspeisen. Bis wir in seinem Paradies sind, wird von uns wohl nichts als die Seele übrigbleiben", meinte Wasch-dich-mit-Dreck, während er mit dem Fingernagel eine Schwiele an seiner Hand abpolkte.

„Glauben mußt du", wandte sich Golikow erbittert gegen ihn, „glauben!" Und sehnsüchtig starrte er auf die weiß schäumenden Wellen. Unwirtlich, einsam, kalt war es. „Auch hier wird's bis zum lieben Gott wohl weit sein..."

Iljuschka Dechtarjow, ein stämmiger Bauer mit breitem Mund und fröhlich blickenden Augen, erzählte still und bedächtig: „Ich frage also den Mann: ‚Warum ist es bei euch in der Siedlung so öde, warum ist jedes zweite Haus vernagelt?' – ‚Darum ist es in der Siedlung öde', antwortet er, ‚weil die Mönche uns hart zusetzen. Schon etliche Male haben wir Bittschriften nach Moskau geschickt, aber die scheinen dort keine Zeit für uns zu haben...' Es ist nicht zu beschreiben, was die Mönche in der Osterwoche angestellt haben. In zehn Schlitten sind sie mit den Heiligenbildern ausgefahren, die einen nach der Siedlung, die andern in die Vorstädte, wieder andere aufs Land. Kommen ins Haus, halten einem das Kreuz vor die Fresse – bekreuzige dich mit drei Fingern, küsse das Ketzerkreuz! Verlangen Brot, saure Sahne, Eier und Fische. Auch Geld wollen sie. Bis auf die letzte Krume schleppen sie alles fort. ‚Ein Altgläubiger bist du', sagen sie, ‚willst die Popen nicht anerkennen! Wo hast du die alten ketzerischen Bücher versteckt?' Und dann nehmen sie den Mann mit, legen ihn in Ketten und foltern ihn."

Wasch-dich-mit-Dreck warf plötzlich den Kopf in den Nakken und lachte heiser auf. „Was die zusammenfressen und zusammentrinken! Nein, diese Mönche, wenn sie doch der Teufel holen wollte!"

Dechtarjow stieß ihn mit dem Knie an. Dem Boot näherte sich, gegen den Wind ankämpfend und die flatternden Schöße seiner Kutte festhaltend, ein Mönch mit einem Zigeunerbart und tief in die Stirn gezogener Kappe. Mit grimmigen Augen blickte er zu dem Schiff hinüber, das sich knarrend auf den Wellen wiegte, und dann auf die drei.

„Woher kommt der Kahn?"

„Aus Jaroslawl, Väterchen", antwortete Dechtarjow mit träger Gutmütigkeit.

„Was habt ihr geladen!"

„Man hat's uns nicht gesagt."

„Korn?"

„Wird wohl sein."

„Wohin schleppt ihr den Kahn?"

„Wer soll's wissen – wohin man's uns heißt."

„Lüg nicht, lüg nicht, lüg nicht." Der Mönch krempelte hastig seinen rechten Ärmel auf. „Das ist Denissows Kahn. Nach Powenez fahrt ihr, in die Einsiedeleien der Altgläubigen, bringt ihnen Korn, ihr Pack..."

Und sofort warf er sich auf Iljuschka Dechtarjow, packte ihn an der Brust, schüttelte den erschrockenen Bauern und schrie, nach der Vorstadt gewandt, aus Leibeskräften: „Hilfe!"

Andrjuschka Golikow sprang vom Boot und lief den Strand entlang zu den Fischerhütten.

„Hilfe!" brüllte zum zweitenmal der Mönch und verstummte. Wasch-dich-mit-Dreck hatte ihn bei den Haaren gepackt, von Iljuschka losgerissen, zu Boden geworfen und suchte nun, den Hals nach allen Seiten drehend, nach einem

Stein auf der Erde. Der Mönch sprang flink auf und stürzte sich von der Seite auf ihn, aber Fedka erstarrte förmlich vor Zorn, rührte sich nicht, dann packte er den Mönch von neuem, bog ihn zur Erde nieder und schlug ihm die Faust ins Genick. Der Mönch stöhnte auf. Aus der Gasse liefen vier Männer mit Knüppeln aufs Ufer zu.

Andrjuschka Golikow lugte entsetzt um die Ecke einer Fischerhütte. Wasch-dich-mit-Dreck raufte mit fünf Gegnern: Er hatte einem von ihnen den Knüppel aus der Hand gerissen und sprang nun mit wildem Gebrüll auf sie los – einen solchen Grimm hatte Andrjuschka sein Lebtag nicht gesehen. „Ein Satan, der reine Satan!" Dann kam Dechtarjow ihm zu Hilfe: Gewandt versetzte er dem Mönch einen Hieb aufs Ohr – der sackte zum drittenmal zusammen. Seine Kumpane wichen Schritt um Schritt zurück. Hie und da traten in der Vorstadt Leute aus den Haustüren und brummten beifällig: „Gebt's ihm, gebt's ihm, gebt's ihm..."

Iljuschka und Fedka waren Sieger geblieben, sie setzten den Burschen nach, kehrten aber bald ans Ufer zurück und eilten, sich die blutenden Nasen schneuzend, geradewegs zur Hütte, vor der Golikow zitternd wartete.

„Von Rechts wegen hättest du auch eine Tracht Prügel verdient", wandte sich Wasch-dich-mit-Dreck an ihn. „Ein Esel bist du, und willst ins Paradies..."

Aus der Tür der Erdhütte – deren Rückseite dem Meer zugewandt war – kam ein struppiger Kopf mit einem fast bei den Augen beginnenden aschgrauen Bart zum Vorschein. Blinzelnd kroch ein stämmiger, barfüßiger, rußgeschwärzter Mann heraus. Er warf einen Blick nach der Vorstadt – dort war niemand mehr zu sehen.

„Tretet ein", sagte er und kroch wieder in seine niedrige Hütte zurück. Das Licht drang in die Hütte durch einen Spalt oberhalb der Tür. Drinnen roch es nach tranigem Fisch, die Hälfte des Raumes nahmen Fischernetze ein. Ilja, Andrej und Fjodor traten ein und bekreuzigten sich mit zwei Fingern.

Der Fischer sagte zu ihnen: „Setzt euch! Wißt ihr auch, wen ihr verprügelt habt?"

„Mich hat man mein ganzes Leben lang geprügelt, aber nie

nach meinem Namen gefragt", antwortete Wasch-dich-mit-Dreck.

„Den Ökonomen des Krestowosdwishenski-Klosters Feodossi habt ihr verprügelt. Ein Räuber, ach, was für ein Räuber, ein Teufel! Besessen ist er!"

Der Fischer, der sah, daß er es mit seinesgleichen zu tun hatte, ließ sich zwischen ihnen auf der Bank nieder, kreuzte die Arme und erzählte, sich hin und her wiegend: „Fische gibt es hier im Überfluß, ein besseres Leben könnte man sich gar nicht wünschen, und trotzdem will ich fort. Es ist nicht mehr auszuhalten, dieser Satanskerl will den ganzen See für sich haben. Im Winter gaben wir den Mönchen ein Viertel unserer Stinte, und wenn der Fang begann, von jedem Fang einen bestimmten Teil. Ihm aber ist das zu wenig, kaum sieht er ein Segel, so läuft er ans Ufer und läßt einem nicht mehr Fische, als man gerade zum Sattessen braucht. Versuch's mal, ihm keine zu geben, gleich fragt er: ‚Wie bekreuzigst du dich?' Na, man ladet eben eine Sünde auf sich und bekreuzigt sich mit drei Fingern. ‚Nein, du verstellst dich! Komm mit!' Was aber mitkommen heißt, das weiß jeder: In den Klosterkeller wird man gesperrt und an die Kette gelegt. Und wieviel Netze er uns zerrissen, wieviel Boote er uns verdorben hat! Wir waren beim Wojewoden, haben uns beschwert. Doch der Wojewode sieht selber nur zu, wo er was schnappen kann. Die im Kloster haben eine Urkunde, die ihnen der Metropolit ausgestellt hat, die Altgläubigen auszurotten. Ihr müßt so rasch wie möglich fort, Kinder."

„Ach nein, wir sind ja mit Denissow hier", meinte Golikow und sah erschrocken Iljuschka und Fedka an.

„Denissow wird sich schon loskaufen, er ist ein mächtiger Mann. Der braucht nichts zu fürchten. Kommt er mit Fellen, Walroßzähnen und Kupfer aus dem Norden, so zahlt er. Fährt er wieder zurück, so zahlt er abermals. Es ist ja nicht das erstemal, der hat überall seine Leute sitzen, Freundchen..."

Wasch-dich-mit-Dreck meinte mit spöttischem Lächeln: „Schöne Worte machen, das hat er raus. Die ganze Fahrt über haben wir nichts als trockenes Brot bekommen, aber das Maul hat er voll genommen, als hätte er uns mit gebratenen Hühnern gespeist."

Golikow verzog das Gesicht, während die Leute über den Alten vom Wyg redeten. Er dachte daran, wie Denissow ihm manchmal mit karger Zärtlichkeit übers Haar gestrichen hatte: Nun, mein Junge, ist deine Seele noch lebendig? Na, dann ist alles gut... Er erinnerte sich, was für wundervolle Gespräche der Alte am Lagerfeuer geführt hatte, wie er ins Boot gestiegen war und seine spitze Mönchskappe sich schwarz vor der die Abendröte widerspiegelnden Flut abhob. Auf alten Ikonen hatte er solche Heilige in einem kleinen Boot gesehen. Für ihn wäre Andrjuschka bereit, sich auf der Stelle bei lebendigem Leibe im Stroh verbrennen zu lassen.

Sie saßen auf der Bank und überlegten, was sie anfangen sollten. Wohin fliehen? Trotz allem nach Norden ziehen? Der Fischer riet ihnen ab: Sich zu Fuß, ohne Kahn nach Norden, bis an den Wyg zu wagen, zwei Monate im Wald, wäre der sichere Tod.

„Ihr solltet irgendwohin ziehen, wo das Leben leichter ist, vielleicht an den Don..."

„Ich war am Don", erwiderte mit heiserer Stimme Waschdich-mit-Dreck, „dort ist's mit der alten Freiheit vorbei. Die Stanizenkosaken liefern die Flüchtigen aus. Mich hat man dort zweimal in Eisen gelegt und nach Woronesh zur Zwangsarbeit gebracht."

Es wollte ihnen nichts Vernünftiges einfallen, sie sagten Andrjuschka, er solle Denissow suchen gehen – mochte der entscheiden.

Eine Höllenangst hatte Andrjuschka zu überstehen: Kaum war er an dem baufälligen Stadttor angelangt, da hörte er Geschrei: „Halt, halt!" Zerlumpte barfüßige Leute rannten die Straße entlang, einige schwangen sich über einen Zaun. Zwei Soldaten in grünen Röcken setzten, den Dreispitz festhaltend, ihnen nach, verschwanden schwer atmend in einer winkligen Nebengasse. Ein ehrsames altes Männlein, das vor einem Pförtchen stand, sagte: „Schon zwei Tage macht man auf sie Jagd." Golikow fragte ihn, ob er den Kaufmann Andrej Denissow kenne und ihn vielleicht gesehen hätte. Das Männlein antwortete nach kurzem Besinnen: „Geh auf den Marktplatz, du wirst Denissow im Hause des Wojewoden finden."

Auf dem kleinen, von Misthaufen bedeckten Platz waren die Handelsreihen mit Brettern vernagelt, die Säulen windschief, die Dächer eingesunken. Zwei, drei Läden nur waren offen, in denen Brezeln und Fausthandschuhe verkauft wurden. Ohne Einfriedigung stand die uralte Kathedrale mit ihren rissigen Wänden. Vor dem überdachten Portal schliefen zerlumpte Bettelweiber auf dem Rasen; ein Gottesnarr, der drei Schüreisen neben sich ins Gras gelegt hatte, gähnte mit zitterndem Kopf, daß ihm die Tränen kamen. Das Leben war hier offenbar nicht allzu fröhlich.

In der Mitte des Marktplatzes, dort, wo der Schandpfahl eingegraben war, stand, von einem Fuß auf den anderen tretend, ein mit einem Spieß bewehrter Wächter. Scheu trat Golikow an ihn heran. Aus einer Bretterbude beugte sich ein Krämer vor – der reine Fuchs – und flötete mit süßlicher Stimme: „Ach, was für Brezeln, Mohnbrezeln!"

Mit demütiger Verbeugung fragte Golikow den Wächter, wo des Wojewoden Haus sei. Der kurzbeinige Wächter in einem bis an die Fersen reichenden, geflickten Strelitzenrock wandte sich mürrisch ab. Am Pfosten hing ein Blechschild mit einer Aufschrift, von einem Doppeladler gekrönt. „Mach, daß du weiterkommst!" schrie der Wächter. Andrjuschka sah sich im Fortgehen um: nichts als morsche Zäune, windschiefe Hütten. Wolken krochen niedrig über den Kreuzen der Kirche dahin. Ein tief unter den Hüften gegürteter Mann in Filzstiefeln näherte sich ihm – lüstern spitzte er seine dicken, gesprungenen Lippen. Der Wächter am Pfahl und die Krämer in den Buden beobachteten, was jetzt kommen würde.

„Woher kommst du? Wem gehörst du? Bist wohl ein Landstreicher?" Der Mann trat dicht an ihn heran, sein Atem roch nach Knoblauch und Fusel, Golikow vermochte vor Angst nur zu stottern, die Zunge versagte ihm den Dienst. Der Mann nahm ihn beim Kragen.

„Das ist einer von Denissows Leuten", rief jemand aus einem Kramladen.

„Neun Mann führt er mit sich, die den Flammentod sterben wollen", rief einer mit dünner Stimme aus einer anderen Bude. Der Mann schüttelte Andrjuschka. „Hast du des Zaren Ukas am Pfosten gelesen? Komm mit, du Schweinehund..."
Und er zerrte ihn – obgleich Andrjuschka keinen Widerstand leistete – ans Ende des Platzes, zum Haus des Wojewoden.

Andrej Denissow saß prächtig gekleidet, mit gescheiteltem Haar, die Mardermütze im Schoß, im Zimmer des Wojewoden Maxim Lupandin, eines Kämmerers aus verarmtem Adelsgeschlecht. Wehmütig äugte der Wojewode nach den schönen Saffianstiefeln des Kaufmanns, nach seinem mausgrauen, mit roter Seide gefütterten Rock aus Hamburger oder gar englischem Tuch. Der Wojewode selbst saß in einem abgeschabten Fehpelz da, hager, kahlköpfig, das Gesicht voller Pusteln. Zur Zeit des seligen Zaren Fjodor Alexejewitsch war er Kämmerer am Hofe gewesen, unter Peter Alexejewitsch hatte er es nur mit Müh und Not erreicht, daß man ihn nach Belosersk schickte, wo er sich schlecht und recht durchfütterte.
Die beiden gingen wie Katzen um den heißen Brei: Weder Denissow noch der Wojewode wollten mit der Sprache heraus. Was der für einen Rock anhat, dachte der Wojewode, wie, wenn er ihn hergäbe? Er hatte heimlich einen Knecht ins Krestowosdwishenski-Kloster nach dem Bruder Feodossi geschickt, doch auch Denissow hielt bis zu gelegener Zeit mit etwas zurück.
„Das Wetter, das Wetter macht mir keine Sorgen", meinte Denissow. „Schlägt der Wind um, so segeln wir über den See. Schlägt er nicht um, so werden wir schon irgendwie am Ufer entlang vorwärts kommen. Das Schwerste ist, nach Kowsha zu kommen, dort finden wir Leute genug, um nach Powenez zu gelangen."
„Natürlich, dein Geschäft ist verständlich", antwortete ausweichend der Wojewode, ohne den Blick von dem Rock zu wenden.
„Maxim Maximytsch, erweise mir die Gnade, halt meine Frachtkähne und Leute nicht auf."

„Wäre der Ukas nicht, ich würde kein Wort verlieren." Der Wojewode zog den zusammengerollten Erlaß des Zaren aus der Tasche und hielt ihn so dicht an seine kurzsichtigen Augen, daß sein schütteres Bärtchen über das Papier fegte. „‚Auf Geheiß des Großfürsten und Zaren von ganz ... wird angeordnet, die Müßiggänger und Tunichtgute, so das Gnadenbrot in den Klöstern essen, wie auch alle Laienbrüder zu den Soldaten einzuziehen ...'"

„Die Klöster gehen uns nichts an, wir sind Handelsleute."

„Wart ab. ‚... des weiteren sind zu den Soldaten einzuziehen Stallknechte und Hörige der Bojaren und alle Landstreicher, Bettler und Flüchtigen ...' Was soll ich nun mit dir anfangen, Andrej? Mir will nichts einfallen. Hätte mir wenigstens ein Kanzlist diesen Ukas zugestellt. Es war aber der Leutnant Alexej Browkin vom Preobraschenski-Regiment, der mit seinen Soldaten gekommen ist und mir den Ukas gebracht hat. Wirst wohl selber wissen, wie sich's heutzutage mit einem Leutnant reden läßt!"

Denissow schlug seinen Rockschoß zurück und klimperte mit den Silbermünzen in der Tasche. Der Wojewode erschrak, fürchtete, er könnte zu billig sein, und sah sich nach der Tür um, ob nicht Feodossi käme. Es war aber der dicklippige Büttel, der Andrjuschka Golikow vor sich her stieß. Er riß die Kappe vom Kopf und verneigte sich tief. „Maxim Maximytsch, ich habe noch einen festgenommen."

„Auf die Knie!" schrie zornig der Wojewode. Der Büttel drückte Golikow hinunter, der mit seinen knochigen Knien auf den Boden schlug. „Wessen Sohn bist du? Wessen Knecht? Wo bist du entflohen?" An den Büttel gewandt: „Wanka, bring Tinte und Feder ..."

Denissow sagte leise: „Laß ihn doch, Maxim Maximytsch, das ist mein Gehilfe."

Die Augen des Wojewoden leuchteten auf, mit dem Fingernagel öffnete er den Deckel des kupfernen Tintenfasses und fischte ächzend eine Fliege mit der Feder heraus. Ach, käme doch nur der Ökonom, dachte er, und im selben Augenblick knarrten die Bohlen. Wanka öffnete die Tür, zornig trat der nämliche Mönch mit dem Zigeunerbart ein, das eine Auge war ganz verquollen. Als er Denissow bemerkte, stieß er mit dem Stab auf.

„Seine Leute haben mich verprügelt und zum Krüppel gemacht, hätten mich fast totgeschlagen", begann er mit dröhnender Stimme. „Und du, Maxim, sitzt mit ihm zusammen! Mit wem, mit wem, frage ich dich? Mit einem verdammten Sektierer! Liefere ihn mir aus, liefere ihn mir aus, Wojewode, zum drittenmal sage ich dir's!"

Die Hände auf den hohen Stab gestützt, durchbohrte er mit wildem Blick bald Denissow, bald Maxim Maximytsch. Golikow verkroch sich halb von Sinnen in eine Ecke. Wanka wartete gierig auf das Zeichen, sich auf Denissow zu stürzen und ihm die Hände auf den Rücken zu binden. Mein ist der Rock! dachte der Wojewode.

„Wer bist du, daß du mit Schimpfreden hier eintrittst, Mönch! Ich weiß es nicht und will es nicht wissen", sagte Denissow. Er erhob sich – die auf dem Stab ruhenden Hände Feodossis liefen blau an –, knöpfte sein Hemd auf und löste von dem Kupferkreuz mit nur einem Querbalken, das er auf der Brust trug, ein Säckchen ab. „Meine Absicht war, Maxim Maximytsch, dir in Ehren ein Geschenk zu überreichen, soweit es meine bescheidenen Mittel gestatten. Ich sehe aber, daß wir nicht übereinkommen können..." Er zog aus dem Säckchen eine gefaltete Urkunde und breitete sie behutsam aus. „Diese Urkunde ist uns, Andrej und Semjon Denissow, von der Ältestenkammer ausgestellt, auf daß wir überall, wo wir nur wollen, Handel treiben können und niemand uns, Andrej und Semjon, Schaden und Unrecht anzutun wage. Die Urkunde ist vom Präsidenten Mitrofan Schorin eigenhändig unterzeichnet..."

„Was ist mir Mitrofan!" schrie Feodossi und riß die Hand vom Stab. „Das mach ich gegen deinen Mitrofan!" Und er machte eine unflätige Handbewegung.

„Ach!" stöhnte leise der Wojewode.

Denissow schoß das Blut ins Gesicht. „Was? Wenn ich den Namen des Präsidenten nenne, des Vertreters der hohen Moskauer Kaufmannschaft, machst du eine unflätige Handbewegung? Ein Staatsverbrechen ist das!"

„Ersticken sollst du an ihm, ersticken, du Verdammter!" wiederholte Feodossi mit vorgestrecktem Bart und packte Denissow an seinem kupfernen Altgläubigenkreuz. „Für dies Ding aber, du popenloser Sektierer, bring ich dich auf den Scheiterhaufen. Deiner schwachen Urkunde werde ich eine stärkere entgegenstellen..."

„Aber versöhnt euch doch", stöhnte der Wojewode. „Andrej, gib dem Mönch zwanzig Rubel, dann läßt er dich in Ruhe..."

Doch der Mönch und Denissow hörten ihn nicht, mit geblähten Nasenflügeln standen sie einander gegenüber. Der Büttel näherte sich ihnen seitlings. Da riß Denissow dem Ökonom das Kreuz aus den Händen, stürzte zum Fenster, schob den Rahmen hoch und rief in den Hof: „Herr Leutnant, ein Staatsverbrechen!"

Im Raum wurde es auf einmal still, alle hielten den Atem an. Im Flur klirrten Sporen. Ins Zimmer trat Aljoscha Browkin, in Kanonenstiefeln, mit weißer Schärpe, den Degen an der Hüfte. Seine jugendlichen Wangen waren gerötet, der Dreispitz saß ihm tief in der Stirn.

„Was geht hier vor?"

„Herr Leutnant, der Ökonom Feodossi und der Wojewode haben die Urkunde des Präsidenten geschmäht, haben geschimpft und ihre Worte mit unflätigen Gebärden begleitet, sie haben mich an der Brust gepackt und mich zu verbrennen gedroht..."

Die Augen Aljoschas wurden rund, blickten streng, traten ihm fast aus dem Kopf – ganz wie bei Peter Alexejewitsch. Prüfend glitt sein Blick über den Mönch, über den Wojewoden, der sich mit den Händen auf die Bank stützte, um sich zu erheben. Er stieß mit dem Stock auf und rief dem herbeispringenden Soldaten zu: „Führ die beiden ab!"

2

Die Einwohner von Kukui sagten, wenn die Rede auf Anna Mons kam: „Das ist erstaunlich! Eine solche Besonnenheit bei einem jungen Mädchen! Eine andere hätte schon längst den

Kopf verloren. Annchen ist ganz nach dem seligen Mons geraten."

Peter zeigte sich nach seiner Rückkehr vom Schwarzen Meer äußerst freigebig.

„Mein Herz", sagte ihm so manches Mal Annchen mit zärtlichem Vorwurf, „Sie gewöhnen mich daran, das Geld für törichten Putz zu vergeuden. Es wäre viel vernünftiger, wollten Sie mir gestatten, nach Reval zu schreiben, dort kann man, wie ich erfahren habe, zu billigem Preis Kühe kaufen, die zwei Eimer Milch täglich geben. Sie könnten dann hin und wieder zu mir in meinen hübschen sauberen Meierhof zum Frühstück kommen und Schlagsahne essen..."

Die Meierei wurde in einem Birkenwäldchen angelegt, auf einem von Peter geschenkten Grundstück, das sich keilförmig vom Tor des Hinterhofes längs des Bachs Kukui bis an die Jausa erstreckte. Hier standen: ein kleines Haus, so angestrichen, daß es von weitem einem Backsteinhaus glich, Viehställe, deren Dächer mit Ziegeln gedeckt waren, eine Getreidedarre und Speicher. Am Uferabhang weideten fette, scheckige Kühe – jede hatte den griechischen Göttinnen zu Ehren einen eigenen Namen erhalten –, feinwollige Schafe, englische Schweine und eine Menge Geflügel aller Art. Im Gemüsegarten waren Kartoffeln und fremdländisches Gemüse angebaut.

Vor Tau und Tag schon eilte Annchen in einem flaumweichen Wolltuch und einem einfachen Pelz auf dem mit Kies bestreuten Weg zum Landhaus. Sie schaute zu, wie das Geflügel gefüttert, wie die Kühe gemolken wurden, überzählte die Eier, brach eigenhändig Salat zum Frühstück. Sie war streng mit den Leuten und ging vor allem mit Faulpelzen scharf ins Gericht. Die Zeit der Kohlernte rückte heran. Solche Kohlköpfe bekam man selbst in Pastor Strumpfs Gemüsegarten nicht zu sehen. Die Deutschen liefen herbei und staunten: Einen solchen Kohlkopf oder eine solche Rübe könnte man nach Hamburg in die Kunstkammer schicken. Sie scherzten: „Annchen wird wohl ein frommes Sprüchlein wissen, daß dieser Boden, der noch vor kurzem brachlag, so reiche Früchte trägt."

Singend hackten russische Mädchen in einem neuen Trog aus Lindenholz den Kohl klein. Annchen hatte zu diesem

Zweck die kräftigsten und lustigsten Mädchen aus den Dörfern Menschikows und des Admirals Golowin, deren neue Landsitze und Paläste nicht weit von der Deutschen Siedlung lagen, kommen lassen. Die Hackmesser klopften, die rotwangigen Mädchen rochen nach frischen Kohlstrünken. Dort, wo der lange Schatten des Speichers lag, war das Gras noch mit Reif bedeckt. Schneeweiße Gänse stolzierten gewichtig aus dem Geflügelhof nach dem neu gegrabenen Teich. Über dem spitzen Giebeldach des Landhauses stieg ein Rauchwölkchen zum herbstlichen Blau auf. Quer über den sauber gefegten Hof trugen zwei reinlich gekleidete Bäcker einen Korb mit frisch gebackenen Semmeln.

Annchen war glücklich – fröstelnd trat sie von einem Fuß auf den anderen und konnte sich nicht satt sehen an diesem Wohlstand. Ach, die Freude verflog sofort, sobald sie nach Hause zurückkehrte: Auch nicht einen Tag Ruhe, immer mußte man irgendeines Einfalls Peter Alexejewitschs gewärtig sein. Bald fielen einem angetrunkene Russen ins Haus, vertrampelten die Dielen, rauchten das Zimmer voll, zerschlugen die Weingläser, klopften ihre Pfeifen in die Blumentöpfe aus, bald hieß es, ob man nun wollte oder nicht, sich herausputzen und zu einer Abendgesellschaft fahren, sich Löcher in die Sohlen tanzen.

Schmäuse und Tanzabende sind etwas Schönes, wenn sie ab und zu veranstaltet werden, an stillen Herbstabenden, an Festtagen zur Winterszeit. Doch bei den russischen Würdenträgern wurde Tag für Tag getafelt und getanzt. Vor allem aber nahm sich Anna Iwanowna Peters ungebärdiges Wesen zu Herzen: Nie sagte er ihr rechtzeitig, an welchem Tag er bei ihr zu Mittag oder zu Abend essen und wieviel Gäste er mitbringen würde. Manchmal fuhr mitten in der Nacht ein ganzer Wagenzug von Freßsäcken vor. So hieß es denn, für alle Fälle eine solche Menge guter Dinge kochen und braten, daß einem das Herz blutete, und gar häufig wurde dann alles in den Schweinetrog geschüttet.

Annchen hatte Peter einmal vorsichtig gebeten: „Mein Engel, ich würde weit weniger unnötige Ausgaben haben, wenn Sie mich jedesmal von Ihrem Kommen rechtzeitig benachrichtigen wollten."

Peter warf ihr einen erstaunten Blick zu, runzelte die Brauen, schwieg, und alles blieb beim alten.

Die Sonne war über dem fallenden gelben Laub der Birken aufgestiegen. Die Mägde gingen in die Küche. Anna Iwanowna warf einen Blick in den Schuppen, wo in Säcken aus Segeltuch Gänse mit vorgestreckten Köpfen hingen – sie wurden, bevor man sie schlachtete, zwei Wochen lang mit Nüssen gemästet; Annchen stopfte jeder von den Gänsen, die sich vor lauter Fett kaum zu rühren vermochten, mit dem kleinen Finger eine Nuß mit der Schale in den Hals; sie beobachtete, wie man den rauchfüßigen Hühnern die Füße wusch – das mußte jeden Morgen vorgenommen werden; im Schafstall nahm sie die Lämmer auf den Arm und küßte sie auf die gelockte Stirn. Dann trat sie widerwillig den Heimweg an.

Wie sie geahnt, hielt vor dem Hause eine Karosse. Der Haushofmeister, der Anna Iwanowna am Hintereingang entgegenkam, meldete flüsternd: „Der sächsische Gesandte, Herr Königseck."

Nun, das ging noch. Annchen lächelte, raffte die Röcke und lief die schmale Stiege hinauf, um sich umzukleiden.

Königseck saß, einen Fuß unter den Stuhl geschoben, in der linken Hand die Tabakdose, die rechte frei für zierliche Gesten, und plauderte, seine deutsche Rede mit französischen Worten spickend, über dies und jenes: über amüsante Abenteuer, über Frauen, über die Politik, über seinen Gebieter August, Kurfürst von Sachsen und König von Polen. Seine mit Moschus parfümierte Perücke schien seine Schultern an Breite zu übertreffen. Hut und Handschuhe lagen auf dem Teppich. Wenn er etwas Spaßhaftes erzählte, zog er seine aufgeworfene Nase in komische Fältchen, seine sorglos und dreist blickenden wäßrigen Augen glitten liebkosend über Annchen. Sie saß ihm gegenüber – am Kamin, in dem Holzscheite flammten –, aufrecht, in steifem Mieder, die Arme zierlich gerundet und die Hände in den Schoß gelegt, die Handflächen nach oben. Mit niedergeschlagenen Augen, die Mundwinkel schelmisch emporgezogen, wie es der gute Ton verlangte, lauschte sie seinen Worten.

Der Herr Gesandte erzählte: „... Es ist einfach unmöglich,

ihn nicht anzubeten, er ist schön, liebenswürdig und kühn ...
König August ist ein Gott, der Menschengestalt angenommen
hat. Unermüdlich ist er in seinen Passionen und Zerstreuungen. Ist er Warschaus überdrüssig, so eilt er nach Krakau, veranstaltet unterwegs Saujagden, tafelt üppig auf den Schlössern
der Magnaten oder schenkt – ein neuer Phöbus – in dunkler
Nacht auf dem Heuboden einem verschämten Landmädchen
einen Kuß. Befiehlt, ihm einen Reisepaß auf den Namen eines
Kavaliers Winter auszustellen, und durchquert unter der
Maske eines Abenteurers ganz Europa, um in Paris zu landen.
Mit diesem Degen hier habe ich so manches Mal in nächtlichen Raufereien an den Pariser Straßenkreuzungen die tödlichen Streiche abgewehrt, die seiner Brust galten. Wir ritten
nach Versailles zu einem Nachtfest, König August war als ein
durch die Lande irrender Offizier verkleidet. Oh, Versailles!
Oh, Sie müßten dieses irdische Paradies einmal sehen, Fräulein Mons. Die riesigen Fenster von Millionen Kerzen erleuchtet, die Fassade strahlend im Glanz der brennenden Pechpfannen. Auf der Terrasse promenieren längs der Boskette Damen
und Kavaliere. An den Bäumen hängen wie Paradiesfrüchte
chinesische Laternen. Am jenseitigen Ufer des Teichs schießen
Raketen zum Himmel empor, und ihre Funken sprühen aufs
Wasser nieder, wo aus Gondeln liebliche Harfen- und Violenmusik erklingt. Springbrunnen rauschen, Nachtfalter gleiten
durch die Luft. Die Marmorstatuen im Laub gleichen lebendig
gewordenen Gottheiten ... Seine Allerchristlichste Majestät
König Ludwig saß im Sessel. Der Schatten seiner Perücke verhüllte sein volles Gesicht, dennoch gelang es mir, sein hochmütiges Profil mit der vorgeschobenen Unterlippe und dem
aller Welt bekannten schmalen Schnurrbärtchen zu sehen. Eine
Dame in einem schwarzen Domino mit über die Augen fallender Kapuze stand, den Ellbogen auf den Sessel gestützt, hinter
ihm. Es war Madame de Maintenon. Zu seiner Rechten saß auf
einem Stuhl, niedergeschlagen und schwermütig, Philipp von
Anjou, der künftige König von Spanien, sein Enkel. Alles
ringsum – die Tausende von Gesichtern in Halbmasken, das
Schloß und der ganze Park – schien von der goldenen Aureole
des Ruhms umstrahlt ..."

Annchens zierliche Finger bebten, die Rundungen des Busens hoben sich aus der Enge des Mieders.

„Ah, kaum zu glauben, daß dies kein Traum ist ... Wer ist denn aber diese Frau Maintenon, die hinter dem Sessel des Königs stand?"

„Seine Favoritin. Eine Frau, vor der Minister und Gesandte zittern. Mein Gebieter, König August, schritt einige Male an Madame Maintenon vorbei und lenkte ihre Aufmerksamkeit auf sich ..."

„Herr Gesandter, warum heiratet denn König Ludwig die Madame Maintenon nicht?"

Königseck war ein wenig verdutzt, einen Augenblick lang blieb seine lebhaft gestikulierende Hand kraftlos zwischen seinen gespreizten Knien hängen. Annchen senkte ihren Kopf noch tiefer, ein Fältchen zeigte sich in ihrem Mundwinkel.

„Oh, Fräulein Mons. Läßt sich denn die Bedeutung einer Königin mit der Macht einer Favoritin vergleichen? Die Königin ist nur ein Opfer dynastischer Verbindungen. Vor der Königin beugt man das Knie und eilt zur Favoritin, denn das Leben ist Politik, Politik aber ist Gold und Ruhm. Der König schließt nachts den Bettvorhang nicht bei der Königin, sondern bei der Favoritin. Während der Umarmungen in heißen Kissen ..." Leichte Röte stieg Annchen langsam in die Wangen. Der Gesandte rückte mit seiner parfümierten Perücke noch näher heran. „In heißen Kissen werden die geheimsten Gedanken anvertraut. Eine Frau, die den König umschlingt, hört das Klopfen seines Herzens. Sie gehört der Geschichte an."

„Herr Gesandter", Annchen schlug ihre feuchtglänzenden blauen Augen auf, „das Teuerste ist doch die Gewißheit, daß das Glück von Dauer ist. Was soll mir all dieser Tand, was sollen mir diese kostbaren Spiegel, wenn mir die Gewißheit fehlt ... Lieber weniger Ruhm, wollte nur mein bescheidenes Glück von Gott allein abhängen. Das Boot, in dem ich dahintreibe, ist prunkvoll, aber leck ..."

Behutsam zog sie ein Spitzentüchlein aus dem Mieder, schwenkte es schwach und drückte es ans Gesicht. Unter den Spitzen bebten ihre Lippen wie die eines Kindes.

„Sie brauchen einen treuen Freund, mein reizendes Kind."

Königseck faßte sie am Ellbogen und preßte ihn zärtlich. „Sie haben niemanden, dem Sie Ihre Geheimnisse anvertrauen können ... Vertrauen Sie sie mir an ... Mit Wonne stelle ich mich Ihnen zur Verfügung ... Meine ganze Erfahrung ... Auf Sie blickt Europa ... Mein gnädiger Monarch erkundigt sich in jedem Brief nach der ‚Nymphe des Kukui-Quells'..."

„In welchem Sinne stellen Sie sich mir zur Verfügung? Ich verstehe Sie nicht..."

Annchen nahm das Tüchlein vom Gesicht und wich der allzu gefährlichen Nähe des Herrn Gesandten aus. Plötzlich erschrak sie, fürchtete, er könnte ihr zu Füßen fallen. Sie sprang jäh auf und wäre, da sie auf ihren Rocksaum getreten war, fast gestrauchelt.

„Ich weiß nicht recht, ob ich Sie auch nur anhören darf ..."

Annchen wurde ganz verlegen und trat ans Fenster. Der vor kurzem noch blaue Himmel war jetzt mit Wolken bedeckt, Wind sprang auf und jagte den Staub in Wirbeln vor sich her. Auf der Fensterbank saß zwischen Geranien in einem goldenen Käfig eine abgerichtete Wachtel, ein Geschenk Pieters, und starrte mit gesträubtem Gefieder auf den düsteren Himmel. Annchen versuchte, ihre Gedanken zu sammeln, doch ihr Herz klopfte unruhig – vielleicht, weil Königseck, ohne sich zu rühren, den Blick nicht von ihrem Rücken wandte ... Wie dumm! Was soll das nur? Sie hatte Angst, sich umzudrehen. Und es war gut, daß sie es nicht tat: Königsecks Augen leuchteten, als hätte er dieses Mädchen jetzt erst richtig gesehen. Die schlanke Taille über den bauschigen Röcken, die zarten milchweißen Schultern, das aschblonde hochgekämmte Haar, der Nacken wie für Küsse geschaffen.

Immerhin verlor er nicht den Kopf: Hätte diese Nymphe nur ein wenig mehr Witz und Ehrgeiz, Weltgeschichte könnte man mit ihr machen!

Annchen trat plötzlich vom Fenster zurück, ihr unsteter Blick blieb verwirrt auf Königseck haften.

„Der Zar!"

Der Gesandte hob Hut und Handschuhe auf, glättete sein Spitzenjabot auf der Brust. Am Zaun des Vorgartens hielt ein zweirädriger Wagen. Vor dem Staub die Augen zusammenkneifend, stieg Peter aus dem Wagen. Gleich darauf fuhr eine geschlossene Lederkutsche vor. Er rief etwas hinüber und schritt auf das Haus zu. Der Kutsche entstiegen zwei Männer und liefen hastig, sich mit den Umhängen vor dem wirbelnden Staub schützend, durch den Vorgarten. Der Wagen und die Kutsche fuhren sofort davon.

Anna Iwanowna sah die beiden zum erstenmal. Sie verneigten sich voll Würde. Peter nahm ihnen selber die Hüte aus der Hand. Einen von ihnen – einen Mann von hohem Wuchs mit bösem und hochmütigem Gesicht – faßte er an den Schultern, rüttelte ihn und klopfte ihm auf den Rücken.

„Hier sind Sie bei mir zu Haus, Herr Johann Patkul. Wir werden gleich zu Mittag essen."

Peter war nüchtern und guter Laune. Er zog aus dem roten Aufschlag seine Perücke hervor.

„Nimm einen Kamm und bring sie in Ordnung, Annuschka. Ich werde sie zum Essen aufsetzen, so wie du es wünschst. Habe eigens einen Soldaten danach geschickt." Und zu dem anderen Gast, dem General Carlowitz, einem Mann mit blauroten, feisten Backen, sagte er: „Was man auch für eine Perücke aufsetzen mag, dem König August kommt doch keiner gleich, so glänzend und prächtig ist er. Wir aber, wir rackern uns in der Schmiede und im Stall ab..."

Seine Kanonenstiefel waren verstaubt, sein Rock roch nach Pferdeschweiß. Er entfernte sich, um sich zu waschen, und blinzelte im Vorbeigehen Königseck zu.

„Sieh an, Herr Gesandter, scheinst ja ein häufiger Gast bei meinem Mädchen zu sein..."

„Majestät", Königseck trat einen Schritt zurück, beugte das Knie und schwenkte den Hut, „Sterbliche, die Blumen und Tauben auf den Altar der Venus niederlegen, soll man nicht richten..."

Während Peter sich wusch und säuberte, spielte Anna Iwanowna die aufmerksame Hausfrau. Sie nahm vom Präsentierbrett für jeden Gast ein Gläschen Kümmel und kredenzte es ihm mit der Frage nach seinem Befinden und den Worten: „Geruhen Sie schon seit langem in Moskau zu weilen, benötigen Sie vielleicht etwas?" Eingedenk dessen, was ihr Königseck erzählt hatte, schob sie die stumpfe Spitze ihres Schuhchens vor und breitete ihre Röcke zu beiden Seiten des Stuhles aus.

„Die Reisenden, die aus Europa kommen, langweilen sich anfangs bei uns. Aber bald werden wir, so Gott will, mit den Türken Frieden schließen, dann werden wir befehlen, daß alle ungarische und deutsche Tracht anlegen, die Straßen lassen wir mit Stein pflastern und das Räubergesindel in Moskau ausrotten."

Johann Patkul antwortete ihr mit eisiger Stimme, ohne die zusammengekniffenen schmalen Lippen zu öffnen. In Moskau sei er vor etwa einer Woche aus Riga eingetroffen. Er sei nicht im Gesandtschaftshof, sondern im Hause des Vizeadmirals Cornelis Cruys zusammen mit dem Generalmajor Carlowitz abgestiegen, der etwas früher aus Warschau mit einem Auftrag des Königs August angekommen war. Vorläufig benötigten sie nichts. Moskau sei wirklich ungepflastert und staubig, und die Leute hier seien schlecht gekleidet.

„Ich hatte bereits Gelegenheit zu beobachten", Patkul sah mit einem spöttischen Lächeln zu Carlowitz hinüber, der, den fetten Wanst mit einer breiten Schärpe gegürtet, wegen seiner Vollblütigkeit und seines engen Uniformrocks mit pfeifendem Atem zuhörte, „ich habe eine eigenartige Methode beobachtet, mit deren Hilfe der Moskauer Pöbel sich einige Kopeken für Schnaps verdient. Kaufe ich etwas, so verzählt sich der Verkäufer mit Vorbedacht zu seinen Gunsten, wenn er das Geld herausgibt, und bittet, das Geld nachzuzählen. Ich zähle es nach und stelle fest, daß die Rechnung nicht stimmt. Er schwört hoch und heilig, ich habe mich verzählt, und beginnt von neuem den Rest zu überzählen, wobei er, zu den Kirchenkuppeln emporblickend, sich bekreuzigt und schwört, daß die Rechnung stimme. Ich zähle zum zweiten und zum dritten Male nach, doch er beharrt auf dem seinen und fängt wieder zu zählen an. Und so macht er's wohl ein dutzendmal, bis man es schließlich über hat, seines Weges geht und Verlust Verlust sein läßt."

„Sie müssen Ihrem Diener befehlen, einen solchen Mann

festzunehmen und auf die Wache zu bringen, dort wird man ihm schon eine gehörige Tracht Prügel verabreichen", bemerkte mit großer Bestimmtheit Anna Iwanowna.

Patkul zuckte verächtlich die Achseln.

In die Stube trat Peter, frisch gewaschen, eine sorgfältig gekämmte Perücke auf dem Kopf. Annchen präsentierte ihm eiligst einen Kümmel. Er leerte das Gläschen, spitzte die Lippen und drückte ihr einen schmatzenden Kuß auf die Wange. Der Haushofmeister öffnete die Tür und stieß mit dem Stab auf. Man begab sich ins Eßzimmer, wo sich auf der gewölbten Decke Amoretten zwischen Wölkchen tummelten. Die mit Stuck verputzten Wände waren mit flämischen Gobelins bedeckt. Über dem glasierten Kamin hing ein Stilleben des berühmten Snyders: Wild, Geflügel und alle möglichen Gemüse und Früchte.

Peter setzte sich mit dem Rücken zu den flammenden Holzscheiten. Patkul nahm zu seiner Rechten, Carlowitz und Königseck zu seiner Linken Platz, das besorgte Annchen ihm gegenüber. Auf der bunten Leinendecke standen bereits mit Ungarwein gefüllte Kristallgläser, in der Mitte des Tisches prangten, zu einem Haufen aufgeschichtet, Blut-, Schweins- und Leberwürste. Ein würziger Geruch ging von den kalten Platten aus. Hinter dem Fenster wirbelte stachliger Staub, schwankten kahle Zweige im Wind. Hier war es warm. Der schöngedeckte Tisch, die zufriedenen Gesichter der Gäste, die Flammen des Kamins spiegelten sich anheimelnd in den Reflektoren der Wandleuchter wider.

Peter hob das Glas auf das Wohl seines herzlichen Freundes, des Königs August von Polen. Die Gäste warfen die Locken ihrer Perücken auf die Schultern zurück und machten sich ans Essen.

„Majestät, wir bitten um Verschwiegenheit, denn es handelt sich um eine höchst geheime Angelegenheit", sagte Johann Patkul nach dem vierten Gang, jungen Gänsen mit Walnüssen.

„Gern." Peter nickte. Er schob die Zinnschüsseln mit den Ellbogen auseinander und blickte, die Lippen zu einem Lächeln verziehend, auf die Bäckchen des leicht angetrunkenen

Annchen. Während des Essens hatte er die ganze Zeit gescherzt, Anna Iwanowna mit ihrer Knauserigkeit geneckt und ihr mit einem Blick auf Königseck zugeblinzelt. „Ist das Taubenragout auf dem Tisch vielleicht aus jenen Tauben zubereitet, die er auf Ihrem Venusaltar opfert? . . ." Es war unmöglich, daraus klug zu werden, ob ihm wirklich etwas daran läge, die ungemein wichtigen Meldungen anzuhören, um derentwillen Johann Patkul und Carlowitz nach Moskau geeilt waren.

Bis jetzt hatten sie ihn nur ein einziges Mal zu sehen bekommen: beim Vizeadmiral. Peter hatte sich sehr freundlich gezeigt, war jedoch einem Gespräch ausgewichen. Heute hatte er selber sie zu einem intimen Diner bei seiner Favoritin eingeladen. Mit respektvoll kühlem Blick beobachtete Patkul diesen Asiaten. Länger ließ sich das Gespräch nicht hinausschieben. Die Gesandtschaft Karls des Zwölften, des jungen Schwedenkönigs, weilte schon lange in Moskau und führte mit Lew Kirillowitsch und den Bojaren Verhandlungen über einen ewigen Frieden mit Schweden – auch die Schweden hatten den Zaren noch nicht gesehen, aber in den nächsten Tagen war ihr Empfang im Kreml und die Überreichung ihrer Beglaubigungsschreiben zu erwarten.

„Herr Carlowitz und der Herr Gesandte werden bestätigen, daß meine Worte mit dem Herzenswunsch Seiner Majestät des Königs August vollauf im Einklang stehen. Ich spreche fürwahr blutenden Herzens. Die gesamte livländische Ritterschaft und die gesamte ehrsame Kaufmannschaft von Riga flehen Sie an, Majestät, uns Gehör zu schenken."

Die hohe Stirn Patkuls legte sich in Falten. Er sprach langsam, mitunter seinen Zorn zurückhaltend.

„Das unglückliche Livland lechzt nach Ruhe und Frieden. Einst waren wir ein Teil der Rzeczpospolita, wir behielten unsere Rechte und Privilegien, und der Ruhm der Stadt Riga erfüllte das ganze Baltische Meer. Doch des Menschen Herz ist voll schwarzen Neides. Die Rzeczpospolita streckte die Hand nach unseren Reichtümern aus, die Jesuiten verfolgten unseren Glauben, unsere Sprache und unsere Sitten. Gott hat in jener unglückseligen Zeit die Sinne verwirrt. Die livländische Ritterschaft stellte sich aus freien Stücken unter den

Schutz des Königs von Schweden. Aus den Fängen des polnischen Aars stürzten sich die Ritter in den Rachen des Löwen."

„Das war recht unvorsichtig", meinte Peter, „weiß doch alle Welt, daß der Schwede ein Räuber ist." Er zog ein kurzes Pfeifchen aus der Tasche. Königseck sprang hastig auf und schlug Feuer aus dem Stein. Reichte Peter den glimmenden Zunder auf einem Teller. Johann Patkul wartete höflich, bis der Zar seine Pfeife in Brand gesteckt hatte.

„Majestät, Sie werden wohl von dem Edikt gehört haben, das vom schwedischen Riksdag erlassen und vom seligen König Karl dem Elften von Schweden bestätigt wurde: von der Reduktion. Zwanzig Jahre sind seitdem verstrichen. Ich weiß nicht, mit welchem Zaubertrank die schwedischen Abgeordneten – Bürgerpack, hämische Krämer – dem König die Sinne umnebelt und ihn zu dieser unerhörten Missetat bewogen haben, dem Adel alle ihm von den früheren Königen verliehenen Ländereien zu nehmen. Die Grafen und Barone mußten ihre Schlösser verlassen, und der gemeine Knecht führte seinen Pflug über das Land der Hochgeborenen. Uns, der livländischen Ritterschaft, wurde eidlich versprochen, daß sich die Reduktion auf uns nicht erstrecken würde. Dennoch befahl acht Jahre darauf der König der Reduktionskommission, unsere von den früheren Königen verliehenen Ländereien einzuziehen. Das Besitzrecht auf das den Rittern, Hochmeistern und Bischöfen von alters her gehörige Land mußte an Hand der alten Lehnbriefe nachgewiesen werden. Konnten diese Urkunden nicht vorgelegt werden, so wurde das Land eingezogen. Seit den Zeiten Iwan Grosnys und Stefan Batorys wird Livland mit Feuer und Schwert verheert, unsere Urkunden sind dabei zugrunde gegangen, und wir sind nicht imstande, unsre verbrieften Rechte nachzuweisen. Ich habe eine Beschwerde über das verbrecherische Treiben der Reduktionskommission aufgesetzt und sie im Namen der gesamten livländischen Ritterschaft dem König von Schweden übergeben. Doch nur eines habe ich erreicht: Der Riksdag fällte das Urteil, mir die rechte Hand, die diese Petition geschrieben, und den Kopf abzuhakken." Patkul erhob die Stimme, seine Ohren zuckten, seine schmalen Lippen wurden ganz weiß. „Den Kopf abzuhacken, der nicht gewillt war, sich vor dem Verbrechen demütig zu beugen... Majestät, die livländische Ritterschaft ist zugrunde gerichtet. Aber auch mit unserer Kaufmannschaft steht es nicht besser." – Von diesem Augenblick an hörte Peter mit größter Aufmerksamkeit zu. – „Die Schweden haben in Riga alles, was ein- und ausgeführt wird, mit hohen Zöllen belegt. Fürwahr, sie werden vor lauter Gier und Habsucht nicht nur uns, sondern auch sich selbst ruinieren. Die ausländischen Schiffe laufen Riga jetzt nicht mehr an und nehmen Kurs auf Königsberg. Das ganze polnische Getreide geht nach Brandenburg zum Kurfürsten. Auf unseren Feldern wuchert Unkraut. Der Hafen ist verödet, die Stadt gleicht einem Friedhof. Und in Reval haben es die Schweden noch schlimmer getrieben. Uns bleibt nur die Wahl: entweder völliger Ruin oder Krieg. Jetzt oder nie, Majestät. Die gesamte Ritterschaft wird sich in den Sattel schwingen. König August hat uns seinen und Polens Schutz eidlich zugesichert..."

Patkul sah General Carlowitz durchdringend an und wandte dann seine gelblichen Augen Königseck zu. Beide neigten gewichtig ihre Perücken.

Peter sagte, am Pfeifenrohr kauend: „Seht zu, daß ihr nicht abermals aus dem Regen in die Traufe kommt. König August hat eine milde Hand, aber die Krallen der polnischen Pans greifen fest zu. Einen fetten Bissen werft ihr ihnen da vor: Riga und Reval..."

„Polen ist nicht mehr das, was es zu Stefan Batorys Zeiten war. Polen geht nicht darauf aus, uns zu verderben", warf Patkul ein. „Wir haben nur einen Feind zu Wasser und zu Lande. Die Rzeczpospolita wird unsere Rechte und unseren Glauben nicht antasten..."

„Geb's Gott, geb's Gott. Heute kann der Sejm so beschließen, morgen anders, wie es den Pans gerade in den Sinn kommt. Hätte König August allein zu entscheiden, dann wäre die Sache sicherer. So aber entscheiden die Pans!" Peter redete gutmütig und blies Tabakwölkchen in die Luft. In Patkuls Gesicht zeichneten sich die Knochen unter der Haut ab, so scharf bohrte er seinen Blick in die Augen des Zaren. „Das ist noch sehr die Frage, ob die Pans überhaupt gewillt sind, Krieg zu führen."

„Majestät, der sächsischen Armee König Augusts, die nur ihm untersteht, ist bereits der Befehl erteilt, in den Kreisen Schaulen und Birsen unweit der livländischen Grenze Winterquartiere zu beziehen."

„Wie stark ist die Armee?"

„Zwölftausend Mann, deutsche Elitetruppen."

„Nicht allzuviel für ein solches Unternehmen."

„Ebensoviel livländische Ritter werden sich vor Riga einstellen. Die schwedische Garnison ist klein. Riga werden wir im Sturm nehmen. Dann aber, wenn erst der Krieg losbricht, werden die Pans schon von selbst zum Schwert greifen. Ein weiterer Verbündeter dieser Koalition ist König Friedrich von Dänemark. Majestät wissen es, wie tödlich er den Herzog und die Schweden haßt. Die dänische Flotte wird unsere Küsten schützen..."

Patkul war jetzt dort angelangt, wo die Sache schwierig wurde. Der Zar ließ die Hand sinken und trommelte mit den Fingernägeln auf der Tischplatte, sein rundes Gesicht verriet weder Bereitschaft noch Widerspruch. Es dämmerte, der Wind hinter dem Fenster blies heftiger und rüttelte an den Fensterläden, daß sie knarrten. Annchen wollte die Kerzen anzünden. Peter brummte zwischen den Zähnen: „Nicht nötig."

„Majestät, noch nie hat es für Sie eine so günstige Gelegenheit gegeben, am Baltischen Meer festen Fuß zu fassen, Ihre Erblande Ingermanland und Karelien den Schweden wieder zu entreißen und dann, wenn Sie die Schweden besiegt und den Zugang zum Meer erstritten haben, Weltruhm zu erringen, mit Holland, England, Spanien und Portugal, mit allen Ländern des Nordens, Westens und Südens Handelsbeziehungen anzuknüpfen und das zu vollbringen, was noch kein Monarch Europas vermocht hat: über Moskowien einen Handelsweg aus dem Morgenland ins Abendland zu bahnen. Mit allen Monarchen der Christenheit könnten Sie dann Verbindungen aufnehmen, in den Angelegenheiten Europas mitsprechen... Eine starke Flotte auf dem Baltischen Meer schaffen und zur dritten Seemacht werden... Damit werden Sie sich rascher Ruhm erwerben als mit einem Sieg über die Türken und Tataren. Jetzt oder nie..."

Patkul hob die Hand, als rufe er Gott zum Zeugen an. Königseck wiederholte flüsternd: „Jetzt oder nie." General Carlowitz schnaufte bedeutsam.

„Warum denn so eilig? Brennt uns etwa das Dach über dem Kopf? Krieg gegen die Schweden ist eine große Sache", meinte Peter, am Pfeifenrohr kauend. In den aufmerksam blickenden Augen der Zuhörer spiegelte sich flackernd die Kaminflamme. „Zwölftausend Sachsen – das ist eine ansehnliche Macht. Die dänische Flotte – hm. Die Ritter und Pans? Das ist nicht so gewiß. Die Schweden, die Schweden... Die erste Armee Europas... Da fällt es schwer, einen Rat zu geben..."

Er trommelte wieder mit den Fingernägeln.

Patkul antwortete mit verbissenem Ingrimm: „Heute kann man der Schweden mit bloßen Händen Herr werden. Karl der Zwölfte ist jung und dumm. Das will ein König sein! Aufgedonnert wie ein Frauenzimmer – der hat nur eins im Sinn: Gelage und Hasenhetzen! Den ganzen Staatsschatz hat er für seine Maskenbälle vergeudet. Ein Löwe ohne Zähne. Nicht umsonst sitzt die schwedische Gesandtschaft seit dem Frühjahr in Moskau und bittet um ewigen Frieden. Schöne Gesandte sind mir das. Ganz Europa weiß, daß auch nicht einer von ihnen ein Paar Seidenstrümpfe hat. Sitzen ohne Geld da, haben nichts als Erbsenbrei zu schlucken... Hier, General Carlowitz, Majestät, war voriges Jahr in Stockholm und hatte dort Gelegenheit, sich den König zur Genüge anzusehen... Herr General, haben Sie die Güte, erzählen Sie uns..."

Carlowitz reckte ein wenig den Kopf aus dem engen Kragen in die Höhe.

„Ich war dort, das stimmt. Die Stadt ist nicht groß, doch uneinnehmbar, zu Wasser wie zu Lande, eine richtige Löwenhöhle. Ich ging unter einem angenommenen Namen wie ein Bürger gekleidet an Land und schlug den Weg nach dem Markt ein. Kam aus dem Staunen nicht heraus: Sollte vielleicht der Feind in die Stadt eingedrungen sein? In den Geschäften und Häusern wurden die Fensterläden geschlossen, die Frauen brachten ihre Kinder in Sicherheit. Ich fragte einen Vorübergehenden. Der winkte nur mit der Hand ab und lief davon: ‚Der König!' Ich habe bei meinen Feldzügen und in den zahlreichen Städten, wo ich einquartiert war, viel gesehen, aber daß das Volk vor seinem König wie vor der Pest ausreißt und wie von Sinnen in die Häuser flüchtet, ist mir noch nie begegnet. Plötzlich sehe ich, wie von der waldigen Anhöhe nicht weniger denn ein Hundert Jäger angesprengt kommen, das Jagdhorn auf dem Rücken, die Jagdhunde an der Koppel. Sie preschen über die steinerne Brücke in die Stadt. Der Marktplatz ist bereits menschenleer. Allen voran stürmt mit verhängten Zügeln auf einem Rapphengst ein Jüngling, wohl an die Siebzehn, in hohen Soldatenstiefeln, nur mit Hemd und Hose bekleidet: König Karl der Zwölfte. Ein junger Löwe. Hinter ihm her, johlend und grölend, die Jäger. Wie die Teufel fliegen sie über den Marktplatz. Ein Glück noch, daß alles gut ausging, soll schon vorgekommen sein, daß sie Leute niedergeritten haben ...

Wißbegierig, wie ich nun einmal bin, bat ich einen Bekannten, mich als Händler, der arabische Wohlgerüche feilhält, ins Schloß einzuführen. Es war noch früh am Morgen, aber im Schloß wurde bereits getafelt. Der König vergnügte sich. Die Wände des Speisesaals waren in Manneshöhe mit Blut bespritzt, auf dem Boden floß das Blut in Strömen. Gestank, Besoffene lagen umher. Der König und die, die sich noch auf den Beinen halten konnten, hieben Schöpsen und Kälbern die Köpfe ab – setzten zehn schwedische Kronen, daß sie den Kopf auf den ersten Hieb abschlagen. Ich konnte nicht anders, als die Manier, wie der König den Säbel handhabe, zu billigen: Stallknechte schoben ihm ein Kalb zu, der König trennte im Vorbeilaufen mit einer kreisenden Bewegung des Säbels den Kopf vom Rumpf und sprang hurtig zur Seite, damit seine Kanonenstiefel nicht vom Blut bespritzt würden.

Ich machte einen tiefen Bückling, der König warf den Säbel auf den Tisch und streckte mir seine blutbesudelte Hand zum Kuß hin. Als er erfuhr, daß ich ein Kaufmann sei, meinte er: ‚Das kommt gelegen, kannst du mir vielleicht fünfhundert holländische Gulden vorstrecken?' Man hieß mich am Tisch Platz nehmen und nötigte mich, über alle Maßen zu trinken. Einer von den Höflingen flüsterte mir zu: ‚Widersprechen Sie dem König nicht, er kommt schon seit drei Tagen nicht aus dem Rausch heraus. Gestern hat man hier einen ehrsamen Kaufherrn splitternackt ausgezogen, mit Honig beschmiert und in Federn gewälzt.' Um solchem Schimpf zu entgehen, versprach ich dem König fünfhundert Gulden, die ich nicht besaß, und blieb bis in die Nacht hinein an der Tafel sitzen, wobei ich mich betrunken stellte. Die Höflinge wachten allmählich auf, aßen, tranken, grölten Lieder, warfen den Lakaien Schüsseln an den Kopf und sanken von neuem unter den Tisch.

Des Nachts verließ der König mit einer Schar seiner Kumpane das Schloß, um Fensterscheiben einzuschlagen und die schlafenden Bürger zu erschrecken. Ich machte mir die Dunkelheit zunutze und ging heimlich davon. Die ganze Stadt stöhnt und jammert über die Tollheiten des Königs. In drei Kirchen hörte ich die Prediger von der Kanzel zum Volke reden: ‚Wehe dem Land, das einen jungen König hat.'

Die Bürger sandten ihre würdigsten Vertreter ins Schloß, um den König zu bitten, das liederliche Leben aufzugeben und sich der Arbeit zu widmen. Die Bittsteller wurden die Treppen hinuntergeworfen. Die vom seligen König zugrunde gerichteten Grafen und Barone hassen das regierende Haus. Der Riksdag steht noch zum König, aber auch dort hängt man ihm schon den Brotkorb höher. Doch diesem Tollkopf ist alles gleich!

Es ist noch nicht gar so lange her, da kam er in den Riksdag und forderte zweihunderttausend Kronen. Der Riksdag lehnte die Forderung einmütig ab. Der König zerbrach voller Grimm seinen Stock und rief: ‚So wird es allen gehen, die sich mir widersetzen.' Am nächsten Tage aber drang er mit seinen Jägern in den Sitzungssaal ein, die schüttelten ein halb Dutzend Hasen aus einem Sack und hetzten ihre Jagdhunde auf sie..." Peter warf plötzlich den Kopf zurück und lachte belustigt auf. „Die Abgeordneten kletterten auf die Fensterbänke, gar manchem rissen die Hunde den Rock in Fetzen. Da habt ihr ihn, wie er leibt und lebt, den tollen König. Gefährlich ist dies Löwenjunge!"

General Carlowitz zog ein Seidentüchlein aus dem Ärmelaufschlag und wischte sich das Gesicht und den Hals unter der Perücke. Peter lachte noch immer, die Ellbogen auf dem Tisch.

Unerwartet für alle warf Anna Iwanowna verächtlich hin: „Ein schöner König! Mit diesem Karl könnte unser Preobrashenski-Regiment allein fertig werden."

Alle wandten sich zu ihr. Königseck drückte sein Taschentuch an den Mund.

Peter sagte leise: „Das sind nun Sachen, in die du dein Näschen wirklich nicht stecken solltest, Annuschka. Befiehl lieber, die Kerzen anzuzünden."

Die Kerzen in den Wandleuchtern vor den Lichtspiegeln wurden angezündet, die Kristallgläser mit Wein gefüllt. Das warme Licht verlieh selbst Johann Patkuls Gesicht einen sanfteren Ausdruck. Annchen brachte eine kleine Spieldose, zog sie auf, öffnete den Deckel und stellte sie auf den Kamin. Mit dünnem Stimmchen sang die Spieldose ein deutsches Liedchen, daß alles wohlbestellt sei in dieser Welt, wo die Tafel reich besetzt ist und die Kerzen brennen und Blauäuglein leuchten, mag auch draußen der Sturmwind heulen. Peter nickte lächelnd und schlug mit dem Fuß den Takt. An diesem Abend sprach er kein Wort mehr über Politik.

3

Jeden Sonntag speiste Iwan Artemjitsch Browkins Tochter Alexandra mit ihrem Mann in dem neuen Backsteinhaus ihres Vaters in der Iljinka zu Mittag. Iwan Artemjitsch führte ein Witwerdasein. Sein ältester Sohn Aljoscha befand sich zur Zeit auf einer Dienstreise, um Soldaten für die Linienregimenter zu rekrutieren. Vor kurzem war durch einen Erlaß befohlen worden, dreißig solcher Regimenter – drei Divisionen – auszuheben. Für ihre Verpflegung wurde ein neues Amt unter der Leitung eines General-Proviantmeisters geschaffen – das „Proviantamt". Selbstverständlich konnte der General-Proviantmeister aus Kanzleiakten weder Hafer und Heu noch Zwieback und andere Lebensmittel machen. So blieb denn Browkin nach wie vor Hauptlieferant, wenn auch ohne Amt und Rang.

Sein Weizen blühte, und viele angesehene Kaufleute beteiligten sich an seinen Geschäften oder traten bei ihm in Dienst.

Von den anderen Söhnen war Jakow in Woronesh bei der Flotte, Gawrila in der Lehre in Holland, auf den Werften. Und nur der Jüngste, Artamon, der im einundzwanzigsten Lebensjahr stand, lebte beim Vater, schrieb für ihn Briefe, führte die Bücher und las ihm aus Büchern vor. Er war mit der deutschen Sprache gut vertraut, übersetzte dem Vater Traktate über den Handel und zur Unterhaltung Pufendorfs „Historie". Iwan Artemjitsch lauschte und seufzte: „Wir aber, du lieber Gott, wir leben am Ende der Welt, ein richtiges Schweinedasein!"

Alle seine Kinder – eines immer um ein Jahr jünger als das andere – waren klug, dieser aber ein wahrer Goldjunge. Ihre Mutter selig hatte nicht umsonst ihr ganzes Blut, Tropfen um Tropfen, hingegeben, ihr Herz in Stücke gerissen, um ihre Kinder glücklich zu machen. Zur Winterszeit, wenn es draußen stürmte, pflegte sie in der rauchigen Hütte am surrenden Spinnrad zu sitzen, starrte mit abgrundtiefen, furchtbaren Augen auf den Lichthalter, auf den brennenden Kienspan. Die Kleinen schliefen laut atmend auf dem Ofen, in den Ritzen raschelten die Schaben, und über dem Strohdach sang heulend der Schneesturm von der unmenschlichen Härte des Lebens. Warum sollten die Kleinen schuldlos leiden? Sie hatte den Tag, da das Glück ins Haus gekommen war, nicht mehr erlebt. Iwan Artemjitsch hatte damals kein Mitleid mit seiner Frau, wo sollte er auch die Zeit dazu hernehmen; jetzt aber, wo er alt wurde, mußte er oft an sie denken. Sterbend hatte sie ihn angefleht: „Bring den Kindern keine Stiefmutter ins Haus." So war es gekommen, daß er nicht wieder geheiratet hatte.

Browkins Haus wurde nach ausländischem Muster geführt; außer den üblichen drei Gemächern – dem Schlafzimmer, dem Empfangssaal und dem Eßzimmer – gab es noch ein viertes, den Salon, wo die Gäste in Erwartung des Mittagessens saßen, und nicht etwa längs der Wände auf Bänken, um dort vor Langerweile in den Ärmel zu gähnen, sondern auf holländischen Stühlen, die mitten im Zimmer um einen mit geschorenem Samt bedeckten Tisch standen. Auf dem Tisch sorgten spaßhafte Stiche, ein Kalender mit Prophezeiungen, eine Spieldose, ein Schachspiel, Pfeifen und Tabak für die Unterhaltung der Gäste. An den Wänden waren keine Laden und Truhen mit allem möglichen Kram aufgestellt, wie es der Adel liebte, der noch am altväterischen Brauch festhielt, sondern Kredenzen oder große Schränke, deren Türen, wenn Gäste kamen, geöffnet wurden, damit man das kostbare Geschirr bewundern konnte.

All das hatte Alexandra eingeführt. Sie achtete auch darauf, daß der Vater sich sorgsam kleidete, sich häufig den Bart schabte und die Perücke wechselte. Iwan Artemjitsch sah ein, daß er seiner Tochter in diesen Dingen folgen mußte. Aber es war, um die Wahrheit zu sagen, ein langweiliges Leben, das er führte. Er hatte niemanden mehr, vor dem er großtun konnte. Der Zar, wenn er ihn traf, schüttelte ihm die Hand. So manches Mal gelüstete es ihn, das Wirtshaus in der Warwarka aufzusuchen, sich zu den Kaufleuten aus den Handelsreihen zu setzen, ihre spöttischen Reden anzuhören und selber ein wenig mitzutratschen. Doch daran war nicht zu denken, das ziemte sich nicht. Es hieß eben sich langweilen.

Iwan Artemjitsch stand am Fenster. Sieh an, da läuft grade der erste Gehilfe Sweschnikows über die Straße, wie eilig er's hat, der Schweinehund. Ein schlauer Kerl. Kommst zu spät, mein Lieber, den Flachs dort haben wir schon früh am Morgen an uns gebracht. Und da stolziert in neuen Filzstiefeln Rewjakin vorbei, wendet die Fratze vom Fenster ab – sicherlich kommt er aus dem Gericht. Ja, ja, lieber Freund, mit Browkin soll man nicht prozessieren ...

Abends, wenn Sanka nicht im Hause war, nahm Iwan Artemjitsch die Perücke ab, zog den Rock aus spanischem Samt aus und stieg ins Erdgeschoß, in die Küche hinab, um dort mit seinen Leuten und den Bauern zu Abend zu essen. Löffelte Kohlsuppe und scherzte. Besonders freute es ihn, wenn seine alten Landsleute ihn besuchten, die ihn noch als Iwaschka Browkin, den ärmsten Bauern im Dorf, gekannt hatten. Da tritt so ein Bauer in die Küche, tut, als sei er beim Anblick Iwan Artemjitschs zu Tode erschrocken und wisse nicht, ob er ihm zu Füßen fallen soll, sperrt sich, wagt nicht, sich an den Tisch zu setzen. Allmählich wird er natürlich gesprächiger und rückt langsam mit seinem Anliegen heraus, um dessentwillen er gekommen ist.

„Ach, Iwan Artemjitsch, wär's nicht die Stimme, hätte ich dich nicht erkannt. Wenn bei uns im Dorf die Bauern auf der Bank beieinandersitzen und ins Schwatzen kommen, ist nur von dir die Rede: Du warst schon damals, vor Jahren, ein Mordskerl – wir haben's noch gut im Gedächtnis –, als du nur ein einziges Pferd im Stall hattest und bis über die Ohren in Schulden stecktest..."

„Mit drei armseligen Rubeln, mit drei armseligen Rubeln hab ich begonnen. So ist es, Konstantin."

Der Bauer hob mit strengem Blick die Augen und nickte. „Der Herrgott sieht eben dem Menschen ins Herz und weiß, wen er auserwählt. Ja, ja..." Darauf fuhr er sanft und schmeichelnd fort: „Iwan Artemjitsch, du wirst wohl Konstantin Schutow im Sinn haben, aber nicht mich. Ich bin nicht der Konstantin. Der hat dir gegenüber gewohnt, ich dagegen links von dir, ein Stück abseits... Eine elende Hütte..."

„Hab's vergessen, hab's vergessen."

„Nichts taugt meine Hütte, ganz und gar nichts", sagte der Bauer, diesmal mit tief aus der Kehle kommender Stimme, als hielte er die Tränen zurück, „von heute auf morgen kann sie zusammenfallen. Neulich ist das Dach eingestürzt – ist ja alles morsch – und hat, denk dir nur, unser Kalb erdrückt. Weiß nicht, was ich tun soll."

Iwan Artemjitsch wußte schon, was zu tun war, sagte aber nicht gleich: „Geh morgen zu meinem Verwalter, bis Mariä Fürbitte will ich dir die Schuld stunden"; bis ihn das Gähnen übermannte, fragte er das Bäuerlein aus – wie die Leute leben, wer gestorben sei, wer schon Enkelkinder habe. Scherzte: „Paßt auf, nach Ostern komm ich zu euch, mir eine Braut holen."

Der Bauer übernachtete in der Küche, Iwan Artemjitsch stieg ins Obergeschoß, in sein schwüles Schlafgemach. Zwei livrierte Diener, die längst auf einer Matte an der Schwelle schliefen, sprangen auf und kleideten ihren untersetzten und wohlbeleibten Herrn aus. Nachdem er sich vor dem Ewigen Lämpchen so oft, wie es der Brauch gebot, bis zur Erde verbeugt und sich Hüften und Bauch gekratzt hatte, schob er die nackten Füße in Filzschuhe und ging auf den kalten Abtritt. Der Tag war zu Ende. In die Federn kriechend, seufzte Iwan Artemjitsch jedesmal schwer: „Der Tag ist zu Ende." Es blieben ihrer nicht mehr viele. Schade, grade jetzt war es eine Freude, zu leben. Er dachte an die Kinder, die Geschäfte – der Schlaf verwirrte seine Gedanken.

Heute wurden nach dem Gottesdienst hohe Gäste erwartet. Als erste kamen Sanka und ihr Mann. Wassili Wolkow küßte, ohne sich zu verbeugen, seinen Schwiegervater und setzte sich mit mürrischem Gesicht an den Tisch. Sanka berührte mit den Lippen des Vaters Wange, eilte zum Spiegel, drehte ihre Schultern und ihre bauschigen erdbeerfarbenen Röcke hin und her und betrachtete prüfend ihre neue Robe.

„Väterchen, ich habe mit Ihnen zu sprechen. Sehr ernst zu sprechen." Sie hob die nackten Arme, um die Seidenblümchen in ihrem gepuderten Haar in Ordnung zu bringen. Konnte sich vom Spiegel nicht losreißen: blauäugig, schmachtend, das Mündchen klein. „Ach, was ich Ihnen alles zu erzählen habe..." Und wieder wandte sie sich dem Spiegel zu, machte einen tiefen Knicks und wedelte mit ihrem Federfächer.

Wolkow bemerkte mürrisch: „Sie ist ganz aus dem Häuschen. Hat bloß eins im Kopf: Paris, Paris! Als ob die Leute dort nur darauf warten, daß sie kommt... Wir schlafen jetzt getrennt."

Iwan Artemjitsch saß am holländischen Ofen und lachte nur. „Ach du lieber Gott, du mußt streng mit ihr sein."

„Versuch's mal: Sie bringt mit ihrem Geschrei das ganze Haus auf die Beine. Beim geringsten Anlaß droht sie: ‚Ich werde mich bei Peter Alexejewitsch beschweren.' Ich denke nicht daran, sie nach Europa mitzunehmen, sie schnappt mir dort ganz und gar über."

Sanka trat vom Spiegel zurück, kniff die Augen zusammen und hob ihren Finger. „Wirst mich doch mitnehmen. Peter Alexejewitsch selber hat mir befohlen, zu fahren. Du aber bist ein grober Klotz."

„Schwiegervater, hast du es gehört? Wie soll man so was nennen?"

„Ach du lieber Gott, ach du lieber Gott..."

„Väterchen", sagte Sanka und setzte sich, den Rock glattstreichend, zu ihrem Vater. „Gestern habe ich mit der jüngsten Buinossowa, mit Natalja, gesprochen. Das Mädchen brennt lichterloh. Die älteste der Schwestern ist noch nicht mal verlobt – wann soll sie denn an die Reihe kommen? Natascha ist voll erblüht, eine wahre Schönheit. In Politesse und galanten Hofmanieren kennt sie sich nicht schlechter aus als ich..."

„Ja, hapert es vielleicht beim Fürsten Roman an Geld?" fragte Iwan Artemjitsch, sich die weiche Nase kratzend. „Darum also bringt er immer wieder die Rede auf die Weberei."

„Schlecht, schlecht geht es ihm. Die Fürstin Awdotja hat's mir geklagt. Er selber aber läuft mit einem Gesicht herum wie sieben Tage Regenwetter."

„In seiner Einfalt hat er versucht, sich um Armeelieferungen zu bewerben, die Unsern haben ihm aber tüchtig heimgeleuchtet."

„Die Buinossows sind ein berühmtes Geschlecht, Väterchen! Es wäre eine große Ehre, so eine Prinzessin in unserer Familie zu haben. Begnügen wir uns mit einer bescheidenen Mitgift, so werden sie schon ihre Einwilligung geben. Ich spreche von unserem Nesthäkchen, von Artamoscha." Iwan Artemjitsch hob schon die Hand, um sich im Haar zu krauen, doch die Perücke hinderte ihn. „Artamon und Natalja müssen noch vor meiner Abreise nach Paris heiraten. Das Mädel verzehrt sich ja vor Sehnsucht. Ich habe es auch Peter Alexejewitsch gesagt."

„Du hast es ihm gesagt?" Iwan Artemjitsch ließ im Nu seine Nase in Ruhe. „Na, und was meint er dazu?"

„‚Recht so‘, sagte er. Ich habe gestern bei Menschikow mit ihm getanzt. Er kitzelte mir mit seinem Schnurrbart die Wange und meinte: ‚Feiert Hochzeit, und so rasch wie möglich.‘"

„Warum so rasch wie möglich?" Iwan Artemjitsch erhob sich und blickte aufmerksam zu seiner Tochter auf. Sanka war größer als er.

„Vielleicht des Krieges wegen. Ich habe ihn nicht danach

gefragt, hatte keine Zeit. Gestern sagten alle: Es wird Krieg geben."

„Mit wem?"

Sanka schob die Unterlippe vor. Iwan Artemjitsch legte seine kurzen Arme auf den Rücken und ging watschelnd, in weißen Strümpfen, in stumpfen Schuhen mit breiten Schleifen und roten Absätzen, im Zimmer auf und ab.

Vor der Haustür fuhr ratternd ein Wagen vor, die Gäste kamen.

Iwan Artemjitsch, den Bauch im seidenen Kamisol vorgestreckt, begrüßte die Gäste nach ihrem Rang – entweder oben an der Schwelle des Zimmers, oder er ging ihnen bis an die Haustür entgegen. Den Fürsten Roman Borissowitsch, der in einer Karosse mit Dienern auf dem hinteren Wagentritt vorgefahren war, empfing er auf der Hälfte der Treppe und hieß ihn mit herzlichem Handschlag willkommen. Hinter Fürst Roman sprangen Antonida, Olga und Natalja mit geschürzten Röcken die gußeisernen Treppenstufen hinauf. Iwan Artemjitsch ließ Natalja den Vortritt und musterte sie mit prüfendem Blick: Das Mädchen war wirklich schon reif.

Die Buinossow-Mädchen nahmen geräuschvoll am Tisch in der Mitte des Salons Platz. Sie packten Sanka an den nackten Ellbogen und schwatzten ins Blaue hinein. Die würdigen Gäste, wie Präsident Mitrofan Schorin, Sweschnikow, Momonow, hatten sich, um den Mädchen nicht auf die Schleppen zu treten, zum Ofen zurückgezogen und betrachteten sie, die Brauen runzelnd, mit scheelen Blicken: Muß eben sein, der Zar will's nun mal, daß wir uns Europa zum Vorbild nehmen, aber viel Gutes wird dabei kaum herauskommen, wenn man die Töchter in fremde Häuser mitschleppt.

Sanka zeigte eben erst aus Hamburg eingetroffene Blätter, Kupferstiche berühmter holländischer Meister. Die Mädchen atmeten unruhig in die Tüchlein, als sie die nackten Götter und Göttinnen betrachteten. „Und wer ist das? Was hat er denn da? Was macht denn die hier? Aber so was!"

Sanka erklärte ärgerlich: „Dieser Mann mit den Kuhfüßen ist ein Satyr. Sie brauchen durchaus nicht den Mund zu verziehen, Olga. Er hat da ein Feigenblatt, so wird es immer dargestellt. Cupido will sie mit dem Pfeil durchbohren. Die Unglückselige weint, sie ist zu Tode betrübt. Ihr Herzallerliebster hat sie sitzenlassen und ist davongesegelt – da seht ihr das Segel. Der Stich heißt: ‚Die verlassene Ariadne'. Das alles solltet ihr lernen. Die Kavaliere fragen einen jetzt beständig nach den griechischen Göttern. Es ist nicht mehr so wie im vorigen Jahr. Und gar mit einem Ausländer tanzen, das sollt ihr lieber bleibenlassen..."

„Wir würden es ja gern lernen, wir haben bloß kein Buch. Vater rückt auch nicht einen Groschen heraus, wenn man für was Wichtiges Geld braucht", sagte Antonida. Die pockennarbige Olga biß vor Ärger in ihre Ärmelspitzen. Sanka legte plötzlich Natalja den Arm um die Schultern und flüsterte ihr etwas ins Ohr. Der pausbäckigen, blonden Natalja schoß das Blut ins Gesicht.

Bescheiden und ehrerbietig trat Artamoscha in den Salon – ein magerer Jüngling in braunem deutschem Rock; er glich Sanka, doch seine Brauen waren dunkler, zarter Flaum sproß auf seiner Oberlippe, und seine Augen schimmerten grau wie eine Wolke. Sanka kniff Natalja in den Arm, damit sie einen Blick auf ihren Bruder werfe. Vor Verlegenheit senkte das Mädchen den Kopf auf die Brust, hob die Ellbogen und saß reglos da.

Artamoscha machte vor den ehrenwerten Gästen einen tiefen Bückling und trat zu seiner Schwester.

Sanka kniff die Lippen zusammen, vollführte einen leichten Knicks und warf rasch hin: „Ich präsentiere euch meinen jüngsten Bruder Artamoscha."

Die Mädchen nickten träge mit den hohen gepuderten Frisuren. Artamon trat, wie es der gute Ton verlangte, einen Schritt zurück, stampfte mit dem Fuß auf und schwenkte den Arm, als spülte er Wäsche. Sanka stellte vor: „Prinzessin Antonida, Prinzessin Olga, Prinzessin Natalja." Die Mädchen erhoben sich der Reihe nach, machten einen Knicks, und vor jeder schwenkte Artamon den Arm. Dann nahm er bedächtig am Tisch Platz. Preßte die Hände mit den Knien zusammen. Rote Flecke traten auf seinen Backenknochen hervor. Er sah seine

Schwester bedrückt an. Sanka zog drohend die Brauen zusammen.

„Besuchen Sie oft Soirees?" fragte er Natalja stockend.

Sie flüsterte etwas Unverständliches. Olga antwortete forsch: „Vorgestern haben wir bei Naryschkins getanzt, haben dreimal die Roben gewechselt. Ein solcher *succäs*, eine solche Hitze. Warum bekommt man Sie niemals zu sehen?"

„Ich bin noch zu jung."

Sanka sagte: „Vater fürchtet, er könnte über die Stränge schlagen. Wenn wir ihn erst verheiratet haben, dann mag er's halten, wie er will. Aber aufs Tanzen versteht er sich. Das hat nichts zu sagen, daß er so schüchtern ist. Und fängt er erst an, Französisch zu reden, reißt man vor eitel Staunen die Augen auf."

Die ehrsamen Gäste blickten voll Neugier auf die Jugend. Ja, ja, die Kinder!

Mitrofan Schorin fragte Browkin: „Wo hat denn dein Junge diesen Schliff her?"

„Ich lasse Lehrer kommen, Mitrofan Iljitsch; es geht nicht anders, unsere Position verlangt es. Können wir nicht mit unseren Ahnen auftrumpfen, so müssen wir's mit was anderem versuchen."

„Hast recht, hast recht. Wir müssen aus unsern Ritzen ans Licht kriechen."

„Auch der Zar macht ein brummiges Gesicht, sagt: Wenn du schon scheffelweise Geld verdienst, dann scheu auch keine Kosten."

„Versteht sich, die Kosten werden sich schon bezahlt machen."

„Was für Geld kostet mich allein Sanka. Aber das Frauchen steht in hoher Gunst."

„Ein quickes Frauchen. Paß aber auf, Iwan Artemjitsch, daß sie ..."

„Gewiß, man könnte sie ja mit der Peitsche in die Frauengemächer hinaufjagen und an den Stickrahmen setzen", erwiderte nach kurzem Schweigen Iwan Artemjitsch nachdenklich. „Aber was schaut schon dabei heraus? Wird sich ihr Mann sicherer fühlen? Ach wo! Ich begreife es, auf Schritt und Tritt ist sie der Versuchung ausgesetzt. Mein Gott, so ist's nun mal. Die Sünde leuchtet ihr ja nur so aus den Augen. Mitrofan Iljitsch, es sind eben andere Zeiten. In England, weißt du, läßt Marlboroughs Frau ganz Europa nach ihrer Pfeife tanzen. Versuch's mal, dich da mit der Peitsche neben ihrem Rock aufzustellen, daß dich die ganze Welt auslacht..."

Alexej Sweschnikow, ein Kaufherr mit strengem Gesicht, dichten Brauen, in weitem ungarischem Schnürrock, ohne Perücke, das schwarze, gelockte Haar von grauen Fäden durchzogen, drehte, die Hände auf den Rücken gelegt, die Daumen und wartete, bis der Präsident und Browkin mit ihrem leeren Geschwätz zu Ende wären.

„Mitrofan Iljitsch", begann er mit tiefer Baßstimme, „ich komme wieder mit dem nämlichen: Wir müssen uns mit dem Geschäft beeilen. Ich habe läuten hören, man wolle uns zuvorkommen."

Das spitznäsige, sauber gewaschene, listige Gesicht des Präsidenten verzog sich zu honigsüßem Lächeln.

„Das hängt vom Entscheid unseres Wohltäters Iwan Artemjitsch ab, ihn mußt du fragen, Alexej Iwanowitsch..."

Browkin begann ebenfalls hinter dem Rücken die Daumen zu drehen, spreizte die kurzen Beine und blickte zu den beiden Riesen, Schorin und Sweschnikow, auf. Er war sich sofort darüber klar: Die Brüder haben's eilig, werden wohl was Wichtiges in Erfahrung gebracht haben. Gestern hatte Browkin den ganzen Tag in seinen Kornspeichern verbracht und niemanden von den hohen Würdenträgern zu Gesicht bekommen. Ohne zu antworten, sich vor Wichtigkeit aufblähend, grübelte er: Was könnte es nur sein? Er nahm die Hände vom Rücken, um sich die Nase zu kratzen.

„Ja, ja", sagte er, „man spricht davon, die Tuchpreise sollen jetzt steigen... Wollen wir die Sache besprechen."

Sweschnikow riß sofort seine Zigeuneraugen auf. „Du weißt also auch, Iwan Artemjitsch, was gestern los war?"

„Ich weiß mancherlei. Bei uns heißt es: wissen und schweigen..." Iwan Artemjitsch verdeckte mit der Hand die untere Gesichtshälfte. Weiß der Kuckuck, was haben sie nur in Erfahrung gebracht?

Er schielte zu den anderen Gästen hinüber und zog sich hinter den Kachelofen zurück. Sweschnikow und Schorin folgten ihm. Eng beisammen, redeten sie dort miteinander, vorsichtig, wie die Katze um den heißen Brei, um den Kern der Sache herumgehend.

„Iwan Artemjitsch, ganz Moskau spricht ja davon."

„Ja, ja, es wird viel geredet."

„Mit wem denn? Doch nicht mit den Schweden?"

„Das ist des Zaren Sache."

„Na, aber immerhin ... Geht's bald los?" Sweschnikow fuhr mit den Fingernägeln in seinen drahtig straffen Bart. „Das wäre grade die richtige Zeit für uns, eine Fabrik zu gründen. Dem Zaren kommt es ja nicht so darauf an, daß unser Tuch wohlfeiler sein wird als das hamburgische, sondern daß es einheimisches Tuch ist. Die Grenzen könnten gesperrt werden, er aber hat dann eigenes Tuch im Lande. Eine Goldgrube wäre das Geschäft. Wieviel Leute sich schon darum reißen, der Martiessen zum Beispiel ..."

Davon also haben sie Wind bekommen! begriff Iwan Artemjitsch und lächelte in die hohle Hand.

Vor einigen Tagen war dieser Martiessen, ein Ausländer, in Begleitung des Dolmetschers Schafirow bei Browkin gewesen und hatte ihm vorgeschlagen, eine Tuchfabrik zu errichten. Einen Teil des Geldes könnte der Zar geben, den anderen Teil sollte Browkin zur Verfügung stellen. Er selbst aber, Martiessen, behielte sich ein Drittel der Einkünfte vor, dafür verpflichtete er sich, Webstühle und gute Meister aus England zu verschreiben und die Leitung der ganzen Fabrik zu übernehmen. Sweschnikow und Schorin hatten ihrerseits schon seit langem Browkin den Vorschlag gemacht, sich an einem Kompaniegeschäft zu beteiligen und eine Tuchfabrik zu gründen. Bisher war man über die Verhandlungen nur noch nicht hinausgekommen. Gestern war offenbar etwas geschehen, Martiessen dürfte aller Wahrscheinlichkeit nach vom Zaren empfangen worden sein.

„Sollen wir denn wirklich eine so große Sache Ausländern überlassen!" meinte Sweschnikow, und seine Augen blitzten.

Präsident Schorin kniff die Augen zu und seufzte: „Wo wir

doch, sollte man meinen, bereit sind, all unser Hab und Gut zu opfern, unser Letztes hinzugeben ..."

„Morgen, morgen werden wir weitersprechen." Iwan Artemjitsch eilte vom Ofen zur Tür. In den Salon trat, von niemandem empfangen, in schwarzem Tuchrock und verstaubten Schuhen, ein kleiner, blaurasierter, stämmiger Mann mit einer breitsattligen Habichtsnase. Seine dunklen Augen glitten unruhig über die Gesichter der Gäste. Beim Anblick Browkins streckte er ihm, ganz unrussisch, die kurzen Arme entgegen.

„Verehrtester Iwan Artemjitsch!" begann er mit singender Stimme, jeden Buchstaben aussprechend, und ging dem Hausherrn entgegen, um ihn zu umarmen, küßte ihn dreimal auf die Wangen – der komische Kauz! –, als sei es Ostern. Dann flüsterte er, die feuerroten Locken seiner Perücke mit einer Kopfbewegung aus dem Gesicht schüttelnd: „Mit Martiessen ist es vorläufig nichts. Gleich wird Alexander Danilowitsch kommen."

„Freut mich, freut mich, dich bei mir zu sehen, Pjotr Pawlowitsch, sei willkommen."

Es war der Dolmetscher des Auswärtigen Amts Schafirow, ein getaufter Jude. Er hatte den Zaren ins Ausland begleitet, war jedoch bis zu diesem Herbst im Schatten geblieben. Jetzt aber, da er der schwedischen Gesandtschaft zugeteilt worden war, traf er täglich mit Peter zusammen, und man sprach von ihm bereits als von einem einflußreichen Mann.

„Komm morgen in den Kreml, Iwan Artemjewitsch, in den Palast. Majestät hat befohlen, daß zehn aus der Ältestenkammer zugegen sein sollen. Wir werden von den Schweden ihre Bevollmächtigungsschreiben entgegennehmen."

„Seid ihr mit ihnen einig geworden?"

„Nein, Iwan Artemjewitsch, Majestät wird dem König von Schweden keinen Schwur aufs Evangelium leisten."

Browkin holte lauschend Atem und bekreuzte hastig seinen Nabel. „Es stimmt also wirklich, was da geredet wird, Pjotr Pawlowitsch?"

„Werden's ja sehen, Iwan Artemjewitsch, große Dinge bereiten sich vor, große Dinge ..." Und er wandte sich den Buinossow-Mädchen zu, um ihnen nach ausländischer Sitte die Fingerspitzen zu küssen.

Fürst Roman Borissowitsch saß mürrisch auf seinem Stuhl an der Wand. Viel Ehre brachte das nicht ein, solche Häuser aufzusuchen. Trübe starrte er auf seine Töchter. Hohlköpfige Elstern. Wer wird sie freien? Was für schreckliche Zeiten, du mein Gott! Geld, Geld! Als ob der Wind es einem aus der Tasche bliese. Vom frühen Morgen an zerbricht man sich den Kopf, wie man sich durchschlagen, wie man weiterleben soll. Aus den Dörfern ist alles herausgepreßt, und auch das reicht nicht. Wie kommt das nur? Früher hat's gereicht. Ach, früher, da saß man am Fenster, kaute, wenn's einen danach gelüstete, einen Apfel, oder lauschte, wenn man wollte, dem Glockengeläute. Ruhe und Stille in alle Ewigkeit ... Eine Windsbraut kam angeflogen – und wie die Ameisen aus einem mit siedendem Wasser begossenen Ameisenhaufen kribbeln die Leute umher. Unbegreiflich. Nur Geld, Geld. Alle möglichen Fabriken, Kompanien ...

Der neben dem Fürsten Roman sitzende bejahrte Kaufmann Jewstrat Momonow, einer der angesehensten Vertreter der Kaufmannsgilde, hub gemessen an: „Es geht nicht anders, Väterchen Fürst Roman Borissowitsch, wir Kaufleute denken darüber so: Eng ist es geworden, unmöglich, so weiterzuleben, die Ausländer springen mit uns um, wie's ihnen paßt. So ein Ausländer kauft bei uns nichts, bevor er nicht einen Schreibebrief aufgesetzt hat. Nach achtzehn Tagen trifft sein Brief in Hamburg ein, und nach weiteren achtzehn Tagen bekommt er die Antwort, wie hoch die Ware dort an der Börse im Preise steht. Unsere Narren aber versteifen sich ein, zwei Jahre lang auf denselben Preis, mag es auch einen solchen Preis nirgends in der Welt mehr geben. Die Ausländer haben schon längst eine Bresche in die Mauer um unser Land geschlagen. Wir aber sitzen nach wie vor in einer Grube. Nein, Väterchen, der Krieg ist unvermeidlich. Wäre wenigstens ein Städtchen unser, Narwa zum Beispiel, der Zaren alter Erbbesitz ..."

„Ihr platzt ja schier vor Geld, und immer ist es euch Kaufleuten zu wenig", bemerkte Roman Borissowitsch verächtlich. „Krieg! Sieh einer an! Krieg ist eine Staatsaffäre, der gemeine Mann hat sich in solche Sachen nicht einzumischen."

„Ganz recht, ganz recht, Väterchen", stimmte ihm Momonow sofort bei, „wir schwätzen ja nur aus purer Einfalt so."

Roman Borissowitsch schielte mit seinen blutunterlaufenen Augen zu ihm hinüber. Sieh einer an, schlicht gekleidet, ein einfaches Gesicht, und dabei hat er sicherlich ganze Töpfe voll Geld im Keller vergraben ...

„Wieviel Söhne hast du?"

„Sechs, Väterchen Fürst Roman Borissowitsch."

„Junggesellen?"

„Verheiratet, Väterchen, alle verheiratet."

Hinter den Fenstern ratterte eine Karosse über das Holzpflaster. Iwan Artemjitsch stürzte zur Treppe, der eine und der andere von den Gästen trat zum Fenster. Die Gespräche brachen ab. Man hörte auf den gußeisernen Stufen Sporen klirren. Vom Hausherrn gefolgt, betrat den Saal Generalmajor Alexander Menschikow, Gouverneur von Pskow, in einem Rock mit roten Aufschlägen, als hätte er seine Ärmel bis an die Ellbogen in Blut getaucht. Von der Schwelle aus glitt sein kühler blauer Blick voll staatsmännischer Strenge über die Gesichter der Gäste. Dann nahm er den Hut ab, verbeugte sich mit weitausholender Gebärde vor den Prinzessinnen. Zog die linke schöngeschwungene Braue in die Höhe, trat mit trägem Lächeln auf Sanka zu, küßte sie auf die Stirn, faßte sie bei den Fingerspitzen und schüttelte ihr die Hand, darauf drehte er sich um und begrüßte mit einem kurzen Nicken die Gäste.

Die Türen zum Speisesaal öffneten sich, Alexander Danilowitsch klopfte Browkin auf die Schulter und bog sich zu seinem Ohr hinab. „Mit Sweschnikow und Schorin laß dich nicht ein, es lohnt nicht ... Martiessen kriegt nichts. Wir selber müssen das Geschäft in die Hand nehmen ... Sprich heute mit Schafirow darüber."

4

In vierzehn vierspännigen Kutschen fuhren die schwedischen Gesandten zum Hof des Hauses hinaus, in dem man die Gesandtschaften unterzubringen pflegte. Längs der ganzen Iljinka, quer über den Platz bis an die Kremlmauer, standen

Linienregimenter Spalier, das Gewehr geschultert, den Dreispitz auf dem Kopf, in kurzen Röcken und weißen Strümpfen. Die Fahnen und Pikenfähnchen flatterten im Oktoberwind. Mit ernstem Blick musterten die Schweden durch die Wagenfenster diese neuen Truppen.

Als sie das Spasskije-Tor hinter sich hatten, sahen sie Haufen aufeinandergeschichteter, an den Seiten verschneiter Kanonenkugeln, Mörser, deren Mündungen zum Himmel starrten. An jedem Mörser standen vier wohl sieben Fuß lange schnauzbärtige Kanoniere mit Kanonenwischern und rauchenden Lunten. Vor der Roten Treppe hielt auf einem fuchsroten Donhengst der alte General Gordon. Der Wind blähte seinen roten Reitermantel, Graupeln prasselten klirrend auf seinen Helm und Harnisch. Als der Gesandtschaftszug haltmachte, hob der General die Hand: Kanonen krachten, Rauch verhüllte die blinden Fenster der Ämter und die Kuppeln der Kirchen.

Auf der Treppe gaben die Gesandten auf Geheiß der Kämmerer ihre Degen ab.

Einhundert Soldaten des Semjonowski-Regiments, die die Geschenke und Souvenirs des Königs trugen – silberne Schüsseln, Becher und Krüge –, nahmen auf der Treppe und im Flur Aufstellung und hoben ein Bildnis in reichverziertem Holzrahmen empor, das den jungen König Karl den Zwölften von Schweden in Lebensgröße darstellte. Gemessenen Schrittes betraten die Gesandten den Empfangssaal und nahmen an der Schwelle die Hüte ab.

Längs der vier Wände saßen auf Bänken die Bojaren, der Moskauer Adel sowie angesehene Handelsherren und Kaufleute. Alle trugen schlichte Tuchröcke, viele waren in ausländischer Tracht erschienen. Am anderen Ende des korbförmig gewölbten Saals, dessen Wände und Decke mit Rittern, Tieren und Vögeln bemalt waren, saß auf einem Thron aus Waldroßbein und Silber mit starr aufgerissenen Augen, einem Götzenbild gleich, Peter ohne Hut und Perücke, in einem mit Luchsfell gefütterten Rock aus grauem Tuch. Zu seiner Linken stand Lawrenti Swinjin mit einer goldenen Schüssel, zur Rechten hielt Wassili Wolkow ein Handtuch auf den gestreckten Armen.

Die Gesandten näherten sich und beugten das Knie auf dem Teppich vor den Thronstufen. Swinjin hielt die Schüssel hin, Peter steckte, den Blick geradeaus gerichtet, seine Finger ins Wasser, Wolkow trocknete sie, und die Gesandten traten heran, um dem Zaren die rauhe Hand zu küssen. Hierauf erhob sich Peter, mit dem Kopf fast den Baldachin berührend, und fragte, wobei seine Halsadern anschwollen, auf russisch, wie es der alte Brauch heischte: „Erfreuet sich Carolus, König von Schweden, guter Gesundheit?"

Der Gesandte antwortete, die Hand an die Brust drückend und den gehörnten Haarwulst der Perücke zur Seite geneigt, daß der König, Gott sei gedankt, gesund sei und sich nach dem Befinden des Zaren von ganz Groß-, Klein- und Weißrußland und so weiter erkundige. Der Dolmetscher Schafirow, der gleich den Schweden einen kurzen Mantel und mit Bändern verzierte, an den Seiten geschlitzte seidene Kniehosen trug, übersetzte laut die Antwort des Gesandten. Die Bojaren rissen aufmerksam den Mund auf, zogen aufhorchend die Brauen in die Höhe und lauschten, ob nicht der Würde des Zaren auch nur mit einem Buchstaben Abbruch getan würde. Peter nickte. „Bin wohlauf, danke." Der Gesandte nahm vom Samtkissen, das der Sekretär hielt, eine Rolle – die Beglaubigungsschreiben – und überreichte sie, das Knie beugend, Peter. Der Zar nahm die Rolle entgegen und hielt sie, ohne hinzusehen, dem Ersten Minister, Lew Kirillowitsch Naryschkin, hin. Dieser war, im Gegensatz zu den übrigen, ungewöhnlich prächtig gekleidet: in weißen Atlas, der mit funkelnden Edelsteinen übersät war. Lew Kirillowitsch verkündete laut, ohne die Schreiben zu entrollen, daß der Empfang beendet sei.

Rückwärtsschreitend, zogen sich die Gesandten mit tiefen Bücklingen zur Tür zurück.

Die Gesandten hatten anscheinend erwartet, in dieser Audienz würde die Hauptfrage, um derentwillen sie ein halbes Jahr lang in Moskau gesessen hatten, an Ort und Stelle entschieden werden: die Bekräftigung des Friedensvertrages mit Schweden durch Peters Schwur auf das Evangelium. Eine Woche verging indes, bevor die Moskauer Minister die Gesandten zu einer Konferenz ins Auswärtige Amt beriefen. Dort gab Prokofi Wosnizyn den Schweden Bescheid, Zar Peter bekräftige die früheren Friedensverträge mit Schweden mit *seinem Seelenheil*, sei aber nicht gewillt, zum anderen Mal aufs Evangelium zu schwören, denn er habe schon dem Vater des gegenwärtigen Königs geschworen. Dagegen müsse der junge König Karl aufs Evangelium schwören, da er dem Zaren Peter noch keinen Schwur geleistet habe. Solches sei des Zaren Wille, der den Gesandten hiermit kundgetan werde und unabänderlich bleibe.

Die Gesandten ereiferten sich und stritten, aber ihre Worte sprangen von den sich hochmütig aufblähenden Moskowitern wie Erbsen von der Wand ab. Die Gesandten meinten, ohne Genehmigung des Königs könnten sie einen Friedensvertrag auf ewige Zeiten in solcher Fassung nicht entgegennehmen und würden darüber nach Stockholm berichten.

Prokofi Wosnizyn antwortete ihnen, und seine alten Augen leuchteten spöttisch: „Wie weit es nach Stockholm ist, wißt ihr ja, in weniger als vier Monaten werdet ihr keine Antwort bekommen, bis dahin aber heißt es unnütz in Moskau herumsitzen und für eure Verköstigung selber sorgen."

Die zweite und dritte Konferenz nahmen den gleichen Verlauf. Das Auswärtige Amt stellte die Lieferung von Heu für die Pferde ein. Die Gesandten verkauften dies und jenes aus ihrer Habe, um sich durchzufüttern: Perücken, Strümpfe, Knöpfe. Endlich gaben sie klein bei. Im Kreml händigte Zar Peter, ebenso reglos in seinem mit Luchsfell gefütterten Rock auf dem Thron sitzend, den abgemagerten Gesandten den unbeschworenen Friedensvertrag ein.

An einem nebligen Novembermorgen fuhr eine über und über mit Schmutz bespritzte Lederkutsche vor der hinteren Rampe des Preobrashenski-Palastes vor. Feuchte Nebelschleier verhüllten seine bizarren Dächer. Auf der Treppe stand Alexander Danilowitsch und stampfte vor Ungeduld mit den Kanonenstiefeln. Als sein Blick auf eine Hofmagd fiel, die, eine Jacke über den Kopf geworfen, irgendwohin lief, schrie er:

„Mach, daß du fortkommst, Luder!" Zu Tode erschrocken, rannte die Magd davon, mit den bloßen Füßen auf den nassen Blättern ausgleitend.

Aus der Kutsche kletterten der polnische General Carlowitz und der livländische Ritter Patkul. „Na, da wäre ja alles in Ordnung", sagte Menschikow, ihnen die Hände schüttelnd. Sie durchschritten leere Gänge und stiegen die nach Mäusen riechenden Treppen hinauf. An einer niedrigen Tür blieb Alexander Danilowitsch stehen und klopfte behutsam.

Peter öffnete. Neigte schweigend, ohne ein Lächeln, den Kopf. Führte die Gäste ins vollgerauchte Schlafkämmerchen mit einem einzigen Glimmerfenster, das dem nebligen Tageslicht kaum Zutritt gewährte. „Na also, freue mich, freue mich", murmelte er und ging wieder zum Fenster zurück. Hier lagen, auf einem kleinen Tisch ohne Decke, auf der Fensterbank und auf dem Boden verstreut, Papiere, Bücher und Gänsekiele. „Danilytsch!" Peter sog an seinem mit Tinte befleckten Finger.

„Danilytsch, diesem Kanzlisten laß ich die Nasenflügel ausreißen, kannst es ihm sagen. Hat nur eins zu tun, der Satanskerl: mir Federn zurechtzuschneiden, und er schläft den ganzen Tag ... Ach, Menschen, Menschen!" Patkul und Carlowitz standen wartend da. Er besann sich. „Danilytsch, stell den Gästen Stühle hin, nimm ihre Hüte. Da, seht..." Er trommelte mit den Fingernägeln auf die kreuz und quer vollgeschriebenen Blätter. „Damit müssen wir nun anfangen: mit dem Abc. Da wachsen doch in den Moskauer Häusern solche Lümmel auf, einen Sashen lang. Mit dem Knüppel muß man sie zum Studieren anhalten. Ach, Menschen, Menschen! ... Sagen Sie, Herr Patkul, sind die Engländer Fergharson und Grains hervorragende Gelehrte?"

„Bei meinem Aufenthalt in London habe ich von ihnen gehört", antwortete Patkul. „Allzu berühmt sind sie nicht, keine Philosophen, sie halten sich mehr an die praktischen Wissenschaften."

„Das ist es gerade. Vor lauter Gottesgelahrtheit fressen uns schier die Läuse. Schiffahrtskunde, Mathematik, Bergbau, Medizin – das brauchen wir ..." Er nahm die Blätter in die Hand und warf sie wieder auf den Tisch. „Eins nur ist schlimm, daß alles so Hals über Kopf getan werden muß."

Er setzte sich und schlug ein Bein über das andere. Stützte sich auf die Armlehne und rauchte. Der stämmige, rundliche Carlowitz starrte schnaufend mit blinzelnden Augen den Zaren an. Patkul sah finster zu Boden. Alexander Danilowitsch räusperte sich verhalten. Peters Hand, die die Pfeife umklammerte, begann zu zittern.

„Nun, habt ihr's aufgesetzt und mitgebracht?"

„Wir haben den Geheimvertrag aufgesetzt und mitgebracht", sagte Patkul mit fester Stimme und hob sein erblaßtes Gesicht. „Befehlen Sie Herrn Carlowitz, ihn zu verlesen."

„Lesen Sie."

Alexander Menschikow trat auf den Zehenspitzen dicht heran. Carlowitz zog ein kleines hellblaues Blatt hervor, hielt es weit ab und las, wobei er vor Anstrengung ganz rot wurde.

„Um dem Zaren aller Reußen bei der Eroberung der von Schweden widerrechtlich an sich gerissenen Lande und bei der Festigung der russischen Herrschaft am Baltischen Meer Beistand zu leisten, wird der König von Polen dem König von Schweden den Krieg erklären und mit den sächsischen Truppen in Livland und Estland einfallen, wobei er verspricht, auch die Polnische Rzeczpospolita zum Bruch mit Schweden zu bewegen. Der Zar seinerseits wird die Feindseligkeiten in Ingermanland und Karelien unmittelbar nach dem Friedensschluß mit der Türkei, nicht später denn im April Anno 1700, eröffnen und inzwischen, so es not tut, dem König von Polen Hilfstruppen schicken, die man für Söldner ausgeben könnte. Die Bundesgenossen geloben, in keinerlei Separatverhandlungen mit dem Feinde einzutreten und einander die Treue zu bewahren. Dieser Vertrag ist aufs strengste geheimzuhalten."

Peter fuhr mit der Zunge über seine trockenen Lippen und fragte: „Ist das alles?"

„Alles, Majestät."

„Wenn ich die Zustimmung Eurer Majestät erhalte", sagte Patkul, „reise ich schon morgen nach Warschau ab und hoffe, gegen Mitte Dezember Ihnen die eigenhändige Unterschrift König Augusts zuzustellen."

Sonderbar und so starr, daß ihm die Tränen aufstiegen, blickte Peter Patkul in die gelblichen, strengen Augen. Sein Mund verzog sich zu einem Lächeln.

„Es geht um eine große Sache. Nun gut. Fahr zu, Johann Patkul..."

5

Die Domuhr schlug schallend zwölf. Die ehrsamen Bürger machten sich zum Essen bereit. Die Abgeordneten verließen ihre Sessel im Sitzungssaal. Die Kaufleute verschlossen die Ladentüren. Der Zunftmeister legte sein Werkzeug beiseite und sagte zu den Gesellen: „Wascht euch die Hände, Jungens, und sprecht das Tischgebet." Der alte Aristokrat nahm die Brille ab, rieb sich die wehmütig blickenden Augen und schritt feierlich in den Speiseraum, den der Rauch vergangenen Ruhms dunkel gefärbt hatte. Die Soldaten und Matrosen eilten in fröhlichen Haufen in die Wirtshäuser, über deren Tür, köstlichen Geruch verbreitend, ein geräucherter Schinken oder ganze Bündel von Würsten hingen.

Wohl der einzige in der Stadt, der auf die Stimme der Vernunft nicht hören wollte, war König Karl der Zwölfte. Eine Tasse erkaltender Schokolade stand, von Flaschen mit goldenem Rheinwein umgeben, auf einem Tischchen neben seinem Bett. Die Purpurvorhänge an den hohen Fenstern waren auseinandergeschoben. Im Garten fiel Schnee auf die noch grünen Büsche, die in der Form von Kugeln, Pyramiden und Würfeln gestutzt waren. Der Kaminspiegel warf das Schneelicht zurück, zwei Kandelaber, an denen das Wachs von den niedergebrannten Kerzen in Zapfen herabhing, spiegelten sich im Glas. Im Kamin knisterte Fichtenholz. Die Hosen des Königs hingen auf dem Kopf einer goldenen Amorette am Fußende des Bettes. Seidene Röcke und Damenwäsche waren über die zierlichen Stühle gebreitet.

Den Ellbogen aufs Kissen gestützt, las der König laut Racine. Beim Lesen streckte er hin und wieder die Hand nach dem Pokal mit dem würzigen Rheinwein aus. An seiner Seite schlummerte, die Steppdecke bis an die Nasenspitze hochgezogen, eine Frau mit schwarzem Haar – ihre Locken lagen wirr auf dem Kissen, das aufgelegte Rot war verwischt, das Gesicht schien fast so gelb wie der Wein im Glase.

Es war die durch ihre Abenteuer berüchtigte, leichtfertige Athalia, Gräfin Desmont. Ihre Lebensbahn war wirr und verschlungen, gleich dem Flug einer Fledermaus. Sie trug mit derselben Eleganz die Hofrobe wie das Kostüm der Schauspielerin oder das Kollett des Gardeoffiziers. Ihr machte es nichts aus, mit Hilfe einer Strickleiter durchs Fenster zu fliehen, um der unwillkommenen Neugierde der kaiserlichen oder königlichen Polizei zu entgehen. Sie hatte auf der Bühne der Wiener Oper gesungen, doch unter geheimnisvollen Umständen ihre Stimme verloren. Vor Ludwig dem Vierzehnten hatte sie in einer Feerie getanzt, die von Molière in Szene gesetzt worden war. Als Musketier verkleidet, hatte sie den Marschall von Luxemburg begleitet, als er die flandrischen Städte belagerte – man erzählte, daß ihre Feldtasche nach der Eroberung von Namur mit Kostbarkeiten vollgepfropft gewesen sei. Vermutlich auf Wunsch des französischen Hofes war sie in London aufgetaucht, wo sie die Engländer mit ihren Reitpferden und Toiletten verblüffte. Ihrem Zauber unterlagen einige Peers von England und schließlich der bildschöne und verwegene Herzog von Marlborough. Man ließ die Gräfin jedoch wissen, daß die Herzogin Marlborough ihr empfehle, London mit dem erstbesten Schiff zu verlassen. Zu guter Letzt trug sie der Wind ihrer Abenteuer ins Bett des Königs von Schweden.

„Liebe, Liebe", sagte Karl, die Hand nach der Flasche ausstreckend, „immer wieder Liebe ... Man bekommt es schließlich satt. Racine ermüdet mich. Pyrrhus, der König der Myrmidonen, war sicherlich ein tüchtiger Haudegen, und hier schwätzt er fünf Akte lang kläglichen Unsinn zusammen. Da ziehe ich Plutarchs Lebensbeschreibung oder Cäsars Kommentarien vor. Möchtest du einen Schluck Wein?"

Die Gräfin antwortete, ohne die Augen zu öffnen: „Lassen Sie mich in Ruhe, Majestät, mein Kopf will zerspringen, ich werde den heutigen Tag offenbar nicht überleben."

Karl lächelte spöttisch und führte das Glas an die Lippen. An die Tür wurde leise geklopft. Die Nase in seinen Racine gesteckt, rief er träge: „Herein." Lächelnd und seiderauschend trat Baron Björkenhjelm, Kammerjunker Seiner Majestät, ins Zimmer. Seine aufgeworfene Nase, auf der eine kleine Warze saß, schien lebhafteste Bereitschaft auszudrücken, die allerletzten Neuigkeiten zu berichten.

Er verbeugte sich vor den Hosen des Königs und ging in zierlichen Ausdrücken daran, belanglose Hofereignisse zu erzählen. Seiner Schlauheit und Neugier vermochte nichts zu entgehen, selbst nicht eine solche Kleinigkeit wie das verdächtige Geräusch, das heute nacht im Schlafzimmer der tugendhaften Staatsdame Anna Boström zu hören war.

Athalia stöhnte, sich auf die rechte Seite drehend: „Mein Gott, mein Gott, so ein Unsinn..."

Auf den Baron machte das keinen Eindruck, anscheinend hatte er etwas Wichtiges in Bereitschaft.

„Heute morgen um neun haben die Krämer dem Riksdag eine neue Petition überreicht mit der Forderung, die Zivilliste zu überprüfen..." Karl stieß die Luft durch die Nase. „Die Habgier dieser Bürger kennt keine Grenzen. Eben erst habe ich den französischen Gesandten gesehen, er ritt mit einer Meute herrlicher englischer Rüden aus, um auf dem frisch gefallenen Schnee Hasen zu hetzen. Was der für einen Hengst reitet! Er hat ihn Rhenskjöld im Kartenspiel abgenommen. Ich erzähle ihm die Sache, der Gesandte zuckte die Achseln. ‚Das sind offensichtlich Hugenottenränke', sagte er wörtlich, ‚diese Krämer und Handwerker haben sich über ganz Europa verstreut. Sechzig Millionen Livres haben sie aus Frankreich mitgeschleppt. Diese Ketzer sind hartnäckig und untergraben überall, wo es nur geht, die Grundlagen der königlichen Gewalt. Geheime Bande verknüpfen sie alle miteinander: in der Schweiz, in England, in den Niederlanden und bei uns. Sie nehmen jede Gelegenheit wahr, um den Bürgern Haß gegen Adel und Könige einzuflößen...'"

„Was hast du sonst in Erfahrung gebracht?" fragte Karl finster.

„Ich war selbstverständlich im Riksdag. Die neue Petition ist nur ein Vorwand unter vielen. In den Wandelgängen habe ich mit dem und jenem ein Wort gewechselt. Sie bereiten ein

Gesetz vor, um das Hoheitsrecht des Königs, Krieg zu erklären, einzuschränken."

Karl klappte wütend Racines „Andromache" zu. Schleuderte das Buch in die Ecke. Setzte sich, die Decke fest um sich wickelnd, im Bett auf.

„Ich frage dich, was du heute erfahren hast?"

Björkenhjelm wies mit den Augen auf das krause Nackenhaar der Gräfin.

„Unsinn! Hier gibt's keine fremden Ohren, sprich!"

„Gestern ist an Bord eines Kauffahrers ein Edelmann aus Riga eingetroffen. Mir ist es noch nicht gelungen, ihn zu sehen. Er erzählt, wenn man ihm Glauben schenken darf, er erzählt, Patkul sei plötzlich in Moskau aufgetaucht..."

Der Nacken der Gräfin hob sich vom Kopfkissen. Karl biß auf ein Häutchen an seiner Lippe. „Geh, bitte den Grafen Piper zu mir."

Björkenhjelm fuhr mit seinen Händen in Spitzenmanschetten durch die Luft, als seien es Schwingen, und flatterte über den Teppich zur Tür hinaus. Karl starrte durchs Fenster auf den fallenden Schnee. Sein schmales Gesicht mit der hohen Stirn, den femininen Lippen und der langen Nase war farblos wie der Wintertag. Er sah nicht den ironischen Blick der Gräfin, der unter einer Haarsträhne hervorfunkelte. Die Augen auf die fallenden Flocken geheftet, lauschte er, wie sich neue Empfindungen in der Tiefe seiner Seele regten: aufsteigender, grimmiger Zorn und berechnende Vorsicht.

Als hinter der Tür schwere Schritte erklangen, nahm er ein Kissen und warf es der Gräfin auf den Kopf.

„Verstecken Sie sich, ich muß allein sein." Er brachte sein Hemd in Ordnung und nahm die längst kalt gewordene Tasse Schokolade in die Hand – nach dem Vorbild des französischen Hofs wurde die Schokolade den Königen im Bett serviert. „Herein."

Ins Zimmer trat der Geheime Rat Karl Piper, dem er vor kurzem den Grafentitel verliehen hatte – ein langer, dickbeiniger, mit gleichgültiger Sorgfalt gekleideter Mann mit dem welken Gesicht und wachsamen Blick eines gewiegten Beamten.

Karl musterte ihn kühl und sagte: „Ich bin darauf angewiesen, Neuigkeiten von den Klatschbasen meines Hofs zu erfahren."

„Majestät, diese erfahren sie ja von mir." Piper lächelte niemals, verlor niemals sein seelisches Gleichgewicht, seine Bürgerbeine konnten jedem Schlingern und Stampfen standhalten. „Sie erfahren jedoch nur das, was ich dem Hofklatsch zu überlassen für nötig finde."

„Patkul ist in Moskau?" Piper schwieg. Karl erhob die Stimme. „Wenn der König sich den Anschein gibt, daß er allein ist, so ist er es auch – allein für Himmel und Erde, zum Teufel..."

„Ja, Majestät, Patkul ist in Moskau in Gesellschaft von General Carlowitz, dem bekannten Abenteurer."

„Was machen sie dort?"

„Das läßt sich nur vermuten. Genaue Nachrichten habe ich vorläufig nicht erhalten."

„Aber in Moskau weilt unsere Gesandtschaft..."

„Eine Gesandtschaft, die auf Wunsch des Riksdags geschickt wurde. Die Herren Abgeordneten wollen um jeden Preis Frieden im Osten, sollen sie nur versuchen, mit eigenen Mitteln diesen Frieden zu erlangen. Wir haben jedenfalls auch nicht einen Heller aus Ihrer Kasse dazu hergegeben."

„Ich wünschte nur, ich könnte selber diesen Heller in meiner Kasse finden", meinte Karl. „Haben Sie von der neuen Petition gehört? Haben Sie gehört, was die Herren Abgeordneten gegen mich im Schilde führen?" Piper zuckte die Achseln. Karl stellte hastig die Tasse auf das Tischchen zurück. „Ist Ihnen bekannt, daß ich fürder nicht gewillt bin, die Rolle eines gefügigen Esels zu spielen? Um dieser tristen Geizkragen willen hat mein Vater den Adel zugrunde gerichtet. Jetzt wollen diese ‚Hugenotten' mich zu einem wortlosen Strohmann machen. Sie irren sich!" Er nickte mit seinem schmalen Gesicht Piper zu. „Jaja, sie irren sich. Ich weiß alles, was Sie mir sagen wollen, Graf Piper, ich sei ein Tollkopf, hätte leere Taschen und einen schlechten Ruf. Cäsar haben seine Siege im Transalpinischen Gallien zum Herrn von Rom gemacht. Cäsar liebte die Weiber, den Wein und tolle Streiche nicht minder als ich... Beruhigen Sie sich, ich denke nicht daran, an der Spitze meiner Reiterei unsern ehrenwerten Riksdag mit stürmender Hand zu nehmen. In Europa gibt es Raum genug für Ruhm..." Er biß sich auf die Lippen. „Wenn Carlowitz in Moskau ist, so will das wohl sagen, daß wir es mit König August zu tun haben?"

„Ich glaube, nicht nur mit ihm allein."

„Das bedeutet?"

„Eine Koalition gegen uns, wenn ich mich nicht täusche."

„Um so besser. Aus wem besteht sie?"

„Ich bin dabei, Erkundigungen einzuziehen..."

„Fürtrefflich. Mag sich der Riksdag allein den Kopf zerbrechen, wir unsererseits werden uns die Sache selber überlegen... Sonst haben Sie mir nichts zu berichten? Ich danke Ihnen, ich halte Sie nicht länger zurück."

Piper verbeugte sich ungelenk und verließ, ein wenig verdutzt, das Zimmer; der König verstand es, einen jeden mit dem unerwarteten Flug seiner Gedanken zu verblüffen. Piper rüstete in aller Vorsicht zum Kampf gegen den Riksdag, der nichts in der Welt so fürchtete wie Kriegsausgaben. Nach einer kurzen Ruhepause roch es vom Rhein bis zur Baltischen Küste wieder stark nach Pulver. Der Krieg war der einzige Weg, der zur Macht führte. Karl sah das ein, aber allzu hitzig und allzu vorzeitig suchte er den Streit vom Zaun zu brechen – mit Temperament allein kam man nicht weit.

Im Gang, vor der Tür des Schlafgemachs, nahm Graf Piper Björkenhjelm beim Ellbogen und sagte besorgt: „Versuchen Sie, den König zu zerstreuen. Arrangieren Sie eine große Jagd, verlassen Sie Stockholm für einige Tage. Für das Geld werde ich sorgen..."

Karl saß noch immer im Bett, seine Pupillen hatten sich geweitet, wie bei einem Menschen, der auf Ereignisse starrt, die ihm die Phantasie vorgaukelt. Athalia warf ärgerlich das Kissen vom Kopf und brachte, das Hemd mit den Zähnen festhaltend, ihr Haar in Ordnung. Sie hatte schöne Arme und bräunliche Schultern. Der Moschusduft zog endlich die Aufmerksamkeit des Königs auf sich.

„Kennen Sie König August?" fragte er. Athalia starrte ihn mit einem leeren Blick ihrer runden, dunklen Augen an. „Man versichert, er sei der glänzendste Kavalier Europas, ein Liebling Fortunas. Jeder Maskenball, jedes Feuerwerk kommt ihn vierhunderttausend Zloty zu stehen. Piper hat mir geschworen, August solle einst von mir gesagt haben, ich wäre in den Kanonenstiefeln meines Vaters versunken und es täte not, mich am Kragen herauszuziehen und mir eine Tracht Prügel zu verabreichen..."

Athalia ließ die Spitzen ihres Hemdes aus den Zähnen und lachte fröhlich, ein wenig heiser, sorglos auf. Ein Augenlid Karls zuckte.

„Ich sage es ja, August ist witzig und brillant. Er hat ein eigenes Heer, zehntausend Mann sächsisches Fußvolk, und trägt sich mit großen Plänen. Wie sollte es auch anders sein, ist doch Schweden mit einem König, der in den Kanonenstiefeln seines Vaters steckt, hilflos wie ein Lamm. Dennoch will ich mir das Vergnügen machen, August an diese Anekdote zu erinnern, wenn meine Dragoner ihn mit auf den Rücken gebundenen Händen vor mein Zelt bringen."

„Bravo, mein Junge!" sagte Athalia. „Auf den Erfolg jedes Beginnens!" Mit einem kräftigen Schluck leerte sie das Glas Rheinwein und wischte sich die Lippen mit dem Spitzenbesatz des Bettlakens.

Karl sprang, die Decke abwerfend, aus dem Bett, lief barfuß, in seinem bis an die Fersen hinabreichenden Nachthemd, zum Sekretär und nahm aus einem Geheimfach ein Futteral, in dem ein Diamantdiadem lag. Er setzte sich auf den Rand des Bettes und hielt den kostbaren Schmuck an Athalias schwarze Locken.

„Wirst du mir auch treu sein?"

„Aller Wahrscheinlichkeit nach, Majestät. Sie sind ja nur halb so alt wie ich, mitunter hege ich rein mütterliche Gefühle für Sie."

Sie küßte ihn auf die Nase – da sie das erste war, was ihr unter die Lippen kam – und drehte mit zärtlichem Lächeln das Diadem zwischen den Fingern.

„Athalia, ich wünsche, daß du nach Warschau fährst. In einigen Tagen sticht die ‚Olaf', ein prachtvolles Schiff, in See. Du wirst in Riga an Land gehen. Pferde, Wagen, Leute, Geld –

alles wird bereit sein. Du wirst mir mit jeder Post schreiben ..."

Athalia blickte mit aufmerksamer Neugier in diese Jünglingsaugen; sie waren klar, streng, und – der Teufel sollte sich in diesen nordischen wasserhellen Augen auskennen – irgendwo in ihrer Tiefe verbarg sich tolle Entschlossenheit. Von dem Jungen war viel zu erwarten. Aus alter Gewohnheit – die noch aus der Zeit ihrer Kampagnen mit dem Marschall von Luxemburg stammte – pfiff Athalia leise vor sich hin. „Majestät wünschen, daß ich in König Augusts Bett krieche?"

Karl trat sofort zum Kamin zurück, stemmte die Arme in die Hüften und sagte, die Lider, wie schmachtend, halb geschlossen: „Ich würde Ihnen jede Untreue verzeihen. Doch wenn das geschieht – und das schwöre ich Ihnen beim heiligen Evangelium –, so werde ich Sie, wo Sie sich auch verbergen mögen, zu finden wissen und Sie töten."

6

In der Kitai-Stadt wurde von nichts anderem gesprochen als von den Browkins. Wie immer, so auch diesmal, hatte Peter Alexejewitsch es eilig, des Fürsten Buinossow Jüngste, in deren Adern das Blut Ruriks floß, mit Artamoschka Browkin zu verheiraten. Alle Staatsgeschäfte ließ er liegen. Umsonst stellten sich die Minister und Bojaren im Palast ein, sie bekamen nur eine Antwort zu hören: „Es ist unbekannt, wo sich Majestät befinden."

Eines Abends, als auf den Straßen bereits die Sperrbalken aufgestellt wurden, fuhr er am Browkinschen Haus vor. Iwan Artemjitsch saß unten in der Küche mit Bauern zusammen und spielte beim Schein eines Talglichts Karten, Schafskopf; noch von früher her liebte er es, sich damit die Zeit zu vertreiben. Plötzlich schob sich durch die niedrige Tür ein vorgebeugter Kopf mit einem Dreispitz. Zunächst dachten die Leute, es wäre ein Soldat, der die Speicher bewachte und sich ein wenig aufwärmen wollte. Dann erstarrten sie. Peter Alexejewitsch warf einen Blick auf den Hausherrn und lächelte –

nicht allzu respektabel sah Iwan aus in seinem schäbigen, mit Hasenfell gefütterten Wams, mit seinem vor Schreck tief in die Schultern eingezogenen grauen Kopf.

Peter Alexejewitsch bat um Kwaß. Setzte sich auf die Bank. Vor allen am Tisch sitzenden Leuten Browkins und den Bauern sagte er: „Iwan, ich bin schon einmal als Freiwerber zu dir gekommen. Will es abermals tun. Verneige dich."

Iwan Artemjitschs fettes Gesicht strahlte; ohne viel Worte zu machen, warf er sich dem Zaren zu Füßen.

„Iwan", sagte Peter Alexejewitsch, „bring deinen Sohn her."

Artamoschka war schon zur Stelle, stand hinter dem Ofen. Peter Alexejewitsch stellte ihn zwischen seinen Knien vor sich hin und musterte ihn aufmerksam.

„Iwan, warum verbirgst du denn so einen Prachtkerl vor mir? Ich schinde und rackre mich ab. Solche Leute brauche ich!" Er wandte sich an Artamon. „Kannst du lesen und schreiben?"

Artamoschka erblaßte ein wenig, antwortete aber, ohne zu stocken, auf französisch, und die Worte sprudelten von seinen Lippen, als kollerten Erbsen über den Boden: „Ich spreche Französisch und Deutsch, versteh mich auch gut aufs Schreiben und Lesen..." Peter Alexejewitsch riß den Mund auf. „Heilige Mutter Gottes! Nun, weiter!" Artamoschka sagte dasselbe auf deutsch. Mit zusammengekniffenen Augen auf die Kerze starrend, wiederholte er die Worte, diesmal allerdings stockend, auch auf holländisch.

Peter Alexejewitsch umarmte und küßte ihn, klopfte ihm auf die Schulter, stieß ihn von sich, riß ihn wieder in seine Arme und schüttelte ihn.

„Sieh einer an! So ein Mordskerl! Nein, so was, nein, so was! Na, vielen Dank, Iwan, für dieses Geschenk. Von dem Jungen kannst du jetzt Abschied nehmen, lieber Freund. Wirst es aber nicht zu bedauern haben. Wartet nur ein Weilchen, bald werde ich für Verstand den Grafentitel verleihen..."

Er befahl, das Abendessen aufzutragen. Iwan Artemjitsch flehte ihn an, sich hinauf in die Stuben zu bemühen, hier sei es unschicklich! In aller Hast setzte er hinter dem Ofen die Perücke auf, fuhr in den Rock. Sandte heimlich einen Knecht nach Sanka. An der Tür pflanzte sich der Haushofmeister mit seinem von einer silbernen Kugel gekrönten Stab auf.

Peter Alexejewitsch lachte nur. „Ich gehe nicht hinauf. Hier ist es wärmer. Köchin, her auf den Tisch mit allem, was du auf dem Herd hast."

Er hieß Artamoschka an seiner Seite Platz nehmen und sprach mit ihm Deutsch. Spaßte. Goß den Bauern und Browkins Leuten Wein ein. Befahl Lieder zu singen. Die alten Bauern stellten sich – was ließ sich schon machen – an der Tür auf und grölten mit Bärenstimmen ein Lied. Plötzlich stürzte Sanka in die Küche, gepudert, halb entblößt, in rauschender Seide. Peter faßte sie bei den Händen und setzte sie an seine andere Seite. Das Frauchen sang ohne Scheu mit heller, zarter Stimme mit, rückte die Kerze näher ans Gesicht heran und warf Peter verschmitzte, durchsichtige Blicke zu. Bis nach Mitternacht saß man fröhlich beisammen.

Am nächsten Morgen fuhr Peter Alexejewitsch mit Artamons Freunden zu Fürst Buinossow: um Natalja zu werben. Und so verhandelte er und fuhr eine ganze Woche lang, bald zu Browkins, bald zu Buinossows, und schleppte immer ein halbes Hundert Begleiter mit. Man verhandelte, schmauste auf Braut- und Polterabenden und feierte zu Mariä Fürbitte fröhliche Hochzeit. Diese Hochzeit kam Iwan Artemjitsch einen schönen Batzen Geld zu stehen.

Zwei Wochen darauf reiste Sanka mit ihrem Mann nach Paris.

Bis Wjasma fuhren sie langsam, schlossen sich Schlittenzügen an. Das Füttern der Pferde in den Herbergen nahm viel Zeit in Anspruch. Der Schnee lag hoch, das Wetter war schön, die Schlittenbahn eben.

In der Herberge in Wjasma verzankte sich Alexandra Iwanowna mit ihrem Mann. Wassili hatte die Absicht, sich hier auszuruhen, ins Badehaus zu gehen, am nächsten Tage dem Gottesdienst beizuwohnen und darauf beim Wojewoden, einem entfernten Verwandten, zu Mittag zu speisen. Außerdem mußten die Pferde wieder beschlagen werden, war dies und jenes zu erledigen.

„Ich will schnell fahren, bin schon ganz krank von dieser Fahrt", wandte sich Alexandra Iwanowna an ihren Mann. „Ausruhen werden wir in Riga."

„Sascha! Ich habe es dir schon gesagt: Hinter Wjasma treiben Räuber ihr Unwesen. Die Fuhrleute schließen sich zu Zügen zusammen, bis zu fünfhundert Schlitten, nur um dort durchzukommen..."

„Das interessiert mich nicht."

Sie saßen im Obergeschoß, in einem sauberen Stübchen beim Abendessen im Schein der Lämpchen vor den Heiligenbildern. Wassili in offenem Reisewams, Alexandra Iwanowna in einem eichelfarbenen Samtkleid mit langen Ärmeln, ein leichtes Wolltuch um die Schultern, das blonde Haar in Flechten um den Kopf gelegt. Sie aß nicht, zerbröckelte nur ihr Brot. Ihre Wangen waren eingefallen, sie hatte Schatten unter den Augen vor lauter Ungeduld. Mein Gott, was für ein Mann!

Wolkow sagte, mißvergnügt den salzigen Schinken kauend: „Sag mal, was bist du nur für ein Mensch! Eine Plage ist das mit dir! Weder Ruhe noch Sanftmut, schläfst nicht, ißt nicht, nicht einmal menschlich reden kannst du. Eilst wie gehetzt, weiß Gott, wohin. Wozu? Um mit Königen Menuette zu tanzen? Es ist noch sehr die Frage, ob sie's wollen..."

„Nur weil wir hier in der Herberge sind, nur darum höre ich dich überhaupt an."

Wassili ließ die Gabel mit dem Bissen sinken und starrte lange auf seine Frau, auf ihre Stirn mit den hochgeschwungenen, in träumerischer Sehnsucht zusammengezogenen Brauen, auf ihre dunkelblauen Augen, die weiß der Teufel wo umherirrten.

„Ach, Alexandra, ich bin ruhig, geduldig..."

„Meinetwegen kannst du schreien, mir ist es gleich."

Wassili schüttelte vorwurfsvoll den Kopf. Es war zwar beschämend, und seine Frau verdiente es eigentlich nicht, aber er liebte sie. Wenn es Streit gab und sie ihn mit kränkenden Worten überschüttete, wurde er verlegen. So auch jetzt: Er wußte, daß er nachgeben würde, obgleich nur ein Wahnwitziger, der sein Leben geringachtete, sich entschließen konnte, ohne sichere Begleitung durch die Wälder von Wjasma bis Smolensk zu fahren. Furchtbares wurde von dieser Gegend erzählt: Der Ataman Jesmen Sokol überfalle die Reisenden. Da kommt man am hellichten Tage seines Wegs gefahren. Plötzlich steht ein langer Kerl, eine Kappe auf dem Kopf, die Füße in Bastschuhen, ein Messer im Gürtel, auf der Landstraße. Das Maul bis an die Ohren verziehend, zeigt er seine großen Zähne. Er pfeift, und die Pferde sinken in die Knie. Da bleibt nur eins: Sprich dein letztes Gebet.

„Hätte ich vor Räubern Angst, wäre ich in Moskau geblieben", meinte Alexandra Iwanowna. „Unsere Pferde sind gut, wir kommen schon durch. Es ist sogar schöner so, wir werden etwas zu erzählen haben. Wovon soll ich mich denn sonst mit den Leuten unterhalten? Doch nicht davon, wie du in den Herbergen schnarchst!"

Sie stieß den Teller zurück und rief ihre Jungfer, eine Kalmükin, befahl ihr das Heft zu bringen und das Lager zu bereiten. Das Heft, eine Übersetzung ihres Bruders Artamoscha aus Samuel Pufendorfs „Historie" – das Kapitel über die Gallier –, legte sie auf die Knie und las, tief darüber gebeugt. Wassili starrte, die Wange in die Hand gestützt, auf Sankas schönen Kopf, auf ihren Nacken, an dem sich die Löckchen kräuselten. Ein Königskind aus fernem Märchenland. Und dabei war es noch gar nicht so lange her, daß sie selber Gras gemäht und Dünger aufs Feld gefahren hatte. So wird sie auch in Paris ohne Scheu einfahren und gar dem König allen möglichen Unsinn vorschwätzen ...

Ach, Sanja, Sanja, wolltest du doch stiller werden und ein Kind von mir tragen, könnten wir beide doch geruhsam zu Hause leben ...

Sanka las, und ihre Lippen bewegten sich: „... Selbige Nation ist auch sonsten hurtig, munter, fröhlich und zu allen Dingen geschickt, und sonderlich in dem äußerlichen Wesen artig, daß den Franzosen alles wohl ansteht, was sie in Kleidern, Gebärden und anderen Sachen vornehmen ... Welches, wann es andere Nationen, die von Natur zu Gravität geneigt sind, nachtun wollen, oftmals gar lächerlich und ungereimt, auch verdrießlich herauskommt. Hingegen will man an dieser Nation die Leichtsinnigkeit tadeln, welche sie sonderlich bei den jungen und unerfahrenen Leuten herauslässet; auch daß viele unter ihnen gleichsam Glorie von der Unzucht machen und sich derer bisweilen und ohne die Tat rühmen ..."

„Anstatt so herumzusitzen" – sie hob den Kopf, Wassili, der sich gerade zu gähnen anschickte, fuhr zusammen –, „solltest du dich lieber während unserer Reise im Fechten üben ..."

„Wozu denn das noch?"

„Wenn du erst in Paris bist, wirst du es schon begreifen."

„Zum Kuckuck, laß mich in Ruhe!" Wassili stand ärgerlich vom Tisch auf, schob die Mütze in die Stirn und ging hinunter, auf den Hof hinaus, um nach den Pferden zu schauen.

Hoch stand der vom Nebel verhüllte Mond über den verschneiten Dächern. Am Himmel war kein Stern zu sehen, nur Eisnadeln flimmerten im Fallen. In der windstillen Luft gefroren die Härchen in der Nase. Im schwarzen Schatten unter dem Schutzdach kauten die Pferde. Träge klopfte der Wächter am nahen Kirchlein mit seinem Schlegel.

Ein Hund lief an Wassili heran, schnüffelte an seinen hohen, gesprenkelten Filzstiefeln und blickte, den Kopf mit den Brauen hebend, zu ihm empor, als warte er verwundert auf etwas. Wassili wurde es mit einemmal schwer ums Herz bei dem Gedanken, diese vertraute Stille verlassen zu müssen, um nach Paris zu gehen. Wehmütig wandte er sich um, der Schnee unter seinen Filzstiefeln knirschte; oben, in dem Kämmerchen mit den Bretterwänden, schimmerte durch die Glimmerscheiben sanftes Licht: Sanka las Pufendorf. Nichts zu machen, man mußte sich fügen.

Das purpurne Abendrot drang durch die Wipfel der Bäume und übergoß den Himmel mit seltsam leuchtenden Farben. Baumstämme flogen vorüber, Baumstümpfe mit hochragenden Wurzeln, schwere lilafarbene Äste streiften das Schlittendach, bestäubten es mit Schnee. Wassili hielt, sich bis an die Hüften über die zurückgeworfene Schlittendecke vorbeugend, die Zügel und schrie mit ihm selbst fremd klingender Stimme. Der Kutscher, den ein Schlag von seinem Sitz in den Schnee geschleudert hatte, lag weitab hinter der Straßenwendung. Die wackeren, voreinander gespannten Gäule – ein Rappe das reifbedeckte Hinterpferd, ein Fuchs das zweite und eine kleine, böse graue Stute das Sitzpferd – jagten schnaubend dahin. An holprigen Stellen wurde der Schlitten hoch emporgeschleudert. Hinter den Fliehenden her liefen in weitem Abstand voneinander die Räuber. Durch den ganzen Wald schallte ihr Geschrei, ihre rauhen Stimmen ...

Fünf Minuten zuvor waren kurz nach der Biegung, wo sich die Landstraße mit einem Feldweg kreuzte, hinter einem vorjährigen Heuschober zehn stämmige, mit Beilen und Stangen bewehrte Burschen aufgetaucht. Der erschrockene Kutscher zügelte vor Schreck die Pferde. Vier Mann stürzten zum Gespann und schrien mit fürchterlicher Stimme: „Halt, halt!" Die anderen liefen, im Schnee einsinkend, zum Schlitten. Der Kutscher warf die Zügel fort und hob abwehrend die in Fäustlingen steckenden Hände. Eine Stange sauste auf seinen Schädel nieder.

Alles spielte sich in einem Atemzug ab, daß man gar nicht zur Besinnung kam. Rettung brachte die kleine Stute: Sie bäumte sich auf, zog zwei Kerle, die am Zaum hingen, mit hoch, schlug aus und biß um sich. Sanka warf die Schlittendecke zurück. „Nimm die Zügel!" Sie riß ihrem Mann die Pistole aus dem Pelz und schoß in ein bärtiges Gesicht. Vor dem Feuerstoß sprangen die Kerle zurück, mehr aber noch, weil die Keckheit der Frau sie verblüffte. Die Gäule rasten davon. Wolkow ergriff die Zügel, der Schlitten jagte dahin. Unausgesetzt schlug Sanka mit dem Pistolenknauf auf den Rücken ihres Mannes ein. „Fahr zu, fahr zu!"

Die Verfolger waren zurückgeblieben. Die Pferde dampften. Vorn tauchten die letzten Schlitten eines großen Zuges auf. Wolkow ließ die Gäule in Schritt fallen. Er drehte sich um, seine Mütze im Schlitten zu suchen, sah Sankas aufgerissene Augen und geblähte Nasenflügel.

„Na, bist du endlich zufrieden? Hast an Jesmen Sokol nicht glauben wollen. Ach, du blöde Trine! Dumme Gans! Was fangen wir jetzt ohne Kutscher an? Schade um ihn, ein braver Bursche. Und alles deiner verfluchten Weiberdummheit wegen, du Hexe!"

Sanka bemerkte es nicht einmal, daß man sie beschimpfte. Ja, das war Leben, nicht das ewige Dahindösen und Einerlei!

Tag für Tag fuhren in Moskau durch alle Stadttore lange Wagenzüge ein: Man brachte Rekruten für das reguläre Heer – manche gefesselt wie Räuber, viele aber stellten sich freiwillig, um dem elenden Dasein zu entgehen. Auf den Plätzen Moskaus waren auf Blech geschriebene Bekanntmachungen angeschlagen, daß Freiwillige für das reguläre Heer angeworben würden. Man verhieß den Soldaten elf Rubel Jahressold, Brot, Lebensmittel und eine Ration Branntwein.

Hörige und Fronbauern, die in den von Knechten wimmelnden Bojarenhöfen ein Hungerdasein führten, machten sich, wenn sie sich mit dem Verwalter entzweit oder gar dem Bojaren selbst die Kappe vor die Füße geworfen hatten, nach Preobrashenskoje auf. Wohl tausend Mann wurden täglich dorthin getrieben.

So manches Mal mußten die Leute in Frost und Kälte den ganzen Tag lang ausharren, bis die Offiziere auf der Freitreppe alle im Register Verzeichneten aufgerufen hatten. Dann wurden sie in das Kellergeschoß des Palastes geführt. Schnauzbärtige Soldaten des Preobrashenski-Regiments hießen sie barsch sich auskleiden. Verängstigt ging der Rekrut daran, die Fußlappen aufzuwickeln, sich splitternackt auszuziehen, und betrat, mit der Hand die Scham bedeckend, den Saal. Zwischen brennenden Kerzen saßen am Tisch Offiziere mit langem Haar, den Filzhut auf dem Kopf, und musterten mit Habichtsblicken den Eintretenden. „Vorname? Rufname? Wie alt?" Wer man aber wäre – mochte man selbst ein flüchtiger Höriger oder Räuber sein –, das fragten sie nicht. Sie maßen die Leute, schoben ihnen die Lippen auseinander, befahlen die Scham zu zeigen. „Tauglich. Regiment soundso."

Hinter dem Palasthof erstreckten sich weit in die verschneiten Felder hinaus die neugebauten Soldatensiedlungen. Truppweise wurden die für tauglich Befundenen in die Häuser geführt. Dort war es gedrängt voll. Jedem Haus war ein Vorgesetzter, ein Unteroffizier mit einem Stock, beigegeben. Er empfing die Ankommenden mit den Worten: „Wie dem lieben Gott habt ihr mir zu gehorchen, ich pflege meine Befehle nicht zu wiederholen. Das Fell zieh ich euch ab! Für euch bin ich Gott und Zar und Vater." Die Leute wurden gut verpflegt, doch streng behandelt, nicht so wie seinerzeit in den Strelitzenregimentern. Waren eben Soldaten. Ein Trommelwirbel weckte sie. Mit nüchternem Magen ging es hinaus auf das zerstampfte Feld. Dort wurden sie in Reihen zu je vier Mann aufgestellt. Als erstes brachte man ihnen bei, welcher Unterschied zwischen den Händen besteht, welche die Linke, welche die Rechte sei. Gar mancher Bauer hatte sich nie im Leben Gedanken darüber gemacht, was er für Hände habe. Dem Gedächtnis wurde mit Stockschlägen nachgeholfen. Dann erschien der Offizier – in der Regel war er kein Russe und meistens halb betrunken. Er stellte sich vor die Front und starrte stieren Blicks auf die Bauernkittel, Halbpelze, Bastschuhe, Filzkappen und Lammfellmützen. Blies die Wangen auf und brüllte in einer fremden Sprache. Verlangte, daß man ihn verstehe, drohte mit dem Stock. Not lehrte, die Worte zu verstehen. *"Marschieren"** bedeutete – geh, *"halt"** – stehenbleiben. Schrie er *"Schwein"** oder *"russisches Schwein"**, so schimpfte er. Nach dem Frühstück ging es abermals hinauf aufs Feld. Nach dem Mittagessen hieß es zum drittenmal marschieren, mit Knüppeln oder Musketen. Die Leute wurden tüchtig gedrillt: Marsch in geschlossener Linie, wie bei den Truppen des Prinzen von Savoyen, Gleichschritt, Salvenschießen, Angriff mit gefälltem Bajonett. Versah sich einer, so wurden ihm an Ort und Stelle, vor der Front, auf dem Schnee die Hosen heruntergezogen, und er bekam erbarmungslos Schläge.

Große Schwierigkeiten machte das Schießreglement: „Ladet die Musketen!" Da hieß es fest im Gedächtnis behalten, was man der Reihe nach zu tun hatte: „Zündpfanne auf. Pulver auf die Zündpfanne. Zündpfanne zu. Nimm die Patrone. Beiß ab. In den Lauf. Ladestock heraus. Ladung hinein. Spann den Hahn. Leg an ..." Geschossen wurde in Pelotons; ein Zug lud kniend, während der andere stehend feuerte; auch liegend wurde geschossen, wobei sich alle Züge, mit Ausnahme eines einzigen, zu Boden warfen.

Die militärische Ausbildung leitete ein General der österrei-

* Die mit * versehenen Worte sind auch im russ. Original deutsch.

chischen Armee, der Brigadier Adam Iwanowitsch Weyde. Ihm sowie dem General Artamon Michailowitsch Golowin und dem Fürsten Anikita Iwanowitsch Repnin war die Aufstellung von drei Divisionen zu je neun Regimentern anvertraut worden.

Leutnant Alexej Browkin hatte im Norden etwa fünfhundert diensttaugliche Leute ausgehoben und sie teils den Wojewoden, teils den Landräten – oder wie sie früher genannt wurden: Landältesten – zum Abschub nach Moskau übergeben. Jetzt zog er weiter in die dichten Wälder hinter Powenez. Dort verbarg sich, wie man erzählte, in den Einsiedeleien viel flüchtiges und müßiges Volk. Erfahrene Leute rieten ihm ab, sich allzuweit vorzuwagen.

„Das Gerücht von eurer Ankunft ist in die Einsiedeleien gedrungen, die Altgläubigen sind auf der Hut. Ihrer sind viele, ihr aber seid nur zehn Mann mit drei Schlitten. Ihr werdet zugrunde gehen, und kein Hahn wird nach euch krähen."

Ein rauhes Volk war es, das in diesem Landstrich lebte: Jäger und Waldleute. Sie wohnten in riesigen, festgezimmerten Häusern, unter demselben Dach befanden sich auch Stall und Getreidedarre. Ihre Dörfer nannten sie Kirchspiele. Von Siedlung zu Siedlung waren es mehrere Tage Wegs durch undurchdringliche Wälder. Alexej sah sehr wohl, daß sein Vorhaben schwierig war, doch ohne Furcht ging es nun mal im Leben nicht ab. Wenn er aber erst Peter Alexejewitsch würde berichten müssen, daß er bis hoch in den Norden hinauf vorgedrungen sei und dann Angst bekommen habe, und der, lang wie eine Hopfenstange, ihn von oben herab mit einem vernichtenden Blick ansehen, die Achseln zucken und sich abkehren würde – das wäre ein Schrecken und allen Glückes Ende, mochte man sich auch den Kopf einrennen. Alexej war jung, hitzig und starrköpfig. Nicht einmal im Schlaf vergaß er, wie er nach Moskau mit einer Kopeke hinter der Backe gekommen war; mit den Zähnen hatte er dem Schicksal die weiße Offiziersschärpe entrissen.

Auf dem Markt in Powenez traf Alexej den Jäger Jakim Kriwopalow und nahm ihn als Führer in seinen Dienst. Jakim war schon über zwanzig Jahre als Jäger für die Kaufherren Rewjakin tätig; er schoß Silberfüchse, Marder, Eichhörnchen, früher hatte er auch Zobel gejagt, aber jetzt war der Zobel in dieser Gegend verschwunden. Die Felle lieferte er in Powenez dem Gehilfen Rewjakins ab und zechte und praßte dann, bis er alles außer dem Kreuz am Halse vertrunken hatte. Der Gehilfe versorgte ihn von neuem mit Kleidung, Flinte und Schießvorrat. Diesen Herbst war die Jagdbeute karg, den Buchungen nach hatte Jakim nicht nur nichts zu beanspruchen, sondern würde seine Schuld schwerlich in zwei Wintern abtragen können. Er schlug Krach und verlegte sich aufs Trinken. Alexej Browkin stieß auf ihn, als er gerade verprügelt worden war und nackt vor einer Schenke im Schnee lag, und nahm ihn mit. Jakim war Gold wert, wenn er gewiß war, daß im Schlitten unter dem Kutschersitz eine Flasche Schnaps lag.

Auf kurzen Schneeschuhen lief der Jäger vor dem Schlitten her und wies den Weg. Die Wälder waren schön und schaurig. Durch die Wipfel schimmerten ungeheure Felsbuckel, die ebenfalls mit Bäumen bestanden waren. Sie gelangten an das Ufer eines einsamen Sees – die Augen schmerzten von der gleißenden Schneefläche. Hin und wieder vernahmen sie das dumpfe Rauschen fallenden Wassers.

Jakim setzte sich auf den Schlittenrand und sagte: „Noch nie hat man hier Menschen gezählt. So gottverlassene Stellen gibt es in dieser Gegend, daß nur ich dort durchzukommen weiß. Aber die Leute hier sind ein trotziger Menschenschlag, es wird nicht leicht sein, sie auszuheben."

Bei sinkender Dämmerung bogen sie vom Wege ab und rasteten in einer Winterhütte oder einem neugezimmerten Bau am Flußufer, wo unter dem Schnee gefällte Baumstämme lagen, die im Frühjahr verbrannt werden sollten. Vor der windschiefen Hütte spannten sie die Pferde aus. Die Soldaten schlugen Tannenzweige ab und schleppten sie ins Haus. Auf dem ungedielten Erdboden wurde Feuer angezündet. Still quoll der Rauch aus den Ritzen unter dem Dach, stieg zum grauen Himmel über dem Wald auf. Jakim hastete hin und her, bis er sein Glas Schnaps bekam. Beruhigt nahm er auf den Zweigen, näher zum Feuer, Platz und begann zu erzählen, mit seinem großen Bart, den dicken Lippen, den geblähten Nasenflügeln und runden Augen selber einem Waldschrat gleichend.

„Überall bin ich herumgekommen, weißt du, jeden Winkel kenn ich an beiden Wygufern, wochenlang hab ich in der Einsiedelei am Wyg gelebt; ich kenne Einsiedeleien, zu denen nur ein einziger Pfad hinführt, und auch den darf man nur mit Vorsicht begehen. Kann aber nicht herausbekommen, wo sich der alte Nektari versteckt. Die Leute verbergen ihn, sagen es nicht. Versuch mal, einen Altgläubigen nach ihm zu fragen, kein Wort bekommst du aus ihm heraus, eher läßt er sich in Stücke schneiden. Für euer Unternehmen wäre es aber von Nutzen, wenn ihr ihn sprechen könntet; wer weiß, vielleicht stellt er dir zweihundert Burschen zur Verfügung. Ja, der ist eine Macht..."

„Was ist er denn bei ihnen", fragte Alexej, „wohl so was wie ein Patriarch?"

„Ein Einsiedler ist er. Der Protopope Awwakum hat ihn vor seiner Hinrichtung in Pustosersk gesegnet. Vor zwölf Jahren hat er im Paleostrow-Kloster zweieinhalbtausend Altgläubige verbrannt. Mitten in der Nacht sind sie übers Eis gekommen, haben das Klostertor eingeschlagen; die Mönche und den Prior sperrten sie in den Keller und brachen in die Vorratskammern ein; allen gab er Speise und Trank. Den Klosterschatz nahmen sie an sich. In der Kirche wuschen sie alle Heiligenbilder mit Weihwasser, zündeten die Kerzen an und hielten auf ihre Art Gottesdienst. Männer waren nicht allzu viele darunter, aber eine Menge Weiber und Kinder! Aus Powenez rückte auf dem zugefrorenen Fluß der Wojewode mit seinen Strelitzen an. ‚Ergebt euch!' Drei Tage lang drohten die Männer, sie würden sich zur Wehr setzen, doch die Strelitzen hatten eine Kanone bei sich. So schleppten sie denn Stroh, Pech und Salpeter in die Kirche und – es war grade Heiliger Abend – starben den Flammentod. Nektari gelang es dennoch zu entkommen, und mit ihm ein Teil der Männer. Drei Jahre darauf verbrannte er im Kirchspiel Pudosh anderthalbtausend. Ganz vor kurzem gab's in der Nähe des Wol-Sees wieder eine Verbrennung. Man sagt, daß er auch dabei seine Hand im Spiel hatte. Heuer ist viel von Krieg und Aushebung die Rede, da wird es wohl bald eine neue Verbrennung geben. Verlassen Sie sich drauf. Das Volk strömt ihm in hellen Haufen zu."

Alexej und die Soldaten horchten und staunten: Sich freiwillig verbrennen? Was es doch für Leute gibt!

„Ist doch ganz klar", fuhr Jakim fort. „Zinspflichtige, Fronbauern, Hörige sind es, die zu ihm fliehen und Haus und Habe im Stich lassen; aus Nowgorod und Twer, aus Moskau und Wologda strömen sie herbei. Wieviel Menschengebein bloß hier in den Wäldern umherliegt, o du mein Gott! Da sammeln sich in so einer Einsiedelei Tausende an; wie soll man sie ernähren? Getreide wird hier nicht gebaut. Sie fangen an zu stöhnen, umherzustreifen. Damit sie nun nicht in Sünde verfallen, läßt Nektari sie geradewegs ins Paradies eingehen."

„Na, das lügst du . . ."

„Alexej Iwanytsch, ich lüge nie. Lebendig legen sie sich ins Grab, solche gibt es. Weiter nach Norden, näher zum Weißen Meer, lebt ein Einsiedler, der den Leuten eine Rosine als Abendmahl reicht. Schiebt er jemandem eine Rosine in den Mund, so gibt er damit seinen Segen, daß er sich lebendig ins Grab legt . . ."

„Hör schon auf, solche Sachen zur Nachtzeit zu erzählen." Alexej wickelte sich, auf Zweigen am Feuer liegend, in seinen Pelz. Eine Weile darauf sagte er: „Jakim, diesen Einsiedler Nektari müssen wir kriegen . . ."

Zwei Schneeschuhläufer traten aus dem Wald auf die mondbeglänzte Lichtung. Von der Winterhütte trug der Wind den Geruch eines Holzfeuers herüber. Neben den Schlitten standen gesenkten Kopfs die mit Bastmatten bedeckten Pferde; an den Schlitten gelehnt, schlief der Wachtposten, die Ärmel seines Pelzes um die Muskete gelegt.

Die beiden Schneeschuhläufer liefen geräuschlos um die Winterhütte, blieben, auf ihre Jagdspieße gestützt, stehen und lauschten. Ein blasser Kreis umgab den Mond, in dem bereiften Wald herrschte Totenstille. Hinter der Wand murmelte einer dumpf vor sich hin. Neben dem Schlitten schnaubte laut ein Pferd. Der Wachtposten lag wie erstarrt, das vom Mondlicht beleuchtete schnauzbärtige Gesicht nach oben gekehrt.

Einer der Schneeschuhläufer sagte: „Vielleicht sollten wir

ihn fesseln? Er schläft fest. Und dann mit einem Gebet ins Feuer werfen."

Der andere streckte den Bart vor und blickte aufmerksam um sich. „Beim Binden wird's Lärm geben, er könnte schreien. Es sind ihrer zehn dort."

„Was sollen wir also tun?"

„Ihm den Spieß durch den Leib rennen. Und gleich die Tür verrammeln."

„Ach, Petruschka, Petruschka!" Der erste schüttelte seinen in einer Mütze mit langen Ohrenklappen steckenden Kopf. „Was du zusammenredest! Blut bleibt Blut, es ist ja ein Mensch und kein Tier. Im Feuer empfängt der Mensch – so steht es geschrieben – die heilige Taufe. Im Feuer. Und du kommst mit dem Jagdspieß! Deine Seele wirst du verderben..."

„Nun, die Sünde nehme ich auf mich."

„Wage nicht mal, daran zu denken. Führe mich, um Christi willen, nicht in Versuchung..."

„Vielleicht versuchen wir's doch, eine feine Sache wär's: rasch getan, und keiner würde drum wissen."

„Werden ja sehen, was du von Vater Nektari für solche Gedanken zu hören bekommst."

„Ich will ja nur unser Bestes..."

Sie schwiegen. Überlegten, was sie beginnen sollten. Über den bläulichen Schnee glitt schwankend der Schatten einer Eule; ein Mauerfalke hatte Beute gewittert, und jetzt zog der Verfluchte seine Kreise. Die Tür der Hütte knarrte plötzlich. Jakims Waldschratkopf kam zum Vorschein, er wollte wohl seine Notdurft verrichten. Er sah die beiden, schrie erschrocken auf, stürzte in die Hütte zurück und schlug Lärm. Die beiden glitten hinter die schneebedeckten Zweige und hörten im Davonlaufen, wie ein Schuß krachte und die Waldesstille zerriß.

Sie liefen lange und änderten öfters die Richtung, um die Verfolger von ihrer Fährte abzubringen. Durch Tannendickicht gelangten sie an einen Bach. Die Nacht ging schon zu Ende, der Mond stand hoch am Himmel. Langsam und wehmütig klangen irgendwoher aus der Nähe Schläge gegen eine Eisenplatte herüber.

Andrjuschka Golikow läutete zur Frühmesse. Er trug einen alten schäbigen Fuchspelz, war aber barfuß. Von einem Fuß auf den anderen tretend – sie waren schon ganz blau von der schneidenden Kälte –, wiederholte er wie eine endlose Litanei Awwakums Worte: „Zum Rang der Märtyrer, in die Legion der Apostel, in die Gemeinschaft der heiligen Bischöfe", und schlug, bum!, mit dem Klöppel gegen die Eisenplatte, die statt der Glocke an einem mit Schutzdach versehenen Pfahl gegenüber dem Tor der Einsiedelei hing. Diese Buße hatte ihm der Einsiedler auferlegt, weil er gestern, am Fasttag, seinen Durst nicht gezähmt und Kwaß getrunken hatte.

Auf den Klang hin versammelte sich die Gemeinde. Die Menschen kamen aus ihren Zellen, die Männer für sich und die Frauen für sich. Die von einem Pfahlzaun umgebene Einsiedelei war nicht groß. Viele lebten in der Umgegend: am Ufer des Bachs, am Rand der Sumpfinsel. Auf Waldpfaden eilten sie von dort herbei. Die weitab Wohnenden sputeten sich, fürchteten, zu spät zu kommen; der Einsiedler war streng.

In der Mitte der Einsiedelei stand, von dicht beieinander aufgeschichteten Strohhaufen umgeben, das Bethaus, ein niedriger, aus Baumstämmen gefügter Bau mit einem breiten, nach vier Seiten steil abfallenden Dach, das wiederum von einer zeltförmigen Überdachung auf achteckigem Unterbau gekrönt war.

Die Gemeinde trat durch das Tor und schritt gottesfürchtig, gesenkten Hauptes, die Arme auf der Brust gekreuzt, dahin: Männer in gesetztem Alter, aber noch nicht alt, Frauen in Leinenhemden über dem Pelz und in Kopftüchern, die das Gesicht verbargen. Dumpf und klirrend, als wäre es die Klage des irdischen Leids, erklang im fahlen Schein des Monds der eiserne Klöppel, und der Schnee knirschte unter den Bastschuhen.

Vor der Tür bekreuzigten sich die Leute mit zwei Fingern, betraten ehrfürchtig das Bethaus mit seinen bereiften, aus Baumstämmen gefügten Wänden. Vor den in altem Stil gemalten Heiligenbildern brannten Wachskerzen. Wie ein Wunder war es: eine Kerze in diesen Urwäldern. Die Betenden fielen auf die Knie, die Männer rechts, die Frauen links. Ein an einem Baststrick aufgehängter Vorhang aus Flicken trennte sie.

Keuchend stürmten die beiden Schneeschuhläufer durch das Tor der Einsiedelei und riefen laut Andrej zu: „Laß das Schlagen, Gefahr droht!"

„Sag rasch dem Vater Nektari, er soll zu uns herauskommen..."

Andrejs Seele war vom Fasten, von den schlaflos durchwachten Nächten, vom ewigen Schrecken gespannt wie eine trokkene Sehne. Erschrocken ließ er den Klöppel fallen, er zitterte am ganzen Leibe, sein Atem flog. Aber nicht vergebens hatte ihn Nektari gelehrt, die bösen Geister zu bannen – ihre Zahl indes war Legion: soviel Gedanken, soviel böse Geister –, aus tiefster Seele schrie er innerlich: Hebe dich weg von mir, Satan! Er hob den Klöppel, ließ ihn auf die Eisenplatte unter dem Schutzdach niederfallen und schüttelte den Kopf. „Stört mich nicht, macht, daß ihr weiterkommt..."

„Andrej, so hör doch: Jener Offizier mit den Soldaten ist fünf Werst von hier..."

„Schlag wenigstens nicht so kräftig, sie könnten es hören. Jakim ist bei ihnen. Hört er den Klang, bringt er sie gleich hierher..."

Andrej murmelte mit klappernden Zähnen: „Der Einsiedler ist noch in seiner Klause, geht zu ihm."

Sie nahmen ihre Schneeschuhe ab und gingen. Beide, Stjopka Barmin und Petruschka Koshewnikow, waren aus Powenez und befaßten sich mit Fischfang und Jagd. Dafür, daß sie sich mit zwei Fingern bekreuzigten, hatte der Wojewode von Powenez sie wiederholt ausgeraubt und blutig geschlagen und ihnen das Vieh aus dem Stall geführt, schließlich hatten sie es satt bekommen. Fast zwei Jahre schon verbargen sich ihre Frauen und Kinder in der Einsiedelei am Wyg, sie selber aber zogen von Ort zu Ort, wo die Jagd reichere Beute verhieß und man weniger Menschen traf. Als das Gerücht zu ihnen drang, ein Offizier mit Soldaten – alle mit glattgeschabten Gesichtern, Fleischfresser und auf eine Werst weit nach Tobak, dem Teufelskraut, stinkend – sei unterwegs, befahl Nektari den beiden, die Diener des Antichrist nicht aus den Augen zu lassen, sie in die Irre zu führen und sich ihrer, wenn es ging, ohne sich zu versündigen, zu entledigen.

Es war nicht so einfach, zu Vater Nektari vorgelassen zu werden. Im kalten Flur empfing sie ein Laienbruder – dem Alten dienten ihrer zwei: Andrej und dieser lahme Porfiri, ein abgezehrter junger Mensch mit fromm verdrehten Augen. Flüsternd berichteten sie ihm die Sache. Porfiri neigte den Kopf und hauchte: „Tretet ein." Die Waldbauern zogen die Mützen und versuchten, über die Schwelle tretend, sich so klein als möglich zu machen – so über alle Maßen stämmig und ungeschlacht waren sie. Der Alte mochte es nicht, wenn der sündige Leib allzu üppig gedieh.

Klein, mit gekrümmtem Rücken, in einem schwarzen, altväterisch zugeschnittenen Mantel aus hausgewebtem Zeug, stand Nektari am Betpult und warf einen Seitenblick auf Stjopka und Petruschka. Ein schütterer, spitz auslaufender Bart hing ihm fast bis an die Knie herab, unter den schwarzen Brauen schienen statt der Augen Kohlen zu glühen. Die an den wurmstichigen Buchdeckel geklebte Wachskerze knisterte leise – morgen würde es wohl starken Frost geben. Glühende Hitze ging von dem aus Uferkieseln gemauerten Ofen aus. Die Bretterwände waren glattgeschabt. Von der Decke hingen an Baststreifen getrocknete Kräuterbündel herab.

Von den schmelzenden Eiszapfen in Stjopkas und Petruschkas Schnurrbärten tropfte es, sie wagten jedoch nicht, sich den Bart zu wischen, sich zu rühren, bevor der Alte zu Ende gelesen hatte. Er las mit drohender Stimme. Aus der dunklen Ecke starrte ihn, auf der Seite liegend, ein besessener Bauer an, der mit einer Kette um den Leib an einem eisernen Bolzen in der Wand festgeschmiedet war. Am Ofen hob sich unter einer alten Kutte, mit der der Backtrog bedeckt war, der Teig.

„Nun, was wollt ihr?" Nektari wandte sich den Männern zu und streckte seinen grauen Bart vor. Die beiden nahmen es ohne Furcht mit einem Bären auf, wurden allein mit einem Elch fertig, vor dem Alten aber überkam sie stets Bangen. Stjopka berichtete verworren über das, was sie gesehen hatten. Petruschka stimmte ihm schuldbewußt bei.

„Du hast also", begann mit sanfter Stimme Nektari, „du hast also jenem Soldaten den Spieß durch den Leib rennen wollen,

Petruschka, und du, Stjopa, bist vor der Sünde zurückgeschaudert?"

Stepan antwortete voll Eifer: „Ehrwürdiger Vater, wir sind schon zwei Wochen hinter ihnen her. Der verfluchte Jakim kennt die Gegend, er führt sie geradewegs hierher. Wir haben so und so überlegt. Sie sind aber auf der Hut, sonst wäre es das beste gewesen, wir hätten die Tür der Winterhütte verrammelt, Feuer angelegt und mit einem frommen Gebet die Taufe vollzogen. Damit wäre ihnen gedient und auch uns. Aber, siehst du, es ist nichts daraus geworden. Und sie ermorden, davor bewahre uns Jesus. Der Satan hat uns heute in Versuchung geführt..."

„Habe ich zu dieser Verbrennung meinen Segen gegeben?" fragte der Alte. Die Männer blickten ihn erstaunt an, antworteten nicht. „So inbrünstig also ist dein Gebet, Stjopa? Sieh mal an! Zehn Menschen wolltest du im Feuer taufen? Wehe, wehe! Wer hat dir denn solche Macht verliehen? Sieh mal an, den Petruschka hat der Satan verführt, du aber bist sogar des Satans Herr geworden. Ach, welch ein Heiliger! Ach, welche Macht!"

Stepan runzelte die Stirn. Petruschka starrte auf den Alten mit blinzelnden Augen, ohne recht zu verstehen.

„Porfischa, mein Herzchen, leg ein Köhlchen ins Weihrauchfaß, fach es mit einem frommen Sprüchlein an", sagte der Alte. Der lahme Porfiri nahm das Weihrauchfaß vom Holznagel, hinkte zum Ofen, fachte eine Kohle im Zedernharz zu heller Glut an und reichte alles dem Alten, ihm dabei die Hand küssend. Mit tief herabhängendem Arm, daß das Weihrauchfaß fast den Boden berührte, begann Nektari, die Bauern von vorn und von der Seite zu beräuchern. Das Weihrauchfaß klirrte. Er umschritt sie auch von hinten, Gebete murmelnd und sich verneigend. Dann gab er Porfiri das Weihrauchfaß zurück, zog den geflochtenen Rosenkranz aus dem Ledergurt und schlug damit Stjopka und anschließend Petruschka schmerzhaft ins Gesicht. Die Männer fielen auf die Knie. Mit blauen Lippen flüsternd: „Hochmut, verdammter Hochmut", schlug er sie in aufsteigendem Zorn auf die Wangen.

Der besessene Bauer wieherte plötzlich laut auf und riß sich wie ein Hund hin und her werfend, an seiner Kette. „Schlag sie, Alterchen, schlag den Satan aus ihnen heraus."

Der Alte war ganz erschöpft, trat beiseite und holte schwer Atem. „Ihr werdet später begreifen, wofür ich euch gezüchtigt habe", sagte er, sich räuspernd. „Geht mit Jesu ..."

Die Männer verließen behutsam die Zelle. Das Mondlicht war blasser geworden, hinter dem Bethaus, hinter dem dunkelnden Wald rötete sich bereits der Himmel. Es war ein starker Frost. Die Männer schüttelten verwundert den Kopf. Was für eine Sünde hatten sie begangen? Warum hatte er sie gezüchtigt? Was sollten sie jetzt tun?

„Einen langen Weg haben wir hinter uns, aber gegessen haben wir wenig", meinte Petruschka leise.

„Wie können wir ihn jetzt um etwas bitten?"

„Vielleicht gibt er uns ein Stück Brot?"

„Besser ist's, wir kommen ihm nicht unter die Augen. Gehen wir unseres Weges, wieder zu denen dort. Schießen unterwegs ein Eichhörnchen, dann haben wir was zu essen ..."

Andrej Golikow kletterte auf den Ofen, er zitterte an allen Gliedern. Der Alte hatte ihm, bevor er sich ins Bethaus begab, befohlen, das Läuten einzustellen, ihn aber zum Gottesdienst nicht zugelassen. „Geh, schieb die Brote in den Ofen." Andrejs vor Kälte erstarrte Füße brannten auf den heißen Backsteinen, vor Hunger war ihm ganz wirr im Kopf. Er lag mit dem Gesicht nach unten, grub die Zähne in die Decke. Um nicht zu schreien, wiederholte er immer wieder die Worte Awwakums: „Mensch, Dünger bist du und Kot bist du. Mir steht es wohl an, mit den Hunden und Schweinen zu leben, stinken sie doch gleich meiner Seele wie die Pest. Vor lauter Sünde stinke ich wie ein verreckter Hund ..."

Der besessene Bauer bewegte sich an seiner Kette in der Ecke und sagte: „Heut nacht hat der Alte wieder Honig gefressen ..."

Andrej schrie ihn diesmal nicht an: „Lüge nicht", er grub nur die Zähne noch tiefer in die Decke. Es ging über seine Kraft, den furchtbaren Dämon des Zweifels in seinem Innern zum Schweigen zu bringen. Dieser Dämon aber war bei einem unbedeutenden Vorfall in Andrjuschka gefahren. Vierzig Tage hatten sie zu dritt gefastet, Nektari und die zwei Laienbrüder, ohne etwas zu sich zu nehmen, es sei denn Wasser, und auch davon nur einen kleinen Schluck. Damit Andrej und Porfiri beim Lesen der Postille nicht umfielen, befahl Nektari ihnen, sich den Mund mit Kwaß zu spülen und die Brust zu netzen. Von sich selber sagte er: „Ich brauche solches nicht, ein Engel erfrischt mir die Lippen mit Himmelstau." Und wundersam war es: Andrej und Porfiri konnten vor Schwäche kaum stammeln, nur ihre Augen lebten noch, er aber war frisch.

Eines Nachts jedoch sah Andrej, wie der Alte leise vom Ofen kletterte, einen Löffel Honig aus dem Topf schöpfte und ihn mit ungeweihtem Weizenbrot verzehrte. Eisige Kälte überrieselte Andrjuschka: Besser wäre ihm, dachte er, hätte man jetzt vor seinen Augen einen Menschen umgebracht, als daß er so etwas sehen müßte. Und er wußte nicht, ob er das, was er gesehen, verschweigen oder gestehen sollte. Am nächsten Morgen gestand er es dennoch unter Tränen. Nektari verschlug es fast den Atem.

„Du Hund, du Tropf! Der Satan war es, nicht ich. Und du hast dich schon gefreut! So ist er, der verfluchte sündige Leib! Du wärst bereit, für einen Löffel Honig die ewige Seligkeit hinzugeben!"

Er schlug auf Andrej mit der Gabel ein, mit der man die Töpfe in den Ofen schiebt, und jagte ihn im bloßen Hemd aus der Zelle in den Schnee hinaus. Für einige Zeit beruhigte das Andrejs Gedanken. Doch eines Tages, als niemand in der Zelle zugegen war, sagte der Besessene – der seit dem Herbst hier angekettet war – gottlob in einer warmen Stube – zu Adrjuschka: „Sieh mal, am Löffel klebt Honig, und gestern abend war er noch rein. Leck ihn doch ab."

Andrej fuhr ihn an. Die Nacht darauf schleckte der Alte wiederum Honig, heimlich, wie ein Hase mit den Lippen schmatzend. Als der Tag graute, alle schliefen noch, besah sich Andrej den Löffel, er wies Spuren von Honig auf! Auch ein graues Haar klebte daran ...

Gewaltiger Zweifel zerriß ihm die Seele. Wer log nun? Logen vielleicht seine Augen? Aber am Löffel klebten tatsächlich

Honig und ein graues Schnurrbarthaar – das konnte doch nicht vom Satan stammen! Oder log der Alte? Wem sollte er glauben? Einen Augenblick war er nahe daran, den Verstand zu verlieren; er kannte sich nicht mehr aus, Verzweiflung übermannte ihn! Nektari predigte immer wieder: „Der Antichrist steht vor den Toren der Welt, und die Erde ist voll seiner Bastarde. Auch in unserem Lande haust ein mächtiger Teufel, sein Maß aber ist die allertiefste Hölle." War es so, wie konnte man dann gewiß sein, daß nicht er selber, Nektari, der Teufel war? Den Rücken mit der Ofengabel bearbeiten, das konnte auch der Teufel. Alles war doppelsinnig, alles trügerisch wie die Moosdecke eines Sumpfs. Eines blieb nur: sich aller Gedanken zu entschlagen, einem geprügelten Hund gleich den Kopf hängenzulassen und – zu glauben, blind zu glauben. Wie aber, wenn man nicht glauben konnte? Wenn man sich Gedanken machte? Gedanken lassen sich nicht erdrosseln, lassen sich nicht auslöschen, wie Wetterleuchten blitzen sie auf. Kommt das etwa auch vom Antichrist? Sind die Gedanken das Wetterleuchten des Antichrist? Manchmal indes schüttelte Andrej ein eisiger Schauer: Wohin gerate ich, wohin rolle ich? Klein bin ich, ein Bettler, ein Nichts. Vielleicht sollte ich dem Alten zu Füßen fallen: Unterweise mich, rette mich! Es ging nicht; er sah den Bart mit dem Honig vor sich. Auf der Suche nach einem friedvollen Leben war er in die Einsiedelei gekommen, und Zweifel hatte er gefunden...

Dann wurde Andrjuschka immer schwächer und siecher, sein Geist wurde stumpf, sein Gemüt beruhigte sich. Die täglichen Schläge nahm er wie ein Kitzeln hin. Mit jedem Tag ließ der Alte seine Wut grimmiger an ihm aus. Zu dem anderen sagte er: „Porfischa, mein Herzchen", diesen aber schlug er, wie man selbst ein Pferd nicht schlägt. Fliehen? Doch wohin? Gewiß, Denissow hatte, als sie Ende Dezember einen Schlittenzug Getreide in die Einsiedelei am Wyg gebracht hatten, Andrjuschka gesagt: „Bleibe bei uns, schmücke unsere Kirche aus. Ist der Fluß erst eisfrei, so schick ich dich mit Waren nach Moskau. Zu dir hab ich Vertrauen." Damals hatte es Andrjuschka abgelehnt – nicht das lag ihm im Sinn, nach Seelenfrieden trug er Verlangen. Ihm war, als sehe er eine kleine

Klause im Walde vor sich, einen alten Einsiedler, der, eine Mönchskappe auf dem Kopf, auf einem Stein am Flußufer sitzt und seinem lieben Laienbruder, dem lauschend aus dem Wald getretenen Wild, den Vögeln, die sich auf die Äste niedergelassen haben, und der nördlichen Sonne, deren mattes Licht die spiegelglatte Fläche des einsamen Flüßchens bescheint, vom himmlischen Reiche erzählt ... Eine schöne Stille hatte er hier gefunden! Ein solcher Orkan hatte selbst damals in seiner Seele nicht getobt, als er in den stürmischen Winternächten in einem Spalt der Mauer von Kitai-Stadt, vor Kälte zitternd, horchte, wie die froststarren Strelitzenleiber aneinanderschlugen und die Galgen knarrten.

Der Besessene schwatzte, zum Ofen hinaufschielend, auf dem Andrjuschka mit dem Gesicht nach unten lag.

„Hier wirst du's nicht mehr lange machen, du bist zu schwach. Das Alterchen wird dich zu Tode prügeln, er kann dich nicht riechen. Ach, herrschsüchtig ist das Alterchen, stolz! Die Heiligen haben es ihm angetan. Tag und Nacht liest er die Heiligenlegenden und hat dann den Kopf voller Schrullen! Zehn Jahre würde er auf einer Kiefer hocken, wären die Winterfröste nicht so grimmig. Auch die Menschen verbrennt er nur deshalb, aus lauter Herrschsucht! Der Zar des Waldes ... Ich sehe ihn durch und durch, bin klüger als er, mein Lieber, bei Gott! Ich bin klüger als ihr alle zusammen. Es stimmt schon, ich habe drei Teufel im Leibe. Der erste ist die Fallsucht, das ist ein gar mächtiger Teufel. Der zweite ist meine Faulheit. Wäre ich nicht so faul, würde ich dann noch an der Kette sitzen? Der dritte Teufel ist meine Klugheit, zu klug bin ich, fürchterlich klug! Bevor ich einen Anfall bekomme, verstehe ich rein alles, ganz wild bin ich dann, alles widert mich an. Von jedem Menschen weiß ich, wo er herkommt und wie dumm er ist und was er im Sinn hat. Und ich rede absichtlich Unsinn, zum Spott. Beiße meine Kette, wälze mich auf dem Boden – es ist zum Lachen, aber die Leute glauben mir. Selbst das Alterchen reißt die Augen auf und glotzt mich an. Er fürchtet mich, mein Lieber. Im Frühjahr laufe ich ihm wieder davon. Dich aber, Andrjuschka, wird er mit seiner Ofengabel krumm und lahm schlagen, du wirst hier zugrunde gehen.

Wahrscheinlich wirst du bei der nächsten Verbrennung als erster dran glauben müssen..."

„Ach, schweig doch schon, ich bitte dich..."

Andrej kletterte vom Ofen, wusch sich die Hände, krempelte die Ärmel auf und nahm die Kutte vom Backtrog. In den anderen Zellen wurde der Teig zu einem Drittel aus Mehl, zu zwei Dritteln aus getrockneter, gestoßener Baumrinde bereitet; hier war der Teig aus reinem Mehl, hoch war er aufgegangen.

Der Besessene bog sich vor, um einen Blick darauf zu werfen. Er zerrte an der Kette und riß sie mitsamt dem Bolzen aus der Mauer. Andrej erschrak. Der Bauer aber meinte, die Ärmel aufkrempelnd: „Tut nichts. Ich mach das öfters. Kommt der Alte zurück, steck ich den Bolzen wieder in die Wand und setz mich hin..."

Auch er wusch sich die Hände. Zusammen mit Andrej begann er den Teig zu Broten zu formen und in den Backofen zu schieben.

„Langweilig ist es, Andrjuschka. Ein Weibsbild müßte man hier haben..."

„Schweig still. Schäm dich!" Andrej wollte ein Kreuz schlagen, um sich vor solchen Worten zu schützen, aber an seinen Fingern klebte Teig. „Weiß Gott, das werde ich dem Alten klagen."

„Ich werde dir zeigen, wie man sich beklagt! Du Schafskopf, denkst du etwa, in den Einsiedeleien gehen die Weiber vom Wind schwanger? In der Einsiedelei am Wyg laufen drei Dutzend wie trächtige Kühe umher. Und dabei hält man dort strenge Zucht..."

„Das lügst du alles!"

„Diese süße Frucht scheinst du, wie ich sehe, noch nicht gekostet zu haben, Andrjuschka?"

„Mein Leben lang werde ich mich nicht verunreinigen."

„Eine dralle Dirn sollte man kommen lassen und sie den Fußboden scheuern heißen. Sie scheuert, du sitzt auf der Bank und entbrennst vor Begierde. Das steigt einem stärker als Wein zu Kopfe."

Andrej riß sich hastig den Teig von den Fingern. Trat aus der Klause ins Freie, in die Kälte. Weithin leuchtete das Morgenrot hinter dem Wald, gleich mußte die Sonne aufgehen. Die Spuren im Schnee waren von warmen Schatten übergossen, weiß wie Zucker ragten Schneehaufen neben den Hütten, grün schimmerten die Wipfel der riesigen Tannen. Aus der halb geöffneten Tür des Bethauses drang eintöniger Gesang.

Stjopka und Petruschka liefen wieder an Andrjuschka vorbei und schrien ihm zu: „Sie kommen! Schließ das Tor!"

Alexej Browkin schickte Jakim aus, um die Altgläubigen zu fragen, was für Leute sie seien, wie hoch an Zahl und warum sie einem Offizier des Zaren das Tor nicht öffneten. Die Pferde hatte er im Wald am Wege stehenlassen und war mit seinen Soldaten, nachdem er die Musketen zu laden befohlen hatte, nach der Einsiedelei aufgebrochen. Hinter dem hohen Pfahlzaun glitzerten die Schneehauben der Dächer, bläulich blinkte das Kreuz über dem Bethaus, Gesang klang herüber, obgleich die Stunde der Messe schon vorbei war.

Jakim klopfte lange an die Pforte. Er kletterte auf den Zaun, sah sich um, ob keine Hunde da wären, und sprang dann in den Hof. Alexej hatte, um die Leute einzuschüchtern, seinen Dreispitz aufgesetzt und um den Halbpelz die Schärpe mit dem Degen gegürtet; hier konnte man, was Rekruten betraf, anscheinend auf gute Ausbeute hoffen, wenn man nur den Leuten den nötigen Schreck einzujagen verstand. Die Kanzlisten oder die Kommissare der Ältestenkammer, die von den Altgläubigen doppelte Steuern eintrieben, dürften kaum bis in die Wildnis vorgedrungen sein. Die Zeit verstrich. Die Soldaten blickten nach der tiefstehenden Sonne – seit dem frühen Morgen hatten sie nichts gegessen. Alexej hüstelte zornig in seinen Fausthandschuh.

Endlich kletterte Jakim wieder zurück über den Zaun. „Alexej Iwanowitsch, wir haben Glück: Nektari ist hier..."

„Warum öffnet dann dieser Satansbraten nicht das Tor? Die Soldaten erfrieren mir ja."

„Alexej Iwanowitsch, die Leute haben sich im Bethaus eingeschlossen. Denk nur, ich hab hier einen Bekannten getroffen, ein Bäuerlein aus Nowgorod, sie haben ihn an die Kette gelegt. Der sagte mir: Die Gemeinde zählt an zweihundert

Köpfe, darunter auch Diensttaugliche, es dürfte aber schwerfallen, sie auszuheben, der Alte will sie verbrennen..."

Mißtrauisch, mit strengem Blick, sah Alexej Jakim an. „Was heißt das: verbrennen? Wer hat es ihm erlaubt? Wir werden es nicht zulassen. Die Leute sind dem Zaren untertan, nicht ihm."

„Das ist es ja eben, in diesen Wäldern ist er für sie der Zar."

„Schwätz keinen Unsinn!" Mit gerunzelter Stirn rief Alexej die Soldaten, zögernd traten sie näher, sie begriffen, daß etwas Außergewöhnliches bevorstand. „Wir werden nicht viel Worte machen. Schlagt das Tor ein, Leute..."

„Alexej Iwanowitsch, man sollte bedächtig zu Werke gehen. Rings um das Bethaus ist Stroh aufgeschichtet, auch innen liegen Stroh, Pech und ein Faß Pulver bereit. Es ist besser, ich rufe den Alten. Er begreift wohl selber, daß es keine Kleinigkeit ist, zweihundert Menschen zu so was zu bewegen. Behandeln Sie ihn nur mit der nötigen Achtung, Alexej Iwanowitsch – der Alte ist herrschsüchtig –, und Sie werden sich mit ihm gütlich verständigen..."

Alexej schob den redseligen Mann beiseite. Er trat ans Tor und prüfte, wie fest es sei.

„Leute, einen Balken her!"

Jakim trat zur Seite. Blinzelnd beobachtete er voll Neugier, was nun kommen würde. Die Soldaten gaben dem Balken Schwung und stießen ihn gegen die gefrorenen Bohlen des Tores. Nach dem dritten Stoß verstummte der ferne Gesang der Altgläubigen.

„Geh ins Bethaus!"

„Ich will nicht, hab dir's schon gesagt, laß mich in Ruhe", antwortete mürrisch der Besessene.

Nektari war atemlos vom Hof eingetreten, geronnene Wachstropfen hingen an seinem Bart, die Pupillen seiner weiß blinkenden Augen waren nicht größer als ein Mohnkörnchen; vielleicht wollte er dem Bauern einen Schreck einjagen, oder er war, was glaubhafter schien, ganz außer sich.

Mit erstickter Stimme schrie er ihn an: „Jewdokim, Jewdokim, der Tag des Weltgerichts ist gekommen. Rette deine

Seele! Eine Stunde nur trennt dich von der ewigen Höllenpein. Oh, welches Entsetzen! Wie die Teufel in dir frohlocken! Rette dich!"

„Geh zum Kuckuck!" schrie Jewdokim und schüttelte zornig den Kopf. „Was für Teufel? Mein Lebtag hab ich keine gekannt. Damit kannst du deinen Hohlköpfen kommen!"

Nektari hob den Rosenkranz. Der Besessene beugte sich vor und warf ihm einen so finsteren Blick zu, daß dem Alten die Knie weich wurden und er sich auf die Bank setzen mußte. Sie schwiegen eine Weile.

„Wo ist Andrjuschka?"

„Weiß der Teufel, wo dein Andrjuschka steckt."

„Keine Rettung, verdammter Sünder, keine Rettung gibt es für dich."

„Hör schon auf, jammere nicht."

Der Alte sprang auf, um nachzusehen, ob sich der Laienbruder vor Furcht um sein Leben nicht hinter dem Ofen versteckt hatte. In diesem Augenblick dröhnte und krachte es im Hof.

„Sie schlagen das Tor ein", meinte grinsend der Bauer. Nektari stolperte, ehe er noch den Ofen erreicht hatte, er zitterte am ganzen Leibe. Wie ein Segel bauschte sich sein Mantel, als er in den Hof hinauseilte. Die Tür ließ er sperrangelweit offen.

„Andrjuschka", rief der Bauer, „mach die Tür zu, es ist kalt."

Niemand antwortete. Er riß den Bolzen aus der Wand, ging fluchend zur Tür und schlug sie zu.

„Viel Gutes ist hier nicht zu erwarten. Man muß zusehen, daß man fortkommt."

Er warf einen Blick hinter den Ofen. Dort stand, zwischen Wand und Ofen eingezwängt, Andrjuschka Golikow; er war anscheinend bewußtlos, leichenblaß, schluckte nur kaum hörbar.

Jewdokim packte ihn an der Hand. „Hast wohl keine rechte Lust zum Sterben? Nun, wenn du keine Lust hast, dann laß es bleiben, es geht auch ohne Feuer. Such den Schlüssel, hörst du. Wo hat der Alte ihn versteckt? Ich will die Kette abwerfen. Andrjuschka, komm zu dir!"

Alle lagen auf den Knien. Die Frauen weinten lautlos und preßten die Kinder an sich. Von den Männern bargen die einen das von den herabhängenden Haaren bedeckte Gesicht in der schwieligen Hand, die anderen starrten stumpf auf die Kerzenflämmchen. Der Alte hatte sich für kurze Zeit aus dem Bethaus entfernt. Sie ruhten sich aus, die langen Stunden der Qual hatten sie erschöpft. Ihm war es nicht genug, daß ihm alle wie die kleinen Kinder gehorchten. Mit furchtbarer Stimme hatte er vom Ambo geschrien: „Die Lauen werde ich ausspeien aus meinem Munde! Warme brauche ich! Nicht Schafe will ich ins Paradies treiben, sondern feurige Büsche..."

Ein schwierig Ding war es, seinem Verlangen nachzukommen: die Seelen mit glühendem Eifer zu erfüllen. Alle, die hier versammelt waren, hatten viel durchgemacht, ihr Dorf im Stich gelassen, wo sie nichts als zermürbende Arbeit gekannt, wo man ihnen nicht erlaubt, zu Wohlstand zu kommen, sondern den Bauern wie ein Schaf bis auf die Haut geschoren hatte. Hier hatten sie Ruhe gesucht. Was tat es, daß ihnen die Glieder von der feuchten Sumpfluft anschwollen, daß das Brot, das sie aßen, zur Hälfte mit zerstoßener Baumrinde vermengt war, war man doch hier auf Feld und Flur trotz allem sein eigener Herr. Aber diese Ruhe wollte ihnen anscheinend niemand umsonst geben. Streng wachte Nektari über die Seelen seiner Herde. Unermüdlich schürte er in ihnen den Haß gegen den Fürsten dieser Welt, den Antichrist. Die, deren Haß lau war, strafte er oder verjagte sie gar. Der Bauer war es von jeher gewohnt: Befahl man ihm, so gehorchte er. Befahl man ihm, die Seele mit glühendem Eifer zu erfüllen – was ließ sich da machen, man mußte es tun!

Heute peinigte sie der Alte besonders, offenbar war er selbst schon ganz erschöpft. Porfiri las mit weltentrückter Stimme. Wie Nebel wogte der Dunst vom Atem der Betenden unter dem hölzernen Dach, fiel in Tropfen von der Decke nieder.

Unerwartet rasch kam der Alte zurück. „Hört ihr", schrie er schon von der Türschwelle, „hört ihr die Diener des Antichrist?" Alle vernahmen die wuchtigen Stöße gegen das Tor. Mit den flatternden Mantelschößen die Köpfe streifend, durchmaß er ungestümen Schritts das Bethaus. Den Bart emporgereckt, verneigte er sich dreimal vor den dunklen Heiligenbildern bis auf den Boden. Dann wandte er sich mit solchem Grimm nach der Gemeinde um, daß die Kinder in lautes Weinen ausbrachen. In der Hand hielt er einen Hammer und Nägel.

„O meine Seele, meine Seele, erwache, was schläfst du?" kreischte er. „Die Stunde ist gekommen, das Ende steht vor der Tür. Der einzige Ort, der uns auf Erden bleibt, sind diese Wände. Laßt uns zum Himmel aufsteigen, meine Kinder. In Feuerflammen. Eben habe ich über unserem Bethaus, so wahr Gott lebt, ein ungeheures Loch im Himmel erblickt. Die Engel steigen zu uns hernieder, meine Lieben, sie jubeln, meine Teuren..."

Die Frauen hoben die Augen und brachen in Tränen aus. Auch unter den Männern hörte man manch einen schwer schnaufen.

„Wann wird eine solche Gelegenheit wiederkommen? Das Himmelreich selbst fällt uns in den Schoß. Brüder und Schwestern! Hört ihr, wie man das Tor einschlägt? Des Teufels Heerscharen haben das Eiland, darauf wir uns gerettet, umringt. Draußen ist eitel Finsternis, Gestank und Sturm..."

Der Alte hob Hammer und Nägel empor und schritt zur Tür, wo drei Bretter bereitlagen. Er befahl den Männern, ihm zur Hand zu gehen, und machte sich daran, die Tür mit den Brettern zu vernageln. Sein Atem ging pfeifend. Voll Entsetzen starrten die Betenden auf ihn. Ein junges Weib im weißen Totenhemd schrie laut auf, daß es durch das ganze Bethaus hallte: „Was tut ihr? Ihr Lieben, ihr Guten, nicht doch..."

„Doch!" schrie der Alte und schritt wieder zum Ambo. „Wie sollte ein Christenmensch nicht ins Feuer gehen. Verbrennen werden wir, aber wir werden des ewigen Lebens teilhaftig werden." Er blieb stehen und gab dem jungen Weib einen Backenstreich. „Törin! Gut, du hast einen Mann, hast ein Haus, hast eine Truhe voll Sachen. Und was kommt danach? Das Grab doch? Mitleid hatten wir mit euch unvernünftigem Volk. Heute geht es nicht mehr. Der Feind steht vor der Tür. Von Blut trunken, hält der Antichrist auf einem roten Pferd vor dem Tor. Schrecklich ist er, einen Kelch hat er in der Hand voller Unrat und Kot. Empfanget nur dies heilige Abendmahl! Empfanget es! O Entsetzen!"

Die Frau verbarg ihr Gesicht im Schoß, ein Zittern lief durch ihren Körper, immer lauter schrie sie mit der Stimme einer Besessenen. Die anderen verstopften sich die Ohren und preßten mit den Fingern die Kehlen zusammen, um nicht selber loszukreischen.

„Geh, geh hinaus!" Wieder Schläge und Krachen. „Hört ihr's? Zar Peter ist der fleischgewordene Antichrist. Seine Diener schlagen das Tor ein, um unsere Seelen zu holen. Die Hölle! Weißt du, was die Hölle ist? Im wüsten Weltenraum ward sie über der Feste geschaffen. Ein gähnender Abgrund, Finsternis, die Unterwelt. Die Gestirne umkreisen sie, dort herrscht grimme, unerträgliche Kälte, lodert nie verlöschendes Feuer. Gewürm und brennender Schwefel! Siedendes Pech. Das Reich des Antichrist! Dorthin willst du?"

Er ging daran, die Kerzen anzuzünden, riß sie in Bündeln aus dem Lichterkasten, hastete hin und her, stellte sie, wie es gerade kam, vor den Ikonen auf. Gelbliches Licht erfüllte strahlend das Bethaus.

„Brüder! Wir stoßen ab. Segeln ins Himmelreich. Die Kinder, die Kinder, bringt sie näher hierher, sie werden es hier besser haben, der Rauch wird sie einschläfern. Brüder, Schwestern, seid frohen Mutes. Schenke uns ewige Ruhe und Seligkeit", stimmte er an, mit den Ellbogen den Mantel bauschend.

Die Männer taten es ihm nach; den Bart emporgereckt, sangen sie mit und krochen auf den Knien näher ans Betpult heran. Kriechend folgten ihnen die Frauen, die Köpfe der Kinder unter ihren Tüchern verbergend.

Die Wände des Bethauses erbebten: Ein gewaltiger Schlag krachte an die mit Brettern vernagelte und von innen mit einem Pfahl gestützte Tür. Der Alte kletterte auf eine Bank und preßte das Gesicht an das Schiebfenster über der Tür.

„Kommt nicht näher ... Lebendig kriegt ihr uns nicht ..."

„Bist du der Einsiedler Nektari?" fragte Alexej Browkin. Das Tor hatten sie eingeschlagen, nun versuchten sie, die Tür des Bethauses aufzubrechen. Aus dem schmalen Fenster sah ihn ein weißes Greisengesicht an. Alexej schrie wütend: „Ihr seid wohl ganz und gar toll geworden?"

Mühsam kam eine Greisenhand zum Vorschein und bekreuzte mit zwei Fingern den Offizier des Zaren. Hundertstimmig erklang es hinter der Wand: „Es stehe Gott auf, daß seine Feinde zerstreuet werden."

Alexej wurde noch zorniger. „Fuchtle mir nicht mit deinen Fingern vor der Nase herum, ich bin kein Teufel und du bist kein Priester. Kommt alle raus, sonst verjage ich euch von Haus und Hof."

„Wer seid ihr denn überhaupt?" fragte mit sonderbarem Ausdruck und spöttisch der Alte. „Was führt euch in diese Waldwildnis?"

„Wer wir sind? Wir sind Leute, die einen Befehl des Zaren mit sich führen. Verweigert ihr den Gehorsam, so werden wir euch alle binden und nach Powenez schaffen."

Der Kopf des Alten verschwand, ohne zu antworten. Was sollte man anfangen? Jakim flüsterte voll Verzweiflung: „Alexej Iwanowitsch, bei Gott, sie werden sich verbrennen..."

Wieder stimmte man drinnen „Schenke uns ewige Ruhe und Seligkeit" an. Alexej trat vor der Tür von einem Fuß auf den andern, er schnob vor Ärger. An Abziehen war nicht zu denken. In allen Einsiedeleien würden sie es ausposaunen, daß der Offizier davongejagt worden wäre. Er streifte die Fausthandschuhe ab, machte einen hohen Sprung, bekam den Fenstervorsprung zu fassen, schwang sich hinauf und sah: Im warmen Licht der zahllosen Kerzen wandten sich ihm entsetzte bärtige Gesichter zu, abwehrend streckten sich ihm Finger entgegen, und zischend erklang es: „Hebe dich hinweg, hebe dich hinweg, hebe dich hinweg."

Alexej sprang hinunter. „Versuchen wir's noch mal mit der Tür..."

Dröhnend schlugen die Soldaten gegen die Tür. Dann warteten sie. Plötzlich krochen aus der Dachbodenluke drei Mann – Jakim erkannte Stjopka Barmin und Petruschka Koshewnikow. Die zwei hatten Jagdbogen in den Händen, im Gürtel je einen Ersatzpfeil, der dritte war mit einer Flinte bewehrt. Sie kletterten auf das Dach hinaus und starrten die Soldaten an. Der

Mann mit der Flinte rief barsch: „Macht, daß ihr wegkommt, sonst schießen wir. Unser sind viele."

Ob solcher Frechheit blieb Alexej Browkin das Wort in der Kehle stecken. Wären es Vorstadtkrämer, so hätte er nicht viel Federlesens mit ihnen gemacht. Aber hier hatte er richtige Bauern vor sich, er kannte ihren Starrsinn. Der dort mit der Flinte glich aufs Haar seinem seligen Paten mit den dicken Beinen, dem tief unter den Hüften sitzenden Gürtel, dem verfilzten Bart und den kleinen Bärenaugen. Es ging doch nicht an, auf so einen, den man schon von klein auf gekannt hatte, zu schießen. Alexej drohte ihm nur mit dem Finger.

Jakim mengte sich ein. „Wie heißt du?"

„Ossip heiße ich", antwortete unwirsch der Bauer mit der Flinte.

„Ja, siehst du denn nicht, Ossip, daß der Herr Offizier selber anderer Leute Befehl zu gehorchen hat. Gib ihm doch ein gutes Wort, ihr könntet euch vielleicht verständigen."

„Was will er denn?" fragte Ossip.

„Stellt ihm zehn, fünfzehn Mann fürs Heer und gestattet unseren Soldaten, sich ein wenig zu wärmen. In der Nacht ziehen wir dann weiter."

Petruschka und Stepan hockten lauschend am Rand des Daches nieder. Ossip überlegte lange. „Nein, das tun wir nicht."

„Warum denn nicht?"

„Ihr werdet uns in unsere alten Dörfer, in die Sklaverei zurückschicken. Lebend bekommt ihr uns nicht. Wir wollen für unseren alten Glauben, für das Bekreuzigen mit zwei Fingern sterben. Mehr habe ich nicht zu sagen."

Er hob die Flinte, blies auf die Zündpfanne, schüttete aus dem Pulverhorn Pulver darauf und blieb stämmig über der Tür stehen. Was sollte man beginnen? Jakim riet, die Sache überhaupt aufzugeben: Nektaris Starrsinn war ja doch nicht zu brechen.

„Er hat einen steifen Nacken, aber ich auch", antwortete Alexej. „Ohne Rekruten ziehe ich nicht ab. Wir werden sie eben aushungern."

Zwei Soldaten wurden nach den Pferden geschickt, sie auszuspannen und zu füttern, vier in die Klause, um sich zu wärmen. Die anderen mußten aufpassen, daß ins Bethaus weder Wasser noch Essen kamen. Der Tag ging zu Ende. Der Frost wurde immer stärker. Die Altgläubigen sangen eintönig ihre Sterbelieder. Petruschka und Stepan saßen lange, miteinander flüsternd, auf dem Dach; sie sahen ein, die Sache würde sich in die Länge ziehen.

„Wir müssen unsere Notdurft verrichten", baten sie, „auf dem Dach wär's eine Sünde, erlaubt uns hinunterzuspringen."

Alexej sagte: „Springt zu, wir tun euch nichts."

Ossip schüttelte plötzlich ganz erschrecklich seinen Bart. Petruschka und Stepan zögerten eine Weile, gingen dann dennoch um den Turm herum und sprangen aufs Stroh hinab.

Auch der alte Nektari sah wohl ein, daß es jetzt Ernst würde. Zweimal näherte er sein Gesicht dem Schiebfensterchen und spähte mit zugekniffenen Augen in die Dämmerung hinaus. Alexej versuchte, ein Gespräch mit ihm anzuknüpfen, doch der Alte spie nur aus. Und wieder erklang aus dem Bethaus seine heisere Stimme, den Gesang, die Gebete und das Weinen der Kinder übertönend. Etwas Unheimliches schien dort vor sich zu gehen.

Als die Abendröte schon völlig verblaßt war, kletterten etwa zehn Männer, alle barhaupt, aus der Dachbodenluke. Wie toll fuchtelten sie mit den Armen und schrien: „Zurück, zurück!"

Sie fingen an, sich hastig auszukleiden, zogen ihre Halbpelze, Filzstiefel, Hemden und Hosen aus.

„Nehmt sie nur!" Sie ergriffen ihre Kleider und warfen sie den Soldaten hinunter. „Nehmt sie nur, ihr Peiniger! Werft das Los darum, nackt sind wir zur Welt gekommen, nackt wollen wir von dannen gehen..."

Nackt, mit blau angelaufenen Gliedern warfen sie sich, mit dem Gesicht nach unten, aufs Dach nieder, rieben sich die Wangen mit Schnee, schluchzten, stießen Schreie aus, reckten aufspringend die Arme und krochen dann allesamt, die Bärte voller Schnee, durch die Dachbodenluke zurück. Ossip allein war zurückgeblieben. Er ließ keinen an die Tür heran und legte auf die Soldaten an. Beim Anblick der nackten Männer war Alexej nicht wenig erschrocken. Jakim schrie jammernd zur Luke hinauf: „Erbarmt euch doch wenigstens der Kinder, Brüder! Erbarmt euch der Weiber!"

Im Bethaus erhob sich Geschrei, nicht allzu laut, dennoch hätte man sich am liebsten die Ohren verstopft. Die Soldaten traten jetzt näher heran, alle blickten ernst drein.

„Herr Leutnant, das nimmt kein gutes Ende, mag der Ossip auch auf uns schießen, wir werden die Tür einschlagen."

„Schlagt sie ein!" rief Alexej und biß die Zähne zusammen.

Die Soldaten legten sofort die Gewehre hin und griffen wieder nach dem Balken. Der Turm mit dem in der Dämmerung kaum unterscheidbaren Kreuz wankte plötzlich. Die Erde erbebte unter den Füßen, eine Explosion krachte, und eine Luftwelle schlug allen gegen die Brust. Aus den Ritzen unter dem Dach stieg Rauch auf, quoll immer dichter, färbte sich rot. Flammen züngelten zwischen den Brettern empor.

Als die Tür unter den Schlägen nachgab, stürzte ein am ganzen Leibe brennender Mensch heraus, fiel mit versengtem Kopf, wie ein Wurm sich windend, in den Schnee. Im Bethaus lohten wirbelnd rauchige Flammen, vom Feuer erfaßte Menschen sprangen und wälzten sich hin und her. Das Feuer schlug schon unter dem Fußboden hervor. Rauch stieg rings aus den Strohhaufen auf.

Vor der unerträglichen Glut wichen die Soldaten zurück. Es war unmöglich, jemanden zu retten. Sie nahmen die Dreispitze ab und bekreuzigten sich. Gar manchem rannen die Tränen über die Wangen. Alexej hatte sich, um nichts sehen und das tierische Geheul nicht hören zu müssen, hinter das zerbrochene Tor zurückgezogen. Die Knie schlotterten ihm, er verspürte Übelkeit. Er lehnte sich an einen Baum, setzte sich. Nahm den Dreispitz ab, kühlte den Kopf, schluckte Schnee. Grell beleuchtete der Feuerschein den verschneiten Wald. Nirgends entging man dem Geruch brennenden Fleisches.

Plötzlich sah er: Nicht weit von ihm stapften, in dem von den Flammen geröteten Schnee versinkend, drei Männer. Einer war zurückgeblieben und beobachtete nun händeringend, wie aus den Rauchwolken über der Einsiedelei eine Feuerzunge, weit höher als der Wald, emporschoß und die Funken in Wirbeln gen Himmel stoben. Der zweite, der sich wie toll gebärdete, hielt einen kleinen, langbärtigen Greis in einem über die Kutte gezogenen Halbpelz an der Hand und zerrte ihn vorwärts.

„Geflohen ist er, geflohen, der Hund!" schrie der sich toll gebärdende Mann, den Alten zum Offizier zerrend. „In Stücke sollte man ihn reißen! Durch einen unterirdischen Gang hat er sich aus dem Feuer gerettet. Mich und Andrjuschka hat er verbrennen wollen, der verfluchte Satan..."

8

Ein Erlaß des Zaren verfügte: „Nach Exemplum aller Christenvölker sollen fürder die Jahre nicht von der Erschaffung der Welt, sondern vom achten Tage nach Christi Geburt an gezählet werden und das neue Jahr nicht mit dem ersten September, sondern mit dem ersten Jänner A.D. 1700 beginnen. Zu Ehren solch löblichen Beginnens und des neuen Saeculi haben alle in Lust und Freuden einander zum neuen Jahre Glück zu wünschen. In den fürnehmen und in den Verkehrsstraßen sind die Tore und Häuser mit Laub und Kiefer-, Tannen- und Wacholderzweigen zu schmücken, nach Mustern, so in den Handelsreihen an der unteren Apotheke zu sehen sind. Arme Leute haben zumindest ein Bäumchen oder Zweige ob dem Tore anzubringen. In den Höfen der Beamten, Offiziere und Kaufherren sollen aus kleinen Kanonen oder Flinten Salven abgegeben, Schwärmer, soviel ein jeder davon im Vorrat hat, abgebrannt und Freudenfeuer angezündet werden. Dort aber, wo nur kleine Höfe sind, haben sich fünf oder sechs Höfe zusammenzutun und alte Pechfässer, so vorher mit Stroh oder Reisig gefüllet, in Brand zu stecken. Vor der Ältestenkammer der Kaufmannschaft soll nach ihrem Ermessen desgleichen Salut geschossen und der Platz illuminieret werden..."

Ein solches Glockengeläut hatte man in Moskau schon lange nicht gehört. Man erzählte sich, der Patriarch Adrian habe, da er dem Zaren in nichts zu widersprechen wagte, den Glöcknern fürs Läuten eintausend Rubel und fünfzig Faß Doppelbier aus seiner eigenen Brauerei bewilligt. Wie zum Tanz bimmelten die Glocken auf allen Kirchtürmen. Moskau war eingehüllt in Rauch und den von Pferden und Menschen aufsteigenden Brodem. Der gefrorene Schnee knirschte unter den Schlittenkufen. Die Bäume bogen sich unter der Last des Reifs. Die Tag und Nacht geöffneten Schenken standen voller Dunst. Rot und fremd stieg aus den Rauchschwaden die Sonne empor und spiegelte sich in den breiten Streitäxten der Wächter, die sich an Holzfeuern wärmten.

In das Glockengeläut mischten sich in ganz Moskau die tiefen Baßstimmen der Kanonen und das Knattern der Flinten. In toller Fahrt jagten Dutzende Schlitten voll Betrunkener und Vermummter vorüber, die das Gesicht mit Ruß geschwärzt und den Pelz mit dem Fell nach außen angezogen hatten. Sie streckten die Beine in die Höhe, schwenkten Branntweinflaschen, brüllten, tobten und kollerten an den Biegungen in wirrem Hauf aus dem Schlitten, dem gemeinen Volk vor die Füße, das von all dem Glockengeläut und dem Rauch völlig benommen war.

Die ganze Woche bis zum Epiphanienfest lebte Moskau in Saus und Braus. Brände brachen aus. Ein Glück nur, daß kein Wind aufsprang. Zahlreiche Räuber waren aus den Wäldern der Umgegend in die Stadt geeilt. Kaum stieg irgendwo hinter den Schneedächern eine Rauchwolke auf, kam in Schlitten verdächtiges Volk angejagt, getrocknete Schafschnauzen vor dem Gesicht, Gauklerkappen auf dem Kopf, sie brachen das Tor auf, stürzten in das brennende Haus, plünderten es und schlugen alles kurz und klein. Manche wurden festgenommen, manche erwürgte das Volk. Man munkelte, es sei Jesmen Sokol in eigener Person, der Moskau unsicher mache.

Der Zar mit seinen Kammerbojaren, dem Fürst-Papst, dem alten Bruder Liederlich Nikita Sotow, und den Erzbischöfen seines Narrenkonzils in vollem Bischofsornat, an dem Katzenschwänze befestigt waren, stattete den vornehmen Familien Besuche ab und fuhr von Haus zu Haus. Betrunken und satt bis obenhinauf, fielen sie dennoch wie die Heuschrecken über die Speisen her, aßen nicht soviel, wie sie durcheinanderwarfen, grölten dazu Kirchenlieder und schlugen unter dem Tisch das

Wasser ab. Sie gossen dem Hausherrn Wein in die Gurgel, bis ihm die Augen aus dem Kopf quollen, und weg waren sie. Um am nächsten Tag nicht wieder aus verschiedenen Orten zusammenkommen zu müssen, übernachteten sie, nebeneinander in irgendeinem Hause auf dem Boden liegend, wo sie gerade der Schlaf übermannte. Jubelnd fuhren sie durch ganz Moskau von einem Ende ans andere, um allen zum neuen Jahre und zum Anbruch des neuen Jahrhunderts Glück zu wünschen.

Die stille und gottesfürchtige Vorstadtbevölkerung verbrachte Tage in Furcht und Bangen, scheute sich, auch nur den Kopf zum Tor hinauszustecken. Unbegreiflich dünkte es sie. Wozu all dieser Trubel? War es vielleicht der Teufel, der es dem Zaren eingeflüstert hatte, das Volk aus seiner Ruhe aufzuscheuchen, die alten Bräuche mit Füßen zu treten – den Pfeiler, auf dem alles ruhte? Mochte man auch von der Hand in den Mund leben, aber man lebte ehrlich, war sparsam, man wußte, was sich ziemt und was sich nicht ziemt. Alles hatte er für schlecht befunden, nichts war nach seinem Sinn.

Die Gläubigen, die das Kreuz mit den drei Querbalken und das mit drei zusammengelegten Fingern geschlagene Kreuzeszeichen verwarfen, versammelten sich in Kellern, um dort bis tief in die Nacht hinein zu beten. Wieder ging das Gerücht um, man habe nur noch bis Fastnacht zu leben: In der Nacht vom Sonnabend zum Sonntag würde die Posaune des Jüngsten Gerichts erschallen. In der Bronnaja-Vorstadt tauchte ein Mann auf, der in einem Badehaus Volk um sich sammelte. Er drehte sich wirbelnd im Kreise, schlug sich mit den Händen ins Gesicht, schrie in singendem Ton, er sei der Herr Zebaoth leibhaftig mit Händen und Füßen, fiel, Schaum vor dem Munde, zu Boden. Ein anderer Mann – zottig, nackt, grausig anzusehen, in der Hand drei Schüreisen – zeigte sich dem Volke, weissagte in dunklen Worten und drohte mit Unheil.

An den Toren der Kitai-Stadt und der Weißen Stadt wurde ein zweiter Erlaß des Zaren angeschlagen: „Die Bojaren, der Hofstaat und die Dienstmannen, die Beamten und die Kaufleute sollen hinfüro und unabänderlich ungarische Tracht tragen, im Frühjahr jedoch, sobald die Fröste nachlassen, sächsische Röcke anlegen."

An Haken wurden diese Röcke und Hüte ausgehängt. Die Soldaten, die sie bewachten, erzählten, bald würde man allen Kaufmanns- und Strelitzenfrauen, allen Weibern aus der Vorstadt und den Eheliebsten der Popen und Diakonen befehlen, das Haar unbedeckt zu tragen, kurze deutsche Röcke anzuziehen und unter dem Kleid an den Hüften Walfischrippen anzubringen. Vor den Toren drängten sich die Menschen, von Unruhe und dunkler Furcht erfaßt. Man flüsterte sich zu, der Unbekannte mit den drei Schüreisen hätte einen solchen Rock, wie er am Haken hing, mit Kot beworfen und dabei geschrien: „Bald wird man uns verbieten, russisch zu sprechen, wartet's nur ab! Bald kommen römische und lutherische Pfaffen, um das ganze Volk umzutaufen. Die Leute aus der Vorstadt werden auf Lebenszeit zu Hörigen der Deutschen gemacht. Moskau wird einen neuen Namen erhalten – Satansstadt. In alten Schriften steht geschrieben: Zar Peter ist ein Jude aus dem Stamme Dan."

Wie sollte man solchen Worten nicht Glauben schenken, zumal am Vorabend des Epiphanienfestes die Leute des Kaufmanns Rewjakin, von Laden zu Laden rennend, von einem gewaltigen und grausigen Opfer erzählten, das dargebracht worden war, um die Welt vom Antichrist zu erlösen: In der Nähe des Wyg-Sees hätten sich einige hundert Altgläubige bei lebendigem Leibe verbrannt. Über den Flammen hätte sich der Himmel aufgetan, und die gläserne Feste sei sichtbar geworden und der Thron, der auf vier Tieren ruhte, und auf dem Thron saß der Herr, zu seiner Rechten und zu seiner Linken aber vierundzwanzig Älteste, und Cherubim umgaben ihn – „mit zwei Flügeln flogen sie, mit zweien bedeckten sie ihre Augen, mit zweien die Füße". Eine Taube sei vom Throne herabgeflogen, da seien die Flammen erloschen, und der Brandgeruch sei süßem Wohlgeruch gewichen.

In der Postverwaltung hatte ein Mann von gewöhnlichem Wuchs und Aussehen im Fortgehen einen Brief auf den Boden geworfen. Man rief dem Manne nach: „He, was hast du da fallen lassen?" Erschrocken machte er sich aus dem Staube und verschwand. Auf dem versiegelten Brief aber stand: „Dem Großmächtigen Zaren zu überreichen, ohne das Siegel zu verletzen." Mit Müh und Not fuhr Rat Pawel Wassiljewitsch Suslow mit zitternden Händen in die Ärmel seines Pelzes. Dann jagte er, dem Kutscher drohend, er würde ihm das Fell abziehen, nach Preobrashenskoje.

In der Vorhalle des Palastes musterte der Offizier vom Dienst verächtlichen Blicks den Rat von der Glatze bis zu den pelzgefütterten Saffianstiefeln. „Zum Zaren wird niemand vorgelassen." Pawel Wassiljewitsch, der sich vor Aufregung ganz elend fühlte, ließ sich auf eine Bank nieder. Viele Leute drängten sich hier: hochmütige Offiziere, die Russen alle von hohem Wuchs, breitschultrig, kräftig wie Stiere; die Ausländer etwas kleiner, aber mit freundlicheren Gesichtern – die Armen, viele von ihnen waren in der letzten Zeit wegen Dummheit und Sauferei aus dem Dienst gejagt worden; geriebene Bittsteller, Handwerker und Krämer aus Wladimir, Jaroslawl und Orjol; neben ihm saßen zwei hochgeborene Bojaren, einer mit verbundenem Kopf, der andere mit einem blauschwarzen Fleck unter dem Auge; die waren nach einer Rauferei hierhergekommen, um gegeneinander Klage zu führen. Die Hände auf dem Rücken, in kurzem braunem Röckchen, eine Hanfzwirnperücke auf dem Kopf, schritt, ohne jemanden anzusehen, ein Ausländer mit gutmütigem Hungerleidergesicht und einer Brille auf der Nase in der Halle auf und ab: ein Mathematiker und Chemiker, der berühmte Erfinder des Perpetuum mobile – des sich andauernd drehenden Wasserrads – und des ehernen Menschen, eines Automaten, der Schach spielte und auf natürliche Weise Wein oder Bier wieder von sich gab. Der Mathematiker bot dem Zaren über hundert Patente an, die den russischen Staat reich machen würden.

In die Vorhalle torkelte aus dem Hof Nikita Sotow, voll wie eine Kanone, ihm folgte ein unglaublich dicker Mann. „Hab keine Angst, er liebt Mißgeburten, du bekommst von ihm einen schönen Batzen Geld." Der Fürst-Papst zerrte den Dicken in die Gemächer des Zaren. Pawel Wassiljewitsch trat, von Diensteifer übermannt, an den Offizier heran und rief, ihm in die Augen blickend, mit versagender Stimme: „Wort und Tat!" Sofort wurde es in der Vorhalle totenstill. Der Offizier nahm eine straffe Haltung an und zog, unruhig atmend, den Degen. „Komm!"

Der Brief, den Pawel Wassiljewitsch dem Zaren in die Hand drückte – Peter hatte Kopfweh, mißmutig und ungeduldig empfing er den Rat – und der unverzüglich geöffnet wurde, war von Aljoschka Kurbatow unterschrieben, einem Mann aus dem Hausgesinde des Fürsten Pjotr Petrowitsch Scheremetjew. Peter überflog ihn und faßte sich mit den Fingernägeln ans Kinn. „Hm!" Er überlas den Brief zum zweitenmal, warf den Kopf in den Nacken: „Ha!" und eilte, Suslow vergessend, in den Speisesaal, wo die Würdenträger in Erwartung des Essens gähnend umherstanden.

„Meine Herren Minister!" Selbst die Augen Peters blickten jetzt heller. „Ich lasse es doch wahrlich an Speise und Trank für euch nicht fehlen, aber habe ich etwa viel Gewinn davon? Da!" Er schwenkte den Brief. „Ein gemeiner Mann, ein Leibeigener, der hat's gefunden! Das wird unseren Staatsschatz bereichern. Fjodor Jurjewitsch..." Er wandte den Kopf nach dem vor sich hin dösenden Fürsten Romodanowski. „Befiehl, Kurbatow ausfindig zu machen und ihn unverzüglich herzubringen. Ohne ihn gehen wir nicht zu Tisch. Jaja, meine Herren Minister, Stempelpapier muß man verkaufen: für alle Kaufbriefe, für Bittgesuche, Papier mit dem Staatswappen, von einer Kopeke bis zu zehn Rubeln. Verstanden? Zum Kriegführen wäre kein Geld da? Hier, da haben wir es – das Geld!"

Drittes Kapitel

I

Noch graute der Tag nicht, aber schon wurden im ganzen Hause Türen aufgerissen und zugeschlagen, die Stiegen knarrten: Mägde schleppten Kisten, Bündel und Reisekoffer in den Hof. Fürst Roman Borissowitsch frühstückte an dem in Eile gedeckten Tisch beim Schein einer Talgkerze. Seine Kohlsuppe löffelnd, wandte er mißmutig den Kopf.

„Awdotja ... Antonida ... Olga ... Ach, du meine Güte!"

Den Wanst vorstreckend, langte er nach der Schnapsflasche. Auch der Haushofmeister war verschwunden. Nanu, da polterte doch jemand kopfüber die Stufen hinab.

„Ruhe, ihr Satanskerle! Ach, du meine Güte!"

Ins Zimmer stürzte wie von Sinnen Antonida, das Haar zerzaust, den alten Pelz ihrer Mutter um die Schultern.

„Antonida, setz dich, iß etwas."

„Sofort, ach, Väterchen..."

Sie griff nach einem Wolltuch und stürzte hinaus. Roman Borissowitsch sah sich auf dem Tisch prüfend um, was er sich noch zu Gemüte führen könnte. Oben, über seinem Kopf, im Frauengemach, schleppte man etwas Schweres, ließ es fallen, Staub und Schmutz rieselte von der Bretterdecke herab. Was war denn los? Wurde etwa das Haus abgebrochen? Kopfschüttelnd legte er sich ein Stück Stör auf den Teller. Ins Zimmer flog die Fürstin Awdotja – im Pelz, in warme Tücher gehüllt –, plumpste auf einen venezianischen Stuhl an der Wand. Vor Schreck war sie ganz hohlwangig geworden; nur zweimal im Leben hatte sie Moskau verlassen: zu Wallfahrten nach dem Troiza-Kloster und nach Neu-Jerusalem.

Und nun auf einmal so eine Reise, und dazu noch in solcher Hast!

„Was hast du dich denn vor der Zeit schon in Tücher gewickelt? Wickel dich wieder aus und iß. Unterwegs kommt man doch nicht richtig zum Essen, es ist ein Jammer."

„Roman Borissowitsch, geht's denn weit?"

„Nach Woronesh, Mutter."

„Ach, du lieber Gott!"

Sie schluchzte trocken auf. Von oben erklang die schrille Stimme Olgas: „Mamachen, wo haben Sie denn die Perücken hingetan?" Leicht wie ein Blatt flog Awdotja vom Stuhl auf und flatterte zur Tür hinaus.

Eines nur tröstete Roman Borissowitsch: Er wußte, der gleiche heillose Wirrwarr herrschte jetzt in ganz Moskau. Der Fürst-Cäsar, Herr und Schrecken der Hauptstadt, hatte vorgestern den Ukas des Zaren verkündet: Die gesamte Beamtenschaft mit Weib und Kind, die namhaften Kaufleute und die Honoratioren der Deutschen Siedlung hätten sich nach Woronesh zu begeben, um dem Stapellauf des Schiffs „Prädestination" beizuwohnen, eines so gewaltigen Schiffs, wie man dergleichen selbst im Ausland nur selten zu sehen bekam. Des nahen Tauwetters wegen hätten alle unverzüglich aufzubrechen, solange die Schlittenbahn noch fahrbar sei.

Roman Borissowitsch fing allmählich an, sich, wenn auch mit Mühe, in der Politik ein wenig auszukennen. Im Januar, nach dem Festtrubel, waren aus Konstantinopel vom Außerordentlichen Gesandten Jemeljan Ukrainzew Briefe eingetroffen: Die Türken wären schon so gut wie bereit gewesen, ewigen Frieden zu schließen, sie hätten nur um geringe Zugeständnisse zur Beschwichtigung der erregten Gemüter gebeten, er, Jemeljan Ukrainzew, hätte sie schon so weit gehabt, daß sie sich mit dem Gedanken abgefunden hätten, wir hielten unerschütterlich an dem vom Karlowitzer Kongreß aufgestellten Grundsatz fest: „Was ein jeder besitzet, das soll auch in seinem Besitze verbleiben" – aber plötzlich sei in Konstantinopel etwas geschehen, irgendein Feind habe sich in die Verhandlungen gemischt, und die Türken gehabten sich auf einmal schlimmer denn zuvor: forderten Asow und die Stadt Kasykerman mit den Dneprfestungen zurück, forderten, daß die Moskauer Zaren dem Khan der Krim wie bisher Tribut zahlen sollten. Vom Heiligen Grab wollten sie überhaupt nichts hören.

Als Peter diese Nachrichten erhielt, eilte er nach Woronesh. Alexander Danilowitsch fuhr, nachdem er in der Badestube den letzten Rest des Festrausches mit Birkenreisern ausgetrieben, in einer prächtigen Karosse bei den namhaften Kaufherren vor und wandte sich mit herzlichen Worten an sie: „Ihr müßt uns helfen kommen. Versetzen wir im Frühjahr die Türken mit einer gewaltigen Flotte in Furcht, so ist es aus mit dem Frieden. Dann ist all unser Beginnen zum Teufel."

Lew Kirillowitsch seinerseits sprach mit Tränen im Auge zu den Würdenträgern im Kreml: „Können wir solche Schmach dulden! Dem Khan der Krim wie bisher Tribut zahlen, jedes Frühjahr die Tatarenhorden in unsere schönsten Lande einfallen sehen? Können wir fürder dulden, daß die Türken und Katholiken das Heilige Grab schänden? Laßt uns wie zur Zeit Minins und Posharskis unser letztes Hemd für den Bau der großen Woronesher Flotte hingeben."

Die Schiffbaugenossenschaften mußten abermals tief in den Säckel greifen. In Moskau kamen böse Gerüchte auf, der Krieg stehe vor der Tür; fast die ganze Welt, erzählte man sich, griffe zu den Waffen, um aufeinander loszuschlagen. Die Ausländer, die wie Mäuse nach Moskau hinein und wieder heraus huschten, verbreiteten in ganz Europa, Moskau sei nicht mehr wie einst die stille, geweihte Stätte wahren Christentums, sondern wimmle von Soldaten und Kanonen, der junge Zar sei hochfahrend und stolz, und seine Ratgeber seien dreist. Moskau suche Händel.

Neulich im Kreml hatte Roman Borissowitsch in der ersten Aufwallung versprochen, für das im Bau befindliche Schiff „Prädestination" einen ganzen Jahresvorrat an Lebensmitteln zu liefern. Dunkelrot vor Wut, hatte er vor Lew Kirillowitsch geschrien: „Ich selbst werde in den Sattel steigen, werde nicht dulden, daß man dem Zaren Schmach antue." Und selbst dann, als er nachts, eine Kerze in der Hand, in sein Geheimverlies hinabgestiegen war und in der Ecke aus der feuchten Erde einen Topf ausgegraben und in Kopeken anderthalbhundert Rubel – seinen Anteil – für die Genossenschaft abgezählt hatte, selbst da, einsam, im Keller, beim matten Schein der Kerze jede Kopeke zwischen den Fingern drehend, hatte er es nicht zugelassen, daß auch nur ein Gedanke an Widerspruch in ihm aufstiege. Fürst Buinossow war nicht mehr der alte, er war ein anderer geworden.

Den Gedanken an Widerspruch hatte er in sich niedergerungen, tief in seinem Innern begraben und Schloß und Riegel vorgelegt. Solcher Gedanken wegen sitzt jetzt Fürst Lykow, vom Hofe verbannt, auf seiner Klitsche. Der törichte Fürst Stepan Belosselski hatte beim Fürst-Cäsar an der Tafel im Rausch geschrien: „Du willst mir wohl verbieten, daß ich selbst im Schlaf nicht so denke, wie es mir paßt? Die Wangen habe ich mir schaben lassen, französische Hosen trage ich, aber meine Seele – da könnt ihr mich ..." und begleitete seine Worte mit einer unflätigen Gebärde. Der Fürst-Cäsar hatte nur böse gelächelt.

Am nächsten Tage erhielt Fürst Stepan den Befehl, sich als Wojewode nach Pustosersk zu begeben.

Roman Borissowitsch hatte Verstand genug. Wer aber konnte sagen, welchen Verstandes es bedurfte, um allen Einfällen des Zaren Peter gerecht zu werden. Nicht einmal zu nachtschlafender Zeit konnte er die Leute in Ruhe lassen. Jetzt sollte sich ganz Moskau nach Woronesh aufmachen. Wozu? Um in der Enge, bei schlechter Kost in baufälligen Hütten auf Bänken umherzuliegen? Um mit Matrosen Schnaps zu saufen? Und wozu noch die Weiber mitschleppen? Ach, du lieber Gott!

Roman Borissowitsch leerte noch ein Glas, um seine wirren Gedanken zu betäuben. Durchs Fenster schimmerte der grauende Tag. Dohlen ließen sich auf dem kahlen Baum vor dem Fenster nieder. Was der Zar auch anstellen mochte, um unser ruhiges Dasein zu zerschlagen – das grünliche Morgenlicht blieb das gleiche wie zur Zeit der Großväter, die gleichen Wolken leuchteten rosig über den Kuppeln. Ohne den Mund aufzutun, stieß Roman Borissowitsch einen aus tiefster Seele kommenden, brummenden Laut aus. Horch, im Hof ertönte ein

Glöckchen, die Stallknechte spannten mit lauten Rufen die Pferde an.

In zwei geschlossenen Schlitten, dazu noch drei Schlitten mit Hausrat und Lebensmitteln, ging es im Zug zum Tore hinaus. Wehmütig sangen die Glöckchen vom endlosen Weg. Die Straße nach Kolomna war trotz des festgefahrenen Schnees holprig. In Abständen von einer Meile standen rote Pfähle, dazwischen vor kurzem gepflanzte Birken. Antonida und Olga zählten die Pfähle und Birken. Es gab ja nichts anderes, um sich unterwegs die Zeit zu vertreiben – die vereiste Schneedecke leuchtete in der Märzsonne, bräunlich schimmerten in der Ferne die Wälder. Sie zählten die Krähen auf den Bäumen am Straßenrand und versuchten daraus zu erraten, welche amourösen Begegnungen ihnen die Zukunft verhieße. Im anderen Schlitten schnarchte Roman Borissowitsch, mit seiner Schulter auf der Fürstin Awdotja lastend, und verzog schmatzend die Lippen, wenn der Schlitten auf der holprigen Straße ins Schleudern geriet. Ungestört fuhren sie ihres Weges.

Im Dorf Uljanino, fünfzig Werst von Moskau, sollten die Pferde gefüttert werden. Noch hatten sich aus der Talmulde die Strohdächer nicht gezeigt, als am Buinossowschen Schlittenzug eine hohe Lederkutsche auf Kufen vorbeijagte, sechsspännig mit zwei Vorreitern. Durch das Glasfenster blickte gleichmütig auf die vor Neugier sich hin und her drehenden Mädchen eine schmachtende Schöne, in schwarze Zobelfelle gehüllt.

„Die Mons, die Mons!" Antonida fuhr hoch und reckte den Hals aus dem mütterlichen Pelz. „Olga, sieh nur, sie hat einen Kavalier bei sich..." Im Innern des vorüberfliegenden Wagens tauchten für einen Augenblick tatsächlich ein glattrasiertes Gesicht und eine Goldtresse am Hut auf.

„Königseck! Ich will auf der Stelle blind werden."

Antonida schlug die in Fausthandschuhen steckenden Hände über dem Kopf zusammen. „Ist es die Möglichkeit? Ach, die Schamlose!"

„Das merkst du erst jetzt? Eine Stute ist sie, eine Deutsche. Ganz Moskau redet von Königseck, der Zar allein ist blind."

„Am Schandpfahl sollte man sie durchpeitschen."

„Damit wird's auch enden."

Im Dorf standen fast in jedem Hof Schlittenzüge. Durch die offenen Tore sah man die gedeckten Schlitten der Bojaren. Die Dorfweiber liefen zwischen den Misthaufen umher, um die Hühner zu fangen. Roman Borissowitsch fiel zornig über Awdotja her.

„Das kommt von euren blöden Vorbereitungen, vor Sonnenaufgang hätten wir aufbrechen sollen! Wo werden wir jetzt einen freien Hof finden?"

Er befahl, nach der kaiserlichen Herberge zu fahren. Solche Herbergen, mit vier Fenstern und einer fünf Stufen hohen Freitreppe, waren in diesem Jahr in Abständen von einer halben Tagesreise auf der gesamten Strecke bis Woronesh errichtet worden. Die Kommandanten hatten dafür zu sorgen, daß Speise und Trank in genügender Menge vorhanden war, und bei strenger Strafe die Herberge von Schaben reinzuhalten – sintemal der Zar vor solchen Hausbewohnern große Scheu hatte.

Den Degen an der Hüfte und die Perücke auf dem Kopf, sprang der Kommandant auf die Freitreppe hinaus und winkte den Vorfahrenden mit beiden Händen ab. „Alles besetzt, alles besetzt, unmöglich." Roman Borissowitsch schob ihn hochmütig beiseite und trat in den Vorraum, ihm folgten die Fürstin und die Mädchen. Der Kommandant zischte verzweifelt hinter ihm her. In der Tat, in beiden Stuben, rechts und links vom Vorraum, war es gedrängt voll. Pelze, Filzstiefel, Hüte und Degen lagen berghoch auf dem Fußboden, Mägde hasteten hin und her, es roch nach Kohlsuppe.

„Vater, hier ist der Hof abgestiegen", flüsterte Olga. Er sah selber ein, daß man sich am besten unbemerkt zurückzog.

Plötzlich rief es aus der Stube rechts, wo Kavaliere in Perücken lachten, eine deutsche Stimme auf russisch: „Brinzessin Olga, Brinzessin Antonina, pitte schön an unsern Disch."

Die Perücken machten Platz. Am gedeckten Tisch saß Anna Mons in rotem Kleid und Reisehäubchen, in der Hand einen schlanken Kelch mit Wein, sie wandte den Kopf und bat sie lächelnd einzutreten. Die Kavaliere, der sächsische Gesandte Königseck, Karl Kniperkron, Neffe des schwedischen Residenten in Moskau Kniperkron, und noch ein den Mädchen unbekannter Franzose sprangen herbei, um den Prinzessinnen aus den Pelzen zu helfen. „Ach nein, wir machen es schon selber!" Die Mädchen warfen hastig Mutters alte Pelze ab und verbargen sie in einem Berg fremder Sachen. Wart nur, Mamachen, diese Blamage vergessen wir dir nicht! Sie hakten sich bei den Kavalieren ein, traten ins Zimmer und erstarben in einem tiefen Knicks.

Mit dem Rücken zum Fenster, das feucht angelaufen war, saß auf der Bank ein Knabe mit dunklem Haar, großen Augen und halbgeöffnetem Mund. Den schwachen Kopf zur Schulter geneigt, starrte er müde auf die großen, satten, rotwangigen Menschen, deren lautes Sprechen und Lachen ihn zu betäuben schien. Er trug den grellgrünen Waffenrock des Preobrashenski-Regiments und einen kleinen Degen am Bandelier, seine Füße in weißen Filzstiefelchen reichten nicht bis zum Boden.

Roman Borissowitsch näherte sich ehrfurchtsvoll, schon an der Schwelle aufschluchzend, dem zehnjährigen Knaben, fiel, mit der Stirn die Bohlen berührend, vor ihm nieder und bat schnaufend den erlauchten Thronerben, den Zarewitsch Alexej Petrowitsch, um die Erlaubnis, ihm die Hand zu küssen.

„Gib doch, Aljoschenka, gib ihm dein Händchen", sagte fröhlich in singendem Tonfall die rotwangige Zarewna Natalja Alexejewna. Seit der Verbannung der Zarin Jewdokija nach Susdal vertrat seine Tante Natalja an ihm Mutterstelle.

Aljoschenka sah sie langsam an und streckte gehorsam dem Fürsten Roman seine von den Ärmelspitzen halbbedeckten Fingerchen hin. Der saugte sich mit seinen dicken Lippen an ihnen fest. Der Zarewitsch versuchte, seine Hand frei zu machen – Olga und Antonida spreizten, wie es die Etikette heischte, ihre Röcke vor ihm, die baumlangen Kavaliere schüttelten ihre Perücken und stampften, sich der Reverenz der Familie Buinossow anschließend, mit den Füßen; die dunklen Augen des Knaben füllten sich mit Tränen.

„Komm, komm zu mir, Aljoschenka. Ach, wie sie dir zusetzen." Natalja, ein vollbusiges, blondlockiges Mädchen, mit einem Gesicht, so rund wie das ihres Bruders, und einem schelmischen Grübchen im Kinn, zog den Knaben an sich und bedeckte ihn mit dem Zipfel ihres Wolltuchs.

„Tut nichts, wollen's abwarten, ist er erst groß, dann wird er selber den Leuten Furcht einjagen. Nicht wahr, Aljoschenka?" Die Zarewna küßte ihn auf die Schläfe, nahm einen glasierten Honigkuchen vom Teller, biß ihn mit ihren schönen Zähnen an und streckte ihn dann dem Zarewitsch hin. „Aber was steht ihr denn, Prinzessinnen, setzt euch, langt zu. Und du, Fürst Roman, unterhalte dich ein wenig mit den Kavalieren, nach uns wird man euch servieren..."

Am Tisch saß außer Natalja und Anna Iwanowna noch ein Mädchen, lang wie eine Hopfenstange, mit einem klugen gelblichen Gesicht und Brauen und Wimpern von gleicher Farbe. Ihr flachsblondes Haar trug sie in einem festen Knoten hoch aufgesteckt. Sie hatte schon gegessen, hatte ihren Teller und das halbvolle Glas zurückgeschoben und war jetzt lächelnd mit einer Häkelarbeit aus bunter Wolle emsig beschäftigt. Es war eine gute Freundin des Zaren Peter, Amalia Kniperkron, die Tochter des schwedischen Residenten.

„Alexej Petrowitsch, kommen Sie bitte näher mit Ihre liebe Gesichtchen", sagte sie zärtlich auf russisch und hielt ihre Handarbeit an den Hals des Knaben. „Oh... Sie werden tragen diese Halstuch..."

Ohne zu lächeln, rieb der Knabe die Wange an ihrer großen, fast männlichen Hand.

Anna Mons, die steif und höflich dasaß, zog süßlich die Mundwinkel in die Höhe und bemerkte ebenfalls auf russisch: „Der Zarewitsch ist müde von der langen Schlittenfahrt. Wir alle sind davon überzeugt, daß der Zarewitsch ein tapferer Soldat ist. Wie stolz trägt er seinen Degen..."

Der Knabe warf unter dem Ellbogen der Tante, unter dem Wolltuch hervor, einen bösen Blick auf die Deutsche mit dem weißen Gesicht. Die hinter den Stuhllehnen stehenden Kavaliere versicherten einstimmig, den Zarewitsch kennzeichne tatsächlich alles als mutigen Soldaten.

„Ach, du unser Väterchen, unsere Hoffnung du, Herr", schluchzte plötzlich Roman Borissowitsch auf, hockte, den Steiß reckend, nieder und sah dem Knaben ins Gesicht.

„Schwing dich auf ein braves Roß, nimm ein blankes Säbelchen in die Hand und schlage die zahllosen Heerscharen unserer Feinde. Schütze unser rechtgläubiges Rußland, ganz allein steht es ja in der Welt, Väterchen..."

Er wollte den Knaben aufs Köpfchen küssen, wagte es aber nicht, preßte die Lippen auf des Zarewitschs Schultern, richtete sich äußerst zufrieden auf und rieb sich das Kreuz.

Natalja Alexejewna sah ihn beinahe erschrocken an. Anna Mons zuckte die Achseln und meinte mit herablassendem Lächeln: „Wer hat Sie denn so in Harnisch gebracht, Roman Borissowitsch? Soviel ich weiß, haben wir keine Feinde außer den Türken, und auch mit denen wollen wir in Frieden leben. Es ist kein Krieg in Sicht..." Sie schielte diplomatisch zu Amalia Kniperkron hinüber.

„I wo! I wo, Mütterchen Anna Iwanowna. Laß nur die Straßen wieder fahrbar werden, dann ziehen wir alle ins Feld. Nicht umsonst sammeln wir ein Heer, rüsten es mit Lütticher Gewehren aus. Wir treiben doch nicht Kurzweil!"

Amalia Kniperkron ließ ihre Häkelarbeit in den Schoß sinken, riß vor Staunen die Augen auf, kniff die Lippen zusammen, ihr Gesicht wurde immer länger. Die Kavaliere horchten, Blicke wechselnd, wie Buinossow die Kriegsvorbereitungen mit prahlerischen Worten ausmalte. Der sächsische Gesandte Königseck zog eine Tabakdose aus seiner Rocktasche und hielt sie erschrocken Roman Borissowitsch hin. Aber der wandte sich ab: Laß mich mit deinem Tabak in Ruhe, warte!

„Nein und abermals nein, Mütterchen Iwanowna, ganz Moskau spricht davon. Wir rüsten. Das gesamte Volk wird sich für unsere alten livländischen Erblande erheben..."

Bei diesen Worten jedoch trat Königseck dem Fürsten Roman auf den Fuß.

Mit zornrotem Gesicht schrie Zarewna Natalja: „Hör auf mit deinem Geschwätz! Hast wohl von Krieg geträumt, deinen gestrigen Rausch noch nicht ausgeschlafen?"

Die Hand auf Aljoschenkas Schultern, zog sie sich hinter den Vorhang aus bunter Hanfleinwand zurück, wo im Ofen die Holzscheite knisterten. Nach der Zarewna entfernte sich auch Anna Iwanowna mit Olga und Antonida, nach kurzem

Zögern verließ Amalia Kniperkron, auf deren Gesicht noch immer Staunen lag, ebenfalls das Zimmer. Die Kavaliere gingen zu Tisch. Niemand beachtete Roman Borissowitsch, als wäre er überhaupt nicht vorhanden. Er begriff: Er hatte Mißfallen erregt. Aber womit? Nicht einmal einsetzen durfte man sich also für das rechtgläubige Rußland? Hat etwa ein Russe vor Ausländern den Mund zu halten? Mit gerunzelter Stirn starrte er auf den Tisch. Die Speisen wurden aufgetragen. Unten am Tisch war noch ein Platz frei, der letzte. Schande genug, daß er wie ein Tölpel dastand und wartete, bis man ihn zu Tisch bitten würde. Hol euch der Teufel! Fürst Roman drehte sich um und ging in den Vorraum. Dort saß bescheiden auf einem Stuhl neben den Pelzen die Fürstin Awdotja.

„Was sitzt du denn wie eine Magd hier im Vorraum?"
„Man hat mich nicht in die Gemächer gebeten, Väterchen."
„Man hat dich nicht gebeten! Ach, du Gans. Hast deine Herkunft vergessen! Komm, laß uns in die andere Stube gehen."

Nachdem Roman Borissowitsch tüchtig gegessen und getrunken hatte, beruhigte er sich. Vielleicht hatte er vor dem Zarewitsch und der Zarewna wirklich aus der Schule geschwatzt. Der Hof ist empfindlich, besonders, wenn Ausländer zugegen sind. Na, macht nichts, mit einem alten Mann wird man schon Nachsicht haben.

Nach dem Essen kletterte Roman Borissowitsch, satt und schläfrig, in seinen Schlitten, gähnte ein Weilchen, drückte mit dem Steiß den Sitz weich und schlummerte, vom lauen Märzwind umweht, sorglos ein. Hätte er etwas auf dem Gewissen gehabt – aber nein, sein Gewissen war rein, wie sollte er da auf den Gedanken kommen, welche schweren und ungewöhnlichen Folgen dieser, wie man meinen sollte, unbedeutende Vorfall in der Herberge für ihn nach sich ziehen würde!

Bis Woronesh gab's immerhin Ärger genug. Wäre nicht ein eisiger Wind mit einem Schneegestöber gekommen, so hätten sie beim Übersetzen über einen Fluß sicherlich Wasser schlukken müssen. Um Zeit zu sparen, ließen sie ihre Pferde zurück und fuhren mit Postpferden. Je näher sie an den Don kamen, um so mißmutiger und finsterer blickten die Bauern in den

Dörfern drein, zogen die Kappen erst, nachdem man sie angeschrien hatte. Roman Borissowitsch war von dem ewigen Schimpfen in jeder Dorfherberge, wenn er frische Pferde verlangte, ganz heiser geworden. Er ging selber ins Haus, packte den Bauern an der Brust und schüttelte ihn. „Weißt du denn überhaupt, du Schweinehund, wer vor dir steht? Ich lasse dich aufhängen!"

Vor Wut die Zähne zusammenbeißend, pendelte der Bauer mit dem Kopf; wie bei jungen Wölfen funkelten die Augen der Kinder auf dem Ofen. Mit bösem Gesichtsausdruck umklammerte die starkknochige Bäuerin die Ofengabel oder den Schürhaken. „Uns richtet keiner mehr zugrunde, Bojar, wir sind schon zugrunde gerichtet, wir haben keine Pferde, geh mit Gott."

In einem Dorf, das etwa ein Dutzend von Stürmen stark mitgenommener Gehöfte zählte, am steil abfallenden Ufer eines Flüßchens gelegen, mußten die Buinossows einen ganzen Tag rasten: Im Dorf waren nur die Weiber zurückgeblieben, weder Bauern noch Pferde waren zu sehen. Sie übernachteten in einer Hütte ohne Schornstein, wo der Kopf eines Menschen, sobald er sich aufrichtete, im Rauch verschwand. Die Prinzessinnen lagen unter ihren Pelzen auf zusammengerückten Bänken und stöhnten. Der Rauch biß in die Augen. Unwirtlich heulte der Wind.

Roman Borissowitsch erwachte und hörte Stimmen auf der Straße – anscheinend war jemand vorgefahren. Mißmutig ächzend kroch er unter seinem Pelz hervor. Im Hof war alles weiß, durch die vorbeijagenden Wolken blinkten am Himmel die Sterne. Nach verrichteter Notdurft trat Fürst Roman ans Tor. Hinter dem Tor hörte er leise sprechen: „... Im Frühjahr laufen alle Bauern aus Shukowka davon, Iwan Wassiljewitsch..."

„Bis zu diesem Dreck haben wir ja, Gott sei Dank, schlecht und recht gelebt. Da ist dieser Asmus, oder wie er sonst heißen mag, der Antichrist gekommen, und nun ging's los. Schöpfeimer wurden angefertigt, und dann hieß es, Dreck aus dem Sumpf schöpfen, Ziegel formen und sie in der Getreidedarre trocknen. Von früh bis spät in die Nacht fahren unsre Bauern diesen Dreck, alle Darren sind damit vollgepfropft. Die Pferde haben sie zuschanden gefahren. Weder pflügen noch säen kann man ..."

„Der Zar war hier. ‚Das ist zu wenig', sagte er. Befahl, ein Schöpfrad zu bauen, den Dreck vom Grund heraufzuholen. In seiner Gegenwart hat man den Dreck gebrannt, wir haben ihn aus der Darre herangeschafft. Nein, diese Fron halten wir nicht aus. Lieber gehen wir auf und davon ..."

„In den Schluchten verbergen wir uns, Iwan Wassiljewitsch. Nur nachts wagen wir uns nach Hause, um ein Stück Brot zu holen. Ein schönes Leben!"

„Ataman, geht's nun bald los?"

Roman Borissowitsch legte sein Auge an eine Ritze im Tor, ohne zu spüren, wie ihm der Wind unter den über den Kopf geworfenen Pelz fuhr. Er sah – im blassen Licht der Sterne – neben einem Schlitten, dessen Sitz mit einem Teppich belegt war, einige mürrisch dreinblickende Bauern stehen. Im Schlitten saß, die Zügel in der Hand, ein breitschultriger Mann in weitem Überrock, eine Kosakenmütze auf dem Kopf; sein graugesprenkelter Bart sah aus, als wäre er mit Kalk bespritzt. Schau, schau, diesen Kerl hab ich doch schon irgendwo gesehen! dachte erschrocken Roman Borissowitsch.

Einer der Bauern fragte, sich zum Schlitten vorbeugend: „Was gibt's Neues am Don, Ataman?"

Der Mann mit dem graugesprenkelten Bart legte die Zügel zurecht und antwortete gewichtig: „Wartet den Sommer ab ..."

Die Bauern traten näher. „Ist wohl Krieg in Sicht?"

„Geb's Gott, dem wäre so ..."

„Wenn das alles nur recht bald ein Ende nehmen wollte!"

„Wird schon ein Ende nehmen, wird schon", brummte drohend mit tiefer Baßstimme der Graugesprenkelte. „An Leuten wird's uns nicht fehlen." Er wandte sich mit einem jähen Ruck im Schlitten um. „Kinder, bei wem könnte ich denn mein Pferd einstellen?"

„Iwan Wassiljewitsch, ich würde es gern tun. Aber da hat mir der Teufel gestern einen Bojaren mit seinen Weibsbildern ins Haus geführt. Nicht zu sagen, wie die hausen! Das Heu und das Stroh haben sie durcheinandergeworfen, den Hafer, den ich versteckt hatte, aufgestöbert, schütten ihn, man traut seinen Augen nicht, den Pferden eimerweise vor. Und was hab ich davon – nicht eine Kopeke wird er dafür zahlen!"

Der Mann mit dem graugesprenkelten Bart riß den Mund auf.

„Ha", lachte er. „Ha-ha! Nimm das Messer, da vorn im Schlitten liegt es, im Sack. Hol dir deine Kopeke! So steht's, meine lieben Fronbäuerlein..." Er zog die Zügel an. „Na also, bei wem kann ich nun mein Pferd einstellen?"

Einer von den Bauern trat vom Schlitten zurück. „Bei mir, Iwan Wassiljewitsch, bei mir ist Platz genug..."

Erst jetzt spürte Roman Borissowitsch, wie ihm die Kälte durch Mark und Bein drang. Zähneklappernd eilte er in die dunkle Hütte.

„Awdotja." Er schüttelte die vom Rauch halbbetäubte Fürstin. „Wohin hast du meine Pistole gesteckt? Aufstehen, Olga, Antonida! Macht Licht. Wo habt ihr nur meinen Feuerstein, meinen Stahl hingetan? Mischka, Wanka, auf! Anspannen!"

Der neue, aus Balken gezimmerte Zarenpalast erhob sich jenseits des Stromes auf einer Halbinsel zwischen dem alten und dem neuen Flußbett. Peter wohnte dort so gut wie überhaupt nicht; er schlief, wo ihn gerade die Nacht überraschte. Im Palast waren Natalja Alexejewna mit dem Zarewitsch und die Zarinwitwe Praskowja* mit ihren Töchtern, Anna Iwanowna, Jekaterina Iwanowna und Praskowja Iwanowna, abgestiegen. Auch die zu den Festlichkeiten eingetroffenen Bojarinnen und ihre Töchter hatte man, so gut es ging, dort untergebracht. Vor dem Palast sich ergehen – daran war nicht zu denken! Ringsum nichts als Sumpf und Wasser. Aus den Fenstern sah man nur die Holzdächer der Schiffsmagazine, die grellgelben Schiffsrümpfe in den Werften – am Ufer des alten Woronesh-Flusses –, Schluchten voll schmutzigen Schnees und mit Baumstümpfen bestandene Hügel.

Auf die verheißenen Bälle und Feuerwerke wartend, hockten die Buinossowschen Mädchen gelangweilt am Fenster – einen übleren Ort hätte man beim besten Willen nicht aussu-

---

* Die Witwe des Zaren Iwan. (Anm. d. Verf.)

chen können! Weder ein Wäldchen, in dem man lustwandeln könnte, noch eine Wiese am Ufer, um zu rasten, nichts als Schlamm, Schutt und Späne. Vom Ufer, von den gelben Schiffen klangen Gehämmer und das Geschrei der Bauern herüber. Häufig sah man dort ganze Scharen von Kavalieren hoch zu Roß. Ach, die Mädchen mußten sich damit bescheiden, die schlanken Reiter seufzend von weitem zu bewundern. Niemand wußte, wann die Lustbarkeiten beginnen würden. Vorläufig wurden nachts bei den Schiffen Holzfeuer angezündet, die ganze Nacht hindurch wurde gearbeitet. Die Mädchen verhängten beide Fenster ihres Stübchens mit ihren Röcken, um vom grausigen Widerschein der Flammen nicht geweckt zu werden.

Als es auf dem schmutzigen, von einem Bretterzaun umgebenen Hof etwas trockener geworden war, gingen sie auf die Freitreppe hinaus, um dort im Sonnenschein gelangweilt ihren Träumen nachzuhängen. Gewiß, man hätte sich mit den Mädchen, die auf den anderen Freitreppen saßen, die Zeit vertreiben können: mit der Prinzessin Lykowa, einer blöden Gans, rund wie eine Tonne, die vor eitel Fett kaum aus den Augen gucken konnte, oder mit der Prinzessin Dolgorukowa, einer schwarzhaarigen, dunkelhäutigen, hochnäsigen Person – mochte sie es noch so sehr verheimlichen, ganz Moskau wußte, daß sie behaarte Beine hatte –, oder mit den acht Prinzessinnen Schachowskoi, bösen Lästermäulern, die nichts anderes kannten, als miteinander zu flüstern und zu hecheln. Olga und Antonida konnten das Weibervolk nicht leiden.

Eines Morgens kam ein Haufen Bauern in den Hof; im Laufe eines Vormittags stellten sie eine Schaukel und ein Karussell mit Pferden und Booten auf. Aber es war unmöglich, sich zu diesen Belustigungen hindurchzudrängen – bald wollte der Zarewitsch Karussell fahren und stieß seine Wärterinnen beiseite, damit sie ihn nicht am Gürtel hielten, bald wollten es die kleinen Töchter des seligen Zaren Iwan. Ein Hofmeister begleitete sie; aus der einen Tasche seines tabakfarbenen Rocks guckte ein seidenes Tuch, um ihnen die Nase zu putzen, aus der anderen ein Bündel Reiser, die Rute – es war Johann Ostermann, ein Deutscher mit einem sehr dummen und langen Gesicht, wichtig in Falten gelegt, und einer Brille mit runden Gläsern. Er hob die Prinzessinnen in die Boote, stieg selber auf ein grell bemaltes Pferd, wandte sich an die Bauern, die das Karussell drehten: „Los, aber langsam, langsam", und wirbelte, die Augen unter den Brillengläsern geschlossen und mit den riesigen Sohlen über den Boden schlurrend, im Kreise, bis ihm der Kopf schwirrte.

Manchmal purzelte ein wirrer Haufe die große Freitreppe hinunter: Narren, die Röcke mit dem Futter nach außen gedreht, Mohren, schwarz wie Ruß, zwei alte Possenreißer in Weiberkleidern, Kammerfrauen mit dicken Gesäßen – und würdevoll schreitend stieg die Zarin Praskowja in einem weiten, schwarzsamtnen Gewand, behutsam von ihrem Gefolge gestützt, die Stufen hinab. Man brachte ihr einen Stuhl und Kissen, sie setzte sich und wandte ihr blauäugiges, wie eine Melone rundes, leicht geschminktes Gesicht von der Sonne ab. Sie trug keine Perücke, ihr eigenes, dunkles Haar war schön. Die Zwerge, Narren und Possenreißer hockten, die Backen aufblasend, zu ihren Füßen nieder. Die Kammerfrauen stellten sich beflissen hinter ihren Stuhl.

„Setzt euch, setzt euch", wandte sich die Zarin träge an die Prinzessinnen, damit sich diese nicht länger verneigten, sondern vor ihren Türen sitzenblieben. Sie blickte auf die Schaukel, auf das Karussell und stöhnte leise auf, den Kopf zur Seite neigend. Die Frauen traten erschrocken näher.

„Tut dir was weh, Mütterchen, unser Augenlicht, tut dir was weh?"

„Nichts. Laßt mich in Ruhe..." Der Zarin tat ständig etwas weh, sie war eine kränkliche Frau. „He, Johann! Laß das ewige Herumwirbeln sein, den Zarewnas wird noch das Köpfchen schwindeln. Ist das ein Esel, dieser Deutsche, Gott verzeih mir's! Lang wie eine Hopfenstange, bebrillt, und weiß nichts Besseres als Karussellfahren..."

Johann Ostermann brachte die Mädchen zur Mutter. Die Älteste, die achtjährige Jekaterina, war pockennarbig und schielte auf beiden Augen – darum hatte die Zarin Mitleid mit ihr. Die Jüngste, die rundliche, muntere Praskowja, war ihr Liebling, sie nahm sie zwischen die Knie, drückte sie an sich, streichelte ihr lockiges Haar und küßte sie auf die kleine Stirn. Die Mittlere, Anna Iwanowna*, ein mürrisch dreinblickendes Mädchen mit dunkler Haut und blassen Lippen, näherte sich mit scheuen Schritten wie immer als letzte.

„Was schlägst du die Augen nieder, die Mutter wird dich nicht fressen", sagte die Zarin. Sie nahm von dem Teller, den ihr ein alter Possenreißer reichte, eine Näscherei, bedachte damit ihre geliebte Paschenka, bedachte Katenka und schob mit den Worten: „Da, nimm den Pfefferkuchen!" auch Anna etwas in die Hand. Aufseufzend musterte sie den Hofmeister von den braunen Wollstrümpfen bis zur glattgekämmten Perücke. „Ach, zu früh habe ich ihm die Kinder anvertraut, hätte sie ruhig noch bei den Wärterinnen lassen sollen ..."

Hinter ihrem Stuhl gerieten die Röcke der dicksteißigen Frauen in Bewegung. „Zu jung noch, Mütterchen, unser Augenlicht, zu jung noch sind sie für die Wissenschaft..."

„Laßt mich in Ruh mit eurem Gezischel!" Die Zarin verzog das Gesicht. Rief Ostermann herbei. „Was hast du ihnen heute vorgetragen, Deutscher? Hast du die Prinzessinnen im Deutschen unterwiesen, hast du sie im Rechnen unterwiesen?"

Johann Ostermann schob einen Fuß vor, rückte die Brille zurecht und berichtete langatmig, ohne auf die Hauptsache einzugehen. Die Zarin nickte langsam mit dem Kopf, obgleich sie kein Wort verstand. Eins nur war ihr klar: So wie früher, wie es einst Brauch war, konnte man jetzt nicht leben. Mochte es auch schwerfallen, aber mit der neuen Ordnung hieß es Schritt halten. Sie hatte das Jahr achtundneunzig noch gut im Gedächtnis, als man dieses alten Brauchs wegen den ganzen Hof aus dem Kreml jagte und die Zarewna Sofja nebst ihren Schwestern mit knapper Not der Knute entging; die Zarin Jewdokija vergießt noch heute zu Lebzeiten ihres Mannes bittere Tränen im Susdaler Nonnenkloster.

Nicht umsonst stammte Praskowja aus dem Hause der Saltykows. Sie war kränklich, aber klug; klug war auch ihr Ratgeber, ihr Verwalter und Haushofmeister, ihr leiblicher Bruder Wassili. Sie sahen ein, daß Peter Alexejewitsch in Moskau ohne einen wohlgesitteten Zarenhof nicht auskommen könne; die ausländischen Gesandten und die vornehmen Ausländer wa-

* Die spätere Zarin Anna. (Anm. d. Verf.)

ren anspruchsvoll, nicht jeden konnte man nach Kukui zur Mons mitschleppen. Am Hof der Zarin Praskowja herrschte strenge Etikette, sie empfing Gesandte, vornehme Reisende und namhafte Handelsherren aus dem Ausland. Die gute alte Zeit wurde in die Hinterzimmer verbannt, und man verbarg sie, wenn es not tat. Darum auch liebte und schätzte Peter Alexejewitsch die Zarin Praskowja.

Nachdem sich Praskowja Fjodorowna einige Zeit im Sonnenschein gelangweilt hatte, zog sie sich mit ihren Töchtern und ihrem Gefolge zurück. Die Buinossow-Mädchen kletterten aufs Karussell und befahlen den Bauern, es so schnell, wie es nur ginge, zu drehen. Sie kreischten leise. Von weitem klangen Böllerschüsse und das Geschrei der Bauern herüber, die irgendwo auf einem Schiff einen Mast aufrichteten. Und dann war es bereits Zeit, zu Tisch zu gehen. Schläfrige Stille webte in den schwülen, nach Harz riechenden Stübchen. Zweimal war ein Bote aus der Stadt gekommen, um Wäsche für Roman Borissowitsch zu holen. Er erzählte, der Fürst sei schlecht einquartiert, müsse sein Kämmerlein im Hause Apraxins mit drei anderen Bojaren teilen, dabei wisse keiner, wie lange der Aufenthalt in Woronesh noch währen würde.

Eines Tages kam um die Mittagsstunde Peter in den Hof geritten, die gebräunten Wangen frisch rasiert. Er sah sich fröhlich nach dem Karussell um, warf einen Blick auf die Fenster, in denen verschlafene Frauengesichter auftauchten. Schwang sich aus dem Sattel, rückte die Schärpe zurecht, mit der sein knapp anliegender Waffenrock gegürtet war, und eilte die Stiegen zur Zarin Praskowja hinauf.

Es war noch keine Minute vergangen, und schon wußte der ganze Palast, daß morgen in der Frühe das Schiff vom Stapel laufen würde und die Festlichkeiten ihren Anfang nahmen.

Der mit fünfzig Kanonen bestückte Zweidecker „Prädestination" lag am abschüssigen Ufer auf Stapel und Streben. Sein hohes, drei Reihen viereckiger Fenster aufweisendes Heck war mit kunstvollen Schnitzereien aus Eichenholz verziert. Die schwarzen Schiffswände trugen zwei weiße Streifen, an Messingscharnieren hingen die Klappen der Stückpforten herab.

Die Segel aus ungebleichtem Segeltuch waren aufgerollt und an den Rahen befestigt. Am stumpfen Bug, der wesentlich niedriger als das Heck war, stützte eine nackte Najade mit balkendicken Armen den langen Bugspriet, der im Gegensatz zu den früher gebauten Schiffen nur Stagsegel trug. Das Schiff war nach den Rissen Peters und unter seiner, Fedossej Skljajews und Aladuschkins Aufsicht gebaut worden.

Hinter den gelbgrünen Hügeln, hinter den baufälligen Türmen Woroneshs stieg die Sonne auf. Der wolkenlose Himmel erstrahlte in kühler Bläue. Ein lieblicher Wind kräuselte sanft das Wasser und lud zur Fahrt mit schwellenden Segeln ein, hinaus in die Frühlingsweiten, wohin der Fluß seine Wasser wälzte.

Auf einem Brettergerüst neben dem Schiff standen Tische mit Speisen und Getränken. Der Wind spielte mit den Zipfeln der roten Tischtücher, mit den Federn an den Hüten, den Locken der Perücken, den Quasten der Offiziersschärpen. An den Tischen saßen die Zarin Praskowja und die Zarewna Natalja mit den Kindern, die Botschafter und Gesandten, holländische und englische Handelsherren, Polen, Deutsche, ein Jesuit aus Paris, Amalia Kniperkron, der sächsische Ingenieuroffizier Hallart und der soeben mit einem Handschreiben des Königs August eingetroffene Karl Eugen, Herzog de Croy. Die Gäste, denen man, mochten sie auch von hoher Geburt sein, zu dieser Stunde keine besondere Wichtigkeit beilegte, standen hinter den Tischen auf dem Gerüst. Matrosen kredenzten Schnaps aus Holzeimern.

Der Herzog de Croy saß in ungezwungener Haltung, den Ellbogen aufgestützt, zwischen Zarin und Zarewna, drehte seinen blonden Schnurrbart und starrte wie abwesend in die Luft. Er hatte eine lange, etwas schiefe Nase und ein welkes Gesicht mit Säcken unter den Augen, die flache Perücke war bis an die Brauen in die Stirn geschoben. Unter dem lilafarbenen Rock schimmerte ein Ordensband, um den Hals hing ihm eine goldene Kette, rechts und links auf der Brust glitzerten mit Diamanten besetzte Sterne. Selbst die Zarin und die Zarewna empfanden eine gewisse Scheu, wie sollten sie nicht: ein Herzog des Heiligen Römischen Reiches, ein unbesiegbarer

Kriegsheld, der in fünfzehn glorreichen Schlachten gekämpft hatte! Doch die Taschen des Herzogs – so dachten die Moskowiter, wenn sie sich auch nichts anmerken ließen – schienen leer zu sein, sonst wäre es ihm wohl schwerlich eingefallen, den weiten Weg nach Woronesh einzuschlagen ... Hinter seinem Stuhl stand als Dolmetscher Pjotr Pawlowitsch Schafirow.

Der Herzog sprach, die geröteten Lider zukneifend: „Rußland ist ein herrliches Land, die Russen sind ein arbeitsames und gottesfürchtiges Volk, die russischen Frauen entzückend. In Europa aber findet man das hartnäckige Bestreben der Russen, unsere Sitten und unsere Tracht bei sich einzuführen, einigermaßen verwunderlich. Gott selbst hat Rußland den Weg nach Asien gewiesen. Die zahllosen Völker Asiens dem Zaren untertan zu machen, sichere Handelswege nach Persien und China zu bahnen – ist das nicht eine herrliche Aufgabe, die der ganzen Christenheit zugute kommen würde ..."

Der Herzog führte seine Betrachtungen nicht zu Ende; ein Raunen ging durch die Reihen der Gäste, sie scharrten mit den Füßen. Vom Schiff her näherte sich eiligen Schritts der Zar in holländischen Samtkniehosen, in einem Hemd aus Segeltuch mit aufgerollten Ärmeln, den runden Wachstuchhut im Nakken. Er blieb vor dem Gerüst stehen und zog vor dem dicken Admiral Golowin, der, eine turmhohe Perücke auf dem Kopf, bei einem Glase Ungarwein saß, ehrerbietig den Hut.

„Guten Tag, Herr Admiral."

„Guten Tag, Meister Peter Alexejewitsch", antwortete Golowin würdevoll.

„Herr Admiral, das Schiff ist zum Stapellauf bereit. Befiehlst du, die Streben loszuschlagen?"

„Mit Gott, ans Werk."

Der Herzog hörte auf, seinen Schnurrbart zu drehen, und sah verwundert, wie der Zar, als sei er ein einfacher Zimmermann, ein gemeiner Mann, sich vor dem Admiral verneigte, den Hut aufsetzte und über die herumliegenden Späne davoneilte. „Fertig!" schrie er den Arbeitern zu, die sich sogleich unter dem steilen Schiffsrumpf emsig an die Arbeit machten. Auf dem Wege zum Schiff griff er nach einem eisernen Hammer.

„An die Streben ... Auf einen Schlag ... Los ..." Laut erdröhnten die Schläge der Hämmer gegen die Balken, die das riesige Schiff vorn stützten. Gedehnt sangen die Hörner. Die Gäste standen auf und hoben ihre Gläser. Man sah, wie Peters Schulterblätter sich unter dem Hemd bewegten, wenn er den Hammer schwang. Die Masten schwankten, das Schiff setzte sich auf den Schlitten. Eine Weile schien es zu zögern, dann glitt es die geneigte, gut geschmierte Fläche hinab. „Es läuft, es läuft!" ertönten Rufe auf dem Gerüst.

Immer rascher glitt das Schiff dem Wasser entgegen. Der Talg unter dem Schlitten rauchte. Der Bug berührte das Wasser. Die vergoldete Najade versank bis an die Hüften in der Flut. Ungestüm sauste das Schiff, zwei mächtige Wellen vor sich aufwerfend, ins Wasser, machte eine Wendung und wiegte sich auf dem Fluß. Wimpel glitten die Masten empor, ihre schmalen Seidenzungen flatterten im Wind. Die Schiffsseiten spien Flammen, die Kanonen krachten.

Schon zwei Tage ging's hoch her im Hause Menschikows, auf der Stadtseite, an der Brücke. Ein Teil der Gäste hatte überhaupt nicht geschlafen, andere lagen unter dem Tisch auf Heu, im Speisesaal hatte man das Heu schon mehrmals weggeschafft und durch frisches ersetzt. Die Damen, die sich ein Stündchen ausgeruht, frisch geschminkt und gepudert hatten, kamen in ratternden Karossen zurück. Am Vortage war ein Feuerwerk abgebrannt worden, heute sollte der große Ball stattfinden.

Die Ausländer waren von den Festlichkeiten höchst befriedigt. Schafirow gönnte sich keine Ruhe und bewirtete sie mit bestem Ungarwein und Sekt, den Einheimischen wurde eine geringere Sorte vorgesetzt. Der schlaue Jude erreichte seinen Zweck, und einige Gesandte berichteten ihren Freunden in Konstantinopel, was sie hier zu sehen bekommen hatten: Nach der „Prädestination" wurden im Laufe der Woche weitere fünf große Schiffe und vierzehn Galeeren vom Stapel gelassen, der Bau der übrigen Schiffe machte rasche Fortschritte, bis zur Vorstadt Tschishowka waren am Ufer die Rippen der auf den Hellingen liegenden Schiffsrümpfe zu sehen. Schlug man das alles zur Asowschen Flotte hinzu, so dürfte sich diesmal der Sultan, der das Schwarze Meer wie eine keusche, unberührte Jungfrau hütete, bei den Friedensverhandlungen schwerlich allzu anspruchsvoll gebärden ...

Antonida in einem zartblauen, Olga in einem Kleid von grellem Zitronengelb speisten in dem in aller Eile aus Balken gezimmerten hohen Saal, wo anderthalbhundert Gäste saßen an der Außenseite der wie ein Hufeisen aufgebauten Tafel, in der Mitte tummelten sich die Hofnarren: hopsten in wilden Bocksprüngen, schlugen aufeinander mit erbsengefüllten Blasen ein, bellten, miauten und wälzten sich auf dem Boden, daß das Heu in die Speisen und auf die Perücken flog. Niemand beachtete die Possenreißer. Der Fürst-Papst saß, eine Blechtiara auf dem Kopf, unter einem Baldachin; der Alte war es schon müde, nach jedem Trinkspruch den Kanonieren mit dem Tuch aus dem Fenster zu winken, von den Kanonensalven bebten die Wände. Der ehrsame Hofnarr Jakow Turgenjew hatte vorhin alle zum Lachen gebracht – er hatte einen Turban aufgesetzt, einen tatarischen Kaftan und Pantoffeln angezogen und kam auf einem buckligen, dreckigen Schwein in den Saal geritten, daß seine welken Wangen und der vorgebundene Bart zitterten. „Heran", schrie er, „heran, küßt Seiner Herrlichkeit dem Sultan die Ferse..." Jetzt lag er, sternhagelvoll, unter dem Tisch.

Der Matrosenchor war bereits heiser, die Hornisten bliesen wirr durcheinander. Alle warteten auf den Tanz. Neben Olga saß ihr Kavalier, Leopoldus Mirbach, Fähnrich des Preobrashenski-Regiments, neben Antonida Marineleutnant Bartholomäus Bram. Olgas Kavalier sprach noch halbwegs, wenn auch gebrochen, Russisch, wobei er mit den Händen sein Gesicht zusammenpreßte, um wieder nüchtern zu werden, doch der Däne Bram, rot wie ein Stück rohes Fleisch, trank nur und blinzelte dem starr dasitzenden Mädchen zu. Ach, wozu Konversation machen, und wovon soll man sich überhaupt unterhalten? War ja alles unwichtig! Könnte man doch erst seinem Kavalier die Fingerspitzen reichen, die Röckchen vorn leicht raffen und im Takt der Geigen, sich zierlich verneigend, über die gebohnerte Diele dahingleiten! Die Mädchen waren erregt wie ein Waldsee bei Sturmwetter.

Roman Borissowitsch und Awdotja saßen am anderen Ende des Tisches. Der Fürst konnte es nicht verwinden, daß man ihn so weit weg vom Zaren placiert hatte. Peter war von Ausländern umringt. Neben ihm saß der Herzog de Croy, der so betrunken war, daß er nur den Kopf zu schütteln vermochte wie ein Pferd, das sich der Fliegen erwehrt, an seiner anderen Seite Amalia Kniperkron. Bis zum letzten Augenblick war Peter froher Laune, scherzte und spaßte. Aber etwas mußte vorgefallen sein – man hatte nur bemerkt, daß Menschikow an ihn herantrat und ihm etwas ins Ohr flüsterte; das Lachen verschwand aus Peters Augen. Er schien sich offensichtlich zu beherrschen. Als man den nächsten Gang auftrug, zuckten Messer und Gabel in seinen Händen derart – bald am Teller vorbei, bald ihm ins Gesicht –, daß Amalia Kniperkron voll zärtlicher Teilnahme ihm die Hand auf den Ärmelaufschlag legte.

„Herr Pieter, Sie müssen sich beruhigen..."

Er warf Gabel und Messer hin und verzog das Gesicht zu einem Lächeln. „Meine Hände sind meine Feinde..." Er verbarg seine Hände unter dem Tisch. „Na, was starrst du mich denn so an, du Schlauköpfchen? Heute wird getanzt, Löcher wollen wir uns in die Sohlen tanzen!"

Sie runzelte die Stirn, sagte leise, vorwurfsvoll: „Herr Pieter, bin ich vielleicht Ihres Vertrauens nicht mehr würdig?"

Er sah sie verwundert an, seine Nasenflügel blähten sich. „Was für Unsinn, was für Unsinn!"

„Herr Pieter, mich bedrückt ein schweres Vorgefühl."

„Haben Sie sich vielleicht von einer alten Hexe aus Bohnen wahrsagen lassen?"

Er wandte sich ab. Amalias Lippen bebten.

„Auch mein Vater ist von größter Unruhe erfaßt. Ich habe heute einen Brief von ihm bekommen."

„Einen Brief? Mit runden Augen starrte Peter wie ein Raubvogel auf das erregte Gesicht des Mädchens. „Was schreibt Kniperkron?"

„Herr Pieter, wir würden es vorziehen, all das nicht zu bemerken, was man nicht länger unbeachtet lassen kann. Wir würden es vorziehen, all das nicht zu hören. Aber man spricht bereits ganz unverhohlen davon..." Amalia scheute sich, ein bestimmtes Wort auszusprechen, ihre Nase rötete sich. „Das ist doch gegen alle Vernunft. Das wäre doch Tücke..." Vor Aufregung traten ihr die Tränen in die Augen. „Ein Wort von Ihnen, Herr Pieter..."

Sie öffnete den Mund, als wollte sie tief Atem holen. Hinter dem Stuhle Peters machte rasch und schroff Wassili Wolkow halt. Sein windgebräuntes Gesicht war unrasiert, der Tuchrock zerknüllt – er hatte ihn anscheinend eben erst aus der Reisetasche hervorgeholt –, aus dem Ärmelaufschlag schaute die Ecke eines Briefes hervor. Fahle Blässe überzog Amalias Gesicht, ihr Blick haftete bald am Zaren, bald an Wolkow. Sie wußte, daß Wassili mit seiner Gattin im Ausland weilte. Es waren bestimmt keine guten Nachrichten, die er brachte.

Peter wies auf den Stuhl an seiner Seite. „Setz dich." Mit einem schiefen Lächeln trat Menschikow heran, eine prunkvolle Perücke auf dem Kopf. Peter streckte die Hand aus, Wolkow überreichte ihm eilig den Brief.

„Von König August", sagte Peter, ohne Amalia anzusehen. „Schlechte Nachrichten... In Livland ist es nicht geheuer..." Er drehte den Brief zwischen den Fingern, schob ihn dann entschlossen in den Rock. „Nun gut... Livland ist weit... Sie werden uns bei unserem Vergnügen nicht stören..." Und zu Wolkow gewandt: „Berichte es uns mündlich..."

Wolkow wollte sich gerade erheben, doch Menschikow legte ihm die Hände auf die Schultern, drückte ihn auf den Stuhl nieder und blieb, den Ellbogen auf die Stuhllehne gestützt, neben ihm stehen.

„Die sächsischen Truppen des Königs August sind ohne vorherige Kriegserklärung in Livland eingefallen", berichtete stokkend Wolkow. „Sie sind bis Riga vorgestoßen, vermochten aber nur die kleine Feste Koberschanz zu nehmen. Die Stadt anzugreifen scheuten sie sich, das Feuer der Schweden war zu stark. Nach dieser mißlungenen Diversion wandte sich General Carlowitz der Küste zu und nahm im Sturm die Festung

Dünamünde, wobei er selbst kurz vor Ende des Sturmes von einer Musketenkugel tödlich getroffen wurde."

„Schade, schade um Carlowitz", sagte Peter. „Nun, ist das alles, was du zu berichten hast?" Er legte seine kalte Hand auf die Amalias. Das Mädchen atmete hastig. Er drückte ihr schmerzhaft die Hand. Wolkow schwieg verlegen.

Alexander Danilowitsch meinte nachlässig, während er die Locken seiner Perücke durch die ringgeschmückten Finger gleiten ließ: „Ich habe ihn schon nach allem gefragt, mehr weiß er nicht; er war in Warschau, als die Nachrichten aus Riga eintrafen. Am selben Tag hat ihn König August hierhergesandt. Die Sachsen haben Riga nicht genommen und werden es nicht nehmen – die Schweden haben Haare auf den Zähnen. Ein aussichtsloses Unterfangen."

Amalia beugte sich, ohne ihre Hand frei zu machen, mit bebendem Gesicht rasch vor.

„Das ist doch Krieg, das ist doch Krieg, Herr Pieter", flüsterte sie, „verhehlen Sie es nicht. Ich habe es schon unterwegs begriffen. Oh, welch ein Unglück!"

Wohl eine Minute blieb er stumm. Dann sagte er mit heiserer Stimme: „Was hast du begriffen? Hat jemand davon gesprochen? Wer war's?"

Nun begann sie verworren zu erzählen, wie sehr Fürst Roman Borissowitsch sie mit seinen Reden in der Herberge erschreckt hatte.

„Buinossow also hat dir was vorgetratscht?" fragte Peter drohend. „Welcher? Dieser Narr da?" Amalia stürzten die Tränen aus den Augen, sie nickte. „Diesem Esel hast du Glauben geschenkt? Und wir alle haben dich für klug gehalten. Nimm dein Tüchlein und wisch dir die Augen." Er fühlte, wie Amalia wider Willen ihn anhörte und sich beruhigte. „Schreib du nur deinem Vater: Nie werde ich meine Einwilligung dazu geben, einen ungerechten Krieg vom Zaun zu brechen, nie den ewigen Frieden mit Carolus brechen. Selbst wenn der König von Polen Riga genommen hätte, diese Stadt würde ich ihm nicht lassen, ich würde sie ihm aus den Krallen reißen. Das schwöre ich bei Gott!"

Peters runde Augen blickten ehrlich. Alexander Danilowitsch nickte bestätigend mit dem Kopf, hielt nur die Finger vor den Mund, denn ein Lächeln wäre in diesem Falle unschicklich gewesen.

Amalia führte ihr Tüchlein an die Wangen und lächelte verlegen. Peter hatte sie überzeugt, und sie bereute ihre Worte. Fröhlich lehnte sich der Zar in seinem mit Leder bezogenen Stuhl zurück.

„Fürst Roman", rief er, „komm mal her."

Über dem Gekreisch der Narren, die sich um eine Schüssel mit Neunaugen balgten – sie wälzten sich in wirrem Haufen und rissen einander die Neunaugen aus dem Mund –, hatte Roman Borissowitsch die Stimme des Zaren nicht vernommen; er lachte, daß er den Schluckauf bekam. Antonida und Olga warfen ihm einen entsetzten Blick zu: Er ruft dich! Die Fürstin Awdotja zupfte ihn an der Hose: Geh, der Zar will dir seine Gunst bezeigen, endlich kommst auch du an die Reihe, Väterchen!

Im Trab eilte Roman Borissowitsch zum Zaren und verneigte sich, mit dem Degen den Rockschoß in die Höhe reißend. „Da bin ich, Herr, dein Diener mit Leib und Seele."

Peter drehte ihm nicht einmal die Wange zu und sagte zu Amalia: „Der Mann ist ein trefflicher und hitziger Politikus. Ich weiß nicht recht: Soll ich ihn zum Generalissimus ernennen? Fürchte nur, er wird mir zuviel Blut vergießen. Oder soll ich ihn vielleicht im Hofdienst verwenden ..."

Er wandte sich plötzlich so jäh Roman Borissowitsch zu, daß diesem schwarz vor Augen wurde.

„Ich habe gehört, du schickest dich an, ins Feld zu ziehen. Unsere angestammten livländischen Erblande zurückzuerobern. Ist dem so, frage ich dich?"

Roman Borissowitsch blinzelte, ein Gefühl der Übelkeit kroch ihm vom Leib bis in die Knie.

„Tapfere Generale können wir gut gebrauchen. In Anerkennung deines hohen Mutes ernenne ich dich zum Generalissimus der gesamten Narrenarmee."

Peter sprang auf, packte Roman Borissowitsch am Arm und schleppte ihn zum Podium, auf dem der Fürst-Papst mit schlaff herabhängenden Armen, das aufgedunsene Gesicht auf die Brust gesenkt, schlummernd röchelte, als ginge es mit ihm zu Ende. Peter rüttelte ihn aus dem Schlaf. „Scher dich zum Teufel", murmelte der Fürst-Papst. Die Gäste, die ein neues Gaudium witterten, scharten sich um das Podium. Die Narren krochen zwischen den Beinen der Gäste heran und lagerten sich auf den Stufen. Dem Fürst-Papst wurde ein Kreuz aus zwei zusammengebundenen Tabakpfeifen in die Hand gedrückt, in die andere legte man ihm ein rohes Ei. Roman Borissowitsch mußte niederknien. Der aus dem Schlaf gerüttelte Fürst-Papst schluckte den Speichel herunter.

„Ernennen soll ich ihn?" fragte er. „Den will ich schon ernennen, hol ihn der Kuckuck!"

Er schlug Roman Borissowitsch mit dem Ei auf den Kopf, daß ihm der Dotter über die Perücke rann, stieß ihm die Tabakpfeife ins Gesicht und gab ihm einen Fußtritt. Die Narren krähten. Sie setzten den Fürsten Roman rittlings auf einen Stuhl, drückten ihm einen abgenagten Schinkenknochen in die Hand und zerrten ihn in den freien Raum zwischen den Tischen. Roman Borissowitsch saß wie versteinert, den Knochen umklammernd, mit aufgerissenem Munde auf seinem Stuhl. Die Gäste wiesen mit dem Finger auf ihn und schüttelten sich vor Lachen. Hell lachte auch Amalia Kniperkron. All ihre Ängste, all ihr Herzeleid hatten mit einem Späßchen geendet.

Antonida und Olga wurden sich erst dann des über sie hereingebrochenen Unglücks bewußt, als sie, sich umblickend, ihre Kavaliere nicht mehr neben sich sahen – Leopoldus Mirbach und Bartholomäus Bram standen vor der Tür des Tanzsaals und verbeugten sich, betrunken wie sie waren, immer wieder vor den bösartigen Prinzessinnen Schachowskoi. Die acht Prinzessinnen machten, die nackten Arme rundend und die gepuderten Perücken hin und her drehend, zahllose Knickse und blickten herausfordernd zu den Buinossow-Mädchen hinüber.

2

Damals, im Winter, hatten die Wolkows trotz allem Riga nicht erreicht. Eine breite, schneebedeckte Straße führte von Smolensk über Orscha nach Kreuzburg. Jenseits der polnischen Grenze war es nicht so wie in Moskowien – wo die Dörfer, durch dichte Wälder getrennt, eine Tagesreise weit voneinander lagen –, hier bekam man häufig Siedlungen zu Gesicht: ein Kloster oder eine Kirche auf einer Anhöhe, dicht dabei ein Herrenhaus, manchmal auch ein Schloß mit Steinmauern und Gräben. Daheim saßen nur arme Landedelleute auf ihrer Klitsche oder irgendein vom Hofe verbannter Bojar, der sich wie ein Dachs hinter hohe Zäune mürrisch in sein Loch verkrochen hatte. Die polnischen Pans aber lebten lustig und auf großem Fuße.

Alexandra Iwanowna wäre für ihr Leben gern in einem dieser herrlichen Schlösser, deren spitze Schieferdächer und riesige Fenster zwischen den uralten Linden hervorlugten, eingekehrt. Doch Wolkow meinte ärgerlich: „Wir reisen im Auftrag des Zaren, haben Schreiben zu überbringen, es ziemt sich nicht, daß wir uns den Leuten aufdrängen, so sieh das endlich ein..."

Sich aufdrängen erwies sich als überflüssig. Eines Abends, es war spät geworden, kamen sie in ein großes Dorf, das wie ausgestorben dalag, nicht einmal Hunde bellten. Sie machten vor der Schenke halt. Während der Wirt, ein langer Jude mit rundem Rücken, eine Fuchsmütze auf dem Kopf, mühselig das Tor öffnete, kletterte Alexandra Iwanowna aus dem Schlitten, um sich im Schnee die Füße zu vertreten. Sie blickte auf den abnehmenden Mond; sein blasses Licht war zu schwach, um die Sterne verschwinden zu lassen. Bange Wehmut beschlich Sanka. Langsam schritt sie die Straße entlang. Windschief und baufällig waren die kleinen Hütten, viele ohne Dach, nur die Dachsparren hoben sich schwarz vom Nachthimmel ab. Sie kam an eine mit Rauhreif bedeckte Trauerweide, unter deren Ästen eine kleine Kapelle stand. Vor der verschlossenen Tür lag, das Gesicht im Schnee vergraben, die Hände an die Wangen gepreßt, eine Frau in weißem Bauernkittel. Sie wandte den

Kopf nicht, als der Schnee unter Sankas Füßen knirschte. Sanka blieb eine Weile stehen, seufzte und ging zurück. Ihr war, als höre sie irgendwo in der Ferne Musik.

Wolkow rief sie. Durch einen langen Vorraum voller Zuber und Fässer traten sie in die Schenke. Der Wirt leuchtete ihnen mit einer Talgkerze, sein dichter Bart ragte unter dem kleinen Gesicht mit den alten, finsteren Augen hervor. „Wanzen gibt's bei uns nicht, Sie werden gut schlafen", sagte er auf belorussisch. „Wenn es nur dem Pan Małachowski nicht einfällt, in die Schenke zu kommen. O Gott, o Gott..."

In der schwülen Wirtsstube roch es säuerlich. Hinter einem zerrissenen Vorhang weinte ein Kind in der Wiege. Sanka zog den Pelz aus und legte sich auf die kalten Kissen, die man aus dem Schlitten brachte; auch sie war dem Weinen nahe. Sie kniff die Augen zu und verspürte rechts vom Herzen – dort, wo die Seele sitzt – verzehrende Unruhe. Sie wußte nicht recht, war es Mitleid, war es Sehnsucht nach Liebe?

Die Stubentür knarrte ununterbrochen, der Wirt und irgendwelche Leute kamen und gingen. Das Kind weinte leise. Wieder eine schlaflose Nacht! Ihr Mann rief: „Sanja, wirst du zu Abend essen?" Sie stellte sich schlafend. Der abnehmende Mond stand ihr vor Augen, sein blasses Licht fiel auf den Rücken der vor der Kapelle ausgestreckten Frau im weißen Bauernkittel. Sie wollte das Bild verscheuchen – vergebens. Dann tauchte längst Vergangenes auf: die furchtbaren Augen der Mutter, als sie im Sterben lag. Der Kienspan brennt, die kleinen Brüder in ihren durchnäßten Hemdchen lassen die Köpfchen vom hohen Ofen herabhängen, horchen, wie die Mutter stöhnt, und starren auf den Schatten, den die Spindel auf die Bretterwand wirft – einem Greis gleicht er mit dürrem Hals und spitzem Ziegenbart. „Sanja, Sanja", ruft leise wie ein Hauch die Mutter, „Sanja, so leid tun sie mir..."

Wolkow löffelte bedächtig seine Nudelsuppe. Wieder fiel die Tür ins Schloß, jemand trat ein und seufzte verhalten. Sanka verschluckte ihre Tränen: So fährt man an seinem Glück vorbei. Abermals rief ihr Mann: „Sanja, trink wenigstens einen Schluck Milch."

Eine Frauenstimme erklang an der Tür: „Barmherziger Pan,

die Himmelskönigin beschütze dich, drei Tage haben wir nichts gegessen, habe die Gnade und gib uns ein Stückchen Brot." Sanka richtete sich auf, ihr war, als hätte ein Schwert ihr die Seele durchbohrt. An der Tür kniete eine Frau, aus ihrem weißen Kittel lugte ein kümmerliches Kindergesichtchen hervor. Sanka stürzte zum Tisch und griff nach der Schüssel mit dem Gänsebraten. „Da, nimm!" Sie gab ihr die Schüssel und nickte ihr unwillkürlich selber wie eine Bäuerin zu. „Geh, geh."

Die Frau ging. Sanka setzte sich an den Tisch, ihr Herz pochte so heftig, daß sie nicht einmal imstande war, einen Schluck Milch zu trinken.

Wolkow fragte den jüdischen Wirt: „Euch hat wohl eine Mißernte heimgesucht?"

„Nein, so weit hat es Gott noch nicht kommen lassen. Pan Małachowski hatte eine gute Ernte eingebracht und sie bereits nach Königsberg geschickt..."

„Sieh einer an!" Wolkow staunte und legte den Löffel hin. „Nach Königsberg verkauft er also. Zahlt man ihm dort einen guten Preis?"

„Ach, die Preise, die Preise." Der Wirt seufzte, drehte dabei seinen verfilzten Bart hin und her, stellte den Leuchter auf die Bank, getraute sich aber nicht, selber Platz zu nehmen. „Heuer begreifen die Königsberger Kaufleute nur zu gut, daß man den Weizen nur bei ihnen, sonst nirgends verkaufen kann; nach Riga können wir ihn ja nicht bringen, wer wird denn den Schweden Zoll zahlen wollen! So bieten sie einen Gulden..."

„Einen Gulden! Für ein Pud?" Ungläubig riß Wolkow seine blauen Augen auf. „Du lügst mir vielleicht was vor?"

„Bei Gott, ich lüge nicht, wozu soll ich dem durchlauchtigen Pan etwas vorlügen? Als ich jung war, da brachte man das Korn nach Riga, dort zahlten die Leute anderthalb und zwei Gulden fürs Pud. Wird es mir der Pan nicht verübeln, wenn ich mich setze? O Gott, o Gott! Das sind alles Pan Małachowskis Stückchen. Er hat unsern Juden Alter in Pan Badowskis Dorf niedergesäbelt. Pan Badowski aber ist ein Pan, der um eines lumpigen Hundes wegen bereit ist, alle seine Schlachtschitzen auf die Beine zu bringen, und Alter war sein Makler. So überfiel denn Pan Badowski mit seinen Schlachtschitzen den Pan Małachowski. Die Pistolen knallten nur so! O Gott, o Gott! Dann überfiel Pan Małachowski mit seinen Schlachtschitzen den Pan Badowski. Wieviel Pulver sie verschossen haben, und das alles eines erschlagenen Juden wegen! Schließlich machten sie Frieden und leerten fünfzig Fäßchen Bier. Pan Małachowskis Schlachtschitzen stürmten in meine Schenke, packten mich, packten fünf von unseren Juden, warfen uns auf einen Leiterwagen, legten Stangen darüber, wie man Garben zu fahren pflegt, und brachten uns auf das Gut des Pans Badowski. Pan Małachowski hielt sich den Bauch vor Lachen: ‚Da bring ich dir, Pan Badowski, für einen Juden sechse.' Dem Jankel Kagan haben sie eine Rippe zerbrochen, während er im Wagen lag, dem Moses Lewid die Leber verletzt, und mir versagen seither die Beine den Dienst..."

„Warum ist dann, wenn du nicht lügst", sagte Wolkow, während er sich Milch in die irdene Schüssel goß, „euer Dorf so arm?"

„Wovon sollen denn die Bauern fett werden?"

„Fett sollen sie nicht werden, wozu? Aber allzu üppig dürfen die Bauern auch nicht leben. Immerhin sollte man die Hütten unter Dach bringen. Bei euch hat's ja – ich hab's gesehen – das Vieh besser! Zinsbauern gibt's bei euch wohl überhaupt nicht?"

„Bei uns leisten alle Bauern Fronarbeit."

„Wieviel Tage in der Woche denn?"

„Alle sechs Tage müssen sie für den Pan arbeiten."

Wiederum staunte Wolkow. Bei uns würde das der Fiskus nicht zulassen. Von so einem Bauern läßt sich doch nicht ein Groschen Steuern eintreiben! „Wer zahlt denn bei euch dem Fiskus die Steuern? Wohl die Pans?"

„Nein, die Pans zahlen keine Steuern. Wir zahlen den Pans."

„Ist das ein Staat!" Wolkow schüttelte lächelnd den Kopf. „Sanja, die Pans haben's hier gut."

Aber Sanka hörte ihn nicht. Sie hatte die Augen weit aufgerissen, ihr Blick war starr. Sie trat ans Fenster und preßte das Gesicht an die nasse Scheibe. Auf der Straße erklangen immer lauter Musik, Schellengeläut und Stimmen. Der Schankwirt griff beunruhigt nach dem Leuchter und schlurfte mit krummem Rücken zur Tür.

„Ich hab's ja gesagt: Pan Małachowski wird Sie um den Schlaf bringen..."

Vor der Schenke hielt ein Dutzend Schlitten. Juden kratzten auf ihren Fiedeln, heiser sangen die Klarinetten. Bunt durcheinander auf Teppichen gelagert, lachten, schrien, einander aufmunternd, Schlachtschitzen, strampelten mit den Beinen. Einer von ihnen, ein Mann mit riesigem Schnurrbart und in kurzer Lederjacke, tanzte auf dem festgetretenen Schnee – bald schritt er, sich den Schnurrbart streichend, würdevoll aus, bald wirbelte er wie toll über den Schnee, daß sein Säbel hinter ihm herflog.

Reiter mit Fackeln kamen angeprescht und sprangen aus dem Sattel. Aus dem Dunkel tauchte ein Viergespann mächtiger Rosse mit Pfauenfedern an den in den Nacken geworfenen Köpfen auf, in dem offenen Schlitten saßen Damen. Sanka konnte sich vom Fenster nicht losreißen und starrte die ausländischen Damen an: Sie trugen knapp anliegende pelzgefütterte Samtjacken, Pelzkragen und schief aufs Ohr gesetzte Mützchen. Die Damen, von den Fackeln beleuchtet, lachten. Vom hinteren Tritt des Schlittens stieg ein stämmiger Pan und ging schwankend auf die Schenke zu, hinter der trüben Fensterscheibe erblickte er Sankas Gesicht. „Heda!" winkte er seinen Leuten. Der Pan und nach ihm die Schlachtschitzen, die einen in schlichten Lederjacken, die anderen ganz abgerissen, aber alle mit Säbeln und Pistolen, drangen in die Schenke. Mit gespreizten Beinen, das Gesicht rot wie ein Kupferkessel, blieb der Pan stehen und strich mit der hohlen Hand seinen Schnurrbart, der so mächtig war, daß er in der Hand nicht Platz fand. Sein mit Silberfuchs gefütterter Schnürrock war ganz mit Schnee bedeckt; er war wohl etlichemal vom Tritt gefallen. Mit dem Säbel rasselnd und Sanka mit funkelnden Augen anstarrend, wandte er sich, die Stimme vom Trunk heiser, mit hochtrabenden Worten an sie: „Meine gnädigste Pani Fürstin, der verdammte Schankwirt hat mir Ihre Ankunft allzu spät gemeldet. Wie? Eine so schöne und vornehme Pani sollte in dieser üblen Schenke übernachten! Das dulde ich nicht. Schlachtschitzen, fallt der Pani Fürstin zu Füßen und bittet sie aufs Schloß zu Gast..."

Die Schlachtschitzen, darunter auch Männer mit weißem Haar und Säbelnarben im Gesicht, beugten, einen scharfen Fuselgeruch ausströmend, vor Sanka das Knie, rissen die Mützen vom Kopf und schlugen sich mit der Hand an die Brust.

„Allergnädigste Pani Fürstin, und wenn wir sterben sollten, wir bleiben zu Ihren göttlichen Füßen liegen. Erweise uns die Gnade, beehre Pan Małachowski mit deinem Besuch."

Alexandra Iwanowna stand so, wie sie vom Tisch aufgesprungen war, mit dem von den Schultern gerissenen Reiseschal in der Hand, vor den knienden Schlachtschitzen, blaß, mit emporgezogenen Brauen, nur ihre Nasenflügel bebten. Der Schankwirt hob den Leuchter. Pan Małachowski stieß beim Anblick solcher Schönheit einen, dann einen zweiten Schlachtschitzen beiseite, trat heran und beugte selber schwerfällig das Knie: „Ich bitte..."

Sanka war immerhin klug genug, sich nach ihrem Mann umzusehen. Wassili war heftig erschrocken. Mit zitternder Hand knöpfte er den Hemdkragen auf und zog das ihm um den Hals hängende Säckchen mit dem Beglaubigungsschreiben hervor, um zu beweisen, daß seine Person unantastbar sei.

Etwas stockend, aber in singendem Tonfall, sagte Sanka: „Ich werde mich glücklich schätzen, Ihre Bekanntschaft zu machen..."

Über eine Woche schon tafelte lärmend Pan Małachowski; der ganzen Wojewodschaft Orscha gellten die Ohren von dem Trubel. Pani Augusta, seine Frau, war auf Vergnügen und Tanz so versessen, daß sie die Kavaliere fast zuschanden tanzte. Gar mancher verbarg sich, zu Tode erschöpft, in irgendeiner Kammer; doch man weckte ihn und schleppte den Schlaftrunkenen in den säulengeschmückten Saal, wo auf der Galerie die Musikanten – dürre Männlein in geflickten, langschößigen Judenkaftanen – ihr Letztes hergaben, wo von den venezianischen Kronleuchtern unter der prächtig bemalten Decke das Wachs der Kerzen auf die von Schweiß feuchten Perücken und flatternden Röcke tropfte und in den Nebengemächern die Schlachtschitzen in heller Begeisterung tranken und laut grölten.

Mitten in der Nacht klatschte plötzlich Pani Augusta – eine kleine Frau mit lockigem Haar und Grübchen in den Wangen –, der eine neue Kurzweil eingefallen war, in die Hände. „Fahren wir." Alle nahmen im Schlitten Platz, und im Galopp ging es mit Fackeln zum Nachbarn, wo für die vornehmen Gäste wiederum Fässer mit Ungarwein und am Spieß gebratene Hammel, für die Schlachtschitzen riesige Schüsseln Kuttelfleck, mit Knoblauch gewürzt, bereitstanden. Man leerte die Becher auf das Wohl der schönen Frauen, auf die Glorie Polens, auf die hehre Freiheit der Rzeczpospolita.

Bisweilen kam Pani Augusta der Gedanke, die Gäste als Türken, Griechen und Inder zu verkleiden, den Schlachtschitzen von geringerer Herkunft beschmierte sie das Gesicht mit Ruß. Nach durchtollter Nacht machten sich alle, wenn der Tag graute, vermummt, wie sie waren, nach dem benachbarten Kloster auf, dessen Glöcklein so anheimelnd von der Anhöhe mit den kahlen Bäumen herüberklang. Sie hörten die Messe, tranken dann in dem weißen Refektorium, das von flammenden Klötzen im Kamin erwärmt wurde, hundertjährigen Met und scherzten mit den galanten Mönchen in parfümierten Kutten und – für alle Fälle – mit Sporen an den Stiefeln.

Sanka stürzte sich mit der ganzen Inbrunst ihrer Seele in diese Vergnügungen. Sie wechselte nur das Kleid und das feuchte Hemd, rieb sich mit wohlriechendem Branntwein ab, und schon war sie wieder im Saal, ganz von Musik erfüllt, und verneigte sich stolz im Menuett oder wirbelte wie toll im Tanz dahin.

Wassili war anfangs sehr zurückhaltend, aber man gab ihm zwei berühmte Freßsäcke und Weinschläuche bei, zwei Rekken, die ganz Polen kannte: Pan Chodkowski und Pan Domoracki. Es waren Schlachtschitzen, die einen vier Quart Bier fassenden Becher auf einen Zug leerten, eine mit Pflaumen gefüllte Gans auf einen Sitz erledigten, ihr eine Schüssel Knödel folgen ließen und das alles mit fünf Flaschen Ungarwein hinunterspülten. Tag und Nacht lagen die beiden und Wassili sich in den Armen. Kam er ein wenig zu sich, so schaute er sehnsüchtig nach seiner Frau aus: Herzchen, Sanetschka, wir müssen doch weiterfahren, machen wir Schluß! Sanka wandte nicht einmal den Kopf. Pan Chodkowski legte ihm den Arm um die Schultern, und sie taumelten davon, um weiter zu tafeln.

Wassili brummte, vergrub den Kopf im Kissen – auf seiner Schulter spürte er eine Hand, die ihn schüttelte. Er schlief angekleidet, hatte nur Rock und Degen abgelegt. Der Kopf war ihm schwer wie Blei, unmöglich, ihn zu heben. Das Schütteln wurde hartnäckiger, Nägel krallten sich in seine Schulter.
„Ach, was ist denn?"
„Komm, tanz mit mir. Komm doch, komm", wiederholte hastig Sankas Stimme, die so sonderbar klang, daß sich Wassili, auf den Ellbogen gestützt, aufrichtete. Vor seinem Bett stand Sanka und nickte ihm mit dem gepuderten Kopf zu. Sie sah ihn an, mit Augen, als stände das Schloß in Flammen, als sei ein Unglück geschehen.
„Du willst mit mir nicht tanzen?"
„Du bist wohl verrückt, Liebste ... Es ist ja schon hell ..."
Sankas verändertes Gesicht, ihre entblößten Schultern schimmerten bläulich im Licht des hinter dem großen durchsichtigen Fenster dämmernden Morgens. So mit seiner Gesundheit zu wüsten: keinen Blutstropfen im Gesicht!
„Leg dich lieber schlafen."
„Du willst also nicht, du willst nicht ... Ach, Wassili ..."
Sie setzte sich jählings auf den hohen Stuhl, ließ die nackten Arme sinken. Der Duft süßlichen französischen Parfüms ging von ihr aus, ein fremder Duft. Reglos starrte sie ihren Mann an, Tränen schnürten ihr die Kehle zusammen.
„Wassja, liebst du mich?"
Hätte sie das sanft, schlicht gefragt – aber nein, eine verhaltene Drohung lag in ihrer Frage. Wassili schlug vor Ärger mit der Faust aufs Kissen. „Mich solltest du wenigstens in Ruhe lassen."
Wieder verschluckte sie die Tränen. „Sag, wie liebst du mich?"
Was sollte man darauf antworten? So ein Weibergewäsch!

Schmerzte der Brummschädel nicht, Wassili hätte sicherlich geflucht. Er hatte aber weder Kraft noch Lust dazu – er schwieg und sah seine Frau mit vorwurfsvollem Lächeln an.

Sanka schlug leise die Hände zusammen. „Wirst mich noch verlieren... Du bist an allem schuld..."

Sie erhob sich, warf mit dem Fuß die lange Schleppe ihres Kleides herum und ging.

„Mach doch die Tür zu, Sanja..."

Wassili konnte keinen Schlaf finden; er seufzte, wälzte sich von einer Seite auf die andere und lauschte der fernen Musik, die von unten, aus den Sälen, zu ihm heraufklang. Er wollte nicht daran denken, aber immer wieder ging es ihm durch den Kopf: Schlecht, unrecht ist das. Er setzte sich auf und faßte sich an den Kopf. Nein, so kann es nicht weitergehen! Er zog sich an und ging, die Hintertreppe benutzend, zu den Wirtschaftsgebäuden, nachzusehen, ob der Schlitten in Ordnung war. Als er am Wagenschuppen seinen Kutscher Antip erblickte – er hatte ihn für sechzig Rubel dem Wojewoden von Smolensk abgekauft, um den bei Wjasma erschlagenen Kutscher zu ersetzen –, freute er sich, jemanden von seinen eigenen Leuten zu sehen.

„Nun, Antip, morgen fahren wir."

„Ach, Wassili Wassiljewitsch, wäre das schön! Mir hängt hier schon alles zum Halse heraus."

„Lauf heute abend zum Schankwirt und erkundige dich nach den Pferden."

Langsam ging Wassili durch den Park zurück. Weiß wirbelten Schneeflocken durch die Luft, gewichtig rauschten die mit Krähennestern besäten Bäume. Auf dem zugefrorenen Weiher waren zahlreiche Bauern und Bauernweiber beschäftigt – man schien das ganze Dorf zusammengetrieben zu haben –, den Schnee wegzuräumen; sie schlugen Pfähle ein, mit Wimpeln geschmückt, die im Winde knatterten. Nichts als Kurzweil und Lustbarkeiten!

Wassili blieb plötzlich stehen, als hätte ihn jemand an der Schulter gepackt, er verzog das Gesicht. Sein Herz pochte. Plötzlich sah er klar: Der war es! Wie oft hatte er ihn im

Rausch gesehen, jetzt erst begriff er: Er war es, Pan Władysław Tykliński, der schöne schlanke Junge im orangefarbenen Pariser Samtrock. Immer steckten sie zusammen, Alexandra und er: Mit ihm tanzte sie das Menuett, mit ihm den Kontertanz, die Mazurka.

Wassili senkte den Kopf. Der Schnee legte sich ihm auf Wange und Hals. Der plötzliche Verdacht verflüchtigte sich, und wieder versank alles im Nebel des Rausches. Er faßte keinen Entschluß. Aber schon suchte man ihn, rief ihn zum Frühstück. Hier war es Sitte, nach durchzechter Nacht zeitig zu frühstücken und dann bis zum Mittag zu schlafen. Seine ihm schon zuwider gewordenen Freunde, Chodkowski und Domoracki, Prahlhänse und dickwanstige Lügner, faßten ihn lachend unter. „Einen Gulasch gibt es heute, Pan Wassili." Alexandra fehlte am Tisch und jener auch... Wassili stürzte ein Glas kräftigen Schnaps hinunter, aber er wirkte nicht.

Er stand vom Tisch auf und ging in den Tanzsaal: alles leer. Auf der Galerie schlief, an die türkische Trommel gelehnt, ein langer knochiger Jude. Wassili öffnete behutsam die Flügeltür in den Spiegelsaal: Längs der Fenster ergingen sich auf dem gebohnerten, mit bunten Papierschnitzeln bedeckten Parkett Pan Władysław – der Schoß des orangefarbenen Rocks vom Degen keck emporgehoben – und Alexandra. Er sprach hitzig auf sie ein und schüttelte eigensinnig seine Perücke, sie lauschte mit gesenktem Kopf. Wie mädchenhaft, wie hilflos war dieser gebeugte Nacken; ins Ausland hatte man das unerfahrene Dummchen gebracht, sie allein gelassen; tat ihr einer etwas zuleide, so blieb ihr nur eines, stumm die Tränen hinunterzuschlucken.

Wassili hätte zornig vortreten, von dem stolzen Polen Genugtuung verlangen sollen, aber er blickte nur, vor Mitleid vergehend, durch den Türspalt. Ach, ein schlechter Beschützer bist du, Wassili! Indessen wies Pan Władysław mit zierlicher Handbewegung auf eine Seitentür; Sanka zog nur kaum merklich die Schultern hoch, schüttelte leicht den Kopf. Sie machten kehrt und gingen in den Wintergarten. Wassili hob unwillkürlich die Hand, um den Ärmel aufzukrempeln. Den Ärmel! Nichts als Spitzen. Auch der Degen war oben geblieben. Teufel noch mal! Krachend stieß er den Türflügel auf, doch von hinten überfielen ihn lärmend die Dickwänste Chodkowski und Domoracki.

„Komm, koste einmal, Pan Wassili, man hat eben warme Krapfen mit saurer Sahne aufgetragen."

Wieder saß er am Tisch, fand keine Ruhe. Scham und Zorn übermannten ihn. Klar, man hatte sich gegen ihn verschworen. Diese Freßsäcke wollen ihn betrunken machen. Den Degen holen, sich schlagen? Ein netter Gesandter des Zaren, der sich eines Frauenzimmers wegen rauft wie ein Bauer im Dorfkrug. Ach, komme, was da will! So oder so, er hat ausgespielt!

Wassili stieß den ihm angebotenen Becher zurück und verließ raschen Schritts den Speisesaal. Oben suchte er, die Zähne zusammenbeißend, seinen Degen. Er fand ihn unter einem Haufen von Sankas Röcken. Er band die Schärpe um, zog sie mit aller Kraft fest, sprang die steinernen Stufen hinab. Im Schloß hatte man sich schon schlafen gelegt. Er lief durch den Wintergarten. Niemand war da.

Eine Stubenmagd, auf die er stieß, machte einen tiefen Knicks und flötete: „Pani Fürstin, Pani Małachowska und Pan Tykliński sind spazierengefahren und sagten, sie würden vor Abend nicht zurück sein."

Wassili kehrte auf sein Zimmer zurück, saß, bis es dämmerte, am Fenster und starrte auf die Landstraße. Ihm kam sogar der Gedanke, Peter Alexejewitsch einen reumütigen Brief zu schreiben, aber weder Papier noch Feder waren zur Hand.

Dann stellte sich heraus, daß Sanka längst zurück war und sich im Schlafzimmer bei Pani Augusta ausruhte. Nach der Abendtafel sollte auf dem Weiher ein Maskenfest mit Feuerwerk stattfinden. Wassili begab sich zum Wagenschuppen und befahl Antip, unauffällig die Pferde anzuspannen und einen Teil des Reisegepäcks in den Schlitten zu schaffen. Mürrisch kehrte er in das Schloß zurück. Am Gesims der Schloßfassade wurden Pechpfannen angezündet; züngelnd flackerten die Flämmchen im Wind. Die Schneewolken hatten sich verzogen, die Nacht war blau, an der Mondscheibe fehlte ein Stück, wie abgeschnitten.

In der Nähe eines Gartenhauses mit schneebedeckten, steinernen Karyatiden vernahm Wolkow heisere Rufe, keuchenden Atem und das Klirren von Klingen. Er wäre vorbeigegangen – was kümmerte ihn das? Doch an der Ecke, am Sockel eines seinen Pfeil schwingenden Amors, stand eine Frau, den um die Schultern geworfenen Pelz krampfhaft am Hals zusammenpressend, den Kopf mit der weißen Perücke in den Nacken geworfen. Er sah aufmerksam hin: Alexandra. Er lief zu ihr. Dicht dabei fochten im Mondschein Pan Władysław und Pan Małachowski. In wilden Sätzen sprangen sie, mit dem Fuß aufstampfend, aufeinander los, schnappten keuchend nach Luft und schwangen die Säbel, daß die Klingen klirrend zusammenprallten.

Sanka stürzte auf Wassili zu, umschlang ihn, schmiegte sich an ihn und murmelte, den Kopf zurückgeworfen, die Augen geschlossen, zwischen den zusammengebissenen Zähnen: „Bring mich fort, bring mich fort..."

Der schnauzbärtige Małachowski schrie beim Anblick Wolkows laut auf. Pan Władysław stürzte sich auf ihn und rief: „Sie ist nicht dein, wir dulden es nicht." Aus dem Park liefen Schlachtschitzen mit blankgezogenen Säbeln heran, um die Pans zu trennen.

Wassili beruhigte sich erst, als ein halbes Hundert Werst zwischen ihnen und Pan Małachowskis Schloß lag. Er machte Sanka keine Vorwürfe, fragte sie auch nichts, sah aber streng drein. Sie saß im Schlitten, ohne die Augen zu öffnen, war ganz still geworden. Um reiche Gutshöfe fuhren sie einen großen Bogen.

Eines Tages wandte sich ihr Führer, der neben dem Kutscher saß, die frierenden Finger in die engen Ärmel seines Wamses geschoben, nach ihnen um und wies von der Anhöhe auf das Ziegeldach einer am Weg stehenden Kapelle.

Antip steckte den Kopf zum Schlittenfenster hinein. „Wassili Wassiljewitsch, hier werden wir wohl oder übel haltmachen müssen."

Es erwies sich, daß diese Kapelle – zu Ehren des heiligen Jan Nepomuk – der berühmte Pan Borejko errichtet hatte, dessen Leibesfülle, Gefräßigkeit und Gastfreundschaft im ganzen Lande bekannt waren. Das Haus des Pans stand weitab von der Straße hinter einem dunklen Wäldchen. Um leichter Zechkumpane zu finden, hatte er die Kapelle unmittelbar an der Landstraße errichtet; in einem Anbau befanden sich Küche und Keller, in einem weiteren der Speisesaal. Hier lebte ständig ein dicker, fröhlicher Kapuziner. Er las die Messen, spielte mit dem Pan Karten, wenn der sich langweilte, und lauerte mit ihm zusammen den Reisenden auf.

Wer auch des Weges kommen mochte – war es ein vornehmer Pan, ein sorgloser Schlachtschitze, der seine letzte Mütze vertrunken hatte, oder ein Krämer aus dem benachbarten Flekken – die Knechte zogen ein Seil quer über die Straße, Pan Borejko watschelte keuchend heran, bot dem Reisenden einen Becher Wein, die Knechte spannten eilig die Pferde aus, der erschrockene Mann wurde in die Kapelle geschleppt, der Kapuziner sprach ein Gebet, und dann begann der Schmaus. Pan Borejko tat keinem etwas zuleide, doch er ließ keinen nüchtern davon; gar mancher wurde bewußtlos in den Schlitten getragen, gar mancher gab, ohne zu sich zu kommen, den Geist auf, nachdem der Kapuziner ihm die Letzte Ölung erteilt hatte.

„Was sollen wir nur machen, Wassili Wassiljewitsch?" fragte Antip.

„Kehr um und jag, was das Zeug hält, querfeldein."

Die Pans schienen nur an eins zu denken – wie man sich am fröhlichsten die Zeit vertreiben konnte; es war, als feierte die ganze Rzeczpospolita sorglos Gelage. In den Marktflecken und Städtchen stand in jedem vornehmen Haus das Tor sperrangelweit offen, auf der Freitreppe lärmten betrunkene Schlachtschitzen. Dafür waren aber die Straßen in den Städten sauber, und es gab zahlreiche schöne Läden und Handelsreihen. Über den Verkaufsläden und Barbierstuben, über den Werkstätten der Zunftmitglieder hingen buntbemalte Schilder, bald eine Dame in ärmellosem Jäckchen, bald ein Kavalier hoch zu Roß oder ein Messingbecken über einer Barbierstube. An der Tür lächelte freundlich ein Deutscher mit einer Porzellanpfeife, oder ein Jude in einem schönen Pelz bat mit höflichen Worten den Vorübergehenden oder Vorbeifahrenden einzutreten und sich die Waren anzusehen. Nicht so wie in Moskau, wo der Kaufmann den Käufer am Rockschoß in seine elende Bude zerrte, in der es nichts als Schund gab, und den zum dreifachen Preis – hier brauchte man nur in den ersten besten Laden zu treten, um so viel Schönes zu finden, daß man sich nicht satt sehen konnte. Hatte man kein Geld, so bekam man die Ware auf Borg.

Je näher sie zur livländischen Grenze kamen, um so dichter lagen die Städtchen beieinander. Auf den Hügeln drehten sich Windmühlenflügel. In den Dörfern wurde bereits Mist aufs Feld gefahren. Unter dem trüben Himmel roch es nach Frühling. Sankas Augen leuchteten wieder. Sie waren jetzt nicht weit von Kreuzburg entfernt. Doch hier ereignete sich etwas, was sie nicht erwartet hatten.

In der Herberge war in einer kleinen Kammer der Kämmerer Pjotr Andrejewitsch Tolstoi abgestiegen. Er befand sich auf der Rückreise aus dem Ausland nach Moskau. Als er russische Stimmen vernahm, kam er, den Halbpelz übergeworfen, ein Seidentuch um den kahlen Kopf, heraus.

„Entschuldigen Sie mich alten Mann", er verneigte sich höflich vor Alexandra Iwanowna, „ich bin hocherfreut über eine so angenehme Begegnung."

Aufmerksam und zärtlich blickte er unter seinen wie Hermelinschwänze schwarzen Brauen hervor auf die sich aus dem Pelz schälende Sanka. Er mochte an die Fünfzig sein, ein hagerer und kleiner, aber sehniger Mann. In Moskau war Tolstoi nicht gut angeschrieben; der Zar konnte es ihm nicht verzeihen, daß er seinerzeit mit Chowanski gemeinsame Sache gemacht und die Strelitzen aufgewiegelt hatte, um Sofja auf den Thron zu setzen. Doch Tolstoi verstand sich aufs Warten. Er übernahm schwierige Aufträge im Ausland und erledigte sie aufs beste. Er sprach mehrere Sprachen, kannte sich in der schönen Literatur aus, verstand sich darauf, ein nützliches Buch, ein gutes Bild – für Menschikows Palast – preiswert zu kaufen oder einen tüchtigen Mann für den Staatsdienst zu werben. Bei alldem hielt er sich bescheiden im Hintergrund. Manche fingen schon an, ihn zu fürchten.

„Sie sind wohl nach Riga unterwegs?" fragte er Alexandra Iwanowna. Die Kalmükin zog ihr die kleinen Filzstiefel aus.

Sanka antwortete mit gelangweiltem Gesicht: „Wir wollen so rasch wie möglich nach Paris."

Tolstoi zog seine hörnerne Tabakdose aus der Tasche, klopfte mit dem Mittelfinger auf den Deckel und schob eine Prise in seine große Nase. „Das wird Ihnen Beschwerden machen, fahren Sie lieber über Warschau."

Wolkow fragte, das gebräunte Gesicht wischend: „Warum denn?"

„In Livland ist Krieg, Wassili Wassiljewitsch. Riga wird belagert."

Sanka preßte die Hände an die Wangen, Wassili blinzelte erschrocken. „Schon ausgebrochen? Wie ist das möglich? Hat etwa August allein..."

Das Wort blieb ihm in der Kehle stecken – mit so eisigwarnendem Blick durchbohrte ihn Pjotr Andrejewitsch. Er hob die tabakbeschmutzte Nase, nieste – die Zipfel seines Seidentuches flogen wie Hasenohren hoch.

„Ich rate Ihnen, mein lieber Wassili Wassiljewitsch, sofort den Weg nach Mitau einzuschlagen. Dort weilt König August. Es wird ihn freuen, Sie und vor allem Ihre Frau Gemahlin zu sehen, die so liebreizend und anziehend ist..."

Tolstoi erzählte ihnen mancherlei vom Ausbruch des Krieges. Schon vom Herbst an wurden die sächsischen Bataillone König Augusts an der livländischen Grenze, in Janischki und Mitau, zusammengezogen. Dahlbergh, der Gouverneur von Riga – der vor drei Jahren die Moskauer Außerordentliche Gesandtschaft, zu der auch Peter Alexejewitsch zählte, so ungastlich empfangen hatte –, rührte keinen Finger, sei es, daß er nichts sehen wollte, sei es, daß er dieser Diversion keine Bedeutung beimaß. Man hätte Riga vom Fleck weg im Sturm nehmen können. Doch Amors Streiche und toller Leichtsinn hatten zur Folge, daß man die kostbare Zeit verstreichen ließ; der sächsische Oberbefehlshaber, der junge General Flemming, verliebte sich in die Nichte des Pans Sapieha und tafelte den ganzen Winter über auf dessen Schloß. Die Soldaten zechten ihrerseits und plünderten die kurländischen Dörfer, die Bauern flohen einer nach dem anderen nach Livland. Auch in Riga besann man sich endlich, der Gouverneur ließ die Stadt befestigen.

„Als General Carlowitz bei der Armee eintraf, nahmen die Kriegsoperationen Gott sei Dank ihren Anfang", erzählte Pjotr Andrejewitsch, die glattrasierten Lippen verziehend und die Worte mit Bedacht wählend. „Doch Venus und Bacchus finden nur wenig Wohlgefallen am Pfeifen der Kugeln: General Flemming suchte hitzigere Kämpfe. Anstatt den Schweden auf den Leib zu rücken, griff er verwegen die Feste der schönen Polin an, hat sie schon nach Dresden entführt und wird dort bald Hochzeit machen..."

Aus all diesen Erzählungen entnahm Wolkow, daß Augusts Sache schlecht stehe. Er sagte sich: Um keinen Fehler zu machen und hinterher Peter Alexejewitsch Rede und Antwort stehen zu müssen, ist es wohl das beste, nach Mitau zu fahren.

„Wo bleiben Ihre Ritter, Herr? Wo sind Ihre zehntausend Kürassiere? Wo Ihre Schwüre, Herr? Sie haben den König belogen."

August stellte mit einer schroffen Bewegung den brennenden Armleuchter vor den Spiegel zwischen die herumliegenden Puderquasten, Handschuhe und Parfümflaschen, eine Kerze fiel auf den Boden und erlosch. Dann schritt er auf dem silberschimmernden Teppich des Schlafzimmers auf und ab. Seine von Seidenstrümpfen prall umspannten kräftigen Waden zuckten vor Wut. Patkul stand bleich und finster vor ihm und preßte seinen Hut in den Händen. Er hatte das Menschenmögliche getan: Den ganzen Winter über hatte er Flugschriften verfaßt und sie durch Geheimboten den Rittern auf ihre livländischen Landsitze und nach Riga zustellen lassen. Den strengen schwedischen Gesetzen trotzend, hatte er, als Kaufmann verkleidet, die Grenze überschritten und die Freiherren von Benckendorff, von Sievers und von Pahlen auf ihren Schlössern aufgesucht. Die Ritter lasen seine Flugschriften und weinten, der ehemaligen Macht des Ordens gedenkend, klagten über die Getreidezölle, und diejenigen, die durch die Reduktion einen Teil ihrer Ländereien eingebüßt hatten, schworen, ihr Leben in die Schanze zu schlagen. Als aber endlich die sächsische Armee mit Manifesten Augusts, in denen er die Befreiung vom schwedischen Joch verkündete, in Livland einfiel, wagte es keiner von den Rittern, sich in den Sattel zu schwingen, schlimmer noch, viele von ihnen gingen zusammen mit den Bürgern daran, Riga zu befestigen und es gegen die nach Plünderung gierenden Söldner des Königs zu verteidigen.

Heute hatte Johann Patkul diese schlimmen Nachrichten nach Mitau gebracht. Der König hatte das Essen stehenlassen, hatte einen Leuchter auf dem Tisch ergriffen, Patkul am Arm gepackt und war ins Schlafzimmer geeilt.

„Sie haben mich in diesen Krieg gestoßen, Herr, Sie! Im Vertrauen auf Ihre Schwüre und Versicherungen habe ich den Degen gezogen. Und Sie erkühnen sich, mir zu melden, daß die livländischen Ritter, diese Säufer und Leberwurstfresser, noch schwanken."

Riesengroß und prächtig, in weißem Waffenrock, ging August auf Patkul los, schüttelte grimmig die geballten Fäuste, daß die Spitzenmanschetten hin und her flogen, und stieß, gereizt, wie er war, manch überflüssiges Wort aus.

„Wo ist die dänische Sukkursarmee? Sie haben sie mir versprochen. Wo sind die fünfzig Linienregimenter des Zaren Peter? Wo sind Ihre zweihunderttausend Golddukaten? Die Polen, hol sie der Teufel, warten auf dieses Geld. Die Polen warten auf meinen Erfolg, um zum Säbel zu greifen, oder auf meine Niederlage, um einen Bruderkrieg, wie ihn die Welt noch nie gesehen hat, vom Zaune zu brechen."

Schaum sprühte von seinen vollen, feingeschnittenen Lippen, sein gepflegtes Gesicht bebte.

Patkul bezwang, den Blick wendend, seinen aufsteigenden Zorn, der ihm die Kehle zuschnürte, und antwortete: „Majestät, die Ritter wünschen Bürgschaft, daß ihnen nach der Befreiung vom schwedischen Joch kein Überfall von seiten der moskowitischen Barbaren drohe. Das dürfte, denke ich, die Ursache ihres Schwankens sein."

„Unsinn! Leere Befürchtungen! Zar Peter hat auf das Kruzifix geschworen, nicht weiter als bis Jamburg zu marschieren, die Russen brauchen Ingermanland und Karelien. Sie denken nicht einmal an Narwa."

„Majestät, ich fürchte einen Treuebruch. Ich weiß, daß aus Moskau Späher nach Narwa und Reval ausgeschickt sind, angeblich, um Waren einzukaufen; sie haben den Auftrag, von diesen Festungen genaue Pläne aufzunehmen."

August trat einen Schritt zurück. Seine große Hand mit den gefärbten Fingernägeln sank auf den Degengriff, hochmütig streckte er sein rundes Kinn vor.

„Herr von Patkul, ich verpfände mein Königswort: Weder Narwa noch Reval, geschweige denn Riga werden die Russen zu sehen bekommen. Was auch geschehen mag, ich werde diese Städte dem Zaren Peter aus den Krallen reißen ..."

Der König ödete sich entsetzlich im herzoglichen Schloß zu Mitau. Seine Anwesenheit bei der Armee trug in keiner Weise zur Beschleunigung der Ereignisse bei. Es gelang nur, die kleine Feste Koberschanz zu nehmen. Zweimal wurde Riga bombardiert, aber beide Male ergebnislos. Die livländischen Ritter zögerten noch immer, zu Pferde zu steigen. Die polnischen Magnaten nahmen, gespannt beobachtend, eine abwartende Haltung ein und bereiteten sich anscheinend vor, auf dem bevorstehenden Landtag an den König eine Anfrage zu richten, zu welchem Zweck er Polen in diesen gefährlichen Krieg verwickelt habe.

Das Wetter in Mitau war schlecht. An Geld haperte es. Die kurländischen Gutsbesitzer waren ungeschliffen, ihre Frauen glichen mehr trächtigen Kühen als Vertreterinnen des zarten Geschlechts. Der junge Herzog von Kurland, Friedrich Wilhelm, ein hochfahrender Trunkenbold, war ein unerträglich langweiliger Mensch. Der König hatte es nur den Bemühungen seiner neuen Freundin Athalia Desmont, die mit ihm zusammen das fröhliche Warschau verlassen hatte, zu danken, daß er bei seinem cholerischen Temperament nicht in Trübsinn verfiel.

Athalia Desmont veranstaltete Bälle und Jagden, ließ aus Warschau italienische Komödianten kommen, warf das Geld mit so unfaßbarer Freigebigkeit zum Fenster hinaus, daß sogar

August manchmal mißmutig schnaufte, wenn er dem Minister des Königlichen Hauses den Auftrag erteilte, der Gräfin soundso viel Golddublonen zu beschaffen. Des rauhen Klimas ungewohnt, kamen die italienischen Komödianten aus dem Husten und Niesen nicht heraus. Auf den raffiniert-eleganten Bällen riß der ansässige Landadel, dem verfeinerte Genüsse fremd waren, beim Anblick dieser Pracht nur Mund und Nase auf und berechnete im stillen, wie teuer das alles dem König kommen mochte.

Eines Tages saß der König beim Mittagessen. Er speiste wie gewohnt allein, den Rücken dem Kamin zugewandt, an einem kleinen Tisch. Die Damen auf zierlichen vergoldeten Stühlen saßen im Halbkreis vor ihm. Der König trug eine kleine galante Perücke, einen leichten geblümten Rock, die Spitzen seines Batisthemdes fielen ihm bis auf den Nabel hinab. Der Mundschenk, ein alter Mann mit pergamentgelber Haut und gefärbtem Schnurrbart, kredenzte ihm angewärmten Wein. Dem heutigen Empfang wohnten sechs ortsansässige Baronessen mit krebsroten Backen bei, sechs wohlbeleibte Barone standen steif hinter den mit Mehl bestreuten Perücken der Damen. Zwei Stühle waren noch leer.

Mit seinem gefüllten Hasen beschäftigt, warf August ab und zu einen trüben Blick auf die Damen. Im Kamin knisterte das Holz. Die Barone und Baronessen rührten sich nicht, wohl vor Furcht, sie könnten ein unschickliches Schnaufen von sich geben. Das Schweigen zog sich allzusehr in die Länge. August stützte den Ellbogen auf den Tisch, wischte sich die Lippen und ließ die Serviette auf den Tisch fallen.

„Mesdames et Messieurs, ich werde nicht müde, der hohen Befriedigung, die ich als Gast Ihrer herrlichen Stadt verspüre, immer wieder Ausdruck zu geben." Er bekräftigte seine Worte mit einer leichten Handbewegung. „Die hohen sittlichen Eigenschaften des kurländischen Adels verdienen als leuchtendes Vorbild hingestellt zu werden. Er weiß seine edle Denkungsart mit nüchterner und praktischer Tüchtigkeit glücklich zu verbinden..."

Die Barone neigten würdevoll ihre Roßhaarperücken, die Baronessen hoben mit einer kleinen Verspätung – da sie Französisch nur schlecht verstanden – ihre üppigen Gesäße und machten einen Knicks.

„Mesdames et Messieurs, hélas, in unserem praktischen Zeitalter sehen sich selbst die Könige, von der Sorge um das Wohlergehen ihrer Untertanen getrieben, bisweilen genötigt, auf die Erde hinabzusteigen. Diese Wahrheit leuchtet nicht allen ein, hélas", er hob mit einem Seufzer die Augen gen Himmel. „Was anderes als Bitterkeit kann die kurzsichtige und leichtsinnige Verschwendungssucht eines hochmütig aufgeblasenen Pans hervorrufen, der sein Gold für Gelage und Jagden, für die Bewirtung von Trunkenbolden und Taugenichtsen vergeudet, während sein König wie ein schlichter Soldat, den Degen in der Faust, die feindliche Feste berennt..."

August tat einen kräftigen Schluck. Die Barone lauschten gespannt.

„Es ist nicht üblich, an Könige Fragen zu richten. Doch die Könige lesen aus den Augen ihrer Untertanen, was deren Seele bewegt. Messieurs, ich habe diesen Krieg allein begonnen, mit meinen zehntausend Gardisten. Messieurs, ich habe ihn um eines hohen Prinzips willen begonnen. Polen ist innerlich von Zwist und Hader zerrissen. Der Kurfürst von Brandenburg, ein reißender Wolf, zerfleischt unsere Leber. Die Schweden beherrschen die Ostsee. König Karl ist den Kinderschuhen entwachsen und wird dreist. Wäre ich nicht als erster in Livland eingefallen, morgen schon stünden die Schweden hier, hätten das kurländische Getreide mit fünffachem Zoll belegt und die Reduktion auch auf Ihre Ländereien ausgedehnt."

Seine hellen Augen rundeten sich. Die Barone schnauften, die Damen senkten die Köpfe.

„Gott hat mich berufen, von der Elbe bis zum Dnepr, von Pommern bis zur Küste Finnlands ein einiges, großes Reich zu schaffen, in dem Frieden und Wohlgefallen herrschen. Einer muß doch die bereitete Suppe essen. Die schwedischen, die brandenburgischen und die Amsterdamer Kaufleute strecken ihre Löffel nach ihr aus. Ich bin ein Edelmann, Messieurs. Ich will, daß *Sie* diese Suppe in Ruhe essen..." Er hob die Augen zur Decke, als messe er die Höhe, aus der er sich herablassen müsse. „Gestern habe ich befohlen, zwei Fouragiere aufzuknüpfen – sie haben einige Farmen auf den Ländereien des Barons Uexküll geplündert. Immerhin, Messieurs, meine Soldaten vergießen ihr Blut, sie brauchen nichts außer Ruhm. Aber die Pferde brauchen Hafer und Heu, Teufel noch mal! Ich sehe mich genötigt, an den Weitblick jener zu appellieren, für die wir unser Blut vergießen ..."

Die Gesichter der Barone röteten sich, sie begriffen jetzt, worauf er hinauswollte. August, den ihr Schweigen immer gereizter machte, begann in seine Rede derbe Soldatenworte einzuflechten.

Da trat Athalia Desmont ins Zimmer, die gesenkten Lider verliehen ihrem blassen, matten Gesicht den Ausdruck sinnlicher Leidenschaft. Mit eleganter Ungezwungenheit machte sie dem König ihre Reverenz, fächelte mit ihrem Perlmuttfächer – die Baronessen äugten verstohlen nach dieser seltsamen Pariser Neuheit – und sagte, sich verneigend: „Geruhen Majestät, mir das Glück zu erweisen, Ihnen die Venus von Moskau vorstellen zu dürfen ..."

Die riesige Schleppe hinter sich herschleifend, schritt sie zur Tür und führte an der Hand Alexandra Iwanowna herein – fürwahr, von allen ihren Einfällen war dieser vielleicht der scharfsinnigste. Athalia, die als erste von der Ankunft der Wolkows erfahren hatte, hatte sie in der Herberge aufgesucht, hatte Alexandras Erscheinung zu würdigen gewußt, sie zu sich aufs Schloß gebracht, ihre Kleiderkoffer durchstöbert und ihr aufs strengste untersagt, ihre Moskauer Sachen anzulegen. „Meine Liebe, so kleiden sich nur Samojeden!" Und dies von den schönsten Kleidern, von denen ein jedes seine hundert Golddukaten gekostet hatte! „Perücken! Man trug sie im vorigen Jahrhundert. Nach dem Nymphenfest in Versailles trägt man keine Perücken mehr, Kleinchen." Sie befahl ihrem Kammermädchen, die Perücken in den Kamin zu werfen. Sanka war so eingeschüchtert, daß sie nur zu blinzeln vermochte und sich mit allem einverstanden erklärte. Athalia öffnete ihre Truhen und kleidete Alexandra neu ein: als „femme de qualité – in großer Abendtoilette".

Angenehm erstaunt blickte August auf die Moskauer Venus – zwei aschblonde Wellen auf dem geneigten Kopf, eine auf den tief entblößten Busen fallende Locke, etliche Blumen im Haar und am Kleid, einer schlichten, an den Hüften nicht gerafften Robe, die einer griechischen Tunika glich – so stand sie vor ihm, um die Schulter einen goldgestickten Mantel, der in schweren Falten auf den Teppich hinabwallte.

August nahm ihre Fingerspitzen, beugte sich darüber und küßte sie. Nur flüchtig bemerkte Sanka die dunkelroten Gesichter der Baronessen. Da war sie – die ersehnte Stunde! Wie ein König aus fernem Märchenland, wie ein Kartenkönig war er: groß, prächtig, liebenswürdig, mit roten Lippen und hochgeschwungenen schwarzen Samtbrauen. Sanka starrte verzückt in seine sieghaft aufleuchtenden Augen: Ich bin verloren!

Eine Woche war es bald her, daß Wassili in der Herberge saß. Sanka hatte man ihm entführt und ihn selbst vergessen. Er fuhr aufs Schloß, um sich dort zu erkundigen – der Adjutant des Königs versicherte jedesmal aufs liebenswürdigste, am nächsten Tag werde der König nicht verfehlen, ihn zu empfangen. Aus Langeweile durchstreifte Wassili tagsüber die Stadt, ihre winkligen Gassen. Die schmalen, finster dreinblickenden Häuser mit hohen Giebeldächern und eisernen Türen standen wie ausgestorben, es sei denn, daß sich hoch oben in einem Fenster ein verärgertes Gesicht in einer Zipfelmütze an die Scheibe preßte. Auf den Marktplätzen waren die Läden fast durchweg geschlossen. Zuweilen ratterten Kanonen, von einem Viergespann magerer Klepper gezogen, über das holprige Pflaster, mürrische Reiter bargen im wollenen Umhang ihr Gesicht vor dem schneidenden Wind. Nur Bettler – Bauern, Bäuerinnen mit verweinten Augen und zerlumpte Kinder – irrten in Haufen durch die Straßen und blickten, die Kappe ziehend, zu den Fenstern empor.

Abends, nach dem Nachtmahl, saß Wassili, die Wange in die Hand gestützt, vor der brennenden Kerze. Er dachte an seine Frau, an Moskau, an seinen unruhigen Dienst. Damit, was die Väter und Ahnen gelehrt – sei bescheiden und gottesfürchtig, achte die Älteren –, damit kommt man heutzutage nicht weit. Nach oben arbeiten sich nur die durch, die Krallen und Zähne haben. Alexander Menschikow, der ist dreist und frech; ist noch nicht gar so lange her, daß er beim Zaren Bursche war, heute ist er Gouverneur, ein Kavalier, und wartet nur auf die Gelegenheit, alle um zwei Kopflängen zu schlagen. Aljoschka Browkin ist für erfolgreiche Rekrutenaushebung zum Hauptmann bei der Garde befördert worden: packt die Wojewoden unverfroren bei der Perücke. Jaschka Browkin, ein ungehobelter Bauer, dazu noch zänkisch und grob, befehligt ein Kriegsschiff ... Sanka. Ach, Sanka, o Gott, o Gott! Ein anderer Mann hätte ihr längst den Rücken mit der Peitsche grün und gelb geschlagen ...

Anscheinend braucht es noch etwas anderes. Heutzutage sind die Stillen nicht gut angeschrieben, ob man nun will oder nicht, man muß sich vordrängen ... Wehmütig starrte er auf die Flamme der Kerze. Ach, könnte man, wie einst, gemütlich auf dem Landsitz weilen, wenn der Schneesturm über dem verschneiten Dach heult. Ein Öfchen und beschauliche Gedanken. Vielleicht sich Pufendorf vornehmen? Sich in Geschäfte einlassen wie Alexander Menschikow oder Schafirow? Ein schwierig Ding, hab's nicht gelernt. Gäb's nur bald wieder Krieg. Die Wolkows sind zwar stille Leute, aber sitzen sie mal im Sattel, dann wollen wir sehen, wer in der ersten Reihe ficht – etwa Jaschka und Aljoschka Browkin?

An einem solcher geruhsamen Abende erschien in der Herberge der Adjutant des Königs und bat mit ausgesuchter Liebenswürdigkeit, Entschuldigungen vorbringend, Wolkow möge unverzüglich aufs Schloß kommen. Erregt und hastig kleidete sich Wassili an. Sie fuhren im Wagen davon. August empfing ihn in seinem Schlafgemach. Er streckte ihm die Hände entgegen, duldete nicht, daß er das Knie beugte, umarmte ihn und hieß ihn an seiner Seite Platz nehmen.

„Ich weiß nicht, was ich tun soll, mein junger Freund. Mir bleibt nur eins übrig, Sie um Entschuldigung zu bitten, daß an meinem Hof solche Unordnung herrscht. Eben erst habe ich bei der Mittagstafel von Ihrer Ankunft gehört. Die Gräfin Athalia, die leichtfertigste unter den Frauen, war von Ihrer Gemahlin ganz begeistert, hat sie aus den Armen des Gatten gerissen und verbirgt sie bereits eine Woche lang vor aller Welt, um allein im Genuß ihrer Freundschaft zu schwelgen ..."

Wolkow fand kaum Zeit, die Worte des Königs mit einer Verbeugung zu erwidern, versuchte aufzustehen, aber August drückte ihn auf seinen Sitz nieder. Er sprach laut und lachte. Übrigens brach er bald sein Lachen ab.

„Sie fahren nach Paris, ich weiß es. Ich möchte Sie ersuchen, mein Freund, meinem Bruder Peter einige vertrauliche Briefe zu überbringen. Alexandra Iwanowna wird völlig ungefährdet im Hause der Gräfin Athalia auf Sie warten. Sind Ihnen die letzten Ereignisse bekannt?" Das Lachen war von seinem Gesicht wie weggewischt, böse Falten legten sich um seine Mundwinkel. „Vor Riga steht es schlecht, die livländische Ritterschaft hat mich verraten. Der beste von meinen Generalen, Carlowitz, starb vor drei Tagen den Heldentod."

Er bedeckte das Gesicht mit der Hand und erwies, eine Minute lang in Gedanken versunken, dem unglücklichen Carlowitz die letzte Ehre.

„Morgen fahre ich nach Warschau zum Landtag, um der furchtbaren Gärung der Gemüter vorzubeugen. In Warschau werde ich Ihnen die Briefe und Papiere übergeben. Sie werden keine Mühe scheuen, werden die unumgängliche Notwendigkeit eines unverzüglichen Eingreifens der russischen Armee darlegen..."

Spät in der Nacht weckte Athalia ihre Zofe, die Kerzen wurden angezündet, der Kamin geheizt, ein Tischchen mit Früchten, Pasteten, Wildbret und Wein ins Zimmer getragen. Athalia und Sanka krochen aus dem breiten Bett; im bloßen Hemd, ein Spitzenhäubchen auf dem Kopf, machten sie sich an das Souper. Sanka hätte für ihr Leben gern weitergeschlafen – wie denn anders, wo es den ganzen Tag auch nicht einen Augenblick Ruhe gab, wo keiner sprach, wie ihm der Schnabel gewachsen war, wo man nichts als gedrechselte Worte zu hören bekam und stets auf der Hut sein mußte! Sie rieb sich aber die geschwollenen Augen, trank tapfer Wein aus dem wie eine Seifenblase schillernden Glas und lächelte mit emporgezogenen Mundwinkeln. Nicht um zu schlafen, war sie ja ins Ausland gefahren, „Raffinement" wollte sie erlernen. Dieses „Raffinement" – so erklärte ihr Athalia – kannte man nicht einmal an allen Königshöfen; selbst in Versailles gab es noch Grobheit und Schmutz in Fülle.

„Stell dir nur vor, mein Herz, an einem feuchten Abend kann man nicht einmal das Fenster öffnen, so übel riecht es rings um das Schloß, aus den Büschen und sogar von den Balkonen. Die Höflinge wohnen dicht zusammengepfercht, schlafen, wie es gerade kommt, in verwahrlosten Räumen, besprengen sich mit Parfüm, um den Geruch der schmutzigen Wäsche zu vertreiben. Ach, wir müßten zusammen nach Italien fahren. Das wäre ein bezaubernd schöner Traum! Dort ist die Heimat aller Raffinements. Alles steht dir zu Diensten: Dichtung, Musik, das Spiel der Leidenschaften, verfeinerte geistige Genüsse..."

Mit einem kleinen Silbermesser schälte Athalia einen Apfel. Ein Bein über das andere geschlagen, mit dem Pantöffelchen wippend, schlürfte sie mit halbgeschlossenen Augen ihren Wein.

„Menschen mit Raffinement sind die wahren Könige des Lebens. Hör nur, wie das gesagt ist: ‚Der wackere Landmann schreitet hinter dem Pflug, der emsige Handwerker sitzt an seinem Webstuhl, sein Leben wagend, hißt der kühne Kaufmann sein Segel... Wozu schaffen die Menschen? Die Götter sind ja tot... Nein, andere Gottheiten sehe ich zwischen den sich rosig färbenden Wolken auf dem Olymp.'"

Sanka lauschte wie ein gebanntes Karnickel. Fältchen durchfurchten Athalias Stirn. Das leere Glas hinhaltend, sagte sie: „Schenk ein" und fuhr fort: „Liebste, ich kann es trotz allem nicht begreifen, warum Sie sich fürchten, August zu erhören. Er leidet. Tugend ist ein Zeichen mangelnden Verstandes. Mit der Tugend verhüllt eine Frau ihre sittliche Häßlichkeit, so wie die Königin von Spanien mit einem geschlossenen Kleid ihre welken Brüste verhüllt. Sie aber sind klug. Sie sind blendend schön. Sie sind in Ihren Mann verliebt. Niemand hindert Sie daran, sich Ihrer Leidenschaft hinzugeben – doch legen Sie sie nicht offen an den Tag. Machen Sie sich nicht lächerlich, liebe Freundin. Ein ehrsamer Bürger pflegt, wenn er sonntags mit seiner Eheliebsten spazierengeht, sie unterhalb des Mieders zu umfassen, damit es keiner wage, ihm diesen Schatz streitig zu machen. Wir aber sind ‚femmes raffinées', das verpflichtet..."

Die Spitzen des Häubchens verhüllten Sankas gesenktes Gesicht. Was sollte sie tun? Sie konnte eine Nacht durchtanzen, ohne sich niederzusetzen, die Rolle jeder Griechengöttin agieren, ein ganzes Buch im Laufe der Nacht auslesen, Verse auswendig lernen. Nur eines konnte sie nicht übers Herz bringen, vergangen wäre sie vor Scham, hätte sich hinterher zu Tode gehärmt, wäre es Athalia gelungen, sie zu bereden, Augusts Liebespein zu lindern. („Das alles kommt noch, natürlich kommt's noch, aber nicht jetzt!") Wie sollte sie es ihr erklären? Konnte sie denn gestehen, daß sie nicht auf dem Parnaß geboren war, sondern Kühe gehütet hatte, daß sie bereit sei, ihre Tugend von sich zu werfen, aber noch nicht die Kraft habe, sich jenes Letzte aus der Brust zu reißen, als wachten Mütterchens furchtbare Augen über diesem Vermächtnis – ihrem inneren Halt!

Athalia bestand nicht auf ihren Worten. Sie kniff Sanka in die Wange und brachte die Rede auf etwas anderes.

„Es ist mein Traum, den Zaren Peter zu sehen. Oh, voll Ehrfurcht werde ich diese Hand küssen, die Hammer und Schwert zu führen versteht. Zar Peter mahnt mich an Herkules und seine zwölf Heldentaten, er kämpft mit der Hydra, er säubert die Ställe des Augias, er hebt den Erdball auf seine Schultern. Ist es denn wirklich kein Märchen, liebste Freundin, daß Zar Peter im Laufe weniger Jahre eine mächtige Flotte und eine unbesiegbare Armee geschaffen hat? Ich will die Namen all seiner Marschälle, all seiner Generale wissen. Ihr Gebieter ist ein würdiger Gegner des Königs Karl. Europa wartet darauf, wann der Moskauer Aar endlich seine Fänge in die Mähne des schwedischen Löwen schlagen wird. Sie müssen meine Neugier befriedigen..."

Immer wieder brachte Athalia die Rede auf die Moskauer Angelegenheiten. Sanka antwortete, so gut sie konnte. Ihr war es unbegreiflich, warum nur die vorsichtige, einschmeichelnde Stimme ihrer Freundin sie jedesmal unangenehm berührte. Lag sie nachher im Bett, die Decke bis an die Nasenspitze hinaufgezogen, so konnte sie, vom nächtlichen Gespräch erregt, noch lange nicht einschlafen. Ach, es war nicht leicht, dieses „Raffinement"...

3

„... Und letzten Endes ist diese ganze Koalition nicht mehr denn ein Fetzen Papier, der vielleicht die ehrenwerten Reichsstände, nicht aber Ihren kühnen Mut zu schrecken vermag. Die Dänen werden es nicht wagen, den Frieden zu brechen. Sie dürfen sich schon auf den Scharfblick einer Frau verlassen. Zar Peter sind die Hände gebunden, er verhandelt mit den Türken und kann nicht losschlagen, bevor er mit ihnen Frieden geschlossen hat.

Das aber wird nicht geschehen. Rat Ukrainzew hat all seine Zobelpelze an die Wesire verschenkt. Sonst hat er nichts, womit er auftrumpfen könnte. Zar Peter hat versucht, den Türken mit dem Stapellauf seiner neuen Woronesher Flotte Schreck einzujagen, doch statt dessen nur den Argwohn der Engländer und Holländer geweckt. Ihre Gesandten in Konstantinopel wollen von russischen Schiffen im Schwarzen Meer nicht einmal hören. Am unversöhnlichsten gebärdet sich der polnische Gesandte Leszczyński, Augusts Todfeind. Er flehte den Sultan im Namen der Rzeczpospolita an, den Polen beizustehen, um den Russen die Ukraine zusamt Kiew und Poltawa zu nehmen.

Da haben Sie die letzten Neuigkeiten oder Gerüchte – wenn Sie diesen Ausdruck vorziehen –, ganz Warschau ist voll davon. August und ich geben reichlich viel Geld für Bälle und Vergnügungen aus – hélas, die Beliebtheit des Königs schwindet mit jedem Tage! Er ist wütend und macht sich lächerlich: läuft einem russischen Gänschen nach ...

Wohlan! Der günstige Wind der Geschichte bläht Ihre Segel, pfeift im Takelwerk vom kommenden Ruhm. Jetzt oder nie. Ihre Ihnen ergebene Athalia."

Karl erhielt diesen Brief im Kungsörer Wald. Er las ihn, an einen Baum gelehnt. Die Fichten rauschten, niedrig flogen die Wolken am Märzhimmel dahin. Unten in der nebligen Schlucht bellten die Jagdhunde. Ihr ungeduldiges Gekläff verriet, daß sie Wild aufgespürt hatten. Ein alter Jäger stieg, den Schnee zwischen den Steinen festtretend, einige Schritte hinab und wandte abwartend den Kopf. Der König las den Brief immer von neuem. Der Bote, der ihn gebracht hatte, hielt sein Pferd am Zügel, das mit seinem lilafarbenen Auge nach der Richtung hinüberschielte, aus der das Hundegebell erklang.

Aus der Schlucht tauchte ein Hirsch auf, in mächtigen Sätzen sprang er den Abhang hinunter. Karl griff nicht nach der Muskete. Der Hirsch stürmte, sein verästeltes Geweih in den Nacken geworfen, zwischen den Bäumen vorbei. In etwa fünfzig Schritt Entfernung knallte ein Schuß, dort, wo der französische Gesandte stand. Karl wandte sich nicht um, das Brieflein flatterte in seiner vom Frost geröteten Hand. Der Jäger kehrte, das zerfurchte Kinn im Lederkragen vergraben, auf seinen Platz zurück, hinter diesem Jüngling mit dem kleinen Kopf und dem schmalen Gesicht, hager wie eine Bohnenstange, in einem Rock aus Elenleder mit langem Rücken.

„Wer hat Ihnen diesen Brief übergeben?" fragte Karl.

Der Offizier trat, ohne den Zügel aus der Hand zu lassen, einen Schritt näher.

„Graf Piper, er hat mir des weiteren befohlen, Eurer Königlichen Majestät äußerst wichtige Nachrichten, die dem Riksdag noch unbekannt sind, mündlich zu melden."

Die grauen Augen in dem rotbäckigen und dicken Gesicht des Offiziers sahen ihn fragend und dreist an. Karl wandte sich ab. Diese Herren vom Adel, so waren sie alle, starrten lauernd auf ihn, die ganze Garde, wie eine Meute hungriger Jagdhunde.

„Was haben Sie mir zu melden?"

„Die dänischen Truppen, fünfzehn oder zwanzig Bataillone, haben die holsteinische Grenze überschritten."

Karl zerknüllte langsam Athalias Brief. Das Gekläff der Jagdhunde kam wieder näher. Aus der Waldschlucht erklang Bärengebrüll. Karl nahm die an einen Baum gelehnte Muskete und warf, den Kopf wendend, dem Offizier hin: „Lassen Sie sich ein anderes Pferd geben, kehren Sie nach Stockholm zurück. Sagen Sie Graf Piper, daß wir uns hier amüsieren wie nie. Drei alte Bären sind umstellt. Ich lasse Graf Piper, General Rhenskjöld, General Löwenhaupt und General Schlippenbach zur Treibjagd bitten. Gehen Sie und beeilen Sie sich."

Auf seinem blassen Gesicht traten rote Flecke hervor. Mit

zitterndem Finger spannte er den Hahn der Muskete. Entschlossenen Schritts ging er auf die Schlucht zu, die gefrorenen Stulpen seiner Kanonenstiefel knarrten. Mit spöttischem Lächeln blickte der Offizier auf den leicht gebückten Knabenrükken, auf den voll Selbstbewußtsein gestrafften Nacken, sprang in den Sattel und verschwand, in weiten Sätzen über den Schnee dahinstürmend, im Walde.

Vierzehn Bären waren erlegt oder ins Netz getrieben. Karl amüsierte sich wie ein Knabe über das verzweifelte Gebrüll der ins Netz geratenen Bärenjungen; man fesselte sie mit ungegerbten Riemen, um sie nach Stockholm zu schaffen. Piper, Rhenskjöld, Löwenhaupt und Schlippenbach waren bei Tagesanbruch – in Lederröcken, Birkhahnfedern am Hut – eingetroffen, ein jeder von ihnen hatte einen Bären mit dem Jagdspieß erlegt. Der französische Gesandte Guiscard hatte eigenhändig ein Riesentier von sieben Fuß Länge geschossen.

Die ermüdeten Jäger kehrten in das hölzerne Jagdschlößchen über einem in der Tiefe der vereisten Schlucht rauschenden Wasserfall zurück. Im Speisesaal war es heiß von den im Kamin lohenden Fichtenästen. An den Wänden blinkten die Glasaugen der Hirsch- und Elenköpfe. Guiscard, ein kleiner Mann, der dem Rotwein eifrig zugesprochen hatte, zwirbelte seinen Schnurrbart und erzählte, mit den kurzen Armen fuchtelnd, voll Begeisterung, wie das Tier, einem Orkan gleich den Schnee aufwirbelnd, aus seiner Höhle gesprungen und drauf und dran gewesen sei, ihn zu zerreißen.

„Sein stinkender Atem schlägt mir ins Gesicht! Ich springe indes geschickt zurück und lege an. Das Gewehr versagt! Blitzschnell zieht mein ganzes Leben vor meinem Auge vorüber. Ich packe die andere Muskete..."

Die schweigsamen Schweden hörten ihm zu, tranken und lächelten. Karl nahm während des Abendessens nicht einmal einen Schluck Bier. Als man den französischen Gesandten mit Müh und Not in sein Schlafzimmer gebracht hatte, befahl er, einen Posten vor der Tür aufzustellen, und setzte sich an den Kamin. Piper und die Generale rückten dicht an seinen Stuhl heran.

„Ich wünsche Ihre Meinung zu hören, meine Herren", sagte Karl und kniff die Lippen fest zusammen. Seine vom Wind gerötete Knabennase glühte im Widerschein des Feuers.

Die Generale senkten die Stirnen. Jede Sache, diese insbesondere, wollte reiflich überlegt sein. Piper rieb bedächtig sein eckiges Kinn.

„Der Riksdag ist ängstlich und will keinen Krieg. Am Vorabend unserer Abreise ist er zu einer außerordentlichen Sitzung zusammengetreten. Das Gerücht vom Einfall des Königs von Polen in Livland, vor allem aber die Eröffnung der Feindseligkeiten seitens der Dänen haben Stockholm in Unruhe versetzt. Die Reeder, die Holz- und Getreidehändler schickten eine Deputation an den Riksdag. Man hörte sie aufmerksam an, und von den Abgeordneten äußerte sich auch nicht einer für den Krieg. Es wurde beschlossen, Gesandte nach Warschau und Kopenhagen zu schicken, um die Sache, koste es, was es wolle, friedlich beizulegen."

„Und die Meinung des Königs?" fragte Karl.

„Der Riksdag nimmt anscheinend an, daß die Bärenjagd den Ehrgeiz Eurer Majestät vollauf befriedige."

„Vortrefflich." Flink wie ein Luchs, wandte Karl sein schmales Gesicht Rhenskjöld zu. General Rhenskjöld sog durch die breiten Nasenlöcher seiner aufgeworfenen Nase Luft ein.

„Mich dünkt", sagte er mit einem ehrlichen Blick seiner runden, hellen Augen, „mich dünkt, in der Armee gibt's genug junge Edelleute, denen es in Schweden zu eng ist. Es werden sich Leute finden, die bereit sind, mit dem Schwert Ruhm zu erringen. Mag uns der König bis ans Ende der Welt führen, wir folgen ihm bis ans Ende der Welt. Für die Schweden wäre es ja nicht das erstemal . . ." Seine geraden Lippen verzogen sich zu einem gutmütigen Lächeln.

Die Generale nickten zustimmend: Nicht das erstemal wär's, daß wir von den felsigen Küsten unserer Heimat nach fremden Ländern segeln, um Gold und Ruhm zu holen.

Als das Nicken zu Ende war, sagte Piper: „Der Riksdag wird uns auch nicht einen Heller für den Krieg bewilligen. Der Säckel des Königs ist leer. Das will erwogen sein."

Die Generale schwiegen. Karl biß sich auf die Lippen. Die

gegen das Kamingitter gestemmten Sohlen seiner Kanonenstiefel dampften.

„Geld brauchen wir nur für die ersten Tage, um die Truppen einzuschiffen und nach Dänemark überzusetzen. Dieses Geld wird mir der französische Gesandte geben. Er wird mir's schon darum geben, weil ich es andernfalls von den Engländern nehmen würde. Unsere weiteren Kriegsoperationen wird der König von Dänemark begleichen müssen. Und er wird zahlen."

Die Generale rückten dicht an den Tisch des Königs heran und stimmten ihm bei: „Richtig, richtig." Piper zog die Stirne kraus – wieder einmal mußte er über diesen Knaben staunen.

„Selbst wenn wir uns zu diesem Krieg nicht entschließen wollten, die Großmächte würden uns dazu zwingen", sagte Karl. „Wählen wir das Beste: greifen wir als erste an. Der prunkliebende August träumt von einem großen Reich. Er hat ebensowenig Geld wie ich, erbettelt vom Zaren Peter Golddukaten und versäuft sie mit seinen Dirnen. August würde einen guten Schmierenkomödianten abgeben. Noch weniger schreckt mich der Moskowiterzar; er wird seine Bundesgenossen verlieren, bevor er noch seinen Bauernregimentern beigebracht hat, mit der Muskete umzugehen. Meine Herren, ich möchte Ihnen einen Plan zur Beratung vorlegen..."

Am selben Abend trafen die drei Generale, über die auf Karls Knien ausgebreitete Karte gebeugt, folgende Dispositionen: Welling, der Gouverneur von Narwa, übernimmt den Oberbefehl über die schwedischen Truppen in Estland und Livland und eilt Riga zu Hilfe; Löwenhaupt und Schlippenbach ziehen unter Vorgabe einer Manöverübung die Garde- und Linientruppen in Landskrona, dem am Sund gelegenen Kriegshafen, zusammen; Piper trifft in Stockholm die nötigen Vorkehrungen, um die Aufmerksamkeit des Riksdags von all diesen Vorbereitungen abzulenken.

In den Kamin wurden Fichtenkloben geworfen, der Posten vor der Tür wurde aufgehoben. Man deckte den Tisch zum Abendessen. Gut ausgeschlafen, sich die Hände reibend, erschien Monsieur Guiscard im Speisesaal. Karl bot ihm einen Platz am Kaminfeuer an und sagte, sich räuspernd, als blieben ihm die Worte im Hals stecken: „Lieber Freund, Sie dürfen meiner innigen und ergebenen Liebe zu meinem Bruder und Ihrem Gebieter versichert sein..." Guiscard hielt im Reiben der Handflächen inne und horchte auf. „Schweden wird nach wie vor treu auf der Wacht der französischen Interessen in den nördlichen Gewässern stehen. Im Streit um den spanischen Thron stelle ich Ludwig meinen Degen zur Verfügung." Guiscard verneigte sich tief und spreizte seine kurzen Arme. „Ich will es Ihnen jedoch nicht verhehlen: Die Engländer tun alles, um die Schweden auf ihre Seite zu ziehen. Außer dem König gibt es in Schweden einen Riksdag, und ich bin kein Gedankenleser... Leider ist die Welt heutzutage voller Widersprüche. Erst heute habe ich erfahren, daß sich die englische Flotte im Sund gezeigt hat... Um einem verhängnisvollen Fehler vorzubeugen, bedarf ich realer Beweise Ihrer Freundschaft, Monsieur Guiscard..."

Die brüllenden Bärenjungen wurden auf einem Wagen durch die Straßen Stockholms gefahren. Hinter dem Wagen ritten Karl, seine Jagdgefährten und die Jäger. Die Messinghörner klangen, die Rüden bellten. Die biederen Bürger traten ans Fenster und schüttelten den Kopf. „Eine schlimme Zeit hat sich der König für seine Zerstreuungen ausgesucht."

Beunruhigende Gerüchte schwirrten durch die an langjährigen Frieden gewohnte Stadt. In den Gewässern des Sunds erschienen die Flotten Englands und Hollands – in welcher Absicht? Vielleicht, um sich mit den Dänen zu vereinigen und der Herrschaft Schwedens auf den nördlichen Meeren ein Ende zu bereiten? Das unermeßliche Polen drohte, die schwedischen Garnisonen von der baltischen Küste hinwegzufegen. Im Osten war die sich auf Tausende von Meilen hinziehende Grenze Moskowiens so gut wie ungeschützt, rechnete man nicht die kleine Feste Nyenschanz an der Newamündung und die Festung Nöteborg am Ausfluß der Newa aus dem Ladogasee.

Schon daran zu denken war schrecklich – sich in einen Krieg mit fast ganz Osteuropa einzulassen, und das mit einem kleinen, zwanzigtausend Mann zählenden Heer und einem tollen König. Frieden, unbedingt Frieden, selbst wenn es hieß, ein bedeutend weniger Teil zu opfern, um das Wichtigste zu retten.

Karl erschien im Riksdag, ohne den Jagdrock gewechselt zu haben; mit hochfahrender Zerstreutheit hörte er die wohlmeinenden Reden an von der Hand Gottes, die sich in dieser Stunde über Schweden strafend ausstreckte, von weiser Einsicht und Tugend. Mit dem elfenbeinernen Dolchgriff spielend, antwortete er, gegenwärtig sei er mit den Vorbereitungen zum Frühlingskarneval auf Schloß Kungsör beschäftigt und könne sich erst nach dem Fest über die Außenpolitik äußern.

Der Senior der Abgeordneten erhob sich und wünschte, sich tief verneigend, in gewählter Rede dem König, es möge ihm vergönnt sein, sich sorgenlos seinen Vergnügungen hinzugeben.

Der König zuckte die Achseln und entfernte sich. Nach einigen Tagen reiste er wirklich nach Kungsör ab. Dort ließ er sich frische Reitpferde geben und sprengte, von Rhenskjöld und einem Dutzend Gardeoffizieren begleitet, nach Landskrona. Unterwegs machte er fast nirgends Rast und schonte weder Pferde noch Menschen. Er war wie ausgetauscht – ein einziger Gedanke beherrschte seine Sinne und seinen Willen.

An einem klaren Frühlingsmorgen liefen die schwedischen Schiffe mit fünfzehntausend Mann Elitetruppen an Bord in den Sund aus. Gegen Mittag tauchten auf der breiten Bahn des sich in den Wellen spiegelnden Sonnenlichts die schwarzen, gleichsam zwischen Meeresrand und lichtem Himmel schwebenden Umrisse von Schiffen, Schnauen und Galeeren auf. Hunderte von Wimpeln flatterten im Wind. Es war die englisch-holländische Flotte, die hier kreuzte.

Als auf dem schwedischen Flaggschiff die Königsstandarte am Mast emporstieg, zeigten sich an den Breitseiten der Schiffe runde Rauchwölkchen, und Kanonenschüsse rollten dröhnend über das Wasser. Der Wind trieb die Rauchschwaden nach Süden. In goldgestickten Röcken fuhren der englische und der holländische Admiral in ihren Schaluppen dem Flaggschiff entgegen.

Karl stand wartend auf der Kommandobrücke – er trug

einen graugrünen, bis an die schwarze Halsbinde zugeknöpften Tuchrock und für alle Wechselfälle des Lebens geeignete Teerstiefel mit weiten Stulpen. Unter seinem kleinen, an den Seiten eingedrückten Hut war die Perücke in einen Zopf geflochten, der in einem Lederbeutelchen steckte. Seine Hand lag auf dem Knauf seines langen Degens, als stütze er sich auf einen Stock. So hatte er sich auf den weiten Weg gemacht, Europa zu erobern.

Die Admirale, denen so manches über diesen verderbten Jüngling zu Ohren gekommen war, staunten über seine ungewöhnliche Entschlossenheit und Selbstbeherrschung. Er sprach von dem unerhörten Schimpf, den ihm die Könige von Polen und Dänemark angetan, und erklärte sich großmütig bereit, die Hilfe der englisch-holländischen Flotte anzunehmen, um die Dänen für ihren Treuebruch zu strafen.

Am selben Tag noch nahmen die drei vereinigten Flotten, das Meer mit ihren Segeln bedeckend, Kurs auf Kopenhagen.

4

Der Regen war vorbei, die Wolken hatten sich verzogen. Der Abend war lau, es roch nach Gras und Rauch. Von weitem klang das Geläut der Kirchenglocken aus der Deutschen Siedlung herüber.

Peter saß am offenen Fenster – die Kerzen brannten noch nicht – und las die eingegangenen Schreiben. Im Hintergrund des Schlafzimmers, an der Tür, schimmerte weiß und reglos der kahle Schädel Nikita Demidows, des Tulaer Schmieds.

„... Fürwahr, Majestät, der Eifer des Volkes erkaltet, und bei der geringsten Nachsicht denkt es, daß sich alles zum alten wenden wird..." Das Schreiben war von Alexej Kurbatow, der nach immer neuen Quellen suchte, den Staatsschatz zu bereichern. „... Der Großhändler Matwej Schustrow hat Steuerangaben über seine Umsätze und sein Vermögen gemacht und geschrieben, sein ganzes Vermögen belaufe sich auf nur zweitausend Rubel, und er sei völlig zugrunde gerichtet. Mir aber ist bekannt, daß in Matwejs Haus im Sarjadje-Viertel, im Kellergeschoß, im Abtritt, den zu betreten man sich schämt, vierzigtausend Golddukaten vergraben sind, die noch von seinem Großvater stammen. Matwej aber ist ein Mann, der sich nicht zu zähmen weiß und seinen Reichtum verpraßt, statt ihn zu mehren, und so man ihm keinen Zaum angeleget, wird er ihn vollends vergeuden. Allmächtiger Zar, befiehl, einen Kanzlisten und zwanzig Soldaten zu Matwej ins Sarjadje-Viertel zu schikken, und er wird mit seinen Golddukaten herausrücken..."

Peter legte mit einem Kopfnicken das Schreiben auf die Fensterbank, links, zur Durchführung. Das nächste Schreiben, vom Richter Mischka Beklemischew, war mit zittriger Hand geschrieben; er konnte nur entziffern: „... habe Deinem Vater und Deinem Bruder gedient und war in vielen Ämtern tätig und wurde zum Richter beim Moskauer Gerichtshof ernannt. Bis auf den heutigen Tag sitze ich dort und arbeite uneigennützig. Ob solch uneigennütziger Arbeit bin ich in Schulden geraten und gänzlich verarmt. Allmächtiger Zar, habe die Gnade und setze mich um dieser uneigennützigen Arbeit willen als Wojewode ein, und sei es auch nur in Poltawa..."

Peter gähnte und warf das Bittgesuch auf den Stoß zur Rechten. Dann kamen Berichte aus Belgorod und Sewsk, daß die in der Armee und in den Stadtämtern dienenden Leute jeglichen Ranges, auch Hörige und Bauern, die vom Zaren anbefohlene Arbeit nicht mehr leisten wollen, sich weigern, Schiffe zu bauen und Holz zu fällen und von allüberall an den Don in die befestigten Kosakensiedlungen fliehen... Am Rande des Schreibens vermerkte der Zar: „Man lasse die Wojewoden von Belgorod und Sewsk kommen und befrage sie peinlich."

Es folgte eine flehentliche Bittschrift der Kronbauern, die sich über den Wojewoden Suchotin in Kungur beschweren, daß er von jedem Hof über alle Abgaben hinaus acht Altyn für die eigene Tasche erhebt und die Bauern- und Badehäuser versiegeln läßt – mach, was du willst, bei dem kalten Wetter! Viele schwangere Frauen kommen im Viehstall nieder, die Neugeborenen sterben vorzeitig, manche Frauen aber packt der Wojewode in der Amtsstube an den Brüsten und kneift sie bis zum Blut in die Brustwarzen, treibt auch anderweitigen Unfug und mißhandelt sie...

Peter kratzte sich im Nacken. Das ganze Land stöhnte und jammerte; jagte man einen Wojewoden davon, so trieb es der neue nur um so schlimmer. Wo Leute hernehmen? Nichts als Diebe ringsum. Er machte sich, mit dem Gänsekiel spritzend, ans Schreiben: „Zum Wojewoden in Kungur ernenne ich ..."

„Nikita", er wandte den Kopf, „soll ich dich als Wojewoden einsetzen, wirst du stehlen?"

Nikita Demidow blieb an der Tür stehen und seufzte bedächtig auf. „Wie alle, Peter Alexejewitsch, das Amt bringt es mit sich."

„Es fehlt mir an Leuten. Was meinst du?"

Nikita zuckte die Achseln, als wollte er sagen: Gewiß, einerseits fehlt es an Leuten ...

„Lasse ich so einem Schuft am Wippgalgen die Glieder ausrenken, oder setze ich ein hohes Gehalt aus – es hilft alles nichts, stehlen tun sie doch ..." Er tauchte die Feder ins Tintenfaß und schrieb, obgleich es schon ganz dunkel geworden war. „Keine Spur von Gewissen, von Ehre. Zu Schalksnarren habe ich sie gemacht. Wie kommt das nur?" Er wandte den Kopf.

„Je satter einer ist, desto mehr stiehlt er, Peter Alexejewitsch, desto unverfrorener ..."

„Na, na, du Unverfrorener!"

„Zum Heulen ist's, Peter Alexejewitsch. Das Herz tut einem weh: An Arbeitern fehlt's mir. Bei mir in der Schmiede hat man elf meiner besten Leute von der Arbeit weg zu den Soldaten eingezogen."

„Wer hat sie eingezogen?"

„Deiner Majestät Bojar Tschemodanow, er ist mit seinen Ratsherren nach Tula gekommen, um Rekruten auszuheben ..." Nikita stockte und blickte aufmerksam zu Peter hinüber, dessen Gesicht nicht zu sehen war; er hatte sich vom Fenster abgewandt. „Was soll ich's verschweigen, die haben in Tula gewirtschaftet! Alle, die zahlen konnten, sind freigekommen. Auch zu mir, in meine Werkstätten, hat er einen Kanzlisten geschickt. Wäre ich damals in Tula gewesen, mich hätt's nicht gereut, ihm fünfhundert Rubel für solche Meister zu zahlen ... Sei doch so gütig, vielleicht läßt sich was machen. Sind alles Waffenschmiede, die ihre Sache nicht schlechter als die Engländer verstehen ..."

Peter murmelte zwischen den Zähnen: „Reich eine Bittschrift ein ..."

„Soll geschehn ... Nein, Peter Alexejewitsch, Leute werden sich schon finden, selbstverständlich ..."

„Na gut. Was hast du noch vorzubringen?"

Nikita trat vorsichtig näher. Es ging um eine große Sache. Diesen Winter war er nach dem Ural gefahren und hatte seinen Sohn Akinfi und drei erfahrene Bauern, Altgläubige aus der Danilowo-Einsiedelei, mitgenommen, die sich auf den Bergbau verstanden. Sie hatten das Uralgebirge von Newjansk bis zu den Siedlungen an der Tschussowaja abgesucht, waren auf eisenhaltige Berge gestoßen, hatten Kupfer, Silber und Bergflachs gefunden. Ungenützt lagen die Schätze. Ringsum nichts als Wüste. Die einzige Eisengießerei, die vor zwei Jahren am Nejwa-Fluß auf Peters Befehl errichtet worden war, lieferte täglich kaum einhalbhundert Pud Eisen, und selbst die wegzubringen fiel schwer, weil es keine Straßen gab. Der Leiter der Gießerei, Daschkow, ein Bojarensohn, hatte sich vor lauter Langeweile dem Trunk ergeben, der Wojewode von Newjansk, Protassjew, desgleichen. Die Kräftigeren unter den Arbeitern waren geflüchtet, nur die Schwachen und Siechen waren geblieben. Die Gruben verfielen. Ringsum stand dichter Urwald, aus den Seen und Flüssen brauchte man nur Wasser zu schöpfen, um, hatte man auch nichts als ein Schaffell zur Hand, Gold zu waschen. Hier war es anders als in Demidows Tulaer Waffenschmiede, wo das Erz von niedrigem Eisengehalt war und es nur wenig Wald gab – seit dem Vorjahre war es verboten, Eichen, Eschen und Ahornbäume für die Kohlenbrennerei zu fällen – und der erste beste Federfuchser von einem Kanzlisten einen schröpfen konnte! Hier waren Raum und Weite. Aber die zu bewältigen war schwer: Viel Geld bedurfte es dazu. Der Ural war menschenleer.

„Peter Alexejewitsch, aus der Sache wird wohl nichts werden. Ich habe mit Sweschnikow, mit Browkin und mit noch ein paar andern Leuten gesprochen. Sie wollen sich nicht recht entschließen, in ein so unsicheres Geschäft Geld zu stecken, und überdies geht es mir wider den Strich, ihren Verwalter zu spielen. Wieviel Mühe das kosten wird, den ganzen Ural auf die Beine zu bringen..."

Peter stampfte jäh mit dem Fuß auf. „Was brauchst du? Geld? Leute? Setz dich." Nikita nahm rasch auf der Stuhlkante Platz und starrte Peter mit seinen tiefliegenden Augen an. „Ich muß diesen Sommer hunderttausend Pud Kanonenkugeln und fünfzigtausend Pud Eisen haben. Ich habe keine Zeit zu warten, bis ihr mit eurem Herumreden und Herumdenken fertig seid. Nimm die Newjanskier Eisenhütten, nimm den ganzen Ural. Ich befehle es!" Nikita streckte seinen Zigeunerbart vor, und Peter rückte zu ihm heran. „Viel Geld habe ich nicht, aber dazu gebe ich dir welches. Ich werde den Eisenhütten Ländereien zuweisen, werde dir befehlen, Leute auf den Bojarengütern zu kaufen. Aber paß auf!" Er hob seinen langen Finger und drohte zweimal. „Den Schweden zahle ich einen Rubel für das Pud Eisen, du wirst es mir für dreißig Kopeken liefern."

„Das ist zu billig", warf hastig Nikita ein. „Das geht nicht. Einen halben Rubel..."

Und er glotzte mit seinen Augen, in denen das Weiße bläulich schimmerte, Peter an, auch Peter starrte wohl eine Minute lang wütend auf ihn.

Dann sagte der Zar: „Gut. Darüber sprechen wir später. Und noch eins, dich Gauner kenne ich. Deine Schuld wirst du mir im Laufe von drei Jahren mit Guß- und Schmiedeeisen abzahlen. Bei Gott, du bist kühn. Merk dir's, ich laß dich aufs Rad flechten, bei Gott!"

Nikita räusperte sich leise und sagte mit gepreßter Stimme: „Dieses Geld zahle ich dir noch früher zurück, bei Gott..."

Ein Abend kam, da wußte Peter nicht, was er mit seiner Zeit anfangen sollte. Er wollte schon befehlen, eine Kerze anzuzünden, schielte zu den noch ungelesenen Papieren hinüber und lehnte sich, die Brust auf der Fensterbank, hinaus.

Es war bereits Nacht, und doch schien es wärmer geworden zu sein. Von den Blättern tropfte es. Ein leichter Nebel braute über dem Gras. Peter sog gierig die würzige Luft ein – es roch nach schwellenden Knospen. Ein Tropfen fiel ihm in den Nakken, Zittern lief durch seinen Körper. Langsam zerrieb er die Nässe mit der flachen Hand.

Alles schlief in der Lenzesstille, bereit, jeden Augenblick aufzuwachen. Kein Licht in der Runde; nur aus der Ferne, aus der Soldatensiedlung, klang der gedehnte Ruf der Posten herüber: „Ha-a-b a-acht!" Mattigkeit in allen Gliedern, bleierne Schwere. Er hörte, wie laut sein an die Fensterbank gepreßtes Herz pochte. Eins blieb nur: die Zähne zusammenbeißen und warten.

Warten, warten. Wie ein Frauenzimmer, das in der nächtlichen Stille den Kopf vom heißen Kissen hebt, um dem Hufschlag zu lauschen, den ihr die Sinne vorgaukeln ... Den ganzen Tag schon wollte es mit der Arbeit nicht vorangehen. Menschikow hatte ihn zur Abendtafel gebeten – er war nicht hingefahren. Dort schmausten sie jetzt wohl! Noch nie waren die Zeiten so schwer gewesen, jetzt kam alles darauf an abzuwarten, die Kraft zu haben abzuwarten. König August hatte den Krieg unüberlegt vom Zaune gebrochen, ohne abzuwarten, nun war er vor Riga steckengeblieben. Auch Friedrich von Dänemark hatte nicht abwarten wollen, war selber an allem schuld ...

„Selber schuld, selber schuld", brummte Peter und starrte auf die dunklen, vom Regen schweren Fliederbüsche. Dort machte sich jemand zu schaffen – wohl sein Bursche mit irgendeinem Mädel. Heute war Oberst Langen mit beunruhigenden Nachrichten von König August eingetroffen: Der junge schwedische Löwe hatte plötzlich die Zähne gezeigt. Mit einer riesigen Flotte war er vor den Festungswerken Kopenhagens erschienen und hatte verlangt, die Stadt solle sich ergeben. Der erschrockene Friedrich ließ sich, ohne es zum Kampf kommen zu lassen, auf Unterhandlungen ein. Karl landete unterdessen fünfzehntausend Mann Fußvolk im Rücken der dänischen Armee, die eine holsteinische Feste belagerte. Wie eine Windsbraut brachen die Schweden über Dänemark herein. Weder seine Leute noch die Fremden hätten je gedacht, daß dieser mutwillige, verzärtelte Knabe so bald die Klugheit und die Kühnheit eines wahren Feldherrn an den Tag legen würde. Langen überbrachte außerdem die Bitte Augusts um Geld. Polen könne man nur dann zum Kriege bewegen, wenn man dem Primas und dem Kronhetman zwanzigtausend Golddukaten zur Verteilung unter die Pans zukommen ließe. Mit Tränen in den Augen bat Langen Peter, noch vor dem Friedensschluß mit den Türken einzugreifen.

Bei diesen Berichten juckte Peter das Fell. Aber es war nichts zu machen! Er konnte sich unmöglich in einen neuen Krieg einlassen, solange ihm der Khan der Krim im Nacken saß. Warten hieß es, warten, bis seine Stunde geschlagen hatte. Vorhin war Iwan Browkin bei ihm gewesen und hatte erzählt: In der Ältestenkammer sei es gar laut hergegangen, Sweschnikow und Schorin hätten im stillen begonnen, Getreide aufzukaufen, und es zu Wasser und zu Lande nach Nowgorod und Pskow gebracht. Der Weizenpreis sei mit einem Schlage um drei Kopeken gestiegen. Rewjakin hätte sie angeschrien: „Ihr seid wohl toll, Ingermanland ist ja noch nicht unser, und wer weiß, wann es unser wird. Euer Getreide wird in Nowgorod und Pskow nur unnütz verfaulen." Sie aber hätten geantwortet: „Im Herbst ist Ingermanland unser, sobald der erste Schnee fällt, bringen wir das Getreide nach Narwa..."

Die nassen Büsche schwankten plötzlich, Tropfen sprühten von den Zweigen. Zwei Schatten huschten vorüber. „Nicht doch, Liebster... Laß mich, laß mich..." Der kleinere Schatten wich zurück und lief leicht, auf bloßen Füßen, davon. Der andere, lange Schatten – der Bursche Mischka – stapfte in Kanonenstiefeln hinterdrein. Unter der Linde blieben die beiden aneinandergeschmiegt stehen, und wieder erklang es: „Nicht doch, Liebster..."

Peter lehnte sich fast bis an die Hüften aus dem Fenster. Im Tal stieg hinter den grauen Weiden groß und von Nebel umwallt der Mond auf. Auf der Ebene traten deutlich die Heuschober, Baumwipfel und der milchweiße Streifen des Flüßchens hervor. Alles wie von Ewigkeit: reglos, unwandelbar, von Unruhe erfüllt.

Und diese zwei Schatten dort unter der Linde flüsterten, hastig, immer das gleiche.

„Genug!" brüllte Peter mit Baßstimme. „Mischka! Ich werde dir das Fell gerben!"

Das Mädchen verbarg sich hinter dem Stamm der Linde. Der Bursche sprang – es war noch keine Minute vergangen – auf den Zehen die knarrende Stiege hinauf und kratzte an der Tür.

„Eine Kerze", sagte Peter. „Die Pfeife."

Rauchend schritt er im Zimmer auf und ab. Nahm ein Papier vom Tisch, hielt es an die Kerze und ließ es wieder fallen. Die Nacht hatte eben erst begonnen. Lächerlich, schon jetzt an Schlaf zu denken. Der Rauch der Tabakpfeife zog zum Fenster, glitt unter dem hochgeschobenen Rahmen hinaus und verflüchtigte sich in der frischen Nacht.

„Mischka!" Der Bursche sprang wieder zur Tür herein – dickwangig, mit einer Stupsnase und blöde blickenden Augen.

„Paß auf, laß mir die Mädels in Ruh! Was soll das heißen!" Er ging auf ihn zu, doch man hätte jetzt mit allem, was man gerade zur Hand hatte, auf Mischka losschlagen können, er war nicht bei sich. „Lauf zu und sag, man soll das Kabriolett anspannen. Du kommst mit."

Der Mond stand über der Ebene, in dem graublau schimmernden Gras funkelten Tropfen. Schnaubend schielte das Pferd zu den dunkelnden Büschen hinüber. Peter zog ihm eins mit den Zügeln über. Schmutzklumpen flogen von den Rädern, aus den spiegelblanken Radspuren spritzte Wasser. Sie jagten durch die schlafende Straße von Kukui, wo voll schwüler Süße, genau wie vor Jahren, die Tabakblüten in den Vorgärten dufteten. In Anna Mons' Fenster leuchteten hinter den üppig emporgeschossenen Pappeln die herzförmigen Öffnungen, die in beide Hälften der Klappläden geschnitten waren.

Anna Iwanowna, Pastor Strumpf, Königseck und der Herzog de Croy saßen im friedlichen Schein zweier Kerzen beim Kartenspiel. Von Zeit zu Zeit nahm Pastor Strumpf eine Prise, zog sein gewürfeltes Taschentuch und nieste mit Genuß – fröhlich glitt der Blick seiner feuchten Augen über die Spielpartner. Der Herzog de Croy betrachtete, mit den wimpernlosen Lidern blinzelnd, seine Karten, sein tief herabhängender Schnurrbart, der fünfzehn glorreiche Schlachten miterlebt hatte, sträubte sich und schob sich bis zu den Nasenlöchern empor. Anna

Iwanowna, im hellblauen Hauskleid mit bis an die Ellbogen entblößten, etwas voll gewordenen Armen, wie Tautropfen blinkende Diamanten in den Ohren und am Samtbändchen um den Hals, überlegte mit leicht gekräuselter Stirn das Spiel. Königseck, geschniegelt, elegant und gepudert wie immer, lächelte ihr bald zärtlich zu, bald bewegte er unmerklich die Lippen, bemüht, ihr zu Hilfe zu kommen.

Ohne Zweifel, in großem Bogen umflogen alle Stürme diese friedliche Stube, wo es so angenehm nach Vanille und Kardamom roch, mit denen man hier das Gebäck würzte, wo die Sessel und Sofas in Leinenbezügen steckten und die Wanduhr bedächtig tickte. „Wir sagen bescheiden Eicheln", seufzte Pastor Strumpf und hob die Augen zum Himmel. „Pik", sagte der Herzog, als zöge er seinen rostigen Degen aus der Scheide. Königseck beugte sich vor, um über Anna Iwanownas Schulter weg ihr in die Karten zu sehen, und flötete: „Wir – Herz, wie immer."

Peter, der über die Hintertreppe gekommen war, öffnete plötzlich die Tür. Die Karten fielen Anna Iwanowna aus der Hand. Die Männer erhoben sich hastig. So gut sich Anna Iwanowna zu beherrschen wußte, konnte sie einen freudigen Schrei doch nicht unterdrücken, mit strahlendem Gesicht machte sie einen tiefen Knicks, küßte Peter die Hand und drückte sie an ihre von einem Tüchlein nur halbverhüllte Brust. Dennoch war ihm, als flackere in ihren durchsichtig blauen Augen, wie ein vorbeihuschender Schatten, Entsetzen auf. Mit leicht gekrümmtem Rücken schritt Peter auf das Sofa zu.

„Spielt nur, ich werde hier rauchen."

Doch Anna Iwanowna war schon auf ihren hohen Absätzen zum Tisch geeilt und hatte die Karten durcheinandergemengt.

„Wir haben uns nur die Zeit vertreiben wollen... Ach, Pieter, wie schön, Sie bringen immer Freude und Fröhlichkeit in dieses Haus..." Sie klatschte wie ein kleines Kind in die Hände. „Wir werden gleich zu Abend essen..."

„Ich will nicht essen", brummte Peter. Er knabberte an seinem Pfeifenrohr. Wer weiß, warum, aber er fühlte plötzlich, wie Zorn ihm die Kehle zuschnürte. Er warf einen scheelen

Blick auf die Leinenbezüge, den Stickrahmen und die Wollknäuel. Ein tiefes Fältchen zeigte sich auf Annchens glatter Stirn, früher hatte er dieses Fältchen nie gesehen.

„Oh, Pieter, dann wollen wir uns ein nettes Gesellschaftsspiel ausdenken..." Und wieder flackerte Angst in ihren Augen auf.

Er schwieg. Pastor Strumpf sah nach der Wanduhr, dann auf seine Taschenuhr. „Mein Gott, schon zwei durch", und nahm seine Postille von der Fensterbank. Auch der Herzog de Croy und Königseck griffen nach ihren Hüten. Annchen rief, die Hände ringend, daß die Fingergelenke knackten, kläglicher, als es die Höflichkeit erforderte: „Ach, gehen Sie doch noch nicht..."

Peter schnaufte, Funken sprühten aus seiner Pfeife. Er zog die Beine an sich. Sprang auf. Hastigen Schritts verließ er das Zimmer und schlug die Tür hinter sich zu. Annchen atmete immer unruhiger, verbarg das Gesicht in ihrem Tüchlein. Königseck eilte auf den Zehenspitzen hinaus, um ein Glas Wasser zu holen. Pastor Strumpf schüttelte nachdenklich den Kopf. Der Herzog spielte mit den auf dem Tisch liegenden Karten.

Dunst stieg von den Holzdächern, von der trocknenden Straße auf. Die Wasserlachen waren wie blauende Abgründe. Die Kirchenglocken läuteten, es war Sonntag, der erste nach Ostern, Pastetenbäcker und Honigtrankverkäufer priesen laut ihre Ware an. Müßiges Volk trieb sich herum, die meisten waren betrunken. Auf der Stadtmauer, von der der Kalk schon abgebröckelt war, standen zwischen den Zinnen Burschen in neuen Blusen und jagten Tauben, wobei sie Stangen mit Bastbüscheln schwenkten. Die weißen Vögel flatterten im Blau, überschlugen sich spielend und schossen hinab. Überall, hinter den hohen Zäunen, unter den vom Nachtregen frisch gewaschenen Linden und grauen Weiden schwang sich das Volk auf Schaukeln: Bald flogen Mädchen mit wehenden Zöpfen zwischen den Zweigen empor, bald schaukelte ein glatzköpfiger Alter voll Übermut eine dicke Frau, die kreischend auf dem Brett saß.

Peter fuhr im Schritt durch die Straßen. Seine Augen waren

eingefallen, sein Gesicht war mürrisch. Die Sonne brannte ihm auf den Rücken. Sein Bursche Mischka, der die ganze Nacht im Kabriolett auf ihn gewartet hatte, warf ab und zu den Kopf in den Nacken, um nicht gänzlich einzuschlafen. Das Volk trat vor dem Pferd auseinander, nur selten riß ein Vorübergehender, der den Zaren erkannt hatte, die Mütze vom Kopf und verneigte sich hinter ihm tief bis auf den Boden.

Von Anna Mons war Peter in dieser Nacht zu Menschikow gefahren. Hatte nur einen Blick auf die hohen, verhangenen Fenster, aus denen Musik und trunkenes Geschrei erklang, geworfen. „Hol euch der Kuckuck", dann hatte er dem Pferd mit den Zügeln eins übergezogen und war zum Tor hinausgefahren, geradewegs nach Moskau, in die Strelitzensiedlung. Erst in scharfem Trab, schließlich jagte er im Galopp dahin.

In der Siedlung machten sie vor einem einfachen Hof halt, über dessen Tor eine Stange mit einem Bund Heu aufragte. Peter warf Mischka die Zügel hin und klopfte an die Pforte. Ungeduldig trat er auf dem glucksenden Mist von einem Fuß auf den anderen. Trommelte mit den Fäusten an die Pforte. Eine Frau öffnete. Mischka warf einen raschen Blick auf sie: Es war eine Frau von hohem Wuchs, mit rundem Gesicht, in einem dunklen Sarafan. Sie stieß ein „Ach" aus und preßte die Hände an die Wangen. Peter bückte sich, trat in den Hof und schlug die Pforte hinter sich zu.

Mischka richtete sich im Kabriolett auf und sah, wie in dem Holzhäuschen hinter dem Tor oben in zwei Fensterchen Licht aufflammte. Dann kam diese Frau wieder heraus und rief: „Luka, hörst du, Luka..."

Eine Greisenstimme antwortete: „Ich hör ja schon."

„Luka, laß niemanden rein, hörst du?"

„Und wenn die Leute mir das Tor einrennen?"

„Ja, bist du denn kein Mann?"

„Schon gut, ich werde sie mit dem Spieß empfangen."

Mischka dachte: Jetzt ist mir alles klar.

Nach einer Weile kamen drei aus einer Gasse, Strelitzenkappen auf dem Kopf, sahen sich aufmerksam in der menschenleeren, vom Mond hell beschienenen Straße um und schritten geradewegs auf das Tor zu.

Mischka sagte streng: „Geht eurer Wege."

Die Strelitzen traten mit bösen Gesichtern ans Kabriolett heran. „Wer bist du? Was hast du um diese Stunde in der Siedlung zu suchen?"

Mischka zischte leise und drohend: „Kerls, macht aber nun, daß ihr weiterkommt..."

„Warum denn?" rief zornig einer von ihnen, der betrunkener sein mochte als die anderen. „Was drohst du uns? Wir wissen, wo du herkommst..." Die beiden anderen nahmen ihn bei den Schultern und flüsterten. „Auch dein Kopf hängt bloß an einem dünnen Faden. Wartet nur, wartet..." Seine Gefährten zerrten ihn bereits weg und hinderten ihn daran, die Ärmel aufzukrempeln. „Ihr habt noch nicht alle aufgeknüpft. Die Zähne sind uns noch geblieben. Der dort soll nur zusehen, daß er nicht selber an den Pfahl kommt..." Er bekam einen Fausthieb ins Genick und verlor die Kappe; seine Gefährten schleppten ihn in die Gasse.

Das Licht im Fenster erlosch bald. Doch Peter kam nicht heraus. Hinter dem Tor schlug Luka von Zeit zu Zeit mit einem Knüppel schläfrig gegen ein Holzbrett. Bald trat solche Stille ein, daß selbst das müde Pferd den Kopf hängen ließ. Im Halbschlaf hörte Mischka, wie die Hähne krähten. Das Licht des Mondes wurde blasser. Am Ende der Straße färbte sich der Himmel gelb und rot. Zum zweitenmal weckte ihn ein Geflüster: ein Haufen Jungen, darunter einige ohne Hosen, umstand das Kabriolett. Kaum hatte er die Augen aufgeschlagen, als alle, mit den Armen fuchtelnd, auseinanderstoben und die schwarzen Fersen zeigten. Die Sonne stand schon hoch am Himmel.

Peter trat, den Hut tief in die Stirn gedrückt, aus der Pforte. Er räusperte sich laut und nahm die Zügel in die Hand. „So, das wäre erledigt", brummte er mit Baßstimme und setzte das Pferd in Trab.

Als sie Moskau hinter sich hatten und über das grüne Feld fuhren – in der Ferne die spitzen Giebeldächer der Deutschen Siedlung und dahinter die weit am Horizont lagernden schneeweißen Wolken –, sagte Peter: „Jaja, euch Burschen muß man streng halten. Treibst du wieder mal nachts Unfug, sperr ich dich in die Kammer ein." Und er lachte, den Hut in den Nakken schiebend, laut auf.

Eine halbe Kompanie Soldaten in braunen, ungefügen Rökken zog vorüber, an ihren Beinen waren Heu- und Strohbüschel befestigt, sie marschierten ohne Tritt, klirrend stießen die Bajonette zusammen. Der Sergeant schrie mit Stentorstimme: „Achtung!" Peter kletterte aus dem Wagen, nahm bald einen, bald einen anderen Soldaten bei der Schulter, drehte ihn hin und her und betastete das rauhe Tuch.

„So ein Dreck!" schrie er und sah, die Augen rollend, dem Sergeanten in das mit Pickeln übersäte Gesicht. „Wer hat die Röcke geliefert?"

„Herr Bombardier, die Röcke kommen aus den Sucharewschen Schneiderwerkstätten."

„Zieh dich aus!" Peter packte einen Soldaten, ein spitznäsiges, mageres Kerlchen. Dem ging vor Entsetzen der Atem aus, als er in das über sich gebeugte runde Gesicht des Bombardiers mit dem stoppligen, schwarzen Schnurrbart blickte. Die ihm zunächst stehenden Kameraden rissen ihm das Gewehr aus der Hand, knöpften das Bandelier ab und zerrten ihm den Rock von den Schultern. Peter ergriff den Rock, warf ihn in den Wagen, stieg selber ein, ohne ein weiteres Wort zu verlieren, und jagte in der Richtung des Menschikowschen Palais davon.

Mit schlotternden Gliedern blickte der entkleidete Soldat wie gebannt dem sich auf der grasbewachsenen Straße entfernenden Kabriolett nach. Der Sergeant stieß ihn mit dem Stock beiseite.

„Golikow, raus aus der Reihe, mach, daß du nach Hause kommst... A-a-achtung!" Er riß sein Maul auf, warf den Oberkörper zurück und brüllte über das ganze Feld weg. „Linkes Bein – Heu, rechtes Bein – Stroh. Merkt's euch. Marsch, Heu – Stroh, Heu – Stroh..."

Das Tuch war den Sucharewschen Regimentsschneiderwerkstätten von der neuen Fabrik Iwan Browkins geliefert worden, die er am Neglinnaja-Fluß, an der Kusnezki-Brücke gebaut hatte. Menschikow und Schafirow waren an diesem Unternehmen als Partner beteiligt. Das Preobrashenski-Amt hatte auf den Vertrag über die Lieferung von Uniformtuch einen Vorschuß von hunderttausend Rubel gezahlt. Prahlerisch hatte Menschikow Peter versichert, sie würden ihm Tuch liefern, das dem Hamburger in nichts nachstehe. Statt dessen lieferten sie jedoch grobes Tuch, zur Hälfte mit Baumwolle vermischt. Alexaschka Menschikow war schon als Dieb zur Welt gekommen, war sein Leben lang ein Dieb gewesen und war es geblieben. Na, warte nur! dachte Peter und zog ungeduldig an den Zügeln.

Alexander Danilowitsch saß auf dem Bett und trank nach dem gestrigen Gelage – bis sieben Uhr morgens hatten sie gezecht – Gurkenlauge, seine blauen Augen blickten trüb, die Lider waren geschwollen. Die Schale mit der Gurkenlauge hielt sein Hausdiakon, mit dem Spitznamen Pedrila, ein wild aussehender Mann mit einer Löwenstimme, fast sieben Fuß lang und rund wie eine Tonne. Bekümmert langte er mit den Fingern in die Schale.

„Eine Gurke würde dir guttun, da – nimm."

„Scher dich zum Teufel..."

Vor dem prunkvollen Bett saß Pjotr Pawlowitsch Schafirow mit süßlichem, wie ein Fladen feistem und klugem Gesicht, die geöffnete Schnupftabakdose in Bereitschaft. Er riet Menschikow, sich ein halbes Glas Blut abzapfen oder Blutegel im Nacken ansetzen zu lassen.

„Ach, verehrtester Alexander Danilowitsch, mit diesem unmäßigen Genuß geistiger Getränke werden Sie sich noch ins Grab bringen..."

„Scher du dich mal dahin!"

Der Diakon bemerkte als erster durchs Fenster den Zaren. „Er scheint übler Laune zu sein." Ehe sie sich's versahen, war Peter im Schlafzimmer, ging ohne Gruß stracks auf Alexander Danilowitsch zu und hielt ihm den Soldatenrock unter die Nase.

„Dieses Tuch ist also besser als Hamburger? Schweig, du Dieb, schweig, keine Ausflüchte!"

Er packte ihn an der Brust, am Spitzenhemd, zerrte ihn zur Wand und schlug ihn, als Alexander Danilowitsch sich mit aufgerissenem Munde sträubte, rechts und links ins Gesicht, daß der Kopf nur so hin und her flog. In seinem Zorn griff er nach einem am Kamin stehenden Stock und zerbrach ihn auf Alexaschkas Rücken. Warf ihn weg und wandte sich an Schafirow, der demütig neben dem Sessel kniete. Peter blieb neben ihm stehen und schnaufte nur.

„Steh auf." Schafirow sprang auf. „Das ganze untaugliche Tuch wirst du nach Polen, dem König August, zum selben Preis verkaufen, den ich euch gezahlt habe. Ich gebe dir eine Woche Frist. Verkaufst du's nicht, so wirst du auf dem Bock, ohne Hemd, mit der Knute durchgepeitscht. Verstanden?"

„Ich werd's verkaufen, werd's noch viel früher verkaufen. Majestät..."

„Mir aber liefert ihr und Wanka Browkin statt dessen gutes Tuch."

„Mijn Herz, ach, mein Gott", sagte Alexaschka, sich Rotz und Blut aus dem Gesicht wischend, „wann hätten wir dich je betrogen! Weißt du, wie das mit diesem Tuch gekommen ist?"

„Genug jetzt. Befiehl, das Frühstück aufzutragen..."

Viertes Kapitel

I

Glut. Windstille. Das Rot der Ziegeldächer von Konstantinopel ist verblichen. Über der Stadt zittert in der trockenen Hitze die Luft. Selbst die vergilbenden, staubigen Gärten des Sultanpalastes spenden keinen Schatten. Am Fuß der Festungsmauern, auf den Steinen am Ufer der spiegelglatten Flut liegen zerlumpte Gestalten. Die Stadt schläft. Nur von den hohen Minaretten ertönen, wehmütig mahnend, gedehnte Rufe. Und des Nachts heulen die Hunde, den Kopf zu den großen Sternen emporgereckt.

Ein Jahr schon sitzen der Außerordentliche Gesandte Jemeljan Ukrainzew und der Rat Tscheredejew im Gesandtenhof in Pera. Dreiundzwanzig Konferenzen sind einberufen worden, aber weder die Russen noch die Türken haben nachgeben wollen. Vor einigen Tagen traf ein Kurier von Peter ein mit dem Befehl, eiligst Frieden zu schließen, den Türken alles, was möglich sei, mit Ausnahme von Asow, abzutreten, die Frage des Heiligen Grabes am besten überhaupt nicht aufzuwerfen, um die Katholischen nicht zu reizen, und nach solchen Zugeständnissen diesmal auf dem übrigen fest zu bestehen.

Auf der dreiundzwanzigsten Konferenz hatte Ukrainzew erklärt: „Dies ist unser letztes Wort: Unsres Bleibens ist hier nicht mehr länger als zwei Wochen. Kommt's nicht zum Frieden, so schreibt euch selber die Schuld zu. Des Großmächtigen Zaren Flotte ist nicht die gleiche wie im vorigen Jahr. Ihr dürft davon wohl gehört haben..." Um diesen Worten größeren Nachdruck zu verleihen, siedelte die Außerordentliche Gesandtschaft vom Gesandtenhof aufs Schiff über. Die „Festung" hatte so lange im Hafen gelegen, daß die Schiffswände mit Schimmel bedeckt waren, die Kajüten von Schaben und Wanzen wimmelten und Kapitän Pamburg vor lauter Nichtstun Fett angesetzt hatte.

Ukrainzew und Tscheredejew pflegten vor Tagesanbruch aufzuwachen, kratzten sich und ächzten in der stickigen Kajüte. Warfen dann, nur mit Hemd und Unterhose bekleidet, einen langen tatarischen Kaftan über und gingen an Deck. Welche Öde! Über dem noch dunklen Bosporus, über den von der Sonne verbrannten Hügeln flammte am wolkenlosen Himmel, Tagesglut bergend, die Morgenröte auf. Sie machten sich ans Frühstück. Ach, jetzt ein Glas Kwaß aus dem Keller! Teufel noch mal! Sie aßen stinkenden Fisch und tranken Wasser mit Essig – alles fad. Kapitän Pamburg, der auf nüchternen Magen ein Glas Schnaps geleert hatte, spazierte, nichts als die Unterhose am Leib, über das von der Hitze rissig gewordene Deck. Orangefarben erhob sich die Sonne aus dem Meer. Und bald wurde es unerträglich, auf das fließende Wasser, auf die am Ufer träge schaukelnden, mit Melonen und Kürbissen beladenen Boote, auf die kreideweißen Kuppeln der Moscheen, auf die das Auge blendenden Halbmonde in der blauen Luft zu blicken. Stimmengewirr, Geschrei und das Gebimmel der fliegenden Händler klangen aus den engen Gassen Galatas herüber.

„Jemeljan Ignatjewitsch, nun sag bloß, wozu brauchst du mich hier", begann Rat Tscheredejew. „Laß mich doch ziehen. Ich lauf zu Fuß..."

„Bald, bald geht es nach Hause, gedulde dich, Iwan Iwanowitsch", antwortete Ukrainzew und schloß die Augen, um selber die ihm schon zuwider gewordene Stadt nicht sehen zu müssen.

„Jemeljan Ignatjewitsch, eins wünschte ich mir jetzt: im Gärtchen, auf Melde, in der Kühle zu liegen..." Das ohnehin längliche, schmalbärtige Gesicht Tscheredejews war von Hitze und Heimweh ganz ausgedörrt, seine Augen lagen tief in den Höhlen. „Ich hab ein Häuschen in Susdal. Zwei alte Birken stehen dort im Garten, jede Nacht sehe ich sie im Traum. Früh am Morgen wacht man auf, erhebt sich, um nach dem Vieh zu sehen, aber das weidet schon auf der Wiese. Dann geht's zum Bienenstand, durch das hohe Gras, das einem bis an die Hüften reicht. Im Flüßchen ziehen Bauern das Schleppnetz. Weiber klopfen die Wäsche mit Bleueln. So anheimelnd ist das alles..."

„Ach, ach, ach, ja, ja, ja", nickte der Außerordentliche Gesandte mit seinem verrunzelten Gesicht.

„Zum Mittagessen bekommt man Welspastete vorgesetzt..."

Ukrainzew sagte, sich hin und her wiegend, ohne die Augen zu öffnen: „Wels ist zu fett, Iwan Iwanowitsch. Zur Sommerszeit würde ich Fischkaltschale vorziehen. Mit Pfefferminzkwaß."

„Da lob ich mir eine Kaulbarschsuppe, Jemeljan Ignatjewitsch."

„Man darf nur den Kaulbarsch nicht putzen, muß ihn so kochen, wie er ist, mit dem Schleim. Ist er abgekocht, dann raus mit ihm und einen Sterlet in die Brühe..."

„Welch ein Reich, mein Gott! Und hier, Jemeljan Ignatjewitsch? Die reinsten Heiden, Gespenster. Keine Menschen. Und die Griechinnen hier, wahrhaftigen Gottes, Gefäße aller Laster sind sie..."

„Davon hättest du dich aber wirklich zurückhalten sollen, Iwan Iwanowitsch!"

Auf Tscheredejews mächtiger Nase zeigten sich Schweißperlen wie Hirsekörner. Die Ringe unter seinen Augen schienen noch dunkler zu werden.

Vom Ufer hielt ein mit sechs Ruderern bemannter, teppichgeschmückter Sandal auf das Schiff zu. Kapitän Pamburg schrie plötzlich mit heiserer Stimme: „Bootsmann, pfeif alle Mann an Bord! Fallreep!"

Der Mann, der mit dem Sandal gekommen war und, hastig mit den Pantoffeln schlurfend, das Fallreep emporkletterte, war Suleiman, ein Kanzlist des Großwesirs, gleich rasch in seinen Gedanken wie in seinen Bewegungen, ein Mann mit hervorstehenden Backenknochen und plattgedrückter Nase. Hurtig ließ er seine Blicke über das Schiff gleiten, hurtig führte er die Hand an die Stirn, an die Lippen und ans Herz und begann auf russisch: „Der Großwesir läßt sich nach deinem Wohlbefinden erkundigen, Jemeljan Ignatjewitsch. Er befürchtet, du habest es auf dem Schiff nicht bequem genug. Warum zürnst du uns?"

„Guten Tag, Suleiman", antwortete Ukrainzew, sich durchaus nicht beeilend, „berichte auch du uns vom Wohlergehen des Großwesirs. Ist bei euch alles in Ordnung?" Bei diesen Worten drang ein scharfer Blick aus seinem halbgeöffneten Auge. „Wir fühlen uns auch hier gut. Nach Hause verlangt's uns. Unser Haus hier mißt ja nicht mehr als fünfzig Fuß."

„Jemeljan Ignatjewitsch, kann ich dich mal sprechen?"

„Warum nicht." Er räusperte sich und wandte sich an Tscheredejew und Pamburg: „Laßt uns allein." Und zog sich selber in den Schatten des Segels zurück.

Suleiman entblößte lächelnd seine schadhaften Zähne.

„Jemeljan Ignatjewitsch, ich bin euer treuer Freund, eure Feinde kann ich euch an den Fingern abzählen..." Seine Finger fuhren dicht vor Ukrainzews Nase hin und her, der brummte nur: „Soso." – „All ihre Ränke machen mich bloß lachen. Wäre ich nicht, der Diwan hätte längst die Verhandlungen mit euch abgebrochen. Mir ist es gelungen, die Sache wieder einzurenken, der Großwesir wird, wenn du willst, den Friedensvertrag schon morgen unterzeichnen. Man muß nur dem und jenem ein Bakschisch zustecken..."

„So steht es?" erwiderte Ukrainzew. Jetzt war alles klar. Ein Grieche, der in seinem Sold stand, hatte ihm gestern gemeldet, daß der französische Gesandte aus Paris nach Konstantinopel zurückgekehrt sei und daß eine Sitzung des Diwans, des Ministerrats des Sultans, stattgefunden habe, alle hätten reiche Geschenke erhalten. Jemeljan hatte die ganze Nacht, von Hitze und Schaben geplagt, gegrübelt: Was mag wohl dahinterstecken? Sie wollen sicherlich die Türken zu einem neuen Krieg gegen Österreich aufhetzen. Um indes freie Hand zu haben, müssen die Türken zuvor ihre Sache mit Moskowien ins reine bringen...

„Na, was das Bakschisch anlangt, das ist eine Kleinigkeit. Sag aber dem Großwesir: Wir warten nur auf günstigen Wind. Wird Frieden geschlossen, so ist es gut, wenn nicht, um so besser für uns. Der Frieden jedoch muß so aussehen..." Er schaute unter seinen grauen Brauen hervor Suleiman durchdringend an. „Die Festen am Dnepr werden wir niederreißen, wie wir übereingekommen sind. Statt dessen aber soll alles Land um Asow, auf zehn Tagereisen zu Pferde, russisch sein. Darauf bestehen wir."

Suleiman erschrak, daß das Bakschisch ihm entgehen könnte – die Russen wußten anscheinend mehr, als erwünscht war –, und nahm den Außerordentlichen Gesandten beim Ärmel. Er fing an zu handeln. Sie gingen in die Kajüte. Pamburg, der wußte, daß viele Augen durch Fernrohre die „Festung" beobachteten, jagte die Matrosen auf die Wanten, als setzte man bereits die Segel zur Abfahrt. Jemeljan zeigte sich auf einen Augenblick auf der Schwelle der Kajüte.

„Iwan Iwanowitsch, mach dich fertig, wir fahren in die Stadt."

Bald darauf erschien Ukrainzew selber mit Perücke und Degen. Suleiman faßte ihn hilfreich beim Ellbogen, als sie das Fallreep hinab in den Sandal stiegen.

Nach der Mittagsstunde wehte träge, zum erstenmal seit vielen Tagen, der schmale Wimpel vom Schiffsmast. Farbloser Dunst überzog langsam die fernen Hügel. Das Blau des Himmels schien von Staub gesättigt und verhüllte die Stadt. Ein aus der Wüste kommender Wind sprang auf.

Am darauffolgenden Tag wurde der Friedensvertrag unterzeichnet.

2

Dröhnend schallte der Iwan Weliki über Moskau – vierundzwanzig Burschen aus den Handelsreihen schwangen den kupfernen Klöppel. Ein feierlicher Bittgottesdienst wurde abgehalten, um den russischen Waffen den Sieg über den Feind zu erflehen. Nach beendetem Gottesdienst war der Dumarat Prokofi Wosnizyn – nach altem Brauch in russischem Pelz, eine hohe Pelzmütze auf dem Kopf und in roten Saffianstiefeln – auf die Freitreppe hinausgetreten, auf der bereits Brennesseln und Huflattich wucherten, und hatte dem in hellen Haufen herbeiströmenden Volk mit weithin vernehmbarer Stimme des Zaren Ukas verlesen: Alle wehrhaften Männer werden aufgeboten, um gegen die schwedischen Städte ins Feld zu ziehen. Alle Kämmerer, Hofbeamten, Moskauer Edelleute, Dienstmannen und Leute jeden Ranges, die in der Kriegskunst ausgebildet sind, haben sich beritten einzustellen.

Man hatte das schon lange erwartet, und doch geriet ganz Moskau in Wallung. Vom frühen Morgen an zogen Regimenter und Wagenzüge, dicke Staubwolken aufwirbelnd, durch die Straßen. Die Soldatenweiber liefen neben ihnen her und rangen verzweifelt die Hände, ihre langen Ärmel flatterten. In dichter Menge preßten sich die Bewohner der Vorstädte an die Zäune, um den über den Knüppeldamm der Straße holpernden Kanonen Platz zu machen. Aus den offenen Türen uralter Kirchlein drangen dröhnend die Stimmen der Diakonen: „Si-i-ieg!" Die Tore der Bojarenhöfe öffneten sich, Reiter sprengten heraus – manche, wie noch zu Großvaters Zeit, in Panzern und Reiterwämsern –, keilten sich, die Pferde spornend, in die Menge ein und ließen ihre Reitpeitschen auf die Köpfe niedersausen. Wagen stießen zusammen, Radachsen krachten, Pferde bissen wiehernd um sich.

In der Uspenski-Kathedrale stand im Glanz der zahllosen Kerzen, von Weihrauchwolken umwallt, der gebrechliche Patriarch Adrian, die Hände weinend gen Himmel erhoben. Hinter ihm knieten in dichtem Hauf Bojaren, namhafte Handelsherren und die Vornehmsten der Kaufmannsgilde. Alle schluchzten beim Anblick der Tränen, die von dem zur Kuppel emporgehobenen Gesicht des Patriarchen rannen. Der Archidiakon, den Rachen aufreißend, daß ihm die Schläfenadern anschwollen, überschrie mit seinen Siegesrufen, die wie die Drommeten des Jüngsten Gerichts erdröhnten, den Kirchenchor. Schwarz blinkte der Mantel des Patriarchen, schwarz blinkten in ihren goldenen Rahmen die Heiligenbilder, das Gotteshaus erstrahlte in Gold und Glorie.

In solcher Menge war die Kaufmannschaft zum erstenmal zum Gottesdienst in der Uspenski-Kathedrale, dieser Hochburg der Bojaren, zugelassen worden. Die Ältestenkammer hatte aus diesem Anlaß fünfundzwanzig Pud Wachskerzen gestiftet, und so mancher namhafte Kaufherr hatte darüber hinaus Lichter vor den Heiligenbildern aufstellen lassen, dieser eine Halbpudkerze, jener gar eine ein ganzes Pud schwere. Die Diakonen bat man, mit dem Weihrauch nicht zu sparen.

Iwan Artemjitsch Browkin wiederholte, schnaufend die Tränen hinunterschluckend, immer wieder: „Preis Dir und Ruhm..." Zu seiner Linken sang Präsident Mitrofan Schorin voll Hingebung die Weisen des Chores mit, zur Rechten verschlang Alexej Sweschnikow mit seinen Zigeuneraugen den Goldschmuck der Altarwand, der Heiligenbilder und der Kronen mit einer Gier, als wäre all diese Pracht seiner Hände Werk. „Si-i-ieg!" brüllte, daß die Mauern erbebten, der prunkvoll gekleidete Archidiakon; die roten Rosen, mit denen sein Ornat bestickt war, verschwanden im wallenden Weihrauch.

Man stellte sich auf, um das Kreuz zu küssen. Als erster trat der wohlbeleibte, grauhaarige Fürst-Cäsar Fjodor Jurjewitsch heran; wohl eine Minute lang preßte er die Lippen ans Kreuz, und seine alten Schultern bebten. Ihm folgten die Fürsten und Bojaren, einer immer älter als der andere; die Jungen waren schon alle zum Heere einberufen oder ins Feld gezogen. Voll frommen Eifers näherten sich die Kaufherren. Warfen dem Kirchenvorsteher klirrende Golddukaten, Ringe und Perlenketten mit hellem Klang auf die große Platte, die er in den Händen hielt. Erhobenen Hauptes verließen sie die Kathedrale. Noch einmal bekreuzigten sie sich mit einem Blick auf das riesige Christusbild über dem Portal, strichen sich das Haar aus der Stirn, setzten ihre Mützen und Hüte auf, schritten, herausfordernd mit den Absätzen stampfend, über den kahlen, nur hie und da mit Gras bewachsenen Platz zur Ältestenkammer und blickten, sich als Herren fühlend, auf die Haufen des gemeinen Volks und auf die Fenster der Ämter.

Wohl ein Dutzend schmutziger, knochiger Hände packte Iwan Artemjitsch, als er aus der Kathedrale trat, an den Schößen seines Samtrocks. „Fürst, Fürst... Eine Kopeke... Ein Stü-ü-ückchen Brot!" heulten die struppigen, zahnlosen, nackten, mit Geschwüren bedeckten Gestalten. Sie kamen angekrochen, streckten die Hände hin, schüttelten ihre Lumpen. „Fürst, Fürst!" Entsetzt sah sich Iwan Artemjitsch um. „Was wollt ihr nur, ihr Schafsköpfe, ihr Bettelvolk, ich bin ja gar kein Fürst!" Er kehrte beide Taschen um und warf ihnen die Kopeken hin. Ein glatzköpfiger Gottesnarr klirrte mit seinem Schürhaken und kreischte mit einer Stimme, die nichts Menschliches hatte: „Brennende Kohlen will ich..."

Hier stand auch, mit zusammengekniffenen Augen lächelnd und sich am Bart zupfend, Waska Rewjakin. Iwan Artemjitsch wandte sich, nachdem er mit Müh und Not die Rockschöße freibekommen hatte, an ihn. „Sind das vielleicht deine Gefolgsmannen, Kaufherr? Du solltest dich lieber bekreuzigen an solch einem Tage..."

„Ich halt es mit den Leuten, Iwan Artemjitsch." Rewjakin legte die Hände auf den Bauch und verneigte sich. „Die Leute sind demütig und ich bin demütig. Die Leute sind arm und ich bin arm..."

„Verflucht! So ein Hund, so ein Salbader! Ein richtiger Hund!" Iwan Artemjitsch ging seines Weges, wie ein Bock meckerte der Gottesnarr hinter ihm her.

3

Immer wieder mußten die Soldaten mit Aufbietung aller Kräfte Wagen und Kanonen aus dem Schlamm zerren. Tagelang wehte der Wind von Westen, wohin, sich gut hundert Werst in die Länge ziehend, die Truppen der Generale Weyde und Artamon Golowin langsam marschierten. Repnins Division in Moskau zögerte noch immer mit dem Aufbruch. Fünfundvierzigtausend Mann Fußvolk und Reiterei sowie zehntausend Wagen waren auf dem Marsch.

Kalte Nebel zogen über den Wipfeln des Waldes dahin. Der Regen riß die letzten Blätter von den Birken und Espen. In dem bläulich schimmernden Schlamm der ausgefahrenen Wege blieben die Räder bis an die Naben stecken, brachen sich die Gäule die Beine. Überall in den Straßen lagen Pferdekadaver mit aufgedunsenen Bäuchen und emporgereckten Beinen. Stumm setzten sich die Leute auf der Böschung des Straßengrabens nieder – totschlagen konnte man sie, sie rührten sich nicht. Besonders verweichlicht zeigten sich die ausländischen Offiziere. Schon längst waren sie aus dem Sattel gestiegen und hockten zitternd in ihren durchnäßten Mänteln, durchnäßte Perücken auf dem Kopf, inmitten des Plunders unter den Bastverdecken der Fuhren.

Schmuck hatten die Truppen Moskau verlassen, Federhüte auf dem Kopf, in grünen Röcken mit grünen Strümpfen; jetzt näherten sie sich barfuß, bis an den Hals vor Schmutz starrend, in aufgelösten Reihen der schwedischen Grenze. Beim Vorbeimarsch am Ilmen-See wurden viele Troßwagen von den stürmischen Wellen, die die Uferwiesen überfluteten, ins Wasser gerissen.

Infolge der herrschenden Unordnung blieben die Wagenzüge hinter den Truppen zurück und wichen vom Wege ab. Auf den Rastplätzen war es unmöglich, Lagerfeuer anzuzünden – von oben goß es in Strömen, unten war Sumpf. Schlimmer als der ärgste Feind hausten die Reiterfähnlein des Adelsaufgebots, wie die Heuschrecken stürzten sie sich auf alles Eßbare in den Dörfern der Umgegend. Ritten sie am Fußvolk vorbei, so brüllten sie: „Macht Platz, ihr Bauernlümmel!" Alexej Browkin, Hauptmann in dem an der Spitze marschierenden Regiment des Obersts von Schweden, geriet des öfteren mit den berittenen Landjunkern in Streit und prügelte sie mit dem Stock. Mühe und Plage gab es genug, hingegen Ordnung nur wenig.

Erst am Luga-Fluß, in der Nähe der Grenze, wurden die Straßen schlammfrei, und hier schlug die Vorhut ihr Lager auf, um auf den Troß zu warten. Die Soldaten bauten Zelte und trockneten schlecht und recht ihre Sachen. Sie gedachten der Asow-Kampagnen, einige erinnerten sich noch an die Kriegszüge Wassili Golizyns gegen die Krim. Kein Vergleich zu heute. Durch freie Steppen ging es damals nach dem warmen Süden! Mit Sang und Klang waren sie – sie hatten es noch gut im Gedächtnis – dahingezogen. Und was für ein Land war dies hier? Öde Sümpfe, Wolken und Wind. Viel Tränen wird man vergießen müssen, bis dieses karge Land erobert ist!

Beißender Rauch stieg von den Holzfeuern vor den Zelten auf. Die Soldaten flickten ihre Kleidung und liefen den glitschigen Abhang zum Fluß hinunter, um ihre Wäsche zu waschen. Die Kommißschuhe waren bei allen zerrissen; wem es gelungen war, Bastschuhe und Fußlappen zu ergattern, der war noch gut dran, die anderen mußten die Füße mit Lumpen umwickeln. Hier würde auch ohne Krieg die Hälfte aller Leute bis November zugrunde gehen. Manchmal brachten die Reiter einen gefangenen Esten am Fangseil zum Verhör angeschleppt. Die Soldaten umringten ihn und fragten ihn auf russisch und tatarisch aus, wie die Leute hier lebten. Ein unverständiges Volk waren die Esten – der Gefangene blinzelte nur wie eine Kuh. Man führte ihn zu Alexej Browkin ins Zelt zum Verhör. Solche Gefangene wurden nur selten wieder freigelassen; sie kamen gefesselt zum Troß und wurden dort um dreiviertel Rubel, manche, die besonders kräftig waren, auch teurer, an die Marketender verkauft, die sie in Nowgorod, wo sich die Vertreter der Kriegslieferanten aufhielten, weiterverkauften.

Alexej Browkin hielt in seiner Kompanie streng auf Ordnung: Seine Soldaten waren immer satt, er tat niemandem Unrecht, aß dieselbe Kost wie seine Leute, doch Zuchtlosigkeit und Verfehlungen ahndete er aufs strengste; jeden Tag lag einer, den nackten Hintern nach oben, unter den Stockprügeln brüllend, vor seinem Zelt. Mitten in der Nacht stand er auf und machte die Runde, um die Posten zu kontrollieren. Eines Nachts, als er sich lautlos dem Waldrain genähert hatte, horchte er auf: War es ein Baum, der da knarrte, oder war es das Wimmern eines Tieres? Er rief leise. Undeutlich unterschied er einen auf einem Baumstamm sitzenden Soldaten – der Mann umklammerte den Lauf seines Gewehres, preßte den Kopf an das Eisen.

Alexej rief ihm zu: „Wer hat hier Wache?"
Der Soldat sprang auf und antwortete kaum hörbar: „Ich bin's..."
„Wer hat hier Wache?" brüllte Alexej.
„Golikow Andrjuschka."
„Warst du's, der gewimmert hat?"
Der Soldat sah ihn sonderbar an. „Ich weiß es nicht..."
„Ich weiß es nicht! Ach, ihr Glaubenshelden!"
Er hätte natürlich eine Tracht Prügel verdient. Alexej stan-

den plötzlich der Wald und die über dem einstürzenden Kirchlein und den lebendig Verbrannten zum Himmel emporschlagenden Flammen vor Augen, auch dieser da, wie er auf dem rotbestrahlten Schnee die Hände rang. Damals hatte Alexej befohlen, ihn samt dem besessenen Bauern und dem alten Nektari festzunehmen. Unterwegs war Nektari, weiß der Teufel, wie, verschwunden, nachts, als sie unter Tannen lagerten. Golikow lag ohne Besinnung unter einer Bastmatte im Schlitten, aß und sprach nicht. In Powenez, als man ihm beim Verhör mit der Knute drohte, brach es plötzlich aus ihm heraus: „Warum quält ihr mich? Man hat mich gerade genug gequält. Solche Qualen könnt ihr euch nicht vorstellen . . ." Und er erzählte alles – der Schreiber konnte die Feder nicht schnell genug ins Tintenfaß tauchen, um nachzukommen –, riß sich die Kutte vom Leib und zeigte die schwärenden Wunden. Alexej sah, das war kein gewöhnlicher Mann, war des Lesens und Schreibens kundig. Er befahl, ihm das Haar zu scheren, ihn ins Bad zu führen und in den bunten Rock zu stecken.

„Gehört es sich denn für einen Soldaten zu winseln! Bist du etwa krank?"

Golikow antwortete nicht, er stand stramm, wie es sich geziemte. Alexej drohte ihm mit dem Stock und ging weiter. Golikow rief ihm voll Verzweiflung nach: „Herr Hauptmann . . ."

Alexej fühlte, wie etwas in seinem Innern beim Klang dieser aus der Dunkelheit kommenden Stimme erbebte – auch er war ja einst so einer gewesen.

Er blieb stehen. Sagte streng: „Nun? Was willst du noch?"

„Angst hab ich vor dieser Dunkelheit, Herr Hauptmann, ich fürchte diese nächtliche Öde. Schlimmer als der Tod ist mein Leid. Wozu hat man uns hierhergetrieben?"

Alexej war so erstaunt, daß er wieder auf Golikow zuging. „Wie wagst du es, so zu sprechen, du Landstreicher! Weißt du, was auf solche Worte steht?"

„Machen Sie mir doch gleich den Garaus, Alexej Iwanowitsch. Ich selber bin ja mein ärgster Feind. Und dieses Leben – ein Vieh wäre schon längst verreckt. Die Welt will nichts von mir wissen. Hab alles versucht, auch der Tod meidet mich.

Alles ist so sinnlos. Nehmen Sie das Gewehr, stechen Sie mich mit dem Bajonett nieder..."

Darauf schlug Alexej, die Zähne zusammenbeißend, ihm die Faust ins Gesicht; Andrjuschka taumelte, gab aber nicht einen Laut von sich.

„Heb den Hut auf. Setz ihn auf. Zum letztenmal rede ich mit dir im guten, du Popenloser. Bei den Einsiedlern bist du in die Schule gegangen! Die haben dir anscheinend nicht viel beigebracht! Du bist Soldat. Heißt es ins Feld ziehen, so zieh ins Feld. Heißt es sterben, so stirb. Warum? Weil es so sein muß. Steh hier, bis es Tag wird. Fängst du wieder zu wimmern an, und ich höre es, dann sieh dich vor..."

Alexej entfernte sich, ohne sich umzublicken. Im Zelt warf er sich aufs Heu. Bis zum Tagesanbruch hatte es noch gute Weile. Das Wetter war feucht, aber es war windstill und regnete nicht. Er zog die Pferdedecke über den Kopf. Seufzte. „Gewiß, jeder von ihnen schweigt, doch sie denken. Jaja, die Menschen..."

Ein Soldat in gebeugter Haltung, Fedka Wasch-dich-mit-Dreck, goß mit mürrischem Gesicht Alexej aus einer Schöpfkelle Wasser in die hohlen Hände, prustend wusch sich Alexej mit dem eiskalten Naß und zitterte am ganzen Leibe. Der Morgen war kalt, auf dem niedergedrückten Gras lag graublauer Reif, der halbgefrorene Schlamm knisterte unter den Kanonenstiefeln. Von den Lagerfeuern zwischen den Zelten stieg Rauch zum Himmel auf. Der noch schlaftrunkene Fähnrich Leopoldus Mirbach, in einem über den Tressenrock geworfenen Schafpelz, schrie zwei Soldaten an; erschrocken, mit hochgerissenem Kopf standen sie vor ihm.

„Prügel, Prügel!" wiederholte er mit heiserer Stimme. „Pfui Deibel! Du Schwein!" Er packte den einen bei den Backen und quetschte ihm das Gesicht zusammen, gab ihm einen Stoß. Dann schob er den Schafpelz auf der Schulter zurecht und ging in Alexejs Zelt. Sein schon lange nicht rasiertes Gesicht blickte mürrisch, seine Augen waren geschwollen.

„Kein heißes Wasser... Kein Essen... Das ist doch kein Krieg! Wird der Krieg regelrecht geführt, so ist der Offizier zufrieden. Ich bin unzufrieden. Ihre Soldaten taugen nichts."

Alexej antwortete nicht, rieb sich nur grimmig mit dem Handtuch die Wangen. Mit einem Kehllaut der Befriedigung hielt er Fedka seinen Rücken im schmutzigen Hemd hin. „Na, los!" Der schlug mit beiden Handflächen zu. „Kräftiger!"

In diesem Augenblick rollte aus dem Wald ein schwerer Wagen, mit einer auf Reifen gespannten Plane überdacht. Das aus Pferden von verschiedener Farbe zusammengestellte Sechsgespann dampfte. Dem Wagen folgte ein Dutzend Reiter in schmutzbespritzten Mänteln. Über das zerstampfte Stoppelfeld schaukelnd, hielt das Gefährt im Schritt auf das Lager zu. Alexej griff nach seinem Rock, fand vor lauter Eile nicht in die Ärmel, nahm seinen Degen und lief zu den Zelten. „Trommler, rührt die Trommeln!"

Der Wagen hielt. Aus seinem Innern kletterte Peter, eine Pelzmütze mit Ohrenklappen auf dem Kopf. Sich mit den sternförmigen Sporen verfangend, kam Menschikow in einem weiten himbeerfarbenen, zobelgefütterten Umhang zum Vorschein. Die Reiter saßen ab. Peter betrachtete, die roten Hände in den Taschen seines kurzen Pelzes, mißmutigen Blicks das Lager. In der kristallklaren Luft ertönte eine Trompete, Trommeln wirbelten. Die Soldaten sprangen von den Wagen, stürzten aus den Zelten, knöpften ihre Röcke zu, hängten sich die Bandeliere um. In Karrees nahmen sie Aufstellung. Die Fähnriche liefen die Front ab, richteten mit ihren Stöcken die Leute aus und fluchten auf deutsch. Alexej Browkin – die Linke auf dem Degenknauf, in der Rechten den Hut – blieb vor Peter stehen. In der Eile hatte er seine Perücke nicht finden können.

Peter sagte über Alexejs struppigen Kopf hinweg: „Setz den Hut auf. Im Feld wird der Hut nicht abgenommen, Schafskopf. Wo sind eure Pulverwagen?"

„Die sind am Ilmen-See zurückgeblieben, das ganze Pulver ist naß geworden, Herr Bombardier."

Peter wandte die Augen Menschikow zu. Der verzog träge sein frisch rasiertes Gesicht.

„Belieben Sie mir zu antworten", sagte er, ebenfalls über Aljoschkas Kopf hinweg in die Ferne blickend, „wo die anderen Kompanien des Regiments sind? Wo ist Oberst von Schweden?"

„Sie stehen flußabwärts, jede für sich, Herr General."

Menschikow schüttelte mit dem gleichen schiefen Lächeln den Kopf, Peter runzelte nur die Brauen.

Baumlang schritten die beiden über die Stoppeln zu dem ausgerichteten Karree. Ohne die Hände aus den Taschen zu nehmen, ließ Peter seinen Blick wie zerstreut über die grauen, eingefallenen Gesichter der Soldaten gleiten, über die von den Regengüssen verunstalteten, schlecht gewalkten Hüte, die abgetragenen Röcke, die Lappen und zerrissenen Schuhe an den Füßen. Nur die ausländischen Fähnriche bewahrten straffe, schneidige Haltung.

So standen sie lange vor der Front. Dann warf Peter mit einem Ruck den Kopf in den Nacken.

„Guten Tag, Leute!"

Die Fähnriche wandten sich grimmig nach der Front um. Aus den Reihen erklang es wirr durcheinander: „Danken gehorsamst, Herr Bombardier."

„Wer hat Beschwerden vorzubringen?" Peter trat näher.

Die Soldaten schwiegen. Die Fähnriche – die Hand auf dem Knauf des auf Armeslänge abseits gegen den Boden gestemmten Stocks, den linken Kanonenstiefel vorgeschoben – blickten starr auf den Zaren.

Peter wiederholte schroffer: „Wer sich beschweren will, trete vor, habt keine Angst."

Plötzlich seufzte jemand tief, fast schluchzend, auf. Alexejs Blick fiel auf Golikow: Die Muskete in seinen Händen schwankte hin und her, doch er bezwang sich, blieb stumm.

„Morgen geht's gegen Narwa. Es wird eine schwere Sache werden, Leute. König Carolus von Schweden selber zieht uns entgegen. Wir müssen ihn unterkriegen. Unser Vaterland wird ihm nie und nimmer überlassen. Hier ist alles Land – Jamgorod, Iwangorod, Narwa – bis an die Küste unser einstiges Vaterland. Bald werden wir den Feind bezwungen haben und uns dann in den Winterquartieren ausruhen können. Verstanden, Leute?"

Er rollte streng die Augen. Die Soldaten sahen ihn schweigend an. Was gab es da viel zu verstehen! Eine mürrische Stimme rief heiser aus den Reihen: „Wir werden ihn schon unterkriegen, dazu sind Leute genug da." Menschikow machte sofort einen Schritt vorwärts und musterte die Gesichter – wer war es, der gesprochen hatte? Alexej stockte das Herz: Es war Fedka Wasch-dich-mit-Dreck, sein unzuverlässigster Soldat.

„Herr Hauptmann..." Alexej sprang heran. „Für die Mannszucht in der Kompanie spreche ich dir meinen Dank aus. Was das übrige anlangt, so ist das nicht deine Schuld. Laß den Leuten die dreifache Portion Schnaps verabreichen."

Gesenkten Kopfs schritt Peter zu dem Planwagen. Menschikow blinzelte Alexej zu – diesmal geruhte er, den alten Freund wiederzuerkennen –, zog seine gepflegte Hand unter dem pelzgefütterten Umhang hervor, klopfte Aljoschka auf die Schulter und flüsterte, sich zu seinem Ohr hinabbeugend: „Peter Alexejewitsch ist recht zufrieden. Bei dir geht's anders zu als bei den übrigen. Zeichne dich vor Narwa aus, und du bist Oberst. Iwan Artemjitsch habe ich in Nowgorod gesehen, er läßt dich grüßen..."

„Ich danke Ihnen, Alexander Danilowitsch."

„Viel Glück!" Den Umhang raffend, eilte Menschikow im Laufschritt Peter nach. Sie stiegen in den Wagen, der am Ufer entlang dahinrollte, wo der den kalten Himmel spiegelnde Fluß um den Tannenwald bog.

Etwa zwei Werst vor Narwa wurde über die beiden Flußarme der Narowa, zwischen denen die lange und sumpfige Insel Kamperholm lag, eine Schiffbrücke geschlagen. Scheremetews Reiterregimenter zogen über diese Brücke und bogen in die nach Reval führende Straße ein, um mit dem Feind in Fühlung zu kommen. Nach ihnen überschritten Teile der Division Trubezkoi den Fluß. Eine Werst vor den steinernen Bastionen Narwas verschanzten sie sich hinter ihren Troßwagen. Die Garnison von Narwa hatte sie am Übergang nicht zu hindern versucht, da sie anscheinend nicht stark genug war und einen Kampf auf offenem Felde scheute.

Am 23. September schwenkte die gesamte Vorhut des Heeres von der Jamgoroder Landstraße ab, erreichte eine hügelige

Ebene, wandte sich in Sicht der niedrigen, grasbewachsenen Türme Iwangorods – der einstigen Zwingburg Iwan Grosnys – und der am jenseitigen Ufer bläulich schimmernden, spitzgiebeligen Kirchen und Ziegeldächer Narwas der Insel Kamperholm zu und begann, auf schwankenden Brücken den trüben und rasch dahinströmenden Fluß zu überschreiten.

Der Tag war still. Das Licht der Sonne glänzte matt und spärlich. Von den Backsteinkirchen Narwas und Iwangorods läuteten die Sturmglocken.

In wirrem Haufen strömten die Soldaten auf der breit ausgefahrenen sandigen Straße zu den Brücken: Strelitzen mit ihren Peter verhaßten, fuchsverbrämten Kappen, halb zerbrochene, mit Stricken schlecht und recht zusammengehaltene Wagen, die mit Fässern, Säcken, Kisten und verschimmeltem Brot beladen waren; die Fuhrleute, Bauern, deren Kleidung sich auf dem Marsch längst in Lumpen verwandelt hatte, hieben auf die dürren Klepper ein, die sich mit dem Aufgebot ihrer letzten Kräfte in die Bastkumte legten; eine um den Fahnenstock gerollte Fahne glitt vorbei, ein Fähnlein an einer Lanze, ein Wischer auf der Schulter eines Kanoniers, der von seinem Truppenteil abgekommen war.

Mit dem Stock auf die Köpfe trommelnd, den Zipfel seines Reitermantels über die Schulter geworfen, arbeitete sich ein berittener Offizier hindurch; mit Geschrei preschte ein Adliger vorbei, den Pelz offen über den noch vom Großvater stammenden Panzer gelegt; hinter ihm auf Kleppern, im Sattel auf und nieder hüpfend, seine Leute, rund wie Fässer, in gesteppten Filzröcken, tatarische Bogen und Köcher auf dem Rücken.

Alle wandten im Vorbeiziehen den Kopf nach einem kahlen Hügel – dort saß auf einem Grauschimmel, abseits der Straße, der Zar in eisernem Küraß, das Fernrohr am Auge, Bügel an Bügel mit ihm Menschikow, auf einem Rappen, den Arm in die Seite gestemmt; er blickte fröhlich drein, und der Wind spielte mit den Federn seines vergoldeten Helmes.

In Kanonenschußweite reihten sich die Truppen vor der Festung in einem Halbkreis auf, dessen beide Enden sich auf die Narowa stützten; am Ufer, flußabwärts von der Stadt, bezogen die Truppenteile der Division Weyde ihre Stellungen, in der

Mitte, am Fuß der bewaldeten Anhöhe Hermannsberg, die Division Artamon Golowins, auf dem linken Flügel, an der über die Insel Kamperholm führenden Brücke, das Semjonowski-Regiment, das Preobrashenski-Regiment und die Strelitzenregimenter Trubezkois. Hier wurde auch das Zelt des Herzogs de Croy aufgeschlagen, der die Armee als Oberster Kriegsrat begleitete. Peter und Menschikow nahmen auf der Insel in einer Fischerhütte Quartier.

Man ging daran, an der gesamten Front einen tiefen Graben auszuheben, mit Lünetten, Fleschen und Bastionen, deren Face der Ebene zugekehrt war, für den Fall, daß die Schweden auf der Revaler Landstraße heranrücken sollten. Vor den Bastionen Narwas wurden Redouten für die Breschbatterien aufgeworfen. Die Schanzarbeiten leitete Ingenieur Hallart. Aus den Werken der Festung quollen Rauchwolken, grimmig brüllten in der feuchten Herbstluft die Kanonen; in hohen, rauchenden Bogen kamen Bomben geflogen, sausten nieder und krepierten nahe bei den Wagen und Zelten, in den Gräben, aus denen die Soldaten herausstürzten. Einschlagende Bomben setzten einige von Lust- und Gemüsegärten umgebene Landhäuser in Brand. In grauen Schwaden wälzte sich der Rauch der Brände und der zahllosen Lagerfeuer der Stadt zu, aus der die Feuerzungen der Kanonenschüsse aufflammten. Kommandant von Narwa war Oberst Horn, ein bewährter und kühner Haudegen.

Peter und Ingenieur Hallart ritten im Schutz der Gärten und Bauten näher an die Festung heran, um sich die Bastionen Thomas, Gloria, Christiwall und Triumph anzusehen. Manchmal mußten sie sich so weit den Mauern nähern, daß in den Schießscharten die streng blickenden Gesichter der schwedischen Kanoniere zu erkennen waren. Ohne unnötige Hast, aber zügig rollten sie das Geschütz heran, richteten es und warteten, aufmerksam ausschauend. „Feuer!" Unerbittlich die Luft verdrängend, flog die Kugel zischend über den Köpfen dahin, Peters Augen weiteten sich, seine Gesichtsmuskeln schwollen an, doch er zog vor den Kugeln den Kopf nicht ein. Ingenieur Hallart, ein sachlicher, ruhiger, langweiliger Mensch, der schon manches erlebt hatte, gab seinem Gaul jedesmal rechtzeitig die Sporen und ritt beiseite. Menschikow, prächtig geputzt – er war es ja, auf den die Schweden es abgesehen hatten –, schüttelte nur die Helmfedern, rief den Kanonieren prahlerisch zu: „Schlecht geschossen, Kameraden", und tätschelte seinen tänzelnden Hengst. Ein halb Hundert schnauzbärtiger, baumlanger Dragoner wartete reglos, wen die schwarze Kugel aus dem Sattel werfen würde.

Die Festungsmauern waren hoch. Die in Halbkreisen vorspringenden Bastionen waren aus Steinblöcken gefügt, so fest, daß eine Eisenkugel wie eine Nuß daran zerschellte. Aus den Schlitzen und Schießscharten der Türme lugten die Rohre schwerer Geschütze hervor – es gab ihrer nicht weniger denn dreihundert in der Festung –, die Garnison zählte zweitausend Mann: Infanterie, Reiterei und bewaffnete Bürger. Die Kundschafter hatten gelogen, als sie berichteten, man könne Narwa auf Anhieb nehmen.

Peter stieg aus dem Sattel, hockte auf einer Trommel nieder und breitete ein Blatt Papier auf seinen Knien aus. Der Bursche Mischka hielt ihm das Tintenfaß hin. Hallart kauerte neben der Trommel und schätzte mit dem bloßen Auge die Entfernung ab. Peters große Hand, die den Gänsekiel hielt, zog sorgfältig zittrige Linien über das Papier. Menschikow schritt vor den im Halbkreis zu Pferde wartenden Dragonern auf und ab.

„Auf jede Bastion kommen fünfzehn Breschgeschütze, im ganzen brauchen wir für den Durchbruch sechzig Achtundvierzigpfünder", dozierte Hallart mit einförmiger, langweiliger Stimme. „Einhundertzwanzigtausend Geschosse zum mindesten..."

„Donnerwetter!" meinte Peter.

„Um vor dem Sturm die Häuser in der Stadt in Brand zu setzen, benötigen wir nicht weniger denn vierzig Mörser und eintausend Bomben für jeden Mörser..."

„Sieh an, wie sie in Europa zu rechnen verstehen!" Peter schrieb sich die Zahlen auf.

„Zehn große Tonnen Essig zur Abkühlung der Geschütze. Nur unausgesetzter Beschuß, ein wahres Höllenfeuer aller Batterien vermag den Trotz der Belagerten zu brechen, lehrt uns

Marschall Luxembourg. Fünfzehntausend Handgranaten sind erforderlich, eintausend Sturmleitern von je achtundzwanzig Fuß Länge, die so leicht sein müssen, daß zwei Mann sie im Laufschritt tragen können. Fünftausend Wollsäcke..."

„Wozu denn die?"

„Um die Soldaten vor den Musketenkugeln zu schützen. Bei der Belagerung von Dünkirchen gelang es Marschall Vauban, unter dem Schutz solcher Säcke bis dicht an die Festungstore vorzurücken, und das trotz unerbittlichen Feuers, denn eine Kugel verfängt sich leicht in der Wolle."

„Nun gut", sagte etwas unsicher Peter und vermerkte es auf dem Papier. „Danilytsch, wir brauchen fünftausend Sack Wolle!"

Menschikow bog sich, die Hände auf die gespreizten Knie gestützt, über das im Wind flatternde Blatt und verzog die Lippen.

„Das sind alles Kindereien, mijn Herz. Außerdem ist es ganz unmöglich, Wolle zu beschaffen." Er wandte sich an Hallart. „Vor Asow sind wir mit dem bloßen Degen in der Hand auf die Mauern geklettert und haben die Stadt doch genommen."

Hinter ihnen, in der Reihe der Dragoner, schlug ein Pferd aus, ein Mann schrie dumpf auf. Sie wandten sich um. Der Schimmel eines Dragoners warf, mit den Beinen zuckend, den Kopf blindlings hoch, oberhalb der Nüstern schoß in fingerdickem Strahl schwarzes Blut aus einer Wunde. Die schnauzbärtigen Dragoner schielten zum Gebüsch hin; aus den in etwa hundert Schritt Entfernung stehenden Sträuchern quollen Rauchwölkchen. Peter, der die Hand mit der Feder erhoben hatte, saß wie erstarrt in dieser Haltung auf der Trommel.

Sich das Dröhnen des Kanonendonners zunutze machend, hatte eine Abteilung Jäger aus dem Tor des Festungsturms, der – durch die vorspringende Bastion Gloria verdeckt – von hier aus nicht zu sehen war, unbemerkt einen Ausfall gemacht und war im Schutz der Gartenzäune vorgestürmt. Dicht hinter ihnen sprengte auf schweren Füchsen ein halb Hundert Reiter in eisernen Kürassen und mit tief in die Stirn geschobenen Eisenhauben aus dem Tor. Mit gezücktem Pallasch jagten sie in breiter Front über das mit Heidekraut bewachsene Feld, um die Russen links zu umgehen.

Alexander Danilowitsch starrte eine Sekunde – nicht länger – mit weit aufgerissenen Augen auf die Diversion des Feindes, stürzte zu seinem Rapphengst, knöpfte seinen Umhang auf, warf ihn von sich und schwang sich in den Sattel. „Säbel raus!" brüllte er, und das Blut schoß ihm ins Gesicht. Er zog seinen Degen, bohrte die zackigen Sporen seinem Gaul in die Flanken, warf sich dem sich bäumenden Hengst auf die Mähne und galoppierte vom Fleck weg los. „Mir nach, Dragoner!" Und sie alle, Menschikow und die Dragoner, sprengten in großem Bogen um den neben der Trommel stehenden Peter den Reitern entgegen, die ihre Gäule zügelten und sich anschickten, kehrtzumachen.

Hallart führte, die schmalen Lippen besorgt zusammenkneifend, Peters schwarzmähnige, sich unruhig gebärdende Schimmelstute heran. „Ich bitte Eure Majestät, sich aus dem Schußbereich des Feindes entfernen zu wollen."

Den Fuß im Bügel, auf einem Bein hüpfend, sah Peter, wie die Dragoner und die schwedischen Reiter aufeinander zukamen. Die Russen stürmten in dichtem Hauf dahin, vorn, an der Spitze, wehten die Federn auf Alexaschkas gleißendem Helm; die Schweden waren in langer Linie weit über das Feld verstreut; jetzt schwenkten sie an den Flanken ein, die Reiter gaben ihren Gäulen die Sporen und hieben mit der flachen Klinge auf sie ein. Doch sie kamen nicht mehr dazu, sich zu sammeln, Peter sah, wie der Rapphengst Alexaschkas mit einem Fuchs zusammenprallte. Der Reiter fiel, sich in die Mähne verkrallend, vornüber. Die roten Federn wirbelten zwischen den Eisenhauben. Aber schon waren die Dragoner herangebraust und stürmten ohne Aufenthalt vorwärts. Es war, als schwängen sie ihre Säbel nur im Spiel. Sie ließen auf dem Felde liegende Reiter hinter sich zurück; einer versuchte, mit dem ihm auf die Brust fallenden Kopf schlenkernd, sich aufzurichten, ein anderer hatte die Knie an den Leib gezogen und zuckte mit den Beinen. Einige reiterlose Pferde jagten erschreckt über das Feld.

Hallart zerrte hartnäckig am Zügel. „Majestät, hier droht Gefahr." Die Schimmelstute setzte sich auf die Hinterbeine, tänzelte. Peter stieß ihr die Hacken in die Weichen. Noch im

Fortreiten sah er sich ständig um. Die Schweden machten jetzt verzweifelte Versuche, den Russen zu entgehen. Rechts von ihnen sprengten buntgekleidete Reiter auf Gäulen jeder Farbe – einige Hundertschaften des irregulären Adelsaufgebots – über die braunen Stoppelfelder; mit tatarischer Keckheit schwangen sie die krummen Säbel und verlegten ihnen den Weg nach der Stadt. Unter dem hölzernen Wetterdach der Festungsmauer hervor blitzten ihnen knatternd Musketenschüsse entgegen.

Die beiden erreichten ein Birkenwäldchen. Peter atmete mit offenem Mund auf, ließ die Stute in Schritt fallen. „Ja, die Sache wird uns Mühe kosten", beantwortete er seine eigenen Gedanken.

Hallart sagte: „Meinen Glückwunsch, Majestät, Sie haben vorzügliche Kavalleristen."

„Was macht das schon, damit ist's nur halb getan. Im Zorn lospreschen, dreinhauen – damit nimmt man noch keine Festung!"

Er ritt die Anhöhe hinauf, zog die Zügel an und blickte lange mit gerunzelter Stirn auf die sich fast sieben Werst hinziehende Linie des Heeres und Trosses. Überall flogen träge Erdklumpen aus den Gräben. Geschrei, Gefluch. An den Lagerfeuern, neben den ausgespannten Wagen, saßen müßig Leute herum. Gekoppelte hagere Klepper, Lumpen auf den Büschen. So plump, so widerwillig schien diese ganze gewaltige Heeresmasse sich zu regen.

„Vor November ist nicht daran zu denken", meinte Peter. „Bevor der Frost die Straße befahrbar macht, werden wir die Belagerungsgeschütze nicht heranschaffen können. Auf dem Papier sieht die Sache anders aus als im Leben!"

Er ritt im Schritt weiter und fragte Hallart über Feldzüge und Belagerungen der berühmten Marschälle Vauban und Luxembourg, der Schöpfer der Kriegskunst, aus. Er fragte auch nach den Waffenfabriken und Kanonengießereien Frankreichs. Sein dünner, mit einem Leinentuch fest umwickelter Hals zuckte.

„Versteht sich. Dort ist alles wohlbestellt, dort hat man alles zur Hand. Man braucht nur ihre Straßen mit unseren zu vergleichen..."

Über Gräben setzend, kam Menschikow angesprengt, noch ganz heiß vom Kampf, freudig grinsend, mit wildem Blick. Auf seinem Helm wehte nur noch eine einzige Feder, sein Messingpanzer wies Spuren von Säbelhieben auf. Er brachte seinen Gaul, dessen Flanken sich schwer hoben und senkten, zum Stehen.

„Herr Bombardier! Der Feind ist mit schweren Verlusten zurückgeschlagen, kaum die Hälfte der schwedischen Reiter ist uns entkommen." Im Eifer übertrieb er natürlich. „Wir haben nur zwei Tote und einige Leichtverletzte..."

Vor Freude, Alexaschka wieder vor sich zu sehen, zog Peter die Nase kraus.

„Sehr gut", sagte er, „bist ein Mordskerl!"

Am Abend versammelten sich im Zelt des Herzogs de Croy die Generale: der aufgeblasene, überaus schroffe Artamon Golowin, der Schöpfer der Spielregimenter, Fürst Trubezkoi, der Liebling der Strelitzenregimenter, ein wohlbeleibter und begüterter Bojar, der Kommandeur der Garde Buturlin, berühmt durch seine Donnerstimme und seine kräftigen Fäuste, und der schon sieche, kahlköpfige Weyde, der in seinem Schafpelz vor Frost zitterte. Als Peter, Menschikow und Hallart erschienen, bat der Herzog die Herren zu Tisch – sie möchten mit dem fürliebnehmen, was in den harten Kriegszeiten zu bekommen gewesen sei. Erlesene und selbst ganz unbekannte Gerichte wurden aufgetragen – ein eigens abgesandter Bote des Herzogs hatte sie in Reval aufgetrieben –, französische Weine und Rheinweine kredenzt.

Der Herzog war munter wie ein Fisch im Wasser. Er befahl, recht viele Kerzen anzuzünden. Mit den knochigen Händen gestikulierend, erzählte er von berühmten Schlachten, wie er auf einem Hügel über dem blutigen Schlachtfeld, den Fuß auf einer zerschossenen Kanone, Befehle erteilt habe: den Kürassieren – das Karree zu durchbrechen, den Jägern – die Flügel des feindlichen Heeres über den Haufen zu rennen. Ganze Divisionen hatte er in den Fluß getrieben, wo sie ersoffen waren, Städte hatte er niedergebrannt...

Die Russen schlugen mürrisch die Augen nieder und aßen

Spargel und Straßburger Gänseleberpastete. Peter blickte zerstreut dem Herzog in das langnäsige Gesicht mit dem feuchten Schnurrbart. Trommelte mit den Fingern auf den Tisch und bewegte die Schulterblätter, als jucke es ihn. Von Anfang des Feldzuges an konnte man diesen zerstreuten Blick an Peter Alexejewitsch bemerken.

„Narwa!" rief der Herzog aus und hielt dem Burschen seinen leeren Becher hin. „Narwa! Einen Tag nur die Stadt ordentlich bombardieren, dann ein rascher Sturmangriff auf die südlichen Bastionen – und man bringt Ihnen auf silberner Platte die Schlüssel Narwas, Majestät. Hier lassen wir eine kleine Garnison zurück und fallen mit unseren ganzen Kräften, die Reiterei an den Flügeln, über König Karl her. Weihnachten werden wir in Reval feiern, mein Wort darauf!"

Peter stand vom Tisch auf, machte, sich bückend, um mit dem Kopf nicht an das Zeltdach zu stoßen, einige Schritte, hob einen Strohhalm vom Boden auf und legte sich auf das Bett des Herzogs, das aus einem benachbarten Gutshof herbeigeschafft worden war. Mit dem Strohhalm stocherte er in den Zähnen.

„Da hat mir Hallart eine Aufstellung gemacht", sagte er, und alle wandten sich ihm zu, ließen das Essen stehen. „Hätten wir all das, was darin verzeichnet ist, so würden wir Narwa nehmen. Wir brauchen sechzig Breschgeschütze." Er setzte sich auf, zog ein zerknittertes Blatt aus der Brusttasche und warf es auf den Tisch vor Golowin. „Da lies! Vorläufig haben wir auch nicht ein anständiges Geschütz auf den Redouten. Repnin plagt sich noch immer vergebens vor Twer ab, seine Belagerungsgeschütze aus dem Morast herauszukriegen. Die Mörser sind – ich hab's heute erfahren – im Waldai steckengeblieben. Die Pulverwagen stehen bis zur Stunde am Ilmen-See. Was sagt ihr dazu, meine Herren Generale?"

Die Generale schoben eine Kerze heran und steckten die Köpfe über dem Blatt zusammen. Nur Menschikow saß, böse lächelnd, abseits, vor seinem vollen Becher.

„Das ist kein Kriegslager, ein Zigeunerlager ist das", begann Peter nach kurzem Schweigen mit strenger Stimme von neuem. „Zwei Jahre haben wir uns vorbereitet. Und nichts ist fertig. Schlimmer noch als vor Asow. Schlimmer, als es bei

Waska Golizyn zuging..." Alexaschka klirrte mit den Sporen und verzog hämisch grinsend den Mund bis an beide Ohren. „Das nennt sich ein Lager! Die Soldaten schlendern zwischen den Troßwagen umher. Der Troß wimmelt von Weibern, von Estinnen. Lärm. Unordnung. Gearbeitet wird so träge, daß man ausspucken möchte, wenn man die Leute bei der Arbeit sieht. Das Brot ist verschimmelt. Pökelfleisch haben manche Regimenter nur noch für zwei Tage. Wo ist denn das ganze Pökelfleisch geblieben? In Nowgorod? Warum ist es nicht hier? Bald kommt die Regenzeit – wo sind die Erdhütten für die Soldaten?"

Im Zelt hörte man nur die Kerzen knistern. Der Herzog, der kaum verstand, wovon die Rede war, wandte neugierig den Blick bald Peter, bald den Generalen zu.

„Zwei Monate sind's her, daß wir von Moskau aufgebrochen sind, und können noch immer unser Ziel nicht erreichen. Das soll ein Feldzug sein! Wißt ihr auch, daß König Karl den Friedrich zu einem schmählichen Frieden genötigt, ihn gezwungen hat, zweihundertfünfzigtausend Golddublonen Kontribution zu zahlen? Nun ist Karl mit seinem ganzen Heer in Pernau gelandet und marschiert auf Riga zu. Gelingt es ihm jetzt, König August vor Riga zu schlagen, so können wir ihn im November hier bei uns erwarten... Wie werden wir ihn empfangen?"

Der Rangälteste unter den Versammelten, Artamon Golowin, stand auf und verneigte sich, die grauen Brauen runzelnd.

„Peter Alexejewitsch, mit Gottes Hilfe..."

„Kanonen brauchen wir!" unterbrach ihn Peter, und seine Stirnader schwoll an. „Bomben! Hundertzwanzigtausend schwere Bomben! Pökelfleisch, alter Narr..."

Wieder regnete es zwei Wochen lang, vom Meer zogen dichte Nebel herauf. Die Erdhütten der Soldaten standen unter Wasser, der Regen sickerte durch die Zeltdächer, nirgends fand man Schutz vor der Nässe und den kalten Nächten. Das ganze Lager stand bis an die Hüften im Sumpf. Unter den Mannschaften brach die Ruhr aus, Fieber griff um sich, jede Nacht schaffte man die Toten mit Dutzenden Wagen aufs Feld hinaus.

Von der Festung wurden die Belagerer unausgesetzt aus Kanonen und Handfeuerwaffen beschossen. Die Schweden machten – vor allem in der Morgendämmerung – Ausfälle, überrumpelten die Posten, krochen an die Erdhütten heran und bewarfen die Schlafenden mit Handgranaten. Peter ritt täglich die gesamte Befestigungslinie ab. In durchnäßtem Mantel, den Hut mit herabhängender Krempe auf dem Kopf, tauchte er stumm und streng auf seiner Schimmelstute aus den Regenschleiern auf, hielt das Pferd an, sah sich mit gläsernem Blick um, ritt im Schritt über das zerwühlte Feld weiter und verschwand im Nebel.

Die Troßzüge kamen langsam heran. Sie meldeten, daß an der Verzögerung nur der Mangel an Fuhrwerken schuld sei: Den Bauern hätte man bereits das Letzte genommen, jetzt sei man auf die Gutsherren und Klöster angewiesen. Die Pferde seien mager, die Weideplätze abgegrast, und bei den starken Regengüssen und den ausgefahrenen Straßen würde es mit jedem Tag schwieriger, vorwärtszukommen. Man munkelte, Peter hätte in seiner Fischerhütte auf der Insel den Generalproviantmeister eigenhändig bis zur Bewußtlosigkeit verprügelt und dessen Gehilfen aufknüpfen lassen. Die Kost schien etwas besser geworden zu sein. Es herrschte jetzt auch mehr Ordnung im Lager. Die Offiziere taugten nur nichts – die Russen waren saumselig, klebten am Hergebrachten, redeten zuviel und waren ungelehrig; die Ausländer wußten nichts anderes, als zum Schutz vor dem feuchten Wetter Schnaps zu saufen und den Soldaten, mochten sie schuldig sein oder nicht, die Zähne einzuschlagen.

Zuverlässige Nachrichten liefen ein: König Karl war, nachdem er in Pernau gelandet war, gegen Riga marschiert, hatte mit der bloßen Tatsache seines Erscheinens den livländischen Rittern Furcht eingejagt und die Truppen König Augusts nach Kurland zurückgedrängt. August selber saß in Warschau inmitten des von Zwist und Hader zerrissenen polnischen Adels und sandte von dort Boten an Peter mit der Bitte um Geld, Kosaken, Kanonen und Fußvolk. Vor Narwa begriff man: Die Schweden waren mit den ersten Frösten zu erwarten.

Scheremetew, der mit vier irregulären Reiterregimentern vorausgeschickt worden war, um mit dem Feind Fühlung zu nehmen, war bis Wesenberg vorgestoßen, hatte einen schwedischen Sperrtrupp erfolgreich vernichtet, sich aber dann unvermittelt nach dem unweit der Küste, etwa vierzig Werst von Narwa entfernten Paß von Pyhajöggi zurückgezogen. Von hier schrieb er an Peter: „... Nicht aus Furcht sind wir zurückgegangen, sondern der größeren Sicherheit wegen. Vor Wesenberg sind unsagbar große Sümpfe und gewaltige Wälder. Die Weideplätze, so vorhanden waren, sind nicht nur hier, sondern im ganzen Umkreis abgegrast. Vor allem aber plagte mich die Sorge, man könnte uns den Weg nach Narwa verlegen. Wenn Du mir vielleicht zürnest, weil ich alle Siedlungen niederbrenne und die Esten niedermache, so sei getrost: Es sind nur wenige Siedlungen niedergebrannt worden, und auch diese nur darum, daß der Feind keine Unterkunft finde. Heute indes habe ich angeordnet, fürderhin ohne meinen Befehl das Land keinesfalls zu verwüsten. Bei Pyhajöggi, dort, wo ich mein Lager aufgeschlagen habe, ist es dem Feind unmöglich, unbemerkt vorbeizuziehen, weiter gehe ich nicht zurück, hier werden wir Leib und Leben lassen, des sei gewiß..."

Endlich sprang – zum Glück oder zum Unglück – Nordwind auf. Binnen eines Tages vertrieb er den nassen Nebel, das spärliche Licht der tiefstehenden Sonne erhellte das im Schlamm versinkende Lager, in der Stadt blitzte auf der Kirchturmspitze der goldene Wetterhahn auf. Der Boden gefror. Allmählich trafen die Wagen mit der Munition ein. Je zehn Joch Zugochsen schleppten die beiden berühmten Geschütze „Löwe" und „Bär", jedes seine dreihundertzwanzig Pud schwer, die einst, vor hundert Jahren, Andrej Tschochow und Semjon Dubinka in Nowgorod gegossen hatten. Wie Schildkröten krochen Haubitzen auf breiten, niedrigen Rädern heran, auch kurze Mörser, die drei Pud schwere Bomben spien. Das gesamte Fußvolk stand Gewehr bei Fuß, alle Reiterregimenter im Sattel, mit blankem Säbel, für den Fall, daß die Schweden einen Ausfall machen sollten.

Zweihundert Mann schleppten an Seilen den „Löwen" und den „Bären" auf die mittlere, den Südbastionen der Festung gegenüberliegende Redoute. Auf den Batterien wurden die Nacht hindurch die Haubitzen und Mörser aufgestellt. Auch in der Festung schlief man nicht und bereitete sich auf den Sturm vor: Laternenlichter krochen die Wände entlang, und unausgesetzt erschollen die Rufe der Wachen.

Am 5. November ritt Peter bei Tagesanbruch mit dem Herzog und den Generalen aus dem Lager nach der Anhöhe Hermannsberg. Ein schneidender Wind wehte. Das Lager war noch in Dunkel gehüllt, rot leuchteten im Licht der aufgehenden Sonne die spitzen Giebeldächer der Stadt und die Zinnen der Türme. Unten lohten lange Flammenzungen auf, krachten, donnerten, daß die Ebene erbebte, Kanonen, in funkensprühenden Bogen flogen Bomben in die Stadt. Rauch verdeckte Lager und Mauern. Peter ließ das Fernrohr sinken und winkte, die Nasenflügel blähend, mit einer Kopfbewegung Hallart herbei. Der ritt, mit der Zunge schnalzend, heran.

„Schlecht. Kurzschüsse. Das Pulver taugt nichts."

„Was können wir tun? Es soll sofort geschehen."

„Die Pulverladung vergrößern. Wenn's nur die Rohre aushalten..."

Peter ritt die Anhöhe hinab und sprengte über die Zugbrücke durch das aus Eichenbalken gezimmerte Tor hinter die Palisaden und Sperrbäume. Bei der mittleren Batterie gossen die Kanoniere mit Wasser verdünnten Essig auf die langen Rohre des „Löwen" und des „Bären".

Der Batteriekommandeur, der Holländer Jakob Winterschieverk, ein kleiner alter Seebär mit einem Schifferbart, trat an Peter heran und sagte kaltblütig: „Das Pulver taugt nichts. Mit solchem Pulver kann man allenfalls nach Spatzen schießen, nichts als Rauch und Ruß."

Peter warf Mantel und Rock ab, krempelte die Ärmel auf, nahm einem Kanonier den Wischer aus der Hand und reinigte mit kräftiger Armbewegung das verrußte Rohr.

„Ladung her."

Aus dem Pulverkeller der Batterie flogen von Hand zu Hand Kartuschbeutel aus grauem Papier. Er riß einen Beutel auf, schüttete die Pulverkörner auf die flache Hand und fauchte nur böse wie ein Kater. Schob sechs Beutel ins Rohr.

„Das kann gefährlich werden", bemerkte Jakob Winterschieverk.

„Schweig still. Her mit der Kugel!"

Peter ließ den pudschweren Ball auf den Händen tanzen, rollte ihn in die Mündung und trieb ihn, sich mit der Brust gegen den Wischer stemmend, tief in die Rohrseele. Dann hockte er unter dem Visier nieder und drehte die Stellschraube.

„Lunte her. Alle weg vom Geschütz."

Mit ohrenbetäubendem Krachen spie der „Bär" eine Feuergarbe aus, rollte schwer auf seinen Eisenrädern zurück und vergrub sich mit dem Lafettenende im Sand. Als immer kleiner werdender Ball flog die Kugel dahin, Steine stoben auf dem Turm der Bastion Gloria in die Höhe, eine Zinne brach zusammen.

„Oh, nicht übel", meinte Jakob Winterschieverk.

„So weiterschießen."

Peter fuhr in den Rock und sprengte zur Haubitzenbatterie. Alle Batterien erhielten Befehl, die Ladung um das Anderthalbfache zu vergrößern. Wieder erdröhnte die Erde vom Krachen der einhundertdreißig Geschütze. Eine fürchterliche Flamme schlug aus den aufrecht ragenden Mörsern empor. Als sich die Rauchschwaden verzogen hatten, sah man, daß in der Stadt zwei Häuser lichterloh brannten. Die zweite Salve war erfolgreich gewesen. Aber bald wurde bekannt, daß auf der westlichen Batterie zwei erst unlängst in der Tulaer Fabrik Lew Kirillowitschs gegossene Haubitzen in Stücke geflogen waren. Bei einigen Geschützen waren die Lafettenachsen gebrochen.

Peter sagte: „Die Sache werden wir später untersuchen. Werden die Schuldigen schon finden. So weiterschießen..."

So begann das Bombardement Narwas und hielt ohne Unterbrechung bis zum 15. November an.

Felten, der Koch des Zaren, briet, vor sich hin brummend, über einem kleinen Holzfeuer auf der Herdplatte Spiegeleier. Mit Müh und Not hatte man ein Dutzend Eier aufgetrieben – der Küchenjunge hatte fast bis Jamburg reiten müssen –, nun stellte es sich heraus, daß sie alle faul waren.

„Was brummst du da, Felten, pfeffere sie lieber tüchtig."

„Ich höre, Majestät, ich pfeffere sie schon."

Peter saß am heißen Ofen. Das war der einzige warme Platz;

in der Kammer hinter der Bretterwand, wo er und Alexaschka schliefen, pfiff der Wind durch die Ritzen. Jetzt, um Mitternacht, hörte man, wie der Wind heulte und die Flügel der neben dem Inselhäuschen stehenden Windmühle knarrten. Die Birkenscheite im Ofen knisterten munter. Der kleine, mürrische Felten hatte seine Vorräte auf der Herdplatte ausgebreitet und beschnüffelte sie fortwährend. Auf seiner fleischigen Nase blinkte zornig der Widerschein des Feuers.

„Wie, wenn dich die Schweden gefangennehmen, was dann, Felten?"

„Ich höre, Majestät."

„Sieh an, werden sie sagen, der Koch des Zaren! Und werden dich an den Beinen aufhängen."

„Sollen sie mich aufhängen, ich kenne meine Pflicht."

Der Koch breitete ein sauberes Handtuch über das wacklige Brettertischchen aus, stellte ein Tonkrüglein mit Pfefferschnaps hin und schnitt das altbackene Schwarzbrot in dünne Scheiben. Peter beobachtete, leichte Rauchwölkchen aus seiner Pfeife in die Luft blasend, wie geschickt, lautlos und flink sich Felten in seinen Filzstiefeln, der wattierten Jacke, mit vorgebundener Schürze hin und her bewegte.

„Das ist durchaus kein Spaß, was ich dir da von den Schweden erzähle. Du solltest deinen ganzen Plunder zusammenpakken."

Felten schielte zu Peter hinüber – er begriff: Es war kein Scherz. Er nahm die Pfanne mit den Eiern vom Feuer und goß aus dem Tonkrüglein Schnaps in einen Zinnbecher.

„Geruhen Majestät sich zu Tisch zu setzen."

Das ganze Haus bebte von einem Windstoß. Die Kerze flakkerte. Geräuschvoll trat Menschikow ins Zimmer.

„Na, ist das ein Wetter!" Das Gesicht verziehend, löste er den Knoten seiner Schärpe, trat an den Herd und wärmte sich die Hände über dem Holzfeuer. „Wird gleich kommen..."

„Ist er nüchtern?" fragte Peter.

„Geschlafen hat er, ich hab kurzen Prozeß gemacht und ihn aus dem Bett geholt."

Alexaschka nahm dem Zaren gegenüber Platz. Probierte, ob der Tisch auch nicht wackle. Goß sich Schnaps ein, trank ihn aus und schüttelte den Kopf. Eine Zeitlang aßen sie schweigend. Dann sagte Peter leise: „Zu spät. Jetzt ist nichts mehr zu ändern."

Alexaschka antwortete, den Bissen hinunterwürgend: „Wenn er hundert Werst von hier steht und Scheremetew ihn nicht aufhält, können wir ihn übermorgen erwarten. In offener Feldschlacht müßten wir ihm gegenübertreten – sollte denn wirklich unsere Reiterei mit ihm nicht fertig werden?" Er knöpfte den Kragen auf und wandte sich nach Felten um. „Hast du vielleicht noch etwas Kohlsuppe da?" Er schenkte sich zum zweitenmal ein. „Er hat ja nicht mehr als zehntausend Mann bei sich, die Gefangenen haben's aufs Evangelium geschworen. Sind wir wirklich solche ungehobelten Bauern? Eine Schande wär's!"

„Eine Schande", wiederholte Peter. „In zwei Tagen kann man den Leuten nicht mehr viel Verstand eintrichtern. Läßt es sich vor Narwa schlecht an, so werden wir versuchen, ihn in Pskow und Nowgorod aufzuhalten."

„Mijn Herz, eine Sünde ist's, auch nur daran zu denken."

„Schon gut, schon gut."

Sie schwiegen. Felten hockte nieder, blies in die Kohlen und wärmte in einem Messingkessel Bier.

Vor Narwa stand es schlecht. Zwei Wochen lang hatten sie die Stadt bombardiert, Minen auffliegen lassen, sich den Mauern in Approchen zu nähern versucht – dennoch war es nicht gelungen, eine Bresche zu schlagen und die Stadt in Brand zu stecken. Zu einem Sturmangriff hatten sich die Generale nicht entschließen können. Von den einhundertdreißig Geschützen war mehr als die Hälfte zersprungen und untauglich geworden. Gestern war man darangegangen, die Vorräte zu überprüfen: Pulver und Bomben lagen in den Kellern nur noch für einen Tag, die Pulverwagen aber steckten noch immer irgendwo bei Nowgorod.

Die schwedische Armee rückte in Eilmärschen auf der Revaler Straße heran und schlug sich womöglich bereits am Paß von Pyhajöggi mit Scheremetew. Die Russen sahen sich jetzt in einer Zange: zwischen der Artillerie der Festung und dem anrückenden Karl.

„Das Maul haben wir voll genommen. Darauf verstehen wir uns." Peter warf den Löffel hin. „Das Kriegshandwerk haben wir noch nicht gelernt. Am verkehrten Ende haben wir die Sache angepackt. Auf diese Weise geht's nicht. Damit eine Kanone hier schießt, muß sie in Moskau geladen werden. Verstehst du mich?"

Alexaschka sagte: „Wie ich herritt, saßen in der ersten Kompanie Soldaten am Lagerfeuer und redeten. Sie warten auf die Schweden; das ganze Lager schimpft und wettert. Die Leute ziehen über die Generale her, und wie. Einer sagte, ich hab's gehört: ‚Die erste Kugel kriegt der Fähnrich.'"

„Die Generale!" In Peters Augen glomm es auf. „Mit den Kirchenfahnen auf den Mauern herumziehen, das verstehen sie! Wojewoden. Der alte Geist steckt noch in ihnen."

Alexaschka begann zögernd mit einem scheuen Blick auf Peter: „Peter Alexejewitsch ... Überlaß mir das Heer auf diese drei Tage ... Bei Gott ... Ja?"

Peter zog, als hätte er die Worte nicht gehört, seinen Tabakbeutel aus der Tasche. Schnaufend stopfte er mit dem Finger den Tabak in die Pfeife.

„Oberbefehlshaber ist ab morgen Herzog de Croy. Ein Dummkopf, wie er im Buche steht, aber das europäische Kriegswesen versteht er, ein Haudegen. Auch unsere Ausländer werden unter seiner Führung forscher sein. Mach dich bereit, hörst du, wir brechen noch vor Tagesanbruch auf."

Er stieß die Luft durch die Nase, rückte die Kerze heran und zündete seine Pfeife an.

Alexaschka fragte leise: „Peter Alexejewitsch, wohin gehen wir?"

„Nach Nowgorod."

Peter blickte endlich in die vor unermeßlichem Staunen weit aufgerissenen, durchsichtig blauen Augen Alexaschkas. Plötzlich schoß ihm das Blut in die Wangen, die Ader auf seiner schweißbedeckten Stirn schwoll an, und er knurrte mit verhaltenem Zorn: „Das Bürschlein da hat nichts zu verlieren, ich dagegen gar viel. Meinst du etwa, daß Narwa den Anfang und das Ende bedeutet? Der Krieg fängt erst an. Wir müssen siegen. Mit diesem Heer aber werden wir nicht siegen. Hast du mich verstanden? Beginnen muß man mit dem Hinterland, mit den Troßwagen. Mit dem Degen in der Hand dahinzusprengen, das kommt zuallerletzt. Narr, willst du vielleicht tapferer sein als Karl? Starr mich nicht an!" Sein Gesicht verzerrte sich vor Wut. „Untersteh dich, mich anzusehen!"

Alexaschka kam dem Befehl nicht nach, senkte die Augen nicht, die sich vor brennender Scham mit Tränen füllten, ein Tropfen rollte die straffe Wange hinab. Peter durchbohrte ihn mit einem Blick aus seinen schmal gewordenen Pupillen. Beide hielten den Atem an. Plötzlich verzog Peter die Lippen zu einem spöttischen Lächeln, lehnte sich an die Wand und vergrub die Hände tief in den Taschen.

„Mijn Herz", äffte er Alexaschkas Stimme nach. „Mein Herzensfreund. Schämst dich wohl für mich? Warte nur, vielleicht werden noch alle die Nase rümpfen: Er ist vor Karl erschrokken, hat sein Heer im Stich gelassen. Ist nach Nowgorod geflohen, so wie damals nach dem Troiza-Kloster... Schon gut. Wisch dir dein Frätzchen. Geh, empfang die Gäste – die Herren Generale sind gekommen."

Postenrufe. Hufgestampf auf gefrorenem Boden. Hinter dem Fenster Fackellicht. Sporenklirrend traten der Herzog und die Generale ein, die Gesichter vom Wind gerötet, beunruhigt, was sich in so später Stunde ereignet haben mochte. Peter nickte ihnen zu, trat an den Herzog heran und umarmte ihn. Gab Menschikow einen Wink, die Kerze zu nehmen, und ging in die Kammer hinter der Bretterwand.

Hier stellte Menschikow die Kerze auf den Tisch, der mit Papierstößen und verstreutem Tabak bedeckt war. Alle standen. Peter setzte sich, nahm ein Blatt in die Hand und überflog, die Lippen bewegend, mit strengem Gesicht die mit Asche bestreuten, kreuz und quer durchstrichenen und neu gekritzelten Zeilen. Er räusperte sich und hub, ohne jemanden anzusehen, mit fester Stimme zu lesen an: „In Gottes Namen. Dieweil Seine Majestät der Zar höchst wichtiger Affären halber das Heer verlässet, überantworten wir das Heer Seiner Durchlaucht dem Herzog de Croy gemäß den unten angeführten articulis..." Der Schenkel des unmittelbar am Tisch stehenden Herzogs zuckte krampfhaft. Peter warf einen Blick auf den mageren, von der weißen Lederhose umspannten Schenkel, dann auf die knochigen Hände, die den goldenen Säbelgriff umklammerten. „Erster Artikel: Seine Durchlaucht wird zum Oberbefehlshaber ernannt. Zweitens: Sämtliche Generale und Offiziere und alle bis zum letzten Soldaten haben ihm Gehorsam zu leisten wie Seiner Majestät dem Zaren selber. Drittens..." Er erhob die Stimme. „Ohne Verzug und mit allen Mitteln müssen Narwa und Iwangorod berannt und genommen werden. Viertens: So ihm Generale, Offiziere und Soldaten den Gehorsam verweigern, stehet ihm das Recht zu, Strafen über sie zu verhängen, als seien es seine Untertanen, selbst die Todesstrafe..."

Er sah, am Herzog vorbeiblickend, auf die Generale: Weyde nickte zustimmend, das schweißbedeckte Gesicht des Fürsten Trubezkoi schwoll an, Buturlins graues, kurzgeschorenes Haar bewegte sich über der niedrigen Stirn, Artamon Golowin ließ den Kopf tief auf die Brust herabhängen, als lasteten bereits Schmach und Unglück auf seinen Schultern.

„Ferner liegt Seiner Durchlaucht ob, aufs eifrigste Näheres über die schwedische Entsatzarmee zu erkunden. Sobald er glaubwürdige Nachricht von des Königs Carolus Anrücken erhält und selbiger beträchtliche Truppen mit sich führt, soll er ein wachsam Auge auf ihn haben, um ihn nach Narwa nicht durchzulassen, und mit Gottes Hilfe versuchen, den Kampf mit ihm aufzunehmen. Besser aber wäre, so es möglich, abzuwarten, bis die Hilfstruppen eintreffen." Er ließ das Blatt sinken und wandte sich an den Herzog. „Repnin und der Hetman mit seinen Kosaken, auch die Wagen mit der Munition sind nur wenige Tagemärsche weit." Der Zar wandte sich an Golowin. „Setz dich, schreib die Sache ins reine."

Es klopfte an die Flurtür. Menschikow zwängte sich besorgt in die Küche hindurch. Jemand trat ein – durch die offene Tür drangen zugleich mit dem Heulen des Windes entfernte Schreie zahlreicher Stimmen ins Zimmer. Peter stieß einen von den Anwesenden beiseite und trat in die Küche hinaus.

„Was ist geschehen?" rief er mit schrecklicher Stimme.

Vor ihm stand ein junger Mann mit schmalem Gesicht, rosig wie ein Mädchen, einer aufgeworfenen Nase und kühn blikkenden Augen, an seinem blonden Haar klebte oberhalb des Ohres Blut.

„Pawel Jagushinski, Leutnant, Ordonnanzoffizier bei Boris Petrowitsch Scheremetew", erklärte rasch Alexander Menschikow.

„Nun?"

Ein Zittern lief über das Gesicht des jungen Mannes. Er sah zu Peter auf, bezwang seine Erregung und sagte: „Boris Petrowitsch hat mich gesandt, Majestät, er läßt fragen, wo er seine Regimenter unterbringen soll."

Peter schwieg. Die Generale drängten sich erschrocken an der Tür der Kammer.

Menschikow knurrte, während er hastig in die Ärmel seines kurzen Pelzes fuhr: „Schamlos davongerannt sind sie, von Pyhajöggi an... Haben alles im Stich gelassen... Die Adligen..."

Die irregulären Regimenter des Adelsaufgebots gerieten, als sie am Morgen des 17. November von den Vorposten erfuhren, schwedische Reiterpatrouillen hätten im Laufe der Nacht längs der Küste den Engpaß umritten und die Revaler Landstraße im Rücken der Russen erreicht, in Verwirrung und zogen sich, ohne auf Boris Petrowitsch Scheremetew zu hören, von Pyhajöggi zurück, aus Furcht, von der Hauptarmee abgeschnitten zu werden. Scheremetew sprengte an die aufgelösten Hundertschaften heran, packte die Pferde am Zügel, schrie sich heiser, schlug mit der Reitpeitsche auf Gäule und Leute ein – die Leute hinter ihm drängten vorwärts, sein Roß wurde im Strudel der Fliehenden hin und her gerissen. Ihm gelang es lediglich, einige Hundertschaften zur Rückendeckung zu sammeln und einen Teil des Trosses vor den Schweden zu retten, die bei Sonnenaufgang – in eisernen Kürassen und Hauben mit hohem Kamm – auf den felsigen Anhöhen auftauchten. Die Schweden setzten den Fliehenden nicht nach. Im Galopp jagten die Adelsregimenter davon. In der Nacht erschienen sie vor den Palisaden des Narwa-Lagers. Die Wachposten auf dem Wall, die in der Dunkelheit glaubten, Feinde vor sich zu haben, gaben Feuer. Die Reiter schrien verzweifelt: „Gut Freund, gut Freund..." Das ganze Lager wurde wach und summte wie ein Bienenschwarm.

Leutnant Pawel Jagushinski ließ man passieren; er sprengte zum Zaren. Ein eisiger Wind tobte. Die Reiter waren abgesessen und standen jenseits des Grabens vor den aufgezogenen Brücken. Von den Palisaden rief man ihnen zu: „He, ihr Gutsherren, was kommt ihr denn so rasch wieder zurück? Wollt euch wohl hier belagern lassen, Freundchen?" Im ganzen Lager rasselten die Trommeln, Lichter glitten vorbei, Reiter jagten dahin, eine Laterne in der Hand. In den Regimentern und Hundertschaften wurde unter den Fahnen der Ukas des Zaren von der Überantwortung des Heeres dem glorreichen und unbesiegbaren Herzog de Croy verlesen. Die Truppen schwiegen bestürzt und von Furcht ergriffen. Bald lief das Gerücht von Mund zu Mund, der Zar sei bereits nicht mehr im Lager und der Schwede stehe mit seiner ganzen Heeresmacht keine fünf Werst entfernt.

Niemand schlief. Lagerfeuer wurden angezündet, doch der Wind warf die Holzscheite auseinander. Vor Tagesanbruch bezog die Reiterei Scheremetews auf dem rechten Flügel, ohne das Lager hinter den Palisaden zu betreten, Stellung, unmittelbar am Ufer, dort, wo die Narowa oberhalb der Stadt zwischen kleinen Inseln brüllend und reißend über die Stromschnellen strömte. Der Tag graute; von den Schweden war nichts zu sehen. Die ausgesandten Patrouillen waren in der Umgebung nirgends auf den Feind gestoßen, obgleich die Leute Scheremetews hoch und heilig schworen, daß er ihnen von Pyhajöggi an auf den Fersen gewesen sei.

Unter den heiseren Klängen der Hörner umritten der Herzog in prunkvollem Mantel, den Marschallstab in die Hüfte gestemmt, und in einer halben Pferdelänge Abstand die Generale Golowin, Trubezkoi, Buturlin, Prinz von Imeretien und Fürst Jakow Dolgoruki das Lager. Der Herzog, mit dem Handschuh den hängenden Schnurrbart hochstreichend, rief den Soldaten zu: „Guten Tag, Leute! Leib und Leben für Väterchen Zar!" In allen Regimentern wurde, unter Trommelschlag, der Befehl verlesen: „...Während der Nacht bleibt die Hälfte der Armee unter Gewehr. Vor Tagesanbruch erhält jeder Soldat vierundzwanzig Patronen mit Kugeln. Bei Sonnenaufgang tritt die gesamte Armee an, bei den drei Signalschüssen der Kanonen haben die Kapellen zu spielen, die Trommeln werden gerührt und alle Fahnen auf den Schanzen aufgepflanzt. Es wird nicht geschossen, bevor der Feind auf dreißig Schritt herangekommen ist ..."

In der Nacht sprang ein vom Meer wehender Westwind auf. Es wurde wärmer. In der Dunkelheit ritt der schwedische Generalmajor Ribbing mit zwei Reitern, nachdem auf seinen Befehl den Pferden die Hufe mit Filzlappen umwickelt worden waren, unbemerkt an die Palisaden heran und ließ die Tiefe des Grabens und die Höhe der Wälle messen.

Alexej Browkin schritt, hungrig wie ein Wolf und völlig durchfroren, auf dem Wall – drei Schritt vorwärts, drei Schritt zurück – neben dem Kompaniefeldzeichen auf und ab. Der Wall war sieben Werst lang, die Soldaten standen in weiten Abständen voneinander. Die Hornsignale waren verklungen, die Trommeln schwiegen. Die Kanonen und Musketen waren geladen, die Lunten rauchten. Die Fahnen auf den Schanzen flatterten im Wind. Es war elf Uhr morgens.

Mit aller Kraft schnallte sich Alexej den Leibriemen enger. Der neue Oberbefehlshaber hatte für alles gesorgt, nur an das Essen für die Leute hatte er nicht gedacht. Schon mehrere Tage lang kauten die Soldaten und die Regimentsoffiziere verschimmelten Zwieback und lasen in ihren Feldtaschen die Krumen zusammen. In dieser Nacht wurde nicht einmal Zwieback verteilt. Wie Vogelscheuchen standen die Soldaten auf den Wällen, von Browkins Kompanie waren nur achtzig heil geblieben. Einst hatte Alexej Browkin nur einen Wunsch gehegt, sich in das Kampfgemenge zu stürzen, an der Spitze seiner Kompanie im Pulverdampf vorwärtszustürmen, dem Feind die Fahne aus der Hand zu reißen ... Ich danke dir, Alexej, ich befördere dich zum Oberst! Heute kannte er nur ein Verlangen: sich in die stinkige Wärme der Erdhütte zu verkriechen und aus dem Napf dünnen Brei zu löffeln, der glühend heiß die Kehle hinabglitt.

Die Augen vor dem Wind zusammenkneifend, rief Alexej

dem nächsten Soldaten, Golikow, zu: „Was hältst du Maulaffen feil, reiß die Knochen zusammen!"

Der hörte nichts; die mit Fetzen bedeckten Schultern hochgezogen, starrte er mit spitznäsigem Gesicht vor sich hin, als hätte er den Tod erblickt. Auch die anderen Soldaten sahen, wie Rüden mit gesträubtem Fell, nach der Anhöhe Hermannsberg hinüber. Über ihr tauchte in den in rasender Eile vorüberfliegenden Wolken die tiefstehende Sonne auf und verschwand sogleich wieder. Zwischen Baumstümpfen und im Wind hin und her schwankenden, kahlen Birken bewegten sich schwerbeladene Menschen – immer mehr tauchten aus dem Walde auf. Sie warfen ihre Säcke und Packen ab, liefen vorwärts und stellten sich in breiten und dichten Kolonnen auf. Von sechs Gäulen gezogene Kanonen fuhren auf, die einen den Hügel hinab auf die mittlere Redoute zu, die anderen im Trab über den Bach zu den mächtigen Verschanzungen Weydes, die dritten jagten im Galopp rechts über die Ebene. Sechs Kolonnen Fußvolk nahmen auf der Anhöhe Hermannsberg Aufstellung. In matt schimmernden eisernen Doppelreihen kam Reiterei aus dem Wald.

Alexej schrie mit einer Stimme, die ihm selber fremd klang: „Trommler, Alarm!"

Auf den Wall sprangen schnauzbärtige Unteroffiziere, schoben den Dreispitz tief in die Stirn, damit ihn der Wind nicht vom Kopf riß. Die Trommeln rasselten. Leopoldus Mirbach schrie, wer weiß worüber erfreut und mit dem Finger zeigend, Alexej zu: „Sehen Sie, der dort zu Pferde, das ist König Karl." Die schwedischen Kolonnen, furchtbar in ihrer Regelmäßigkeit und Ordnung, krochen, als seien es nicht Menschen, sondern gefühllose, unsterbliche Wesen, in leicht schwankenden schwarzblauen Reihen den Hang hinab. Dort oben auf der Anhöhe hielten fünf, sechs Reiter, und vor ihnen noch einer, schlank und hager, er winkte mit der Hand. Ordonnanzen sprengten zu ihm heran und jagten den Hügel hinab zu den Kolonnen.

Der Wind bog die Stangen der Fahnen und Feldzeichen auf dem Wall, herzzerreißend rasselten die Trommeln. Eine bleigraue Schneewolke zog vom Meer herauf und bedeckte rasch den Himmel. Vier Artilleriegespanne kamen angeprescht, machten etwa zweihundert Schritt vom Graben, gegenüber der Stelle, wo Browkins Kompanie stand, mitten im Galopp kehrt und protzten ab, grüne Munitionskarren jagten heran und machten ebenfalls kehrt. Kräftige Leute in dunkelblauer Uniform sprangen ab und stellten sich bei den Kanonen auf. In regelmäßigen Reihen näherte sich eine Infanteriekolonne im Laufschritt, ein paar Leute mit weißen Aufschlägen sprangen vor und stellten sich an ihre Spitze. Auf ein mit dem Degen gegebenes Zeichen rückten die Schweden in Doppelreihen auf, nahmen zu beiden Seiten der Batterie Aufstellung, warfen sich jäh nieder, Erdklumpen flogen in die Höhe.

Alexej legte die Hände trichterförmig vor den Mund und überschrie den Wind: „Die Herren Fähnriche ... Sagt's den Unteroffizieren ... Sagt's den Soldaten ... Bei Todesstrafe ist es verboten, ohne besonderen Befehl zu schießen ..." Leopoldus Mirbach lief in seinen hohen Kanonenstiefeln den Wall entlang, fluchte auf deutsch und schwang drohend den Stock. Fedka Wasch-dich-mit-Dreck – mit struppigem Bart, schmutzig, die reine Vogelscheuche – bleckte grimmig die Zähne. Leopoldus zog ihm eins mit dem Stock über. Der Wind riß an den Rockschößen, ein Hut wirbelte hoch durch die Luft.

Alexej wandte sich nach der russischen Batterie um. „Los doch. Rascher." Endlich krachte es, daß es in den Ohren gellte. „Teufel, nicht mal schießen können sie!" Vier schwedische Kanonen gaben Antwort und spien, zurückrollend, Feuer. Eine halbe Werst entfernt brüllten laut und gewichtig der „Löwe" und der „Bär" auf. „Ach, wie faul die Unseren schießen." Die vier Gespanne kamen von neuem angesprengt, protzten die Kanonen auf und fuhren sie näher an den Wall. Die Kanoniere rannten hinterher, reinigten und luden die Geschütze und sprangen zurück: zwei zu den Rädern, der dritte hockte mit der Lunte nieder. Der Mann mit den weißen Aufschlägen hob den Degen. Eine Salve. Vier Kugeln schlugen in die Kiefernstämme der Palisade ein, kreischendes Eisengeklirr war zu vernehmen. Holzsplitter stoben empor. Alexej trat einen Schritt zurück und stürzte hin. Sprang wieder auf. Flüchtig, aber unsagbar deutlich – sein Leben lang erinnerte er sich später daran – sah er: Über das wellige Feld sprengte ganz nahe, den Graben entlang, auf einem Grauschimmel ein Jüngling, kerzengerade und dürr wie ein Finger, einen kleinen Dreispitz auf dem Kopf, unter dem ihm ein lederner Haarbeutel im Nakken auf und ab hüpfte. Er hatte die Füße unrussisch weit vorgestreckt und bis zum Absatz in die Steigbügel geschoben, sein schmales Gesicht war spöttisch den Schützen auf der Palisade zugewandt, hinter ihm galoppierten auf knochigen Gäulen, Bügel an Bügel, an die zwanzig Doppelreihen Kürassiere. „Herr, erbarme Dich unser!" klang Golikows verzweifelter Schrei zu ihm herüber.

Die schwarze Wolke hatte indessen den ganzen Himmel überzogen. Es wurde rasch dunkel. Hinter dem Vorhang des fallenden Schnees verschwanden das Lager, die Reihen der heranstürmenden Kürassiere, die anmarschierenden schwedischen Kolonnen. Im Heulen des Windes bellten die Kanonen – ihre Flammen lohten in trübem Schein auf. Krachend zerriß die Palisade. Mit grimmigem Zischen flogen die Kugeln über den Köpfen dahin. Wirbelnd brach der Schneesturm los, schräger, stacheliger Schnee peitschte das Gesicht, verklebte die Augen. Nichts war zu sehen, weder das, was vorn, jenseits des Grabens, geschah, noch das, was schon seit einer Viertelstunde im Lager vor sich ging.

Ein von panischem Schrecken erfaßter, geduckt fliehender Soldat aus einer fremden Kompanie hätte Alexej beinahe umgerannt. Alexej packte ihn an den Hüften. Der Soldat schrie mit verzweifelter Stimme: „Verraten haben sie uns!", riß sich los und verschwand im Schneegestöber. Erst da bemerkte Alexej, wie aus dem wirbelnden Schnee Reisigbündel – so schien es ihm – eins nach dem anderen in den Graben rollten. Sich den Schnee aus dem Gesicht wischend, schrie er: „Feuer! Feuer!"

Der Graben wimmelte bereits von emsigen Gestalten.

Die schwedischen Grenadiere, denen der Wind den Schnee in den Rücken trieb, hatten sich an den Graben herangeschlichen, ihn mit Faschinen ausgefüllt und waren über die Reisigbündel ohne Leitern auf die Palisade geklettert.

Alexej sah auch, wie Golikow im Zurückweichen feuerte

und mit dem Bajonett zustieß. Ein großer, ganz mit Schnee bedeckter Mann schwang die Beine über die Palisade und packte das Bajonett mit der Hand – Golikow zog an der Muskete, der Mann am Bajonett. Kreischend schrie Alexej auf und stach auf den Mann wie auf eine Sau mit dem Degen ein. Mehr und mehr Menschen rollten über die Palisade, als triebe sie der Schneesturm vorwärts. Alexej stach zu, bald vorbei, bald in etwas Weiches. Rasender Schmerz durchfuhr ihn, Funken sprühten ihm aus den Augen, sein Schädel, sein ganzes Gesicht schienen ihm von einem Schlag plattgequetscht.

Golikow konnte sich nicht erinnern, wie er in den Graben gerollt war. Von tierischem Schrecken erfaßt, kroch er auf allen vieren dahin. Jemand lief, mit den Armen fuchtelnd, an ihm vorbei, ihm folgten zwei grimmige, breitknochige Schweden mit aufgepflanztem Bajonett. Golikow duckte sich und stellte sich tot, als sei er ein Käfer. Ach, was sind das für Menschen! Er hob den Kopf – sein Mund war voll Schnee. Er sprang auf, schwankte vorwärts und stieß sogleich auf zwei Mann. Fedka Wasch-dich-mit-Dreck lag mit dem Bauch auf Leopoldus Mirbach, bemüht, ihm die Finger um den Hals zu legen. Leopoldus hatte sich in Fedkas Bart verkrallt. „Nützt dir alles nichts, du Satan", keuchte Fedka heiser und warf sich mit den Schultern auf Mirbach. Andrej lief davon. Ach, was sind das doch für Menschen!

Die mittlere Kolonne der Schweden – viertausend Grenadiere – stürzte sich mit verbissenem Grimm auf Artamon Golowins Division. Eine Viertelstunde währte der Kampf auf den Palisaden. Die Russen, vom Schneesturm geblendet, vom Hunger erschöpft, ohne Vertrauen zu ihren Offizieren, jedes Verständnisses bar, wozu sie in diesem höllischen Gestöber sterben sollten, fluteten vom Wall zurück. „Jungs, man hat uns verraten! Macht die Offiziere nieder!" Regellos schießend, liefen sie, in den verschneiten Gräben und zwischen den Schanzkörben der Batterien übereinander stolpernd, durch das Lager. Rannten die Regimenter Trubezkois über den Haufen und rissen sie mit sich fort. Zu Tausenden eilten sie zu den Brücken, zu der Fähre.

Die Schweden verfolgten sie nicht allzuweit, da sie fürchteten, sich in dem Schneegestöber inmitten dieses riesigen Lagers zu verirren. Heiser und gebieterisch riefen die Trompeten: Zurück, auf den Wall! Doch eine Abteilung Grenadiere stieß auf die Sperrbäume, hinter denen die Troßwagen standen. Die Grenadiere schrien: „Mit Gottes Hilfe, in Gottes Namen!" und nahmen die Wagenburg im Sturm. Hier fanden sie unter schneebedeckten Bastmatten Fässer mit verfaultem Pökelfleisch und Fäßchen mit Schnaps. Über tausend Grenadiere blieben bis zum Ende des Kampfes bei den eingeschlagenen Fäßchen zurück. Die zwischen den Wagen umherirrenden Russen wurden teils niedergestochen, teils einfach davongejagt.

Unmittelbar nach dem Fußvolk drang durch das erbrochene Tor die Reiterei ins Lager ein und sprengte geradewegs auf die Hauptredoute zu. Die Kanonen „Löwe" und „Bär" wurden in keckem Reiterangriff genommen und die Bedienungsmannschaften niedergehauen, der Batteriekommandeur Jakob Winterschieverk, der eine Kopfwunde erhalten hatte, übergab den Siegern seinen Degen. Die Kanonen wurden gen Osten gekehrt, und man schritt zur Beschießung der Verschanzungen Weydes. Hier stießen die Schweden auf hartnäckigen Widerstand; Weyde stellte seine gesamte Division in vier dichten Reihen auf den Palisaden auf und stach selber mit seiner Offizierslanze die Schweden nieder, die den Wall zu erklettern versuchten. Die Soldaten in den hinteren Reihen luden die Musketen, die Vorderreihen unterhielten Schnellfeuer. Der ganze Graben war bis obenauf mit Toten und Verwundeten gefüllt. Als die Kugeln von der Hauptredoute geflogen kamen und man die Stimmen des „Löwen" und des „Bären" erkannte, sprengte Weyde den Wall entlang. „Jungs, steht wie ein Fels!" Unter seinem Pferd krepierte eine Bombe, die Leute sahen, wie sich der Gaul im aufstiebenden Schnee im Rauch bäumte und überschlug.

Die Reiterregimenter Scheremetews standen, dicht am Fluß gedrängt, zwischen den Palisaden Weydes und dem Wald. Der Schnee peitschte ihnen ins Gesicht, hinter ihnen brüllte die

Narowa. Unheimlich rauschte der Wald. Sie standen, ohne etwas zu sehen, ohne etwas zu begreifen. Von rechts aus der Ferne donnerten immer häufiger die Kanonen. Ganz in der Nähe ertönten plötzlich auf den Wällen Musketenschüsse, Rufe und solche Todesschreie, daß den Bojarensöhnen aus dem Adelsaufgebot die Haare unter den Kappen zu Berge standen.

Boris Petrowitsch befand sich inmitten seines Heeres auf der Anhöhe. Das Fernrohr hatte er in die Tasche gesteckt – man konnte ohnehin kaum die Ohren des Gaules vor sich sehen. Unbegreiflich, was im Lager vor sich ging. Vergeblich wartete er auf eine Order des Oberbefehlshabers. Entweder dachte der überhaupt nicht an die Adelsreiterei, oder man hatte sie nicht finden können, vielleicht hatte sich auch etwas Schlimmes zugetragen.

Musketengeknatter klang vom linken Flügel herüber, wohl aus dem Wald. Boris Petrowitsch richtete sich in den Steigbügeln auf und lauschte. Rief den jungen Fürsten Rostowski heran. „Nimm vier Hundertschaften, lieber Freund, reite mit ihnen nach dem Wald dort und verjage den Feind. Mit Gott."

Der Fürst, der in seinem Panzer und seiner Eisenhaube schon ganz steif vor Kälte war, murmelte etwas Unverständliches und ritt den Hang hinab. Aus dem Wald krachte eine Kanone. Klagend ertönte eine Stimme in Todesnot. Und sofort knatterten – rechts, links und vorn – Musketenschüsse. Boris Petrowitsch sah sich um und wollte schon befehlen: Säbel raus, vorwärts, mit Gott! Doch niemand war da, dem er hätte befehlen können. Der ganze Hang wogte von Pferdekruppen. „Wir sind verloren, verloren, rettet euch über den Fluß!" schrien viele tausend Stimmen. Boris Petrowitsch blieb nur eins übrig, um nicht umgerissen zu werden: selber mit seinem Gaul kehrtzumachen. Er schloß die Augen und riß am Zügel, während ihm die Tränen über die Wangen rannen.

Gebrüll, wildes Geheul. Ein wogendes Chaos von hochgerissenen Pferdeköpfen, zottigen Mähnen, schneebedeckten Rücken jagte zum Fluß hinunter. Das Ufer war steil, die Gäule rutschten auf den Hinterbeinen den Hang hinab, stemmten sich gegen den Boden, die hinteren Reihen keilten sich heranpreschend in die vorderen ein und setzten über die Stürzenden hinweg. In dem gelblichen Wasser wirbelten unter dem Schleier des Schneegestöbers Pferdeschnauzen und nach Luft schnappende Gesichter, Hände mit krampfhaft gespreizten Fingern tauchten aus den Strudeln auf. Immer neue Reiterhundertschaften stürzten sich in die Narowa, schwammen, kämpften gegen die Strömung an, ertranken ...

Der wackere Gaul Boris Petrowitschs arbeitete sich durch die Wogen zu einer kleinen Insel inmitten des Flusses durch, blieb dort eine Weile mit fliegenden Flanken stehen, ging dann behutsam wieder ins Wasser, schwamm mit gefletschten Zähnen und brachte seinen Herrn ans jenseitige Ufer.

Der Schneesturm, der das Schlachtfeld mit dichtem Schleier verhüllte, war für die Schweden womöglich gefährlicher als für die Russen. Die Verbindung zwischen den angreifenden Kolonnen wurde unterbrochen, vergeblich irrten die Ordonnanzen im wirbelnden Schnee umher, um die Generale und den König zu suchen. Der kühne Plan – die Flügel des Gegners in ungestümem Vorstoß über den Haufen zu rennen, ihn einzukreisen und an die Festung unter das Feuer der Bastionen zu drücken – war gescheitert: Das Zentrum der Russen war im ersten Ansturm durchbrochen worden, Artamon Golowins Truppen waren ungeordnet zurückgewichen und im Schneegestöber verschwunden, doch die Flügel leisteten unerwartet hartnäckigen Widerstand, namentlich der rechte Flügel, wo die besten Regimenter, das Semjonowski- und das Preobrashenski-Regiment, standen.

Es war schon drei Uhr vorbei, aber das Feuer ließ nicht nach. In dichten, wirbelnden Flocken fiel der Schnee. Bis zum Einbruch der Dunkelheit mußte der Kampf siegreich beendet sein, sonst drohte den vier schwedischen Bataillonen, die im Zentrum ins Lager eingedrungen und jetzt müde und erschöpft waren, die Gefahr, ihrerseits eingekreist und vernichtet zu werden, falls die Russen zu guter Letzt wagen sollten, einen Ausfall aus ihren Verschanzungen zu machen, verfügten sie doch auf den Flügeln, vorsichtig geschätzt, über fünfzehntausend Mann frischer Truppen.

Zu Beginn des Kampfes befand sich Karl mit drei Kürassierschwadronen zwischen den Kolonnen Stenbocks und Maydells, um den Vorstoß gegen das Zentrum und gegen den rechten Flügel gleichzeitig beobachten zu können. Hier überraschte ihn der Schneesturm. Die vorrückenden Kolonnen verschwanden hinter dem Schneevorhang, selbst das Aufblitzen der Kanonenschüsse war nicht mehr zu sehen. Mit zusammengebissenen Zähnen und geblähten Nüstern lauschte Karl dem berauschenden Kampfgetöse. Der heransprengende Adjutant des Generals Rhenskjöld meldete, die Grenadiere hätten das Zentrum durchbrochen und drängten die Russen ins Lager zurück. Karl packte den Offizier an den Schultern und schrie ihm ins Ohr: „Sagen Sie dem General: Der König befiehlt, die Verfolgung einzustellen, die mittlere Redoute zu besetzen, Verteidigungsstellungen zu beziehen und auf weitere Befehle zu warten."

Er sandte Ordonnanzen, eine nach der anderen, nach dem rechten Flügel zu Schlippenbach, der erfolglos Weydes Befestigungslinie zu erstürmen versuchte. „Übergeben Sie dem General, der König sei verwundert." Er befahl, ihm zwei Kompanien aus der Reserve zur Verstärkung zu schicken, man konnte sie jedoch im Schneegestöber nicht finden und somit nicht senden. Wütend berannten die Schweden die halbzerstörten Palisaden, General Weyde wurde von einem Bombensplitter verletzt, die Russen schlugen nach wie vor mit allem, was sie gerade zur Hand hatten, die Angriffe ab.

Die Gefahr wurde mit jedem Augenblick größer. Sämtliche Generale hatten sich gestern im Kriegsrat gegen die wahnwitzige Operation vor Narwa ausgesprochen: sich mit zehntausend hungriger, erschöpfter Soldaten, die unter der Last des Gepäcks zusammenbrachen – den Troß hatte man bei den Eilmärschen zurücklassen müssen –, auf die fünfzigtausend Mann zählende, stark verschanzte Armee zu werfen. Ein solches Beginnen sei unvorsichtig.

Doch Karl hatte zornig erwidert: „Der Sieg gehört den Angreifenden, Gefahr verdoppelt die Kraft, morgen werdet ihr mir den Zaren Peter ins Zelt bringen." Er machte die Generale mit seiner Disposition bekannt: Alles war darin vorgesehen und berücksichtigt, mit Ausnahme des Schneesturmes...

Mit erhobenem Kopf, kerzengerade im Sattel sitzend, über und über mit Schnee bedeckt, lauschte Karl dem Kampfgetöse. Die Gefahr berauschte ihn. Dieses Spiel war selbst mit der Bärenjagd im Kungsörer Wald nicht zu vergleichen. Der Wind trug besonders die Schüsse vom linken Flügel herüber, wo zwei Grenadierbataillone des Generals Löwenhaupt die Stellungen des Semjonowski- und des Preobrashenski-Regiments berannten. War denn auch dort, an der entscheidendsten Stelle, noch immer kein Erfolg zu verzeichnen?

Karl wandte sich um, packte eine Pferdeschnauze am Zaum – Pferd und Reiter waren im Schneegestöber nicht zu sehen – und rief, man solle Löwenhaupt vier Kompanien der Reserve zur Unterstützung schicken. Die Pferdeschnauze fuhr empor und verschwand, auch diese Kompanien wurden nicht gefunden und nicht geschickt. Das Geschützfeuer links wurde immer verzweifelter.

Aus Wolken von Schnee preschte ein verschneiter Reiter heran. „Majestät... General Löwenhaupt bittet um Verstärkung..."

„Ich habe ihm vier Kompanien geschickt. Ich bin verwundert..."

„Majestät. Die Palisaden sind zertrümmert, die Gräben mit Faschinen und Leichen gefüllt. Die Russen haben sich allerdings hinter die Sperrbäume zurückgezogen. Von Furcht und all dem Blut sind sie zu wilden Bestien geworden. Sie fluchen, schimpfen und stürzen sich in unsere Bajonette. General Löwenhaupt ist schon mehrmals verwundet, kämpft jedoch an der Spitze seiner Soldaten zu Fuß weiter..."

„Zeig mir den Weg!"

Karl gab seinem Pferd die Sporen und sprengte, über die Mähne gebeugt, um das Gesicht vor Schnee und Wind zu bergen, Bügel an Bügel mit dem Meldeoffizier in Richtung der Schüsse auf dem linken Flügel davon. Ihm war, als singe der ihm durch Mark und Bein dringende Wind in seinem Herzen. In diesem Taumel des Winds, des Schnees, der donnernden Schüsse dürstete ihn danach, den Widerstand der in lebendes Fleisch dringenden Klinge zu spüren. Der Offizier schrie etwas und wies nach vorn, wo sich ein gelber Fleck über dem Schnee ausbreitete. Es war das verschneite Bett eines Baches. Karl stieß seinem Gaul die Sporen in die Weichen, in mächtigem Sprung setzte der Gaul über den gelben Schnee und blieb im Morast stecken, bäumte sich, sank mit den Hinterbeinen noch tiefer ein, schnob mit den Nüstern in den Schneewind. Karl sprang ab, sein linkes Bein versank bis an die Hüfte im zähen Schlamm. Er gab sich einen Ruck, zog das Bein aus dem Kanonenstiefel und kroch auf allen vieren, wobei er Dreispitz und Degen verlor, ans jenseitige Ufer, wo der inzwischen abgesessene Offizier stand und ihm die Hand entgegenstreckte.

So – nur mit einem Kanonenstiefel und ohne Hut – bestieg Karl dessen zitterndes, mit einer Eiskruste bedecktes hageres Pferd und sprengte, ihm den Sporn gebend, auf die nahen Schüsse und wilden Schreie zu. Das Pferd setzte über kleine Schneehügel – es waren Tote oder Verwundete – hinweg. Vorn glitten undeutliche Schatten vorüber. Aufflammend krachte eine Kanone. Unerwartet nah erblickte er einen wirren Haufen seiner Grenadiere; sie standen mürrisch auf ihre Gewehre gestützt und starrten dorthin, wo hinter der zerstampften, blutbefleckten Schneefläche, hinter den reglos liegenden Körpern der Gefallenen die zugespitzten Latten der Sperrbäume schräg emporragten. Dahinter wogten die Reihen der Russen. Sie schrien mit gellender Stimme und drohten mit Fäusten und Musketen. Hatten wohl gerade einen Angriff zurückgeschlagen.

Karl ritt auf die Grenadiere zu. „Einen Degen!" rief er, es klang wie ein Schuß. Die Leute wandten sich nach ihm um, erkannten ihn. Er bog sich vom Sattel hinab, streckte die Hand aus und spreizte die Finger. „Einen Degen!" Jemand schob ihm den Degengriff in die Hand.

„Soldaten! Die Ehre eures Königs ist hier, auf diesen Sperrbäumen. Sie müssen genommen werden! Ihr werdet die schmutzigen Barbaren in die Narowa werfen." Er zückte den Degen, und sofort klang gedehnt ein Horn auf, dann ein zweites und mehr, unsichtbar im Schneegestöber. „Soldaten! Gott und euer König sind mit euch! Ich werde euch führen. Mir nach!"

Er galoppierte über den blutbefleckten Schnee. Hinter ihm erklang aus heiseren Kehlen: „Mit Gott!" Von den Sperrbäumen her fielen vereinzelte Schüsse. Karl richtete sein Augenmerk auf einen Mann, einen Russen von riesigem Wuchs, der mit vorgebeugtem Kopf in einer Bresche der von Kugeln zersplitterten Sperrbäume stand. Lächelnd riß der König sein Pferd hoch, der Russe bohrte mit verzerrtem Gesicht sein Bajonett, als sei es eine Mistgabel, dem Pferd in die Brust. Karl warf sich auf den Rücken des Gauls zurück, streckte den Arm und stieß im Hinabgleiten den Degen mit aller Kraft dem Riesen in die Brust.

Im Abspringen stolperte er jedoch. Schreiende Männer, Eisengeklirr und krachende Schläge ringsumher. Jemand stieß ihn, er fiel zu Boden. Auf seinem Rücken fühlte er einen schweren Stiefel, der ihn in den Schnee drückte. Man eilte dem König sofort zu Hilfe, hob ihn auf und trug ihn davon. Seine Gedanken verwirrten sich. Auf einer Lafette unter einem stinkenden Soldatenmantel kam er wieder zu sich. Gedehnt bliesen die Hörner den Kampf ab.

Karl schob den Mantel beiseite und setzte sich auf. „Bringt mir ein Paar Stiefel, ich bin barfuß ... Stiefel und ein Pferd ..."

In wirrem Durcheinander stürzten die Regimenter Golowins und Trubezkois vor Furcht, sie könnten vom Flußübergang abgeschnitten werden, zum Ufer und strömten in so dichten Haufen über die Schiffbrücke, daß die Pontons sich senkten und die gelben Wogen der von den Stößen des Westwinds angeschwollenen Narowa über das Brückengeländer schlugen. Dort, hinter dem Schneeschleier, trieben in den schäumenden Fluten Pferdekadaver und die Leichen der Reiter Scheremetews, die beim Übergang über den Fluß fünf Werst stromaufwärts ertrunken waren. Die Kadaver wurden von der Strömung mitgerissen und stauten sich an der immer tiefer einsinkenden Brücke. Vom Ufer her drängte eine brüllende Menge. Die schwankende Brücke neigte sich stärker zur Seite, das Wasser überflutete die Bretter, das Geländer knarrte, die Hanfseile rissen, die mittleren Pontons versanken und lösten sich. Alle, die sich auf der Brücke befanden, stürzten in den brüllenden Strom, in dem Pferdekadaver und Menschenleichen durcheinanderwirbelten. Geschrei erhob sich, aber die hinteren Reihen drängten, und zu Hunderten stürzten die Soldaten in die Narowa, bis die Strömung die abgerissene Brückenhälfte endlich ans sumpfige Ufer spülte.

Dort stand nahe am Fluß das Zelt des Herzogs de Croy, hinter den Stellungen des Preobrashenski- und des Semjonowski-Regiments. Schon über zwei Stunden währte der verzweifelte Kampf um die Sperrbäume an der Süd- und an der Westseite des Lagers. Unmöglich war es, bei diesem höllischen Schneegestöber den Kampf zu leiten, Befehle zu erteilen. Im Zelt saß am Tisch Blumberg, der dicke Oberst des Preobrashenski-Regiments, er hatte den Kopf in die Hände gestützt und schnaufte nur ab und zu. Ihm gegenüber saß der langweilige Hallart, starrte blinzelnd in die Flamme der Kerze und wartete geduldig auf den Augenblick, da er seinen Degen – den Griff voran, mit einem Bückling – einem schwedischen Offizier überreichen mußte.

Ins Zelt trat der Herzog, einen verschneiten Elchpelz über die Rüstung geworfen, mit offenem Visier, sein Schnurrbart hing in zwei Eiszapfen herab, seine Lippen bebten.

„Mag der Teufel mit diesen russischen Schweinen Krieg führen!" schrie er. „Major Cunningham und Major Gast sind in ihren Erdhütten erwürgt worden. Hauptmann Walbrecht liegt mit durchschnittener Kehle hier, zwölf Schritt vom Zelt. Der Zar hat's gewußt, was er mir da zurückläßt – eine solche Armee! Pack, Lumpengesindel..."

Hallart erhob sich hastig und schlug den Teppich zurück – eine Schneewolke stob herein. Das Gebrüll einer nach Tausenden zählenden Menschenmenge übertönte das Knattern der Musketen. Der Herzog stürzte aus dem Zelt. Unten sah man die Umrisse der ans Ufer treibenden Schiffbrücke, die Menschen auf der Brücke brüllten. Rechts, wo die Palisade am Fluß endete, tobte eine zahllose Menge.

„Das Zentrum ist durchbrochen", sagte Hallart, „das sind die Regimenter Golowins..."

Die Soldaten kletterten über die Palisade, liefen in kleinen Gruppen auf das Zelt zu.

„Zum Teufel!" rief der Herzog. „Aufs Pferd, meine Herren!" Er versuchte, sich des Elchpelzes zu entledigen – die Rüstung hinderte ihn. „So helft mir doch, Teufel noch mal!"

Der Herzog, Hallart und Blumberg schwangen sich in den Sattel, ritten zum Fluß hinab und sprengten in mächtigen Sätzen längs des sumpfigen Ufers nach Westen, den schwedischen Schüssen entgegen, um sich gefangenzugeben und damit ihr Leben vor dem Grimm der wutschnaubenden Soldaten zu retten.

Es war dunkel geworden. Der Wind hatte sich gelegt, in dichten, weichen Flocken fiel der Schnee. Ab und zu knallte ein vereinzelter Schuß. Im russischen Lager war es still wie auf einem Friedhof, kein einziges Feuer brannte. Nur in der Mitte des Lagers grölten zwischen den erbeuteten Troßwagen betrunkene schwedische Grenadiere mit heiseren Stimmen Lieder. Der Widerschein von den Flammen brennender Fässer lag auf der sich über sinnlos Betrunkene und Tote breitenden Schneedecke.

Artamon Golowin, Trubezkoi, Buturlin, der Prinz von Imeretien, Jakow Dolgoruki, zehn Oberste – darunter der Sohn des berühmten Generals Gordon und der Sohn Franz Leforts –, Oberstleutnants, Majore, Hauptleute und Leutnants – achtzig Offiziere – hatten sich zu Pferd und zu Fuß vor der Erdhütte versammelt, in der sich die Generale zu beraten pflegten. Eben erst hatte man Parlamentäre, Fürst Koslowski und Major Piel, zu König Karl gesandt, sie waren jedoch auf ihre eigenen Soldaten gestoßen, die sie erkannt und niedergemacht hatten...

In der Erdhütte sprach Artamon Golowin beim Schein eines Kienspans: „Die Verschanzungen sind durchbrochen, der Oberbefehlshaber ist geflohen, die Schiffbrücken sind gerissen, unsere Munitionswagen den Schweden in die Hände gefallen. Wir sind außerstande, den Kampf morgen wiederaufzunehmen. Solange es noch Nacht ist und die Schweden das Ausmaß unserer Niederlage nicht übersehen, können wir generöse

Bedingungen, freien Abzug mit Waffen, herausschlagen. Mach dich darum auf, Iwan Iwanowitsch", er verneigte sich vor Buturlin, „mach dich selber auf, lieber Freund, und sage dem König, wir seien bereit, um nicht unnötig Christenblut zu vergießen, in Frieden auseinanderzugehen; wir wollen unser Land, er mag in das seine zurückkehren..."

„Und was wird mit den Kanonen? Sollen wir die etwa hergeben?" fragte Buturlin mit heiserer Stimme.

Niemand antwortete, die Generale schlugen die Augen nieder. Der stolze Golowin verzog das Gesicht, als hielte er die Tränen zurück.

Der dicklippige, schwarzhaarige Jakow Dolgoruki sagte, die Brauen hochziehend: „Leeres Geschwätz. Wir werden die Schale der Schmach bis auf die Neige leeren müssen. Uns auf Gnade und Ungnade ergeben."

Buturlin spannte die Hähne zweier Pistolen, steckte sie in den Gürtel, schob den Hut in die Stirn und verließ die Erdhütte. „Einen Trompeter her!"

Die Offiziere traten an ihn heran.

„Iwan Iwanowitsch, wie steht's? Ergeben wir uns?"

„Wir sind bereit, das Leben zu lassen, Iwan Iwanowitsch. Aber durch die Hand unserer eigenen Soldaten zu sterben..."

Auf einem vom russischen Lager etwa eine Werst weit gelegenen Gut wurde Buturlin von Karl und dessen Generalen empfangen. Die Schweden fürchteten den kommenden Tag nicht weniger als die Russen. Nachdem sie sich, um ihrer Ehre Genüge zu tun, eine Weile gesperrt hatten, erklärten sie sich bereit, das gesamte russische Heer mit Waffen und Fahnen, jedoch ohne Kanonen und Troß, ans jenseitige Ufer der Narowa hindurchzulassen. Sie verlangten aber, alle russischen Generale und Offiziere sollten als Geiseln auf das Gut gebracht werden, das Heer möge in Gottes Namen abziehen.

Buturlin versuchte, Einwendungen zu machen, doch Karl erwiderte mit spöttischem Lächeln: „Aus Liebe zu meinem Bruder, dem Zaren Peter, will ich seine tapferen Generale vor der Wut ihrer Soldaten retten. In Narwa werden sie ruhiger und satter leben als bei ihrer Armee..."

Es blieb nichts anderes übrig, als sich mit allem einverstanden zu erklären. Ein Zug Kürassiere sprengte davon, um die Geiseln zu holen. Die schwedischen Pioniere zündeten am Ufer Holzfeuer an und gingen daran, eine Brücke über den Fluß zu schlagen, um die Russen so bald als möglich ans jenseitige Ufer abzuschieben. Als erste verließen das Semjonowski- und das Preobrashenski-Regiment das Lager – mit fliegenden Fahnen und Trommelschlag überschritten sie, die Waffen in der Hand, die Brücke; die Soldaten waren durchweg lange, schnauzbärtige, mürrisch dreinblickende Kerle. Auf ihren Schultern trugen sie die Verwundeten. Als die Division Weydes herankam, rückten die schwedischen Kürassiere bedrohlich näher und bestanden auf der Auslieferung der Waffen. Fluchend warfen die Soldaten ihre Musketen weg. Die übrigen Regimenter wurden einfach mit Schüssen davongejagt.

Als der Tag anbrach, trat der Rest der fünfundvierzigtausend Mann starken russischen Armee barfuß, hungrig, ohne Offiziere, in ungeordneten Haufen den Rückzug an. Die Bastionen der Festung Iwangorod schossen ihnen einige Bomben nach...

4

Die Nachricht von der Niederlage vor Narwa erreichte Peter an dem Tage, als er gerade in Nowgorod eingetroffen war und vor dem Hause des Wojewoden vorfuhr. Unmittelbar hinter dem Schlitten des Zaren sprengte Pawel Jagushinski auf seinem sich noch kaum auf den Beinen haltenden Gaul durch das offene Tor, sprang vor der Freitreppe ab und blickte dem Zaren mit blitzenden Augen ins Gesicht.

„Wo kommst du her?" fragte Peter mit gerunzelten Brauen.

„Von dort, Herr Bombardier."

„Wie steht's dort?"

„Eine Niederlage, Herr Bombardier."

Peter senkte jäh den Kopf. Menschikow kam, sich die Füße vertretend, heran und begriff sofort alles, sowohl Frage wie Antwort. Der Wojewode Ladyshenski, ein altes Männlein mit Glotzaugen, der auf der untersten Treppenstufe stand, riß den

Mund auf, der schneidende Wind spielte mit seinem spärlichen Haar.

„Na ... Komm, erzähl mir die Sache." Peter setzte den Fuß auf die Stufe und wandte sich plötzlich nach dem Wojewoden um, als mustere er, aufs höchste verwundert, diesen Regenten Nowgorods.

„Ist bei dir alles zur Verteidigung bereit?"

„Großmächtiger Zar, Nächte durch schlafe ich nicht mehr, sinne nur immer, wie ich es dir recht machen könnte." Ladyshenski warf sich auf die Knie und sah mit hündischem Blick flehend zum Zaren empor, seine weit aufgerissenen Lider bebten.

„Wie soll ich denn die Stadt verteidigen? Die Mauern sind baufällig, die Gräben eingestürzt, die Brücken über den Wolchow morsch. Die Bauern aus der Umgegend aufbieten – nicht daran zu denken! Alle Pferde hat man ihnen für den Spanndienst genommen. Sei gnädig..."

Der Wojewode sprach nicht, er schrie jammernd, griff nach den Beinen des Zaren. Peter schüttelte ihn ab und eilte die Treppe hinauf in den Flur. Mönche, Nonnen, Popen und Einsiedler mit Käppchen auf dem Kopf fuhren von ihren Sitzen auf. Einer, der rasselnde Ketten auf dem bloßen Leibe trug, verkroch sich unter die Bank.

„Was sind das für Leute?"

Die Kuttenträger und Popen verneigten sich bis zur Erde. Ein strengblickender, feister Klostergeistlicher ergriff, die Augen zur Decke erhoben, das Wort: „Laß es nicht zu, Großmächtiger Zar, daß die Klöster und Gotteshäuser veröden. Dein Ukas befiehlt, daß jedes Kloster zehn und mehr Fuhrwerke und darüber hinaus Leute, soviel es vermag, mit Eisenspaten zu stellen und für ihren Unterhalt zu sorgen hat. Auch jeder Kirchsprengel hat Fuhrwerke und Leute zu stellen. Fürwahr, solches übersteigt alle Menschenkraft, Großmächtiger Zar. Wir leben ja nur von Almosen..."

Peter hörte ihn an, die Hand an der Türklinke, und betrachtete mit runden Augen die sich verbeugenden Gestalten.

„Sind aus allen Klöstern Bittsteller hier?"

„Aus allen", antworteten freudig wie aus einem Munde die

Mönche. „Aus allen, aus allen, unser Wohltäter", flöteten mit süßer Stimme die Nonnen, als sängen sie im Kirchenchor.

„Danilytsch, laß niemanden heraus, stell Wachen auf!"

Er trat ins Speisezimmer und befahl Jagushinski, ihm über die Niederlage zu berichten. Ohne sich zu setzen, schritt er in dem niedrigen und stickigen Zimmer auf und ab, nahm sich eine Salzgurke vom Tisch, kaute und stellte hastig Fragen. Pawel Jagushinski berichtete über den Verlust der gesamten Artillerie, erzählte von den Tausenden Reitern Scheremetews, die in der Narowa ertrunken waren, von den fünftausend Soldaten, die auf der eingestürzten Schiffbrücke den Tod gefunden hatten – weit mehr noch waren im Kampfe gefallen –, erzählte, wie sich neunundsiebzig Generale und Offiziere, darunter auch der verwundete Weyde, gefangengegeben hatten, und von dem traurigen Rückzug des Heeres ohne Führer und Troß – bloß die Subalternoffiziere und Unteroffiziere waren bei der Truppe geblieben, und auch das vorwiegend in den Garderegimentern ...

„Der Herzog hat sich als erster ergeben? Sieh an, der Kaiserliche, der Held, so ein Schweinehund! Und Blumberg mit ihm? Alexaschka, kannst du so was begreifen? Wie einen Bruder habe ich ihn geliebt, den Blumberg, und jetzt ist er zum Schweden geflohen. Schuft, Schuft!" Aus Peters Mund spritzten Gurkenkerne. „Neunundsiebzig Verräter! Golowin, Dolgoruki, Buturlin Wanka – daß der ein Esel ist, wußte ich ja, aber ein Schuft? Trubezkoi, der fette Eber! Wie haben sie sich ergeben?"

„Hauptmann Wrangel erschien mit seinen Kürassieren vor der Erdhütte, und die Unsern übergaben ihm ihre Degen."

„Und nicht ein einziger war darunter, der ..."

„Einige weinten."

„Weinten! Schöne Helden! Hoffen sie etwa darauf, ich würde nach dieser Schlappe um Frieden bitten?"

„Jetzt um Frieden bitten wär unser Tod", sagte Alexaschka.

Peter blieb vor dem Glimmerfenster in der tiefen, niedrigen Wölbung stehen, spreizte die Beine, ballte und öffnete die Faust auf dem Rücken.

„Diese Schlappe soll uns eine heilsame Lehre sein. Nicht

Ruhm ist es, wonach wir streben. Noch zehnmal wird man uns schlagen, dann aber werden wir Sieger bleiben. Danilytsch ... Ich vertraue dir die Stadt an. Du wirst noch heute mit den Arbeiten beginnen: Gräben ausheben, Verschanzungen aufwerfen – weiter als bis Nowgorod dürfen wir die Schweden nicht lassen, selbst wenn hier alle sterben sollten ... Ja, befiehl noch, daß man Browkin und Sweschnikow rufe, sie sollen unverzüglich herkommen, auch alle namhaften Nowgoroder Kaufleute sollen kommen ... Der Wojewode aber kriegt den Abschied", rief er Alexaschka nach. „Laßt ihn mit einem Tritt aus dem Hause werfen." Menschikow eilte hinaus. Peter wandte sich an Jagushinski: „Geh, treib dreihundert Fuhren auf, belade sie mit frischgebackenem Brot und fahre gegen Abend mit dem Wagenzug dem Heer entgegen. Verstanden?"

„Wird geschehen, Herr Bombardier."

„Ruf die Mönche."

Er setzte sich der Tür gegenüber auf die Bank mit unwirschem Gesicht, der richtige Antichrist. Die Kuttenträger kamen herein. Im Zimmer war es ohnehin schwül, jetzt konnte man kaum atmen.

„Also, hört zu, ihr Gottesreiter", sagte Peter, „kehrt in eure Klöster und Sprengel zurück. Noch heute haben sich alle zur Arbeit einzustellen, um Gräben auszuheben." Er wandte sich mit drohendem Blick einem Klostergeistlichen zu, der unter der hohen Mönchskappe die Brauen runzelte. „Schweig, Vater. Alle haben sich mit Eisenspaten und Pferden einzustellen, nicht nur die Laienbrüder, sondern alle Mönche bis zum Abt hinauf, auch alle Nonnen, Popen und Diakonen zusamt ihren Frauen. Schafft wacker zu Ehren Gottes. Schweig, sag ich dir, Vater. Das Beten will ich an eurer Statt allein übernehmen, nicht umsonst hat mich der Patriarch von Konstantinopel gesalbt. Ich werde einen Leutnant beauftragen, sich in den Klöstern und Kirchen umzusehen: Findet er einen, der müßig geht, so kommt der auf den Marktplatz, an den Schandpfahl, und erhält fünfzig Knutenhiebe. Diese Sünde nehme ich auch auf mich. Solange die Gräben nicht ausgehoben, die Schanzen nicht aufgeworfen sind, wird in den Kirchen, mit Ausnahme der Sophien-Kathedrale, keine Messe zelebriert. Geht ..."

Er klammerte sich an die Bankkante und reckte den Kopf in die Höhe – die runden Wangen mit dichten Stoppeln bedeckt, der Schnurrbart drohend aufgezwirbelt. Schrecklich war er anzusehen! Die Kuttenträger drängten sich, einander mit den Hintern stoßend, durch die enge Tür.

Peter rief laut: „Heda, dort im Flur. Zieht die Posten ein!"

Er goß sich Schnaps ein und ging wieder im Zimmer auf und ab. Bald hörte man die Haustür ins Schloß fallen. Im Flur fragte jemand halblaut: „Wo ist er denn? Ist er übler Laune? Ach, du meine Güte..."

Ins Zimmer traten Browkin, Sweschnikow und fünf Nowgoroder Kaufleute, die ihre Mützen zwischen den Fingern drehten und ängstlich blinzelten. Peter ließ es nicht zu, daß sie ihm die Hand küßten; er faßte sie fröhlich bei der Schulter, küßte sie auf die Stirn, Browkin auf den Mund.

„Willkommen, Iwan Artemjitsch, willkommen, Alexej Iwanowitsch!" Er wandte sich an die Nowgoroder. „Guten Tag, ehrsame Kaufherren. Nehmt Platz. Da seht ihr, Imbiß und Schnaps warten auf euch, den Hausherrn habe ich hinauswerfen lassen. Ach, was für Kummer mir der Wojewode bereitet hat: Ich dachte, hier bei euch seien schon die Gräben ausgehoben und uneinnehmbare Schanzen aufgeworfen... Auch nicht einen Spatenstich habt ihr gemacht."

Er schenkte jedem einen Becher Schnaps ein. Die Nowgoroder sprangen von ihren Sitzen auf und nahmen die Becher entgegen. Peter trank als erster, räusperte sich zufrieden und stellte den leeren Becher auf den Tisch, daß es klirrte.

„Auf einen guten Anfang haben wir getrunken." Er lachte. „Na, Kaufherren, habt ihr's schon gehört? Wir haben vom König von Schweden ein wenig Prügel gekriegt. Fürs erstemal will das nicht viel sagen. Für einen Geprügelten gibt man ja zwei Ungeprügelte, so heißt es doch wohl?"

Die Kaufleute schwiegen. Iwan Artemjitsch kniff die Lippen zusammen, senkte die Augen und starrte auf den Tisch. Sweschnikow zog seine schrecklichen Brauen in die Höhe und blickte ebenfalls zur Seite. Die Nowgoroder Kaufleute seufzten leise.

„Die Schweden können wir hier im Lauf dieser Woche erwarten. Verlieren wir Nowgorod, so verlieren wir auch Moskau, dann ist es mit uns allen aus."

„A-ach..." Browkin seufzte tief auf. Sweschnikows schwarzbärtiges Gesicht wurde gelb wie Öl.

„Halten wir die Schweden vor Nowgorod auf, so werden wir bis zum Sommer ein Heer aufstellen und ausbilden, stärker als vorher. Kanonen werden wir noch einmal soviel gießen. Die Kanonen vor Narwa! Bitte, nehmt sie nur, einen Dreck taugen diese Kanonen. Solche Kanonen werden wir nicht gießen. Die Generale sind gefangen, des bin ich froh. Wie Eisenkugeln an den Füßen waren mir die Alten. Junge, frische Generale brauchen wir. Den ganzen Staat werden wir auf die Beine bringen. Haben uns eine Schlappe geholt – nun gut! Der Krieg beginnt erst. Gebt mir einen Rubel für den Krieg, Iwan Artemjitsch, Alexej Iwanowitsch, in zwei Jahren kriegt ihr dafür zehn Rubel wieder..." Er lehnte sich zurück, schlug mit den Fäusten auf den Tisch. „Wie ist's, einverstanden, ihr Kaufleute?"

„Peter Alexejewitsch", sagte Sweschnikow, „wo soll man ihn aber hernehmen, diesen Rubel? Denkst du, in unseren Taschen sei Geld? Nichts als Mäuse..."

„Die pure Wahrheit, ach, die pure Wahrheit sagt er", stöhnten die Nowgoroder Kaufleute.

Peter richtete die Augen auf sie. Sie schienen zusammenzuschrumpfen. Schwer legte er seine Hand auf Iwan Artemjitschs kurzen Rücken. „Und was sagst du?"

„Gott hat uns zusammengeführt, Peter Alexejewitsch, dein Weg ist auch unser Weg."

Treu und ehrlich blickte Browkins dickes Gesicht. Sweschnikow verschlug es den Atem: Eben erst hatten sie vereinbart, kein Geld herauszurücken, und nun war der schlaue Wanka als erster aus der Reihe getanzt.

Peter legte Browkin den Arm um die Schulter und drückte dessen in Schweiß geratenes Gesicht an die Messingknöpfe auf seiner Brust. „Eine andere Antwort habe ich von dir nicht erwartet, Iwan Artemjitsch. Klug bist du und kühn, das wird dir noch reichen Lohn bringen. Kaufleute, das Geld brauche ich unverzüglich. Im Laufe einer Woche muß Nowgorod befestigt sein, zu seiner Verteidigung kommt die Division Anikita Repnins hierher."

„... Gräben wurden ausgehoben und Kirchen niedergerissen. Schanzen mit Schießscharten wurden aufgeworfen und die Wälle auf beiden Seiten mit Rasen verkleidet.

Und zur Arbeit wurden Dragoner und Soldaten hinzugezogen und jeglichen Stands Leute und Geistliche und auch jeden Rangs Klösterliche, Männlein wie Weiblein.

Die Mauertürme wurden mit Erde gefüllt und oben mit Rasen verkleidet – Erdarbeit war es. Die hölzernen Turmdächer aber und die Wetterdächer der Mauern wurden allesamt abgerissen. Und zur selbigen Zeit wurden in den Kirchen, die Kathedrale ausgenommen, keine Messen gelesen.

Im Petschory-Kloster führte auf Befehl des Zaren Oberstleutnant Schenschin die Aufsicht über die Arbeiten. Der Zar kam ins Kloster, Schenschin aber war nicht zur Stelle, und so befahl der Zar, ihn auf der Geschützbank schonungslos auszupeitschen und als einfachen Soldaten ins Regiment zurückzuschicken.

Des weiteren wurde in Nowgorod der Kommandeur Alexej Poskotschin gehängt, weil er Geld nahm, fünf Rubel von jedem, der sich vom Spanndienst frei machen wollte..."

5

Der wachhabende Offizier am Portal des Palastes in Preobrashenskoje antwortete allen: „Niemand wird vorgelassen, weitergehen!"

Im Hof standen zahlreiche gedeckte Schlitten und Kutschen. Der Dezemberwind trieb die Graupeln in die schwarzen Radspuren. Die bereiften Bäume rauschten, die Wetterfahnen auf den morschen Dächern des Palastes knarrten. Den ganzen Tag schon saßen die Minister und Bojaren, vom Morgen an wartend, in ihren Schlitten und Kutschen. In vergoldeter, sechsspänniger Karosse war Menschikow vorgefahren, aber auch er hatte wieder kehrtmachen müssen.

Am Abend, es war schon nach zehn, kam Romodanowski. Der wachhabende Offizier zitterte am ganzen Leibe, als er den Fürst-Cäsar vor sich sah, der in seinem Bärenpelz die ausgetretenen Backsteinstufen hinaufwatschelte. Ließ er ihn ein, so handelte er wider den Befehl des Zaren, wies er ihn ab, so würde der Fürst-Cäsar, ohne erst den Zaren zu fragen, ihn auspeitschen lassen.

Romodanowski betrat den Palast, die Posten vor den Türen versteckten sich, als sie seine schweren Tritte hörten. Auf dem Wege zum Schlafzimmer des Zaren mußte er sich dreimal niedersetzen. Klopfte mit dem Fingernagel an die Tür, trat ein und verneigte sich, wie es der alte Brauch heischte, bis auf den Boden.

„Wie kommst du hierher, Alter?" Peter schritt, die Pfeife im Mund, in Tabakwolken gehüllt, im Zimmer auf und ab, wandte sich mißmutig um und ließ den Gruß des Fürst-Cäsar unbeantwortet. „Ich habe befohlen, niemanden vorzulassen."

„Man läßt ja auch niemanden vor, Peter Alexejewitsch. Mich aber hat schon dein Vater ohne Anmeldung vorgelassen." Peter zuckte die Achseln und nahm, am Pfeifenrohr kauend, seinen Gang durchs Zimmer wieder auf. „Woran denkst du Tag und Nacht, Peter Alexejewitsch? Dein Vater und deine Mutter haben dir geboten, auf meinen Rat zu hören. Laß uns doch die Sache zusammen überdenken. Vielleicht fällt uns was ein..."

„Laß das leere Geschwätz. Du weißt sehr gut, woran ich denke."

Fjodor Jurjewitsch gab nicht gleich Antwort, er setzte sich, knöpfte seinen Pelz auf – dem Alten fiel in dieser stickigen Luft das Atmen schwer – und wischte sich mit einem bunten Tuch das Gesicht.

„Vielleicht bin ich nicht bloß des Schwatzens halber hergekommen. Wer weiß, wer weiß..."

Peter schrie plötzlich, ohne selber seine Stimme zu hören, so laut, daß der Wachposten in dem dunklen Thronsaal hinter der Wand vor Schreck das Gewehr fallen ließ: „In der Ältestenkammer haben die Geldsäcke zu räsonieren begonnen: Vor Narwa hätte man's ja gesehen, gegen die Schweden kommen wir nicht auf, Frieden müssen wir schließen... Sie weichen meinen Blicken aus. *So* habe ich mit ihnen gesprochen . . ." Er packte Fjodor Jurjewitsch bei der Brust und beim Kragen und schüttelte ihn. „Sie wimmerten: ‚Und wenn du uns auch aufs Schafott schickst, Großmächtiger Zar, wir haben kein Geld, verarmt sind wir . . .' Woran ich denke? Geld brauche ich! Tag und Nacht grübele ich, wo ich es hernehmen soll." Er ließ ihn aus den Händen. „Nun, Alter?"

„Ich höre, Peter Alexejewitsch, aber reden werde ich später."

Peter kniff die Augen zusammen. „Hm!" Schritt, zum Fürst-Cäsar schielend, im Zimmer auf und ab und fuhr mit bereits sanfterer Stimme fort: „Kupfer brauch ich. Überflüssige Glocken sind nichts als unnützes Gebimmel, man wird auch ohne sie auskommen, wir werden sie herunterholen und umgießen. Akinfi Demidow hat mir aus dem Ural geschrieben, er verspricht, zum Frühjahr fünfzigtausend Pud Eisen in Barren zu liefern. Doch das Geld! Soll ich es wieder aus den Krämern und Bauern herauspressen? Als ob sich da noch viel herauspressen ließe. Die können so schon kaum japsen, außerdem werden wir die Steuern nicht vor einem Jahr eintreiben. Aber Gold ist ja da, und Silber ist da und liegt ungenutzt . . ." Peter Alexejewitsch hatte noch nicht zu Ende gesprochen, doch Fjodor Jurjewitsch traten bereits die Augen aus dem Kopfe, wie bei einem Krebs. „Ich weiß, was du mir antworten wirst, Alter. Darum habe ich dich auch nicht erst rufen lassen. Aber dieses Geld, das nehme ich . . ."

„Die Klostergelder dürfen wir jetzt nicht antasten, Peter Alexejewitsch . . ."

Mit krähender Stimme schrie Peter: „Warum nicht?"

„Die Zeiten sind nicht danach. Heute wäre es gefährlich. Ich will dir nicht lange erzählen, was für Leute man mir fast jeden Tag angeschleppt bringt." Die dicken Finger Fjodor Jurjewitschs, die auf seinen Knien lagen, bewegten sich unruhig. „Die Moskauer Kaufmannschaft ist dir einstweilen noch treu ergeben. Stimmt schon, Narwa hat ihnen einen mächtigen Schreck eingejagt. Ein jeder wäre erschrocken. Sie werden ein Weilchen palavern und sich dann beruhigen – aus dem Krieg ziehen sie ja nur Vorteil. Auch Geld werden sie dir geben, mußt nur kaltes Blut bewahren. Versuch aber mal, jetzt die

Klöster anzutasten, die doch ihr Rückhalt sind. Auf allen Plätzen werden die Gottesnarren dasselbe schreien was unlängst Grischka Talizki* auf dem Markt vom Dach geschrien hat. Du weißt es doch? Na also. Die Klostergelder muß man mit Bedacht, ohne Lärm zu machen, an sich bringen..."

„Kommst mir wieder mit deinen Kniffen, Alter."

„Ich bin ein alter Mann, was soll ich zu Kniffen greifen."

„Ich brauche sofort Geld, und müßte ich's stehlen."

„Wieviel brauchst du denn?" Fjodor Jurjewitsch lächelte kaum merklich bei dieser Frage.

Peter brummte wieder: „Hm." Lief durch die Schlafkammer, zündete seine Pfeife an der Kerze an, stieß eine Rauchwolke aus, noch eine und sagte mit fester Stimme: „Zwei Millionen."

„Und billiger machst du's nicht?"

Peter hockte sofort vor dem Fürsten nieder, packte ihn an den Knien und schüttelte sie. „Quäl mich nicht länger. Nun gut, die Klöster will ich vorläufig in Ruhe lassen. Ist dir's recht? Ist Geld da? Viel?"

„Morgen wirst du es sehen."

„Nein, gleich. Fahren wir."

Fjodor Jurjewitsch nahm seine Mütze und stand schwerfällig auf. „Nun sei's denn. Wenn es schon so dringend ist." Er stapfte plump wie ein Bär zur Tür. „Aber nimm niemanden mit, wir fahren allein."

Auf dem Spasski-Turm schlug die Uhr eins, die Lederkutsche des Fürst-Cäsar fuhr durch das Tor in den Kreml, rollte durch die dunklen engen Gäßchen zwischen den alten Amtsgebäuden und machte vor einem flachen Backsteinhaus halt. Auf einer Stufe der niedrigen Treppe stand eine Laterne. Vor der eisernen Tür lag ein schnarchender Mann in einem Schafpelz. Der Fürst-Cäsar kletterte nach Peter Alexejewitsch aus der Kutsche, nahm die Laterne – das Talglicht blakte – und stieß mit dem Fuß an den unter dem Schafpelz hervorlugenden Bastschuh. Der Mann brummte im Halbschlaf: „Was ist

---

* Grigori Talizki, ein Altgläubiger, Verfasser von Schriften und „Heften", in denen er Peter I. „Antichrist" nennt. Er wurde im Jahre 1700 hingerichtet. (Anm. d. Verf.)

los, was ist los?", setzte sich auf, bog den hohen Pelzkragen zurück, erkannte Romodanowski und sprang auf.

Der Fürst-Cäsar schob ihn beiseite, öffnete das Schloß mit seinem Schlüssel, ließ Peter den Vortritt, trat selber ein und schloß die Tür hinter sich ab. Die Laterne emporhebend, schritt er watschelnd durch die Vorhalle und den Flur in den niedrigen, gewölbten Saal der noch von Zar Alexej Michailowitsch geschaffenen Geheimkanzlei. Der Bewurf der Wände war stellenweise abgebröckelt. Es roch nach Staub, Moder und Mäusen. Die zwei kleinen Gitterfenster waren von Spinnweben überzogen. Eine Tür öffnete sich, und das erschrockene Gesicht eines alten Mannes, dem die Bewachung der inneren Räume anvertraut war, kam zum Vorschein.

„Wer ist da? Wer seid Ihr?"

„Bring eine Kerze, Mitritsch", befahl ihm der Fürst-Cäsar.

An der gegenüberliegenden Wand standen niedrige Eichenschränke mit schmiedeeisernen Schlössern – nicht nur auf das Berühren der Schränke, selbst auf die neugierige Frage, was für Akten sie enthielten, stand Todesstrafe.

Der Wächter brachte eine Kerze in eisernem Leuchter. Romodanowski wies auf den mittleren Schrank. „Schieb ihn von der Wand weg." Der Wächter schüttelte den Kopf. „Ich befehle es dir; die Verantwortung trage ich ..."

Der Wächter stellte das Licht auf den Boden. Er stemmte sich mit seiner schwachen Schulter gegen den Schrank – der Schrank rührte sich nicht vom Fleck. Peter warf hastig Pelz und Mütze ab, griff zu – sein Nacken lief rot an – und rückte den Schrank beiseite. Eine Maus huschte darunter hervor. Hinter dem Schrank zeigte sich eine von staubigen Spinnweben überzogene eiserne Tür. Der Fürst-Cäsar zog einen zwei Pfund schweren Schlüssel aus der Tasche, sagte schnaufend: „Leuchte, Mitritsch, man sieht ja nichts", und versuchte ungelenk, den Schlüssel ins Schlüsselloch zu stecken. Im Laufe von drei Jahrzehnten war das Schloß verrostet und gab nicht nach. „Wir werden zum Brecheisen greifen müssen – lauf, Mitritsch, hol eins."

Peter betrachtete, den Leuchter in der Hand, die Tür. „Was ist denn dort?"

„Wirst es schon sehen, Söhnchen. Nach den Palastregistern liegen dort die Geheimakten. Während des Krimfeldzuges des Fürsten Golizyn ist deine Schwester Sofja einmal nachts hierhergekommen. Auch damals habe ich, so wie jetzt, die Tür nicht aufschließen können..." Ein spöttisches Lächeln huschte unter dem tatarischen Hängeschnurrbart über die Lippen des Fürst-Cäsar. „Sie hat eine Weile davor gestanden und ist dann wieder gegangen, die Sofja..."

Der Wächter brachte eine Brechstange und ein Beil. Peter machte sich am Schloß zu schaffen, zerbrach den Beilstiel und riß sich den Finger wund. Dann schlug er mit der schweren Brechstange gegen die Türkante. Dröhnend schallten die Schläge durch das leere Haus, der Fürst-Cäsar trat beunruhigt ans Fenster. Endlich gelang es, die Brechstange in den Spalt zu schieben. Peter stemmte sich fest dagegen und brach das Schloß auf, knarrend öffnete sich die eiserne Tür. Ungeduldig ergriff er die Kerze und betrat als erster die gewölbte fensterlose Kammer.

Spinnweben und Moder. Auf den Regalen längs der Wände standen ziselierte, bauchige Kannen aus der Zeit Iwan Grosnys und Boris Godunows; italienische Pokale auf schlankem Fuß; Silberschüsseln, darin sich die Zaren bei großen Empfängen die Hände wuschen; zwei Löwen aus Silber mit goldenen Mähnen und Zähnen aus Elfenbein; ganze Stapel goldener Teller; zerbrochene silberne Weihrauchfässer; ein großer Pfau aus purem Gold mit Smaragdaugen – es war einer von den zwei Pfauen, die zu beiden Seiten des Thrones der Kaiser von Byzanz gestanden hatten; sein Mechanismus war entzwei. Auf den unteren Regalen lagen Lederbeutel, bei einigen waren die vermoderten Nähte geplatzt und holländische Golddukaten herausgerollt. Unter den Bänken waren Zobelfelle und andere Pelze, Samt und Seide aufgehäuft, alles von Motten zerfressen und vermodert.

Peter nahm einige Sachen in die Hände, benetzte den Finger und rieb sie. „Gold!... Silber!..." Er überzählte die Beutel mit den Golddukaten – es mochten ihrer fünfundvierzig sein, vielleicht auch mehr. Er nahm die Zobelfelle und Fuchsschwänze und schüttelte sie. „Alter, das ist ja alles vermodert."

„Vermodert, aber nicht verschwunden, Söhnchen."

„Warum hast du mir denn das nicht früher gesagt?"

„Ich habe mein Wort gegeben. Dein Vater Alexej Michailowitsch ist so manches Mal ins Feld gezogen und hat mir all sein Geld und seine Schätze zur Verwahrung anvertraut. Als er sein Ende nahen fühlte, ließ er mich kommen und gebot mir, niemandem von seinen Erben dies da auszuliefern, es sei denn, daß der Staat in Kriegszeiten in schwere Not gerate . . ."

Peter schlug sich auf die Schenkel. „Gerettet hast du mich, gerettet! Das wird reichen. Die Mönche werden dir Dank wissen. Der Pfau – dafür kann man ein ganzes Regiment einkleiden und ausrüsten und Karl das Fell versohlen, wie sich's gehört! Was aber die Glocken anlangt, Alter, die Glocken lasse ich trotz alledem einschmelzen, nimm mir's nicht übel."

Fünftes Kapitel

I

In Europa lachte man über die Sache und vergaß bald den Barbarenzar, der die Völker der baltischen Küste fast erschreckt hätte – wie ein Spuk waren seine verlausten Heerscharen zerstoben. Karl, der sie nach der Schlacht bei Narwa in ihr wildes Moskowien zurückgeworfen hatte, wo sie in ihrer überkommenen Roheit und Barbarei von Rechts wegen für alle Zeit hingehörten – man kannte ja aus den Berichten berühmter Reisender die ehrlose und niedrige Natur der Russen –, König Karl wurde auf kurze Zeit zum Helden der Hauptstädte Europas. In Amsterdam hatten Rathaus und Börse zu Ehren des Sieges von Narwa geflaggt; in Paris waren in den Bücherläden zwei Bronzemedaillen ausgestellt – auf der einen sah man die Göttin des Ruhms, die den jungen Schwedenkönig mit einem Kranze krönte: „Endlich triumphiert die gerechte Sache", auf der anderen den Zaren Peter, wie er auf der Flucht seine Kalmükenmütze verliert; in Wien veröffentlichte der ehemalige Gesandte Österreichs in Moskau, Ignatius Guarient, die Aufzeichnungen oder das „Diarium" seines Sektretärs Johann Georg Korb, darin die lächerlichen und barbarischen Sitten des Moskauer Staats wie auch die blutigen Hinrichtungen der Strelitzen A. D. 98 ungemein lebendig geschildert waren. Am Wiener Hof sprach man offen von einer neuen Niederlage der Russen bei Pskow, von der Flucht Peters mit wenigen Getreuen, von einem Aufstand in Moskau und der Befreiung der Zarewna Sofja aus dem Kloster, die nun von neuem die Zügel der Regierung ergriffen hätte.

Alle diese belanglosen Ereignisse wurden jedoch von dem sich endlich entladenden Kriegsgewitter in den Hintergrund gedrängt. Der König von Spanien hatte das Zeitliche gesegnet. Frankreich und Österreich streckten die Hand nach seinem Erbe aus. England und Holland mischten sich ein. Glorreiche Marschälle – John Churchill, Herzog von Marlborough, Prinz Eugen von Savoyen und der Herzog von Vendôme – machten sich daran, Länder zu verwüsten und Städte niederzubrennen. In Italien, in Bayern, im schönen Flandern kamen bewaffnete Banden auf allen Landstraßen gezogen, drangsalierten die friedliche Bevölkerung und vertilgten sämtliche Vorräte an Speise und Trank. In Ungarn und in den Cevennen brachen Aufstände aus. Das Schicksal mächtiger Reiche wurde entschieden: Welches von ihnen, wessen Flotte würde in Zukunft über die Ozeane gebieten? Den Ereignissen im Osten mußte man freien Lauf lassen.

Im Siegestaumel schickte sich Karl nach Narwa schon an, Peter bis ins Innere Moskowiens zu verfolgen. Doch seine Generale drangen in ihn, das Schicksal nicht zum zweitenmal zu versuchen. Das erschöpfte und stark gelichtete Heer wurde nach Laïssa bei Dorpat zurückgenommen und bezog dort Winterquartier. Von hier aus richtete der König an den Riksdag einen hochmütigen Brief, in dem er Verstärkung und Geld verlangte. In Stockholm verstummten alle, die gegen den Krieg waren, der Riksdag schrieb neue Steuern aus und sandte im Frühjahr zwanzigtausend Mann Fußvolk und Reiterei nach Laïssa. Ein Buch in lateinischer Sprache wurde veröffentlicht: „Über die Ursachen des Krieges Schwedens gegen den Moskowiterzar"; es fand bei den europäischen Höfen willige Leser.

Jetzt besaß Karl eine der stärksten Armeen in Europa. Es hieß sich entscheiden, in welcher Richtung der Schlag geführt werden sollte: nach Osten, gegen das wüste Moskowien, wo die wenigen und armen Städte nicht viel Beute und Ruhm verhießen, oder nach Südwesten, gegen den wortbrüchigen August, gegen das polnische Binnenland, gegen Sachsen, gegen das Herz Europas. Dort donnerten bereits die Kanonen der großen Marschälle. Karl war wie berauscht vom Vorgefühl des Ruhms eines zweiten Cäsar. Seine Gardisten, Nachfahren kühner Seeräuber, träumten schon von prunkvollen Florentiner Seidengeweben, vom Gold in den unterirdischen Gewölben des Escorial, von den goldblonden Frauen Flanderns, von den Wirtshäusern an den Kreuzwegen der bayrischen Landstraßen.

Als die Frühlingssonne die Straßen getrocknet hatte, sonderte Karl ein achttausend Mann starkes Korps unter dem Kommando Schlippenbachs aus und befahl ihm, an die russische Grenze vorzurücken, er selber aber durchquerte mit seiner ganzen Armee in Eilmärschen Livland, setzte zwei Werst oberhalb Rigas, in Sicht des Gegners, auf Kähnen über die Dwina und schlug die sächsischen Truppen König Augusts aufs Haupt. In dieser Schlacht vom 8. Juli wurde Johann Reinhold Patkul verwundet – mit knapper Not rettete er sich zu Pferd vor den königlichen Kürassieren und entging diesmal der Gefangenschaft und Hinrichtung.

Keine verlausten Russen waren es, die Karl vor Riga vernichtend schlug, sondern in ganz Europa rühmlichst bekannte Soldaten: die Sachsen. Ihm war, als höre er die Fittiche des Ruhms im Rücken rauschen. „Der König denkt an nichts anderes als an Krieg..." So schrieb über ihn General Stenbock nach Stockholm. „Er hört nicht mehr auf vernünftige Ratschläge. Er spricht so, als diktiere ihm der Herrgott selber alle weiteren Schritte. Er ist voll Selbstbewußtsein und Unbesonnenheit. Ich glaube, er würde sich, blieben ihm auch nur tausend Mann, mit ihnen auf eine ganze Armee stürzen. Er kümmert sich nicht einmal darum, wie seine Soldaten verpflegt werden. Fällt einer von uns, so rührt ihn solches nicht..."

Von Riga aus nahm Karl die Verfolgung Augusts auf. In Polen brach blutiger Hader zwischen den Pans aus; die einen nahmen für August und gegen die Schweden Partei, die anderen schrien, nur die Schweden können Ordnung schaffen und behilflich sein, die westlich vom Dnepr gelegenen Gebiete der Ukraine samt Kiew zurückzuerobern, Polen brauche einen neuen König – Stanisław Leszczyński. August floh aus Warschau. Ohne Kampf marschierte Karl in die Hauptstadt ein. August sammelte in Krakau in größter Hast ein neues Heer.

Ein seltenes Jagen hub an: Ein König machte auf einen König Jagd. Wieder klatschte man an den europäischen Höfen dem jungen König Beifall, sein Name wurde in einer Reihe mit den Namen des Prinzen Eugen und des Herzogs von Marlborough genannt. Man erzählte, daß Karl keine Frau in seiner Nähe dulde und sogar in Kanonenstiefeln schlafe, daß er sich zu Beginn der Schlacht – hoch zu Roß, ohne Hut, in seinem unabänderlich graugrünen, bis an den Hals zugeknöpften Rock – an die Spitze seines Heeres stelle, Gott anrufend, sich als erster auf den Feind stürze und seine Truppen mit fortrisse... Mit dem Zaren Peter im tristen Osten abzurechnen, habe er General Schlippenbach überlassen.

Den ganzen Winter war Peter zwischen Moskau, Nowgorod und Woronesh – wo mit größtem Eifer Schiffe für die Schwarzmeerflotte gebaut wurden – unterwegs. Nach Moskau hatte man neunzigtausend Pud Glockengut geschafft. Mit der Überwachung des Gusses der neuen Kanonen wurde der alte Dumarat Winius, ein Kenner des Hüttenwesens, betraut. Bei der Gießerei in Moskau gründete er eine Schule, in der zweihundertfünfzig Bojaren- und Bürgersöhne und auch begabte junge Leute niedrigen Standes im Gießen, in Mathematik, Fortifikation und Geschichte unterwiesen wurden. Es fehlte an Kupfer, das als Zusatz zum Glockengut benötigt wurde; Peter sandte Winius nach Sibirien, um nach Kupfererz zu schürfen. In Lüttich wurden von Andrej Artamonowitsch Matwejew, dem Sohn des auf der Roten Treppe ermordeten Bojaren Matwejew, fünfzehntausend neuester Gewehre, Schnellfeuerkanonen, Fernrohre und Straußenfedern für Offiziershüte gekauft. In Moskau arbeiteten fünf Tuch- und Leinwebereien; die Meister hatte man gegen hohen Lohn in ganz Europa angeworben. Vom frühen Morgen bis zum späten Abend wurden Soldaten gedrillt. Die größte Mühe hatte man mit den Offizieren: Sie mußten die Soldaten ausbilden und selber studieren; kaum wurde einer befördert, so stieg ihm die Macht zu Kopfe, oder er ergab sich dem Trunk und führte ein liederliches Leben.

Damals, etwa zwei Wochen nach der Niederlage vor Narwa, hatte Peter an Boris Petrowitsch Scheremetew geschrieben, der in Nowgorod die zersprengten Überreste der Reiterregimenter – die einen ohne Pferd, die anderen ohne Säbel, die dritten nackt und bloß – sammelte: „... Töricht wäre es, im Unglück alles zu verlieren. Darum befehle ich Dir, für die Sache, so Du auf Dich genommen und mit der Du begonnen, auch fürder zu sorgen, will sagen, für die Reiterei, mit der Du die nächste Umgebung für spätere Zeit wahren, aber auch weite Streifritte unternehmen sollst, um dem Feinde nach Möglichkeit zu schaden. Ausflüchte lasse ich nicht gelten, sintemal Leute genug vorhanden und auch die Flüsse und Sümpfe zugefroren sind. Noch einmal ermahne ich Dich: Mache mir keine Ausflüchte und berufe Dich auf nichts, auch nicht auf Krankheit. Krankheit hat viele von denen befallen, die geflohen sind, ihr Kamerad, der Major Lobanow, ist um solcher Krankheit willen aufgeknüpft worden..."

Doch auf die irreguläre Adelsreiterei war kein Verlaß; um sie zu ersetzen, wurden Leute jeglichen Standes angeworben: Bauern und Hörige, die gegen elf Rubel Jahressold und Verpflegung freiwillig Kriegsdienste leisteten und aus denen zehn Dragonerregimenter formiert wurden. Um der Sklaverei und der Fron zu entgehen, meldeten sich so viele Leute zum Dienst in der Reiterei, daß man nur die Kräftigsten und Ansehnlichsten nahm. Die ausgebildeten Dragonerschwadronen zogen nach Nowgorod ab, wo General Anikita Repnin die bei Narwa bös mitgenommenen Divisionen wieder auffüllte und drillte.

Zu Neujahr waren Nowgorod, Pskow und das Petschory-Kloster befestigt. Im Norden ging man daran, Cholmogory und Archangelsk zu befestigen, in fünfzehn Werst Entfernung, bei Berjosowskoje Ustje, wurde eiligst eine steinerne Feste, Nowo-Dwinka, errichtet. Im Sommer trafen zur Junimesse zahlreiche Kauffahrer aus England und Holland in Archangelsk ein. In diesem Jahr dehnte der Fiskus das Monopol des Verkaufs an die Ausländer auf eine Reihe weiterer Waren wie Seehundfelle, Fischleim, Teer, Pottasche und Wachs aus. Die Handelsbevollmächtigten des Zaren beanspruchten für fast alle Waren das Alleinverkaufsrecht, die Privatkaufleute mußten sich wohl oder übel auf den Handel mit Lederwaren und Beinschnitzereien beschränken. Am 20. Juni drang in die Mündung der Nördlichen Dwina die schwedische Kriegsflotte ein. Als sie die neuerbaute Festung gewahr wurde, wagte sie es nicht, an ihr vorbei nach Archangelsk zu segeln; jedes Schiff gab eine

Breitseite auf die Forts von Nowo-Dwinka ab. Während dieses Manövers lief eine der vier schwedischen Fregatten unmittelbar vor der Festung auf eine Sandbank auf, das gleiche widerfuhr einer Jacht. Die Russen eilten zu den Booten und bemächtigten sich nach kurzem Kampf sowohl der Fregatte als auch der Jacht, die übrigen Schiffe machten sich schmählich davon, zurück ins Weiße Meer.

Der Sommer verging in fortwährenden Vorhutgefechten der Reitereien Scheremetews und Schlippenbachs. Die Schweden drangen bis zum Petschory-Kloster vor, brannten die Dörfer in dessen Umgebung nieder, vermochten es aber nicht, das stark befestigte Kloster zu nehmen. Schlippenbach schrieb besorgt an König Karl und bat um weitere achttausend Mann – die Russen würden von Monat zu Monat dreister, sie hätten sich anscheinend von der Niederlage bei Narwa wider alles Erwarten rasch erholt und auch in der Kriegskunst und Ausrüstung große Fortschritte gemacht, heuer fiele es nicht leicht, mit zwei Brigaden das russische Heer zu schlagen. Karl hatte gerade Krakau genommen und war dabei, August nach Sachsen zurückzuwerfen; er verschloß sein Ohr der Stimme der Vernunft.

So ging es bis zum Dezember des Jahres eintausendsiebenhunderteins.

Mitten im tiefsten Winter erfuhr Boris Petrowitsch Scheremetew von einem gefangenen Schweden, daß General Schlippenbach auf dem Landgut Erestfer bei Dorpat die Winterquartiere bezogen habe. Erfuhr es – und erschrak selber über seinen tollkühnen Gedanken, plötzlich tief in das feindliche Land einzufallen und den Gegner im Winterquartier zu überrumpeln. Eine solche Gelegenheit bot sich nur selten. Früher hätte es Boris Petrowitsch natürlich für besser erachtet, die wetterwendische Fortuna nicht zu versuchen, aber im Laufe dieses Jahres war es schwer geworden, mit Peter Alexejewitsch auszukommen: Er gönnte niemandem Ruhe und Rast, machte einem nicht so sehr das zum Vorwurf, was man getan, sondern das, was man Nützliches hätte tun können und unterlassen hatte ...

So mußte man schon sein Glück versuchen. Boris Petrowitsch versah seine zehntausend Mann neu angeworbener und neu ausgebildeter Truppen mit kurzen Pelzen und Filzstiefeln, verlud fünfzehn Feldgeschütze auf Schlitten und rückte rasch, doch mit äußerster Vorsicht, nachdem er seine leichte Tscherkessen-, Kalmüken- und Tatarenreiterei vorausgeschickt hatte, in drei Tagesmärschen vor Erestfer. Zu spät bemerkten die Schweden auf dem hohen verschneiten Ufer des Flüßchens Aa die breiten Fellmützen der mit Bogen und Lanzen, an denen Roßschweife flatterten, bewaffneten Reiter. Oberstleutnant Lieven marschierte ihnen mit zwei Kompanien und einer Kanone ans Flüßchen entgegen. Am jenseitigen Ufer hoben die schlitzäugigen Barbaren ihre geschweiften Bogen, eine Wolke von Pfeilen schwirrte durch die Luft, es erscholl ein anschwellendes Wolfsgeheul, und von rechts und links jagten, daß der Schnee nur so aufwirbelte, Tataren in gestreiften Kaftanen mit krummen Säbeln, Tscherkessen in blauen Röcken mit Lanzen und Wurfschlingen den steilen, verschneiten Hang hinab über das Flüßchen; in der Mitte sprengten kreischend die Kalmüken heran. Lievens dreihundert estnische Schützen und auch der Oberstleutnant selber wurden niedergesäbelt, niedergestochen, bis aufs Hemd ausgeplündert.

Das gesamte schwedische Lager geriet in Bestürzung. Eine neue Abteilung mit sechs Kanonen drängte die Reitervorhut über den Fluß zurück. Schlippenbach sprengte, von Hornisten gefolgt, durch das Lager, die Schweden stürzten, jeder, wie er stand und ging, aus den Häusern und Erdhütten und rannten durch den tiefen Schnee zu ihren Abteilungen. Das ganze Heer nahm vor dem Landgut Aufstellung und empfing die anrückende russische Armee mit Geschützfeuer. Boris Petrowitsch ritt in bloßem Tuchrock, eine dreifarbige Schärpe über der Brust, in der Mitte des Karrees.

Das Feuer der Schweden brachte die vorderen Reihen der Dragoner, die noch nie im Kampf gestanden hatten, ins Wanken. Der Gegner stürmte vorwärts. Doch die auf Schlitten auffahrenden fünfzehn Feldgeschütze eröffneten ein so schnelles Kartätschenfeuer, daß die Reihen der Schweden überrascht haltmachten und in Verwirrung gerieten. Auf beiden Flügeln preschten die wieder zur Besinnung gekommenen Dragonerregimenter Kropotows, Sybins und Gulizas heran. „Brüder", schrie mit schallender Stimme Scheremetew inmitten des Karrees. „Brüder! Feste drauf! Gebt's dem Schweden!" Die Russen stürmten mit gefälltem Bajonett vorwärts. Rasch sank die Nacht nieder, erhellt vom Aufblitzen der Schüsse. Schlippenbach befahl seinen Truppen, sich in den Schutz der Gebäude des Gutshofes zurückzuziehen. Aber kaum war das wehmütige Retraitesignal der Hörner verklungen, als die Dragoner, Tataren, Kalmüken und Tscherkessen mit neuem Grimm von allen Seiten über die zurückweichenden, von Bajonetten starrenden Karrees der Schweden herfielen, sie durchbrachen und über den Haufen ritten. Ein Blutbad hub an. Mit Mühe und Not entkam General Schlippenbach mit drei Begleitern im Schutz der Dunkelheit zu Roß nach Reval.

In Moskau wurden aus Anlaß dieses ersten Sieges beleuchtete Transparente zur Schau gestellt und Feuerwerke abgebrannt. Auf dem Roten Platz standen Fässer mit Schnaps und Bier, Schöpse wurden am Spieß gebraten und Brezeln an das Volk verteilt. Vom Spasski-Turm hingen schwedische Fahnen herab. Menschikow eilte nach Nowgorod, um Boris Petrowitsch ein mit Diamanten besetztes Bildnis des Zaren zu überreichen und ihm die Verleihung der Würde eines Generalfeldmarschalls, die es bisher in der russischen Armee nicht gegeben hatte, kundzutun.

Alle Soldaten, die sich an dem siegreichen Kampf beteiligt hatten, erhielten je einen Silberrubel, der in der Moskauer Münze statt des früher im Umlauf gewesenen Kupfergeldes geprägt worden war.

Boris Petrowitsch dankte mit Tränen in den Augen und sandte mit Menschikow ein Brieflein an Peter mit der Bitte, ihn in unaufschiebbaren Geschäften nach Moskau zu beurlauben. „Meine Frau lebt bis auf den heutigen Tag in einem fremden Haus, ich muß ihr Obdach suchen, auf daß sie habe, da sie ihr Haupt hinlege..." Peter antwortete: „In Moskau ist Eure Anwesenheit, Herr Generalfeldmarschall, nicht vonnöten. Ich überlasse es jedoch Eurem Entscheid. Solltet Ihr dennoch kommen wollen, so kommet in der Karwoche, um gleich nach dem Osterfest wieder zurückzufahren..."

Sechs Monate darauf kam es beim Hummelshof zu einer neuen Begegnung zwischen Boris Petrowitsch und General Schlippenbach; in diesem blutigen Kampf verloren die Schweden von ihren siebentausend Mann fünfeinhalbtausend. Es war niemand mehr da, der Livland hätte verteidigen können; der Weg nach den Küstenstädten war frei, und Scheremetew brach auf, um das Land, die Städte, die Herrensitze und die alten Burgen der Ritterschaft zu verwüsten und zu zerstören. Im Herbst schrieb er an Peter: „... Der Allmächtige und die Heilige Mutter Gottes haben Deinen Wunsch erfüllt: Es ist nichts mehr in des Feindes Land zu verheeren, wir haben alles zerstört und verwüstet, unversehrt geblieben sind nur Marienburg und Narwa, Reval und Riga. Damit habe ich mir aber eine neue Sorge aufgeladen: Wo soll ich mit den erbeuteten Sklaven hin? Die Lager und Gefängnisse sind von Esten übervoll, und auch alle Offiziere haben welche bekommen. Es ist dazu eine gefährliche Sache, denn sie sind ein bösartiges Volk. Befiehl, einen Ukas zu erlassen, man solle die Trefflichsten unter den Esten, so mit der Axt umzugehen verstehen oder in anderen Künsten wohl bewandert sind, aussondern und nach Woronesh oder nach Asow zur Arbeit schicken..."

2

Schon zwölf Tage flogen Bomben in die alte Feste Marienburg. Nirgends war ihr beizukommen – sie stand auf einer kleinen Insel im Poip-See, die Steinmauern zu beiden Seiten des von einem niedrigen Turmbau geschützten Tores ragten unmittelbar aus dem Wasser empor, die hölzerne Brücke hatten die Schweden selber auf etwa siebenhundert Fuß zerstört.

In der Festung befanden sich große Roggenvorräte. Den Russen, die im verwüsteten Livland Hunger litten, kamen diese Vorräte sehr gelegen. Boris Petrowitsch ließ Freiwillige aufrufen, trat vor sie hin und sprach also: „In der Festung gibt's Schnaps und Weiber, bewährt euch, Leute, dann dürft ihr einen Tag nach Herzenslust schalten und walten." Die Soldaten trugen rasch einige aus Baumstämmen gefügte Hütten in der am Ufer gelegenen Vorstadt ab, banden die Stämme zu

Flößen zusammen, und etwa tausend Freiwillige fuhren, sich mit langen Stangen vorwärtsarbeitend, den Festungsmauern entgegen. Die schwedischen Bomben krepierten inmitten der Flöße.

Boris Petrowitsch trat auf die Freitreppe hinaus und führte das Fernrohr ans Auge. Die Schweden waren ergrimmt und erbittert – sollten sie wirklich den Angriff abschlagen? Eine Belagerung – ach, wie ihm das widerstrebte – würde sich bis tief in den Herbst hinziehen. Plötzlich sah er: In der Nähe des Festungstors schoß eine riesige Flamme aus der Erde, der hölzerne Oberbau des Turmes wankte. Ein Teil der Mauer stürzte ein. Die Flöße näherten sich bereits der Bresche. In diesem Augenblick zeigte sich im Fenster des Torturms eine weiße Fahne und blieb reglos in der Luft hängen. Boris Petrowitsch schob sein Fernrohr zusammen, nahm den Hut ab und bekreuzigte sich.

Über die Pfähle der zerstörten Brücke versuchte die Bevölkerung der Festung, so gut es ging, sich ans Ufer zu retten. Man nahm die Kinder auf den Arm und schleppte Bündel und Körbe mit sich, schluchzend wandten sich die Frauen nach dem verlassenen Heim um und blickten voll Entsetzen auf die nach Beute ausschauenden Russen. Kaum hatten jedoch die letzten Flüchtlinge die Festung verlassen, als sich das schmiedeeiserne Tor krachend schloß. Rauchwölkchen quollen aus den schmalen Schießscharten – als erster fiel ein Leutnant, der in einem Boot herangerudert war, um die russische Fahne auf der Zinne der Festung aufzupflanzen. Donnernd antworteten die Mörser am Ufer. Die Menschen auf der Brücke stoben nach allen Seiten auseinander, ließen Bündel und Körbe ins Wasser fallen. Eine riesige Flammengarbe schleuderte das Turmdach in die Höhe, der See warf hohe Wellen, herabstürzende Steine prasselten auf die Menschen. Festung und Speicher standen in Flammen. Wie sich später herausstellte, hatten der Fähnrich Wulf und der Fahnenjunker Gottschlich in ohnmächtiger Wut im Pulverkeller die Lunte angezündet. Wulf war es mißglückt, sich rechtzeitig vor der Explosion in Sicherheit zu bringen. Der Fahnenjunker tauchte halbverbrannt und blutend in der Bresche auf, stürzte und blieb dicht am Wasser liegen; man hob ihn auf und nahm ihn ins Boot.

Der Festungskommandant betrat, von seinen Offizieren gefolgt, die Hütte, in der Generalfeldmarschall Scheremetew, den Rücken dem Fenster zugekehrt, würdevoll an dem zum Essen gedeckten Tisch saß, zog den Hut, verneigte sich artig und überreichte ihm seinen Degen. Desgleichen taten die Offiziere. Boris Petrowitsch warf die Degen auf eine Bank und fuhr die Schweden zornig an, warum sie sich nicht früher ergeben, warum sie so viel schweres Leid und Tod über die Menschen gebracht und die Festung tückisch in die Luft gesprengt hätten. In der Hütte standen verwegene Reiterführer, die wettergebräunten Gesichter mit Stoppeln bedeckt, und blickten grimmig drein.

Dennoch antwortete der Kommandant dem Generalfeldmarschall mutig: „Unter uns befinden sich viele Frauen und Kinder, auch der Superintendent, unser ehrwürdiger Pastor Ernst Glück nebst Frau und Töchtern. Für sie bitte ich um freies Geleit, auf daß sie den Soldaten nicht in die Hände fallen. Frauen und Kinder werden dir keinen Ruhm bringen..."

„Kein Wort mehr darüber!" schrie Boris Petrowitsch. Vor Zorn stand ihm der Schweiß in Perlen auf seinem milden, gewöhnlich leutseligen, glattrasierten Gesicht. Den Bauch einziehend, erhob er sich vom Tisch.

„Wache, führ den Herrn Kommandanten und die Herren Offiziere ab!"

Er schob die dreifarbige Schärpe zurecht, warf kriegerisch seinen kurzen Reitermantel aus himbeerfarbenem Tuch über und schritt, gefolgt von den Reiterobersten, zu den Truppen hinaus.

Schwarzer Rauch stieg, die Sonne verhüllend, aus der Festung auf. An die dreihundert gefangene Schweden standen gesenkten Kopfes am Ufer. Die russischen Soldaten, die noch nicht wußten, was mit den Gefangenen geschehen solle, machten sich nur in der Nähe der verbitterten livländischen Bauern, die vierzehn Tage zuvor vor den anrückenden Truppen ins befestigte Marienburg geflüchtet waren, zu schaffen und versuchten mit den Frauen, die mit vom Kummer gebeugtem Haupt auf ihren Bündeln saßen, ein Gespräch anzuknüpfen. Eine Trompete erklang. Würdevoll kam der Generalfeldmarschall, mit den großen, zackigen Sporen klirrend, des Weges.

Hinter einem Haufen abgesessener Dragoner hervor blitzten zwei Augen – zwei Flammen, die ihm das Herz versengten. Kriegszeiten waren es, da traf wohl zuweilen ein Frauenblick schärfer denn ein Degen. Boris Petrowitsch räusperte sich gewichtig: „Hm!" und wandte sich um. Zwischen staubigen Soldatenuniformen schimmerte ein hellblauer Rock. Er runzelte die Brauen, schob die Kinnlade vor und sah diese Augen, dunkel, voll Tränen, Augen, darin stummes Flehen und Jugend leuchteten. Hinter den Soldatenrücken hervor schaute ein etwa siebzehnjähriges Mädchen, auf den Fußspitzen stehend, zu dem Feldmarschall. Ein schnauzbärtiger Dragoner hatte einen zerknüllten Soldatenmantel über ihr Fähnchen geworfen – der Augusttag war kühl – und versuchte gleichzeitig, sie mit der Schulter wegzuschieben, um sie dem Blick des Feldmarschalls zu entziehen. Stumm reckte sie den Kopf in die Höhe und versuchte, ihr junges, von Furcht abgehärmtes Gesicht zu einem Lächeln zu zwingen, ihre Lippen verzogen sich schmerzlich. „Hm!" räusperte sich Boris Petrowitsch zum zweitenmal und schritt an ihr vorbei, zu den Gefangenen...

In der Dämmerung saß Scheremetew nach einem Mittagsschläfchen auf der Bank und seufzte. In der Hütte war nur noch Jagushinski – kratzend fuhr seine Feder auf der Ecke des Tisches über das Papier.

„Paß auf, wirst dir noch die Augen verderben", sagte leise Boris Petrowitsch.

„Bin gleich fertig, Herr Feldmarschall."

„Na, wenn du gleich fertig bist, dann mach zu." Und schon ganz leise für sich: „Jaja, so trifft's unsereinen, jaja. Ach, du mein Gott..."

Er trommelte leicht mit allen fünf Fingern auf den Tisch und starrte durch das trübe Fenster. Auf dem See, in der Festung, loderten noch die Flammen. Jagushinski schielte mit heiter-spöttischem Blick zum Herrn Feldmarschall hinüber:

Sieh mal an, wie's den getroffen hat, die Halsadern sind ihm angeschwollen, ganz niedergeschlagen ist er.

„Diesen Befehl wirst du dem Oberst überbringen", sagte Boris Petrowitsch, „sieh dich dann im zweiten, jaja, ich glaube im zweiten, Dragonerregiment um und mach mir den Unteroffizier, wie heißt er doch gleich, Oska Djomin ausfindig, er hat da ein Mädel bei sich im Troß ... Schade um sie, dort wird sie draufgehen, die Dragoner knutschen sie tot ... Bringe sie hierher ... Warte doch ... Den Rubel da gib dem Oska, sag, das sei ein Geschenk von mir ..."

„Wird alles besorgt, Herr Feldmarschall."

Allein geblieben, seufzte Boris Petrowitsch und schüttelte den Kopf. Aber was ließ sich machen – ohne Sünde ging es nun mal nicht, mochte man sich auch noch so sehr zusammennehmen. Anno siebenundneunzig war er nach Neapel gereist. Dort hatte er sein Herz an eine kleine schwarzlockige Dirn verloren. Einfach zum Heulen war es gewesen. Auf den Vesuv war er geklettert, hatte in das Höllenfeuer hinabgeblickt, auch auf der Insel Capri schreckliche Felsen erklommen, die Tempel der alten römischen Heidengötter besucht und sich fleißig in den katholischen Klöstern umgesehen, hatte alles besichtigt und betastet: das Brett, auf dem der Heiland gesessen, als er den Jüngern die Füße wusch, ein Stück des Brotes, das er beim Abendmahl gebrochen, und ein Holzkreuz, das einen Teil des Nabels Christi und der Vorhaut enthielt, auch einen alten Schuh des Erlösers und das Haupt des Zacharias, des Vaters Johannes' des Täufers, und viele herrliche und wundersame Dinge mehr ... Aber nein – alles vergaß er, alles versank, sah er Julias leuchtende Augen vor sich, wenn sie, das Tamburin schwingend, sich im Tanz drehte und ihre Lieder sang. Er hatte sie damals nach Moskau mitnehmen wollen, fußfällig hatte er das Mädel angefleht. Ach, du mein Gott, ach, du mein Gott ...

Jagushinski war wie immer im Handumdrehen zurück, sanft stieß er das Mädchen in ihrem hellblauen Kleid und ihren propren weißen Strümpfen in die Stube, um den Hals ein Tüchlein, dessen Enden kreuzweis über die Brust gelegt waren, in den schwarzen Locken Strohhalme – im Troß hatte man wohl schon versucht, sie aufs Stroh unter den Wagen zu werfen. Das Mädchen fiel an der Schwelle auf die Knie und neigte den Kopf, Demut und stummes Flehen im Blick.

Jagushinski räusperte sich laut und verließ die Stube. Boris Petrowitsch betrachtete das Mädchen eine Weile. Ein hübsches Kind, auf den ersten Blick sah man, daß sie flink war, der Hals, die Arme zart und weiß. Sehr einnehmend.

Er redete sie deutsch an: „Wie heißt du?"

Das Mädchen antwortete mit leisem kurzem Seufzer: „Martha-Kathrin."

„Katharina. Schön. Wer ist dein Vater?"

„Ich bin Waise. Habe beim Herrn Pastor Glück gedient."

„Gedient. Sehr gut. Kannst du waschen?"

„Waschen kann ich ... Ich kann mancherlei ... Kinder warten ..."

„Sieh mal an! Und ich hab niemanden, der mir die Wäsche waschen könnte ... Na, wie steht's, bist du Jungfer?"

Katharina schluchzte auf und antwortete, ohne den Kopf zu heben: „Nein, nicht mehr. Ich habe vor kurzem geheiratet ..."

„Soso. Wen denn?"

„Des Königs Kürassier Johann Rabe."

Boris Petrowitsch runzelte die Brauen. Fragte unwirsch nach dem Kürassier: wo er denn sei, vielleicht unter den Gefangenen? Vielleicht gefallen?

„Ich sah, wie Johann und noch zwei Soldaten sich in den See stürzten und davonschwammen. Seitdem habe ich ihn nicht wiedergesehen ..."

„Laß das Weinen, Katharina. Du bist jung. Wirst noch einen anderen finden. Hast du Hunger?"

„Ach ja", antwortete sie mit dünner Stimme, wandte ihm das abgemagerte Gesicht zu und lächelte wieder, ergeben und zutraulich. Boris Petrowitsch trat zu ihr, nahm sie bei den Schultern, hob sie empor und küßte sie auf ihr seidiges, warmes Haar. Auch ihre Schultern waren warm und zart.

„Setz dich an den Tisch. Wirst gleich zu essen bekommen. Dir soll kein Leid geschehen. Trinkst du Wein?"

„Ich weiß nicht ..."

„Das will sagen: du trinkst."

Boris Petrowitsch rief den Burschen und befahl mit strenger Stimme – damit der Soldat nichts Unnötiges denke und, gottbewahre, nicht grinse –, das Abendessen aufzutragen. Er selber beachtete nicht so sehr das Essen als Katharina: Sieh nur an, wie hungrig sie war! Wie adrett und geschickt sie aß, mit feuchten Augen blickte sie Boris Petrowitsch an, ließ dankbar die kleinen weißen Zähne sehen. Von Speise und Trank hatten sich ihre Wangen gerötet.

„Deine Kleider sind wohl alle verbrannt?"

„Hab alles verloren", antwortete sie unbekümmert.

„Tut nichts, werden dir neue besorgen. Diese Woche fahren wir nach Nowgorod, dort wirst du's besser haben... Heute werden wir – es sind ja Kriegszeiten – auf der Ofenbank schlafen..."

Katharina warf ihm unter den Wimpern hervor einen dunklen Blick zu, errötete, wandte das Gesicht ab und bedeckte es mit der Hand.

„Sieh an, so eine bist du... Katharina, Mädchen..."

Nicht zu sagen, wie sehr dieses Stubenmädchen Boris Petrowitsch gefiel. Er langte über den Tisch und nahm sie beim Handgelenk. Sie hatte noch immer die Hand vor dem Gesicht, aber zwischen den Fingern leuchtete strahlend ihr Auge.

„Na, na, zur Hörigen machen wir dich nicht, mach dir keine Sorge. Wirst in meinen Gemächern wohnen. Ich brauche schon lange eine Wirtschafterin..."

3

Während des Rückzugs der bei Narwa geschlagenen Truppen nach Nowgorod flüchtete eine Menge Soldaten, die einen nach Norden in die Einsiedeleien der Altgläubigen, die anderen an die großen Ströme: den Don, die Wolga und den Unterlauf des Dnepr. Fedka Wasch-dich-mit-Dreck, der mürrische, viel herumgekommene Bauer, war ebenfalls geflüchtet. Ohnehin hatte er als Mörder des Leutnants Mirbach sein Leben verwirkt. Auch Andrej Golikow hatte er zur Flucht beredet – hatten sie doch einst an der Scheksna zusammen getreidelt, lange

Zeit aus einem Napf gegessen. Andrjuschka war es nach dem Schrecken von Narwa ganz einerlei, wohin er seine Schritte wenden sollte, wenn er nur nicht unters Gewehr zu treten brauchte.

Eines Nachts, als das Regiment rastete, machten sie sich mit einem Klepper davon, verkauften ihn im Kloster für fünfzig Kopeken, teilten das Geld und wickelten es in Läppchen. Sie zogen weitab der Landstraße von Dorf zu Dorf, bald um Almosen bittend, bald stehlend – bei einem Popen ließen sie ein Huhn mitgehen, in Ostaschkow entwendeten sie dem Bürgermeister einen mit Silber verzierten Zaum nebst Sattel und verkauften die Sachen an einen Schankwirt. Zweimal glückte es ihnen, einen Opferstock zu stehlen, aber der eine war leer, im anderen lag nur eine Kopeke.

Den Winter verbrachten sie im Waldai, in schneeverwehten Hütten ohne Schornstein mit vom Dunst benommenen Kindern und Säuglingen, die beim Heulen des Nachtwindes in ihren Hängewiegen brüllten. Häufig erwachte Andrjuschka mitten in der Nacht, setzte sich auf und umklammerte seine nackten Füße mit den Händen. Neben ihm auf der stinkigen Streu kaut ein Kalb. Der Bauer schnarcht auf der Bank. Am Herd, auf der Diele, die Knie an den Leib gezogen, schläft die Bäuerin. Die vom Rauch benommenen Kinder auf dem Ofen murmeln im Schlaf. Die Schaben zwicken das Kleinste in der Wiege in Fingerspitzen und Bäckchen. Der Säugling schreit: „Ua-a-a, ua-a-a ..." Wozu ist er zur Welt gekommen, warum zwicken ihn die Schaben ...

„Weshalb schläfst du nicht, Andrej?" fragt Fedka; auch er schläft nicht und sinnt.

„Fedka, komm, gehen wir."

„Wohin denn, du Narr, mitten in der Nacht, im Schneegestöber."

„Mir ist so weh ums Herz, Fedka."

„Ein Gestank ist hier, daß man kaum atmen kann. Die Leute leben ärger als das Vieh. Da liegt er, der Bauer, und schnarcht. Hat er ausgeschnarcht, trinkt er einen Schluck Wasser und geht an die Arbeit, den lieben langen Tag schuftet er wie ein Pferd. Vorhin habe ich ihn gefragt: Das ganze Dorf muß Frondienste leisten. Der junge Gutsherr ist beim Heer im Feld, der Alte aber lebt hier im Dorf, jenseits der Schlucht, hat ein schönes Gehöft. Er ist ein Geizkragen und mit Prügeln schnell bei der Hand. Den Bauern nimmt er alles bis aufs Letzte ab, nichts als Melde läßt er ihnen. Und seine Bauern sind durch die Bank Dummköpfe. Ist einer ein wenig klüger und wendiger, gleich setzt ihn der Alte auf den Wagen, bringt ihn nach dem Waldai und verkauft ihn vom Wagen weg auf dem Markt. So ist er alle Klugen losgeworden, hat nun Ruhe. Die Kinder kommen schon dumm und stumm zur Welt..."

Andrjuschka saß, sich hin und her wiegend, da und umklammerte seine nackten, kalten Füße. Was er im Laufe von vierundzwanzig Jahren erduldet hatte, hätte vollauf für mehrere Dutzend gereicht. Zäh war er. Dabei war es nicht einmal der schwächliche Leib, der so zäh war, sondern der unauslöschliche Wunsch, sich aus dieser Finsternis zu retten. Ihm war, als bahne er sich, abgerissen und hungrig, einen Weg durch Gestrüpp, durch grausige Wildnis – Jahr um Jahr, Werst um Werst –, voll Glauben, daß irgendwo ein lichtes Land auf ihn warte, das er trotz allem betreten, wohin er sich durchkämpfen würde im Leben. Wo war dieses Land, wie sah es aus?

Auch jetzt starrte Andrej, kaum hinhörend auf das, was Fedka nebenan auf seinem Strohlager erzählte, mit weit aufgerissenen Augen ins Dunkel. War es Erinnerung, war es ein Trugbild: ein grüner Hügel, eine Birke – all ihre Zweige, all ihre Blättchen zittern, beben im lauen Wind. Oh, dieses Glück. Und schon ist es fort. Ein Gesicht gleitet vorüber, das er nie gesehen hat, kommt näher, nun ist es dicht vor ihm, schlägt die Augen auf, blickt Andrjuschka an, lebendiger denn lebendig. Hätte er jetzt Holztafel, Pinsel und Farben zur Hand, er hätte es festgehalten. Das Gesicht lächelt und gleitet vorüber. Aus lichtblauem Nebel taucht eine Stadt auf. Eine wundervolle, märchenhafte, oh, welch eine Stadt! Wo in aller Welt soll er diese Stadt suchen, wo die Birke mit den zitternden Blättern, das lächelnde himmlische Antlitz?

„Morgen früh gehen wir geradewegs auf den Gutshof und lügen dem Bojaren die Hucke voll, vielleicht schickt er uns in die Gesindestube und läßt uns was zu essen geben", krächzte mit heiserer Stimme Fedka. Auf reichen Gutshöfen pflegte er immer von der unglückseligen Schlacht bei Narwa zu erzählen, log das Blaue vom Himmel herunter, Wahrheit und Lüge bunt durcheinander, und rührte seine Zuhörer – manchmal kam vor Langeweile der Gutsherr selber in die Gesindestube und hörte, das Kinn in die Hand gestützt, mit bekümmertem Gesicht zu – insbesondere mit der Erzählung, wie König Karl, nachdem er unzählige Tausende Rechtgläubige niedergemacht hatte, über das Schlachtfeld ritt, zu Tränen.

„... Sein Antlitz leuchtet, in der Linken hält er den Reichsapfel, in der Rechten den blanken Säbel, er selber ganz in Gold und Silber. Das Roß unter ihm, ein Schimmel, ist feurig und bis an den Bauch mit Menschenblut bespritzt, zwei tapfere Generale führen das Roß am Zaum. Und der König reitet auf mich zu. Ich liege auf der Erde, eine Kugel in der Brust. Um mich herum Schweden, wie Säcke aufgeschichtet, alle tot. Der König reitet also auf mich zu, macht halt und fragt die Generale: ‚Wer ist der Mann, der da liegt?' Die Generale antworten: ‚Das ist ein tapferer russischer Soldat, der für seinen Glauben gestritten und zwölf unserer Grenadiere mit eigener Hand getötet hat.' Der König antwortet ihnen: ‚Ein glorreicher Tod...' Die Generale erwidern: ‚Nein, er lebt noch, er hat eine Kugel in der Brust.' Sie heben mich auf, ich stehe stramm, greife nach meiner Muskete und präsentiere sie, wie es sich vor einem König gehört. Er aber sagt mir: ‚Du bist ein wackerer Bursch', und zieht einen Golddukaten aus der Tasche. ‚Da, nimm', sagt er, ‚tapferer russischer Soldat, kehre ruhig in deine Heimat zurück und sagen den Russen: Gott sollt ihr ästimieren, mit dem Reichen nicht prozessieren, mit dem Schweden keine Kriege führen...'"

Nie verfehlte diese Erzählung ihre Wirkung: Fedka und Andrej erhielten in der Gesindestube Nachtlager und Essen. Doch es war nicht leicht, zu einem reichen Gutshof Zutritt zu erlangen. Die Menschen waren mißtrauisch geworden. Mit jedem Jahr flüchtete immer mehr Volk, um sich der Aushebung, der Fron und dem Spanndienst zu entziehen; die Flüchtigen verbargen sich in den Wäldern und gingen allein oder in Banden auf Raub aus. Es gab Ortschaften, wo nur Greise, alte Weiber und kleine Kinder zurückgeblieben waren – nach wem man auch fragen mochte, man bekam zur Antwort: Den einen hatte man zu den Dragonern genommen, den andern zu Erdarbeiten beordert oder nach dem Ural geschickt, ein dritter, der noch vor kurzem einen Laden auf dem Markt sein eigen nannte, ein ehrsamer und gottesfürchtiger Mann, hatte Frau und Kind verlassen und lauerte jetzt in der Schlucht an der Landstraße den Reisenden auf...

Schon des öfteren hatte Fedka daran gedacht, ob er sich nicht den Räubern anschließen und mit ihnen Freud und Leid teilen sollte. Was blieb auch anderes übrig: Wo sollte er sonst hin? Man konnte doch nicht sein Lebtag als Landstreicher auf der Straße liegen, er hatte es schon satt. Aber Andrej wollte davon nichts hören. Hartnäckig bestand er auf seinem: „Ziehen wir fort, ziehen wir nach dem Süden, und sei's bis ans Ende der Welt..." Fedka erwiderte: „Na schön. Aber selbst wenn wir hinkommen – dort leben ja auch nur Menschen, umsonst wird uns niemand durchfüttern, werden bei den Kosaken schuften oder bei einem Gutsherrn in Dienst treten müssen und uns für den fetten Satan abschinden. Schlagen wir uns aber in die Wälder und gehen unter die Räuber, dann kann jeder von uns im Handumdrehen sich hundert Rubel in die Mütze einnähen. Mit soviel Geld kann man's zum Kaufmann bringen. Dann kann dir keiner was anhaben, kein Dragoner und kein Beamter oder Gutsbesitzer, bist dein eigener Herr..."

Eines Tages – es war im Sommer – saßen sie in der Abenddämmerung auf dem Feld. Rauch stieg vom Feuer auf, das sie mit trockenen Kuhfladen unterhielten. Die Grashalme bogen sich im Wind, der leise pfeifend über die Ebene strich. Andrjuschka starrte auf die verblaßte Abendröte, nur ein trüber Streifen am Himmelsrand war davon zurückgeblieben.

„Fedka, einmal im Leben will ich's dir sagen. Eine Kraft lebt in mir, eine solche Kraft, die über alle Menschenkraft geht. Ich höre, wie der Wind in den Halmen pfeift, und ich verstehe, verstehe alles, das Herz will mir zerspringen. Ich blicke um mich und sehe die Abendröte, das Dunkel, und alles verstehe ich. Ich selbst könnte mich mit dieser Abendröte über den

Himmel ergießen, so groß ist die Trauer und die Freude, die in mir wohnt..."

„Bei uns im Dorf lebte ein Narr, ein Gänsehirt", sagte Fedka und stocherte mit einem Halm in der zerfallenden Glut, „der redete auch solches Zeug, das keiner verstand. Aber Schalmei spielen, das konnte er, das ganze Dorf lief zusammen, um ihn zu hören. Damals suchte man gerade Leute für den seligen Franz Lefort, für seine Musikkapelle, und was denkst du – man hat ihn genommen."

„Fedka, mir hat da vor Narwa ein Leibeigener Boris Petrowitschs vom italienischen Land erzählt. Von den Malern. Wie sie leben und wie sie malen. Ich komme nicht zur Ruhe, als niedrigsten Sklaven will ich mich einem solchen Maler verdingen, ihm die Farben mischen. Fedja, ich versteh mich darauf. Man nimmt eine Holzplatte, eine Eichentafel, tränkt sie mit Öl und trägt die Grundfarbe auf. Dann vermischt man in Näpfchen die Farben, die einen mit Öl, die andern mit verdünntem Eigelb. Nun greift man zum Pinsel..." Andrjuschka Golikow sprach ganz leise, seine Stimme übertönte nicht einmal das Pfeifen des Windes. „Fedja, der Tag wird hell und verdämmert, doch bei mir, auf meiner Tafel, strahlt der Tag in alle Ewigkeit. Ein Baum steht da, eine Birke, eine Kiefer – was ist schon daran? Blick aber auf meinen Baum, auf meine Tafel, und du wirst alles verstehen und wirst weinen..."

„Wo liegt es denn, dieses Land?"

„Ich weiß es nicht, Fedka. Wenn wir fragen, wird man's uns sagen."

„Wir können auch dorthin ziehen. Ist alles eins."

4

Im Frühjahr siebzehnhundertundzwei trafen an Bord eines Kauffahrers zehn Schleusenmeister in Archangelsk ein, die Andrej Artamonowitsch Matwejew gegen hohen Lohn – je siebzehn Rubel zwanzig Kopeken im Monat und freie Kost – angeworben hatte. Die Hälfte der Meister wurde an den Iwanowo-See bei Tula gesandt, um – wie es im Vorjahr beschlossen worden war – einunddreißig steinerne Schleusen zur Verbindung des Dons mit der Oka an den Flüssen Upa und Schat anzulegen. Die andere Hälfte der Meister begab sich nach Wyschni Wolotschok, um eine Schleuse zur Verbindung der Tweriza mit der Msta zu errichten.

Die Schleuse von Wyschni Wolotschok sollte das Kaspische Meer mit dem Ladoga-See, die Schleusen am Iwanowo-See sollten den Ladoga-See und das gesamte Stromgebiet der Wolga mit dem Schwarzen Meer verbinden.

Peter war in Archangelsk, wo die Dwinamündung befestigt und Fregatten für die Weißmeerflotte gebaut wurden. Die dortigen Jäger und Fischer erzählten ihm, daß der Wasserweg aus dem Weißen Meer nach dem Ladoga-See über den Wyg, den Onega-See und die Swir schon von alters her bekannt sei. Es sei ein beschwerlicher Weg, reich an Stromschnellen, auch gebe es viele Stellen, wo man Boote und Waren bis zum nächsten Wasserlauf über Land schleppen müsse. Würden aber Kanäle angelegt und Schleusen bis zum Onega-See gebaut, so könne man die Waren von der Küste des Weißen Meeres geradewegs nach dem Ladoga-See verschiffen.

Dorthin, in den Ladoga-See, führten alle drei großen Wasserstraßen aus drei Meeren: die Wolga, der Don und die Swir. Vom vierten, dem Baltischen Meer, trennte den Ladoga-See nur ein kurzer Wasserlauf, die Newa, die von zwei Festungen, Nöteborg und Nyenschanz, geschützt war. Der holländische Ingenieur Isaak Abraham sagte, auf die Karte weisend, zu Peter: „Bauen Sie hier Kanäle und Schleusen, so werden Sie die toten Meere wieder lebendig machen, und Hunderte Ihrer Flüsse, die Gewässer Ihres ganzen Landes werden sich in den mächtigen Newastrom ergießen und Ihre Schiffe in den offenen Ozean hinaustragen."

Dorthin, auf die Eroberung der Newa, war auch vom Herbst siebzehnhundertzwei an alles Streben gerichtet. Apraxin, der Sohn des Admirals, verwüstete im Laufe des Sommers Ingermanland, stieß bis an die Ishora vor, schlug am Ufer des rasch dahinströmenden, sich durch die öde Küstenebene windenden Flüßchens den schwedischen General Crongyort und warf ihn bis an die Anhöhen von Duderhof zurück, von wo sich dieser in voller Auflösung über die Newa in die an der Ochta liegende Festung Nyenschanz zurückzog.

Apraxin brach mit seinem Heer nach dem Ladoga-See auf und bezog am Flusse Nasia Stellungen. Boris Petrowitsch Scheremetew eilte aus Nowgorod mit starker Artillerie und seinem Troß ebenfalls dorthin. Peter Alexejewitsch schiffte sich in Archangelsk mit fünf Bataillonen des Semjonowski- und des Preobrashenski-Regiments ein, nahm Kurs auf die Onega-Bucht und landete an der flachen Küste bei dem Fischerdorf Njuchtscha. Von hier aus sandte er den Hauptmann Alexej Browkin nach Soroka, ein an der Wygmündung gelegenes Kirchdorf der Altgläubigen. Im Sommer war es Iwan Artemjitsch geglückt, seinen Sohn gegen einen gefangenen schwedischen Oberstleutnant auszutauschen; er war selber nach Narwa gereist, hatte noch dreihundert Golddukaten draufgezahlt. Alexej hatte den Auftrag erhalten, in einem Boot den Wyg hinabzufahren, um festzustellen, ob sich der Fluß für die Anlage von Schleusen eigne.

Aus Njuchtscha marschierten die Truppen über den Pul-See und das Dorf Woshmosalma nach Powenez, auf Waldpfaden, Faschinenwegen, über Brücken. Die Wege hatte im Lauf von drei Monaten Sergeant Stschepotew gebaut, der zu dieser Arbeit die Bauern und Laienbrüder aus Kem, aus der Sumski-Siedlung, aus den Kirchspielen und Einsiedeleien der Altgläubigen zusammengetrieben hatte. Die Truppen schleppten auf Rollen zwei Jachten mit allem Takelwerk. Der Weg führte durch Sümpfe, wo Baumstämme faulten und Mücken summten; riesige Felsblöcke waren wie mit einem Pelz von Moos bedeckt. Vor den Soldaten breitete sich der herrliche Wyg-See aus mit zahllosen bewaldeten Inseln; gleich Ungetümen tauchten ihre von Bäumen starrenden Buckel aus der sonnenbestrahlten Flut. Am blassen Himmel war nicht ein Wölkchen zu sehen, verlassen und öd lagen See und Ufer, als hätte sich alles Lebende im Dickicht verborgen.

Zehn Werst von der Heerstraße, in der Wygorezker Danilow-Einsiedelei, wurden Tag und Nacht Messen gelesen, wie in der Karwoche. Männer und Frauen in linnenen Totenhemden lagen auf den Knien und beteten, die brennende Kerze in der Hand. Alle vier Tore waren fest verschlossen, in den Torwärterhäuschen und neben den Bethäusern lagen Stroh und Pech bereit. In diesen Tagen zeigte sich auch der alte Nektari wieder dem Volke. Nach der Verbrennung seiner Gemeinde war er geflohen und hatte sich, da er an keinen Ort gebunden war, in der Einsiedelei niedergelassen. Doch Andrej Denissow war ihm nicht gewogen und hielt ihn vom Volke fern. In seiner Wut legte Nektari das Gelübde des Schweigens ab und verkroch sich in eine Erdgrube, in der er zwei Jahre, ohne ein Wort zu sprechen, verbrachte. Trat jemand an die mit Pfählen und Rasen bedeckte Grube, so bewarf ihn der Alte mit Kot. Heute war er aus freiem Willen vor dem Volk erschienen – sein schmaler Bart hing ihm bis an die Knie hinab, seine Kutte war von Würmern zerfressen, durch die Löcher schimmerten die gelben Rippen. Er warf die dürren Arme empor und schrie: „Andrjuschka Denissow hat das Christentum um eine Pilzpastete verkauft. Worauf wartet ihr noch? Der Antichrist selber ist zu uns gekommen mit zwei Schiffen auf Rollen. Wie Schweine wird man euch verladen und in den Höllenpfuhl schaffen. Rettet euch! Hört nicht auf Andrjuschka Denissow. Seht nur, wie er am Fenster die Backen aufbläst. Zar Peter hat ihm eine gefüllte Pastete geschickt..."

Andrej Denissow, der merkte, daß die Sache eine schlimme Wendung nahm und sich womöglich Leute finden könnten, die tatsächlich bereit waren, sich lebendig zu verbrennen, fuhr den Alten an und schrie aus dem Fenster seiner Zelle: „Du bist wohl in der Grube um den Verstand gekommen, Nektari, hast nur eins im Kopf: Menschen zu verbrennen, die ganze Welt möchtest du am liebsten verbrennen. Der Zar tut uns kein Leid an, mag er mit Gott vorbeiziehen, das soll uns nicht kümmern. Was aber die Pastete betrifft, wegen der du mir Vorwürfe machst, so wirst du wohl in deinem Leben mehr Pasteten gefressen haben als ich. Wir wissen, wer dir nachts gebratene Hühner in die Grube bringt, alle Hühner hast du in der Einsiedelei vertilgt, deine Grube ist voll von Knochen."

Nach diesen Worten liefen einige zur Grube, und siehe – in einem Winkel waren Hühnerknochen vergraben. Ein Murren lief durch die Menge. Andrej Denissow verließ unbemerkt die Einsiedelei und ritt auf einem stattlichen Gaul über den Fluß zum Heer; der Widerschein der Lagerfeuer, das Wiehern der Pferde und der eherne Klang der Trompeten in der Abendröte wiesen ihm den Weg.

Peter empfing Denissow in einem Leinenzelt, er saß mit seinen Offizieren am Biwaktisch, alle schmauchten ihre Pfeifen, um mit dem Rauch die Mücken zu verscheuchen. Beim Anblick des lebensfrischen Mannes, der Kutte und Mönchskappe trug, lächelte Peter spöttisch.

„Willkommen, Andrej Denissow, was bringst du denn Gutes? Schützt ihr euch immer noch mit zwei Fingern vor mir?"

Denissow setzte sich, wie ihm geheißen, an den Tisch, verzog keine Miene – nur wenn die Tabakwolken ihm unmittelbar vor die Nase kamen, verjagte er sie und sagte ehrlich, Peter hell in die Augen blickend: „Gnädigster Herr, Peter Alexejewitsch ... In der Wildnis haben wir unser Werk begonnen, allerhand Volk, Menschen jeglichen Schlags sind hier beisammen. Die einen haben wir mit guten Worten zum Gehorsam gebracht, die andern mit Strenge. Haben sie mit deinem Namen geschreckt – verzeih, ist schon vorgekommen. Bei einer großen Sache geht's eben ohne Fehlgriff nicht ab. Alles ist vorgekommen, auch solches, woran man lieber nicht mehr denkt ..."

„Und wie steht es jetzt?" fragte Peter.

„Jetzt, gnädigster Herr, stehen wir fest auf den Beinen. An gemeinsamem Ackerland haben wir über fünfhundert Deßjatinen urbar gemacht und ebensoviel Weideland. Unsere Rinderherde zählt hundertzwanzig Köpfe. Wir haben eigene Fischereien und Räuchereien, Gerbereien und Walkereien. Einige Erzgruben und Hütten. Schürfmeister und Schmiede gibt's hier bei uns, wie man sie in Tula nicht findet ..."

Peter Alexejewitsch erkundigte sich, schon ohne spöttisches Lächeln, wo und was für Erzvorkommen es hier gebe. Als er erfuhr, daß an den Ufern des Onega-Sees Eisenerz gefunden werde und es bei Powenez sogar einen Ort gebe, wo aus einem Pud Erz ein halbes Pud Eisen gewonnen würde, stieß er eine Rauchwolke aus.

„Was wollt ihr Popenlosen denn eigentlich von mir?"

Denissow antwortete nach kurzem Besinnen: „Du, gnädigster Herr, brauchst für dein Heer Eisen. Befiehl, und wir werden dort, wo es erforderlich ist, Schmelzöfen und Schmieden errichten. Unser Eisen ist besser als das Tulaer und wird dir billiger zu stehen kommen. Akinfi Demidow im Ural rechnet dir das Pud mit einem halben Rubel an..."

„Das lügst du, mit fünfunddreißig Kopeken."

„Nun gut, auch wir wollen es dir mit fünfunddreißig Kopeken anrechnen. Der Ural aber ist fern, und wir sind in der Nähe. Hier gibt es auch Kupfer. Die Wälder bei Powenez und auf den Medweshji-Bergen geben das schönste Mastenholz, fünfundneunzig Fuß ein jeder Mast und von hellem Klang. Ist erst die Newa dein, dann verflößen wir es nach Holland. Eins nur macht uns Sorge: die Popen und die Kanzlisten. Wir brauchen sie nicht. Verzeih, ich rede, wie mir der Schnabel gewachsen ist. Laß uns nach unserem Gesetz leben. Vor Schreck wissen die Leute nicht ein noch aus! In der Einsiedelei lassen sie schon seit drei Tagen die Arbeit ruhen, haben ihre Totenhemden angezogen und singen Psalmen. Das Vieh wird weder getränkt noch gefüttert und brüllt im Stall. Schickst du uns nun einen Popen mit dem neuen Kreuz und dem Abendmahl, dann laufen die Leute nach allen Richtungen auseinander. Die sind nicht zu halten. Es sind schwergeprüfte Menschen, denen ist alles gleich. Sie werden wieder in die Wildnis flüchten, und all unsre Mühe war umsonst..."

„Kurios", meinte Peter. „Wieviel Leute leben denn in eurer Einsiedelei?"

„Fünftausend arbeitstaugliche Männer und Weiber, dazu noch Greise, die das Gnadenbrot essen, und Kinder..."

„Und alle durchweg freie Leute?"

„Sie sind vor der Knechtschaft geflohen."

„Was soll ich nun mit euch machen? Schon gut, zieht die Totenhemden aus. Bekreuzigt euch mit zwei Fingern, meinethalben sogar mit einem, zahlt aber doppelte Steuern für eure ganze Wirtschaft..."

„Damit sind wir einverstanden, mit dem allergrößten Vergnügen."

„Nach Powenez werdet ihr mir Meister schicken, gute

Schiffbauer. Ich brauche Ruderschiffe und Jollen, fünfhundert Fahrzeuge."

„Mit dem allergrößten Vergnügen."

„Nun, leer dein Glas auf mein Wohl, Andrej Denissow." Peter goß aus dem Zinnkrug ein volles Glas Schnaps ein und hielt es, den Kopf neigend, ihm hin. Denissow erblaßte. In seinen hellen Augen blitzte es auf. Er erhob sich jedoch voll Würde. Mit weit ausholender Armbewegung bekreuzigte er sich langsam, zwei Finger fest an Stirn und Brust drückend. Nahm das Glas entgegen. Peter sah ihn durchdringend an. Er leerte es bis zur Neige. Nahm seine Mönchskappe ab und wischte sich die roten Lippen.

„Dank für die Gnade."

„Nimm etwas Rauch als Imbiß."

Peter hielt ihm seine Pfeife hin, die feuchte Spitze voran. Jetzt leuchtete ein Lächeln in Denissows Augen auf. Ohne eine Miene zu verziehen, streckte er die Hand nach der Pfeife aus. Peter zog sie zurück.

„Die Orte aber..." Er sprach, als wäre nichts vorgefallen. „Die Orte aber, wo ihr auf Erz stoßet, auch das Land ringsum, soviel ihr davon braucht, sollt ihr messen und mit Pfählen abstecken. Dieses schreibet nach Moskau, an Winius. Ich werde ihm sagen, daß er von euren Gruben und Schmelzhütten zehn Jahre lang keine Steuern erheben soll..." Denissow zog die Brauen hoch. „Zu wenig? Nun gut, fünfzehn Jahre. Über die Eisenpreise werden wir uns noch verständigen. Geht an die Arbeit, ohne Aufschub. Braucht ihr Leute oder ist sonst was vonnöten, so schreibe an Winius. Um Geld bittet mich nicht... Trink noch ein Glas, du Gottesmann."

Ende September – das Wetter war abscheulich – setzten sich die drei Armeen, die sich an den Ufern der Nasia vereint hatten, gegen Nöteborg in Marsch. Die uralte Feste stand auf einer Insel inmitten der Newa, unmittelbar an deren Ausfluß aus dem Ladoga-See. Auf beiden Flußarmen mußten die Schiffe, um in die Newa zu gelangen, an der Festung, nicht weiter als siebzig Ellen von ihren Bastionen, dicht vor den Mündungen der Kanonen, vorbeifahren.

Die Truppen erreichten die Landzunge von Nöteborg. Durch die tief vorüberziehenden Regenwolken schimmerten die steinernen Türme mit den Wetterfahnen auf den Kegeldächern. Die Mauern waren so hoch und fest, daß die russischen Soldaten, die auf der Landzunge Approchen aushoben und Redouten für die Batterien aufwarfen, nur stumm seufzten. Nicht umsonst hatten die Nowgoroder, die diese Feste erbaut hatten, sie Oreschek* genannt – diese Nuß war nicht leicht zu knakken. Die Schweden schienen lange zu überlegen. Auf den Mauern war kein Mensch zu sehen. Finstere Wolken verhüllten die Bleidächer, aber plötzlich stieg auf dem Mast des runden Schloßturmes die Königsstandarte mit dem Löwen empor, sie knatterte im Wind. Mit ehernem Brüllen blitzte ein schweres Geschütz auf, zischend fiel die Kugel in den Morast vor den Approchen auf der Landzunge. Die Schweden nahmen den Kampf auf.

Das rechte Newa-Ufer, jenseits der Feste, war stark befestigt, vom See aus war es der Sümpfe wegen schwer zugänglich. Man hatte, bevor das gesamte Heer vor Nöteborg eingetroffen war, am linken Ufer den Wald durchhauen und eine Straße vom See über die Landzunge zur Newa gebaut. Jetzt zogen einige tausend Soldaten die Boote an Seilen aus dem Ladoga-See, schleppten sie über die Waldstraße zur Newa und ließen sie unterhalb der Feste in den Fluß. Je fünfzig Mann packten die Seile und zogen, die anderen stützten das Boot an den Bordseiten, damit es auf dem Kiel über die Baumstämme dahinglitt. „Noch einmal! Feste drauf! Greif zu!" schrie Peter. Er hatte den Rock abgeworfen, sein Hemd war ganz durchschwitzt, an seinem langen Hals, um den er ein fest geknüpftes Tuch trug, traten die Adern dick hervor, seine Fußknöchel waren zerkratzt von den Baumstämmen, zwischen die er immer wieder geriet. Er packte das Seil und rollte die Augen. „Alle miteinander! Los drauf!" Die Leute hatten seit dem Vortag noch nichts gegessen, ihre Hände bluteten. Aber der Satan ließ nicht ab, schrie, fluchte, schlug drein und schleppte mit. Als es dunkelte, waren glücklich fünfzig schwere Boote, am Bug und am Heck mit Planken für die Schützen überbrückt, ans Ufer

* Das Nüßchen.

der Newa geschleppt und ins Wasser gelassen. Die Leute dachten nicht einmal ans Essen, schliefen ein, wo sie sich gerade hingeworfen hatten, auf feuchtem Moos, auf sumpfigem Boden.

Noch vor Tagesanbruch wirbelten die Trommeln. Die Fähnriche rüttelten die Leute aus dem Schlaf und brachten sie auf die Beine. Es wurde befohlen, die Musketen zu laden, zwei Patronen – um sie vor Regen zu schützen – unter den Rock zu stekken und je zwei Kugeln hinter die Backen zu schieben. Die Soldaten kletterten, die Gewehrschlösser mit den Rockschößen bedeckend, auf die Schützenstände der schwankenden Boote. Die Wellen gingen hoch. In der Dunkelheit ruderten sie über den rasch dahinströmenden Fluß ans rechte Ufer. Dort rauschte der Wald. Die Soldaten sprangen ins Schilfdickicht. Halblaut fluchten die Offiziere, indes sie ihre Kompanien sammelten.

Man wartete. Windverheißendes Morgenrot flammte am Himmel auf, himbeerfarbene Streifen traten aus dem sich verziehenden Nebel hervor. Auf dem bleigrauen Fluß glitt ein Ruderboot heran. Peter, Menschikow und Königseck sprangen ans Ufer. Der sächsische Gesandte hatte gebeten, sich als Volontär an der Kampagne beteiligen zu dürfen, und war der Suite des Zaren zugeteilt worden. „Achtung!" erschollen gedehnte Rufe. Peter kletterte, sich an Büsche klammernd, das steile Ufer hinauf. Der Wind riß an den Schößen seines kurzen Rockes. Ein dunkler langer Schatten, schritt er dahin; die Soldaten folgten ihm im Laufschritt. Zu seiner Linken ging Menschikow, Pistolen im Gürtel, zu seiner Rechten Königseck. Plötzlich blieben sie stehen. Die erste Reihe der Soldaten, die ihren Marsch fortsetzten, überholte sie. Peter befahl: „Gewehr ab... Spannt den Hahn... Fertig zum Pelotonfeuer!" Hell knackten in den Reihen die Feuersteine. Die zweite Reihe marschierte an Peter vorbei. „Augen geradeaus!" schrie mit wilder Stimme der Zar. „Erstes Peloton – Feuer!" Die aufblitzenden Schüsse beleuchteten vereinzelt stehende, im Wind schwankende Kiefernbäumchen und nicht weit davon, in der Ebene hinter den Baumstümpfen, den niedrigen Wall der schwedischen Verschanzungen. Von dort wurde ebenfalls geschossen, wenn auch recht unsicher. „Zweites Peloton –

Feuer!" Die zweite Reihe ging, ebenso wie die erste, nachdem sie geschossen hatte, in Kniestellung. „Drittes Peloton ... drittes ...", schrie die überschnappende Stimme. „Fällt das Bajonett ... Laufschritt ... Marsch!"

Peter lief über das unebene Feld. Immer lauter und grimmiger schreiend, überfluteten die Soldaten, wirr durcheinander, in tausendköpfigem hitzigem Hauf, das Bajonett gefällt, die Erdwälle. Aus dem Graben ragten bereits die erhobenen Hände der sich Ergebenden auf. Ein Teil der Schweden lief in Richtung des Waldes davon.

Die Verschanzungen am rechten Ufer waren genommen. Als es vollends Tag wurde, schaffte man die Mörser über den Fluß. Am selben Tage begann man Nöteborg von beiden Ufern zu beschießen.

In der Feste, die dem zwei Wochen währenden hartnäckigen Bombardement getrotzt hatte, brach eine gewaltige Feuersbrunst aus, die Pulverkeller flogen in die Luft, der östliche Teil der Mauer stürzte ein. Da sah man ein kleines Boot, eine weiße Flagge am Heck, rasch näher kommen; es hielt auf die Landzunge, auf die Verschanzungen zu. Die russischen Batterien verstummten. Von den Mörsern, die man mit Wasser begoß, wallte Dampf auf. Dem Boot entstieg ein hoher, blasser Offizier. Um den Kopf trug er eine blutbefleckte Binde. Er sah sich ungewiß um. Alexej Browkin sprang über den Wall ihm entgegen und fragte ihn mit dreistem Blick: „Was bringen Sie Gutes?" Der Offizier sprudelte auf schwedisch einige Worte hervor und wies auf die riesigen Rauchschwaden, die aus der Feste zum windstillen Himmel aufstiegen. „Sprich russisch: Ergebt ihr euch oder nicht?" unterbrach ihn Alexej zornig. Dem Schweden kam Königseck zu Hilfe; elegant und lächelnd zog er höflich den Hut, verbeugte sich vor dem Offizier, richtete an ihn eine Frage und übersetzte dann: Die Frau des Kommandanten und die anderen Offiziersfrauen bäten um die Erlaubnis, die Festung verlassen zu dürfen, da es dort vor dem gewaltigen Rauch und Feuer nicht mehr auszuhalten sei.

Alexej nahm das an Boris Petrowitsch Scheremetew gerichtete Schreiben mit dieser Bitte entgegen. Drehte es zwischen den Fingern. Plötzlich verzerrte sich sein Gesicht vor Grimm, und er warf den Brief dem Offizier vor die Füße in den Schmutz. „Ich werde es dem Feldmarschall nicht melden. Was soll das heißen? Wir sollen die Weiber aus der Feste lassen? Und zwei weitere Wochen das Leben unserer Leute in Sturmangriffen gefährden? Kapituliert auf der Stelle – und Schluß!"

Königseck war höflicher; er hob den Brief auf, wischte ihn mit dem Rockschoß ab, gab ihn dem Offizier zurück und erklärte, die Bitte sei zwecklos. Der Offizier zuckte die Achseln und stieg empört wieder ins Boot; kaum war es vom Ufer abgestoßen, böllerten alle zweiundvierzig Mörser der Batterien Goschkas, Ginters und Peter Alexejewitschs los.

Die ganze Nacht loderte der Brand. Auf den Türmen schmolzen die Bleidächer, brennende Dachbalken stürzten herab, daß die Flammen zum Himmel emporschlugen. Hell beleuchtete der Feuerschein den Fluß, die beiden Lager der Russen und weiter flußabwärts etwa hundert am Ufer bereitliegende Boote mit Schützen, die sich auf den Planken an Deck drängten, und mit quer über Bord gelegten Sturmleitern. Nach Mitternacht verstummte die Kanonade, nur das Tosen der tobenden Flammen war zu hören.

Etwa zwei Stunden vor Tagesanbruch erdröhnte auf der Batterie des Zaren ein Kanonenschuß. Ohrenbetäubend wirbelten die Trommeln. Die Ruderboote stießen vom Ufer ab und hielten, immer heller von den Flammen bestrahlt, auf die Feste zu. Junge Offiziere führten sie: Michaila Golizyn, Karpow und Alexander Menschikow. Gestern hatte Alexaschka mit Tränen in den Augen Peter angefleht: „Mijn Herz, Scheremetew ist jetzt glücklich Feldmarschall. Die Leute machen sich über mich lustig: Generalmajor, Gouverneur von Pskow! Und wenn man's genau nimmt: Ich war Bursche und bin Bursche geblieben. Laß mich in den Kampf, damit ich mir einen militärischen Rang hole."

Peter stand mit dem Feldmarschall und den Obersten auf der Landzunge, bei der Batterie. Sie blickten durch ihre Fernrohre. Die Boote näherten sich rasch der Festung von der Ostseite her, dort wo die Mauer eingestürzt war; glühende Kugeln flogen ihnen entgegen. Das erste Boot lief auf den Ufersand auf, wie Erbsen kollerten die Schützen von ihren Ständen, ergriffen die Sturmleitern und legten sie an. Aber die Leitern reichten nicht bis an die Zinne, selbst in der Bresche nicht. So kletterten die Leute einander auf den Rücken und klommen an den Vorsprüngen der Mauer empor. Von oben bewarf man sie mit Steinen, überschüttete sie mit geschmolzenem Blei. Die Verwundeten stürzten aus einer Höhe von mehr als zwanzig Fuß hinab. Einige Boote trieben, von glühenden Kugeln in Brand gesteckt, lichterloh brennend mit dem Strom.

Peter blickte gierig durchs Fernrohr. Wenn der Pulverdampf den Kampfplatz verhüllte, schob er das Fernrohr unter den Arm und drehte an seinen Rockknöpfen, einige hatte er bereits abgerissen. Sein Gesicht war erdig, die Lippen schwarz, die Augen lagen tief in den Höhlen. „Was ist das, was ist das nur!" wiederholte er dumpf, mit dem Hals zuckend, und wandte sich zu Scheremetew um. Boris Petrowitsch seufzte nur bedächtig – in diesen zwei Jahren hatte er schon Schlimmeres zu sehen bekommen. „Man hat wieder mal mit der Munition geknausert. Jetzt sollen wir die Feste mit bloßen Händen nehmen! Das geht doch nicht..." Boris Petrowitsch antwortete, die Augen schließend: „Gott ist gnädig, wir werden sie auch so nehmen." Peter spreizte die Beine und führte das Fernrohr erneut ans linke Auge.

Am Fuße der Mauer lagen zahllose Verwundete und Tote. Die von Dunstschleiern verhüllte Sonne stand schon hoch am Himmel. Von den Festungstürmen stieg Rauch zu den Wolken auf, aber der Brand war sichtlich am Abnehmen. Eine neue Abteilung Schützen, die sich mit ihren Booten von der Westseite genähert hatte, stürzte zu den Sturmleitern. Brennende Lunten zwischen den Zähnen, rissen sie Granaten aus den Beuteln, bissen ab, zündeten sie an und schleuderten sie gegen die Festung. Dem einen und dem anderen war es gelungen, in der Bresche Fuß zu fassen; doch es war nicht daran zu denken, auch nur die Nasenspitze herauszustecken. Die Schweden leisteten hartnäckig Widerstand. Der Donner der Kanonen, das Krachen der Granaten, das gedämpft über den Fluß herüberschallende Geschrei verstummten zeitweilig, um dann mit erneuter Kraft loszubrechen. So ging es wohl eine Stunde und länger.

Es schien, als hingen alle Hoffnungen, das Schicksal des ganzen schweren Beginnens von der Hartnäckigkeit dieser kleinen Menschlein ab, die geschäftig die Sturmleitern emporklommen, im Schutz der Mauervorsprünge Atem schöpften und, hinter Steinhaufen vor den schwedischen Kartätschen Deckung suchend, feuerten. Ihnen zu Hilfe zu kommen war unmöglich. Die Batterien waren zur Untätigkeit verurteilt. Hätte man mehr Boote zur Hand, so hätte man ihnen noch ein- bis zweitausend Soldaten zur Unterstützung schicken können. Doch mehr Boote waren nicht vorhanden, es fehlte auch an Leitern und Granaten.

„Väterchen Zar, du solltest ins Zelt gehen, einen Imbiß nehmen, dich ausruhen. Was machst du dir nur das Herz unnötig schwer", sagte Boris Petrowitsch und seufzte wie ein Weib.

Peter bleckte, ohne das Fernrohr vom Auge zu setzen, ungeduldig die Zähne. Dort, auf der Mauer, erschien ein langer, graubärtiger Alter in eisernem Panzer, einen altertümlichen Helm auf dem Kopf. Er wies hinab auf die Russen und riß den Mund weit auf, schrie anscheinend. Die Schweden hatten ihn umringt, auch sie schrien, als stritten sie miteinander über etwas. Er stieß einen von ihnen zur Seite, versetzte einem anderen einen Hieb mit dem Pistolenkolben und kletterte dann mühsam über die Steine zur Bresche hinab. Wohl ein halb Hundert Krieger rollten ihm nach. In der Bresche verflochten sich Schweden und Russen zu einem wirren Knäuel. Wie Säcke flogen Menschenleiber in die Tiefe. Peter stöhnte gedehnt auf.

„Der Alte da ist der Kommandant Erich Schlippenbach, der ältere Bruder des Generals Schlippenbach, den ich geschlagen habe", sagte Boris Petrowitsch.

Die Schweden bemächtigten sich rasch der Bresche und eröffneten von dort ein lebhaftes Musketenfeuer. Sie kletterten die Leitern hinunter und stürzten sich, nur mit dem Degen bewehrt, auf die Russen. Der lange Alte in seinem Panzer stand in der Bresche, stampfte mit dem Fuß und fuchtelte mit den Armen wie ein Hahn mit den Flügeln. „Gerät der Schwede in Wut, so verliert für ihn selbst der Tod seinen Schrecken", sagte Boris Petrowitsch. Die Überreste der Russen zogen sich zum

Fluß, zu den Booten zurück. Ein Mann, dessen Gesicht mit einem Lappen verbunden war, lief hin und her und stieß die Soldaten von den Booten zurück, damit sich keiner hineinwagte, sprang von einem zum anderen und schlug kräftig drein. Er stemmte sich gegen den Bug eines Bootes und stieß es, leer, vom Ufer ab. Sprang dann zum nächsten Boot und stieß auch dieses ins Wasser. „Mischka Golizyn", sagte Boris Petrowitsch, „so ein Hitzkopf." Das Handgemenge tobte jetzt unmittelbar an den Booten.

Zwölf große, mit Schützen bemannte Boote flogen, daß sich die Riemen bogen, gegen die Strömung auf die Festung zu. Es waren die letzten Reserven, die Abteilung Menschikows. Alexaschka, ohne Rock, in einem rosafarbenen Seidenhemd, barhaupt, sprang, Degen und Pistole in den Händen, als erster ans Ufer. „Nein, nein, dieser Prahlhans, dieser Prahlhans!" murmelte Peter. Die Schweden liefen beim Anblick des neuen Gegners zu den Mauern zurück, aber nur einem Teil gelang es hinaufzukommen, die anderen wurden niedergestochen. Wieder flogen von den Mauern Steine und Balken, spie eine Kanone Kartätschen. Wieder klommen die Russen die Sturmleitern empor. Peter folgte mit dem Fernrohr dem rosafarbenen Hemd. Tollkühn kämpfte Alexaschka um Rang und Ruhm. Oben in der Bresche stieß er mit dem alten Schlippenbach zusammen, wich dessen Pistolenkugel aus und stürzte sich mit dem Degen auf ihn; mit knapper Not retteten die Schweden den Alten, zerrten ihn nach oben. Dieser neue Ansturm lähmte die Schweden. „So ein Satanskerl!" rief Peter und stampfte mit dem Kanonenstiefel auf. Das rosafarbene Hemd Alexaschkas leuchtete schon oben auf der Mauerzinne.

Mit dem Fernrohr konnte man fast nichts mehr unterscheiden. Der gewaltige, glühende Feuerschein der nordischen Abendröte ergoß sich hinter der Festung über den Himmel.

„Peter Alexejewitsch, die haben, scheint's, die weiße Flagge gehißt", sagte Boris Petrowitsch. „Höchste Zeit, wir schlagen uns schon dreizehn Stunden..."

In der Nacht flammten am Ufer der Newa große Holzfeuer auf. Im Lager schlief niemand. Brodelnd hingen Kupferkessel über dem Feuer, Schöpse wurden an Stangen gebraten. Neben aufgesägten Fässern standen schnauzbärtige Gefreite und schenkten jedem Schnaps ein, soviel er wollte.

Die vom dreizehnstündigen Kampf noch erhitzten Schützen, fast alle mit blutbefleckten Verbänden aus Lappen, saßen auf Baumstümpfen und Tannenzweigen an den Feuern und sprachen von den blutigen Einzelheiten des Handgemenges, den Wunden, die sie empfangen hatten, den gefallenen Kameraden. Soldaten, die am Kampf nicht teilgenommen hatten, umstanden sie mit offenem Mund in dichtem Kreis. Den Erzählungen lauschend, sahen sie sich nach den am Fluß dunkel emporragenden halbverbrannten Türmen um. Dort, am Fuße der verlassenen Feste, türmten sich die Leichen.

Über fünfhundert Schützen waren gefallen, und etwa tausend Verwundete stöhnten auf den Troßwagen und in den Zelten. Seufzend wiederholten die Soldaten: „Eine harte Nuß, die wir da geknackt haben."

Oberhalb eines Baches, von einem Hügel klangen aus dem hellbeleuchteten Zarenzelt Rufe und Hornmusik herüber. Salven wurden bei den Trinksprüchen nicht abgegeben – man hatte ja schon tagsüber zur Genüge geschossen. Von Zeit zu Zeit torkelten betrunkene Offiziere aus dem Zelt, um ihre Notdurft zu verrichten. Einer von ihnen, ein Oberst, trat ans Bachufer, starrte lange auf die Lagerfeuer der Soldaten am jenseitigen Ufer und brüllte dann mit besoffener Stimme: „Tüchtige Kerls, habt's gut gemacht!"

Ein Soldat hob den Kopf und brummte: „Was brüllst du, geh, trink weiter, du Held."

Aus dem Zelt trat Peter, vom gleichen Bedürfnis getrieben. Schwankend verrichtete er seine Notdurft. Die Lagerfeuer verschwammen vor seinen Augen; er betrank sich nur selten, aber heute war ihm der Wein zu Kopfe gestiegen. Aus dem Zelt traten Menschikow und Königseck.

„Mijn Herz, soll ich dir vielleicht ein Licht bringen, was machst du da so lange?" fragte Alexaschka lallend.

Königseck lachte. „Ach, ach!" Er hüpfte wie ein Huhn von einem Bein aufs andere und warf hinten die Rockschöße hoch.

Peter wandte sich an ihn. „Königseck..."

„Hier bin ich, Majestät..."

„Was hast du da am Tisch geprahlt?"

„Ich habe nicht geprahlt, Majestät."

„Du lügst, ich habe alles gehört. Was hast du Scheremetew vorgefabelt? ‚Mir ist dieses Sächelchen teurer als mein Seelenheil...' Was ist denn das für ein Sächelchen?"

„Scheremetew prahlte mit einer Sklavin, Majestät, einer Livländerin. Ich kann mich aber überhaupt nicht erinnern, daß ich..."

Königseck schwieg. Er schien plötzlich ganz nüchtern zu sein. Peter verzog den Mund zu einem spöttischen Grinsen und sah ihm — lang wie eine Hopfenstange — von oben herab ins erschrockene Gesicht.

„Ach, Majestät. Wahrscheinlich habe ich von meiner Tabatiere gesprochen — eine französische Arbeit —, sie ist in meinem Gepäck, im Troß. Ich werde sie sofort holen..."

Schwankend lief er zum Bach, knöpfte erschrocken den Rock auf der Brust auf. Mein Gott, mein Gott, wie hat er's nur erfahren? Ich muß es verstecken, sofort wegwerfen! Seine Finger verwickelten sich in den Spitzen, endlich fand er das an einer Seidenschnur hängende Medaillon, versuchte es abzureißen; die Schnur schnitt ihn schmerzhaft in den Hals. Peter stand auf dem Hügel, folgte ihm mit den Augen. Königseck winkte ihm beschwichtigend zu, er würde gleich zurück sein. Über den reißenden Bach, der zwischen den Felsblöcken dahinrauschte, war von einem Ufer ans andere ein Baumstamm gelegt. Königseck machte einige Schritte, seine lehmbedeckten Stiefelsohlen kamen ins Rutschen. Er riß noch immer an der Schnur. Plötzlich trat er fehl, warf entsetzt die Arme hoch und stürzte kopfüber in den Bach.

„So ein besoffener Esel", sagte Peter.

Man wartete. Alexaschka runzelte die Brauen und lief besorgt den Hügel hinab.

„Peter Alexejewitsch, er scheint verunglückt zu sein. Man wird Leute rufen müssen..."

Man fand Königseck nicht gleich, obwohl der Bach keine fünf Fuß tief war. Wahrscheinlich hatte er sich beim Fall an einem Stein den Kopf aufgeschlagen und war sofort untergegangen. Die Soldaten brachten ihn schließlich vor das Zelt und legten ihn am Holzfeuer nieder. Peter packte ihn bei den Armen, beugte und streckte ihm den Rumpf, blies ihm in den Mund ... Sinnlos und traurig war das Ende des Gesandten Königseck.

Als Peter ihm den Rock aufknöpfte, entdeckte er auf der Brust ein Medaillon, so groß wie der Handteller eines Kindes. Er durchsuchte die Taschen und zog ein Päckchen Briefe heraus. Sofort begab er sich mit Alexaschka ins Zelt.

„Meine Herren Offiziere", sagte Menschikow laut, „der Schmaus ist zu Ende, Majestät bedarf der Ruhe."

Die Gäste verließen eilig das Zelt, manchen mußte man bei den Achseln nehmen und hinausschleppen, daß die Sporen über den Boden klirrten. Hier, zwischen Speiseresten und niederbrennenden Kerzen, breitete Peter die durchnäßten Briefe aus. Mit den Fingernägeln riß er den Deckel des Medaillons auf: Es barg ein Bild von Anna Mons, ein köstliches Kunstwerk; wie lebend lächelte Annchen mit ihren unschuldigen blauen Augen und ihren ebenmäßigen Zähnen. Unter dem Glas umwand das Bildnis eine Strähne blonden Haars, das Peter Alexejewitsch so oft geküßt hatte. Auf der Innenseite des Deckels stand in deutscher Sprache mit einer Nadel eingekratzt: „Liebe und Treue".

Auch das Glas klaubte Peter heraus, betastete die Haarsträhne und warf das Medaillon in die Weinlache auf der Tischdecke. Dann las er die Briefe. Sie waren alle von ihr, an Königseck gerichtet, dumm, süßlich, Briefe eines rührseligen Frauenzimmers.

„So", sagte Peter. Er stützte den Ellbogen auf und starrte auf die Kerze. „Sieh mal einer an." Mit einem spöttischen Lächeln schüttelte er den Kopf. „Betrogen hat sie mich. Ich kann's nicht fassen. Gelogen hat sie. Alexaschka, wie sie gelogen hat! Vielleicht die ganze Zeit, vielleicht schon vom ersten Tag an? Ich kann's nicht fassen. ‚Liebe und Treue' ..."

„Ein Aas, mijn Herz, ein Luder, eine Schankmamsell. Ich hab dir's längst erzählen wollen ..."

„Schweig, schweig, untersteh dich! Hinaus mit dir!"

Er stopfte seine Pfeife. Wieder stützte er den Ellbogen auf und stieß Rauchwolken aus. Starrte auf das in der Weinlache liegende Bild: Über den Zaun bin ich zu dir geklettert... Wie oft habe ich deinen Namen vor mich hin geflüstert... Bin, vertrauend, auf deiner warmen Schulter eingeschlummert... Törin, Törin... Gänse hättest du hüten sollen... Schon gut... Schluß damit! Peter fuhr, wie abwehrend, mit der Hand durch die Luft, stand auf und warf die Pfeife weg. Dann ließ er sich auf die knarrende Bettstelle fallen und zog den Schafpelz über sich.

5

Die Festung Nöteborg erhielt einen neuen Namen: Schlüsselburg – die Stadt, die der Schlüssel zum Meere war. Die Bresche wurde zugemauert, die verbrannten Türme bekamen neue Holzdächer. Eine Garnison wurde in die Festung gelegt. Die Truppen rückten ab, um Winterquartier zu beziehen. Peter kehrte nach Moskau zurück.

Am Mjasnizkije-Tor erwarteten Peter bei festlichem Glockengeläut die namhaften Kaufherren und die Kaufmannsgilde mit Kirchenfahnen. Auf siebenhundert Fuß war die Mjasnizkaja mit rotem Tuch bedeckt. Die Kaufleute warfen die Mützen in die Luft und schrien, wie es im Ausland Brauch war: „Vivat!" Peter fuhr, hoch aufgerichtet, auf einem vergoldeten Streitwagen, hinter ihm wurden schwedische Fahnen über den Boden geschleift, dann kamen gesenkten Haupts Gefangene. Ein hoher Wagen folgte mit einem hölzernen Löwen, auf dem der Fürst-Papst Nikita Sotow rittlings saß, eine Blechtiara auf dem Kopf, einen roten Kattunmantel um die Schultern, Schwert und Branntweinflasche in den Händen.

Zwei Wochen lang wurde in Moskau geschmaust und gezecht, wie es sich in solchen Fällen gehörte. Gar vielen ehrsamen Leuten brachten die Schmäuse Krankheit und Tod. Auf dem Roten Platz wurden Pasteten gebacken und die Einwohner der Vorstädte und der Innenstadt damit reich bewirtet. Ein Gerücht kam auf, der Zar habe befohlen, Wjasmaer Pfefferkuchen und Tücher unter die Bevölkerung zu verteilen, aber die

Bojaren hätten das Volk darum betrogen; dieser Pfefferkuchen halber hatten sich die Bauern aus den entlegensten Dörfern nach Moskau aufgemacht. Jede Nacht flogen über den Kremltürmen Raketen zum Himmel empor, Feuerräder drehten sich kreisend auf den Mauern. Man schmauste und jubilierte so lange, bis zu Mariä Fürbitte ein großer Brand ausbrach. Das Feuer zeigte sich zuerst im Kreml, griff auf die Kitai-Stadt über, ein heftiger Wind wehte, der die Funken über den Moskwa-Fluß trug. Wie Wogen schlugen die Flammen über der Stadt zusammen. Das Volk lief zu den Stadttoren. Man sah Peter in Rauch und Flammen mit einer holländischen Feuerspritze vorbeijagen. Nichts war zu retten. Der ganze Kreml, die Kornspeicher und das Haus Kokoschkins ausgenommen, brannte nieder, der alte Palast ging in Flammen auf – mit knapper Not gelang es, die Zarewna Natalja und den Zarewitsch Alexej zu retten –, ebenso alle Amtsgebäude, Klöster und Munitionslager; vom Iwan Weliki stürzten die Glocken herab, die größte, die achttausend Pud wog, zersprang.

Später, auf den Brandstätten, redete das Volk: „Regier nur, regiere, wirst noch ganz anderes zu sehen bekommen..."

Bei Browkin hatte sich anläßlich der Rückkehr seines Sohnes Gawrila aus Holland die gesamte Familie nach dem Gottesdienst zum Mittagessen eingefunden: Alexej, der vor kurzem zum Oberstleutnant befördert worden war; Jakow, der finster dreinblickende, durch und durch nach Pfeifentabak stinkende Steuermann aus Woronesh mit der groben Stimme; Artamoscha mit seiner Frau Natalja, er war Dolmetscher im Auswärtigen Amt bei Schafirow. Natalja, zum drittenmal schwanger, war aufgeblüht, träge geworden und in die Breite gegangen – Iwan Artemjitsch konnte sich an seiner Schwiegertochter nicht satt sehen. Auch Roman Borissowitsch mit seinen Töchtern war zugegen. Diesen Herbst war es ihm gelungen, seine Antonida an den Mann zu bringen, sie hatte den Leutnant Belkin geheiratet; er war von niederer Herkunft, stand jedoch beim Zaren in Gunst, zur Zeit befand er sich in Ingermanland. Olga wartete noch immer sehnsüchtig darauf, unter die Haube zu kommen.

Roman Borissowitsch war in diesen Jahren schon recht hinfällig geworden, das kam vor allem von dem vielen Trinken. Kaum war man nach einem Gelage vom Schlaf aufgewacht, so saß schon ein Soldat in der Küche mit dem Befehl, sich heute dort und dort einzufinden. Roman Borissowitsch nahm den Schnauzbart aus Lindenbast – seine eigene Erfindung – und ein hölzernes Schwert und fuhr los, um seinen Dienst beim Zaren zu versehen.

Solcher „Tafelbojaren" gab es sechs, alle aus alten Geschlechtern. Man hatte sie zu Hofnarren ernannt – die einen ihrer Dummheit wegen, die anderen auf Verleumdung hin. An ihrer Spitze stand Fürst Schachowskoi, ein Trunkenbold und mißgünstiger Mensch, ein altes ausgemergeltes Männchen, ein Ohrenbläser. Der Dienst war nicht allzuschwer; nach dem fünften Gang, wenn die Tafelrunde dem Wein schon gehörig zugesprochen hatte, pflegte Peter Alexejewitsch die Hände auf den Tisch zu legen, sich, den Kopf in die Höhe reckend, umzuschauen und laut zu sagen: „Ich merke, Hans Rausch will schon über uns Herr werden, sehen wir zu, daß wir keine Schlappe erleiden." Daraufhin stand Roman Borissowitsch vom Tisch auf, band sich seinen Bastschnurrbart vor und bestieg ein niedriges Holzpferd auf Rädern. Man kredenzte ihm einen Becher Wein, er mußte, sein Schwert zückend, den Becher bis zur Neige leeren und daraufhin rufen: „Wir sterben, aber wir ergeben uns nicht." Die Zwerge, Possenreißer, Schalksnarren und Buckligen sprangen kreischend herbei und schleppten ihn auf seinem Pferd um den Tisch herum. Damit hatte Roman Borissowitsch seiner Pflicht genügt, wenn Peter Alexejewitsch nicht gerade irgendein neuer Schabernack eingefallen war.

Iwan Artemjitsch war heute guter Laune: Die ganze Familie war beisammen, die Geschäfte gingen, wie man sich's besser nicht wünschen konnte, selbst die Feuersbrunst hatte Browkins Haus verschont. Nur sein Liebling Alexandra fehlte. Von ihr erzählte gerade Gawrila, ein gesetzter junger Mann, der eben erst die Navigationsschule in Amsterdam absolviert hatte.

Alexandra weilte gegenwärtig im Haag, mit der Gesandtschaft Andrej Artamonowitsch Matwejews; sie und ihr Mann waren jedoch nicht im Gesandtenhof abgestiegen, sondern hatten ein Haus gemietet und lebten für sich. Sie hielt Vollblutpferde, Wagen und sogar eine Jacht, einen Zweimaster. „Ach, ach", staunte Iwan Artemjitsch, obgleich er Sanka für diese Pferde und diese Jacht hinter Peter Alexejewitschs Rücken einen schönen Batzen Geld gesandt hatte. Es war schon über ein Jahr her, daß die Wolkows Warschau verlassen hatten, als König August vor den Schweden geflohen war. Sie gingen nach Berlin, blieben aber dort nicht lange – Alexandra gefiel es nicht am preußischen Hofe: Der König war geizig, die Deutschen lebten langweilig, knauserig, jeder Bissen wurde gezählt...

„Im Haag macht sie ein großes Haus", erzählte Gawrila. „Menschen von Rang und Namen trifft man natürlich nur wenig unter ihren Gästen, hauptsächlich allerlei windiges Volk: Abenteurer, Maler, Musiker, Inder, die sich mit Gaukelkünsten befassen. Mit ihnen segelt sie auf den Kanälen, sitzt auf einem zierlichen Stuhl an Deck und spielt Harfe..."

„Auch das hat sie gelernt?" Iwan Artemjitsch schlug die Hände über dem Kopf zusammen und sah sich in der Runde um.

„Geht sie auf der Straße spazieren, so grüßen sie alle, sie aber erwidert den Gruß nur mit einem leichten Kopfnicken. Ihren Wassili läßt sie nicht immer zu den Empfängen zu, ihm ist es so auch lieber, er ist ganz still und nachdenklich geworden, hockt ständig über seinen Schmökern, liest sogar lateinische Bücher, besucht Schiffswerften, Kunstkammern und die Börse, sieht sich alles aufmerksam an..."

Unmittelbar vor Gawrilas Abreise hatte Sanka geäußert, daß sie auch den Haag überhabe: Die Holländer wüßten von nichts anderem zu reden als von Handel und Geld, den Frauen fehle es am richtigen Raffinement, beim Tanz trete man ihr auf die Füße. Sie wolle nach Paris...

„Anders geht's nicht, sie muß unbedingt mit dem König von Frankreich Minuwett tanzen! Nein, so ein Mädel!" Iwan Artemjitsch seufzte und kniff vor Vergnügen die Augen zusammen. „Wann gedenkt sie eigentlich zurückzukehren? Das möchte ich von dir wissen..."

„Von Zeit zu Zeit, wenn sie ihrer Abenteuer überdrüssig

war, sagte sie zu mir: ‚Weißt du, Gaschka, auf Stachelbeeren hätte ich Lust, aber unsere eigenen müßten es sein, von unseren Büschen. Auf der Schaukel möchte ich mich schwingen in unserem Garten über der Moskwa...'"

„Jaja, die Heimat vergißt man nicht so leicht."

Iwan Artemjitsch hätte den ganzen Tag zuhören mögen, wenn von seiner Tochter Alexandra erzählt wurde.

Während des Essens fuhren Peter und Menschikow vor. Peter war jetzt hier ein häufiger Gast. Er nickte der Tischrunde zu und sagte dem zusammenfahrenden Roman Borissowitsch: „Bleib nur sitzen, heute bist du dienstfrei." Er blieb am Fenster stehen und blickte lange auf die Brandstätte. Dort, wo noch unlängst belebte Straßen waren, ragten Essen und rauchgeschwärzte Kirchlein ohne Kuppeln aus dem Schutt. Ein scharfer Wind wirbelte Aschenwolken auf.

„Verwünschter Ort", sagte er laut. „Im Ausland steht eine Stadt tausend Jahre, von der da aber wüßte ich nicht, wann sie nicht gebrannt hätte. Ach, Moskau..."

Mürrisch setzte er sich an den Tisch und aß einige Zeit stumm und viel. Rief dann Gawrila heran und begann ihn streng auszufragen, was er in Holland gelernt, was für Bücher er gelesen habe. Er befahl ihm, Papier und Feder zu bringen und Schiffsteile, Segel und Pläne von Küstenbefestigungen zu zeichnen. Einmal machte er Einwände, aber Gawrila bestand fest auf dem seinen. Peter tätschelte ihm den Kopf. „Hast des Vaters Geld nicht unnütz vertan, ich seh es." Iwan Artemjitsch schluckte bei diesen Worten die aufsteigenden Freudentränen hinunter. Peter zündete seine Pfeife an und trat ans Fenster.

„Artemjitsch", sagte er, „man muß eine neue Stadt bauen."

„Man wird sie schon aufbauen, Peter Alexejewitsch, übers Jahr ist alles wieder in Ordnung."

„Nein, nicht hier..."

„Wo denn, Peter Alexejewitsch? Der Ort hier ist uns ans Herz gewachsen, seit alters leben hier die Leute: Moskau." Der kleine stämmige Mann sah zu Peter empor und blinzelte hastig. „Ich habe schon Vorkehrungen getroffen, Peter Alexejewitsch. Fünftausend Bauern habe ich gedungen, Bäume zu fällen. Die Häuser werden wir längs der Scheksna und der Schelon bauen und sie dann auf Flößen hierherbringen – kauft nur und stellt sie auf: je fünf Rubel das Haus mit Tor und Pförtchen. Was kann man sich Schöneres denken! Alexander Danilytsch will sich an diesem Geschäft beteiligen . . ."

„Nicht hier", wiederholte Peter, durchs Fenster starrend. „Am Ladoga-See, an der Newa muß man die Stadt bauen. Dorthin schick deine Holzfäller . . ."

Iwan Artemjitsch juckte es nur so, die kurzfingrigen Hände auf den Rücken zu legen und die Daumen zu drehen.

„Das läßt sich machen", sagte er mit dünner Stimme.

„Mijn Herz, wieder war die alte Mons bei mir. Sie weint und bittet, man möge ihr und ihrer Tochter erlauben, wenigstens zum Gottesdienst in die Kirche zu gehen", begann Menschikow vorsichtig.

Sie kamen von Browkin und fuhren, es war schon gegen Abend, an der Brandstätte vorbei. Der Wind trieb die Asche gegen die Lederwand der Kutsche. Peter hatte sich weit zurückgelehnt, schien Alexaschkas Worte nicht gehört zu haben.

Nach Schlüsselburg hatte er nur ein einziges Mal, bereits in Moskau, Anna Mons erwähnt: hatte Alexaschka befohlen, zu ihr zu fahren und die Halskette mit seinem diamantenbesetzten Bildnis zurückzuverlangen; die übrigen Schmucksachen, ebenso wie alles Geld, sollte er ihr nicht nehmen und sie dort wohnen lassen, wo sie gewohnt hatte; wenn sie es wünsche, könne sie auch aufs Land ziehen, unter keinen Umständen aber dürfe sie aus dem Hause gehen und sich zeigen.

Mit der Wurzel, mit Blut hatte er diese Frau wie ein Büschel Unkraut aus seinem Herzen gerissen, sie vergessen. Auch jetzt, in der Kutsche, zuckte kein Äderchen in seinem Gesicht. Anna Iwanowna hatte ihm geschrieben – er hatte nicht geantwortet.

Sie hatte ihre Mutter mit Geschenken zu Menschikow geschickt, um die Erlaubnis gefleht, Seiner Majestät, dem einzigen, den sie in ihrem Leben geliebt, zu Füßen zu fallen. Das Medaillon hätte Königseck ihr gestohlen. Von den Briefen, die man bei ihm gefunden hatte, wußte sie nichts.

Menschikow sah, daß Mijn Herz der Liebkosungen einer

Frau dringend bedurfte. Die Burschen des Zaren – sie alle standen in Menschikows Sold – berichteten, daß Peter Alexejewitsch nachts schlecht schliefe, stöhnte, mit den Knien gegen die Wand stieße. Mit einem Frauenzimmer war ihm nicht gedient, er brauchte eine zärtliche Freundin. Nur um sich endgültig zu überzeugen, hatte jetzt Alexaschka die Rede auf Anna Mons gebracht. Peter war gegen alle Bitten taub geblieben. Sie bogen vom Knüppeldamm ab und fuhren auf ebener, ungepflasterter Straße weiter. Plötzlich lachte Alexaschka vor sich hin und schüttelte den Kopf.

Peter meinte kühl: „Ich wundere mich nur, daß ich dich trotz allem dulde, weiß nicht, warum."

„Was hab ich denn getan? Aber bei Gott . . ."

„Bei jedem Unternehmen mußt du unbedingt stehlen, auch jetzt hast du wieder etwas ausgeheckt, ich sehe es dir an . . ."

Alexaschka stieß die Luft durch die Nase. Eine Zeitlang fuhren sie schweigend. Dann hub er mit leisem Lächeln an: „Ich habe mich mit Boris Petrowitsch verkracht. Er wird sich bei dir über mich noch beschweren. Er prahlte immerzu mit seiner Wirtschafterin. Für einen Rubel hätte er sie einem Dragoner abgekauft. ‚Auch für zehntausend Rubel würde ich sie nicht abtreten', sagte er. ‚So flink und munter ist sie', sagte er, ‚so feurig. Ein Mordsmädel!' Na, ich hab mich an ihn rangemacht. Als wir schon gehörig getrunken hatten, sagte ich: ‚Zeig sie doch.' Er machte Ausflüchte. ‚Sie ist nicht da', meinte er, ‚ich weiß nicht, wo sie hin ist.' Doch ich ließ nicht locker. Der Alte fühlte sich in die Enge getrieben, drehte und wendete sich, schließlich rief er sie. Gleich auf den ersten Blick gefiel sie mir – nicht, daß sie eine ausgesprochene Schönheit wäre, aber ein liebes Ding, die Stimme hell, die Augen flink, das Haar gelockt. Ich sagte: Nach altem Brauch sollte sie doch dem Gast einen Becher Wein mit einem Kuß kredenzen. Boris Petrowitschs Gesicht verfinsterte sich, sie aber lachte. Füllte den Becher und überreichte ihn mir mit einer Verbeugung. Ich trank ihn aus und küßte sie auf den Mund. Als ich ihre Lippen fühlte, mijn Herz, da war es mir, als versenge mich eine Flamme, konnte an nichts mehr denken, das Blut kochte mir in den Adern. ‚Boris Petrowitsch', sagte ich, ‚tritt mir das Mädel ab. Meinen Palast gebe ich dir, alles, bis aufs Hemd, will ich hingeben. Wie willst du mit so einer fertig werden? Die braucht einen Jungen, der sie richtig umarmen kann, du wirst sie bloß unnütz aufregen. Außerdem', sagte ich, ‚begehst du eine Sünde: Du hast eine Frau, hast Kinder! Wer weiß auch, was Peter Alexejewitsch zu dieser Zuchtlosigkeit sagen wird.' Ich drückte den Alten an die Wand. Er schnaufte. ‚Alexander Danilowitsch, du nimmst mir meine letzte Freude.' Er winkte hoffnungslos mit der Hand und fing an zu weinen. Bei Gott, es war einfach zum Lachen. Dann ging er und schloß sich in seinem Schlafzimmer ein. Ich kam mit dieser Wirtschafterin rasch überein, schickte nach meinem Wagen, schob sie mit all ihren Bündeln hinein und brachte sie zu mir auf mein Gut und am nächsten Tag nach Moskau. Eine Woche wohl vergoß sie Tränen, denke aber, daß es nur Verstellung war. Jetzt zwitschert sie wie ein Vöglein bei mir im Palast..."

Es war schwer zu sagen, ob Peter zuhörte oder nicht. Gegen Ende der Erzählung räusperte er sich. Alexaschka kannte jedes Hüsteln und Räuspern Peters auswendig. Er begriff: Der Zar hatte aufmerksam zugehört.

6

Browkin, Sweschnikow, der Kaufmann Satrapesny aus den Handelsreihen und die Kaufherren Dubrowski, Stschegolin und Jewreïnow bauten an der Jausa und an der Moskwa Tuchfabriken, Leinewebereien, Seidenfabriken und Manufakturen, Papiermühlen und Seilereien. Vielen Fabriken wurde vom Landamt – an das die Lehngüter der im Kriege gefallenen oder ihres Rangs entkleideten Gutsherren zurückfielen – die Bevölkerung ganzer Dörfer auf ewig als Hörige zugeschrieben

Die Kaufmannschaft erwachte aus ihrem Schlaf. Kamen die Kaufleute auf der großen Freitreppe der nach dem Brand rasch wiederaufgebauten Ältestenkammer zusammen, so war von nichts anderem die Rede als von dem neueroberten Ingermanland, wo man sich im Laufe dieses Sommers an der Meeresküste festsetzen müsse. In den Kellern wurden die noch von den Großvätern stammenden Töpfe mit Golddublonen und Dukaten ausgegraben. Die Kaufleute schickten ihre Leute auf die Märkte und in die Schenken, um Arbeitsvolk zu dingen.

Iwan Artemjitsch hatte im Laufe dieses Winters eine rege Geschäftigkeit entfaltet. Mit Menschikows Hilfe hatte er es durchgesetzt, aus den Kerkern Romodanowskis Sträflinge als Hörige übernehmen zu dürfen, und brachte sie, die einen in Ketten, die anderen ohne Fesseln, nach seinen Tuchfabriken und Leinewebereien, deren Wasserräder an der Jausa munter rauschten. Für siebenhundert Rubel hatte er den berühmten Schmied Shemow losgekauft, gegen den ein Gerichtsverfahren schwebte, hatte ihn mit einem Dreigespann aus Woronesh nach Moskau gebracht, und jetzt stellte der in der neuen Holzschneidemühle Iwan Artemjitschs in Sokolniki eine noch nie gesehene Feuermaschine auf, die durch Dampf aus einem Kessel in Bewegung gesetzt wurde.

Überall fehlte es an Arbeitskräften. Aus den zugeschriebenen Dörflein hatte sich viel Volk vor der neuen Knechtschaft in die öden Grenzgebiete geflüchtet. Schwer war die Fronarbeit im Dorf, so manches Pferd hatte es besser als ein Bauer. Aber noch schlimmer schien dem Zuchthäusler wie dem gedungenen Arbeiter die Knechtschaft in diesen Fabriken, schlimmer als Gefängnis. Rings um die Fabrik ein hoher Pfahlzaun, am Tor Wächter, bissiger als Hunde. In den dunklen Kammern, über den klappernden Webstuhl gebeugt, wagte man nicht einmal ein Lied anzustimmen – gleich ließ der ausländische Meister seinen Stock auf die Schultern niedersausen, drohte mit Gefängnis. Im Dorf konnte sich der Bauer wenigstens im Winter auf dem Ofen ausschlafen. Hier hieß es: Sommer und Winter, Tag und Nacht das Weberschiffchen durchs Fach schleudern. Lohn und Kleider waren längst vertrunken, schon im voraus. Mit einem Wort – Frondienst. Am schauerlichsten aber waren die dunklen Gerüchte, die von den Werken und Gruben Akinfi Demidows im Ural umgingen. Aus den ihm zugeschriebenen Bezirken flohen die Leute Hals über Kopf vor eitel Furcht.

Akinfi Demidows Werber trieben sich auf den Märkten und in den Schenken umher, bewirteten einen jeden aufs freigebigste und schilderten mit verlockenden Worten die leichte Arbeit im Ural. Dort gebe es Land in Hülle und Fülle, es genüge, ein Jahr zu arbeiten, und man könne sein schönes Geld in die Mütze einnähen und in Gottes Namen weiterziehen, keiner würde zurückgehalten. Steht dein Sinn nach Gold, so such nur nach Herzenslust, dort liegt es wie Mist unter den Füßen.

Hatte nun ein Werber einen geeigneten Mann so lange bewirtet, bis er voll war, so schob er ihm, während der Schankwirt als Zeuge dabeistand, eine Frondienstverschreibung zu und beredete ihn mit guten Worten oder mit List, sie zu unterzeichnen: „Setz nur mit Tinte ein Kreuz darunter, mein Lieber." Und – verloren war der Mann. Man hob ihn auf einen Bauernwagen, legte ihn, wenn er tobte, in Ketten, und fort ging es, Tausende Werst weit, über die Wolga, durch die kirgisischen Grassteppen, über die hohen, bewaldeten Berge nach den Newjansker Hüttenwerken, nach den Erzgruben. Nur wenige kehrten von dort zurück. Mit Ketten wurden dort die Menschen an die Ambosse, an die Schmelzöfen geschmiedet. Widerspenstige mit Ruten zu Tode geprügelt. Flucht war unmöglich – berittene Kosaken mit Fangschlingen bewachten sämtliche Straßen und Waldpfade. Die aber, die zu meutern versuchten, warf man in tiefe Schächte, ersäufte sie in Teichen.

Nach Weihnachten begann eine neue Aushebung für das Heer. In allen Städten hoben die Werber des Zaren Zimmerleute, Maurer und Erdarbeiter aus. Von Moskau bis Nowgorod wurde jedermann zum Spanndienst verpflichtet.

7

„Warum zeigst du mir denn die Katharina nicht?"
„Sie hat Angst, mijn Herz. Sie liebt mich so, hängt so an mir, daß sie für andere keinen Blick hat. Es ist rein zum Heiraten."
„Warum heiratest du sie dann nicht?"
„Erlaub mal, immerhin..."
Menschikow hockte auf der gebohnerten Diele vor dem Kamin nieder und schürte mit abgewandtem Gesicht das Feuer. Der Wind heulte im Schornstein und rasselte auf dem Dach-

blech. Der Schnee schlug an die Scheiben des hohen Fensters. Zitternd schwankten die Flämmchen der zwei Wachskerzen auf dem Tisch. Peter rauchte, trank Wein, wischte sich mit der Serviette das gerötete Gesicht, das feuchte Haar. Er war eben erst aus Tula, aus den Fabriken zurückgekehrt und sofort, ohne in Preobraschenskoje haltzumachen, zu Menschikow geeilt, in die Badestube. Drei Stunden verbrachte er im Dampfbad. Setzte sich dann in Alexaschkas parfümierter Wäsche, in dessen Seidenrock – ohne Halstuch, mit offener Brust – an den Tisch, um zu Abend zu essen, befahl, daß im kleinen Speisesaal niemand zugegen sei, nicht einmal die Domestiken, erkundigte sich nach allerhand Bagatellen, lachte und scherzte. Und plötzlich fragte er nach Katharina – seit jenem Gespräch in der Kutsche gedachte er ihrer zum erstenmal.

„Heiraten, Peter Alexejewitsch, bei meiner niedrigen Herkunft, und dazu noch eine Gefangene – ich weiß nicht..." Er stocherte mit dem Schürhaken in der Glut, daß die Funken sprühten. „Man sagt, die Arsenjews wären nicht abgeneigt, mir ihre Tochter Awdotja zur Frau zu geben. Ein altes Geschlecht, aus der Goldenen Horde. Immerhin, das dürfte die Leute meine Pasteten vergessen machen. In meinem Palast habe ich immer Ausländer zu Gast – ihre erste Frage ist, wer meine Frau sei, welchen Titel ich führe. Unsre dickärschigen Hochgeborenen freuen sich natürlich baß, daß sie ihnen ins Ohr flüstern können: ‚Den hat man ja aus der Gosse aufgelesen...'"

„Hast recht", sagte Peter, wischte sich mit der Serviette das Gesicht. Seine Augen glänzten.

„Wenn ich wenigstens einen Titel hätte, und wär's auch nur ein Grafentitel." Alexaschka warf den Schürhaken hin. Schob ein Messinggitter vor das Feuer, kam an den Tisch zurück. „Ein fürchterliches Schneegestöber. Du darfst nicht mal dran denken, mijn Herz, nach Hause zu fahren."

„Habe auch gar nicht die Absicht."

Menschikow griff nach dem Glas – es zitterte in seiner Hand. Er saß, ohne die Augen zu heben.

„Dieses Gespräch habe nicht ich begonnen, du hast es begonnen", sagte Peter. „Geh, ruf sie..."

Alexaschka erblaßte. Er gab sich einen Ruck und stand auf. Ging aus dem Zimmer. Peter saß und wippte mit dem Fuß. Im Haus war es still, nur der Schneesturm heulte in den großen Bodenkammern. Peter horchte mit gerunzelten Brauen. Sein Fuß wippte, als wäre er aufgezogen. Wieder hallten Schritte, rasch, zornig. Alexaschka kam zurück, blieb an der Schwelle der offenen Tür stehen, biß sich auf die Lippen.

„Gleich kommt sie."

Peter spitzte die Ohren, er hörte: Durch die Stille des Hauses schienen leichte Frauenfüße auf klappernden kleinen Absätzen munter und sorglos dahinzufliegen.

„Komm herein, fürchte dich nicht." Alexaschka ließ Katharina den Vortritt. Aus dem dunklen Gang kommend, starrte sie leicht blinzelnd auf die Flämmchen der Kerzen. Warf einen fragenden Blick auf Alexaschka – sie reichte ihm bis an die Schulter, schwarzhaarig, mit beweglichen Brauen –, trat mit dem gleichen leichten Schritt ohne Scheu an Peter heran, machte einen tiefen Knicks, nahm, als sei es ein Ding, seine große, auf dem Tisch liegende Hand und küßte sie. Er fühlte die Wärme ihrer Lippen und die Kühle ihrer glatten weißen Zähne. Sie verbarg ihre Hände unter dem weißen Schürzchen und blieb vor Peters Sessel stehen. Die Beine, die sie so flink hierhergetragen, hatte sie unter den Röcken leicht gespreizt. Hell und munter blickte sie ihm in die Augen.

„Setz dich, Katharina."

Sie antwortete in gebrochenem Russisch, aber mit so angenehmer Stimme, daß ihm sogleich vom Kamin warm wurde, das Heulen des Windes ihm behaglich dünkte und er aufhörte, mit dem Fuß zu wippen.

Sie sagte: „Gern, danke." Setzte sich auf den Rand des Stuhles, immer noch die Hände auf den Leib unter dem Schürzchen haltend.

„Trinkst du Wein?"
„Jawohl, danke."
„Hast du es auch nicht schwer in der Gefangenschaft?"
„Nein, nicht schwer, danke."

Alexaschka trat mit mürrischem Gesicht heran, goß für alle drei Wein ein.

„Was wiederholst du denn immerzu danke und danke. Erzähl lieber was."

„Wie werde ich ... Er ist kein gewöhnlicher Mann."

Sie zog die Hände unter dem Schürzchen hervor, nahm das Glas und lächelte Peter mit einem raschen Blick zu.

„Sie werden selber wissen, welches Gespräch zu führen ..."

Peter lachte, schon lange hatte er nicht so von Herzen gelacht. Er begann Katharina auszufragen, wo sie herstamme, wo sie gelebt habe, wie sie in die Gefangenschaft geraten sei. Sie antwortete ihm, setzte sich auf ihrem Stuhl bequem zurecht und legte ihre nackten Ellbogen aufs Tischtuch; ihre dunklen Augen leuchteten, wie Seide glänzte ihr schwarzes Haar, das in zwei Locken auf ihren sich leicht hebenden Busen niederfiel. Mit der gleichen Unbeschwertheit, mit der sie eben erst die Stiegen herabgeeilt war, schien sie über alle Mißhelligkeiten ihres kurzen Lebens hinweggeschwebt zu sein.

Alexaschka füllte die Gläser immer von neuem. Warf neue Holzscheite in den Kamin. Mitternächtig heulte der Schneesturm. Peter streckte sich, zog die kurze Nase kraus, sah Katharina an.

„Nun, wie ist's? Es dürfte Schlafenszeit sein? Ich gehe. Katjuscha, nimm eine Kerze, leuchte mir ..."

Mürrisch dreinblickend, ein frisches grellrotes Brandmal auf der Stirn, die nackten Füße in Eisenketten auf dem Gerüst gespreizt, umklammerte Fedka Wasch-dich-mit-Dreck den langen Handgriff seiner Eichenramme und ließ sie mit weit ausholender Armbewegung auf einen Pfahl niederfallen. Ein kräftiger Mann war er. Die anderen verfolgten aufmerksam – der eine hatte den Karren niedergesetzt, ein anderer stand mit emporgestrecktem Bart bis an die Hüften im Wasser, ein dritter hatte den Balken von der Schulter zu Boden geworfen –, wie sich der Pfahl mit jedem Schlag tiefer in das schlammige Ufer eingrub.

Es war der erste Pfahl, den man einschlug, um das Ufer der kleinen Insel Janni-saari, was finnisch ist und Haseninsel bedeutet, zu befestigen. Vor drei Wochen hatten die russischen Truppen etwa zwei Werst flußabwärts den mit Erdwällen verschanzten festen Platz Nyenschanz an der Newa zur Kapitulation gezwungen. Die Schweden hatten die Newaufer aufgegeben und sich hinter den Sestra-Fluß zurückgezogen. Die schwedische Flotte lag aus Furcht vor Untiefen weit draußen in der Bucht, ihre Segel schimmerten fern auf der sonnenbestrahlten, wogenden Flut. Zwei kleine Schiffe hatten es gewagt, in die Newamündung bis zur Insel Hirwi-saari einzulaufen, wo hinter einem Verhau die Batterie des Hauptmanns Wassiljew verborgen war; sie wurden jedoch von Galeeren umringt und geentert.

Nach blutigem Ringen war der Weg aus dem Ladoga-See ins offene Meer frei. Aus dem Osten kamen zahllose Wagenzüge, Haufen von Arbeitern und Sträflingen. Peter hatte Romodanowski geschrieben: „... hier fehlt es gar sehr an Leuten, befiehl allen Städten, Ämtern und Behörden, die Diebe und Räuber zu sammeln und hierherzuschicken." Tausend und aber tausend Arbeiter, die tausend und aber tausend Werst zurückgelegt hatten, wurden auf Flößen und in Booten ans rechte Newaufer, auf die Insel Koibu-saari, übergesetzt, wo Zelte und Erdhütten am Ufer standen, Holzfeuer rauchten, Äxte klangen und Sägen kreischten. Hierher, an den Rand der Welt, kam in unübersehbarem Zuge Arbeitsvolk, um nie wieder zurückzukehren. Vor Koibu-saari, auf der Newa, auf der sumpfigen Insel Janni-saari, schritt man, um die schwer errungene Mündung der Handelsstraßen des russischen Landes zu schützen, zum Bau einer Festung mit sechs Bastionen. „... Mit der Leitung der Bauarbeiten werden sechs Befehlshaber betraut: Die erste Bastion baut Bombardier Peter Alexejew, die zweite Menschikow, die dritte Fürst Trubezkoi, die vierte der Fürst-Papst Sotow..." Nach der Grundsteinlegung wurde während des großen Gelages in Peters Erdhütte bei Trinksprüchen und Böllerschüssen beschlossen, die Festung Pieterburg zu nennen.

Das offene Meer war zum Greifen nahe. Der Wind kräuselte fröhlich die Flut. Im Westen, hinter den Segeln der schwedischen Schiffe, standen hoch am Himmel Wolken, wie Rauchschwaden aus einer anderen Welt. Auf diese so gar nicht russischen Wolken, auf die weiten Wasserflächen, auf die drohenden Brände der Abendröte blickten nur die Wachen der menschenleeren Insel Kotlin. Es fehlte an Brot. Aus dem verwüsteten Ingermanland, wo die Pest ausgebrochen war, blieb die Zufuhr aus. Man nährte sich von Wurzeln und zerstampfter Baumrinde. Peter schrieb an den Fürst-Cäsar und bat ihn, mehr Leute zu schicken – „eine Menge Volk liegt hier krank darnieder, und gar viele sind schon gestorben". In unübersehbarem Zuge kamen Fuhren, Arbeiter, Sträflinge ...

Wieder und wieder ließ Fedka Wasch-dich-mit-Dreck, das Haar aus der brennenden, feuchten Stirn zurückwerfend, die schwere Eichenramme auf die Pfähle niedersausen.

Drittes Buch

Erstes Kapitel

I

In Moskau war es langweilig geworden. Um die Mittagszeit irrten in der Juliglut nur herrenlose Hunde in den winkligen Straßen umher; den Schwanz eingekniffen, beschnüffelten sie alle Abfälle, die die Leute vors Tor warfen. Auf den Plätzen gab es kein Gedränge und Geschrei mehr wie einst, da man so manchen ehrsamen Mann zum Verkaufsstand zerrte und ihm dabei die Rockschöße abriß oder die Taschen leerte, bevor er noch Zeit fand, in diesem Durcheinander etwas zu kaufen. Früher brachten schon vor Sonnenaufgang aus allen Vorstädten, der Arbatskaja, der Sucharewskaja und der Samoskworezkaja, hochbeladene Wagen Schnitt-, Eisen- und Lederwaren heran, Töpfe, Tassen, Näpfe, Brezeln, Bastkörbe mit Beeren und alles mögliche Gemüse; Bastschuhe waren an langen Stangen aufgereiht, Tragbretter mit Pasteten belegt; in Eile wurden Wagen und Zelte auf den Plätzen aufgestellt. Verödet waren die Vorstädte der Strelitzen, die Höfe verfallen und von Brennnesseln überwuchert. Viel Volk arbeitete jetzt in den neugeschaffenen Manufakturen zusammen mit Sträflingen und Hörigen. Das Linnen und das Tuch gingen von dort unmittelbar ins Preobrashenski-Amt. In den Moskauer Schmieden wurden Degen, Speere, Steigbügel und Sporen hergestellt. Ein Hanfseil war in Moskau nicht aufzutreiben, aller Hanf war vom Fiskus beschlagnahmt.

Auch das Glockengeläut, das früher von der ersten Morgenröte bis zur Abenddämmerung zu hören war, gab es nicht mehr; in vielen Kirchen waren die großen Glocken abgenommen, ins Gießhaus geschafft und zu Kanonen umgegossen worden. Der Glöckner der alten Pimen-Kirche hatte sich, als nach Tabak stinkende Dragoner die große Glocke vom Kirchturm hinunterschleppten, betrunken und wollte sich am Querbalken erhängen, geriet dann jedoch in Raserei und schrie, als er gebunden auf einer Truhe lag: „Moskau war berühmt durch sein silbernes Geläut, jetzt aber werden schlimme Zeiten für Moskau kommen!"

Früher stand vor jedem Bojarenhof freches Hofgesinde grinsend am Tor, die Mützen schief aufs Ohr gesetzt; es vertrieb sich die Zeit mit Messer- und Münzenwerfen, ließ weder Reiter noch Fußgänger unbehelligt vorüber: Gelächter, Unfug, Handgreiflichkeiten. Jetzt blieb das Tor fest verschlossen; auf dem weiten Hof war es still, das Gesinde ausgehoben und im Krieg, die Söhne und Schwiegersöhne des Bojaren dienten entweder als Unteroffiziere in den Regimentern, oder man hatte sie übers Meer geschickt, die Minderjährigen in Schulen gesteckt, damit sie Schiffahrt, Mathematik und Befestigungskunst studierten. Der Bojar selbst saß müßig am offenen Fensterchen und freute sich, daß Zar Peter, sei es auch nur für kurze Zeit, weit weg war und ihn nicht nötigte, Tabak zu rauchen, den Bart zu schaben oder, auf dem Kopf eine Perücke aus Weiberhaar bis an den Nabel, in weißen Kniestrümpfen die Beine zu schlenkern und zu verdrehen.

Unerfreuliche, trübe Gedanken gingen dem Bojaren am Fenster durch den Kopf. Sowieso wird man meinem Mischka die Mathematik nie beibringen. Moskau ist ohne Mathematik erbaut worden. Fünfhundert Jahre haben wir, Gott sei Dank, ohne Mathematik gelebt, und besser als heute; von diesem Krieg ist ja doch nichts zu erwarten als endgültiger Ruin, soviel gottlose Neptune und Venusse man auch auf vergoldeten Wagen, der glorreichen Viktoria an der Newa zu Ehren, durch Moskau herumschleppen mag. Todsicher wird der Schwede unser Heer schlagen; dann werden noch die Horden der Tataren, die längst darauf warten, aus der Krim hervorbrechen und über die Oka setzen. Ach, ach, ach!

Der Bojar streckte den dicken Finger nach den Himbeeren aus; die verdammten Wespen saßen wieder in Schwärmen auf dem Teller und der Fensterbank! Träge ließ er den Rosenkranz aus Olivenkernen vom Athos-Kloster durch die Finger gleiten und sah auf den Hof. Wie verwahrlost! Wieviel Jahre schon hat er über den Belustigungen und Einfällen des Zaren nicht mehr an seine eigenen Sachen denken können. Die Speicher standen schief, auf den Vorratskellern waren die Rasendächer eingesunken. Überall wucherte scheußliches Unkraut. Und die Hühner, sieh dir das bloß an, so merkwürdig langbeinig, und die Enten sind heuer klein, bucklige Ferkel laufen im Gänsemarsch hinter dem Mutterschwein her, schmutzig und mager! Ach, ach, ach! Der Bojar wußte, daß man die Stall- und die Geflügelmagd hätte rufen, ihnen auf der Stelle, hier vor dem Fenster, den Rock hochheben und sie mit Ruten streichen lassen müssen. Aber bei dieser Hitze schreien und sich ärgern, das lohnte nicht.

Er ließ seinen Blick höher gleiten, über den Zaun, über die von weißgelben Blüten und summenden Bienen bedeckten Linden. Nicht allzuweit entfernt war die baufällige Kremlmauer zu sehen, auf der zwischen den Zinnen Sträucher wuchsen. Zum Lachen war es und traurig dabei, soweit hat er's mit dem Regieren gebracht, der Peter Alexejewitsch! Der Festungsgraben war vom Troizkije-Tor an, wo der Unrat in Haufen lag, ganz versumpft; ein Huhn hätte ihn durchwaten können, und was für ein Gestank von ihm ausging! Auch das Flüßchen Neglinnaja war seicht geworden; am rechten Ufer ist der Trödelmarkt, wo lustig mit allem möglichen Diebesgut gehandelt wird, am linken Ufer aber sitzen an der Mauer Jungen in verschmierten Hemden mit Angeln, und keiner jagt sie fort.

In den Handelsreihen auf dem Roten Platz sperren die Kaufleute ihre Läden zu, um zum Essen zu gehen – das Geschäft ist ohnehin flau –, und hängen pudschwere Schlösser vor die Türen. Der Glöckner hat ebenfalls die Kirchentür verschlossen, schüttelt seinen Ziegenbart und trollt sich, an den Bettlern vorbei, langsam nach Haus, um Kwaßsuppe mit Zwiebeln und Dörrfisch zu löffeln und dann in der Kühle unter dem Holunder zu schnarchen. Auch die Bettler, Krüppel und Mißgestalten jeglicher Art kriechen die Kirchenstufen hinunter und humpeln in der Mittagsglut nach allen Richtungen auseinander.

Fürwahr, eigentlich wär's Zeit zum Essen, die Mattigkeit macht einen ordentlich schwach, und diese Langeweile! Der Bojar blickte aufmerksamer, streckte Hals und Lippen vor, erhob sich sogar vom Schemel und schützte die Augen mit der vorgehaltenen Hand: Auf der Backsteinbrücke, die vom Troizkije-Tor über die Neglinnaja zum Trödelmarkt führte, zeigte sich, in der Sonne glitzernd, eine Karosse mit blinkenden Fenstern, davor vier Grauschimmel und auf dem Beipferd ein Heiducke in himbeerfarbener Livree. Da fuhr die Zarewna Natalja aus, Zar Peters Lieblingsschwester, von ebenso unruhigem Charakter wie ihr Bruder. Wohin wollte sie nur, nein, so was! Der Bojar beugte sich, ärgerlich die Wespen mit dem Taschentuch fortscheuchend, zum Fenster hinaus.

„Grischutka", rief er einem kleinen Bürschlein in langem Leinenhemd mit roten Zwickeln unter den Achseln zu, das barfüßig in einer Pfütze neben dem Brunnen herumplantschte, „lauf, was du kannst, sonst setzt's was! Wenn du auf der Twerskaja eine goldene Karosse siehst, dann renn hinter ihr her, bleib nicht zurück; sag mir, wenn du heimkommst, wo sie hingefahren ist..."

2

Die vier Grauschimmel, mit roten Federbüschen zwischen den Ohren, mit Messingplättchen und Schellen am Geschirr, zogen in schwerfälligem Trab die Karosse über die weite Wiese und machten vor dem alten Palast in Ismailowo halt. Ihn hatte noch Zar Alexej Michailowitsch gebaut, der es liebte, sich mit allen möglichen Kuriositäten in seinem Dörflein Ismailowo zu umgeben, wo immer noch neben der Rinderherde zahme Elenkühe weideten, Bären in Gruben saßen und über den Geflügelhof Pfauen stolzierten, die im Sommer zum Schlafen auf die Bäume flogen. Nicht zu zählen, wieviel bunte und verzinnte Dächer es auf dem holzgezimmerten, mit der Zeit nachgedunkelten Palast über den Kemenaten, Galerien und Treppenaufgängen gab: steile, mit einem Kamm wie beim Barsch, oder faßförmige und haubenartige. Über ihnen durchschnitten in der mittäglichen Stille Schwalben aufgeregt die Luft. Alle Fenster des Palastes waren geschlossen. Am Treppenaufgang schlief auf einem Bein ein alter Gockelhahn; als die Karosse vorfuhr, erwachte er, krähte kurz, stürzte davon, und unter sämtlichen Treppenaufgängen gackerten nun, als brenne es, die Hühner. Hierauf öffnete sich zu ebener Erde eine niedrige Tür, und ein Wächter lugte heraus, der ebenfalls alt war. Als er die Karosse erblickte, kniete er in aller Ruhe nieder und verneigte sich, mit der Stirn die Erde berührend.

Zarewna Natalja steckte den Kopf aus der Karosse und fragte ungeduldig: „Wo sind die jungen Fräulein, Großväterchen?"

Der Alte erhob sich, streckte seinen grauen Bart vor und spitzte die Lippen.

„Willkommen, Mütterchen, willkommen, schönste Zarewna Natalja Alexejewna", und er blickte sie unter den ihm auf die Augen herabhängenden Brauen zärtlich an. „Ach du uns von Gott Gegebene, ach du Gütige. Wo die jungen Fräulein sind, fragst du? Weiß nicht, wo die jungen Fräulein sind, hab sie nicht gesehen."

Natalja sprang aus der Karosse, nahm die schwere perlenbesetzte, gezackte Haube vom Kopf und warf den Brokatumhang von den Schultern; sie trug die altmoskowitische Tracht nur, wenn sie ausfuhr. Die Kammerbojarin Wassilissa Mjasnaja nahm ihr die Sachen ab und legte sie in die Karosse. Hochgewachsen, mager, behend, schritt Natalja in einem leichten holländischen Kleid über die Wiese zu dem Wäldchen. Dort, in der Kühle, kniff sie die Augen zusammen, so stark und süß war der Duft der blühenden Linden.

„Hu-u! Wo steckt ihr?" rief Natalja.

Ganz in der Nähe, wo hinter den Zweigen die Sonne unerträglich im Wasser glänzte, antwortete träge eine Frauenstimme. Am sandigen Ufer des Teiches stand nicht weit vom Wasser neben dem Badesteg ein buntes Zelt, in dessen Schatten, vor Hitze vergehend, vier junge Frauen auf Kissen ruhten. Sie erhoben sich hastig, um Natalja entgegenzugehen, ganz erschlafft, mit aufgelösten Zöpfen. Eine, älter als die anderen, von kleinem Wuchs und mit langer Nase, Anissja Tolstaja, war zuerst bei ihr und schlug, die flinken Augen zum Himmel hebend, die Hände überm Kopf zusammen.

„Unser Augenlicht, Nataljuschka, gnädigste Zarewna, ach nein, und in einem ausländischen Kleid! Ach, eine Göttin!"

Die beiden anderen, Alexander Menschikows Schwestern Marfa und Anna, die unlängst auf Peters Befehl aus dem väterlichen Haus in den Palast von Ismailowo genommen worden waren, um sich unter Anissja Tolstajas Aufsicht feine Manieren anzueignen und lesen und schreiben zu lernen, beide üppig und noch recht ungeschliffen, ließen ihre schwellenden Mündchen offenstehen und starrten die Zarewna aus ihren weit aufgerissenen hellen Augen an. Sie trug ein holländisches Kleid, einen roten, weiten Rock aus feinem Tuch, mit dreifacher goldener Borte am Saum, und ein unerhört enges Mieder, Hals und Schultern entblößt, auch die Arme bis an die Ellbogen nackt. Natalja war selber der Meinung, daß man sie nur mit einer Göttin vergleichen könne, vielleicht mit Diana. Ihr rundliches Gesicht mit der wie beim Bruder etwas aufwärtsstrebenden kurzen Nase, ihre kleinen Ohren und der kleine Mund – alles atmete Klarheit, Jugend, Stolz.

„Das Kleid hat man mir gestern gebracht; Sanka, Alexandra Iwanowna Wolkowa, hat es mir aus dem Haag geschickt. Schön und dabei bequem. Natürlich nichts für die große Cour, aber gut für Wald, Wiese und Vergnügungen."

Natalja drehte sich hin und her, um sich ordentlich betrachten zu lassen. Die vierte junge Frau stand abseits; sie hatte die herabhängenden Hände bescheiden gefaltet; ihr kirschroter, frischer Mund lächelte schelmisch, auch ihre Augen glichen Kirschen, leicht aufleuchtende, frauliche Augen. Die runden Wangen waren rot von der Hitze, und das dunkle, lockige Haar war feucht. Natalja, die sich, von bewundernden Rufen und begeisterten Gesten begleitet, hin und her drehte, hatte schon einigemal einen Blick auf sie geworfen und schob störrisch die Unterlippe vor – sie war sich noch nicht klar: War es ihr lieb oder unangenehm, dieses Mädchen aus der Marienburger Beute, das in einem Soldatenrock unter dem Wagen hervorgezogen, ins Zelt zum Feldmarschall Scheremetew geschleppt, ihm von Menschikow abgekauft und von diesem eines Nachts am brennenden Kamin bei einem Glas Wein gehorsamst an Peter Alexejewitsch abgetreten worden war?

Natalja war noch jungfräulich, im Gegensatz zu ihren Halbschwestern, den leiblichen Schwestern der im Kloster eingesperrten Regentin Sofja, den Zarewnas Katka und Maschka, die in Moskau in aller Munde waren. Heftig und unversöhnlich war Nataljas Charakter. Sie hatte Katka und Maschka, wenn sie in Zorn geriet, mehr als einmal Huren und Kühe geschimpft und sogar mit Backpfeifen regaliert. Die alten Kemenatenbräuche, das unzüchtig-schwüle Geflüster der Mägde hatte sie bei sich im Palast abgeschafft. Sie machte auch ihrem Bruder Peter Alexejewitsch Vorwürfe, als er eine Zeitlang, nachdem er seiner schamlosen Favoritin Anna Mons den Laufpaß gegeben hatte, recht wenig wählerisch war und mit Frauen ungeniert umging. Anfangs hatte Natalja geglaubt, daß auch diese da, die Beutedirne, in einer halben Stunde für ihn abgetan sein würde: genommen und wieder vergessen. Aber nein, Peter Alexejewitsch hatte jenen Abend bei Menschikow nicht vergessen, als draußen der Sturm tobte und Katharina das Licht nahm und dem Zaren ins Schlafzimmer leuchtete. Für Menschikows Wirtschafterin mußte ein kleines Häuschen auf dem Arbat gekauft werden, wohin dann Alexander Danilowitsch in eigener Person ihr Bettzeug, ihre Bündel und Körbe schaffte. Kurze Zeit darauf aber wurde sie von dort nach dem Schloß Ismailowo gebracht und Anissja Tolstaja zur Beaufsichtigung übergeben.

Hier lebte Katharina ohne Sorgen und war immer fröhlich, freimütig und munter, mochte sie auch seinerzeit unter einem Soldatenwagen gelegen haben. Peter sandte ihr durch gelegentliche Boten häufig kurze, spaßhafte Briefe, bald von der Swir, wo er eine Flotte für die Ostsee zu bauen begonnen hatte, bald aus der Stadt Pieterburg, bald aus Woronesh. Er sehnte sich nach ihr. Silbenweise entzifferte sie seine Brieflein und blühte nur noch schöner auf. Immer heftiger plagte Natalja die Neugier: Mit welchem Liebeszauber hatte sie ihn nur an sich gekettet?

„Willst du, daß ich dir zur Ankunft des Zaren auch so ein

Kleid machen lasse?" sagte Natalja mit einem strengen Blick auf Katharina.

Jene machte einen Knicks und stieß verlegen hervor: „Sehr, sehr gern ... Schönen Dank ..."

„Sie fürchtet sich vor dir, unser Augenlicht, Nataljuschka", flüsterte Anissja Tolstaja. „Schau sie nicht so versengend an, sei nachsichtig mit ihr. Ich hab ihr immer wieder erzählt, wie gut du bist; aber sie weiß nur eins: ‚Die Zarewna ist makellos, und ich bin sündig und habe ihre Güte nicht verdient', sagt sie. ‚Daß mich der Zar', sagt sie, ‚liebgewonnen hat, ist so ein Wunder für mich, wie ein Blitz aus heiterem Himmel, ich kann's noch gar nicht fassen!' Dazu bedrängen meine zwei dummen Trinen sie immerzu mit Fragen, was und wie sich alles zugetragen habe. Ich hab's ihnen ein für allemal streng verboten, daran zu denken und davon zu sprechen. Ihr habt doch, sage ich, eure griechischen Götter und Amoretten, redet und denkt über deren Abenteuer nach. Aber nichts zu wollen, zu tief steckt in ihnen die dörfische Gewohnheit, über alles Ordinäre zu tratschen. Von früh bis in die Nacht wiederhole ich ihnen stets dasselbe: ‚Ihr wart Sklavinnen und seid Göttinnen geworden.'"

In der Hitze begannen die Grillen im gemähten Gras so laut zu zirpen, daß es in den Ohren gellte. In der Ferne, am anderen Ufer des Teiches, schien der schwarze Fichtenwald mit seinen Wipfeln im Dunst zu zergehen. Libellen saßen auf dem Schilf, Wasserläufer standen auf der blassen Teichfläche. Natalja betrat das schattige Zelt, zog das Mieder aus, legte die dunkelblonden Zöpfe um den Kopf, knöpfte den Rock auf, ließ ihn fallen, stieg über ihn hinweg, ließ das dünne Hemd zu Boden gleiten und trat, genau wie auf den gedruckten holländischen Blättern, die von Zeit zu Zeit zusammen mit Büchern vom Hofamt geschickt wurden, ohne sich ihrer Nacktheit zu schämen, auf den Laufsteg hinaus.

„Kommt alle baden!" rief Natalja, nach dem Zelt gewandt und sich die Zöpfe feststeckend. Marfa und Anna wollten nicht recht ans Ausziehen, bis Anissja Tolstaja sie anschrie: „Was hockt ihr da herum, ihr Speckschwarten; keiner wird euch eure Reize stehlen!" Auch Katharina war ein wenig verlegen, als sie bemerkte, daß die Zarewna sie aufmerksam betrachtete. Natalja schien gleichzeitig Widerwillen und Bewunderung für sie zu empfinden. Als Katharina, den Lockenkopf gesenkt, behutsam über das gemähte Gras dahinschritt und die Glut ihre runden Schultern, die straffen Schenkel und ihre ganze von Gesundheit und Kraft strotzende Gestalt vergoldete, mußte Natalja daran denken, daß ihr Bruder, der im Norden Schiffe baute, sich jetzt wohl nach dieser Frau sehnen mochte. Sicher sieht er durch die Tabakwolken, wie sie – da steht sie! – mit den schönen Händen einen Säugling an ihre schwellende Brust legt... Natalja schöpfte tief Atem, schloß die Augen und sprang ins kalte Wasser. An dieser Stelle sprudelten auf dem Grund Quellen.

Katharina kletterte an einer Seite des Badestegs bedächtig ins Wasser, lachte, immer kühner untertauchend, vor Freude auf, und da erst wurde es Natalja endgültig klar, daß sie offenbar bereit war, sie zu lieben. Sie schwamm zu ihr und legte ihr die Hände auf die braunen Schultern.

„Schön bist du, Katharina, ich freue mich, daß der Bruder dich liebt..."

„Schönen Dank, Zarewna..."

„Du kannst mich Natascha nennen." Sie küßte Katharina auf die kühle, runde, nasse Wange und blickte ihr in die Kirschaugen. „Sei klug, Katharina, ich werde deine Freundin sein..."

Marfa und Anna steckten bald den einen, bald den anderen Fuß ins Wasser, konnten immer noch nicht ihre Furcht überwinden und kreischten auf dem Badesteg, bis Anissja Tolstaja ärgerlich wurde und die beiden üppigen Jungfern mit Gewalt ins Wasser stieß. Die Wasserläufer spritzten auseinander, die Libellen flatterten vom Schilf auf und flogen im Zickzack über den badenden Göttinnen hin und her.

3

Im Schatten des Zeltes trank Natalja, das nasse Haar aufgesteckt, eben erst aus dem Keller herbeigebrachte Beerensäfte, Birnenmet und säuerlichen Kwaß. Ein kleines Stück Zuckerbrezel in den Mund steckend, sagte sie: „Es ist doch ärgerlich, unsere Ignoranz zu sehen. Wir sind, Gott sei Dank, nicht dümmer als andere Völker, unsere Mädchen sind stattlich und schön wie nirgends sonst – das sagen alle Ausländer –, eignen sich leicht Wissen und feine Manieren an. Wieviel Jahre plagt sich der Bruder schon damit ab, die Menschen mit Gewalt aus den Kemenaten, aus dem Moder zu zerren. Sie sträuben sich – nicht die Mädchen, die Väter und Mütter! Wie hat mich der Bruder, als er in den Krieg zog, gebeten: ‚Natascha, gib ihnen bitte keine Ruhe, diesen alttestamentarischen Langbärten. Pack ordentlich zu, wenn sie im guten nicht wollen. Er wird uns noch verschlingen, dieser Sumpf...' Ich plag mich ab, ich steh allein da. Dank sei der Zarin Praskowja, in der letzten Zeit hilft sie mir, mit den alten Sitten zu brechen, mag es ihr auch schwerfallen, sie hat trotz allem für die Töchter eine neue Ordnung eingeführt: Sonntags nach dem Gottesdienst empfängt sie, die Besucher kommen in französischer Kleidung, trinken Kaffee, hören sich die Spieldose an und plaudern über weltliche Dinge. Aber was glaubt ihr, was für eine Neuheit es bei mir erst im Herbst im Kreml geben wird...!"

„Was wird denn das für eine Neuheit, unser Augenlicht?" fragte Anissja Tolstaja, sich die süßen Lippen wischend.

„Eine außerordentliche Neuheit: ein Thiater... Selbstverständlich nicht ganz so wie am französischen Hof. Dort, in Versailles, haben sie weltberühmte Schauspieler und Tänzer, Maler und Musikanten. Hier bin ich allein, muß die Tragödien aus dem Französischen ins Russische übersetzen, allein dazudichten, was fehlt, allein mich mit den Komödianten abplagen..."

Als Natalja das Wort „Thiater" aussprach, wechselten die zwei Demoisellen Menschikow, Anissja Tolstaja und Katharina, die sie beim Zuhören mit dunklen Augen angestarrt hatte, rasch einen Blick und schlugen die Hände über dem Kopf zusammen.

„Als Anfang wird, damit's nicht allzu großen Schrecken gibt, das Spiel von den ‚Drei Männern im feurigen Ofen' aufgeführt, und Verse werden dazu gesungen. Zum neuen Jahr aber, wenn der Zar zu den Festtagen zurückkehrt und alle aus Pieterburg kommen, werden wir das ‚Erbauliche Sittenspiel vom ausschweifenden Lüstling Don Juan, oder wie ihn die Erde verschlungen hat...' vorführen. Ich werde schon allen befehlen, das Thiater zu besuchen, und sträuben sie sich, so schick ich Dragoner nach Publikum aus. Schade, daß Alexandra Iwanowna Wolkowa nicht in Moskau ist, sie würde mir tüchtig zur Hand gehen. Die stammt, zum Beispiel, aus einer ungebildeten Bauernfamilie; ihr Vater hat sich noch mit Bast gegürtet. Lesen und schreiben hat sie erst nach der Hochzeit gelernt. Jetzt spricht sie fließend drei Sprachen, macht Verse; gegenwärtig ist sie im Haag bei unserem Botschafter Andrej Artamonowitsch Matwejew. Kavaliere kreuzen ihretwegen die Klingen, es hat sogar Tote gegeben. Sie will jetzt nach Paris, an den Hof Ludwigs des Vierzehnten – um zu glänzen. Seht ihr nun den Nutzen des Lernens ein?"

Hier stieß Anissja Tolstaja Marfa und Anna mit dem knochigen Finger in die Seite.

„Das muß man euch noch fragen! Aber wartet nur, wenn erst der Zar zurückkommt und dir oder dir womöglich einen Kavalier vorstellt und selber zuhört, wie du dich blamieren wirst..."

„Laß sie, Anissja, bei der Hitze!" sagte Natalja. „Na, lebt wohl. Ich muß in die Deutsche Siedlung fahren. Man beklagt sich wieder über die Schwestern. Ich fürchte, es könnte dem Zaren zu Ohren kommen, und will ihnen einmal ordentlich den Kopf waschen."

4

Die Zarewnas Jekaterina und Marja waren längst, gleich nach Sofjas Verbannung ins Nowodewitschi-Kloster, aus dem Kreml – damit sie aus den Augen waren – in die Pokrowka gebracht worden. Das Hofamt bestritt ihre Verpflegung und alle Vergnügungen, bezahlte ihre Sänger, Pferdeknechte und das ganze Hofgesinde. Geld aber bekamen die Zarewnas nicht in die Hand; erstens brauchten sie keines, und zweitens war es gefährlich – sie waren gar zu dumm.

Katka war etwa vierzig, Maschka um ein Jahr jünger. Ganz

Moskau wußte, daß die beiden auf der Pokrowka vor lauter Müßiggang nichts als Dummheiten machten. Sie standen spät auf, saßen den halben Tag ungekämmt am Fenster und gähnten, bis ihnen die Augen tränten. Brach aber die Dämmerung an, so kamen die Sänger mit Zupfgeigen und Pfeifen. Die Wangen rot wie Äpfel geschminkt, die Brauen mit Ruß geschwärzt, aufgeputzt, lauschten die Zarewnas den Liedern, tranken süße Liqueure und hopsten und tanzten bis in die späte Nacht hinein, daß das alte holzgezimmerte Haus bis in die Grundmauern erbebte. Es hieß, daß die Zarewnas mit den Sängern schliefen und Kinder von ihnen kriegten und diese Kinder nach der Stadt Kimry zur Erziehung fortgaben.

Und wie die Sänger verwöhnt waren! Alltags liefen sie in himbeerfarbenen Seidenhemden, hohen Mützen aus Marderfell und Saffianstiefeln umher, verlangten ständig Geld von den Zarewnas und vertranken es in der Schenke am Pokrowskije-Tor. Um sich Geld zu verschaffen, schickten die Zarewnas Domna Wachramejewa, eine Frau aus Kimry, die bei ihnen in einer Kammer unter der Treppe wohnte, auf den Trödelmarkt, und das Frauenzimmer verkaufte dort die abgelegten Kleider der Zarentöchter; aber das reichte nicht, und Zarewna Jekaterina setzte sich nun in den Kopf, einen Schatz zu finden; darum befahl sie Domna Wachramejewa, von Schätzen zu träumen. Die Wachramejewa träumte auch davon, und die Zarewna hoffte, bald zu Geld zu kommen.

Natalja hatte schon lange vor, mit den Schwestern ein Wort zu reden; es fand sich nur keine Gelegenheit – bald war es ein Gußregen mit Donner und Blitz, bald etwas anderes, was sie abhielt. Gestern hatte man ihr von den neuen Streichen der Schwestern berichtet, die in der letzten Zeit häufig die Deutsche Siedlung aufsuchten. Im offenen Wagen waren sie beim holländischen Gesandten vorgefahren. Während er verdutzt Perücke, Leibrock und Degen anlegte, saßen Katka und Maschka in der guten Stube auf Stühlen, flüsterten und kicherten. Als er anfing, sich zu verbeugen, wie es sich vor hohen Persönlichkeiten geziemt, und mit dem Hut den Boden fegte, wußten sie nicht, was sie zu tun hätten, hoben nur den Hintern vom Stuhl, plumpsten wieder hin und fragten ohne Umschweife: „Wo wohnt hier die deutsche Zuckerbäckerin, die mit Zuckerwerk und Konfekt handelt?" – deshalb seien sie gekommen.

Der holländische Gesandte begleitete die Zarewnas liebenswürdig zur Zuckerbäckerin, unmittelbar bis zum Laden. Dort suchten sie sich, bald nach dem einen, bald nach dem andern mit den Händen greifend, Zuckerwerk, Konfekt, Kuchen, Marzipanäpfel und Marzipaneier aus, im ganzen für neun Rubel.

Marja sagte: „Tragen Sie das schnell in unseren Wagen."

Die Zuckerbäckerin antwortete: „Ohne Geld geb ich nichts."

Die Zarewnas tuschelten ärgerlich miteinander und sagten zu ihr: „Pack's ein und versiegle es, wir schicken später danach."

Von der Zuckerbäckerei fuhren sie, jede Scham vergessend, zu der ehemaligen Favoritin Anna Mons, die immer noch in dem Haus lebte, das Peter Alexejewitsch ihr gebaut hatte. Man ließ sie nicht sofort vor; sie mußten lange klopfen, und die Kettenhunde heulten. Die ehemalige Favoritin empfing sie, im Bett liegend, hatte sich wohl absichtlich zu Bett gelegt.

Sie sagten zu ihr: „Möge es dir lange wohl ergehen, liebste Anna Iwanowna. Wir wissen, daß du Geld auf Zinsen leihst. Gib uns, wenn auch nur hundert Rubel, eigentlich möchten wir zweihundert."

Die Mons antwortete kurz angebunden: „Ohne Pfand gebe ich nichts."

Jekaterina brach sogar in Tränen aus. „Das ist schlimm, ein Pfand haben wir nicht; wir dachten, wir kriegen's so."

Und die Schwestern verließen das Haus der Favoritin.

Nun verspürten sie Hunger. Sie befahlen dem Kutscher, vor einem Haus haltzumachen, wo sich, wie sie durch die offenen Fenster bemerkten, Gäste vergnügten – dort hatte die Frau des Sergeanten Danila Judin, der zu dieser Zeit in Livland im Felde stand, Zwillinge geboren, und im Haus war Kindtaufe. Die Zarewnas traten ins Haus und ließen sich zum Essen einladen, wobei ihnen aller Respekt erwiesen wurde.

Etwa drei Stunden darauf, als sie die Sergeantenfrau bereits verlassen hatten, begegnete ihnen auf der Straße der englische Kaufmann William Peel, der sie erkannte; sie ließen den Wagen halten und fragten, ob er ihnen nicht mit einem Mittagsmahl aufwarten könne. William Peel warf den Hut in die Höhe und meinte fröhlich: „Mit ganz besonderem Pläsier." Die Zarewnas fuhren zu ihm, speisten und tranken englischen Schnaps und Bier. Kurz vor Einbruch der Dunkelheit verließen sie Peel und fuhren in der Siedlung spazieren, wobei sie in die erleuchteten Fenster guckten. Jekaterina wollte sich irgendwo noch zum Abendessen einladen lassen, doch Marja hielt sie zurück. So vertrieben sie sich die Zeit bis in die Nacht hinein.

5

Die Karosse Nataljas jagte im Galopp durch die Deutsche Siedlung an kleinen Holzhäusern vorüber, die so kunstvoll angestrichen waren, daß sie wie Backsteinbauten aussahen, vorbei an niedrigen, langgestreckten Kaufmannsspeichern mit eisenbeschlagenen Toren, an kurios gestutzten Bäumchen in den Vorgärten. Überall hingen, quer in die Straße hinein, buntbemalte Ladenschilder; in den Läden standen die mit allen möglichen Waren behängten Türen weit offen. Natalja saß mit zusammengekniffenen Lippen, ohne jemanden anzusehen, wie eine Puppe da mit ihrer gezackten Haube und dem leichten Umhang über der Schulter. Dickwänste in Hosenträgern und gestrickten Zipfelmützen verneigten sich vor ihr; gesetzte Frauen mit Strohhüten machten ihre Kinder auf die Karosse aufmerksam. Ein Stutzer in einem an den Hüften glockenförmig ausladenden Leibrock sprang beiseite und schützte sich mit dem vorgehaltenen Hut gegen den Staub. Natalja kamen fast die Tränen, so schämte sie sich; denn sie wußte sehr gut, daß sich die ganze Siedlung über Maschka und Katka lustig machte, daß alle, die Holländerinnen, Schweizerinnen, Engländerinnen und Deutschen, gewiß die Köpfe zusammensteckten und klatschten, des Zaren Peter Schwestern seien Barbarinnen, hungerleidende Bettlerinnen.

Den offenen Wagen der Schwestern erblickte sie in einem krummen Gäßchen vor dem rot und gelb gestreiften Hoftor des preußischen Gesandten Keyserling, von dem man sich erzählte, er wolle gern Anna Mons heiraten, fürchte sich bloß immer noch vor Peter Alexejewitsch. Natalja klopfte mit den Ringen an das Vorderglas, der Kutscher wandte ihr den pechschwarzen Bart zu und schrie gellend: „Prrrr, meine Täubchen!" Die Grauschimmel blieben mit fliegenden Flanken stehen.

Natalja sagte zu der Kammerbojarin: „Geh, Wassilissa Matwejewna, sag dem preußischen Gesandten, daß ich mit Jekaterina Alexejewna und Marja Alexejewna dringend zu sprechen habe. Laß sie auch nicht einen Bissen mehr schlucken, bring sie her, und sei's mit Gewalt!"

Wassilissa Mjasnaja kletterte, still seufzend, aus der Karosse. Natalja lehnte sich zurück und wartete, mit den Fingergelenken knackend. Bald lief der Gesandte Keyserling die Treppe herab, ein hageres, kleines Männchen mit Wimpern wie die eines Kalbes. Hut und Stock, die er in aller Hast mitgenommen hatte, an die Brust gedrückt, verbeugte er sich, die rotbestrumpften Beine verdrehend, auf jeder Treppenstufe; rührend reckte er seine spitze, kleine Nase vor und flehte die Zarewna an, bei ihm einzutreten und einen Schluck kühlen Bieres zu nehmen.

„Ich habe keine Zeit!" antwortete schroff Natalja. „Überdies würde ich kein Bier bei dir trinken. Eine Schande, was du für Sachen treibst, Wertester." Und ohne ihm Zeit zur Erwiderung zu lassen: „Geh, geh, schick mir die Zarewnas, aber schnell."

Endlich traten Jekaterina Alexejewna und Marja Alexejewna aus dem Haus, in ihren weiten Kleidern mit Falbeln und Rüschen zwei Heuschobern ähnlich; die geschminkten, runden Gesichter der beiden blickten erschrocken und dumm, die rabenschwarzen, hochaufgetürmten Perücken, die sie statt der eigenen Haare trugen, waren mit Glasperlen behängt. Natalja stöhnte mit zusammengebissenen Zähnen auf. Die Schwestern kniffen vor der Sonne die in Fettpolstern fast verschwindenden Augen zusammen. Hinter ihnen zischte die Bojarin Mjasnaja: „Blamiert euch nicht, macht rasch, setzt euch zu ihr in den Wagen." Keyserling öffnete mit tiefen Bücklingen den Schlag der Karosse. Die Zarewnas, die sogar vergessen hatten, sich von ihm zu verabschieden, kletterten hinein und nahmen, eng aneinandergedrängt, auf dem Sitz gegenüber Natalja Platz. Hin und her schwankend und mit ihren roten Rädern den

Staub aufwirbelnd, jagte die Karosse über das unbebaute Gelände nach der Pokrowka davon.

Natalja schwieg während der ganzen Fahrt; die Zarewnas fächelten sich verwundert mit ihren Tüchlein Luft zu. Erst nachdem Natalja oben in ihr Zimmer getreten war und die Tür hatte schließen lassen, begann sie zu sprechen.

„Ihr habt wohl völlig den Verstand verloren, ihr Schamlosen, oder wollt ihr ins Kloster gesperrt werden? Der Ruf, den ihr in Moskau habt, genügt euch wohl noch nicht? Ihr mußtet euch noch vor der ganzen Welt blamieren! Wer hat euch gelehrt, Gesandten Besuche zu machen? Guckt bloß mal in den Spiegel, die Backen platzen euch bald, so satt seid ihr; aber nein, es gelüstet euch nach holländischen und deutschen Delikatessen! Wie seid ihr bloß auf den Gedanken gekommen, zu der abscheulichen Dirne, der Anna Mons, zu gehen und sie um zweihundert Rubel anzubetteln? Sie freut sich natürlich, daß sie euch wie Bettlerpack vor die Tür gesetzt hat; Keyserling wird bestimmt dem König von Preußen in einem Brief darüber berichten, der König aber wird es in ganz Europa an die große Glocke hängen! Die Zuckerbäckerin habt ihr bestehlen wollen – ihr habt es versucht, leugnet es nicht! Ein Glück, daß sie so gescheit war, euch die Ware ohne Geld nicht mitzugeben. Mein Gott, was wird der Zar sagen? Was soll er bloß mit euch anfangen, ihr Kühe? Die Haare abschneiden und an die Petschora ins Kloster nach Pustosersk verschicken..."

Ohne die Haube und den Umhang abzulegen, ging Natalja, vor Erregung die Hände ineinanderpressend und Katka und Maschka mit glühenden Blicken durchbohrend, im Zimmer auf und ab – die beiden standen anfangs, dann setzten sie sich, da ihnen die Beine den Dienst versagten; ihre Nasen hatten sich gerötet, ihre dicken Gesichter zuckten und schwollen vor verhaltenem Schluchzen, aber sie fürchteten sich, einen Laut von sich zu geben.

„Der Zar spannt alle Kräfte an, um uns aus der Tiefe zu zerren", fuhr Natalja fort, „gönnt sich keine Zeit zum Schlafen und zum Essen, sägt selber Bretter, schlägt Nägel ein, bietet Kugeln und Geschossen die Brust, bloß um Menschen aus uns zu machen. Seine Feinde warten nur darauf, ihn zu demütigen und zu vernichten! Und ihr! Selbst der grimmigste Feind würde nicht auf das kommen, was ihr getan habt! Ich glaube euch nie und nimmer, werde es schon herausbringen, wer euch darauf gebracht hat, nach der Deutschen Siedlung zu fahren. Ihr seid doch alte Jungfern, die rühren sich ja sonst kaum vom Fleck..."

Nun verzogen Katka und Maschka die dicken Lippen und brachen in Tränen aus.

„Niemand hat uns auf den Gedanken gebracht", heulte Katka, „die Erde soll uns verschlingen!"

Natalja schrie sie an: „Du lügst! Wer hat euch denn von der Zuckerbäckerin erzählt? Wer hat euch gesagt, daß die Mons Geld auf Zinsen verleiht?"

Auch Marja heulte. „Gesagt hat's uns das Weib aus Kimry, Domna Wachramejewa. Sie hat diese Zuckerbäckerin im Traum gesehen, und wir glaubten ihr, wir hatten Lust auf Marzipan..."

Natalja stürzte zur Tür und riß sie auf, ein altes Männchen prallte von der Tür zurück, der Hausnarr in Frauenkleidung. Mägde aus dem Hofgesinde, verkrüppelte Weiber und Närrinnen, das Haar voll Kletten, spritzten auseinander. Natalja erwischte den Arm einer sauber gekleideten, schwammigen Frau, die ein schwarzes Tuch umhatte.

„Bist du das Weib aus Kimry?"

Die Frau verneigte sich beflissen und schweigend mit dem ganzen Oberkörper und sagte dann: „Gnädigste Zarewna, ja, ich bin aus Kimry, bin die armselige Wittib Domna Wachramejewa..."

„Hast du den Zarewnas zugeredet, in die Deutsche Siedlung zu fahren? Antworte!"

Ein Zittern lief über das weiße Gesicht der Wachramejewa. Ihr großer Mund verzerrte sich.

„Eine Besessene bin ich, gnädigste Zarewna, rede in der Verzückung Sinnloses; meine Wohltäterinnen, die Zarewnas, ergötzen sich an meinen dummen Worten, das macht mich glücklich. Nachts habe ich Träume, nicht wiederzuerzählen sind sie. Ob nun meine Wohltäterinnen, die Zarewnas, an meine Träume glauben oder nicht, das weiß ich nicht. In der

Deutschen Siedlung bin ich mein Lebtag nicht gewesen, die Zuckerbäckerin habe ich nie gesehen." Die Wittib Wachramejewa machte wieder eine tiefe Verbeugung vor Natalja und stand da, die Hände auf dem Bauch unter dem Tuch gefaltet, wie versteinert – da wären selbst Foltern umsonst gewesen.

Natalja warf einen finsteren Blick auf die Schwestern; Katka und Maschka wimmerten leise, vor Hitze fast verschmachtend. An der Tür zeigte sich der Kopf des alten Hausnarren; statt der Nase hatte er nur Nasenlöcher; Schnurrbart und Bart waren zerzaust, die Lippen umgestülpt.

„Soll ich euch zum Lachen bringen? Ein Späßchen gefällig?"

Marja winkte ärgerlich mit dem Taschentuch ab. Aber schon hatten sich ein Dutzend Hände von der anderen Seite an der Tür festgekrallt, und die Närrinnen, verkrüppelte, lumpenbedeckte Weiber mit strähnigem Haar, einige in närrischen Sarafanen, mit Basthauben auf dem Kopf, stürzten, den alten Spaßmacher vor sich her stoßend, ins Zimmer. Mit schamlosen Verrenkungen hüpften sie herum, grölten, balgten sich, fuhren eine der anderen in die Haare und regalierten einander mit Backpfeifen. Das närrische alte Männchen schwang sich rittlings auf ein buckliges Weibsbild, streckte die Bastschuhe unter seinem Flickenrock hervor und schrie mit näselnder Stimme: „Das ist ein Deutscher, der auf einer Deutschen zum Bier reitet!" Im Flur stimmten die herbeigeeilten Sänger mit Johlen und Pfeifen ein Tanzlied an. Domna Wachramejewa trat beiseite und stellte sich hinter den Ofen, das Tuch über die Brauen gezogen.

Vor Ärger und Zorn stampfte Natalja mit ihren roten Schuhen auf. „Hinaus!" schrie sie dieses purzelbaumschlagende Gesindel und Pack an. „Hinaus!" Aber die Närrinnen und Spaßmacherinnen kreischten nur noch lauter. Was konnte sie gegen diesen Höllenspuk ausrichten? Ganz Moskau war voll davon; in jedem Bojarenhaus, um jede Kirchentür wirbelte dieses finstere Chaos. Natalja raffte voll Ekel den Rock; sie begriff, daß damit ihr Gespräch mit den Schwestern zu Ende war. Aber auch zu gehen wäre jetzt dumm; Katka und Maschka hätten den Kopf zum Fenster hinausgestreckt, und wie hätten sie hinter ihrem Wagen hergelacht!

Da ließen sich inmitten des Lärms und der Balgerei vom Hofe her plötzlich Hufgestampf und Räderrasseln vernehmen. Die Sänger im Flur verstummten. Der alte Possenreißer schrie grinsend: „Auf und davon!" Die Närrinnen und Spaßmacherinnen stürzten wie die Ratten zur Tür. Das Haus war mit einemmal wie ausgestorben. Immer lauter knarrte die hölzerne Treppe unter wuchtigen Schritten.

In die Kemenate trat schwer atmend, einen langen, silberbeschlagenen Stab und die Mütze in der Hand, ein beleibter Mann. Er trug nach altmoskowitischer Sitte einen langen, bis an den Boden reichenden, tiefroten, weiten Leibrock; sein breites, sonnverbranntes Gesicht war rasiert, der schwarze Schnurrbart nach polnischer Mode aufgezwirbelt, die hellen tränenden Augen standen wie bei einem Krebs hervor. Er verneigte sich schweigend, den Boden mit der Mütze berührend, vor Natalja Alexejewna, wandte sich schwerfällig um und verneigte sich ebenso vor den Zarewnas Jekaterina und Marja, denen vor Schreck der Atem stockte. Dann setzte er sich auf die Bank und legte Mütze und Stab neben sich.

„Uff", sagte er, „da wäre ich." Er zog ein großes buntes Tuch hervor und wischte sich Gesicht, Hals und das in die Stirn gekämmte feuchte Haar. Es war der gefürchtetste Mann in Moskau – Fürst-Cäsar Fjodor Jurjewitsch Romodanowski.

„Haben's schon gehört, haben's gehört, schlimme Sachen sind hier im Gange. Ei, ei, ei." Der Fürst-Cäsar steckte das Tuch ein, und sein Blick glitt über die Zarewnas Jekaterina und Marja. „Habt auf Marzipan Lust bekommen, soso. Aber Dummheit ist schlimmer als Verbrechen. Viel Staub hat die Sache aufgewirbelt!" Er wandte wie ein Götze sein breites Gesicht Natalja zu. „Nach Geld hat man sie geschickt in die Deutsche Siedlung, das ist es. Also hat jemand Geld nötig. Zürne mir nicht, aber ich werde vor dem Hause deiner Schwestern einen Posten aufstellen müssen. In einer Kammer bei ihnen wohnt ein Weibsbild aus Kimry; die trägt im geheimen in einem Töpfchen Essen ins leerstehende Badehaus auf dem öden Platz hinter den Gemüsegärten. In jenem Badehaus lebt der flüchtige, abgesetzte Pope Grischka." Bei diesen Worten erblaßten Jekaterina und Marja und preßten die Hände ans Gesicht.

„Dieser Expope Grischka soll in dem Badehaus Liebestränke kochen, auch Tränke, um Empfängnis zu verhüten, und auch, um die Leibesfrucht abzutreiben. Na, schön. Uns ist darüber hinaus bekannt, daß der Expope Grischka im Badehaus Schmähschriften schreibt und nachts gewisse Gesandte in ihren Häusern in der Deutschen Siedlung aufsucht; er besucht auch ein Weibsbild, eine Nonne, welch besagte Nonne in das Nowodewitschi-Kloster geht und dort die Dielen scheuert, sie scheuert die Dielen auch in der Zelle der ehemaligen Regentin Sofja Alexejewna..." Der Fürst-Cäsar sprach leise und langsam, in der Kemenate atmete keiner. „Ich werde also noch eine Weile hier zu tun haben, meine liebe Natalja Alexejewna. Du aber halte dich von diesen schmutzigen Dingen fern und fahr in der Abendkühle nach Hause..."

Zweites Kapitel

I

Am Tisch saßen die drei Brüder Browkin: Alexej, Jakow und Gawrila. Ein seltener Fall in den heutigen Zeitläufen, so beieinanderzusitzen und sich bei einem Gläschen Schnaps von Herzen auszusprechen. Heutzutage heißt es immer: schnell, schnell, keine Zeit; heute bist du hier, und morgen schon jagst du tausend Werst weit im Schlitten, unter einem Pelz im Heu. Denn es gab zu wenig Menschen, an Menschen fehlte es.

Jakow war aus Woronesh gekommen, Gawrila aus Moskau. Beide hatten Befehl, am linken Ufer der Newa, oberhalb der Mündung der Fontanka, Speicher oder Arsenale, am Wasser Landungsbrücken, auf dem Wasser Flöße zu bauen und das ganze Ufer mit Pfählen zu befestigen, in Erwartung der ersten Schiffe der Baltischen Flotte, die in aller Eile bei Lodejnoje Polje auf der Swir gebaut wurden. Dorthin war im Vorjahr Alexander Danilowitsch Menschikow gefahren, hatte Mastenholz fällen lassen und gerade in der Osterwoche den Grundstein zur ersten Werft gelegt. Berühmte Zimmerleute aus dem Kreis Olonez und Schmiede aus dem Kreis Ustjug-Shelesopolski hatte man dorthin gebracht. Junge Schiffbauer, die diese Kunst in Amsterdam erlernt hatten, alte Meister aus Woronesh und Archangelsk, berühmte Meister aus Holland und England bauten auf der Swir mit zwanzig Kanonen bestückte Fregatten, Schnauen, Galeoten, Brigantinen, Kutter, Galeeren und Schuten. Peter Alexejewitsch war dorthin geeilt, als noch Schnee lag, und wurde bald hier, in Pieterburg, erwartet.

Alexej, ohne Leibrock, im frischen Sonntagshemd aus holländischem Linnen, hackte, die Spitzenmanschetten zurückgeschlagen, mit einem Messer Pökelfleisch auf einem Brettchen klein. Vor den Brüdern standen eine Tonschüssel mit heißer Krautsuppe, eine vierkantige Flasche mit Schnaps und drei Zinnbecher. Vor jedem lag eine Scheibe altbackenes Schwarzbrot.

„Krautsuppe und Pökelfleisch ist in Moskau nichts Besonderes", wandte sich Alexej an die Brüder; er war rotbäckig, sauber rasiert, trug einen hellen aufgezwirbelten Schnurrbart und kurzgeschorenes Kopfhaar, seine Perücke hing an einem Holznagel an der Wand. „Hier bekommt man Pökelfleisch nur an Feiertagen zu sehen. Und Sauerkraut gibt's bloß bei Alexander Danilowitsch im Keller, bei Bruce und vielleicht noch bei mir, sonst nirgends. Aber auch das nur, weil wir im Sommer daran gedacht und den Kohl selber im Gemüsegarten gepflanzt haben. Schwer, schwer ist das Leben, teuer ist alles und nichts zu kriegen."

Er warf das kleingehackte Pökelfleisch vom Brettchen in die Schüssel mit der Krautsuppe und füllte die Becher mit Schnaps. Die Brüder verneigten sich voreinander, holten tief Atem, leerten die Becher und machten sich bedächtig ans Löffeln.

„Hierher kommt niemand gern. Weiber gibt's hier so gut wie gar nicht, wir leben wie in der Wüste, bei Gott. Im Winter geht's noch an – da toben zwar schreckliche Schneestürme, und es ist dunkel, doch hat's diesen Winter genug Arbeit gegeben. Aber wenn, wie heute, der Lenzwind weht und einem alles mögliche dumme Zeug durch den Kopf geht . . . Dabei wird hier viel verlangt, Bruder . . ."

Jakow, der einen Knorpel zermalmte, meinte: „Ja, schön ist die Gegend hier bei euch nicht."

Im Gegensatz zu seinen Brüdern achtete Jakow wenig auf sein Äußeres, sein brauner Leibrock war voll Flecke, die Knöpfe waren abgerissen, das schwarze, um den behaarten Hals geknüpfte Tuch war fettig, er roch nach Knaster. Eine Perücke trug er nicht, das Haar fiel ihm auf die Schultern herab und war schlecht gekämmt.

„Wieso denn, Bruder", antwortete Alexej, „die Gegend ist hier sogar sehr schön, weiter unten an der Küste und landeinwärts, da, wo die Duderhofsche Meierei liegt. Gras bis an die Hüften, Birkenhaine, so dicht, daß einem die Zweige den Hut vom Kopf reißen, und Korn, alles mögliche Gemüse und Beeren wachsen hier. An der Newamündung, da ist natürlich Sumpf und Wildnis. Aber der Zar hat, aus Gott weiß welchem Grunde, diesen Ort für die Stadt ausgesucht. Strategisch ist er vorteilhaft. Eins nur ist schlimm: Der Schwede setzt uns arg zu. Voriges Jahr ist er vom Sestra-Fluß und mit der Flotte von der See aus über uns hergefallen – das Herz rutschte uns in die Hosen! Haben ihn aber zurückgeschlagen. Jetzt wird er von der See her die Nase nicht mehr hereinstecken. Im Januar haben wir bei der Kotlin-Insel mit Steinen gefüllte Tonnen unters Eis versenkt und den ganzen Winter über neue Steine herangeschafft und ins Meer geschüttet. Ehe der Fluß eisfrei wird, ist eine runde Bastion mit fünfzig Geschützen fertig. Peter Alexejewitsch hat die Pläne dazu aus Woronesh geschickt, auch ein selbstgefertigtes Modell, und befohlen, die Bastion Kronschlot zu nennen."

„Weiß schon, weiß schon", sagte Jakow, „des Modells wegen sind wir, Peter Alexejewitsch und ich, ein wenig aneinandergeraten. Ich meinte: Die Bastion ist zu niedrig, bei hohem Seegang werden die Wellen über die Geschütze schlagen, man müßte die Bastion um zwanzig Zoll erhöhen. Darauf hat er mich mit seinem Stock gestrichelt. Am nächsten Morgen ließ er mich kommen: ‚Du hast recht gehabt, Jakow, und ich war im Unrecht', und bewirtete mich mit einem Gläschen und einer Brezel. Haben uns versöhnt. Die Pfeife hier hat er mir geschenkt."

Jakow zog aus seiner mit allem möglichen Krimskrams vollgestopften Tasche ein ausgebranntes Pfeifchen mit zerkautem Mundstück aus Weichselrohr. Er stopfte es und begann schnaufend Feuer zu schlagen. Der jüngste Bruder, Gawrila, der an Wuchs und Körperkraft die Brüder übertraf, mit jugendlichen Wangen, dunklem Schnurrbärtchen und großen Augen, das Abbild der Schwester Sanka, schwenkte plötzlich den Löffel mit der Krautsuppe hin und her und sagte ganz unvermittelt: „Aljoscha, ich hab da eine Schabe herausgefischt."

„Ach, du Dummerjan, das ist ein Stück Kohle." Alexej nahm ihm das Schwarze aus dem Löffel und schleuderte es unter den

Tisch. Gawrila warf den Kopf zurück und lachte, daß seine zuckerweißen Zähne sichtbar wurden.

„Ganz wie die selige Mutter. So manches Mal warf Vater den Löffel fort: ‚Schweinerei, eine Schabe.' Mutter aber: ‚Ein Stück Kohle ist's, mein Lieber!' Zum Lachen und Weinen war es. Du, Aljoscha, warst schon größer, aber Jakow weiß noch, wie wir den ganzen Winter ohne Hosen auf dem Ofen gesessen haben. Sanka erzählte uns schreckliche Geschichten. Ja, das war einmal..."

Die Brüder legten die Löffel weg, stützten die Ellbogen auf und gaben sich für einen Augenblick ihren Gedanken hin, als hätte jeden aus weiter Ferne Trauer angeweht. Alexej schenkte die Becher voll, und wieder kam ein gemächliches Gespräch in Gang. Alexej klagte – er beaufsichtigte die Arbeit in der Festung, wo für die im Bau befindliche Peter-Pauls-Kirche Bretter gesägt wurden –, es fehle an Sägen und Äxten; immer schwerer werde es, Brot, Hirse und Salz für die Arbeiter zu beschaffen; wegen Futtermangels krepierten die Pferde, mit denen man von der finnischen Küste Steine und Holz auf Schlitten herbeibrachte. Jetzt war mit Schlitten nicht mehr vorwärts zu kommen; Wagen brauchte man, aber es gab keine Räder...

Dann gingen die Brüder, nachdem die Becher gefüllt waren, zur europäischen Politik über. Staunten und ärgerten sich. Es waren doch, so sollte man glauben, aufgeklärte Staaten, könnten arbeiten und ehrlichen Handel treiben. Aber nein! Der König von Frankreich führte zu Land und zur See Krieg gegen die Engländer, die Holländer und den Kaiser, und kein Ende war abzusehen; die Türken konnten mit Venedig und Spanien nicht über das Mittelmeer handelseinig werden, und jetzt steckten sie sich gegenseitig die Flotten in Brand; bloß Friedrich, der König von Preußen, verhielt sich vorläufig ruhig, drehte nur seine Nase hin und her und schnupperte, wo's am leichtesten was zu ergattern gäbe; ganz Sachsen, Schlesien, Polen und Litauen waren von einem Ende zum anderen voll von Krieg und Fehde; vor zwei Monaten hatte König Karl den Polen befohlen, einen neuen König zu wählen, und jetzt gab es in Polen zwei Könige, August von Sachsen und Stanisław

Leszczyński – von den polnischen Pans hatten sich die einen auf Augusts Seite geschlagen, die anderen waren für Stanisław; wutentbrannt gingen sie in ihren Landtagen mit Säbeln aufeinander los, brachten die Schlachta auf die Beine, brannten einander Dörfer und Landsitze nieder. König Karl aber zog mit seinem Heer durch Polen, fraß alles kahl, plünderte, zerstörte die Städte und drohte: Wenn ganz Polen bezwungen sei, wolle er sich gegen den Zaren Peter wenden, Moskau in Brand stecken und das Russische Reich verwüsten; dann würde er sich zum neuen Alexander von Mazedonien erklären. Man konnte sagen: Die ganze Welt hatte den Verstand verloren!

Klirrend fiel plötzlich vor dem tief in der Lehmwand sitzenden Fensterchen mit seinen vier kleinen Scheiben ein großer Eiszapfen nieder. Die Brüder wandten sich um und sahen den Himmel feuchtblau und unermeßlich hoch, wie er nur hier an der Küste war, hörten das rasche Klopfen der vom Dach fallenden Tropfen und das Gezwitscher der Spatzen auf den kahlen Zweigen. Das alles brachte sie auf Dinge, die ihnen am Herzen lagen.

„Da wären wir nun drei Brüder", meinte nachdenklich Alexej, „aber drei unglückselige Hagestolze. Die Hemden wäscht mir der Bursche, näht auch einen Knopf an, wenn's not tut, aber es ist doch nicht das Richtige. Keine Frauenhand ... Aber darum geht es eigentlich gar nicht, zum Kuckuck die Hemden! Ich möchte, daß sie am Fenster auf mich wartet, auf die Straße hinausschaut. So aber kommt man müde, durchfroren nach Hause, wirft sich auf das harte Bett, vergräbt die Nase ins Kissen, allein in der Welt, wie ein Hund. Wo aber soll man eine hernehmen?"

„Das ist es ja – wo?" sagte Jakow, stützte die Ellbogen auf den Tisch und stieß aus seiner Pfeife hintereinander drei Rauchwölkchen aus. „An mir, Bruder, ist Hopfen und Malz verloren. Irgendeine Gans, die weder lesen noch schreiben kann, werde ich nicht heiraten – worüber soll ich mich mit so einer unterhalten! Ein Bojarenfräulein mit gepflegten Händen aber, die man bei den Assembleen herumwirbeln und auf Peter Alexejewitschs Geheiß mit Komplimenten füttern muß, wird mich nicht haben wollen. Ich behelf mich halt, so gut es geht, wenn's mal zwickt. Schön ist's natürlich nicht, schmutzig. Aber mir geht die Mathematik über alle Weiber in der Welt..."

„Eins schließt das andere nicht aus", sagte Alexej leise.

„Anscheinend doch, das kann ich dir sagen. Der Spatz dort auf dem Busch, der kennt keine andere Beschäftigung – hops auf die Spätzin. Aber den Menschen hat Gott geschaffen, damit er denkt." Jakow warf einen Blick auf den jüngsten Bruder und sog geräuschvoll an seiner Pfeife. „Höchstens unser Gawrjuschka da, der versteht sich auf diese Sachen."

Eine brennende Röte überzog Gawrilas Gesicht; langsam breitete sich ein Lächeln darauf aus, die Augen wurden ihm feucht, und er wußte in seiner Verlegenheit nicht, wo er hinsehen sollte.

Jakow gab ihm einen Rippenstoß. „Erzähl nur. Ich liebe solche Gespräche."

„Ach laß doch, wirklich. Ich hab nichts zu erzählen. Ich bin noch jung..."

Doch Jakow und Alexej ließen nicht ab. „Wir sind ja unter uns, du Dummerjan, warum so bange!"

Gawrila sperrte sich lange, dann seufzte er einige Male, und schließlich erzählte er den Brüdern:

Kurz vor Weihnachten war in den Hof Iwan Artemjitschs gegen Abend ein Läufer aus dem Kreml gekommen, um zu melden, daß Gawrila Iwanowitsch Browkin unverzüglich ins Palais befohlen sei. Gawrila wollte anfangs nicht – gewiß, er war noch jung, aber immerhin schon jemand, stand beim Zaren Peter in Gunst –, er zog gerade mit chinesischer Tusche den Plan eines Zweideckers für die Woronesher Werft nach und wollte diesen Plan seinen Schülern aus der Navigationsschule im Sucharew-Turm zeigen, wo er auf Befehl Peter Alexejewitschs junge Adlige im Schiffbau unterrichtete. Iwan Artemjitsch herrschte seinen Sohn streng an: „Zieh deinen französischen Rock an, Gawrjuschka, und geh, wohin man dir befiehlt; damit ist nicht zu spaßen."

Gawrila legte den weißen seidenen Leibrock an, gürtete ihn mit einer Schärpe, zog den Spitzenkragen unter dem Kinn hervor, besprengte die rabenschwarze Perücke mit Moschus, warf den bis auf die Sporen reichenden Umhang über und fuhr mit des Vaters Dreigespann, um das ihn ganz Moskau beneidete, in den Kreml.

Der Läufer führte ihn über schmale Treppen, durch dunkle Galerien in das alte, steinerne Kemenatengeschoß hinauf, das vom großen Brand unversehrt geblieben war. Dort waren die Gemächer niedrig, die Decken gewölbt, die Wände mit allen möglichen Gräsern und Blumen auf goldenem, rotem und grünem Grund bemalt; es roch nach Wachs, nach altem Weihrauch; Kachelöfen strahlten Hitze aus, auf jeder Ofenbank schlummerte ein träger Angorakater. Hinter den Glimmerscheiben der Kredenzen leuchteten Kannen und Krüge, aus denen vielleicht Iwan Grosny getrunken hatte, doch jetzt wurden sie nicht mehr benutzt. Voll Verachtung für diese alten Zeiten ließ Gawrila seine Sporen auf den ornamentierten Steinfliesen klirren. In der letzten Tür bückte er sich, tat einen Schritt, und wie eine Flamme schlug die Verlockung über ihm zusammen.

Unter der mattgoldenen gewölbten Decke des Raumes stand auf geflügelten Greifen ein Tisch, auf dem Kerzen brannten, und davor saß, die nackten Ellbogen auf verstreut umherliegende Papierblätter gestützt, eine junge Frau in einem über die entblößten Schultern geworfenen Pelzjäckchen. Sanftes Licht übergoß ihr zartes, rundliches Gesicht; sie schrieb. Sie warf die Schwanenfeder fort, fuhr sich mit der ringgeschmückten Hand über den blonden Kopf, schob die dicken Flechten zurecht und hob die samtenen Augen zu Gawrila empor. Es war die Zarewna Natalja Alexejewna.

Gawrila warf sich ihr nicht zu Füßen, wie es sich, sollte man meinen, nach den Sitten der Barbaren geziemt hätte, sondern stampfte nach allen Regeln französischer Politesse mit dem vorgestellten linken Fuß auf und schwenkte den Hut tief am Boden, das Gesicht unter den Locken der rabenschwarzen Perücke verbergend. Die Zarewna lächelte ihm aus den Winkeln ihres kleines Mundes zu, trat hinter dem Tisch hervor, raffte den weiten perlgrauen Atlasrock an den Seiten und machte einen tiefen Knicks.

„Du bist Gawrila, Iwan Artemjitschs Sohn?" fragte sie und

musterte ihn mit den im Kerzenlicht glänzenden Augen von unten bis oben; denn er war von hoher Statur, seine Perücke berührte fast die gewölbte Decke. „Willkommen. Setz dich. Deine Schwester, Alexandra Iwanowna, hat mir aus dem Haag einen Brief geschickt; sie schreibt, daß du mir in meinen Angelegenheiten sehr nützlich sein kannst. Warst du in Paris? Hast du in Paris die Theater gesehen?"

Gawrila mußte erzählen, wie er vor zwei Jahren mit zwei Schiffbauern zur Fastnacht vom Haag nach Paris gefahren war und was für Wunderdinge – Theater und Karnevalszüge auf den Straßen – er dort gesehen hatte. Natalja Alexejewna wollte alles ganz genau wissen, stampfte ungeduldig mit dem Absatz, wenn er stockte und etwas nicht anschaulich genug schildern konnte; in ihrer Begeisterung rückte sie dicht an ihn heran, blickte ihn aus geweiteten Pupillen an und öffnete sogar ein wenig den Mund, voller Staunen über die französischen Sitten.

„Sieh an", meinte sie, „es sitzen also nicht alle Leute sauertöpfisch in ihren Häusern herum, sondern wissen sich selbst und andere zu vergnügen, tanzen auf den Straßen und hören gern Komödien. So etwas muß man auch bei uns einführen. Du bist Baumeister, sagt man. Dir will ich deshalb den Auftrag erteilen, einen Saal umzubauen, ich habe ihn mir fürs Theater ausgesucht. Nimm die Kerze, komm..."

Gawrila nahm den schweren Leuchter mit der brennenden Kerze; Natalja Alexejewna ging, mit schwebenden Schritten und rauschenden Kleidern, vor ihm her durch die gewölbten Säle, wo die Angorakatzen auf den warmen Ofenbänken erwachten, einen Buckel machten und sich wieder ausstreckten; hin und wieder blickten von den gewölbten Decken, bald hier, bald da, die harten Gesichter der moskowitischen Zaren unerbittlich und streng der Zarewna Natalja nach, die sich und diesen Jüngling in der gehörnten Teufelsperücke und die ganze geheiligte moskowitische Vergangenheit in den höllischen Abgrund hinabzog.

Auf der steilen, schmalen Treppe, die ins Dunkel führte, wurde es Natalja unheimlich zumute, sie hakte sich mit ihrem bis an den Ellbogen entblößten Arm bei Gawrila ein. Er fühlte die Wärme ihrer Schulter, den Duft des Haares, des Pelzes ihrer Jacke; sie schob den kleinen Saffianschuh mit der stumpfen Spitze unter den Rocksaum vor und stieg, sich ins Dunkel vorbeugend, immer vorsichtiger hinunter; ein Schauer durchrieselte Gawrila bis ins Mark, und seine Stimme klang belegt; als sie unten waren, blickte sie ihm rasch und aufmerksam in die Augen.

„Öffne diese Tür da", sagte sie und wies auf eine niedrige, kleine Tür, die mit mottenzerfressenem Tuch überzogen war. Natalja Alexejewna schritt als erste über die hohe Schwelle in ein warmes Dunkel, wo es nach Mäusen und Staub roch. Die Kerze hoch erhoben, sah Gawrila einen großen, gewölbten Saal mit vier gedrungenen Säulen. Dies war in längst vergangenen Zeiten der Speisesaal gewesen, in dem der fromme Zar Michail Fjodorowitsch mit der Landesversammlung tafelte. Die Malerei an den gewölbten Decken und an den Säulen war abgeblättert, die Bohlen der Diele knarrten. Im Hintergrund hingen an Nägeln Bastperücken, Königsmäntel aus Papier und anderer Komödiantenplunder. In der Ecke lagen in einem Haufen Blechkronen und Blechpanzer, Zepter, hölzerne Schwerter und zerbrochene Stühle, alles, was von dem unlängst wegen seiner Stupidität und Unflätigkeit geschlossenen deutschen Theater des Johann Kunst, das sich auf dem Roten Platz befunden hatte, übriggeblieben war.

„Hier wird mein Theater sein", sagte Natalja. „Auf dieser Seite wirst du eine Bühne für die Komödianten bauen, mit Vorhang und Lämpchen, und hier für die Zuschauer Bänke aufstellen. Die Decken müssen schmuck und unterhaltsam bemalt werden, daß man an allem seine Freude hat..."

So, wie sie gekommen waren, begleitete Gawrila die Zarewna Natalja hinauf, und sie verabschiedete ihn, gnädig die Hand zum Kusse reichend. Er kam nach Mitternacht heim, warf sich, wie er ging und stand, mit Perücke und Leibrock aufs Bett und starrte an die Decke, als sehe er bei dem trüben Licht der niederbrennenden Kerze noch immer das rundliche Gesicht mit den samtenen, durchdringend blickenden Augen, den sprechenden kleinen Mund, die zarten, von duftendem Pelzwerk halb bedeckten Schultern, und immerzu rauschten, ins heiße Dunkel vor ihm davonfliegend, die schweren Falten des perlgrauen Rockes ...

Am nächsten Abend befahl die Zarewna Natalja ihn wieder zu sich und las ihm das Spiel vom „Feuerofen", ihre noch unvollendete Komödie von den drei Männern im feurigen Ofen, vor. Gawrila lauschte bis in die späte Nacht, wie sie, mit der Schwanenfeder gestikulierend, die kunstvollen Verse sprach, und er kam sich vor wie einer der drei, nackt im feurigen Ofen, bereit, vor Glück laut aufzuschreien ...

An den Umbau des alten Saales machte er sich mit allem Eifer, obgleich die Federfuchser des Hofamts ihm sofort Hindernisse in den Weg zu legen und alle möglichen Kanzleischikanen wegen des Holzes, des Kalks, der Nägel und anderem mehr gegen ihn vorzubringen versuchten. Iwan Artemjitsch schwieg, wenn er auch sah, daß Gawrila seine Zeichnungen und Pläne liegenließ, die Navigationsschule nicht besuchte, beim Essen, ohne den Löffel anzurühren, mit blöden Augen einen leeren Fleck anstarrte und nachts, wenn alle Welt schlief, eine ganze Kerze, die ihre drei Kopeken wert war, verbrannte. Nur einmal bemerkte der Alte, die Daumen auf dem Rücken drehend, mit einer kauenden Bewegung der Lippen zu seinem Sohn: „Eins will ich dir sagen, eins, Gawrjuschka, du spielst mit Feuer, nimm dich in acht ..."

In der Fastenzeit jagte Zar Peter aus Woronesh über Moskau nach der Swir und befahl Gawrila, mit seinem Bruder Jakow nach Pieterburg zu fahren, um den Hafen anzulegen. Damit war seine Arbeit am Theaterbau zu Ende. Und damit schloß Gawrila auch seine Erzählung.

Er erhob sich vom Tisch, knöpfte die zahllosen Knöpfe seiner holländischen Jacke auf, öffnete sie weit über der Brust und ging, die Hände in den Taschen seiner kurzen, weiten Pluderhose, in der Lehmhütte von der Tür zum Fenster auf und ab.

Alexej fragte: „Kannst sie nicht vergessen?"

„Nein. Ich will das auch nicht vergessen, und wenn's mich aufs Schafott bringt."

Jakow meinte, mit den Fingernägeln auf den Tisch klopfend:

„Die Mutter ist es, die uns mit so unbändigen Herzen beschenkt hat. Auch Sanka ist so. Da ist nichts zu wollen; gegen diese Krankheit ist kein Kraut gewachsen. Kommt, Brüder, schenkt ein, leeren wir einen Becher zu Ehren unsrer seligen Mutter Awdotja Jewdokimowna . . ."

In diesem Augenblick stampfte jemand im Flur, um den Schmutz von den Stiefeln abzutreten; Sporen klirrten, die Tür wurde aufgerissen, und ins Zimmer trat in einem schwarzen, schmutzbespritzten Umhang, einen schwarzen Hut mit Silberborte auf dem Kopf, Bombardierleutnant des Preobraschenski-Regiments, Generalgouverneur Ingriens, Kareliens und Estlands, Gouverneur von Schlüsselburg – Alexander Danilowitsch Menschikow.

2

„Herrgott, vollgeraucht ist's hier wie in einer Höhle! Aber bleibt doch sitzen, bleibt sitzen, bitte, ohne Rang und Titel. Guten Tag!" rief mit munterer Grobheit Alexander Danilowitsch. „Wollen wir zum Fluß gehen, wie?" Er warf den Umhang ab, nahm den Hut zusammen mit der riesigen Perücke vom Kopf, setzte sich an den Tisch, blickte auf die darauf liegenden abgenagten Knochen und warf einen Blick in den leeren Napf. „Aus lauter Langeweile habe ich früh gegessen und mich dann ein Stündchen hingelegt; und wie ich aufwachte – kein Mensch im Haus, weder Gäste noch Gesinde. Haben den Generalgouverneur im Stich gelassen. Ich hätte im Schlaf sterben können, und keiner hätte es gemerkt!" Er blinzelte Alexej zu. „Herr Oberstleutnant, bring mir einen Pfefferschnaps und sorg auch für etwas Sauerkraut, der Schädel brummt mir ein wenig. Na, und wie steht's bei euch, Brüder Schiffbauer! Eile, Eile tut not. Morgen komm ich und seh nach."

Alexej brachte aus dem Flur Sauerkraut und einen Krug. Alexander Danilowitsch spreizte den gepflegten, mit einem großen Brillantring geschmückten kleinen Finger, schenkte bedächtig nur sich selbst ein, nahm eine Fingerspitze Sauerkraut mit kleinen Eisstückchen darauf vom Teller, schlürfte, die Augen zusammenkneifend, den Becher leer, öffnete die

Augen wieder und begann knirschend das Sauerkraut zu kauen.

„Nichts Schlimmeres als die Sonntage, ich langweile mich derartig an den Sonntagen, gräßlich! Oder ist es vielleicht der hiesige Frühling, der einem so zusetzt? Der ganze Körper ist schlapp und tut weh. An Weibern fehlt's, das allein ist die Ursache! Da habt ihr nun die Eroberer! Schöne Eroberungen! Haben ein Städtchen gebaut, und keine Weiber da! Bei Gott, ich werde Peter Alexejewitsch meinen Abschied einreichen, was brauch ich schon den Posten eines Generalgouverneurs! Lieber mach ich in Moskau in den Handelsreihen einen Laden auf und schlag mich irgendwie durch. Und Mädel gibt es in Moskau! Venusse! Schelmische Augen, heiße Wangen, dabei zärtlich und immer zum Lachen aufgelegt... Na, kommt, kommt zum Fluß, hier ist es reichlich schwül."

Alexander Danilowitsch duldete es nicht lange auf demselben Fleck; er hatte nie Zeit, wie alle, die mit Zar Peter zusammenarbeiteten; was er sagte und was er dachte, war nicht immer dasselbe. Ihm etwas recht zu machen war sehr schwer; ein gefährlicher Mensch. Er setzte wieder die Perücke und den Hut auf, warf den mit Zobel gefütterten Umhang um und trat mit den Brüdern Browkin aus der Lehmhütte. Gleich blies ihnen der kräftige, feuchte Lenzwind ins Gesicht. Auf der ganzen Fomin-Insel – so wurde sie früher genannt, jetzt hieß sie Pieterburger Seite – rauschten die Kiefern, so sanft und machtvoll, als ergösse sich aus dem Abgrund der Abgründe des blauen Himmels ein Fluß. Dohlen zogen schreiend über den kahlen, spärlichen Birken ihre Kreise.

Das Lehmhäuschen Alexejs stand in der Tiefe des abgeholzten und gerodeten Troizkaja-Platzes, nicht weit von den soeben erbauten, aus Brettern gezimmerten Handelsreihen; die Läden waren über Kreuz mit Brettern vernagelt, die Kaufleute noch nicht eingetroffen. Rechts sah man die vom Schnee entblößten Erdwälle und Bastionen der Festung: vorläufig war nur eine von den Bastionen, die des Bombardiers Peter Alexejew, bis zur Hälfte mit Steinen verkleidet. Dort wehte auf einem Mast die weiße, mit dem Andreaskreuz geschmückte Marineflagge – ein Vorbote der Flotte, die man erwartete.

Auf dem ganzen Platz Wasserlachen, der Wind kräuselte ihre Oberfläche; Alexander Danilowitsch plantschte und stapfte, ohne auf den Weg zu achten, mit seinen Kanonenstiefeln quer zur Newa hinüber. Den Hauptplatz Pieterburgs gab es bloß in Gesprächen und auf den Plänen, die Peter Alexejewitsch in sein Notizbuch zeichnete; hier stand vorläufig einzig und allein ein holzgezimmertes, mit Moos abgedichtetes Kirchlein, die Dreifaltigkeits-Kathedrale, und unweit davon, näher zum Fluß, das Haus Peter Alexejewitschs, ein sauber gezimmertes Holzhäuschen mit zwei Stuben, von außen mit glattgehobelten Brettern verkleidet und so gestrichen, daß es wie ein Backsteinhaus aussah. Auf dem Dachfirst prangten als Zierde ein Mörser und zwei Bomben mit gleichsam brennenden Lunten, alles aus Holz und bemalt.

Auf der anderen Seite des Platzes stand ein niedriges holländisches Haus; es machte einen so einladenden Eindruck, daß man Lust bekam, einzutreten; aus dem Schornstein stieg ständig Rauch auf, hinter dem Fenster waren durch die trüben Scheiben Zinngeschirr und an der Decke hängende Würste zu erkennen. Die Eingangstür war bemalt, man sah auf ihr einen furchterregenden Steuermann mit einem Piratenbart; in der einen Hand hielt er einen Bierkrug, in der anderen einen Würfelbecher. Über dem Eingang knarrte an einer Stange das Aushängeschild: „Osterie zu den vier Fregatten".

Als sie den Fluß erreicht hatten, blähte der Wind ihre Umhänge und riß an ihren Perücken. Das Eis auf der Newa war blau, voll großer Löcher, die Fahrstraße schon hoch mit Pferdemist bedeckt. Alexander Danilowitsch wurde plötzlich zornig.

„Zweitausend Rubel haben sie für all die Arbeiten angewiesen! Ach, diese Federfuchser, ach, diese Betbrüder, diese Pilzfresser! Zum Teufel mit den Sekretären und Kanzlisten, mit den ganzen Ämtern; in Moskau zittern sie um jeden Heller, verschmieren nur unnütz Papier! Hier bin ich Herr! Ich habe Geld, habe Pferde, kann tüchtige Leute anwerben, soviel ich brauche; wo ich sie finde, das ist meine Sache. Merkt's euch, Brüder Browkin, ihr seid nicht zum Schlafen hier. Und solltet ihr überhaupt nicht zum Schlafen und zum Essen kommen – Ende Mai müssen alle Landungsbrücken und Flöße und Speicher fertig sein! Und nicht nur am linken Ufer, wie es euch befohlen ist. Hier, an der Pieterburger Seite, muß alles dasein, damit ein großes Schiff heranfahren und anlegen kann..." Alexander Danilowitsch schritt rasch am Ufer entlang und zeigte, wo man beginnen müsse, Pfähle einzurammen und Landungsbrücken zu bauen. „Nach gewonnener Seeschlacht kommt, Salut schießend, das Flaggschiff mit durchlöcherten Segeln heran – soll es etwa in der Fontankamündung anlegen? Nein, hier!" Er stampfte mit dem Kanonenstiefel auf, mitten in einer Pfütze. „Und sollte aus England oder aus Holland ein reicher Kaufherr kommen – da ist das Haus Peter Alexejewitschs, da ist mein Haus: herzlich willkommen!"

Das Haus Alexander Danilowitschs oder vielmehr das Palais des Generalgouverneurs, einige hundert Schritt stromaufwärts vom Zarenhäuschen, war in aller Eile erbaut worden. Es war aus Lehm, mit Stuck verputzt, hatte ein steiles holländisches Dach, das weit vom Fluß sichtbar war; genau in der Mitte der Vorderfront befand sich die Freitreppe mit zwei flachen Säulen und einem Portikus, auf dessen rechter Dachhälfte ein holzgeschnitzter vergoldeter Neptun mit dem Dreizack ruhte, auf der linken eine Najade mit großen Brüsten, den Ellbogen auf einen umgestürzten Topf gestützt; im Giebelfeld des Portikus war das von einer Schlange umwundene Monogramm „A. M." angebracht; auf dem Dach wehte am Mast die Flagge des Generalgouverneurs; vor der Freitreppe standen zwei Kanonen.

„So eines Häuschens braucht man sich nicht zu schämen, das kann man den Ausländern zeigen! Schön, ach, schön sind die Meergötter! Aus dem Meer scheinen sie gestiegen zu sein, um sich über meinem Hauseingang niederzulassen. Und wenn erst die Flotte von der Swir bei vollem Wind hier angesegelt kommt und wir losböllern, daß alles in Rauch gehüllt ist... Schön, ach, wie schön!"

Alexander Danilowitsch ergötzte sich am Anblick seines Hauses und kniff die blauen Augen zusammen. Dann wandte er sich um und stöhnte ärgerlich auf, als er das ferne rechte Ufer sah, wo sich inmitten von Baumstümpfen und kahlen Flecken einsame Kiefern im Winde wiegten.

„Wie ärgerlich! Hier haben wir's in der Eile ein wenig verpatzt." Er wies mit dem Stock auf jene Stelle, wo sich die Fontanka von der Newa abzweigte. „Was für eine Aussicht hatte ich von meinen Fenstern, wie eine Wand stand der Wald da, dort hätte man ein Lustschlößchen für Sommerpläsiere errichten sollen. Abgeholzt hat man ihn! So ist es immer, Teufel noch mal! Nun gut, wir wollen zu mir gehen und uns was vorsetzen lassen, einen Schluck trinken..."

„Herr Generalgouverneur", sagte Alexej, „sehen Sie nur, da kommen soviel Schlitten die Newa herunter. Ist das nicht der Zar?"

Alexander Danilowitsch genügte ein Blick. „Er ist es!" Und er straffte sich. Sofort liefen die Brüder Browkin nach allen Seiten davon, um Befehle zu erteilen, er selbst eilte ins Haus und rief mit lauter Stimme nach seinen Leuten. Kurze Zeit darauf stand er wieder am Ufer auf der Anlegebrücke, ohne Umhang, bloß in der Uniform des Preobraschenski-Regiments, mit riesigen, goldgestickten roten Aufschlägen, eine Seidenschärpe quer über der Brust, den Degen an der Seite, mit dem er vor zwei Jahren in der Newamündung an Bord der schwedischen Fregatte geklettert war, um sie zu entern.

Auf dem rissigen Eis der Newa, deren Anblick allein schon schreckenerregend war, näherte sich ein langer Schlittenzug. Ein halbes Hundert Dragoner spornte noch einmal seine ausgepumpten Pferde an und sprengte zum Ufer, aus Furcht vor den Eislöchern. Hinter ihnen schwenkte, ganz im Wasser, ein schwerer, geschlossener, lederüberzogener Schlitten ab und machte vor der Anlegebrücke halt. Kaum hatte sich aus der Tiefe des Schlittens unter den Bärenfellen hervor ein langes Bein in einem Kanonenstiefel gezeigt, als vor dem Haus des Generalgouverneurs zwei Geschütze donnerten. Nach dem Kanonenstiefel kamen zwei Pelzärmel zum Vorschein, aus denen sich Finger mit kräftigen Nägeln frei machten und das Schutzleder des Schlittens packten; eine tiefe Stimme ließ sich vernehmen: „Danilytsch, hilf mir, Teufel noch mal, ich komme nicht raus..."

Alexander Danilowitsch sprang von der Anlegebrücke hinunter bis an die Knie ins Wasser und zog Peter Alexejewitsch aus dem Schlitten. Im selben Augenblick blitzten alle Bastionen der Peter-Pauls-Festung auf, hüllten sich in Rauch, und Donner rollte über die Newa. Am Zarenhäuschen glitt knatternd die Standarte den Mast empor.

Peter Alexejewitsch erklomm die Anlegebrücke, reckte und streckte sich, schob die Pelzkappe in den Nacken und blickte zuallererst auf Danilytsch, auf sein vor Freude gerötetes, längliches Gesicht und seine hüpfenden Brauen. Er nahm seine Wangen in die Hände und preßte sie zusammen.

„Guten Tag, *Kamrad**. Hast nicht geruht, zu mir zu kommen, und ich hab dich erwartet! Na also, bin ich selber hergekommen. Nimm mir den Pelz ab. Der Weg war scheußlich, unterhalb von Schlüsselburg wären wir fast ersoffen, auf den holprigen Straßen hat's mich durch und durch gerüttelt, die Beine sind mir eingeschlafen..."

Peter Alexejewitsch trug jetzt bloß ein fehgefüttertes Tuchkamisol; sein rundes unrasiertes Gesicht mit dem gesträubten Schnurrbart dem Wind darbietend, blickte er auf die wirbelnden Frühlingswolken, auf die rasch über Pfützen und Eislöcher dahingleitenden Schatten, auf die zwischen den Wolken hindurchdringende, grimmige, nie schlafende Sonne hinter der Wassili-Insel; seine Nasenflügel blähten sich, an den Seiten seines kleinen Mundes zeigten sich Grübchen.

„Ein *Paradies**!" sagte er. „Bei Gott, Danilytsch, ein Paradies, ein irdisches Paradies. Es riecht nach See..."

Über den Platz kamen, daß die Pfützen aufspritzten, Menschen gelaufen. Hinter ihnen marschierten, schwer mit den Schuhen aufstampfend, in ausgerichteten Reihen Soldaten des Preobraschenski- und des Semjonowski-Regiments in grünen, engen Röcken, mit weißen Gamaschen, die Gewehre mit gefälltem Bajonett vorgestreckt.

3

„... in Warschau, beim Kardinal Radziejowski, hat er bei Tisch gesagt: ‚In die Newa laß ich nicht eine Nußschale durch; die Moskowiter sollen sich die Hoffnung aus dem Kopf schlagen, am Meer zu sitzen. Und bin ich erst mit August fertig, dann ist für mich Sankt-Pieterburg soviel, wie einen Kirschkern zerknacken und ausspucken..."'

„So ein Dummkopf, der Kuckuck soll ihn holen!" Alexander Danilowitsch saß nackt auf der Bank und seifte sich den Kopf ein. „Mit dem möchte ich im Feld zusammentreffen, ich würde diesem Helden schon den Kirschkern zeigen!"

„Und weiter hat er gesagt: ‚Nach Archangelsk lasse ich nicht ein einziges englisches Schiff durch, sollen den moskowitischen Kaufleuten die Waren in den Speichern verfaulen.'"

„Aber bei uns verfaulen ja die Waren nicht, mijn Herz, nicht wahr?"

„Zweiunddreißig englische Schiffe sind heuer in einem Schiffzug, von vier Fregatten begleitet, mit Gottes Hilfe ohne Verluste in Archangelsk eingetroffen und haben uns Eisen und Stahl und Kupfer für Kanonen und Tabak in Fässern gebracht und vieles andere, war wir nicht brauchen, was wir aber kaufen mußten."

„Na, was hat das schon zu bedeuten, mijn Herz, wir werden dabei nichts verlieren. Sollen sie auch ihr Pläsier haben, es war eine kühne Fahrt... Soll ich Kwaß aufgießen lassen? Nartow!" schrie Alexander Danilowitsch, auf dem nassen, frisch gehobelten Boden zu der niedrigen, in den Vorraum der Badestube führenden Tür patschend. „Was ist denn mit dir los, bist du gestorben, Nartow? Nimm einen Krug Kwaß und gieß auf, daß es ordentlich Dampf gibt!"

Peter Alexejewitsch lag auf der obersten Pritsche, dicht unter der Decke, hatte die mageren Knie hochgezogen und fächelte sich mit Birkenreisern. Der Bursche Nartow hatte seinen Körper schon zweimal mit Birkenreisern bearbeitet und mit eiskaltem Wasser übergossen; jetzt lag Peter da und rekelte sich. Die Badestube hatte er gleich nach seiner Ankunft aufgesucht, um nachher mit Appetit zu Abend zu essen. Das Badehaus war ein leicht gezimmerter Bau aus Lindenholz. Peter Alexejewitsch mochte nicht fortgehen, obgleich im Eßzimmer des Generalgouverneurs die Gäste schon zwei Stunden auf den Zaren und das Essen warteten und vor Ungeduld schier vergehen wollten.

Nartow öffnete die Messingtür des Ofens, sprang zur Seite

und schüttete eine Kelle voll Kwaß auf die glühenden Steine. Ein starker, angenehmer Duft drang aus dem Ofen, eine Glutwelle schlug gegen den Körper, Brotgeruch verbreitete sich. Peter Alexejewitsch stöhnte vor Lust auf und fächelte sich die Brust mit dem Laub des Birkenbündels.

„Mijn Herz, weißt du, der Gawrila Browkin erzählt, in Paris wissen sie nicht, was ein Dampfbad ist, dazu noch mit Kwaß, sie verstehen nichts davon, und die Menschen dort sind klein und schmächtig..."

„Dort wissen sie anderes, was uns zu wissen guttäte", sagte Peter Alexejewitsch. „Unsere Kaufleute sind die reinen Barbaren, wie habe ich mich doch mit ihnen in Archangelsk herumgeschlagen! Vor allem aber will so ein Kaufmann erst seine schlecht gewordenen Waren an den Mann bringen; drei Jahre lang lügt er, schwört, jammert und versucht so lange den Käufer mit seinem faulen Zeug anzuführen, bis auch die frische Ware verfault ist. Fische gibt's in der Dwina so viel, daß ein Ruder stehen bleibt, wenn du's ins Wasser steckst, solche Heringsschwärme sind dort. Aber an den Lagern kann man nicht vorübergehen, so stinkt es. Hab mit ihnen in der Handelskammer gesprochen, zuerst freundlich, na, und dann mußte ich grob werden."

Alexander Danilowitsch seufzte bekümmert. „Das kommt bei uns vor, mijn Herz, Mangel an Bildung. Läßt man ihnen den Willen, diesen Krämerseelen, dieser Satansbrut, dann blamieren sie den ganzen Staat... Nartow, bring uns kaltes Bier!"

Peter Alexejewitsch ließ seine langen Beine baumeln und richtete sich auf der Pritsche auf; er senkte den Kopf, von seinem lockigen dunklen Haar rann der Schweiß.

„Schön", sagte er, „wunderschön. So steht's, liebster *Kamrad**. Ohne Pieterburg sind wir ein Leib ohne Seele..."

4

Hier, am Rande der russischen Lande, am erkämpften Meerbusen, saßen an Menschikows Tafel neue Menschen, sie, die nach Zar Peters Ukas „Von itzo ist Vornehmheit nach Tauglichkeit zu bestimmen" sich allein durch Begabung aus rauchigen Hütten emporgearbeitet, die Bastschuhe mit stumpfnasigen Spangenschuhen aus Juchten vertauscht hatten. Es waren Leute, die früher voll Bitterkeit gegrübelt hatten: Warum, o Herr, verdammst du mich, vor Hunger und Kälte zu heulen?, die aber jetzt, wie hier, vor vollen Schüsseln – mochten sie nun wollen oder nicht – über Staatsfragen nachdachten und redeten. Hier saßen die Brüder Browkin, Fedossej Skljajew und Gawrila Awdejewitsch Menschikow, berühmte Schiffbaumeister, die Peter Alexejewitsch aus Woronesh an die Swir begleitet hatten; der Bauunternehmer Jermolai Negomorski aus Nowgorod, dessen Augen blitzten wie die eines Katers zur Nachtzeit, Terenti Buda, der Ankermeister, und Jefrem Tarakanow, ein berühmter Holzschnitzer und Vergolder.

Doch nicht nur Leute von niederer Herkunft waren am Tisch versammelt: Zu Peter Alexejewitschs Linken saß Roman Bruce, ein rothaariger Schotte aus königlichem Geschlecht, mit knochigem Gesicht und schmalen, grimmig zusammengekniffenen Lippen, ein Mathematiker und Bücherwurm, ebenso wie sein Bruder Jakob. Die Brüder waren in Moskau in der Deutschen Siedlung geboren, gehörten zu Peter Alexejewitschs Umgebung schon von dessen Jugend an und betrachteten seine Sache als die ihrige. Hier saß weiter der falkenäugige, verträumt dreinblickende, hochmütige Gardeoberst Fürst Michaila Michailowitsch Golizyn, der sich durch den Sturmangriff auf Schlüsselburg und die Eroberung der Festung einen Namen gemacht hatte. Sein Schnurrbärtchen zog sich, zu einer feinen Linie ausrasiert, unter der schmalen Nase hin. Wie alle, trank auch er nicht wenig, wurde immer blasser und klirrte mit den Sporen unter dem Tisch. Hier saß der Vizeadmiral der Baltischen Flotte, auf deren Ankunft man wartete, Cornelis Cruys, ein alter Seebär, mit tiefen, strengen Falten in dem vom Wetter gegerbten Gesicht, mit wäßrigem Blick, der ebenso geheimnisvoll war wie die kalte Meerestiefe. Hier saß der Generalmajor Chambers, ein stämmiger Mann mit breitem Gesicht und einer Hakennase, ein Abenteurer, einer von denen, die im Vertrauen auf Zar Peters Glücksstern alles, was sie ihr eigen nannten, in seinen Dienst gestellt hatten: ihren Degen, ihre

Tapferkeit und ihre Soldatenehre. Hier saß schließlich der stille Gawrila Iwanowitsch Golowkin, des Zaren Kämmerer, ein weitblickender und schlauer Mann, Menschikows Gehilfe beim Bau der Stadt und der Festung.

Die Gäste sprachen bereits alle lärmend durcheinander, und mancher redete absichtlich laut, damit der Zar ihn höre. In dem hohen Zimmer roch es nach feuchtem Stuck, an den weißen Wänden brannten Kerzen in dreiarmigen Wandleuchtern mit Kupferspiegeln. Zahlreiche Kerzen, die man in leere Flaschen gesteckt hatte, brannten auch auf dem bunten Tischtuch zwischen den Zinn- und Tonschüsseln, auf denen in Überfülle all das aufgehäuft war, womit der Generalgouverneur seine Gäste bewirten konnte: Schinken und Pökelzungen, geräucherte Wurst, Gänse und Hasen, Sauerkraut, Rettich und Salzgurken, alles Dinge, die der Bauunternehmer Negomorski als Geschenk für Alexander Danilowitsch mitgebracht hatte.

Am meisten wurde über die Verteilung des Proviants und der Fourage gestritten und geschrien, darüber, wer am besten dabei weggekommen sei. Die Lebensmittel wurden aus Nowgorod, aus dem Hauptproviantamt – im Sommer mit Barken auf dem Wolchow und über den Ladoga-See, im Winter auf der durch dichte Wälder neu angelegten Straße – nach den Vorratslagern in Schlüsselburg, in den Schutz seiner mächtigen Festungsmauern gebracht. Dort in den Speichern saßen als Kommissare die besten der vereideten Beamten und lieferten auf Anforderung die Waren nach Pieterburg – für die in der „Erdstadt" auf der Wyborgseite stehenden Truppen, für die verschiedenen Ämter, die sich mit dem Bau befaßten, für die Bauern aus den Dörfern, die in drei Aufgeboten, von April bis September, zu den Bauarbeiten hierherkamen, für die Erdarbeiter, Holzfäller, Zimmerleute, Maurer und Dachdecker. Der Weg von Nowgorod war schwierig, das Gebiet ringsum durch den Krieg verwüstet; in der Nähe war nichts aufzutreiben, die Vorräte reichten nie aus, und alle, Bruce, Chambers, Cruys und andere kleinere Leute, suchten, soviel sie konnten, an sich zu reißen, und machten einander jetzt am Tisch hitzige Vorwürfe.

Peter Alexejewitsch wurde ein warmes Gericht, eine Nudelsuppe, vorgesetzt. Den auf die Suche ausgesandten Soldaten war es gelungen, für diese Nudelsuppe bei einem finnischen Fischer in einem kleinen Gehöft am Ufer der Fontanka einen Hahn aufzutreiben; der Fischer nutzte das weidlich aus und erpreßte für den alten Gockel fünf Altyn. Als Peter Alexejewitsch mit dem Essen fertig war, legte er seine langen Arme mit den großen Händen, an denen nach dem Bad die Adern dick hervorquollen, auf den Tisch. Er sprach wenig, hörte aufmerksam zu, seine hervorstehenden Augen blickten streng und furchterregend; aber wenn er sie beim Pfeifestopfen oder aus anderem Grunde senkte, bekam sein rundwangiges Gesicht mit der kurzen Nase und dem lächelnden kleinen Mund einen gutmütigen Ausdruck; man konnte dreist zu ihm herantreten und mit ihm anstoßen. „Auf dein Wohl, Herr Bombardier!" Und er – es kam natürlich auf den Betreffenden an – antwortete dem einen überhaupt nicht, dem anderen nickte er von unten herauf mit dem Kopf zu, das dunkle, feingelockte Haar fiel ihm in die Stirn. „In Bacchus' Namen!" sagte er im Baß und goß, wie es ihn in Holland Steuermänner und Matrosen gelehrt hatten, ohne mit den Lippen das Glas zu berühren, den Schnaps zwischen den Zähnen direkt in den Schlund.

Peter Alexejewitsch war heute zufrieden, sowohl damit, daß Danilytsch den Schweden zum Trotz ein so schönes Haus mit Neptun und Najade auf dem Dach errichtet hatte, als auch damit, daß an der Tafel lauter ihm ergebene Männer saßen, über große Dinge stritten und in Eifer gerieten, ohne sich viel Gedanken darüber zu machen, wie gefährlich sie seien und ob sie gelingen würden. Besonders aber erfreute es sein Herz, daß hier, wo weit zurückliegende Pläne und schwierige Unternehmungen zur Reife kamen, all das Wirklichkeit wurde, was er sich, um es nicht zu vergessen, mit Krähenfüßen ins dicke Notizbuch gekritzelt hatte, in das Buch, das mit einem abgenagten Bleistiftende, der Pfeife und dem Tabakbeutel zusammen in seiner Tasche lag. All das war Wirklichkeit geworden: Der Wind bläht die Fahne auf der Festungsbastion, aus den sumpfigen Ufern ragen Pfähle, überall eilen Menschen umher, besorgt und sich abmühend, und schon steht eine richtige Stadt da, noch ist sie nicht groß, aber doch eine Stadt mit allem, was dazu gehört.

Peter Alexejewitsch kaute an der Bernsteinspitze seiner Pfeife, hörte mit halbem Ohr, was ihm der zornige Bruce von verfaultem Heu vorbrummte, was der betrunkene Chambers, ihm unsicher das Glas entgegenstreckend, schrie. Der ersehnte, der geliebte Ort – hier war er! Schön ist es sicherlich auf dem mit schweren Mühen errungenen, hellen und warmen Asowschen Meer, schön auf dem Weißen Meer, das seine kalten Wogen unter hängenden Nebeln dahinrollt, aber nicht zu vergleichen sind sie mit dem Baltischen Meer, mit dieser breiten Straße, die in herrliche Städte, in reiche Länder führt. Hier schlägt auch das Herz ganz anders, die Gedanken entfalten ihre Schwingen, und die Kräfte verdoppeln sich.

Alexander Danilowitsch hatte schon des öfteren hingeblickt, wie die Nasenflügel seines herzlieben Freundes sich immer stärker blähten, wie immer dichter der Rauch aus der Pfeife quoll.

„Aber so hört doch endlich auf!" schrie er plötzlich die Gäste an. „Immer dasselbe: Hafer, Hirse, Hafer, Hirse! Der Herr Bombardier ist nicht hergekommen, um von Hafer und Hirse zu hören." Menschikow blinzelte vielsagend einem rundlichen, süßlich lächelnden Mann in kurzem, weißschößigem Leibrock zu. „Felten, schenk Rheinwein ein, du weißt schon, welchen!" und wandte sich erwartungsvoll Peter Alexejewitsch zu. Wie immer hatte Menschikow erraten, ihm aus den dunkel gewordenen Augen gelesen, daß der Augenblick gekommen war, da alles, was schon seit langem in seinem Kopf gegärt, sich geballt, ihn gequält, nach einer Form gesucht hatte, jetzt klarer und nicht mehr zu erschütternder Wille wurde. Und da durfte man nicht streiten, sich ihm nicht in den Weg stellen!

An der Tafel war es still geworden. Nur der Wein rann gluckernd aus der bauchigen Flasche in die Becher. Peter Alexejewitsch warf sich, ohne die Arme vom Tisch zu nehmen, an die Lehne des vergoldeten Stuhles zurück.

„König Karl ist kühn, aber nicht klug, nur sehr hochmütig", begann er langsam und bedächtig in seinem Moskauer Russisch. „Im Jahre eintausendsiebenhundert hat er sich die Fortuna entschlüpfen lassen. Doch hätte er die Fortuna halten können, dann säßen wir hier nicht beim Rheinwein. Die Schlappe bei Narwa hat uns große Dienste geleistet. Von Schlägen wird das Eisen hart, der Mensch stark. Wir haben vieles gelernt, was zu lernen wir nicht einmal gehofft hatten. Unsere Generale, allen voran Boris Petrowitsch Scheremetew und Anikita Iwanowitsch Repnin, haben der ganzen Welt gezeigt, daß die Schweden keine Meerwunder sind und daß man sie sowohl auf freiem Felde als auch hinter Mauern schlagen kann. Ihr, Kinder meines Herzens, habt diesen heiligen Platz erobert und aufgebaut. Gott Neptun, der die Meerestiefen bewegt, hat sich auf dem Dach des Hauses dieses Würdenträgers niedergelassen in Erwartung der Schiffe, an deren Bau wir gearbeitet haben, bis unsere Hände schwielig wurden. Ist es aber vernünftig, uns jetzt, nachdem wir in Pieterburg festen Fuß gefaßt haben, am Sestra-Fluß und auf der Kotlin-Insel ewig mit den Schweden herumzuschlagen? Darauf zu warten, bis Karl dessen überdrüssig wird, nur mit seinen Visionen und Träumen Krieg zu führen, und seine ganzen Truppen aus Europa gegen uns wendet? Dann würde uns hier wohl auch der Gott Neptun nicht retten. Hier ist unser Herz, Karl aber müssen wir an den fernen Landmarken, vor starken Festungen entgegentreten. Wir müssen es wagen, selber anzugreifen, sobald die Fluten eisfrei werden, müssen gegen Kexholm marschieren, es den Schweden wegnehmen, damit der Ladoga-See, wie in alten Zeiten, wieder unser wird und unsere Flotte ungefährdet von Norden herunterkommen kann. Wir müssen den Narowa-Fluß überschreiten, Narwa diesmal nehmen und dürfen keine Schlappe erleiden. Die Vorbereitungen zum Feldzug müssen wir sofort treffen, *Kamraden**. Zögern bedeutet Tod."

5

Peter Alexejewitsch sah durch den Tabakqualm, durch das dichte Rahmenwerk, wie der Mond mit dem fehlenden Rand, der die ganze Zeit im zerfetzten Nebel dahingeglitten war, haltmachte und in der Luft hängenblieb. „Bleib sitzen, bleib sitzen, Danilytsch, brauchst mich nicht zu begleiten, ich will raus, etwas Luft schöpfen, komm gleich zurück."
Er stand vom Tisch auf und trat auf die Freitreppe hinaus

unter den Neptun und die vollbusige Jungfrau mit dem goldenen Topf. Ein würziger, weicher Wind schlug ihm entgegen. Peter Alexejewitsch steckte die Pfeife in die Tasche. Hinter einer Säule löste sich von der Hauswand ein Mann ohne Mütze, im Bauernrock, mit Bastschuhen an den Füßen, fiel auf die Knie und hielt ein Blatt Papier in die Höhe.

„Was willst du?" fragte Peter Alexejewitsch. „Wer bist du? Steh auf, kennst du den Ukas nicht?"

„Großer Zar", sagte der Mann mit leiser, eindringlicher Stimme, „dein niedriger und armer, schutzloser und untertäniger Knecht Andrjuschka Golikow fleht dich demütig an. Ich gehe zugrunde, Herr, erbarme dich meiner..."

Peter Alexejewitsch schnaubte ärgerlich durch die Nase, nahm unwillig das Papier und befahl ihm nochmals mit einer Handbewegung, aufzustehen.

„Drückst dich vor der Arbeit? Bist du krank? Bekommt ihr mit Tannenzapfen angesetzten Schnaps, wie ich befohlen habe?"

„Ich bin gesund, Herr, vor der Arbeit drücke ich mich nicht; ich fahre Steine, grabe Erde und säge Baumstämme... Herr, eine Wunderkraft geht in mir verloren. Ein Maler bin ich aus dem Geschlecht der Golikow, der Ikonenmaler aus Palech. Ich kann Konterfeie malen, Menschenantlitze, wie lebendig, die nicht altern und nicht sterben, denn der Geist lebt in ihnen ewig fort. Ich kann Meereswellen malen und Schiffe darauf unter Segeln und im Pulverdampf, aufs kunstvollste..."

Peter Alexejewitsch schnaubte ein zweites Mal, doch bereits nicht mehr ärgerlich.

„Schiffe kannst du malen? Aber wie soll ich dir glauben, daß du nicht lügst?"

„Ich könnte ja hinlaufen und es herbringen, um es zu zeigen; es ist aber auf die Wand gemalt, auf den Stuck, und nicht mit Farben – mit Kohle; Farben und Pinsel habe ich ja nicht. Nur davon träume ich. Für Farben, und wenn es nur ein Fingerhut voll wäre, und für einige Pinsel würde ich dir, Herr, so dankbar sein, durchs Feuer würde ich für dich gehen..."

Zum drittenmal schnaubte Peter Alexejewitsch durch die kurze Nase. „Komm!" Er hob das Gesicht zum Mond empor, der auf die dünne Eiskruste der unter den Kanonenstiefeln knisternden Pfützen herableuchtete, und schritt wie immer ungestüm aus. Andrej Golikow eilte im Laufschritt hinter ihm her, auf den ungewöhnlich langen Schatten des Zaren Peter schielend und bemüht, nicht darauf zu treten.

Sie überquerten den Platz, schwenkten unter die einzelnstehenden Kiefern ab und erreichten die große Newa, wo am Ufer die rasenbedeckten, niedrigen Erdhütten der Bauarbeiter standen. Aufgeregt sich verneigend und vor sich hin flüsternd, öffnete Golikow eine Brettertür. Peter Alexejewitsch bückte sich und trat ins Innere. Etwa zwanzig Männer schliefen auf Pritschen, unter Halbpelzen und Bastmatten sahen nackte Füße hervor. Ein bis an die Hüften nackter Mann mit langem Bart saß auf einem niedrigen Schemel neben einem brennenden Kienspan und flickte sein Hemd.

Er war nicht erstaunt, als er den Zaren Peter sah, steckte die Nadel ins Hemd, legte es beiseite, erhob sich und verbeugte sich langsam wie in der Kirche vor einem dunklen Heiligenbild.

„Worüber klagt ihr?" fragte kurz Peter. „Ist das Essen schlecht?"

„Schlecht, Herr", antwortete der Mann einfach und klar.

„Werdet ihr schlecht gekleidet?"

„Im Herbst hat man uns die Kleidung gegeben, den Winter über haben wir sie abgetragen, wie du siehst."

„Kommen Krankheiten vor?"

„Viele sind krank, Herr, der Ort ist sehr schlimm."

„Versorgt euch die Apotheke?"

„Von der Apotheke haben wir gehört, das stimmt."

„Ihr glaubt nicht an die Apotheke?"

„Wie soll ich es dir sagen, es scheint, als ob wir von allein wieder gesund werden."

„Woher bist du? Mit welchem Aufgebot bist du gekommen?"

„Aus der Stadt Kerensk bin ich gekommen, mit dem dritten Aufgebot, im Herbst. Wir sind Handelsleute. Hier in der Erdhütte sind alles freie Menschen."

„Warum bist du den Winter über hiergeblieben?"

„Ich wollte zur Winterszeit nicht nach Hause zurückkehren,

hätte doch nur auf dem Ofen vor Hunger geheult. Bin für Lohn und Brot hiergeblieben, wir fahren Holz. Aber sieh dir an, was für Brot wir bekommen." Der Mann zog unter dem Halbpelz ein Stück Schwarzbrot hervor, knetete und zerbrach es mit seinen steifen Fingern. „Schimmel. Was kann da die Apotheke helfen?"

Andrej Golikow hatte leise einen neuen Kienspan im Lichthalter befestigt; in der niedrigen, mit Lehm beschmierten, nur stellenweise getünchten Erdhütte wurde es heller. Der eine und der andere hob hinter der Bastmatte den Kopf. Peter Alexejewitsch setzte sich auf eine Pritsche, umschlang das Knie mit den Händen und blickte durchdringend, Auge in Auge, auf den bärtigen Bauern.

„Und was machst du zu Hause, in Kerensk?"

„Wir sind Honigtrankverkäufer. Aber jetzt wird wenig Honigwasser getrunken, keiner hat Geld."

„Ich bin schuld, habe alles ausgeraubt? Das meinst du doch?"

Der Bärtige hob und senkte die nackten Schultern, es hob und senkte sich das Messingkreuz auf seiner schmächtigen Brust; mit spöttischem Lächeln schüttelte er den Kopf.

„Willst du die Wahrheit wissen? Nun, wir fürchten uns nicht, die Wahrheit zu sagen, wir haben schon so vieles ertragen. Natürlich hatte das Volk in vergangenen Zeiten ein leichteres Leben. Solche Abgaben und Steuern hat's nicht gegeben. Heute aber heißt es: Gib Geld und immer wieder Geld. Früher zahlten wir Steuern für Herd und Pflug, meistens bürgte einer für den anderen, man konnte sich verständigen, kam irgendwie durch, es war auszuhalten. Jetzt hast du befohlen, auf jeden Kopf Steuer zu erheben, hast alle Menschen zählen lassen, mit jedem Kopf macht sich ein Kommissar, ein Beamter zu schaffen: zahle! Und in den letzten Jahren soll man dir noch hierher, nach Pieterburg, jeden Sommer dreimal vierzigtausend Landleute stellen. Leicht gesagt! Bei uns holt man von jedem zehnten Hof einen Mann weg, samt Axt oder Stemmeisen, Spaten oder Säge. Von den übrigen neun Höfen treibt man für ihn das Kostgeld ein, von jedem Hof je dreizehn Altyn und zwei Deneshka. Man muß sie aber erst mal haben! Da schrei dir nun auf dem Markt die Kehle heiser: ‚Kauft heißen Honigtrank!' Der eine oder andere gute Mensch würde schon ein Glas trinken, aber in der Tasche hat er nichts als ein ‚Danke schön'. Meine Söhne hast du unter die Dragoner gesteckt, zu Hause sitzen eine Alte und vier Mädels, eins kleiner als das andere. Natürlich, Herr, du siehst klarer, was not tut . . ."

„Das stimmt, daß ich klarer sehe!" sagte Peter Alexejewitsch hart. „Gib mal dieses Brot her." Er nahm das verschimmelte Stück, zerbrach es, roch daran und steckte es in die Tasche. „Ist erst die Newa eisfrei, so kommen neue Kleidung und Bastschuhe. Mehl wird kommen, dann werden wir hier Brot bakken." Er hatte Golikow schon ganz vergessen und wandte sich bereits der Tür zu, der aber machte eine hastige Bewegung und blickte ihn so flehend an, daß Peter Alexejewitsch lächelnd sagte: „Na, Heiligenkleckser? Zeig her!"

Ein Teil der Wand zwischen den Pritschen, sorgfältig geglättet und getüncht, war mit einer Bastmatte verhängt. Golikow nahm behutsam die Matte ab, schleppte den schweren Lichthalter herbei, brannte noch einen zweiten Kienspan an und las, ihn in der zitternden Hand haltend, mit hoher Stimme vor: „Die rühmliche und glorreiche Viktoria zur See in der Newamündung am fünften Tag des Maimonds des Jahres eintausendsiebenhundertunddrei; die feindliche, mit vierzehn Geschützen bestückte Schnaue ‚Astrel' und das mit zehn Geschützen bestückte Admiralsschiff ‚Gedan' ergeben sich dem Herrn Bombardier Peter Alexejewitsch und dem Leutnant Menschikow."

Auf der getünchten Wand waren kunstvoll mit feiner Kohle zwei schwedische Schiffe im Pulverdampf auf schaumgekrönten, sich kräuselnden Wellen dargestellt, umringt von Booten, von denen russische Soldaten die Schiffswände emporklommen. Über den Schiffen hielten zwei aus einer Wolke ragende Hände ein langes Band mit der erwähnten Inschrift. Peter Alexejewitsch kauerte nieder. „Sieh an, sieh an!" sagte er. Alles war richtig, die Takelung der Schiffe, die wie Blasen aufgeblähten Segel, die Flaggen. Er unterschied sogar Alexaschka mit Pistole und Degen, der das Fallreep emporklomm, und erkannte sich selbst, etwas zu sehr herausstaffiert, aber er stand damals tatsächlich unmittelbar unter dem feindlichen Heck, vorn im Kahn, schrie und warf Handgranaten. „Sieh an, sieh an! Woher weißt du denn von dieser Viktoria?"

„Ich war damals in deinem Boot, an den Rudern...", entgegnete Andrej Golikow.

Peter Alexejewitsch berührte die Zeichnung mit dem Finger – es stimmte schon, es war Kohle. Golikow stöhnte leise hinter seinem Rücken auf.

„Wenn's so steht, werde ich dich vielleicht nach Holland in die Lehre schicken. Wirst du dich nicht zu Tode saufen? Ich kenn euch doch, Satanskerle..."

Peter Alexejewitsch kehrte zum Generalgouverneur zurück und setzte sich wieder auf den vergoldeten Stuhl. Die Kerzen waren heruntergebrannt, die Gäste schon ziemlich berauscht. Am anderen Tischende sangen die Schiffbauer, die Köpfe zusammengesteckt, ein wehmütiges Lied. Alexander Danilowitsch allein hatte sich den klaren Blick bewahrt. Er hatte sofort bemerkt, daß seinem Herzensfreund die Mundwinkel zuckten, und überlegte rasch, was wohl die Ursache sein mochte.

„Da, iß!" schrie ihn plötzlich Peter Alexejewitsch an und zog das schimmlige Brot aus der Tasche. „Iß, Herr Generalgouverneur!"

„Mijn Herz, daran bin ich nicht schuld, die Brotverteilung ist Golowkin unterstellt, soll er an diesem Stück ersticken. Ach, der Dieb, ach, der Schamlose!"

„Iß!" Peter Alexejewitschs Augen weiteten sich vor Wut. „Mit Dreck verköstigst du die Leute, iß selber, Neptun! Du bist hier für alles verantwortlich! Für jede einzelne Menschenseele!"

Alexander Danilowitsch warf schmachtende, reuevolle Blicke auf seinen Herzensfreund und begann die Rinde zu kauen; er schlang sie absichtlich mit Mühe hinunter, als ob ihn die Tränen würgten.

6

Peter Alexejewitsch ging in sein eigenes Häuschen schlafen, denn beim Generalgouverneur waren die Zimmer hoch, er aber liebte niedrige Decken und behagliche Räume. Bei seinem Aufenthalt in Zaandam hatte er im Häuschen des Schmiedes Kist in einer Bettlade geschlafen, wo er nicht einmal die Beine hatte ausstrecken können, und dennoch hatte es ihm dort gefallen.

Der Bursche Nartow hatte den Ofen gut geheizt und auf dem Tisch vor dem langen Fenster, durch das man nur gebückt hinausblicken konnte, alles zurechtgelegt – Bücher und Hefte, Papier und was sonst zum Schreiben gehört, Reißzeug, Werkzeuge für Tischlerarbeiten, medizinische Instrumente in dicken Ledertaschen, Fernrohre, Kompasse, Tabak und Pfeifen. Die Stubenwände waren mit Segeltuch bespannt. In der Ecke stand eine bis an die Hüften reichende Messinglaterne, die für den Leuchtfeuermast der Peter-Pauls-Festung bestimmt war; auch kleine Boots- und Bojenanker, geteerte Taue und Blockrollen lagen umher.

Jetzt hätte Peter Alexejewitsch nach dem Bad und dem guten Abendessen auf dem Holzbett mit den vier gedrechselten Säulchen, dem Vorhang aus blauer Glanzleinwand, die linnene Schlafmütze über die Ohren gezogen, süß einschlummern sollen. Aber der Schlaf mied ihn. Der Wind fuhr in Stößen übers Dach, heulte im Schornstein, rüttelte am Fensterladen. Auf dem Fußboden saß auf einer Filzdecke, die runde Laterne mit den Lichtöffnungen neben sich gestellt, sein Herzensfreund Alexaschka und erzählte von den Geldverlegenheiten des Königs August, über die der dortige Gesandte, Fürst Dolgoruki, ständig berichtete.

Den König August hatten seine Favoritinnen endgültig ruiniert; das Geld war alle, seine Untertanen in Sachsen hatten ihm alles gegeben, was sie nur konnten, man sagte, dort waren keine hundert Taler mehr aufzutreiben. Die Polen aber hatten auf dem Landtag in Sandomierz seine Geldforderungen abgelehnt. August hatte dem König von Preußen sein Schloß zu halbem Preise verkauft, und wiederum hatten ihm entweder

der Teufel oder König Karl eine Person in den Weg geführt, die schönste Frau Europas, Gräfin Aurora von Königsmarck, und er hatte dieses Geld für Feuerwerke und Bälle ihr zu Ehren verpulvert. Als sich die Gräfin jedoch davon überzeugt hatte, daß seine Taschen leer waren, machte sie ihm ein Kompliment und verließ ihn mit einem ganzen Wagen Samt- und Seidenstoffen und Silbergeschirr. Nicht einmal zum Essen langte es mehr. König August suchte Fürst Grigori Fjodorowitsch Dolgoruki auf, weckte ihn, ließ sich in den Sessel fallen und begann zu jammern. „Meine sächsischen Truppen", sagte er, „knabbern schon die zweite Woche nichts als trocken Brot; die polnischen Truppen haben sich, da sie keinen Sold erhalten, aufs Plündern verlegt. Die Polen sind ganz und gar um den Verstand gekommen, an solche Saufgelage, solche inneren Fehden kann sich in Polen keiner erinnern; die Schlachta und die Pans nehmen einander die Städte und Schlösser im Sturm, brennen die Dörfer nieder und treiben es schlimmer als die Tataren; um den polnischen Staat machen sie sich wenig Sorgen. Oh, ich unglückseliger König! Oh, ich täte besser daran, den Degen zu ziehen und mir die Brust zu durchbohren!"

Fürst Dolgoruki, ein gutmütiger Mann, lauschte und lauschte, Tränen stiegen ihm ob solchen Mißgeschicks in die Augen, und er gab König August ohne Schuldschein zehntausend Speziestaler aus eigener Tasche. Der König begab sich sofort nach Hause, wo eben eine neue Favoritin, die Gräfin Kozielska, ihre Tollheiten trieb, und weiter ging's mit den Lustbarkeiten . . .

Alexander Danilowitsch rückte die eiserne Laterne näher, zog das Brieflein hervor, hielt es an die Lichtöffnungen und las stockend, da er in der Kunst des Lesens noch nicht allzu beschlagen war: „Mijn Herz, da schreibt uns zum Beispiel Fürst Grigori Fjodorowitsch aus Sandomierz: ‚Das polnische Heer kämpft gut in den Schenken beim Becher; schwer ist es aber, es gegen den Feind ins Feld zu führen. König Augusts sächsische Armee ist wohl stark, nur gegen die Schweden hegt sie keinen rechten Grimm. Der Schwede hat halb Polen ruiniert, weder Kirchen noch Gräber hat er verschont. Doch die polnischen Pans wollen von nichts wissen, jeder denkt nur an sich selbst.

Ich weiß nicht, wie solch ein Staat bestehen kann! Uns wird er keine Hilfe bringen, höchstens, daß er den Gegner ablenkt..."

„Mehr verspreche ich mir auch nicht", meinte Peter Alexejewitsch. „Dolgoruki aber habe ich geschrieben, er mag zusehen, wie er die zehntausend Speziestaler selber vom König eintreibt; ich übernehme keine Verantwortung dafür. Eine Fregatte könnte man für das Geld bauen!" Er gähnte und biß die Zähne aufeinander. „Diese Evastöchter! Was sie nicht alles mit unsereinem anstellen! In Amsterdam besuchte mich eine aus der Schenke, geschwätzig, flink, aber nicht übel. Ist mir auch nicht billig zu stehen gekommen..."

„Mijn Herz, wie kannst du dich nur mit August vergleichen! Ihn hat allein Aurora Königsmarck eine halbe Million gekostet; und der Schankwirtin – ich kann mich gut daran erinnern – hast du dreihundert oder vielleicht fünfhundert Rubel geschenkt, höchstens..."

„Was du nicht sagst, fünfhundert? Ach, ach, ach! Prügeln sollte man mich. August ist kein Vorbild für uns, wir sind im Staatsdienst und haben kein eigenes Geld. Geh vorsichtiger um, Alexaschka, mit diesem ‚höchstens', urteile nicht so leichtfertig, wenn es sich um Staatsgelder handelt." Er schwieg. „Du hast hier einen Mann, er fährt Holz. Was dem Gott für ein Talent verliehen hat!"

„Du meinst wohl Andrjuschka Golikow?"

„Hier gehört er nicht hin, das ist keine Arbeit für ihn. Man muß ihn nach Moskau schicken. Soll er dort das Porträt einer gewissen Person malen." Peter Alexejewitsch schielte zu Alexaschka hinüber – er konnte nicht recht klug werden; ihm schien, als hätte der zu grinsen begonnen. „Paß auf, ich steig gleich aus dem Bett, und du bekommst meinen Knüppel zu schmecken, lieber Freund, da wird dir das Lachen schon vergehen. Ich sehne mich nach Katharina, das ist alles. Ich schließe die Augen und sehe sie lebendig vor mir, ich öffne die Augen und spüre ihren Geruch... Alles verzeihe ich ihr, alle ihre Mannsbilder, dich eingeschlossen. Eine Evastochter – mehr braucht man nicht zu sagen..."

Peter Alexejewitsch brach plötzlich ab und wandte sich dem

langen, im dämmernden Morgen grauen Fenster zu. Alexander Danilowitsch sprang leicht von der Filzdecke auf. Hinter dem Fenster hob im Stöhnen des Windes ein anderes schweres Stöhnen an – das des berstenden, brechenden, sich aufeinandertürmenden Eises.

„Eisgang auf der Newa, mijn Herz!"

Peter Alexejewitsch zog die Beine unter der Bärendecke hervor. „Holla! Jetzt ist's aber aus mit dem Schlafen für uns!"

Drittes Kapitel

I

Das Unternehmen gegen Kexholm wurde gleich zu Beginn aufgegeben. Die vorher aufgebrochenen Infanterieregimenter und der Troß hatten nicht einmal den halben Weg bis Schlüsselburg zurückgelegt, die Reiterei setzte gerade erst über den Fluß Ochta, die schweren Ruderboote mit den Soldaten des Preobrashenski- und des Semjonowski-Regiments waren noch keine fünf Werst newaaufwärts gefahren, als aus einem vom Sturm verwüsteten Tannenwald ein Reiter zum Ufer sprengte und wie toll den Hut schwenkte. Peter Alexejewitsch kreuzte in einem Boot hinter der Ruderflottille. Als er hörte, wie der Mann schrie: „He, he, Ruderer, wo ist der Zar? Ich hab ein Schreiben für ihn!", drehte er bei und hielt aufs Ufer zu. Der Reiter sprang aus dem Sattel, lief ans Wasser, führte zwei Finger an den Rand seines Offiziershutes und sagte, sein rotbäckiges Gesicht mit den dienstbeflissenen erschrockenen Augen vorstreckend, mit heiserer Stimme: „Vom ersten Oberkämmerer Pjotr Matwejewitsch Apraxin, Herr Bombardier."

Er zog aus dem roten schmutzigen Ärmelaufschlag einen mit Faden vernähten und mit Wachs versiegelten Brief, überreichte ihn und trat zurück. Es war der Leutnant Paschka Jagushinski.

Peter Alexejewitsch zerbiß den Faden, überflog das Briefchen, las es noch einmal aufmerksam durch und runzelte die Brauen. Mit zusammengekniffenen Augen blickte er auf das in der Sonne flimmernde Wasser, wo die schwerbeladenen Boote mit den im Takt emporfliegenden Rudern dahinglitten.

„Gib das Pferd einem Matrosen und steig ins Boot", wandte er sich an Jagushinski und schrie ihn plötzlich an: „Rasch ins

Wasser, du siehst ja, wir sind auf eine Sandbank aufgelaufen; stoß das Boot ab und spring herein!"

Er schwieg während der ganzen Fahrt bis zur Pieterburger Seite, wohin sie, gegen den Wind kreuzend, segeln mußten. Geschickt lenkte er das Boot an den Landungssteg, zwei Matrosen bargen hastig das Großsegel und stürzten trampelnd nach dem Bug des Bootes, wo am Klüverbaum, dessen laufendes Gut versagte, das Segeltuch knatterte. Peter Alexejewitsch funkelte schweigend mit den Augen, bis sie die Segel nach Vorschrift ordentlich eingerollt und das gesamte Tauwerk geborgen hatten. Erst dann begab er sich zu seinem Häuschen. Sogleich kamen dort voll Unruhe Menschikow, Golowkin, Bruce und Vizeadmiral Cruys zusammen. Peter Alexejewitsch öffnete das Fenster, um dem Wind Zutritt in die dumpfe Stube zu geben, setzte sich an den Tisch und las den Versammelten den Brief Pjotr Matwejewitsch Apraxins vor, des Garnisonkommandanten der Festung Jamburg, die zwanzig Werst nördlich von Narwa lag.

„Wie Du befohlen, Majestät, bin ich zu Beginn des Frühlings mit drei Infanterieregimentern und fünf Schwadronen Reiterei aus Jamburg nach der Mündung der Narowa ausgezogen und habe an der Stelle haltgemacht, wo der Bach Rosson mündet. Bald darauf kamen fünf schwedische Schiffe, und es waren noch weitere Wimpel fern auf dem Meer zu sehen. Bei kleinem Wind liefen zwei Kriegsschiffe in die Flußmündung ein und begannen unseren Troß aus ihren Kanonen zu beschießen. Gott sei gelobt, wir haben mit Feldgeschützen ordentlich geantwortet; ein Schiff der Schweden haben wir mit unseren Kugeln zerschossen und den Feind aus der Narowamündung vertrieben.

Seit diesem Kampf liegen die Schweden schon die zweite Woche an der Küste vor Anker, fünf Kriegsschiffe und elf Frachtschoner, was mir nicht wenig Sorge macht. Ich sende ununterbrochen Reiterpatrouillen längs der ganzen Küste aus und lasse nicht zu, daß sie etwas an Land bringen. Auch schicke ich Dragoner auf die Revaler Straße und bis unmittelbar nach Narwa und hebe die feindlichen Vorposten aus. Gefangene berichten, in Narwa herrsche Mangel an allem, und die Bevölkerung sei sehr betrübt, daß wir auf Dein weises Geheiß die Narowamündung besetzt haben.

Unsere Freiwilligen haben sich unmittelbar an die Tore Narwas geschlichen und in der Nacht einen Boten des Gouverneurs von Reval mit einem chiffrierten Brief an Horn, den Kommandanten von Narwa, abgefangen. Dieser Bote erwies sich von höchst vornehmer Herkunft; er nennt sich Gardehauptmann Staël von Holstein und ist ein Günstling des Königs Karl. Anfangs wollte er überhaupt nicht antworten; nachdem ich ihn aber ein wenig angeschrien hatte, erzählte er, daß man in Narwa bald Schlippenbach selbst mit einem großen Heer erwarte und die Schweden bereits einen Schiffszug von fünfunddreißig Schiffen mit Getreide, Malz, Heringen, geräuchertem Fisch und Pökelfleisch dorthin abgeschickt hätten. Das Kommando über den Schiffszug führt Vizeadmiral de Proux, ein Franzose, der seine Linke verloren hat; an ihrer Stelle trägt er eine aus Silber gefertigte. An Bord seiner Schiffe sind über zweihundert Geschütze und Marineinfanterie.

Ich wußte nicht, ob ich dem Hauptmann von Holstein in einer so ungemein wichtigen und schrecklichen Sache Glauben schenken könnte; aber nun, Majestät, hat heute in der Frühe der Wind den Nebel über dem Meer vertrieben, und wir sahen, daß der ganze Horizont voll Segel war, und haben über vierzig Wimpel gezählt.

Meine Kräfte sind schwach, Reiterei habe ich in sehr geringer Menge, Kanonen nur neun, und davon ist vor einigen Tagen noch eine beim Schießen zersprungen. Außer endgültigem Untergang erwarte ich nichts . . . Hilf, Majestät . . ."

„Na, was sagt ihr dazu?" fragte Peter Alexejewitsch, als er mit dem Lesen fertig war.

Bruce vergrub grimmig sein Kinn im schwarzen Halstuch. Vom gegerbten Gesicht des Cornelis Cruys war nichts abzulesen; er kniff nur die Augen zusammen, als sehe er das halbe Hundert schwedischer Wimpel in der Bucht von Narwa gerade vor sich. Auch Alexander Danilowitsch, der sonst stets mit einer Antwort zur Hand war, schwieg heute mit gerunzelter Stirn.

„Ich frage euch, meine Herren Kriegsräte, sollen wir zugeben, daß in diesem listigen Spiel König Karl mir eine Figur weggenommen, mit einem einzigen geschickten Zug gegen Narwa Kexholm gesichert hat? Oder sollen wir hartnäckig bleiben, die Garde gegen Kexholm führen und Narwa Schlippenbach überlassen?"

Cornelis Cruys schüttelte den Kopf, entgegen seinem Admiralsrang nahm er aus seiner Tabakdose ein Stück Matrosentabak, mit Cayennepfeffer in Rum gekocht, und schob es hinter die Backe.

„Nein!" sagte er.

„Nein!" sagte fest Bruce.

„Nein!" sagte Alexander Danilowitsch und schlug sich aufs Knie.

„Kexholm nehmen ist nicht schwer", meinte bescheiden Gawrila Iwanowitsch Golowkin, „wenn nur König Karl uns indessen nicht eine zweite Figur wegnimmt, diesmal die Dame."

„Stimmt!" sagte Peter Alexejewitsch.

Und ohne weitere Worte war klar, daß Schlippenbachs Korps nach Narwa durchlassen soviel bedeuten würde wie auf die Eroberung der wichtigsten Festungen – Narwas und Jurjews – verzichten, ohne die die Zugänge zu Pieterburg ungedeckt blieben. Nicht eine Stunde war zu verlieren. Kurze Zeit darauf sprengten Meldereiter die Schlüsselburger Straße und die Newa entlang mit dem Befehl, die Truppen und die Ruderflottille sollten nach Pieterburg umkehren.

Leutnant Paschka Jagushinski, der drei Tage lang nicht aus dem Sattel gekommen war, hatte nur Zeit gefunden, sich beim Burschen Nartow ein Glas vom Pfefferschnaps des Zaren, dazu eine Scheibe Brot mit Salz auszubitten; dann begab er sich zurück ins Lager zu Pjotr Matwejewitsch Apraxin, dem befohlen wurde, ohne Zaudern all seine Betrübnis dem Herrgott anheimzustellen und mit seinen Truppen bis zum letzten Blutstropfen standhaft gegen die schwedische Flotte auszuharren. Beim Abschied nahm Peter Alexejewitsch Jagushinski am Arm, zog ihn an sich und küßte ihn auf die Stirn.

„Mündlich wirst du ihm mitteilen, in einer Woche bin ich mit allen meinen Truppen vor Narwa..."

2

Den König Karl weckte das helltönende Krähen eines Hahns. Mit offenen Augen im Halbdunkel des Zeltes liegend, horchte er, wie der Hahn Luft holte und dann aus vollem Halse schmetterte; er wurde im Troß mitgeführt und nachts in einem Käfig neben dem Zelt des Königs untergebracht. Dann stimmte ein Horn gedehnt die Reveille an; in der Erinnerung des Königs stiegen eine neblige Schlucht, Hörner, Hundegebell auf und die Ungeduld, das Blut des Wildes zu vergießen. Dicht neben dem Zelt kläffte ein Hündchen, der Stimme nach ein Biest von der Art, wie sie Damen in Karossen mit sich führen. Jemand zischte es an, das Hündchen winselte kläglich auf. Der König vermerkte: Feststellen, woher das Hündchen gekommen ist! In der Nähe wurden die angepflöckten Pferde unruhig, eines wieherte wild. Der König vermerkte: Schade, aber man wird den „Neptun" kastrieren müssen! Gleichmäßige, schwere Schritte stapften vorüber. Der König horchte scharf hin, um das Kommando bei der Ablösung der Wache zu hören. Über dem Zelt glitten, pfeifend die Luft zerschneidend, Vögel vorüber. Er vermerkte: Es wird ein schöner Tag werden. Die Klänge und Stimmen wurden immer vernehmlicher. Süßer als alle Violen, Harfen und Spinette war diese frische, mannhafte Musik des erwachenden Lagers.

Der König fühlte sich vorzüglich nach dem kurzen Schlaf auf dem Feldbett, unter dem nach Pferdeschweiß und dem Staub der Landstraße riechenden Mantel. Ach ja, tausendmal angenehmer wäre es, vom Hahnenschrei zu erwachen, wenn auf der anderen Seite des Feldes der Feind stünde und im feuchten Nebel der Rauch seiner Wachfeuer herüberwehte. Dann mit einem Sprung aus dem Bett, in die Kanonenstiefel und – auf den Gaul! Und im langsamen Schritt, das Leuchten der Augen verbergend, an die Truppen heranreiten, die bereits, schnauzbärtig und grimmig dastehend, zum Kampf Aufstellung genommen haben.

Teufel noch mal, seit der verhängnisvollen Schlacht bei Klissow, in der König August alle seine Kanonen und Fahnen verlor, hat er nichts anderes im Sinn, als sich zurückzuziehen!

Schon ein Jahr lang ist er auf dem Rückzug, wie ein Hase, querfeldein durch das ganze unermeßliche Polen. O Feigling, o Lügner, Intrigant, Verräter, Wüstling! Er fürchtet das offene Treffen, er nötigt seinen Gegner, den weithin schallenden Ruhm seiner Siege bei Narwa, Riga und Klissow in der ergebnislosen Verfolgung hungriger sächsischer Füsiliere und betrunkener polnischer Husaren zu verzetteln. Er nötigt seinen Feind, sich wie eine Kurtisane den ganzen Morgen im Bett zu wälzen ...

König Karl legte zwei Finger an die Lippen und pfiff. Sofort wurde der Rand der Zeltbahn zurückgeschlagen, und ins Zelt traten Kammerjunker Baron Björkenhjelm, mit einer kleinen Warze auf der Stupsnase, und die Ordonnanz, des Königs Leibwächter, der fast bis an das Zeltdach reichte; er brachte die blankgewichsten Kanonenstiefel und den dunkelgrünen Waffenrock, an dem an mehreren Stellen die gestopften Spuren von Kugeln und Geschoßsplittern zu sehen waren.

König Karl trat aus dem Zelt und hielt die Hände hin, die Ordonnanz begoß sie vorsichtig mit Wasser aus einem silbernen Krug. An die fliegenden Kugeln hatte sich König Karl leicht gewöhnt, kaltes Wasser aber scheute er noch immer, wenn es ihm auf den Hals und hinter die Ohren kam. Nachdem er das Handtuch der Ordonnanz zugeworfen hatte, kämmte er das kurzgeschorene Haar, ohne in den Spiegel zu blicken, der ihm von Baron Björkenhjelm hingehalten wurde. Er zupfte den bis an den Hals zugeknöpften Waffenrock zurecht und ließ seinen Blick über die gleichmäßigen Zeltreihen auf dem grünen, zum Bach abfallenden Hang gleiten. Hinter den Zelten, bei den Pfählen, wo die Pferde angepflöckt waren, herrschte das gewohnte Treiben; die Kanoniere putzten mit Lappen die Kupferrohre der Kanonen. Karl vermerkte verächtlich: Um wieviel prächtiger sind Schmutzspritzer auf den Lafetten und vom Pulverdampf geschwärztes Kupfer! Unten am Bachufer wuschen Soldaten ihre Hemden und hängten sie an den Zweigen der niedrigen Weiden auf. Jenseits des Baches, im Sumpf, stolzierten Störche, würdevoll wie Theologieprofessoren. Weiter ragten die nackten Schornsteine eines niedergebrannten Dorfes in die Höhe; hinter ihm, auf einem Hügel, schimmerten zwischen uralten Bäumen zwei Türme einer Kirche mit abgebröckeltem Putz hindurch.

König Karl war dieser sich ewig wiederholenden langweiligen Landschaft bis zum Ekel überdrüssig! Drei Jahre in diesem verfluchten Polen umherzuirren! Drei Jahre, die ihm die halbe Welt, von der Weichsel bis zum Ural, hätten bringen können!

„Geruhen Majestät das Frühstück zu sich zu nehmen?" fragte Baron Björkenhjelm und wies mit einer zierlichen Bewegung der gepflegten Hand auf die zurückgeschlagenen Vorhänge des Zeltes. Dort, auf einem leeren Pulverfaß, das mit blütenweißem Linnen bedeckt war, lag auf einem silbernen Teller in dünne Scheiben geschnittenes Brot, stand eine Schüssel mit gekochten Mohrrüben und eine andere mit Dinkelsuppe aus der Soldatenküche. Das war alles. Der König trat ein, setzte sich und breitete die Serviette auf den Knien aus. Der Baron stellte sich hinter seinen Rücken und seufzte verhalten über die hartnäckige Laune des Königs, der seine Gesundheit mit solcher Fastenkost untergrub! Vielleicht war das für die zukünftigen Memoirenschreiber notwendig? Der König war ehrgeizig... In einem vergoldeten Becher, einer Schöpfung des großen Meisters Benvenuto Cellini, aus der nach der Schlacht bei Klissow erbeuteten Sammlung des Königs August, wurde Bachwasser gereicht, das nach Fröschen roch. Zweifellos, Weltruhm war keine leichte Bürde!

„Wie kommt das elende Hundebiest ins Lager – ist jemand angekommen?" fragte Karl, eine Mohrrübe kauend.

„Majestät, spätnachts ist im Lager die Favoritin des Königs August, Gräfin Kozielska, eingetroffen; sie hofft, daß Sie ihr die Gnade erweisen werden, sie zu empfangen..."

„Weiß Graf Piper von ihrer Ankunft?"

Der Baron bejahte. König Karl trank, nachdem er sein tristes Frühstück beendet hatte, mutig Wasser aus dem Becher, knüllte die Serviette zusammen und trat aus dem Zelt, den kleinen tressenlosen Dreispitz in die Stirn geschoben. Er fragte, wo die Karosse der Gräfin sei, und schlug die Richtung nach den Haselbüschen ein; dort flimmerten zwischen den Zweigen in der Sonne ein goldener Cupido und Täubchen, die das Wagendach zierten.

Gräfin Kozielska schlief in der Karosse auf einem Berg von Kissen und Spitzen. Es war eine üppige, noch jugendliche Frau mit sehr weißer Haut und blonden Locken, die unter der zerknitterten Haube hervorquollen. Durch das Gewinsel des Hündchens aufgeweckt, das dem König unter die Stiefel geraten war, öffnete sie ihre großen, smaragdgrünen slawischen Augen, die König Karl bei Männern verachtete und bei Frauen haßte. Dicht vor der Glasscheibe des Wagenschlags erblickte die Gräfin ein erdfahles, hageres Gesicht mit verächtlich verzogenem Knabenmund und großer fleischiger Nase; sie schrie auf und schlug die Hände vor die Augen.

„Warum sind Sie gekommen?" fragte der König. „Befehlen Sie, unverzüglich Ihre Pferde anzuspannen, und kehren Sie in aller Eile zurück, sonst wird man Sie für eine Spionin des schamlosen Wüstlings König August halten. Verstehen Sie mich?"

Die Gräfin war nicht umsonst eine Polin, sie einzuschüchtern war nicht leicht. Überdies hatte der König die ganze Sache von vornherein falsch angefangen: Er hatte mit Unhöflichkeit und Drohungen begonnen. Die Gräfin nahm die vollen, bis an die Ellbogen entblößten Arme vom Gesicht, erhob sich in den Kissen und lächelte ihm mit berückender Treuherzigkeit zu.

„Bonjour, Sire", sagte sie voll Grazie, „ich bitte Sie tausendmal um Entschuldigung, daß ich Sie mit meinem Schrei erschreckt habe. Daran ist Bijou, mein Hündchen, schuld; es macht mir soviel Sorgen, es ist so ungeschickt und rennt den Leuten immer unter die Füße. Ich habe es aus dem Wagen gelassen, damit es sich eine Brotrinde oder einen Hühnerknochen suche. Sire, wir beide sterben vor Hunger. Den ganzen gestrigen Tag sind wir durch eine Wüste, an zerstörten Dörfern und niedergebrannten Schlössern vorbei, dahingejagt, wir konnten nicht ein Krümchen Brot auftreiben, ich habe ein Goldstück für ein Hühnerei geboten. Die guten Polen, die aus wer weiß was für Höhlen hervorkrochen, hoben nur die Hände zu Gott empor. Sire, ich will frühstücken. Ich möchte mich für alle Schrecken der Reise entschädigen, ich verlasse mich auf Ihre Güte, Ihre Großmut, gestatten Sie mir, in Ihrer Gegenwart zu frühstücken."

Ohne Unterlaß in so gewähltem Französisch redend, als

hätte sie ihr ganzes Leben in Versailles verbracht, hatte die Gräfin inzwischen Zeit gefunden, ihr Haar zu ordnen, die Lippen zu schminken, sich zu pudern, zu parfümieren und das Nachthäubchen mit spanischen Spitzen zu vertauschen. König Karl versuchte vergebens, ihren Wortschwall zu unterbrechen; die Gräfin schlüpfte aus der Karosse und faßte ihn unter.

„O mein König, ganz Europa ist hingerissen von Ihnen; niemand spricht mehr vom Prinzen Eugen von Savoyen, vom Herzog Marlborough; Eugen und Marlborough sehen sich genötigt, den Ruhmeskranz dem König von Schweden abzutreten. Meine Erregung ist verzeihlich; unbesonnen bin ich bereit, mein Leben hinzugeben, um Sie, den Helden unserer Träume, nur einen Augenblick zu sehen. Beschuldigen Sie mich, wessen Sie wollen, Sire, ich höre endlich Ihre Stimme, ich bin glücklich..."

Die Gräfin nahm das ihr um die Beine springende stupsnäsige Hündchen hoch und klammerte sich so fest an den Ellbogen des Königs, daß er in eine lächerliche Lage geraten wäre, hätte er versucht, sich von dieser Dame zu befreien.

„Ich esse Gemüse und trinke nur Wasser", sagte er abgehackt, „ich glaube nicht, daß Sie nach den Tafelfreuden des Königs August daran Genüge finden werden... Kommen Sie in mein Zelt..."

Das gesamte schwedische Lager war nicht wenig erstaunt, als es seinen König am Arm einer üppigen Schönen, deren leichte Röcke und Spitzen sich im Morgenwind blähten, aus den Haselbüschen treten sah. Der König führte die Gräfin, die Nase böse emporgereckt. Am Zelt warteten Baron Björkenhjelm in eleganter Pose mit goldner Lorgnette und riesiger Perücke und der plumpe, vierschrötige, ruhig-spöttische Graf Piper.

König Karl ließ die Gräfin ins Zelt treten und sagte zu ihm durch die Zähne: „Das werde ich Ihnen lange nicht verzeihen." Und zu Björkenhjelm: „Treiben Sie, hol's der Teufel, irgendein Stück Fleisch für diese Person auf!"

Er setzte sich auf eine Trommel der Gräfin gegenüber, sie nahm auf den Kissen Platz, die ihr der Baron untergeschoben hatte. Das auf dem Pulverfaß servierte Frühstück übertraf alle

Erwartungen – es gab Pastete, Gänseklein, kaltes Wildbret und in dem Becher Benvenuto Cellinis sogar Wein. Der König vermerkte es mit eingekniffenen Lippen: Vorzüglich! Jetzt weiß ich, wovon sich dieser Taugenichts Björkenhjelm in seinem Zelt nährt!

Die Gräfin ließ sich das Frühstück schmecken, warf die Knöchelchen dem Hündchen zu und fuhr fort zu zwitschern: „Ach, Jesus Maria, wozu die unnötige Verstellung! Sire, Sie lesen meine Gedanken. Ich bin mit einer einzigen Hoffnung hierhergekommen: Polen zu retten. Das ist meine Mission, mein Herz hat sie mir eingegeben. Ich will Polen seine Sorglosigkeit, seine Fröhlichkeit, seine glänzenden Gelage, seine prächtigen Jagden wiedergeben. Polen liegt in Trümmern! Sire, runzeln Sie nicht die Stirn, an allem ist der Leichtsinn König Augusts schuld. Oh, wie er es jetzt bereut, daß er in schlimmer Stunde dem Dämon, Johann Patkul, gefolgt und Ihr Feind geworden ist. Glauben Sie mir, nicht Augusts böser Wille hat den unseligen Krieg in Livland begonnen, Patkul allein war es, er verdient geviertelt zu werden. Patkul, Patkul allein hat das widernatürliche Bündnis König Augusts mit dem König von Dänemark und dem wilden Ungeheuer, dem Zaren, zustande gebracht. Aber lassen sich denn Fehler nicht wiedergutmachen? Steht denn nicht über allen Tugenden die Großmut? O Sire, Sie sind ein großer Mann, Sie sind großmütig..."

Die slawischen Augen der Gräfin glichen jetzt feuchten Smaragden. Doch ihren Appetit hatte sie nicht eingebüßt. Ihre Gedanken rasten in einem solchen Galopp dahin, daß König Karl ihnen nur mit Mühe folgen konnte, und kaum wollte er etwas Schroffes antworten, als schon eine Erwiderung auf einen neuen Satz erforderlich war. Björkenhjelm hielt seine Seufzer zurück; Piper, der, die schweren Beine gespreizt und das Portefeuille an den Bauch gepreßt, in der Ecke des Zeltes stand, lauschte mit feinem Lächeln.

„Frieden, nur Frieden will König August; es wird ihm eine Erleichterung sein, den schmählichen Vertrag mit dem Zaren Peter zu zerreißen. Aber inständiger als alle flehen wir Frauen Sie um Frieden an. Drei Jahre Krieg und Wirren, das ist zuviel für unsere kurzen Sommer..."

„Keinen Frieden – Kapitulation", sagte endlich König Karl, den Blick seiner gelblichen Augen auf die Gräfin gerichtet. „Zu verhandeln gedenke ich nicht hier, in Polen, das August nicht mehr gehört, sondern in Sachsen, in seiner Residenz. Haben Sie sich gesättigt, Gnädigste? Haben Sie mir nichts mehr vorzuwerfen?"

„Sire, ich habe völlig den Verstand verloren", sagte hastig die Gräfin und leckte sich die rosigen Finger, nachdem sie sich die vorzüglich gebratene Schnepfe hatte munden lassen. „Ich habe vergessen, das Wichtigste mitzuteilen, um dessentwillen ich Hals über Kopf zu Ihnen geeilt bin." Sie öffnete eine goldene Kapsel, die sie am Armband trug, entnahm ihr ein Papierröllchen und entfaltete es. „Sire, das ist eine Depesche, die gestern morgen mit Taubenpost zugestellt wurde. Zar Peter ist mit großen Streitkräften gegen Narwa ins Feld gerückt. Meine Pflicht ist es, Sie von diesem gefährlichen Marsch des Moskauer Tyrannen in Kenntnis zu setzen ..."

Graf Piper hörte auf zu lächeln. Er trat an den König heran, und sie begannen zusammen die winzigen Schriftzüge der mit Taubenpost zugestellten Depesche zu entziffern. Die Gräfin wandte ihre schönen Augen Björkenhjelm zu, tat einen leichten Seufzer, hob den Becher Benvenuto Cellinis und trank daraus einen Schluck Wein.

3

Der prunkliebende König August, eigentlich wie von der Natur geschaffen für üppige Feste, Förderung der Künste, Liebesspiele mit den schönsten Frauen Europas, für die Glorie der „Rzeczpospolita", die einen nicht minder glänzenden Herrscher haben wollte als Wien, Madrid oder Versailles, war heute in äußerst gedrückter Stimmung. Sein Hof hatte seinen Sitz in dem halb zerstörten Schloß des elenden Städtchens Sokal, in der Wojewodschaft Lwow, aufgeschlagen und lebte recht kümmerlich. Hier gab es nicht einmal einen Sonntagsmarkt, denn die gesamte ukrainische Bevölkerung der umliegenden Dörfer hatte sich entweder in den Wäldern verborgen, wo sie das Ende des Krieges abwartete, oder war, der Teufel weiß, wohin, ausgewandert, am ehesten wohl an den Dnepr. Von dort kamen dunkle Gerüchte, die Haidamaken hätten sich erhoben.

Um nicht mit nüchternem Magen zu Bett zu gehen, mußte sich König August von den Gutsbesitzern aus der Umgegend zum Abendessen einladen lassen, Provinzdamen französische Komplimente machen und scheußlichen Wein trinken. Jeder polnische Pan fühlte sich mehr König als König August, wenn er, den üppigen Schnurrbart aufzwirbelnd, stolz auf das ferne „graue" Tischende blickte, wo die liederliche Schlachta mit Säbeln und Bechern rasselte. Der Warschauer Landtag hatte August entthront. Gewiß, die Hälfte der polnischen Wojewodschaften hatte diesen Beschluß nicht anerkannt; aber immerhin saß in Warschau, in seinem Palast, ein zweiter polnischer König, Stanisław Leszczyński, verfaßte beleidigende Erlasse und verschenkte seine – Augusts – Brokatröcke und Pariser Strümpfe an sein Gesinde. Im ganzen Osten, am rechten Dneprufer von Winniza bis Podolien, tobten Bauernaufstände, die nicht weniger blutig waren als zu Bogdan Chmelnizkis Zeiten. Und um den Ring zu schließen, stand nicht allzuweit von hier, irgendwo zwischen Lwow und Jaroslaw, König Karl mit fünfunddreißigtausend Mann Elitetruppen und verlegte August den Rückzug in die Heimat, nach Sachsen.

August hatte all sein Selbstvertrauen verloren; er hatte eine scheußliche Angst vor König Karl, diesem grimmigen Jüngelchen in staubigem Waffenrock und abgewetzten Kanonenstiefeln, mit dem Kastratengesicht und den Augen eines Tigers. Karl konnte man weder kaufen noch verführen – er verlangte nichts vom Leben als Kanonendonner und Pulverdampf, das Klirren gekreuzter Degen, die Schreie verwundeter Soldaten und zerstampfte Felder, die nach Brand und Glut rochen und über die behutsam, über Leichen hinweg, mit hängender Kruppe sein Gaul dahinschritt. Das einzige Buch, das Karl unter dem flachen Kissen bei sich hatte, waren Cäsars Kommentarien. Er liebte den Krieg mit der Inbrunst eines mittelalterlichen Normannen. Er hätte es vorgezogen, eine zwanzigpfündige Kugel vor den Kopf zu bekommen als Frieden zu schließen, mochte der auch noch so günstig für sein Königreich sein.

Heute wartete König August seit dem frühen Morgen auf die Rückkehr der Gräfin. Er hegte nicht die Hoffnung, daß sie bei all ihrer Frauenlist imstande sein würde, Karl zum Frieden zu bewegen. Aber die mit Taubenpost aus Litauen zugestellte Nachricht über den Ausmarsch Zar Peters war so wichtig und bedrohlich, daß Karl möglicherweise auf das Korps des Generals Schlippenbach allein sich nicht verlassen und vielleicht doch noch überlegen würde, ob er die sinnlose Verfolgung Augusts fortsetzen oder nicht lieber seine Truppen an die baltische Küste werfen sollte, wohin ihn offensichtlich alles zu einem Kampf gegen Zar Peter trieb. Dahin wünschte ihn der österreichische Kaiser, der eine tödliche Angst davor hatte, Karl könnte ein Bündnis mit dem König von Frankreich schließen und mit seiner Armee gegen Wien marschieren. Dahin wünschte ihn der König von Frankreich, der bangte, die Wiener Diplomaten könnten Karl auf die Seite des Kaisers ziehen und ihm einen militärischen Spaziergang nach den Grenzen Frankreichs vorschlagen. Dahin wünschte ihn der König von Preußen, der entschieden alle fürchtete, und vor allen anderen den tollen Karl, dem es nicht darauf ankam, in Brandenburgisch-Preußen einzufallen, Königsberg an sich zu reißen und ihm, dem König, so zuzusetzen, daß ihm Hören und Sehen verging.

Obendrein trat jetzt, böse wie der Satan, Johann Patkul ins Zimmer, der in seiner schlecht sitzenden grünen russischen Generalsuniform mit den roten Aufschlägen noch dicker erschien, als er war. Er räusperte sich geräuschvoll, zog seine hohe Stirn, die für sein feistes und hochmütiges Gesicht zu schmal war, in Falten und beklagte sich in schlechtem Französisch über die Feigheit des Zaren Peter, der einem entscheidenden Kampf mit dem König Karl ausweiche.

„Der Zar hat zwei große Armeen. Er muß in Polen einfallen, sich mit Ihnen verbünden und Karl aufs Haupt schlagen, welche Opfer es auch kosten mag", sagte Patkul, und seine tiefroten Backen bebten. „Das wäre ein kühner und kluger Schritt. Der Zar ist habgierig wie alle Russen. Man hat ihn an den Finnischen Meerbusen herangelassen, wo er jetzt eilig wie ein kleiner Junge sein Städtchen aufbaut; er hat Ingrien und zwei fürtreffliche Festungen bekommen – Jamburg und Koporje; damit konnte er zufrieden sein und nun seine Pflicht Europa gegenüber tun! Aber er hat schon wieder Appetit auf Narwa und Jurjew, reißt das Maul nach Reval auf. Darnach wird es ihn nach Livland und Riga gelüsten! Man muß den Zaren in Schranken halten. Doch mit seinen Ministern darüber zu sprechen ist zwecklos. Das sind ungehobelte Bauern in gefärbten Wergperücken; Europa ist für sie, was ein sauberes Bett für ein dreckiges Schwein ist. Ich drücke mich allzu scharf und unumwunden aus, Euer Majestät; aber es schmerzt mich. Ich wünsche nur eins: daß mein Livland unter das Zepter Ihro Majestät zurückkehren möge. Aber überall – in Wien, in Berlin und hier bei Ihnen – stoße ich auf völlige Gleichgültigkeit. Ich weiß nicht mehr ein noch aus – wer ist letzten Endes Livlands größerer Feind: König Karl, der mir persönlich mit Vierteilen droht, oder Zar Peter, der mir so schmeichelhaft sein Vertrauen geschenkt, ja sogar den Rang eines Generalleutnants verliehen hat? Ja, ich habe die russische Uniform angelegt und werde dieses Spiel ehrlich zu Ende führen. Aber meine Gefühle bleiben meine Gefühle. Der Kummer meines Herzens wird durch die Apathie und Untätigkeit Eurer Majestät nur verstärkt. Erheben Sie die Stimme, fordern Sie Truppen vom Zaren, bestehen Sie auf eine Entscheidungsschlacht gegen Karl..."

Zu anderer Zeit hätte König August diesen Frechling einfach vor die Tür gesetzt. Jetzt mußte er schweigen und drehte seine Tabakdose zwischen den Fingern. Patkul entfernte sich endlich. Der König rief den diensthabenden Rittmeister Tarnowski und sagte, wer ihm als erster die Rückkehr der Gräfin Kozielska melde, erhalte hundert Goldstücke (die er nicht besaß). Man brachte Kerzen in einem mit Grünspan überzogenen dreiarmigen Leuchter, der offenbar aus der Synagoge genommen war. König August trat an den Spiegel und begann nachdenklich sein etwas abgemagertes Gesicht zu betrachten. Er wurde seiner nie überdrüssig, denn er stellte sich lebhaft vor, wie die Frauen diesen wie bei einer antiken Statue gezeichneten, ein wenig sinnlichen Mund mit den kräftigen Zähnen, die große rassige Nase, den fröhlichen Glanz der schönen

Augen, dieser Laterne der Seele, lieben mußten. Der König hob die Perücke – tatsächlich, graue Haare! Vom Auge zur Schläfe liefen kleine Fältchen. Verfluchter Karl!

„Gestatten, Euer Majestät, in Erinnerung zu bringen", sagte der an der Tür stehende Rittmeister, „Pan Sobieszczański schickt zum drittenmal seinen Schlachtschitzen, um sagen zu lassen, der Pan und die Pani setzten sich in Erwartung Ihro Majestät nicht zu Tisch. Heute gibt es Speisen, die vom langen Stehen den Geschmack verlieren könnten..."

Aus der Tasche seines seidenen Leibrocks, der stark nach Moschus roch, nahm der König eine Puderdose, fuhr sich mit der Quaste aus Schwanenflaum übers Gesicht, stäubte Puder und Tabak von der Brust, von den Spitzen und fragte nachlässig: „Was gibt's denn bei ihnen so Besonderes zum Abendessen?"

„Ich habe den Schlachtschitzen ausgefragt; er sagt, daß man seit gestern auf dem Hofe des Pans Ferkel und Geflügel schlachtet, Würste stopft und Füllungen zubereitet. Da die Pani den delikaten Geschmack Ihro Majestät kennt, hat sie eigenhändig Egel mit Gänseblut geröstet..."

„Sehr liebenswürdig. Gib mir den Degen, ich fahre."

Das Gut des Pans Sobieszczański lag nicht weit von der Stadt entfernt. Eine Gewitterwolke schob sich über den verblassenden Streifen der Abendröte, es roch stark nach Landstraßenstaub und heraufziehendem Regen, als sich August in dem von all den Unglücksjahren sehr mitgenommenen ledernen Wagen dem Gutshof näherte. Seine Ankunft meldete der Schlachtschitz, der vorausgesprengt war. Unter den dunklen Zweigen der alten Allee liefen dem Wagen Leute mit Fackeln entgegen. Der Wagen bog um ein Blumenbeet und hielt, von Hundegebell empfangen, vor einem langgestreckten, eingeschossigen, mit Schilf gedeckten Haus. Auch hier liefen Knechte des Pans mit Fackeln durcheinander, barfuß, in zerrissenen Hemden, mit struppigem Haar. Unmittelbar vor der Freitreppe stand etwa ein halbes Hundert Schlachtschitzen, die sich am Hof des Pans Sobieszczański durchfutterten – Veteranen, in den Fehden des Pans ergraut, mit fürchterlichen Säbelnarben im Gesicht; dickwanstige Freßsäcke, stolz auf ihre gewichsten, wie Dornen spitzen und fast ellenlangen Schnurrbärte; junge Leute in zerschlissenen, offensichtlich von anderen abgelegten Röcken, aber darum nicht minder verwegen. So standen sie, eine Hand in die Hüfte gestemmt, die andere auf den Griff des Säbels zum Beweis ihrer Schlachtafreiheit. Als König August, seinen großen Körper zusammenkrümmend, aus dem Wagen kletterte, riefen sie ihm im Chor einen lateinischen Willkommensgruß zu. Die Freitreppe herab stieg mit ausgebreiteten Armen der bejahrte Pan Sobieszczański, bereit, in diesem Augenblick aus weitherziger polnischer Gastfreundschaft dem Besucher alles zu schenken, was er nur wünschen mochte: die Jagdbeute, die Pferde aus dem Stall, sein ganzes Gesinde, falls er es brauche, und seinen eigenen pelzverbrämten, mit Schnüren besetzten Rock aus lichtblauem Tuch. Vielleicht hätte er nur die junge Pani Sobieszczańska nicht weggegeben ... Pani Anna stand hinter ihrem Gemahl, hübsch und weiß, mit einem Stupsnäschen und erstaunt dreinblickenden Augen, ein hohes spanisches Hütchen mit einer Feder auf dem Kopf – König Augusts ganze Melancholie war wie weggeblasen.

Mit tiefer Verbeugung nahm er Pani Anna an den Fingerspitzen und führte sie, ihre Hand leicht emporhebend wie bei einer Polonaisefigur, in den Speisesaal. Hinter ihnen schritt der Pan mit vor Rührung feuchten Augen, hinter dem Pan der wie ein Ziegenbock riechende Beichtvater, ein blaurasierter Barfüßermönch, dessen Kutte mit einem Strick gegürtet war; dann folgte, dem Range nach, die Schlachta.

Die Tafel, auf der man unter dem Tischtuch Heu ausgebreitet hatte – das Tuch selbst war mit Blumen bestreut –, löste Rufe des Entzückens aus. Ein baumlanger Schlachtschitz, der den Schnürrock auf dem nackten Körper trug, griff sich sogar an den Kopf und begann, unartikulierte Laute ausstoßend, sich hin und her zu wiegen, was allgemeines Gelächter hervorrief. Auf silbernen, zinnernen und bemalten Schüsseln lagen Berge von Würsten, gebratenes Geflügel, Kalbs- und Schweinskeulen, geräucherte Gänse, Zungen, Mariniertes, Eingemachtes, Konfitüren, Brötchen, Brezeln, Krapfen, Fladen, standen ukrainische Bären aus grünem Glas mit Schnäpsen, Fäßchen mit Ungarwein, Krüge mit Bier. Kerzen brannten, und außerdem leuchtete in die Fenster mit rauchenden Fackeln das Hofgesinde, das durch die trüben Scheiben zusah, wie herrlich der Pan tafelte.

König August hoffte, seine Anwesenheit würde den Hausherrn veranlassen, von der Sitte Abstand zu nehmen, die Gäste so lange zum Trinken zu nötigen, bis auch nicht einer mehr auf den Füßen stehen konnte. Aber Pan Sobieszczański hielt unerschütterlich am alten polnischen Brauch fest. Soviel Gäste am Tisch saßen, so oft erhob er sich, nannte laut, mit der ganzen Hand den weißen Schnurrbart streichend, den Namen, vom König an bis zum letzten unten am Tafelende, jenem langen Schlachtschitzen, der, wie es sich erwies, keine Stiefel anhatte, und leerte auf das Wohl des Gastes einen Becher Ungarwein. Jedesmal erhob sich die ganze Tafelrunde und schrie: „Vivat!" Der Hausherr überreichte dem Gast einen vollen Becher, der Gast gab Bescheid und trank auf das Wohl des Pans und der Pani. Nachdem Pan Sobieszczański auf die Gesundheit eines jeden seiner Gäste getrunken hatte, fing er von vorn an und brachte einen Trinkspruch auf Polen aus, dann auf den allergnädigsten König von Polen, August, „den einzigen, dem unsere Säbel und unser Blut gehören". „Vivat! Nieder mit Stanisław Leszczyński!" schrie begeistert die Schlachta. Es folgte ein hochtrabender Trinkspruch auf die unantastbaren Privilegien der Schlachta. Hier verloren nun die erhitzten Köpfe vollends den Verstand, die Gäste rissen die Säbel aus den Scheiden, der Tisch geriet ins Wanken, die Kerzen fielen um. Ein beleibter, einäugiger Schlachtschitz schrie: „So sollen unsere Feinde zugrunde gehen, die Schismatiker und Moskowiter!" und zerhieb verwegen mit seinem Säbel eine riesige Platte mit Würsten.

Zur Linken des Königs August, auf der Seite, wo sein Herz schlug, saß, rot wie eine Rose, Pani Sobieszczańska. Sie fand geschickt Zeit, den König über das verlockende Leben in Versailles und seine dortigen Abenteuer auszufragen. Leise kichernd streifte sie ihn bald mit dem Ellbogen, bald mit der Schulter. Doch achtete sie gleichzeitig auf die Gäste, besonders auf jenes „arme" Tischende, wo so mancher Schlachtschitz, schon ganz steif vom Trinken, eine gepökelte Zunge oder eine halbe Räuchergans in die Tasche seiner leinenen Pluderhosen stopfte, rief dann mit raschen, stechenden Blicken Diener heran und erteilte ihnen Befehle.

Der König hatte schon mehr als einmal versucht, die Hand um die zarte Taille der Herrin des Hauses zu legen, aber jedesmal streckte ihm Pan Sobieszczański einen vollen Becher zu einem Vivat hin. „In Ihre Hände, allergnädigster König." August versuchte, den Becher nicht bis zur Neige zu leeren oder den Wein unmerklich unter den Tisch zu schütten – aber nichts half, der Becher wurde sofort von dem Bedienten, der hinter dem Stuhl stand, oder einem anderen Bedienten, der mit einer Flasche unter dem Tisch saß, nachgefüllt. Endlich wurde dem teuren Gast eine Schüssel mit den berühmten gerösteten Blutegeln vorgesetzt; eigenhändig legte ihm die Hausherrin einen ganzen Teller voll auf.

„Nein, wirklich, ich schäme mich, wenn Sie ein so ländliches Gericht loben", sagte sie mit naiver Stimme, in ihren Augen aber las er etwas ganz anderes. „Die Zubereitung ist nicht schwer, die Gans muß nur jung und nicht zu fett sein. Wenn die Blutegel sich vollgesaugt haben, schiebt man sie mit der Gans zusammen in den Backofen; sie lassen die Gänsebrust los und kommen dann auf die Bratpfanne."

„Arme Gans", meinte der König, nahm mit zwei Fingern einen Blutegel und biß ein knuspriges Stück ab. „Was schöne Frauen um eines Leckerbissens willen nicht alles aussinnen!"

Pani Anna lachte, die Feder auf ihrem schräg sitzenden hohen Hütchen wippte neckisch. Der König sah, daß die Dinge den erwünschten Lauf nahmen. Er wartete nur bis zum Beginn des Tanzes, um ungestört eine Erklärung zu machen. Da stürzte, die an der Tür stehenden betrunkenen Schlachtschitzen beiseite drängend, ein von Staub schwarzer, schweißbedeckter, zu Tode erschrockener Mann in zerrissenem Rock in den Saal.

„Pan, Pan, ein Unglück!" schrie er und warf sich vor dem Stuhl des Pans auf die Knie. „Du hast mich ins Kloster nach einem Faß alten Met gesandt. Ich habe auch alles richtig besorgt. Aber der Teufel hieß mich auf der Rückfahrt einen Umweg machen und über die große Landstraße fahren. Ich habe alles verloren, das Faß mit dem Met und das Pferd und den

Säbel und den Hut. Kaum, daß ich selber heil davongekommen bin! Ausgeraubt hat man mich! Ein unzählbares Heer rückt gegen Sokal heran!"

König August runzelte die Brauen. Pani Anna krallte ihre Nägel in seine Hand. Welch anderes Heer konnte jetzt in Sokal einrücken – doch nur der König Karl auf seiner hartnäckigen Verfolgung! Die Schlachtschitzen schrien mit wilder Stimme: „Die Schweden! Rettet euch!" Pan Sobieszczański schlug mit der Faust auf den Tisch, daß die Becher hochsprangen.

„Ruhe, Pans, Euer Gnaden! Jeden, dem nicht sofort der Rausch aus dem Kopf fliegt, laß ich auf den Teppich legen und mit fünfzig Peitschenhieben traktieren. Hergehört, ihr Hundesöhne! Der König ist mein Gast, ich werde mein graues Haupt nicht mit ewiger Schmach bedecken. Mögen die Schweden mit ihrem ganzen Heer angerückt kommen, meinen Gast geben wir ihnen nicht her!"

„Wir geben ihn nicht her!" schrien die Schlachtschitzen und rissen klirrend die Säbel aus den Scheiden.

„Sattelt die Gäule. Ladet die Pistolen. Wir werden sterben, aber Polens Ruhm keinen Schimpf antun."

„Keinen Schimpf antun. Vivat!"

König August war sich klar darüber, daß das einzig Vernünftige wäre, sich unverzüglich in den Sattel zu schwingen und zu fliehen, zumal die Nacht dunkel war. Aber er, August der Prächtige, sollte wie ein jämmerlicher Feigling fliehen, den fröhlichen Schmaus und die entzückende Frau, die seine Hände noch immer nicht aus den ihren ließ, im Stich lassen? Zu einer solchen Erniedrigung wird Karl ihn nicht zwingen! Zum Teufel mit der Vernunft!

„Ich befehle Ihnen, meine Herren, sich wieder zu Tisch zu setzen. Fahren wir in unserem Mahl fort", sagte er und nahm Platz, die Locken der Perücke aus dem erhitzten Gesicht streifend. Letzten Endes würde man ihn, falls die Schweden hierherkommen sollten, irgendwo verstecken und fortbringen – Königen geschieht nichts Böses. Er schenkte Wein ein und hob den Becher, seine große schöne Hand war fest. Pani Anna blickte ihn entzückt an – für einen solchen Blick konnte man schon ein Königreich hergeben!

„Wohlan denn! Der König befiehlt uns zu schmausen!" Pan Sobieszczański klatschte in die Hände und befahl jenem Schlachtschitzen, der die Platte mit der Wurst zerhauen hatte, mit seinen Gefährten auf die große Landstraße zu reiten und dort als Beobachtungsposten zu bleiben, der ganzen Tafelrunde aber, einschließlich des „armen" Tischendes, den besten Ungarwein einzuschenken und so lange zu trinken, bis im letzten Faß der Boden trocken wäre, und aus den Kellern und Speisekammern alles herbeizubringen, was es noch an guten Dingen im Hause gäbe, auch Musikanten kommen zu lassen...

Mit neuer Begeisterung nahm das Gelage rauschend seinen Fortgang. Pani Anna erhob sich, um mit dem König zu tanzen. Sie tanzte, als wollte sie Sankt Petrus selbst verführen, damit der ihr die Pforte zum Garten des Paradieses öffne. Ihr Hütchen war auf die Seite gerutscht, in ihren Locken verfingen sich die Klänge der Mazurka. Der kurze Rock umwirbelte liebkosend die schlanken Beine, die Schühchen mit den roten Absätzen stampften bald auf, bald flogen sie dahin, als schwebten sie über den Boden. Prächtig war auch der König, wie er so mit ihr tanzte, riesig, prunkvoll, blaß vom Wein und vom Verlangen.

„Ich verliere den Kopf, Pani Anna, ich verliere den Kopf; um aller Heiligen willen, erbarmen Sie sich meiner", sagte er durch die Zähne, und sie antwortete mit einem Blick: Es braucht kein Erbarmen, die Pforten des Paradieses stehen ja schon offen.

... Hinter den Fenstern wurden in der Dunkelheit erschrockene Stimmen des Gesindes laut, Pferde schnaubten. Die Musik brach ab. Keiner hatte auch nur die Zeit gefunden, nach dem Säbel zu greifen oder den Hahn der Pistole zu spannen. Nur der König, vor dessen Augen alles verschwamm, legte den Arm fest um Pani Anna und zog den Degen.

In den Festsaal traten zwei Männer: der eine von riesigem Wuchs, einäugig, eine hohe Lammfellmütze mit goldener Quaste auf dem Kopf, mit blondem Hängeschnurrbart unter der großen Nase, der andere war etwas kleiner, von vornehmem Aussehen, mit angenehm sanftem Gesichtsausdruck, in einer verstaubten Uniform mit einer Generalsschärpe über der Schulter.

„Befindet sich hier Seine Majestät König August?" fragte er und zog, als er August bemerkt hatte, der in drohender Haltung mit dem Degen in der Hand dastand, mit einer tiefen Verbeugung den Hut. „Allergnädigster König, nehmen Sie meinen Rapport entgegen: Auf Geheiß des Zaren Peter Alexejewitsch bin ich mit elf Regimentern Infanterie und fünf Regimentern Kosakenreiterei zu Ihrer Verfügung eingetroffen."

Es war der Gouverneur von Kiew, der Kommandierende der Hilfstruppen Dmitri Michailowitsch Golizyn, der ältere Bruder des Helden von Schlüsselburg Michaila Michailowitsch. Der andere, in dunkelrotem Leibrock und bis an die Füße reichendem weitem Mantel, war der stellvertretende Kosakenhetman Danila Apostol. Den Schlachtschitzen zuckten beim Anblick dieses Kosaken drohend die Schnurrbärte. Er stand auf der Schwelle, die Hand nachlässig in die Hüfte gestützt, und spielte mit seinem Hetmansstab. Auf seinen schönen Lippen lag ein Lächeln, seine Brauen glichen Pfeilen, aus seinem einzigen Auge strahlte die von den Bränden der Haidamakenzüge erhellte Nacht.

König August lachte, stieß den Degen in die Scheide, umarmte Golizyn und streckte dem Hetman die Hand zum Kuß hin. Zum drittenmal wurde der Tisch gedeckt. Aus einer Hand in die andere wanderte der Becher, der ein halbes Quart Ungarwein faßte. Man trank auf das Wohl des Zaren Peter, der sein Versprechen gehalten und aus der Ukraine Hilfe gesandt hatte; man trank auf die eingetroffenen Regimenter und auf den Untergang der Schweden. Die übermütigen Schlachtschitzen wollten um jeden Preis den Hetman Danila Apostol trunken machen; er aber leerte ruhig Becher um Becher und zog nur die Brauen hoch – ihn unter den Tisch zu trinken war unmöglich.

Als der Morgen graute und man schon eine ganze Anzahl Schlachtschitzen auf den Hof hinausgeschleppt und neben den Brunnen gelegt hatte, sagte König August zu Pani Anna: „Ich habe keine Schätze, um sie Ihnen zu Füßen zu legen. Ich bin ein Verbannter, der sich von Almosen nährt. Aber heute bin ich wieder stark und reich. Pani Anna, ich will, daß Sie im Wagen meinem Heere nachfolgen. Wir brechen sofort auf, ohne eine Stunde zu zögern. Den König Karl werde ich wie einen dummen Jungen hinters Licht führen. Göttliche Pani Anna, auf einer Platte möchte ich Ihnen mein Warschau darreichen..." Er erhob sich, warf mit einer prachtvollen Bewegung die Hand empor und wandte sich an diejenigen an der Tafel, die noch die Augen offen hatten und die gewichsten Schnurrbärte hochzwirbelten. „Meine Herren, ich schlage Ihnen vor und befehle – satteln Sie die Gäule. Ich nehme Sie alle in mein persönliches Gefolge!"

Soviel sich auch Fürst Dmitri Michailowitsch Golizyn höflich und auf das humanste bemühte, dem König klarzumachen, daß die Truppen etwa drei Tage Ruhe nötig hätten, um die Gäule zu füttern und den Troß nachkommen zu lassen, König August blieb unerschütterlich. Noch hatte die Sonne den Tau nicht getrocknet, als er, von Golizyn und dem Hetman begleitet, nach Sokal zurückkehrte. Überall standen in den Straßen der Stadt Fuhren, Gäule und Kanonen, auf dem weichen Rasen schliefen müde russische Soldaten. Holzfeuer rauchten. Der König blickte aus dem Fenster seines Wagens auf das schlafende Fußvolk und auf die malerisch auf den Wagen herumliegenden Kosaken.

„Was für Soldaten!" wiederholte er immer aufs neue. „Was für Soldaten – Recken!"

Am Portal des Schlosses empfing ihn Rittmeister Tarnowski mit ängstlichem Flüstern. „Die Gräfin ist zurück, sie will sich nicht schlafen legen, ist furchtbar zornig..."

„Ach was, Bagatellen!" König August betrat fröhlich sein gewölbtes, feuchtes Schlafzimmer, wo die Kerzen in dem grün angelaufenen Synagogenleuchter heruntergebrannt waren und voll Wachszapfen hingen. Die Gräfin empfing ihn stehend und blickte ihm schweigend ins Gesicht, das erste Wort war abwartend, um darauf die nötige Antwort zu geben.

„Sophie, endlich!" sagte er mit größerer Hast, als er ursprünglich beabsichtigt hatte. „Nun, wie steht's? Haben Sie König Karl gesehen?"

„Ja, ich habe König Karl gesehen, ich danke Ihnen..." Ihr

Gesicht war wie mit Mehl bestäubt und schien aufgedunsen und häßlich. „König Karl wünscht nichts so sehr, als Euer Majestät an der ersten besten Espe aufzuhängen. Wenn Sie die Einzelheiten meines Gesprächs mit dem König wissen wollen, so werde ich sie Ihnen erzählen. Aber jetzt möchte ich eine Frage stellen: Wie wollen Sie selber Ihr Betragen bezeichnen? Sie schicken mich wie die letzte Küchenmagd fort, damit ich Ihre schmutzigen Angelegenheiten in Ordnung bringe. Ich setze mich Beleidigungen, setze mich unterwegs tausendmal der Gefahr aus, vergewaltigt, ermordet, beraubt zu werden. Und Sie suchen inzwischen Zerstreuung in den Umarmungen der Pani Sobieszczańska, einer kleinen Schlachtschitzin, die als Kammerzofe zu nehmen ich mich schämen würde..."

„Was für Bagatellen, Sophie!"

Dieser Ausruf war von seiten König Augusts eine Unvorsichtigkeit. Die Gräfin näherte sich ihm und versetzte ihm, geschickt und rasch wie eine Katze mit der Pfote, eine Backpfeife.

Viertes Kapitel

I

Auf einem Hügel, auf dem ein Wachtturm errichtet war, schwang sich Peter Alexejewitsch aus dem Sattel und klomm die steilen Sprossen zum Ausguck empor. Ihm folgten Chambers, Menschikow, Anikita Iwanowitsch Repnin und, als letzter, Pjotr Matwejewitsch Apraxin, den Leibesfülle und Schwindelanfälle stark behinderten – das war weiß Gott kein Spaß, solch eine Höhe zu ersteigen, zehn Sashen über dem Erdboden! Peter Alexejewitsch, der gewohnt war, auf Masten zu klettern, kam nicht einmal außer Atem; er zog das Fernrohr aus der Tasche und hielt, die Beine gespreizt, Ausschau.

Narwa lag da wie auf einer grünen Platte – all seine gedrungenen Türme mit den Toren und Zugbrücken, an den Mauerecken die vorspringenden, aus behauenen Steinen gefügten Bollwerke, die wuchtige Masse des alten Schlosses mit dem runden Pulverturm, die gewundenen Straßen der Stadt, die wie Nägel in den Himmel ragenden spitzen Dächer der Kirchen. Jenseits des Flusses erhoben sich die acht finsteren, mit Bleihauben bedeckten Türme und die hohen, von Kugeln durchlöcherten Mauern der Festung Iwangorod, die noch von Iwan Grosny erbaut worden war.

„Die Stadt wird unser!" sagte Menschikow, der ebenfalls durch ein Fernrohr blickte.

Peter Alexejewitsch entgegnete ihm durch die Zähne: „Plustere dich nicht vor der Zeit auf!"

Unterhalb der Stadt, am Fluß, wo sich am Rosson-Bach das mit Erdwällen befestigte Lager Pjotr Matwejewitsch Apraxins befunden hatte, zogen langsam Trosse und Truppen dahin, nur schwer zu erkennen im Staub, den sie aufwirbelten. Sie setzten auf einer Schiffbrücke über den Fluß, die Kavallerie und das Fußvolk nahmen am linken Ufer in einer Entfernung von fünf Werst vor der Stadt Aufstellung. Dort schimmerten bereits weiße Zelte, in der Windstille stiegen Rauchwölkchen empor, auf den Wiesen tummelten sich die abgesattelten Pferde. Axtschläge klangen herüber, uralte Fichten erzitterten bis in die Wipfel und stürzten.

„Wir haben uns nur mit Wagen und spanischen Reitern verschanzt; vielleicht befiehlst du, zur größeren Sicherheit Gräben auszuheben und Palisaden zu bauen?" fragte Fürst Anikita Iwanowitsch Repnin. Er war ein vorsichtiger Mann, klug und im Kriegshandwerk erfahren, tapfer, ohne tollkühn zu sein, aber bereit, wenn es not tat, für eine große Sache einzustehen und zu sterben. Nur Gesicht und Statur waren nicht recht geraten, mochte er auch sein Geschlecht für älter als das des Zaren halten – er war unansehnlich und kurzsichtig; doch blickten seine kleinen Äuglein zwischen den zusammengekniffenen Lidern ungemein klug.

„Gräben und Palisaden werden uns nicht retten. Wir sind nicht hergekommen, um hinter Palisaden zu sitzen", warf Peter Alexejewitsch brummig hin und wandte das Fernrohr weiter nach Westen.

Chambers, der die Gewohnheit hatte, schon am frühen Morgen zur Hebung der Stimmung ein tüchtiges Glas Schnaps zu sich zu nehmen, krächzte in heiserem Ton: „Man kann ja die Soldaten auch in Stiefeln und mit dem Gewehr im Arm schlafen lassen. Lächerlich! Wenn es wirklich stimmt, daß General Schlippenbach in Wesenberg steht, so sind seine Entsatztruppen nicht vor einer Woche zu erwarten."

„Ich habe schon einmal hier auf die schwedischen Entsatztruppen gewartet. Danke bestens! Ich brauche keine Lehre mehr!" antwortete Peter Alexejewitsch mit merkwürdiger Stimme.

Menschikow lachte kurz und rauh auf.

Im Westen, wohin Peter Alexejewitsch gierig Ausschau hielt, breitete sich das Meer aus. Nicht der leiseste Hauch kräuselte die im hellen Licht schlummernde grauschimmernde Wasserfläche. An der deutlich sich abzeichnenden Linie des Horizonts konnte man, wenn man scharf hinblickte, zahlreiche Schiffsmasten mit gerefften Segeln erkennen. Dort lag in völliger Windstille die Flotte de Proux', des Admirals mit der silbernen Hand.

Apraxin meinte, sich an das Geländer des schwankenden Ausgucks klammernd: „Herr Bombardier, wie hätte ich vor so einer Macht nicht erschrecken sollen – es sind ein halbes Hundert Schiffe und ein so kühner Admiral! Wahrhaftig, Gott hat mir geholfen, hat dem verfluchten Kerl keinen Wind gesandt."

„Was für gute Dinge da verlorengehen, ach!" Menschikow zählte mit dem Finger die Masten am Horizont. „Die Laderäume hat er sicher bis obenhin voll mit Räucheraal, Flundern, Sprotten, Revaler Schinken. Einen Schinken haben sie, ach du mein Gott! Wenn man irgendwo zu essen versteht, so in Reval! Das alles wird in dieser Hitze verfaulen, er wird es über Bord werfen, der einarmige Satan. Apraxin, Apraxin, und wozu sitzt du an der See, du Landarsch! Hast du denn keine Boote? Bei so einer Windstille eine Kompanie Grenadiere in Boote geladen, und mit de Proux ist es aus!"

„Die Möwe setzt sich auf den Sand!" schrie plötzlich Peter Alexejewitsch. „Bei Gott, sie setzt sich!" Sein Gesicht blickte übermütig, die Augen waren kugelrund. „Ich wette um zehn Dukaten, es gibt Sturm. Wer hält die Wette? Ach, ihr Seefahrer! Jammere nicht, Danilytsch, vielleicht bekommen wir den Admiralsschinken doch zu kosten."

Er schob das Fernrohr unter den Rock und kletterte hastig den Turm hinunter. Dem Oberst Röhn, der herbeigeeilt war, um ihm beim Absprung auf den Boden zu helfen, befahl er: „Schick eine Schwadron voraus, mit der andern folge mir!" Er setzte sich im Sattel zurecht und schlug die Richtung nach Narwa ein. Sein Reitpferd, ein hoher brauner Wallach mit langen Ohren, ein Geschenk Feldmarschall Scheremetews, der diesen Gaul in der Schlacht bei Erestfer – angeblich von Schlippenbach selbst – erbeutet hatte, fiel in Trab. Peter Alexejewitsch war kein großer Freund des Reitens, beim Trab warf es ihn immer im Sattel hoch. Dafür spornte Alexander Danilowitsch seinen milchweißen Hengst, der ebenfalls aus der Schwedenbeute stammte. Der feurig blickende Gaul und der Reiter spielten gleichsam miteinander. Bald flog der Gaul seitwärts in kurzem Galopp über die grünende Wiese, dann wieder machte er plötzlich halt, ging auf den Schweif nieder, schlug mit den schwarzen Hufen in die Luft, bäumte sich und jagte weiter. Der kurze Schulterumhang aus rotem Tuch blähte sich in Alexander Danilowitschs Rücken, die Federn auf seinem Hut und die Enden der Seidenschärpe flatterten. Heiß war der Tag, aber schön; in den kleinen Gehölzen, in den jetzt verlassenen Gärten sangen und zwitscherten die Vögel.

Anikita Iwanowitsch Repnin, der von klein auf gewohnt war, wie ein Tatar zu reiten, zuckelte, halb seitwärts sitzend, ruhig in dem hohen Sattel auf seinem kleinen, scharf ausgreifenden Pferd. Apraxin schwitzte unter der riesigen Perücke, die für einen Russen weder bequem noch schön war. Weit vorn tauchte zwischen dem Gestrüpp eine ausgeschwärmte Schwadron Dragoner auf. Hinter ihr ritt in Marschkolonne eine zweite Schwadron, ihr voran sprengte Oberst Röhn, ein bildschöner Mann und großer Zecher, der wie General Chambers auf seiner Glücksfahrt in die weite Welt Zar Peter Ehre und Degen anvertraut hatte.

Peter Alexejewitsch wies Chambers, der Bügel an Bügel neben ihm ritt, auf die Gräben und Gruben, auf die hohen, von Unkraut und Gesträuch überwucherten Wälle, auf die halb morschen Pfähle hin, die überall aus dem Boden ragten.

„Hier ist meine Armee zugrunde gegangen", sagte er schlicht. „An dieser Stelle hat König Karl viel Ruhm gefunden, wir aber unsere Kraft. Hier haben wir gelernt, wie man es anfangen muß, wenn man siegen will, und haben für immer unsere verknöcherte Vergangenheit zu Grabe getragen, die uns beinahe endgültig zugrunde gerichtet hätte."

Er wandte sich von Chambers ab. Umherblickend, bemerkte er in der Nähe ein verlassenes Häuschen mit eingefallenem Dach. Er ließ sein Pferd langsamer gehen. Sein rundes Gesicht nahm einen bösen Ausdruck an.

Menschikow ritt heran und sagte fröhlich: „Das ist das Häuschen, mijn Herz. Weißt du noch?"

„Ich weiß . . ."

Mit gerunzelten Brauen gab Peter Alexejewitsch dem Gaul die Sporen, der ihn wieder im Sattel auf und nieder hüpfen ließ. Wie sollte er sich nicht jener schlaflosen Nacht vor der Niederlage erinnern! Er saß damals in diesem Häuschen und starrte auf die tropfende Kerze. Alexaschka lag auf einer Filzdecke und weinte wortlos. Schwer war es gewesen, die Verzweiflung und Scham und die ohnmächtige Wut in sich niederzukämpfen und sich damit abzufinden, daß Karl ihn morgen unvermeidlich schlagen würde. Schwer war es, sich zu dem unerhörten, unerträglichen Entschluß durchzuringen, in solcher Stunde die Armee im Stich zu lassen, in den Schlitten zu steigen und nach Nowgorod zu eilen, um dort wieder von vorn zu beginnen. Geld, Getreide, Eisen beschaffen. Es fertigkriegen, an ausländische Kaufleute das letzte Hemd vom Leibe zu verkaufen, um Waffen zu erstehen. Kanonen, Kugeln gießen. Und das allerwichtigste: Menschen, Menschen, Menschen! Die Menschen aus dem uralten Morast herauszerren, ihnen die verklebten Augen öffnen, sie mit Rippenstößen wachrütteln. Kämpfen, zurechtstutzen, lehren. Tausende von Werst durch Schnee und Schmutz sprengen. Niederreißen und aufbauen. Sich aus tausenderlei Gefahren der europäischen Politik herauswinden. Um sich schauen und in Entsetzen geraten: Welch riesige Arbeit ist noch zu tun!

Die Spitze der Dragoner sprengte aus dem heißen Dunkel der Kiefern auf den weiten Anger vor die Mauern Narwas, die sich jenseits des bis an den Rand mit Wasser gefüllten Grabens erhoben. Die erschreckten Einwohner trieben, hin und her laufend und schreiend, hastig das Vieh in die Stadt. Der Anger leerte sich, die Zugbrücke rasselte, hob sich empor und schloß donnernd das Tor. Peter Alexejewitsch ritt im Schritt den Hügel hinan. Wieder griffen alle zu ihren Fernrohren und betrachteten die hohen, festen Mauern, in deren Steinritzen Gras sproßte.

Oben auf dem Torturm standen die Schweden in Eisenhauben und Lederkollern. Einer von ihnen hielt in der ausgestreckten Hand den Schaft eines gelben Banners. Ein anderer, ungewöhnlich hochgewachsener Mann trat an die Turmzinne heran, stützte den Ellbogen auf die Brüstung und blickte ebenfalls durchs Fernrohr. Anfangs musterte er die Reiter auf dem

Hügel, dann richtete er das Rohr unmittelbar auf Peter Alexejewitsch.

„Was das alles für kräftige Menschen sind! Sieht man sie auf dem Turm, so schaudert man schon", sagte leise Apraxin zu Anikita Iwanowitsch Repnin und fächelte sich mit dem Hut. „Du siehst jetzt, was ich an der Narowamündung ausgestanden habe, als ich dort allein mit neun Kanonen stand und die Flotte herankam. Der Lange da, der durchs Fernrohr schaut, ach, ist das ein gefährlicher Kerl! Gerade vor eurer Ankunft sind wir beide im Feld aneinandergeraten; ich wollte ihn gefangennehmen ... Aber wo denn ..."

„Wer ist der Lange auf dem Turm?" fragte heiser Peter Alexejewitsch.

„Herr, das ist er in Person, General Horn, der Kommandant von Narwa."

Kaum hatte Apraxin diesen Namen ausgesprochen, als Alexander Danilowitsch seinem Pferd die Sporen gab und quer über den Anger zum Turm jagte. „Schafskopf!" rief Peter Alexejewitsch ihm wütend nach, doch der hörte nichts, der Wind pfiff ihm um die Ohren. Fast unmittelbar vor dem Tor brachte er seinen Gaul zum Stehen, riß den Hut vom Kopf, schwenkte ihn und schrie gedehnt: „Heda, ihr auf dem Turm! Heda, Herr Kommandant! Wir sind bereit, euch einen Abzug in Ehren zu akkordieren, mit Waffen, fliegenden Fahnen und klingendem Spiel. Zieht gütlich ab!"

General Horn ließ das Fernrohr sinken und horchte, was ihm dieser tolle Russe auf dem Schimmel, der wie ein Gockel herausgeputzt war, zurief. Er wandte sich nach einem Schweden um, wahrscheinlich, um es sich übersetzen zu lassen. Danach verzog der Alte das strenge Gesicht wie von etwas Saurem. Er bog sich über die Turmzinne und spie in der Richtung Menschikows aus.

„Da hast du meine Antwort, Narr!" rief er. „Gleich kriegst du was Kräftigeres."

Auf dem Turm lachten die Schweden beleidigend auf. Eine Flamme blinkte, ein weißes Wölkchen stieg auf, zischend flog eine Kanonenkugel über Alexander Danilowitschs Kopf.

„He-e-e-e!" schrie vom Hügel Anikita Iwanowitsch Repnin

mit seiner Fistelstimme. „Schlecht geschossen, ihr Schweden, schickt uns eure Kanoniere, wir werden sie in die Lehre nehmen!"

Auch auf dem Hügel erscholl einmütiges Gelächter. Alexander Danilowitsch, der wußte, daß er der Reitpeitsche Peter Alexejewitschs sowieso nicht entgehen würde, wandte sich im Sattel, schwenkte den Hut und grinste höhnisch zu den Schweden hinauf, bis eine zweite Kanonenkugel dicht neben ihm krepierte und sein scheu gewordener Gaul ihn vom Turm wegtrug.

Nachdem Peter Alexejewitsch die Festung umritten und auf ihren Mauern wohl dreihundert Geschütze gezählt hatte, bog er auf dem Rückweg zu dem denkwürdigen Häuschen ab, schwang sich aus dem Sattel, hieß die anderen warten und nahm Menschikow mit sich in jenes selbe Zimmer, in dem er vor vier Jahren um der Rettung des russischen Reiches willen Schmach und Schande auf sich genommen hatte.

Hier stand damals ein guter Ofen, jetzt lag ein Haufen rußiger Ziegel auf dem Boden, auch schmutziges Stroh; anscheinend wurden hier zur Nachtzeit Schafe und Ziegen untergebracht.

Peter Alexejewitsch setzte sich auf die Fensterbank des eingeschlagenen Fensters, Alexaschka blieb schuldbewußt vor ihm stehen.

„Merk es dir, Danilytsch, bei Gott, wenn du noch einmal so blöde Mätzchen machst, peitsch ich dich, daß dir die Haut vom Leibe fliegt", sagte Peter Alexejewitsch. „Schweig, widersprich nicht! Heute hast du dir selber dein Teil erwählt. Ich dachte gerade: Wem soll ich den Oberbefehl über die Belagerungsarmee geben – dir oder Feldmarschall Ogilvy? Bei solch einer Sache nimmt man lieber einen von uns als einen Fremden. Hast dir selber alles verdorben, lieber Freund, wie ein Hanswurst bist du auf dem Gaul vor General Horn herumgehopst! Schmach und Schande! Kannst noch immer die Moskauer Märkte nicht vergessen! Ewig Späßchen im Sinn wie bei mir an der Tafel! Dabei blickt Europa auf dich, du Esel! Schweig, widersprich nicht!" Er schnaufte und stopfte seine Pfeife. „Und noch eins: Ich habe mir noch einmal diese Mauern angesehen, es hat mich nachdenklich gestimmt, Danilytsch. Ein zweites Mal dürfen wir nicht von Narwa zurückgehen. Narwa ist der Schlüssel zum ganzen Krieg. Wenn Karl das noch nicht begreift – ich verstehe es. Morgen werden wir die Stadt mit allen unseren Truppen so einschließen, daß selbst ein Vogel nicht herausfliegen kann. In zwei Wochen sind die Belagerungsgeschütze hier. Und wie dann weiter? Die Mauern sind fest, General Horn ist hartnäckig, im Rücken haben wir Schlippenbach. Bleiben wir lange hier liegen, so bekommen wir auch noch Karl mit seiner ganzen Armee aus Polen auf den Hals. Die Stadt muß so schnell wie möglich genommen werden, ich will aber auch das Blut unserer Leute nicht unnötig vergießen. Was meinst du, Danilytsch?"

„Man kann natürlich eine List finden; das ist leichter als leicht. Aber wenn schon Feldmarschall Ogilvy das Oberhaupt ist, so mag er auch in seinen Büchern nachschlagen, was hier not tut. Was kann ich da vorbringen! Wieder irgendeine Dummheit, papperlapapp, wie ein Bauer." Menschikow trat von einem Fuß auf den anderen, stockte und hob die Augen – das Gesicht Peter Alexejewitschs war ruhig und traurig; so sah er ihn selten. Mitleid durchbohrte wie ein spitzes Messer Alexaschkas Herz. „Mijn Herz", flüsterte er und schob die Brauen zusammen, „mijn Herz, laß schon! Gedulde dich bis zum Abend. Dann komm ich ins Zelt, mir wird schon was einfallen. Kennst du etwa unsere Leute nicht? Heute schreiben wir nicht siebzehnhundert. Mach dir das Herz nicht schwer, bei Gott..."

2

In dem weiten Leinenzelt lagen, von Nartows sorgender Hand genau wie im Pieterburger Häuschen geordnet, Reißzeug, Instrumente, Papier und Kriegskarten auf dem Feldtisch ausgebreitet. Durch die Zeltöffnung drang wie aus einem Ofen die Glut des Erdbodens, und im Gras zirpten schrill und trocken die Grillen – am liebsten hätte man sich die Ohren mit geteertem Werg verstopft.

Peter Alexejewitsch saß bei der Arbeit in offenstehendem

Hemd und holländischen Kniehosen, seine bloßen Füße steckten in Pantoffeln. Ab und zu stand er vom Tisch auf, und Nartow goß ihm in der Ecke des Zeltes eine Kelle Quellwasser über den Kopf. In diesen Tagen des Narwafeldzuges hatte sich – wie übrigens immer – eine Unmenge unaufschiebbarer Geschäfte angehäuft.

Der Sekretär Alexej Wassiljewitsch Makarow, ein unscheinbarer junger Mann, der erst unlängst diesen Dienst angetreten hatte, stand am Tischrand neben einem Stoß Papiere, reichte die Aktenstücke und bewegte dabei vernehmlich die Lippen, gerade laut genug, um das Zirpen der Grillen zu übertönen. „Ukas an Alexej Sidorowitsch Sinjawin: die Verwaltung der öffentlichen Badehäuser in Moskau und anderen Städten zu übernehmen"; das Blatt mit dem Text des Erlasses auf der linken Seite legte er leise vor den Zaren hin. Peter Alexejewitsch las, die Zeilen überfliegend, tauchte den Gänsekiel ins Tintenfaß und schrieb groß, schief und unleserlich, in der Eile Buchstaben auslassend, auf die rechte Seite des Blattes: „Womöglich bei den Badehäusern Barbierstuben einrichten, um die Leute ans Bartschaben zu gewöhnen, und auch gute Meister zum Hühneraugenschneiden anstellen."

Makarow legte ein neues Blatt vor ihn. „Ukas an Pjotr Wassiljewitsch Kikin: die Verwaltung der Fischereien und Wassermühlen im ganzen Reich zu übernehmen." Die Hand Peter Alexejewitschs blieb mit einem Tintentropfen am Ende der Feder über dem Blatt hängen.

„Wer hat den Ukas ausgefertigt?"

„Der Ukas wurde uns aus Moskau vom Fürst-Cäsar zu Eurer, Allergnädigster Herr, eigenhändigen Unterschrift gesandt."

„Moskau ist voll Schmarotzer; sie sitzen am Fenster und fressen vor Langeweile saure Stachelbeeren, aber wenn's arbeiten heißt, ist keiner zu finden. Gut, wollen's mit Kikin versuchen, stiehlt er, bekommt er die Knute zu kosten – in diesem Sinne schreib auch dem Fürst-Cäsar, ich hätte Bedenken."

„Aus Pieterburg mit Eilboten von Oberstleutnant Alexej Browkin eine Meldung", fuhr Makarow fort. „Aus Moskau sind von Tichon Iwanowitsch Streschnew für Euren Garten, Allergnädigster Herr, sechs Stauden Päonien wohlbehalten eingetroffen, nur der Gärtner Lewonow hat keine Zeit mehr gefunden, sie zu setzen, er ist gestorben."

„Was? Gestorben?" fragte Peter Alexejewitsch. „Was für ein Unsinn!"

„Beim Baden in der Newa ertrunken."

„Nun, natürlich nicht nüchtern. Da sieh einer, tüchtige Menschen leben nicht lange. Ein überaus kunstfertiger Gärtner war er, schade... Schreib!"

Peter Alexejewitsch ging in die Ecke des Zeltes, sich den Kopf begießen zu lassen, und diktierte prustend Makarow, der geschickt im Stehen an der Tischecke schrieb: „An Streschnew. Eure Päonien sind wohlbehalten eingetroffen; wir bedauern nur, daß Du zu wenig geschickt hast. Bemüh Dich, die Zeit auszunutzen, und schick aus Ismailowo allerhand Blumen, vor allem solche, die duften, wie Balsaminen, Minze und Reseda. Schick auch einen tüchtigen Gärtner mit Familie, daß er sich nicht langweilt. Teil mir ferner, um Gottes willen, mit, wie es Katharina Wassiljefskaja und Anissja Tolstaja und den anderen aus ihrer Gesellschaft in Ismailowo geht. Vergiß nicht, mir hierüber öfter zu schreiben. Wolle mich ferner davon unterrichten, wie es bei Euch mit der Einberufung von Soldaten für die Dragonerregimenter bestellt ist; ein Regiment soll so bald als möglich und aus den kräftigsten Leuten formieret und hierhergeschickt werden..."

Er kehrte zum Tisch zurück, überflog das von Makarow Geschriebene, lächelte vor sich hin, unterzeichnete und fügte hinzu: „Was gibt es noch? Aber leg mir doch nicht alles hin, wie es gerade kommt, gib zuerst das Wichtigste her!"

„Ein Schreiben Grigori Fjodorowitsch Dolgorukis aus Sokal von der wohlbehaltenen Ankunft unserer Truppen."

„Lies!" Peter Alexejewitsch schloß die Augen und reckte den Hals, seine großen, mit Kratzern bedeckten starken Hände legte er auf den Tisch. Dolgoruki berichtete, daß mit dem Eintreffen der russischen Truppen in Sokal König August wieder außerordentlich Mut geschöpft habe und König Karl auf dem Schlachtfeld begegnen wolle, um mit Gottes Hilfe in einer großen Bataille Revanche für die Schmach von Klissow zu nehmen. Zu diesem tollen Wagnis drängten ihn besonders seine Favoritinnen; jetzt habe er deren zwei und komme gar nicht mehr zur Ruhe. Dmitri Michailowitsch Golizyn sei es mit Mühe und Not gelungen, ihn von einem sofortigen Treffen mit Karl, der wie ein gieriger Wolf nur darauf lauerte, abzubringen und ihn auf Warschau zu verweisen, wo Karl bloß geringe Verteidigungskräfte zurückgelassen habe. Wozu das alles führen könne, wisse Gott allein . . .

Peter Alexejewitsch hörte geduldig den langen Brief bis zu Ende an, seine Lippe mit dem Schnurrbartstreifchen zog sich in die Höhe und ließ die Zähne sehen. Mit einer krampfartigen Bewegung den Hals reckend, murmelte er: „Das ist mir ein Bundesgenosse!" Er nahm ein unbeschriebenes Blatt, kraute sich mit den Fingernägeln den Hinterkopf und begann, mit der Feder kaum den Gedanken nachkommend, die Antwort an Dolgoruki zu schreiben:

„... Des weiteren ermahne ich Euer Gnaden, nicht zu ermüden, Seine Majestät den König August von seiner unglücklichen und verderblichen Absicht abzulenken. Er kann die große Bataille kaum erwarten und hofft auf Fortuna, das heißt auf das Glück, aber dies liegt allein im Ermessen des Allmächtigen. Uns Menschen indes ziemt es, das Nächstliegende zu betrachten, das, was auf Erden ist. Kurz gesagt: Seine Absicht, eine große Bataille zu liefern, ist für ihn höchst gefährlich, denn binnen einer Stunde kann alles verloren sein. Nimmt die große Bataille einen schlechten Ausgang, wovor der Herrgott sowohl ihn als auch uns alle behüten möge, so werden Seine Majestät König August nicht nur vom Feind zutiefst betrübt, sondern auch von den tollen Polen, die nicht wissen, was ihrem Vaterland guttut, mit Schmach und Schande verjagt und vom Throne gestoßen werden. Warum also sich solchem Unheil aussetzen? Was aber Euer Gnaden über die Favoritinnen schreiben, so ist gegen dieses Fieber wahrscheinlich kein Kraut gewachsen. Eins nur, bemühe Dich, mit diesen Frauenzimmern Freundschaft und Alliance zu schließen . . ."

In den Wolken des Tabakqualms ließ es sich bereits nicht mehr atmen. Klecksend unterschrieb Peter Alexejewitsch mit

„Ptr" und trat aus dem Zelt in die unerträgliche Glut. Hier, vom Hügel aus, war in Richtung Narwas die wirbelnde Staubwolke über dem Troß und den Truppen zu sehen, die aus dem Lager nach den Kampfstellungen vor der Festung zogen. Peter Alexejewitsch fuhr mit der Handfläche über die Brust, über die weiße Haut – langsam und stark klopfte das Herz. Dann richtete er seinen Blick dorthin, wo sich auf dem unermeßlichen, gläsernen Meer, von hier kaum erkenntlich, die Schiffe des Admirals de Proux wie im Schlummer wiegten, mit Gütern angefüllt, die für die gesamte russische Armee gereicht hätten. Erde und Himmel und Meer schienen wie in Erwartung zu schmachten, als ob die Zeit selbst stehengeblieben wäre. Plötzlich flatterte eine Menge schwarzer Vögel in ungeordnetem Schwarm am Hügel vorüber dem Wald zu. Peter Alexejewitsch warf den Kopf zurück – es stimmte also! Rasch stiegen von Südwesten her durchsichtige Wolkenschleier in den wie Blech glutheißen Himmel auf.

„Makarow!" rief er. „Willst du um zehn Dukaten wetten?"

Makarow trat unverzüglich aus dem Zelt, spitznäsig, gelb wie Pergament von Müdigkeit und schlaflosen Nächten, kein Lächeln auf den geraden, schmalen Lippen, und zog seinen Geldbeutel aus der Tasche. „Wie du befiehlst, Allergnädigster Herr!"

Peter Alexejewitsch winkte mit der Hand ab. „Geh, sag Nartow, er soll mir meine Teerjacke bringen und den Südwester und die hohen Stiefel. Er soll auch das Zelt ordentlich festmachen, sonst wird es weggerissen. Es wird einen tüchtigen Sturm geben."

Das Meer übte von jeher einen Zauber auf ihn aus, von jeher lockte es ihn. Den tief in den Nacken geschobenen Lederhut auf dem Kopf und mit einer weiten Jacke bekleidet, ritt er in scharfem Trab, von einer halben Schwadron begleitet, zum Strand. Ins Lager zu Apraxin hatte er nach zwei Geschützen und Grenadieren gesandt. Die Sonne stach wie ein Skorpion vor dem Sterben. Staubsäulen wirbelten auf den Straßen. Über die Meeresfläche glitten in Streifen Windstöße dahin. Eine schwarze Wolke kroch hinter dem dunkel gewordenen Horizont hervor. Endlich schlug ihm der Atem des Meeres mit seinem Algen- und Fischgeruch ins Gesicht. Der Wind, der immer stärker wurde, pfiff und heulte mit der ganzen Kraft seiner Neptunlungen.

Den Südwester festhaltend, bleckte Peter Alexejewitsch vergnügt lächelnd die Zähne. Er sprang vom Pferd auf den sandigen Strand; die Sonne glänzte zum letztenmal unter dem sich ballenden Wolkenrand hervor, gläsernes Licht glitt über die gekräuselten Wellen. Mit einemmal wurde alles dunkel. Die Wogen rollten höher und höher und sprühten Wasserstaub. Dröhnend wetterleuchtete es über die Wolke von einem Ende zum anderen, als wäre sie in Brand gesteckt. Blendend flammte ein gezackter Blitzstrahl auf und glitt in der Nähe ins Wasser. Es krachte dermaßen, daß die Menschen am Ufer niederhockten – der Himmel stürzte herab!

Neben Peter Alexejewitsch tauchte Menschikow auf, ebenfalls in Südwester und Jacke.

„Das ist mir ein Sturm! Holla!" schrie ihm Peter Alexejewitsch zu.

„Mijn Herz, wie du doch immer alles im voraus weißt..."
„Und du hast das erst jetzt begriffen?"
„Werden wir Beute machen?"
„Wart ab, wart ab."

Sie brauchten nicht allzu lange zu warten. Im Schein der Blitze tauchten ganz in der Nähe die Kriegs- und Kauffahrteischiffe des Admirals de Proux auf; der Sturm trieb sie der Küste, den Sandbänken zu. Sie schienen zu tanzen, die nackten Masten schwankten, Segelfetzen flatterten, die geschnitzten hohen Galione mit Neptunen und Meerjungfrauen bäumten sich hoch aus der Flut empor. Es schien: noch eine kurze Weile, und der ganze verstreute Schiffszug sitzt auf dem Strand.

„Ein Mordskerl! Ein Mordskerl!" schrie Peter Alexejewitsch. „Sieh nur, was er macht! Das ist mir ein Admiral! Er setzt die Außenklüver! Setzt die Vorstengestagsegel, die Fockstagsegel! Er setzt die Kutterblinden! Ach, der Satan! Lerne von ihm, Danilytsch!"

„Ach, er entgeht uns, er entgeht uns!" stöhnte Menschikow.

Hatte nun der Wind umgeschlagen oder war im Kampf mit

der See die Kunst des Admirals Siegerin geblieben – seine Schiffe verschwanden, unter den Sturmsegeln kreuzend, wieder hinter dem Horizont. Nur drei schwerbeladene Frachtschiffe trieben noch immer auf die Sandbänke zu. Krachend, mit knarrenden Rahen, mit flatternden Segeltuchfetzen fuhren sie etwa dreihundert Schritt von der Küste auf eine Sandbank auf. Riesige Wellen legten sie auf die Seite, rollten über sie hin, rissen Boote und Fässer vom Deck, zerbrachen die Masten.

„Na los, gebt Feuer! Aber keinen Treffer! Jagt ihnen nur einen Schreck ein!" rief Menschikow den Kanonieren zu.

Die Kanonen krachten, und die Kugeln ließen das Wasser vor dem Bord eines der Frachtschiffe hoch aufspritzen. Als Antwort knallten von dort Pistolenschüsse herüber. Peter Alexejewitsch schwang sich in den Sattel und trieb sein Pferd ins Wasser. Ihm folgten mit lauten Rufen die Grenadiere. Menschikow mußte absitzen, sein Hengst bockte, und er watete gleichfalls zu Fuß durch die trüben Wellen, spuckend und rufend: „Heda, ihr auf den Frachtschiffen! Springt ins Wasser! Ergebt euch!"

Den Schweden flößte der Anblick des Reiters inmitten der Wellen und der riesigen schnauzbärtigen Grenadiere, die bis an die Brust im Wasser zum Entern vorrückten, unflätig fluchten und mit ihren rauchenden Handgranaten drohten, offenbar großen Schrecken ein. Von den Schiffen sprangen Matrosen und Soldaten ins Wasser. Sie streckten ihre Pistolen und Entersäbel hin. „Moskow, Moskow, Freund!" – und wateten ans Ufer, wo sie von berittenen Dragonern umringt wurden.

Menschikow erkletterte mit seinen Grenadieren das geschnitzte Heck eines Frachtschiffes, nahm den Kapitän gefangen, klopfte ihm sofort herablassend auf den Rücken, gab ihm den Degen zurück und schrie von Bord aus: „Herr Bombardier! Aus den Laderäumen stinkt es ein bißchen; aber der Kapitän meint, daß die Heringe und das Pökelfleisch noch zu essen sind."

3

Die Belagerungstruppen umgaben Narwa in Form eines Hufeisens, dessen beide Enden sich auf den Fluß oberhalb und unterhalb der Stadt stützten. Auf der anderen Seite des Flusses war auf gleiche Weise Iwangorod umschlossen. Brustwehren wurden aufgeworfen und mit Palisaden und Verhauen verschanzt. Das russische Lager war voller Lärm, Rauch und Staub. Die Schweden blickten von den hohen Mauern mürrisch drein. Nach dem Sturm, der die Flotte de Proux' verstreut hatte, waren sie wutgeladen und beschossen aus ihren Geschützen sogar vereinzelte Reiter, die an den drohenden Bastionen vorbei den kurzen Weg über den Anger nahmen.

Auf Peters Befehl wurden die aus den Frachtschiffen ausgeladenen Fässer mit Heringen und Pökelfleisch vor den Augen der Schweden ins Lager gebracht; hinter den mit Zweigen geschmückten Fuhren trugen die Soldaten einen beleibten, nackten, mit Algen umwundenen Mann und grölten ein unflätiges Lied vom Admiral de Proux und vom General Horn. Die Fässer wurden an die Kompanien und Batterien verteilt. Die Soldaten schwenkten auf Bajonette gespießte Heringe oder Speckschwarten und schrien: „He, Schwede, der Imbiß ist bereit!" Da konnten die Schweden nicht mehr an sich halten. Hörner schmetterten, Trommeln wirbelten, die Zugbrücke ging nieder, und heraus ritt, die großen Pferde durchs Tor zwängend, eine Schwadron Kürassiere. Die Köpfe mit den gerippten Helmen gesenkt, die breiten Pallasche aufrecht zwischen den Pferdeohren, galoppierten sie in wuchtigen Sätzen auf die russischen Schanzen zu. Nun hieß es, mit dem Essen aufhören und sich mit allem zur Wehr setzen, was man bei der Hand hatte, mit Pfählen, Kanonenwischern und Spaten. Ein Handgemenge entstand, Geschrei erklang. In diesem Augenblick sahen die Kürassiere, wie hinter ihrem Rücken Dragoner herangaloppierten, sahen die furchtbaren Grenadiere über die Palisaden klettern und machten kehrt – nur einige Mann blieben auf dem Anger; auch jagten noch lange erschrockene, reiterlose Pferde umher, auf die die russischen Soldaten Jagd machten.

Von solchen Ausfällen abgesehen, legten die Schweden

keine besondere Unruhe an den Tag. General Horn sollte, wie Gefangene mitteilten, geäußert haben: „Die Russen fürchte ich nicht, sollen sie es nur wagen, mit Hilfe ihres Drachentöters Sankt Georg die Festung zu stürmen – ich werde sie besser bewirten als Anno siebzehnhundert." Getreide, Pulver und Kugeln hatte er zur Genüge; vor allem aber verließ er sich auf Schlippenbach, der auf Verstärkungen wartete, um den Russen mit seinem Entsatzheer eine schwere Schlappe beizubringen. Er stand auf der Revaler Landstraße im Städtchen Wesenberg. Das hatte Alexander Danilowitsch festgestellt, der selber einen Erkundungsritt unternommen hatte.

Auch die russischen Truppen blieben untätig; die ganze Belagerungsartillerie, riesige mauerbrechende Kartaunen und Mörser zum Inbrandschießen der Stadt – alles schleppte man erst noch auf kaum passierbaren Straßen von Nowgorod heran. Ohne schwere Geschütze war an einen Sturm nicht zu denken.

Von Feldmarschall Boris Petrowitsch Scheremetew liefen ebenfalls nicht allzu frohe Meldungen ein: Er belagerte Jurjew, hatte sich verschanzt, Wälle aufgeworfen, unterirdische Gänge zum Sprengen der Mauern gegraben und mit dem Beschuß der Stadt begonnen. „Die Schweden machen uns viel Verdruß", schrieb er Alexander Danilowitsch ins Lager vor Narwa, „bis auf den heutigen Tag kann ich des feindlichen Kanonen- und Mörserfeuers nicht Herr werden; die verfluchten Kerle feuern aus ihren zahlreichen Kanonen salvenweise, ein Dutzend Bomben schlägt immer gleichzeitig in unsere Batterien ein, am allermeisten aber beschießen sie unseren Troß. Es will uns auch trotz aller Mühe nicht glücken, irgend jemanden aus der Stadt festzunehmen, um ihn auszufragen, nur zwei Esten sind zu uns übergelaufen; sie wissen aber nichts von Bedeutung und schwatzen bloß davon, daß Schlippenbach die Stadt auf baldigen Entsatz vertröste..."

Schlippenbach war wirklich ein Dorn, den man so bald als möglich herausziehen mußte. Darauf waren alle Gedanken Peter Alexejewitschs gerichtet. An jenem Tage hatte Menschikow nicht gelogen; er war in der Nacht ins Zelt gekommen, hatte alle, sogar Nartow, hinausgeschickt und erzählt, welche List er ausgeklügelt hatte, um General Horn die Lust zu vertreiben, auf Schlippenbach zu hoffen. Peter Alexejewitsch fuhr ihn anfangs sogar zornig an: „Das hast du dir wohl im Rausch ausgedacht, was?" Dann aber schritt er, seine Pfeife schmauchend, im Zelt auf und ab und lachte plötzlich laut auf.

„Das wäre wirklich nicht übel, den Alten zu übertölpeln."

„Mijn Herz, wir werden ihn übertölpeln, bei Gott!"

„Dein ‚bei Gott' will noch nicht viel sagen. Und wenn nichts dabei herauskommt? Du lädst dir da eine schwere Verantwortung auf, Gevatter."

„Soll mir schon recht sein, ich nehm's auf mich. Ist ja nicht das erstemal. Verantwortung trage ich mein Leben lang."

„Dann mach's!"

Noch in derselben Nacht ritt Leutnant Paschka Jagushinski, nachdem er den Botentrunk geleert hatte, nach Pskow, wo sich die Vorratslager der Armee befanden. Ungemein geschickt und rasch brachte er von dort auf Dreigespannen alles heran, was für das geplante Unternehmen erforderlich war. Zwei Nächte lang waren die Schneiderwerkstätten der Kompanien und Schwadronen mit dem Umnähen und Anpassen der Röcke, Mäntel, Offiziersschärpen und Fahnen beschäftigt; die Dreispitze der Soldaten wurden am Rand mit einer weißen Tresse versehen. In diesen kurzen Nächten rückten in aller Stille, Schwadron um Schwadron, die zwei Dragonerregimenter Assafjews und Garbows aus, ferner das Semjonowski-Regiment und das Ingermanland-Regiment mit Kanonen, deren grüne Lafetten gelb gestrichen waren, marschierten die Revaler Straße entlang und lagerten sich im Wald von Tarwijegi, zehn Werst von Narwa. Dorthin, in den Grenzwald, wurde auch die gesamte in den Schneiderwerkstätten umgenähte Kleidung gebracht. Die Schweden hatten nichts bemerkt.

An einem klaren Morgen – es war der 8. Juni – begann plötzlich im russischen Lager vor Narwas Mauern ein wildes Hin und Her. Trommeln wirbelten Alarm, Pauken dröhnten, Offiziere sprengten, aus voller Kehle schreiend, umher. Aus den Laubhütten und Zelten sprangen Soldaten heraus, knöpften im Lauf Röcke und Gamaschen zu, schoben sich das lange, unter dem Dreispitz herabhängende Haar hinter die Ohren und nahmen in zwei Reihen Aufstellung. Die Kanoniere zogen mit Geschrei die Kanonen aus den Stellungen und wandten sie mit der Mündung nach der Revaler Landstraße. Berittene trieben die Troßpferde von den Wiesen ins Lager hinter die Wagen.

Die Schweden blickten erstaunt von den Mauern auf das tolle, ungeordnete Treiben im russischen Lager. Die steinerne Außentreppe zum Torturm hinauf stieg unbedeckten Hauptes General Horn und richtete das Fernrohr auf die Revaler Straße. Von dort dröhnten zwei Kanonenschüsse herüber, nach einer Minute wieder zwei Schüsse, und so sechsmal. Da glaubten die Schweden, daß es Signalschüsse des anrückenden Schlippenbach seien, und sofort antworteten sie von der Bastion Gloria mit der Königsparole aus einundzwanzig Geschützen. Auf allen Kirchtürmen der Stadt begannen festlich die Glocken zu läuten.

Zum erstenmal in diesen langen Tagen der Belagerung verzog der strenge General Horn seine Lippen zu einem Lächeln, als er sah, wie jenseits der Schanzen vor den sich in zwei Reihen ausrichtenden moskowitischen Truppen der aufgedonnerte Menschikow, der dreisteste von allen Russen, auf seinem Schimmel wahre Bocksprünge vollführte. Als sei er tatsächlich ein erfahrener Feldherr, befahl er mit einem Wink seines Degens den Soldaten der hinteren Reihe, sich mit dem Gesicht zur Festung zu wenden. Und wie eine Herde trabten sie zu ihren Plätzen in den Schanzen hinter den Palisaden. Jetzt riß er seinen Gaul hoch und sprengte die vordere Linie der Soldaten entlang, die mit dem Gesicht zur Revaler Landstraße standen. Alles war dem durch lange Jahre und glorreiche Bataillen gewitzten General Horn klar: Dieser Gockel mit dem roten Umhang und den Straußenfedern wird gleich eine unverbesserliche Dummheit begehen – er wird die weit auseinandergezogene dünne Linie seines Fußvolks den eisernen Kürassieren Schlippenbachs entgegenführen, der sie mit Kugeln überschütten, durchbrechen, zerstampfen und vernichten wird. General Horn zog die Luft durch die behaarten Nasenlöcher ein. Zwölf Schwadronen Reiterei und vier Bataillone Fußvolk hatte er hinter dem verschlossenen Tor stehen, um bei Schlippenbachs Erscheinen den Russen in den Rücken zu fallen.

Menschikow riß, als eile er dem Tod entgegen, ohne jeden Grund den Hut vom Kopf und ließ, ihn schwenkend, alle Bataillone, die im Laufschritt seinem paradierenden Gaule folgten, „Hurra!" schreien. Das Geschrei scholl bis zu den Mauern Narwas hinüber, und wieder verzog der alte Horn die Lippen zu einem Lächeln. Aus dem Kiefernwald, auf den Menschikows Bataillone losgingen, sprengten, von Gewehrfeuer getrieben, russische Reiter hervor. Und endlich zeigten sich überall hinter den Fichten, in voller Parade, Schulter an Schulter, wie bei einer Truppenschau, die Gewehre mit den aufgepflanzten Bajonetten gefällt, die Gardekompanien Schlippenbachs. Ihre zweite Reihe gab im Marsch über die Köpfe der ersten Reihe hinweg Schnellfeuer, die dritte Reihe lud die Gewehre und reichte sie den Schießenden. Die hocherhobenen gelben Königsfahnen flatterten. Der alte Horn ließ für einen Augenblick sein Fernrohr sinken, zog aus seiner Patronentasche ein Leinentuch, entfaltete es und wischte sich die Augen. „Ihr Kriegsgötter!" murmelte er.

Menschikow sprengte, den Hut festhaltend, die Front entlang und brachte seine Bataillone zum Stehen. An seine rechte und linke Flanke jagten mit sechs Gäulen bespannte Kanonen und zweispännige Munitionswagen heran. Die russischen Artilleristen waren behende, sie hatten in diesen Jahren so manches gelernt. Die blitzblank geputzten Kanonen, acht auf jeder Flanke, kehrten in geschickter Schwenkung ihre Mündungen gegen die Schweden – die Gäule waren ausgespannt und zur Seite gerissen – und schleuderten gleichzeitig geballten weißen Rauch hervor, was von der guten Qualität des Pulvers zeugte. Die Schweden hatten noch keine zwanzig Schritt zurückgelegt, als die Kanonen von neuem gegen sie losböllerten. Der alte Horn begann das Tuch in seiner Hand zu zerknüllen; ein solches Schnellfeuer war erstaunlich. Die Schweden machten halt. Was war das, Teufel noch mal! Das sah Schlippenbach nicht ähnlich, sich von Geschützfeuer einschüchtern zu lassen! Wollte er vielleicht seine Küraßsiere zur Attacke vorlassen, oder wartete er auf seine Artillerie? Horn suchte mit seinem Fernrohr nach Schlippenbach, aber ihn störte der Rauch, der das Schlachtfeld immer dichter bedeckte. Ihm schien es sogar, als wankten die Schweden im Kartätschenhagel. Schlippenbach wartete noch immer. Endlich! Aus dem Wald rückten schwedische Kanonen mit gelben Lafetten vor und nahmen dröhnend das Wort. Da – er sah es deutlich – gerieten Menschikows Reihen in Verwirrung. Höchste Zeit!

Horn wandte sein runzliges Gesicht vom Fernrohr ab und sagte, die gelben Zähne bis zum Zahnfleisch entblößt, zu seinem Gehilfen, dem Obersten Marquart: „Ich befehle, die Tore zu öffnen und den rechten Flügel der Russen anzugreifen."

Die Zugbrücken rasselten nieder, aus vier Toren ritten gleichzeitig die Kürassierschwadronen hinaus, ihnen folgte im Laufschritt das Fußvolk. Oberst Marquart führte die keilförmig aufgestellte Garnison von Narwa so, daß er nach Überrennung der russischen Palisaden und Verhaue Menschikow vom Rücken aus in der Flanke packen, ihn an Schlippenbach pressen und in eiserner Umklammerung erdrücken konnte.

Das, was Horn durch sein Fernrohr erblickte, freute ihn anfangs, beunruhigte ihn dann jedoch. Die Abteilung des Obersten Marquart räumte rasch, ohne große Verluste, die Verhaue der Russen aus dem Wege, kletterte über die Palisaden und langte jenseits der Schanzen an. Ihr folgten aus den Toren, zu Fuß und auf Wagen, die Einwohner Narwas, um das russische Lager zu plündern. Da nahmen die ungeordnet feuernden Bataillone Menschikows plötzlich eine schwer verständliche Umgruppierung vor: Ihr rechter Flügel, gegen den Marquart mit der Garnison von Narwa losstürmte, begann sich in aller Eile auf seine Palisaden und Verhaue zurückzuziehen, am linken, entfernten Flügel dagegen liefen die Soldaten ebenso rasch den Schweden Schlippenbachs entgegen, als wollten sie sich ihnen ergeben. Die Kanonen verstummten mit einemmal auf beiden Seiten. Der glänzend angreifende Marquart stand jetzt auf freiem Feld, gerade im Winkel zwischen den Truppen Menschikows und Schlippenbachs. Die Schwadronen seiner Kürassiere mit den im Sonnenglanz gleißenden Kürassen zügelten ihre Pferde, schwärmten im Halbkreis aus und machten unentschlossen halt. Auch das herangekommene Fußvolk machte halt.

„Unbegreiflich! Was ist los! Der Teufel soll diesen Marquart holen!" schrie Horn.

Der neben ihm stehende Adjutant Byström antwortete: „Mir ist es auch nicht ganz verständlich, Herr General."

Immer rascher sein Fernrohr herumschwenkend, sah Horn gleich darauf Menschikow; dieser Gockel sprengte in weiten Sätzen den Schweden entgegen. Wozu? Um sich zu ergeben? Marquart, der ihn erkannt hatte, preschte mit zwei Kürassieren los, um ihm den Weg abzuschneiden. Aber Menschikow kam ihm zuvor und sprang auf dem grasigen Hügel neben einer Gruppe Offiziere aus dem Sattel – ihren Röcken und dem gelben Banner mit dem auf den Hintertatzen emporgereckten Löwen nach war es der Stab Schlippenbachs. Wo aber war Schlippenbach selbst? Noch eine Wendung des Fernrohrs, und Horn sah, wie Marquart in Menschikows Verfolgung zu derselben Gruppe gesprengt war, dort eine sonderbare Handbewegung machte, als wehre er ein Gespenst ab, und umzukehren versuchte, doch man lief zu ihm heran und riß ihn aus dem Sattel. Den Hügel herauf ritt ein Reiter auf einem hohen, langohrigen Pferd, das Banner senkte sich vor ihm. Das konnte nur Schlippenbach sein. Eine Träne trübte den Blick des alten Horn; er wischte sie ärgerlich weg und drückte das Messingrohr in die Augenhöhle. Der Reiter auf dem langohrigen Gaul glich Schlippenbach nicht. Er glich vielmehr ...

„Herr General, Verrat!" flüsterte der Adjutant Byström entsetzt.

„Ich sehe es auch ohne Sie, daß es Zar Peter ist, der sich mit einer schwedischen Uniform herausstaffiert hat. Man hat mich gehörig übers Ohr gehauen, das begreife ich auch ohne Ihr Beitun. Lassen Sie mir Küraß und Pallasch bringen!" General Horn ließ das jetzt bereits unnötig gewordene Fernrohr liegen und sprang wie ein Junger die steile Treppe des Torturmes hinab.

Dort, auf dem Feld des Mummenschanzkampfes, kam, was kommen mußte, wenn man einen Feldherrn hinters Licht führt. Die als Schweden vermummten Soldaten des Semjonowski- und des Ingermanland-Regiments, die bis dahin im Wald verborgenen Dragoner Assafjews und Garbows und auf der anderen Seite die Bataillone Menschikows stürzten sich mit allem Ingrimm von beiden Seiten auf die Schweden des unglückseligen Marquart, der, nachdem er dem Zaren Peter seinen Degen überreicht und seinen Messinghelm ins Gras geworfen hatte, inmitten der russischen Offiziere auf dem Hügel stand, den Kopf vor Schande und Verzweiflung gesenkt, um nicht zu sehen, wie seine herrliche Truppe, die zum mindesten ein Drittel der Garnison von Narwa ausmachte, zugrunde ging.

Seine Kürassiere, die das Fußvolk deckten, wichen eine Zeitlang in geschlossener Formation zurück, sich ab und zu in kurzen Vorstößen zur Wehr setzend. Als aber von hinten, aus dem Birkengehölz, Oberst Röhn, der dort im Hinterhalt gelegen hatte, mit seinen Dragonerschwadronen auf sie losstürmte, kam es zum Handgemenge. Das Feuer verstummte. Nur das grimmige Gekreisch der dreinsäbelnden Russen, die heiseren Schreie der fallenden Schweden und das Klirren der auf Kürasse und Helme niedersausenden Säbel waren zu hören. Hoch bäumten sich die um sich beißenden Rosse. Das Königsbanner fiel. Einzelne aus dem wilden Getümmel davongekommene Reiter jagten wie blind auf dem Anger umher, prallten aufeinander und stürzten mit ausgebreiteten Armen zu Boden. Das ganze russische Heer war auf die Schanzen geklettert wie zu einem Fastnachtsrummel, wenn das Volk zusammenläuft, um sich an der Bärenhatz zu ergötzen. Die Soldaten johlten, hüpften vor Freude und warfen ihre Dreispitze in die Luft.

Nur einem kleinen Teil der schwedischen Abteilung gelang es, sich nach Narwa durchzuschlagen. Das einzige, was General Horn zu tun vermochte, war, die Tore zu verteidigen, damit die Russen nicht im kühnen Vorstoß in die Stadt eindrangen. Die zum Plündern ausgezogenen Einwohner irrten auf ihren Wagen vor dem Graben umher. Die russischen Soldaten sprangen über die Palisaden hinüber und nahmen, ohne in der Hitze auf die Schüsse von den Mauern zu achten, nicht wenig Einwohner Narwas mit Roß und Wagen gefangen und brachten sie ins Lager zum Verkauf an die Herren Offiziere.

Am Abend gab es im großen Zelt bei Menschikow einen fröhlichen Abendschmaus. Man trank den feurigen Rum des

Admirals de Proux, aß Revaler Schinken und geräucherte Flundern, die zu der Zeit nur sehr wenige kannten. Der Fisch roch schon ein wenig, aber war wohlschmeckend. Alexander Danilowitsch hatte man beim Anstoßen auf seine Kriegslist bereits den ganzen Rücken zerklopft.

„Dem hochweisen Horn hast du eine tüchtige Nase gedreht! Wahrhaftig, heute bist du das Geburtstagskind!" rief mit Baßstimme, stark angeheitert, Peter Alexejewitsch, dessen Schultern vor Lachen auf und ab hüpften, und ließ ihm die Faust wie einen Hammer zwischen die Schulterblätter niedersausen.

„Ich wette, du hättest selbst den edlen Odysseus zu überlisten vermocht!" rief Chambers und gab dem Generalgouverneur ebenfalls einen Schlag auf den Rücken. „Man kann sich nur schwer Menschen vorstellen, die listiger wären als die Russen!"

Einer dem anderen ins Wort fallend, machten sich die Gäste mehrmals daran, ein Sendschreiben an General Horn aufzusetzen, mit der Meldung, daß ihm der Orden der „Langen Nase" verliehen sei. Der Anfang war wohlgelungen: „Dir, dem Narwahocker und Hosenpisser, dem alten Esel und kastrierten Kater, der sich unterfängt, wie ein Löwe zu brüllen..." Weiter kamen in dem trunkenen Durcheinander so kräftige Ausdrücke, daß der Sekretär Makarow nicht einmal wußte, wie er sie aufs Papier bringen sollte.

Anikita Iwanowitsch Repnin sagte schließlich, nachdem er sich meckernd satt gelacht hatte: „Peter Alexejewitsch, lohnt es sich denn, den Alten so zu schmähen? Die Sache ist ja noch nicht zu Ende..."

Fäuste trommelten auf ihn los, Geschrei erhob sich. Peter Alexejewitsch nahm Makarow das nicht beendete Schreiben aus der Hand, zerknüllte es und steckte es in die Tasche.

„Genug mit dem Spaß! Basta!" Er erhob sich, schwankte, krallte sich an Makarows Schulter fest, die schlaff gewordenen Züge seines runden Gesichtes spannten sich voll Anstrengung; er reckte den langen Hals und wurde, wie immer, wieder seiner Herr. „Schluß mit dem Trubel!"

Er trat aus dem Zelt. Es dämmerte. Vom reichlichen Tau schien das Gras graugefärbt, leichte Rauchschwaden der Lagerfeuer zogen darüber hin. Peter Alexejewitsch sog tief die Morgenfrische ein.

„Also, auf gutes Gelingen. Es ist Zeit!" Und sofort näherten sich ihm aus der Gruppe der Offiziere, die hinter ihm standen, Anikita Iwanowitsch Repnin und Oberst Röhn. „Ich wiederhole es euch beiden nochmals: Geschwollene Siegesrelationen brauche ich nicht. Erwarte sie nicht. Ein schwerer und blutiger Kampf steht uns bevor. Wir müssen den Feind so schlagen, daß er nicht mehr zu Kräften kommt. Ein solcher Kampf verlangt ein grimmiges Herz. Geht!"

Anikita Iwanowitsch Repnin und Oberst Röhn verneigten sich tief und schritten, bis an die Knie im dichten Gras, vom Zelt nach dem dunklen Wald, wo, wieder in ihre Uniformen gekleidet, die Dragonerregimenter und das auf Wagen verladene Fußvolk, alles Teilnehmer am Mummenschanz des Vortages, auf das Signal zum Angriff harrten. Heute wartete ihrer keine geringe Aufgabe: das Korps Schlippenbachs bei Wesenberg einzukreisen und zu vernichten.

4

„Also, meine Herren, der ehemalige König August, den wir bereits für erledigt hielten, hat von den Russen Unterstützung bekommen und marschiert im Eiltempo auf Warschau zu", sagte der junge König Stanisław Leszczyński bei Eröffnung des Kriegsrates. Der König war müde von den Staatsgeschäften, die man ihm aufgehalst hatte; sein schmales, hochmütiges, böses Gesicht war blaß bis auf die blauen Ränder unter den gesenkten Wimpern, er hob nicht die Augen, weil er der aufgeblasenen Gesichter der Höflinge und aller Gespräche über Krieg, Geld und Anleihen bis zum Ekel überdrüssig war. Seine kraftlose Hand spielte mit dem Rosenkranz. Er trug die polnische Tracht, die er nicht ausstehen konnte; aber seit in Warschau eine schwedische Garnison unter dem Kommando des Obersten Arvid Horn, eines Neffen des Helden von Narwa, stand, hatten die polnischen Magnaten und der hohe Adel ihre Perücken auf die Ständer gehängt, die französischen Röcke mit

Tabak eingemottet und trugen nun Schnürröcke mit lang herabhängenden Ärmeln, Bibermützen, weiche Saffianstiefel mit hell klirrenden Sporen und schnallten sich nicht leichte Degen, sondern die schweren Säbel ihrer Ahnen um die Hüften.

In Warschau lebte man fröhlich und sorglos unter dem sicheren Schutze Arvid Horns und verzieh ihm die Taktlosigkeit, daß er den Sejm gezwungen hatte, diesen nicht allzu vornehmen, aber wohlerzogenen jungen Mann zum König zu wählen. Die schwedischen Offiziere waren ungeschliffen und hochmütig; dafür aber konnten sie es mit den Polen bei Wein und Met nicht aufnehmen, und gar erst beim Tanz blieben sie weit hinter den prächtigen Mazurkatänzern, einem Wiśniowiecki oder Potocki, zurück. Eines nur war schlimm: Immer weniger Geld lief aus den vom Krieg ruinierten Landgütern ein; aber auch das, dachten sie, würde rasch vorübergehen. Karl würde ja nicht ewig in Polen schalten und walten, einmal würde er wohl nach Osten aufbrechen, um mit dem Zaren Peter abzurechnen.

Und plötzlich ballte sich, für alle unerwartet, eine schwarze Wolke über Warschau zusammen. August hatte ohne Kampf das reiche Lublin genommen und rückte mit der lärmenden polnischen Reiterei in Eilmärschen am linken Ufer der Weichsel gegen Warschau vor. Das einäugige Schreckgespenst, der Hetman Danila Apostol, war mit seinen Dneprkosaken auf das rechte Weichselufer hinübergegangen und näherte sich Praga, der Vorstadt Warschaus. Elf russische Infanterieregimenter säuberten die am Bug liegenden Städtchen von den Anhängern des Königs Stanisław; sie hatten bereits Brest besetzt und schwenkten ebenfalls nach Warschau ein. Von Westen her aber näherte sich rasch das sächsische Korps des Feldmarschalls Schulenburg, der mit einem geschickten Manöver den ihn auf einer anderen Straße erwartenden König Karl hinters Licht geführt hatte.

„Gott und die Heilige Jungfrau wissen es: Ich habe nicht danach gestrebt, mir die polnische Krone aufs Haupt zu setzen, es war der Wille des Sejms", sagte, ohne den Blick zu heben, König Stanisław mit geringschätziger Langsamkeit. Auf dem Teppich zu seinen Füßen lag, die Schnauze auf die Pfoten gestreckt, ein weißer Windhund von edelster Rasse. „Außer Mühen und Unannehmlichkeiten hat mir meine hohe Würde bisher nichts eingetragen. Ich bin bereit, die Krone niederzulegen, wenn es der Sejm aus dem Gefühl der Vorsicht und Vernunft heraus wünschen sollte, um Warschau nicht Augusts Zorn auszusetzen. Zweifellos liegt Grund genug vor, daß ihm die Galle überläuft. Er ist ehrgeizig und halsstarrig. Sein Bundesgenosse, Zar Peter, ist noch halsstarriger und schlauer; sie werden so lange kämpfen, bis sie ihr Ziel erreicht haben, bis wir alle endgültig ruiniert sind." Er legte den Fuß im Saffianstiefel auf den Rücken des Hundes, der den König mit seinen lilafarbenen Augen anblickte. „Wahrhaftig, ich bestehe auf nichts, ich werde mich mit Freuden nach Italien zurückziehen. Die Studien an der Universität von Bologna locken mich..."

Der rotbäckige, mit kalter Wut dreinblickende, stämmige Oberst Arvid Horn saß in seinem grünen abgetragenen Waffenrock dem König gegenüber auf einem Klappstuhl und brummte: „Das ist kein Kriegsrat, das ist schmähliche Kapitulation..."

König Stanisław verzog langsam die Lippen. Der Kardinal-Primas Radziejowski, Augusts erbitterter Feind, der die unziemliche Bemerkung des Schweden überhört hatte, nahm das Wort mit jener einschmeichelnden, demütig befehlenden Stimme, die man in den Jesuitenschulen seit des Ignatius Loyola Zeiten so eifrig den Zöglingen beibringt.

„Euer Majestät Wunsch, sich dem Kampf zu entziehen", sagte er, „ist nur eine vorübergehende Schwäche. Die Blumen Ihrer Seele haben in dem rauhen Wind die Köpfe hängenlassen – wir sind gerührt. Aber die Krone eines katholischen Königs wird, im Gegensatz zum Hut, nur mit dem Kopf zusammen abgenommen. Lassen Sie uns festen Mutes vom Widerstand gegen den Usurpator und Feind der Kirche sprechen, denn ein solcher ist August, der schlechte Katholik und Kurfürst von Sachsen. Wollen wir hören, was uns Oberst Horn sagt."

Der Kardinal-Primas wandte sich schwerfällig dem Schweden zu – die Seide seiner prächtigen, in dem gebohnerten Parkett sich spiegelnden Purpursoutane rauschte – und streckte die Hand so einladend aus, als böte er ihm die erlesenste Speise an. Oberst Horn stieß den Stuhl zurück, spreizte seine kräftigen Beine in den hohen Juchtenstiefeln – er trug wie alle Schweden, König Karl nachahmend, einen verschlissenen Rock und derbe Kanonenstiefel mit hohen Stulpen – und räusperte sich trocken, um die Kehle freizubekommen.

„Ich wiederhole: Ein Kriegsrat muß ein Kriegsrat sein und kein Gespräch über Blümchen. Ich werde Warschau bis auf den letzten Soldaten verteidigen – das ist der Wille meines Königs. Ich habe meinen Füsilieren befohlen, mit Einbruch der Dunkelheit auf jeden zu schießen, der aus den Toren will. Nicht einen einzigen Feigling lasse ich aus Warschau hinaus, bei mir werden auch die Feiglinge kämpfen! Lächerlich, wir haben nicht weniger Truppen als August. Der Großhetman Fürst Lubomirski weiß das besser als ich. Lächerlich, August kreist uns ein! Das will nur sagen, daß er uns die Möglichkeit gibt, ihn getrennt zu schlagen: im Süden seine besoffene Schlachtschitzen-Reiterei und östlich von Warschau den Hetman Danila Apostol, dessen Kosaken leicht bewaffnet sind und dem Ansturm der gepanzerten Husaren nicht standhalten. Auch Feldmarschall Schulenburg wird, bevor er noch Warschau erreicht, sein Grab finden; mein König ist ihm zweifellos auf den Fersen. Die einzig ernste Gefahr bedeuten die elf russischen Regimenter des Fürsten Golizyn; aber während sie zu Fuß von Brest herankriechen, werden wir August bereits vernichtet haben; ihnen wird nichts anderes übrigbleiben, als den Rückzug anzutreten oder zu sterben. Ich befehle dem Fürsten Lubomirski, noch heute nacht alle Reiterregimenter nach Warschau zusammenzuziehen. Euer Majestät ersuche ich, bevor noch diese Kerzen niedergebrannt sind, das allgemeine Aufgebot zu proklamieren. Der Teufel soll mich holen, wenn wir August nicht alle Federn aus dem Schwanze rupfen!"

Den blonden Schnurrbart aufplusternd, lachte Arvid Horn auf und setzte sich. Jetzt hob sogar der König den Blick zum Großhetman Lubomirski, der den Oberbefehl über alle polnischen und litauischen Streitkräfte führte. Während des ganzen Gespräches saß er zur Linken des Königs in einem vergoldeten Sessel, die Stirn in die Handflächen gesenkt, so daß nur sein bis auf ein Büschel langes Haar kurz geschorener, runder, gleichsam mit Pfeffer bestreuter Schädel und der hängende, schüttere, lange Schnurrbart zu sehen waren.

Als es still wurde, schien er zu erwachen, holte Atem, reckte sich, er war hochgewachsen, knochig und breitschultrig, und legte langsam die Hand auf den über und über mit Diamanten besetzten Hetmansstab, der in seinem gewirkten, kostbaren Gürtel steckte. Sein etwas pockennarbiges Gesicht mit der Hakennase, den eingefallenen Wangen und der die Backenknochen straff umspannenden, krankhaft geröteten Haut war so abweisend und von so finsterem Stolz erfüllt, daß die Lider des Königs erbebten und er sich bückte, um den Hund zu streicheln. Der Großhetman erhob sich langsam. Für ihn war die lang ersehnte Stunde der Vergeltung gekommen.

Er war der vornehmste Magnat Polens, in seinen weiten Besitzungen mächtiger als jeder König. Wenn er sich zum Sejm oder auf die Wallfahrt nach Częstochowa begab, ritten und fuhren vor und hinter seiner Karosse hoch zu Roß, in Kaleschen oder auf Wagen nicht weniger als fünftausend Schlachtschitzen, einer wie der andere in karmesinfarbenem Schnürrock mit lichtblauer Verbrämung an den zurückgeschlagenen weiten Ärmeln. Bei allgemeinen Aufgeboten, Feldzügen gegen die rebellierende Ukraine oder gegen die Tataren, stellte er seine drei Regimenter Husaren in Stahlpanzern mit Flügeln auf dem Rücken. Ein Piast von Herkunft, hielt er sich für den ersten Prätendenten auf den polnischen Thron nach Augusts Sturz. Damals, im Vorjahr, hatten schon zwei Drittel der Sejmabgeordneten säbelrasselnd geschrien: „Wir wollen Lubomirski!" Aber König Karl hatte es nicht gewollt, er brauchte eine Marionette. Oberst Horn hatte den tobenden Sejm mit seinen Füsilieren umringt; sie hatten ihre Lunten angezündet und die Feierlichkeit mit Trommelgewirbel verletzt. Horn war aufstampfend, als schlüge er mit den Absätzen Nägel ein, zum leeren Thronsitz geschritten und hatte gerufen: „Ich schlage Stanisław Leszczyński vor!"

Der Großhetman verbiß seinen Groll. Keiner hatte je gewagt, seine Ehre anzutasten. König Karl, der sicherlich weniger Ackerland und Goldgeschirr sein eigen nannte als die Lubomirskis, hatte es getan. Er ließ seinen finsteren Blick über die Anwesenden schweifen, umkrallte den Apfel des Hetmansstabes und begann zu sprechen, wobei er voll Grimm, wie eine Schlange zischend, die Laute hervorstieß.

„Hab ich mich verhört oder habe ich geträumt: Mir, dem Großhetman, mir, dem Fürsten Lubomirski, hat der Garnisonkommandant einen Befehl zu erteilen gewagt! Ein Scherz? Oder Frechheit?" Der König hob die Hand mit dem Rosenkranz, der Kardinal bog sich auf seinem Sitz vor und schüttelte das welke Eulengesicht, aber der Hetman hob nur drohend die Stimme. „Hier erwartet man meinen Rat. Ich habe Sie angehört, meine Herren, ich habe mit meinem Gewissen Zwiesprache gehalten. Da haben Sie meine Antwort. Unsere Truppen sind unzuverlässig. Um sie zu zwingen, ihr und ihrer Brüder Blut zu vergießen, müßte das Herz eines jeden Schlachtschitzen vor Begeisterung überschäumen und der Kopf vom Zorn trunken sein. Vielleicht weiß König Stanisław einen solchen Kampfruf? Ich weiß keinen. ‚Im Namen Gottes, vorwärts in den Tod für den Ruhm der Leszczyńskis!' Da machen sie nicht mit. ‚Im Namen Gottes, vorwärts für den Ruhm des Königs von Schweden!' Ihre Säbel werden sie wegwerfen. Ich kann die Führung über die Truppen nicht übernehmen! Ich bin die längste Zeit Hetman gewesen!"

Bis zu den buschigen Augenbrauen nahm das verzerrte Gesicht des Hetmans eine tiefrote Färbung an. Nicht imstande, sich zu zügeln, zog er den Hetmansstab aus dem Gürtel und schleuderte ihn dem Knaben, dem König, vor die Füße. Der weiße Windhund winselte kläglich auf.

„Verrat!" schrie wütend Horn.

5

Das Wort „Berserker" – oder der von Tollwut Besessene – stammt aus dem grauen Altertum, vom Brauch der nördlichen Völker, sich mit dem Absud des Fliegenpilzes zu berauschen. Später, im Mittelalter, wurden bei den Normannen jene Krieger Berserker genannt, die im Kampf von Wut besessen waren;

sie kämpften ohne Kettenpanzer, Schild und Helm, im bloßen Leinenhemd, und waren so furchtbar, daß der Überlieferung zufolge die zwölf Berserker, Söhne des Königs Knut, auf einem Schiff gesondert von den anderen zur See fuhren, da die Normannen selber sie fürchteten.

Den Wutanfall, der König Karl überkam, konnte man nicht anders als mit Berserkerwut bezeichnen, so sehr erschreckte und bedrückte er alle Höflinge, die sich in diesem Augenblick in seinem Zelt befanden, und Graf Piper glaubte sogar, sein Leben verwirkt zu haben. Damals, als die Gräfin Kozielska Karl die mit Taubenpost gesandte Depesche übergeben hatte, hielt er, der Meinung Pipers, des Feldmarschalls Rhenskjöld und anderer Generale zum Trotz, unerschütterlich an seinem rachsüchtigen Wunsche fest, schnellstmöglich mit August zu Ende zu kommen, ganz Polen Stanisław Leszczyński botmäßig zu machen, seinen Truppen ordentlich Rast zu gönnen und den Krieg im Osten im Laufe des Sommers mit der restlosen Zerschmetterung aller Streitkräfte Peters zu beenden. Das Schicksal Narwas und Jurjews beunruhigte ihn nicht weiter; dort waren zuverlässige Garnisonen und starke Mauern, an denen sich die Moskowiter die Zähne ausbeißen würden, dort war der Tapferste der Tapferen – Schlippenbach. Außerdem ließ auch sein Stolz nicht zu, daß er, der sich als Erbe des Ruhmes Alexanders von Mazedonien und Cäsars betrachtete, seine großen Pläne einer Brieftaubendepesche wegen, die ihm noch dazu von einer liederlichen Kurtisane eingehändigt worden war, ändern sollte.

Die Nachricht vom Eintreffen der russischen Hilfstruppen in Sokal und von dem unerwarteten Vormarsch Augusts gegen Warschau, unmittelbar vor der Nase Karls – der es wie ein satter Löwe in seiner Muße nicht eilig hatte, den zum Opfer bestimmten König von Polen zu zerfleischen –, überbrachte derselbe Schlachtschitz, der bei der Abendtafel des Pan Sobieszczański eine Wurstplatte mit dem Säbel zerhauen hatte. Graf Piper ging verwirrt, den König zu wecken; es war um die Morgendämmerung. Karl schlief ruhig auf dem Feldbett, die Arme auf der Brust verschränkt. Die schwache Flamme des Messinglämpchens beleuchtete seine große, gebogene Nase, die asketisch eingefallenen Wangen, die fest zusammengepreßten Lippen – selbst im Schlaf wollte er ungewöhnlich erscheinen. Er glich dem Steinbild eines Ritters auf einem Sarkophag.

Anfangs hatte Graf Piper seine Hoffnung auf den Hahn des Königs gesetzt, für den gerade die Zeit gekommen war, loszukrähen. Aber der Hahn schien das Mönchsdasein des Königs zu teilen; er bewegte sich nur träge in seinem Käfig hinter der Zeltleinwand und stieß heiser ein unbestimmtes „Eh-he-he" hervor.

„Majestät, erwachen Sie", sagte so sanft wie möglich Graf Piper und ließ das Flämmchen in der Lampe heller aufbrennen. „Majestät, eine unangenehme Meldung." Karl öffnete, ohne sich zu rühren, die Augen. „August ist uns entschlüpft..."

Mit einem Ruck setzte Karl seine Beine, die in Unterhosen aus grobem Leinen und in wollenen Strümpfen steckten, auf den Teppich und blickte, die Fäuste aufs Bett gestützt, Graf Piper an. Mit aller Behutsamkeit eines Höflings berichtete dieser von der glücklichen Wendung in Augusts Schicksal.

„Meine Stiefel, meine Hosen!" sagte langsam Karl und riß seine starrblickenden Augen noch furchtbarer auf; sie begannen sogar zu funkeln – oder war es der Widerschein des Flämmchens der Lampe, die zu blaken begann? Piper stürzte aus dem Zelt und kehrte sofort mit Björkenhjelm zurück, der in aller Hast die Perücke aufgestülpt hatte. Die Generale traten ins Zelt. Karl zog, die Beine streckend, die Hosen und die Stiefel an, knöpfte den Waffenrock zu, wobei er sich zwei Fingernägel abbrach, und gab dann erst seinem Grimm freien Lauf.

„Sie verbringen Ihre Zeit mit schmutzigen Dirnen, Fett haben Sie angesetzt wie ein katholischer Mönch!" schrie er mit bellender Stimme, denn seine Kiefer verkrampften sich und seine Zähne schlugen aufeinander, zu dem völlig unschuldigen General Rosen gewandt. „Heute ist der Tag Ihrer Schmach!" brüllte er, sich wie zu einem Degenstoß umwendend, General Löwenhaupt an. „Ihnen stünde es an, als Gemeiner im Troß meiner Armee mitzuziehen! Wo sind Ihre Kundschafter? Ich erfahre die Neuigkeiten später als alle anderen! Ich erfahre die wichtigsten Neuigkeiten, von denen das Schicksal Europas abhängt, von irgendeinem betrunkenen Schlachtschitzen! Ich erfahre sie von Kurtisanen! Mache mich lächerlich! Ich wundere mich überhaupt, daß mich die Kosaken noch nicht im Schlaf aus dem Zelt fortgeschleppt und mit einem Strick um den Hals nach Moskau gebracht haben! Ihnen aber, Herr Piper, rate ich, die Grafenkrone in Ihrem Wappen mit einer Narrenkappe zu vertauschen! Sie Vertilger von Schnepfen, Birkhühnern und anderem Wildbret, Sie Säufer und Esel! Wagen Sie es nicht, den Gekränkten zu spielen! Es wird mir ein Vergnügen sein, Sie zu rädern und zu vierteilen! Wo sind Ihre Spione, frage ich Sie? Wo sind Ihre Kuriere, die mir von den Ereignissen, einen Tag bevor sie eintreten, zu berichten haben? Der Teufel soll euch alle holen! Ich verlasse die Armee, ich ziehe mich ins Privatleben zurück! Mich ekelt es, euer König zu sein!"

Darauf riß König Karl sämtliche Knöpfe an seinem Waffenrock ab. Trat mit einem Fußtritt die Trommel ein. Zerrte Baron Björkenhjelm die Perücke vom Kopf und zerfetzte sie. Keiner widersprach ihm, er raste inmitten der zurückweichenden Höflinge im Zelt auf und ab.

Als sich der Berserkerwutanfall zu legen begann, verschränkte er die Hände auf dem Rücken, neigte den Kopf und sagte: „Ich befehle, unverzüglich Alarm zu blasen und die Truppen bereitzumachen. Ich gebe Ihnen drei Stunden Zeit für die Vorbereitungen zum Aufbruch. Ich marschiere. Sie werden alles aus meinem Befehl erfahren. Verlassen Sie mein Zelt! Björkenhjelm – Feder, Papier und Tinte!"

6

„Das ist unerträglich. Eine ganze Ewigkeit halten wir hier schon. Mehr Entschlossenheit, eine ordentliche Attacke, und wir könnten heute in Warschau übernachten", meinte unwirsch Gräfin Kozielska, aus dem Fenster ihrer Karosse auf die zahllosen Holzfeuer blickend, die sich in weitem Bogen vor der in der nächtlichen Dunkelheit unsichtbaren Stadt hinzogen. Die Gräfin war müde bis zur Bewußtlosigkeit. Ihre elegante Karosse mit dem goldnen Cupido war bei der Überfahrt über ein Flüßchen zerbrochen, und sie hatte sich genötigt gesehen, in den unbequemen, rüttelnden, abscheulichen Wagen der Pani Sobieszczańska umzusteigen. Die Gräfin war derartig wütend, Pani Anna erschien ihr als ein so verächtliches Geschöpf, daß sie zu dieser Krähwinkelpolin sogar liebenswürdig war.

„Der Wagen des Königs hält vor uns, er selbst aber ist nicht darin. Was er sich eigentlich denkt, weiß nicht einmal Gott! Keinerlei Vorbereitungen zum Abendessen und zur Rast..."

Die Gräfin ließ, mit Mühe am Riemen zerrend, das Wagenfenster herab. Ein warmer Geruch von Pferdeschweiß und dem Sättigung versprechenden Dampf der Feldküchen wehte herüber. Die Nacht war voll Lagerlärm – Stimmen hallten, aufeinanderprallende Fuhrwerke krachten, Geschrei, Geschimpf, Gelächter, Hufgestampf, entfernte Schüsse. Diese Feldzugszerstreuungen hingen der Gräfin bereits zum Halse heraus. Sie zog das Fenster hoch und warf sich in die Wagenecke zurück; alles störte sie: das zerknüllte Kleid, der Umhang und die Ekken der Schatullen; mit Wonne hätte sie jemanden blutig gebissen.

„Ich fürchte, wir werden das königliche Schloß in größter Unordnung und geplündert vorfinden. Die Familie Leszczyński ist durch ihre Habgier berüchtigt, und ich kenne Stanisław nur zu gut – ein Mucker, Geizhals und Knicker. Er ist aus Warschau nicht nur mit dem Gebetbuch in der Tasche geflüchtet. Ihnen rate ich, meine Liebe, sich auf jeden Fall nach einem Privathaus umzusehen, natürlich falls Sie anständige Bekannte in Warschau haben. Auf König August rechnen Sie nicht allzusehr. Mein Gott, ist das ein Lump!"

Pani Anna genoß die Gespräche mit der Gräfin, es war die hohe Schule mondäner Erziehung. Von den frühesten Mädchenjahren an, kaum daß sich unter ihrem Hemd die Brust entzückend zu runden begann, hatte Pani Anna von einem ungewöhnlichen Leben geträumt. Dazu brauchte sie nur in den Spiegel zu blicken: schön, und nicht bloß hübsch, sondern pikant, klug, witzig, mutwillig und unermüdlich. Der Hausstand der Eltern war dürftig. Der Vater, ein verarmter Schlachtschitz, verschaffte sich Einkünfte auf Jahrmärkten und am grünen Tisch bei reichen Pans. Er war selten zu Hause. In seinem abgetragenen Wams saß er müde, still geworden, mit welkem Gesicht am Fenster und betrachtete gedankenvoll seine ärmliche Wirtschaft. Anna, seine einzige und zärtlich geliebte Tochter, bestürmte ihn mit Bitten, er solle von seinen Abenteuern erzählen. Der Vater pflegte zwar ungern, aber dann, in Hitze geratend, doch mit seinen Taten und seinen hohen Bekanntschaften zu prahlen. Wie einem Zaubermärchen lauschte Anna den Erzählungen und Fabeln von den Wundern und dem Prunk der Fürsten Wiśniowiecki, Potocki, Lubomirski, Czartoryski. Als der Vater, nachdem er zur Bezahlung einer Spielschuld den letzten Klepper verkauft und das letzte Hühnchen verzehrt hatte, seine Tochter dem bejahrten Pan Sobieszczański zur Frau gab, sträubte sich Anna nicht, denn sie begriff, daß diese Ehe nur eine sichere Stufe zu späterem Aufstieg sei. Nur eines verdroß sie: daß ihr Mann sich für seine Jahre allzu leidenschaftlich in sie verliebte. Sie hatte ein gutes Herz, das im übrigen aber völlig von der Vernunft regiert wurde.

Und nun hatte sie der Zufall mit einemmal auf die oberste Sprosse der Glücksleiter emporgehoben. Der König war ihr ins Netz geraten. Pani Anna stieg das nicht zu Kopf wie einem jungen Gänschen; ihre scharfen Gedanken begannen hin und her zu huschen, wie eine Maus in einem dunklen Kornkasten; es hieß, alles zu überdenken und vorauszusehen. Dem Pan Sobieszczański, der als verliebter Gatte gewöhnlich nichts begriff und nichts sah, erklärte sie zärtlich: „Ich habe genug von diesem öden Landleben! Sie müssen sich für mich freuen, Józef: Jetzt will ich die erste Dame in Warschau sein. Machen Sie sich keine Sorgen, tafeln Sie ruhig und vergöttern Sie mich."

Schwierig war etwas anderes: die Gräfin Kozielska zu überlisten und sie seelenruhig ins Verderben zu stürzen, und das Heikelste schließlich: dem König nicht zur Befriedigung einer flüchtigen Laune zu dienen, sondern ihn fest an sich zu ketten.

Dazu genügten nicht Frauenreize allein, dazu bedurfte es der Erfahrung. Ohne Zeit zu verlieren, entlockte Pani Anna der Gräfin die Geheimnisse der Verführungskünste.

„Ach nein, liebwerte Gräfin, in Warschau bin ich bereit, in einer Hütte zu leben, wenn ich nur in Ihrer Nähe bin, wie ein graues Bienchen neben einer Rose!" sagte Pani Anna, mit hochgezogenen Beinen in der anderen Wagenecke hockend, und warf ab und zu einen flüchtigen Blick auf das Gesicht der Gräfin, die die Augen geschlossen hielt. Bald färbte sich dieses vom Widerschein der Holzfeuer rosig, bald versank es im Schatten, gleich dem Mond in den Wolken. „Ich bin ja noch ein richtiges Kind. Ich zittere immer noch, wenn der König das Wort an mich richtet, ich möchte doch nichts Dummes oder Unziemliches sagen."

Die Gräfin begann zu sprechen, als antworte sie auf ihre Gedanken, die sauer waren wie Essig.

„Wenn der König hungrig ist, verschlingt er mit gleichem Vergnügen Schwarzbrot und Gänseleberpastete. In einer Landstraßenschenke wollte er einer pockennarbigen Kosakin, die wie ein Blitz über den Hof in den Keller und mit den Krügen wieder zur Schenke huschte, nicht von der Seite weichen. Er sah in ihr ein Weib. Nur das allein ist für ihn von Bedeutung. Oh, dieses Ungeheuer! Die Gräfin Königsmarck hat ihn damit erobert, daß sie beim Tanz ihre Strumpfbänder sehen ließ, schwarze Samtbändchen, die auf rosafarbenen Strümpfen zu einer Schleife geknüpft waren..."

„Jesus Maria, und das wirkt so?" flüsterte Pani Anna.

„Er hat sich wie ein Vieh in die russische Bojarin Wolkowa verliebt; sie wechselte während des Balles mehrmals Kleid und Hemd – er stürzte ins Zimmer, ergriff ihr Hemd und wischte sich damit das schweißfeuchte Gesicht. Dasselbe hat sich im vorigen Jahrhundert mit Heinrich dem Zweiten, dem König von Frankreich, zugetragen. Aber dort endete es mit lang dauernder Anhänglichkeit, während August die Bojarin Wolkowa zum Vergnügen aller vor der Nase entwischt ist."

„Ich bin furchtbar dumm!" rief Pani Anna aus. „Ich verstehe nicht: Was hat das Hemd jener Person damit zu schaffen?"

„Nicht nur das Hemd, die Haut jener Person, der ihr eigene Duft sind entscheidend. Die Haut einer Frau ist dasselbe, was der Duft für die Blume ist, das wissen alle kleinen Mädchen in den Schulen der Nonnenklöster. Für einen solchen Roué wie unsern geliebten König ist bei seinen Sympathien die Nase ausschlaggebend."

„O Heilige Jungfrau!"

„Haben Sie einmal seine riesige Nase betrachtet, auf die er sehr stolz ist, denn er findet, daß sie ihm Ähnlichkeit mit Heinrich dem Vierten verleiht? Seine Nasenflügel blähen sich fortwährend, wie bei einem Hühnerhund, der eine Schnepfe wittert."

„Also sind Parfüms besonders wichtig, Ambrapuder und aromatische Salben? Habe ich richtig verstanden, liebwerte Gräfin?"

„Wenn Sie die Odyssee gelesen haben, so müssen Sie sich erinnern, daß die Zauberin Circe die Männer in Schweine verwandelte. Stellen Sie sich nicht naiv, meine Liebe. Im übrigen aber ist dies alles hinreichend widerlich, langweilig und erniedrigend."

Die Gräfin schwieg. Pani Anna ließ sich durch den Kopf gehen: Wer hatte jetzt eigentlich die andere überlistet? Vor dem Wagenfenster tauchte eine Pferdeschnauze auf, von deren schwarzen Lefzen Schaum troff. Es war der König, der angeritten kam. Er sprang aus dem Sattel und öffnete den Wagenschlag; seine Nasenflügel blähten sich, sein großes, lebhaftes Gesicht lächelte strahlend. Im Licht der Fackel, die ein Reiter trug, war er in seinem leichten, vergoldeten Helm mit dem aufgeschlagenen Visier, in seinem prunkvoll über die Schulter geworfenen Purpurmantel so prächtig, daß Pani Anna sich sagte: Nein, nein, keine Dummheiten!

„Kommen Sie heraus, meine Damen", rief der König fröhlich. „Sie werden einem historischen Schauspiel beiwohnen!"

Pani Anna flatterte sofort mit einem Aufschrei aus dem Wagen.

Die Gräfin sagte: „Ich habe schreckliche Kreuzschmerzen, was Euer Majestät zweifellos beabsichtigt haben. Ich bin nicht angekleidet und werde hierbleiben, um auf nüchternen Magen ein wenig zu schlummern."

Der König erwiderte schroff: „Wenn Sie eine Tragbahre brauchen, so schicke ich eine..."

„Eine Tragbahre, mir?" Vor den grünstrahlenden Blitzen ihrer weitgeöffneten Augen wich August einige Schritte zurück. Die Gräfin sprang aus dem Wagen im pfirsichfarbenen Mantel, mit flimmernden Edelsteinen, die an ihren Ohren, an

Hals und Fingern bebten, mit zerzauster Coiffüre, die aber darum nicht weniger entzückend war. „Stets zu Ihren Diensten!" und schob den nackten Arm ihm unter den Ellbogen. Ein weiteres Mal erkannte Pani Anna, wie groß die Kunst dieser Frau war.

Zu dritt gingen sie zur Karosse des Königs, wo hoch zu Roß im Fackelschein eine Schwadron der aus Schlachtschitzen formierten Elitereiterei hielt, in Kürassen mit weißen Schwanenfedern, die auf eisernen Reifen am Rücken befestigt waren. August und – ihm zur Seite und ein wenig zurück – die Damen nahmen in Sesseln auf einem Teppich Platz. Pani Annas Herz klopfte, ihr kam es vor, als wären die sie umgebenden hohen Reiter mit ihren Flügeln, mit dem Widerschein der Feuer auf den Kürassen und Helmen Engel Gottes, die auf die Erde hinabgestiegen waren, um August sein Warschauer Palais, seine Glorie und sein Geld zurückzugeben. Sie schloß die Augen und sprach leise ein kurzes Gebet: „Möge der König in meiner Hand sein wie ein Lämmchen."

Hufgeklapper erklang. Die Schwadron wich auseinander. Aus der Dunkelheit näherte sich der Großhetman Lubomirski mit seiner Leibwache, ebenfalls mit Flügeln am Rücken, jedoch aus schwarzen Federn. Der Großhetman sprengte dicht an den König heran, riß mit einem Ruck die Zügel straff, so daß sich sein Mantel blähte, sprang von dem schnaubenden Roß herab und beugte auf dem Teppich vor August das Knie.

„Wenn du es kannst, König, so verzeih mir meinen Verrat..." Seine heißen, dunklen Augen blickten fest, das krankhaft gerötete Gesicht war finster, die Stimme bebte. Er kämpfte mit seinem Stolz. Die Pelzmütze mit der Diamantenkette hatte er nicht abgenommen, nur seine mageren Hände zitterten. „Mein Verrat war Wahnsinn, Geistesverwirrung. Glaube mir, ich habe dennoch auch nicht eine Stunde lang Stanisław als König anerkannt. Kränkung zerfraß mir die Eingeweide. Meine Stunde kam. Ich warf ihm meinen Hetmansstab vor die Füße. Ich spie aus und verließ ihn. Im Hof des königlichen Palais fielen die Soldaten des Kommandanten über mich her. Gott sei gelobt, noch weiß meine Hand den Säbel kräftig zu führen, mit dem Blut der Verfluchten habe ich meinen Bruch mit Leszczyński besiegelt. Ich biete dir mein Leben ..."

Ihn anhörend, streifte August langsam seine Eisenhandschuhe ab und ließ sie auf den Teppich fallen, sein Gesicht erhellte sich, er stand auf, breitete die Arme aus und hob sie empor.

„Ich vertraue dir, Großhetman. Von ganzem Herzen verzeihe ich dir und umarme dich."

Und mit aller Kraft preßte er das Gesicht des Hetmans an seine Brust, an die ziselierten Zentauren und Nymphen, die seinen italienischen Panzer schmückten. Nachdem August ihn etwas länger als nötig an die Brust gedrückt hatte, befahl er, noch einen Stuhl herbeizubringen. Aber den Stuhl hatte man schon gebracht. Der Großhetman begann, ab und zu die Hand an die gequetschte Wange führend, von den Warschauer Ereignissen zu erzählen, die sich nach seiner Weigerung, gegen August und die Russen ins Feld zu ziehen, abgespielt hatten.

Unruhe hatte Warschau ergriffen. Der Kardinal-Primas Radziejowski, der voriges Jahr auf dem Sejm in Lublin kniefällig vor dem Kruzifix August und der Freiheit des polnischen Staates öffentlich den Treueid geschworen, einen Monat darauf aber in Warschau das lutherische Evangelium geküßt und König Karl Treue gelobt hatte, bestand, sogar mit Schaum vor dem Mund, auf Augusts Entthronung, schlug als Thronkandidaten den Fürsten Lubomirski vor und verriet auch diesen auf die Forderung Arvid Horns hin sogleich wieder; dieser dreifache Verräter war als erster aus Warschau geflüchtet, wobei er es verstanden hatte, mehrere Truhen des Kirchenschatzes mitzunehmen.

König Stanisław irrte drei Tage im veröden Palais umher, jeden Morgen erschienen weniger Höflinge zur Cour. Arvid Horn ließ ihn nicht aus den Augen; er hatte ihm geschworen, Warschau nur mit den Kräften seiner Garnison zu halten. Da er nach den Vorschriften der Etikette nicht der Königstafel beiwohnen durfte, saß er während der Diners und Soupers im Nebenzimmer und klirrte mit den Sporen. Um das lästige Klirren nicht zu hören, deklamierte Stanisław zwischen den Gängen mit lauter Stimme lateinische Verse des Apulejus. In der vierten Nacht entwich er dennoch aus dem Palais, zusammen mit seinem Coiffeur und Lakaien, als Bauer verkleidet, mit angeklebtem Bart. Auf einem Wagen mit zwei Teerfässern, in denen sich der gesamte königliche Schatz befand, fuhr er zum Stadttor hinaus. Allzu spät kam Arvid Horn darauf, daß König Stanisław, ein echter Leszczyński, außer der Lektüre des Apulejus und dem langweiligen Aufundabschreiten durch die öden Säle in Begleitung seines Hundes sich in diesen Tagen auch mit etwas anderem beschäftigt hatte. Arvid Horn riß die Vorhänge des Königsbetts herunter und zertrampelte sie, durchbohrte den Hofmarschall mit dem Degen und erschoß den Kommandeur der Nachtwache. Nun aber konnte nichts mehr die Flucht der vornehmen Pans aus Warschau hemmen, die auf die eine oder andere Weise mit Leszczyński verknüpft waren.

August lachte über diese Geschichten, hämmerte mit den Fäusten auf die Armlehnen und wandte sich nach den Damen um. Die Augen der Gräfin Kozielska drückten nur kühle Verachtung aus, dafür aber lachte Pani Anna aus voller Kehle, hell wie ein Silberglöckchen.

„Welchen Rat gibst du mir nun, Großhetman? Belagerung oder unverzüglichen Sturm?"

„Nur Sturm, gnädigster König. Die Garnison Arvid Horns ist nicht groß. Warschau muß genommen werden, bevor König Karl herankommt."

„Unverzüglich Sturm, hol es der Teufel! Ein weiser Rat." August rasselte kriegerisch mit den eisernen Schulterstücken. „Damit der Sturm gelingt, muß man den Truppen ordentlich zu essen geben, und sei es gekochtes Gänsefleisch. Bescheiden gerechnet, fünftausend Gänse! Hm!" Er rümpfte die Nase. „Es wäre auch nicht übel, ihnen den Sold auszuzahlen. Fürst Golizyn konnte mir nur zwanzigtausend Speziestaler zur Verfügung stellen. Eine Bagatelle! Was Geld anlangt, ist Zar Peter nicht großzügig, nein, großzügig ist er nicht! Ich habe auf den Schatz des Kardinals und auf den Schatz im Palais gerechnet. Gestohlen!" schrie er, und sein Gesicht färbte sich tiefrot. „Ich kann doch meiner eigenen Residenz keine Kontribution auferlegen."

Fürst Lubomirski hatte dies alles, den Blick zu Boden gesenkt, angehört und sagte leise: „Meine Kriegskasse ist noch nicht leer. Befiehl nur..."

„Ich danke, werde gern davon Gebrauch machen", antwortete ein wenig zu rasch, aber mit echt Versailler Grazie August. „Ich brauche etwa hunterttausend Speziestaler. Nach dem Sturm zahle ich sie zurück." Sein Gesicht hellte sich auf, er erhob sich und umarmte den Hetman von neuem, wobei er dessen Wange mit seiner Wange streifte. „Geh, Fürst, und ruh dich aus. Auch wir wollen ruhen."

Der Hetman schwang sich in den Sattel und sprengte, ohne sich umzublicken, in die Dunkelheit davon. August wandte sich nach den Damen um.

„Also, meine Damen, Ihre ermüdende Reise wird ihre Belohnung finden. Sagen Sie nur Ihre Wünsche. Der erste und der bescheidenste davon – ich errate es – ist ein Souper. Denken Sie nicht, ich hätte Ihre Bequemlichkeiten und Zerstreuungen vergessen. Es ist nun einmal Königspflicht, niemals und nichts zu vergessen. Ich bitte Sie in meinen Wagen..."

Fünftes Kapitel

I

Gawrila Browkin jagte dahin, ohne sich Rast zu gönnen; er fuhr nach Moskau mit des Zaren Reiseschein, in einem kleinen Wagen mit eisenbeschlagenen Rädern, mit einem Dreigespann, das auf jeder Station schnell gewechselt wurde. Er führte die Post des Zaren mit sich und hatte dem Fürst-Cäsar den Auftrag zu überbringen, die Zustellung von Eisenerzeugnissen jeder Art nach Pieterburg zu beschleunigen. Mit ihm reiste Andrej Golikow. Gawrila hatte Befehl, sich unterwegs nicht unnötig aufzuhalten. Sich aufhalten! Hundert Faden flog Gawrilas ungeduldiges Herz dem Dreigespann voraus. Hatte Gawrila den jeweiligen Jam – oder wie man jetzt zu sagen pflegte Posthof – erreicht, so sprang er, über und über mit Staub bedeckt, die Stufen zum Eingang hinauf und schlug mit dem Griff der Reitpeitsche gegen die Tür. „Kommissar", schrie er, die Augen rollend, „augenblicklich ein Dreigespann!" und ging auf den verschlafenen Beamten los, von dessen Kommissarsrang nur der betreßte Hut zeugte und der der Hitze wegen barfuß war, nichts als Unterhosen und ein langes, ungegürtetes Hemd anhatte. „Eine Kelle Kwaß, und eh ich ausgetrunken habe, muß angespannt sein."

Auch Andrej Golikow war wie im Taumel. Die Zähne zusammengepreßt, die Finger an den Wagenrand gekrallt, um nicht herauszufallen und sich das Genick zu brechen, mit wehendem Haar im Nacken, die Nase vorgestreckt wie einen Schnepfenschnabel, schien er zum erstenmal die Augen aufgemacht zu haben. Er starrte auf die entgegengleitenden Wälder, die harzige Wärme ausatmeten, auf die mit giftiggrellem Grün umsäumten runden Sumpfseen, in denen sich der Himmel und die Sommerwölkchen spiegelten, auf die gewundenen Flüßchen, von deren schwarzer Wasserfläche Schwärme aller möglichen Vögel aufflatterten, wenn die Räder über eine Brücke ratterten. Von weiter, endloser Fahrt sang wehmütig das Glöckchen unter dem sich wiegenden Krummholz. Unaufhaltsam trieb der Postkutscher das Dreigespann vorwärts, in seinem gekrümmten Rücken fühlte er den tollen Fahrgast und dessen Reitpeitsche.

Selten stießen sie auf Dörfer, spärlich bevölkert, mit ärmlichen baufälligen Hütten, die statt der Fenster eine zwei Handbreit große, mit einer Ochsenblase bespannte Öffnung und über der niedrigen Tür eine rauchgeschwärzte Ritze hatten. Dazu etwa unter einer zerspaltenen Weide ein Täubchen mit einem Heiligenbild, damit wenigstens etwas da wäre, wovor man in dieser Öde Gottes gedenken könne. So manches Dörfchen wies nur noch zwei, drei bewohnte Höfe auf, in den anderen waren die morschen Dächer eingesunken, die Tore eingestürzt, ringsum alles von Brennesseln überwuchert. Die Menschen aber – geh, suche sie in den undurchdringlichen Wäldern, wo sich die Wölfe gute Nacht sagen, im Norden, an der Dwina oder am Wyg, oder auch jenseits des Urals und am unteren Don.

„Ach, wie arm doch die Dörfer sind, ach, was für ein ärmliches Leben", flüsterte Golikow und preßte vor Mitleid die schmale Hand an die Wange.

Gawrila erwiderte bedächtig: „Menschen sind wenig da, das Reich aber, wollte man es rings umfahren, zehn Jahre reichten dazu nicht aus. Daher auch die Armut, vom einzelnen wird viel verlangt. Da war ich beispielsweise in Frankreich. Mein Gott! Die Bauern schwanken wie Halme im Wind; Gras essen sie zum sauren Wein, und auch das nicht alle. Wenn aber ein Marquis oder gar der Dauphin von Frankreich zur Jagd fährt, so werden ganze Fuhren Wild geschossen. Ja, dort ist Armut. Aber dort ist die Ursache eine andere."

Golikow fragte nicht, was die Ursache sei, daß die französischen Bauern wie Halme im Wind schwanken. Sein Verstand war nicht aufgeklärt, nach den Ursachen forschte er nicht; mit seinen Augen, mit Ohren und Nase schlürfte er den bittersüßen Wein des Lebens und freute und quälte sich über alle Maßen.

Auf der Waldaihöhe wurde es heiterer, jetzt kamen Lichtungen mit vorjährigen Schobern, auf denen ein Habicht saß, Waldpfade, die sich im Laubdickicht verloren, daß man Lust bekam, ihnen zu folgen und Beeren zu suchen; auch das leise Rauschen der Wälder war anders geworden, sanft, aus voller Brust. Und die Dörfer waren wohlhabender, mit festen Toren und kunstvoll geschnitzten Haustüren. Sie machten bei einem Brunnen halt, um die Pferde zu tränken. Da erblickten sie ein Mädchen, das sechzehn Jahre alt sein mochte, mit dickem Zopf und einem Kopfputz aus Birkenrinde, an dem jeder Zacken mit einer lichtblauen Glasperle geschmückt war; so liebreizend war das Mädchen, daß sie am liebsten aus dem Wagen gesprungen wären, um sie auf den Mund zu küssen.

Golikow begann verhalten zu seufzen. Gawrila aber sagte zu ihr, ohne solch dummem Ding wie einem Dorfmädel Beachtung zu schenken: „Na, was stehst du da und glotzt! Siehst doch, bei uns ist ein Reifen gesprungen; lauf, hol den Schmied!"

„Jawohl, ach", schrie sie leise auf, warf Eimer und Wassertrage fort und lief über den Rasen, daß die rosigen Fersen unter dem gestickten Saum ihres Leinenhemdes blinkten. Jedenfalls hatte sie jemandem etwas ausgerichtet, denn bald darauf kam der Schmied. Beim ersten Blick auf diesen Mann hätte sich jeder voll Befriedigung geräuspert und gesagt: Ja, das ist ein Kerl! Das Gesicht mit dem krausen Bärtchen war kräftig geformt, um die Lippen spielte ein Lächeln, als ob er sich aus bloßer Nachsicht zu den durchreisenden Windbeuteln herbeibemüht habe. Dem konnte man mit dem Schmiedehammer eins auf die Brust geben, und es würde ihm nichts tun; die mächtigen Hände steckten hinter dem ledernen Brustlatz.

„Ein Reifen gesprungen, was?" fragte er spöttisch mit singender Baßstimme. „Man sieht's, Moskauer Arbeit." Kopfschüttelnd ging er um den Wagen herum, warf einen Blick darunter, packte das Hintergestell und rüttelte es mühelos mitsamt den Insassen. „Er ist ganz aus den Fugen. So ein Wagen taugt höchstens dem Teufel zum Holzfahren."

Gawrila begann ärgerlich zu streiten. Golikow starrte den Schmied verzückt an – von allen Wundern war dies vielleicht das erstaunlichste. Wie sollte man sich dabei nicht nach Pinsel und Farben, nach duftenden Eichentafeln sehnen! Alles, alles gleitet an den Augen vorbei, schwindet unwiederbringlich dahin in neblige Vergessenheit. Nur der Maler mit seiner Kunst ist imstande, auf der weiß grundierten Holztafel diese unsinnige Vernichtung aufzuhalten.

„Na, und hast du lange damit zu tun?" fragte Gawrila. „Mir ist jede Stunde teuer, ich reise im Auftrag des Zaren."

„Man kann sich Zeit lassen, kann es auch rasch machen", antwortete der Schmied.

Gawrila warf einen strengen Blick auf seine Reitpeitsche, dann schielte er zu ihm hinüber. „Schön. Wieviel verlangst du?"

„Wieviel ich verlange?" Der Schmied lachte. „Meine Arbeit ist teuer. Wenn ich den richtigen Preis von dir verlange, reichen vielleicht deine Kopeken nicht. Aber ich kenn dich doch, Gawrila Iwanowitsch; du bist mit deinem Bruder im Frühjahr hier durchgefahren, hast bei mir übernachtet. Hast's wohl vergessen? Dein Bruder, das ist ein gescheiter Kerl. Ich kenne auch den Zaren Peter gut, und er kennt mich, kehrt jedesmal bei mir in der Schmiede ein. Auch der ist gescheit. Nun gut, macht kehrt und fahrt zu meiner Schmiede, wir werden sehen, was sich da tun läßt."

Die Schmiede befand sich auf der Berglehne an der Landstraße, ein niedriger Bau aus riesigen Baumstämmen mit einem Erddach, mit drei Ständen zum Beschlagen der Pferde; ringsum lagen Räder, Pflüge und Eggen. An der Tür standen in Lederschürzen, das lockige Haar von einem Riemen festgehalten, die beiden jüngeren Brüder des Schmieds sowie der ältere, ein finster blickender, bärtiger Goliath, der Zuschläger. Ohne Hast, aber leicht, als sei es ein Spiel, ging der Schmied an die Arbeit. Er spannte selber die Pferde aus, drehte den Wagen um, nahm die Räder ab und zog die eisernen Achsen heraus. „Sieh an, beide haben einen Sprung, mit dieser Achse sollte man dem Moskauer Schmied eins auf den Schädel geben!" Die Achsen schob er ins Schmiedefeuer, schüttete einen Sack Kohle auf und rief dem jüngsten Bruder zu: „Wanjuscha, kräftiger blasen! Holz schlagen heißt: sich plagen!" Und die Brüder machten sich wacker ans Werk.

Gawrila lehnte, seine Pfeife rauchend, am Türpfosten. Golikow setzte sich auf die hohe Schwelle. Sie fragten, ob sie nicht helfen sollten, damit es rascher ginge, doch der Schmied winkte ab. „Bleibt ruhig sitzen, da seht ihr wenigstens mal, was es für Schmiede im Waldai gibt!"

Wanjuscha ließ die Bälge spielen – wie Schneegestöber sprühten knisternd die Funken zum Dach. In ihrem Schein stand der bärtige ältere Bruder wie ein heidnischer Gott, die Hände auf dem langen Griff des pudschweren Hammers. Der Schmied wendete die Achse in der glutstrahlenden Esse.

„Und damit ihr's wißt – wir heißen Worobjow, so nennt man uns", sagte er, immer noch in den krausen Schnurrbart schmunzelnd. „Wir sind Schmiede, Waffenschmiede, Glockengießer. Unter eurem Krummholz da, das Silberglöckchen, das ist unser Guß. Voriges Jahr hat Zar Peter genauso hier auf der Schwelle gesessen und mich fortwährend gefragt: ‚Halt ein mit dem Hämmern, Kondrati Worobjow', sagte er, ‚antworte mir erst mal, warum haben deine Glöckchen so ein Silbergeläut? Warum biegt sich die Degenklinge, die du geschmiedet hast, und springt nicht? Warum trägt eine Worobjowpistole zwanzig Schritt weiter und schießt ohne Versagen?' Ich antwortete ihm: ‚Euer Majestät Peter Alexejewitsch, unsere Glöckchen haben darum ein solches Geläut, weil wir Kupfer und Zinn auf der Waage abwiegen, wie es uns erfahrene Leute gelehrt haben, und ohne Blasen gießen. Unsere Klinge aber biegt sich und springt nicht, weil wir sie bis zur Rotglut erhitzen und in Hanföl stählen. Und unsere Pistolen tragen darum so weit und schießen ohne Versagen, weil unser Vater, Stepan Stepanowitsch, Gott hab ihn selig, uns, als wir klein waren, für jeden Fehler mit der Rute gezüchtigt und dabei wiederholt hat: Schlechte Arbeit ist schlimmer als Diebstahl...' So ist es."

Mit der Zange nahm Kondrati die Achse aus der Esse, legte sie auf den Amboß, fegte mit einem auflodernden Besen die

Schlacke von ihr ab und nickte mit dem Bärtchen dem älteren Bruder zu. Der trat einen Schritt zurück und begann zu hämmern, den Körper weit vor- und zurückwerfend, daß der Hammer im Kreis wirbelte; glühende Spritzer sprühten gegen die Wände. Kondrati nickte dem mittleren Bruder zu. „Na, Stjopa!" Der stellte sich mit einem kleineren Hammer auf die andere Seite; und ein Hämmern begann, wie Glockengeläut in der Osternacht. Der Ältere schlug mit dem Hammer einmal drein, Stjopa antwortete mit zwei Schlägen; Kondrati wendete das Eisen hin und her und ließ dabei seinen Hammer auf und ab tanzen. „Halt!" rief er aus und warf die fertiggeschmiedete Achse auf den Erdboden. „Wanjuscha, fach die Glut an!"

„Da sagt er mir also", fuhr der Schmied fort, sich mit dem Handrücken den Schweiß wischend: ‚Hast du, Kondrati Worobjow, vielleicht vom Tulaer Schmied Nikita Demidow gehört? Heute hat er im Ural seine eigenen Werke und eigene Erzgruben; auch Bauern sind ihm zugeteilt worden, und sein Palast ist prächtiger als der meine, und er hat, genauso wie du, klein angefangen. Auch für dich wär's Zeit, an eine große Sache zu denken, kannst doch nicht dein Leben lang an der Landstraße Pferde beschlagen. Fehlt es dir an Geld, dich einzurichten, ich gebe dir welches, obgleich auch bei mir das Geld knapp ist. Bau eine Waffenfabrik in Moskau, noch besser aber, bau sie in Pieterburg. Das ist ein Paradies...' Und so schön hat er mir das alles erzählt, ich sehe, er lockt und lockt mich. ‚Ach', antwortete ich ihm, ‚Euer Majestät Peter Alexejewitsch, wir leben hier an der Landstraße auskömmlich und fröhlich. Unser Vater pflegte zu sagen: »Ein Fladen tut keinen Schaden, wird dir den Bauch nicht aufreißen: Iß kräftig, schlafe fest, arbeite fleißig.« Nach seinem Geheiß handeln wir auch. Alles haben wir zur Genüge. Im Herbst brauen wir Bier, so stark, daß die Faßreifen krachen, und trinken auf deiner Zarenmajestät Wohl. Schmucke Fausthandschuhe tun wir an und ergötzen uns draußen am Faustkampf. Hab keine Lust, von hier wegzuziehen!' So habe ich ihm geantwortet. Wie er da zornig wurde! ‚Schlimmer', sagte er, ‚konntest du mir nicht antworten, Kondrati Worobjow. Wer mit allem zufrieden ist und das Gute nicht für Besseres hingeben will, der wird alles verlieren. Ach', sagte er, ‚wann werdet ihr nur, faule Satansbrut, das einsehen?' Ein Rätsel hat er mir da aufgegeben..."

Der Schmied schwieg, runzelte die Stirn und senkte den Blick. Die jüngeren Brüder sahen ihn an; sie wollten wohl gern auch etwas dazu sagen, wagten es aber nicht. Er schüttelte den Kopf und lächelte vor sich hin.

„So bringt er alle um die Ruhe. Sieh einer an, wir, wir sollen faul sein? Und was zeigt sich? Wir sind wirklich faul."

Er wandte sich rasch zur Esse um, wo die zweite Achse in der Glut lag, griff nach der Zange und rief den Brüdern zu: „Ans Werk!"

Nach anderthalb Stunden war der Wagen fertig, fest und leicht zusammengefügt. Das Mädchen mit dem Kopfschmuck aus Birkenrinde hatte sich die ganze Zeit vor der Schmiede zu schaffen gemacht. Kondrati bemerkte sie endlich.

„Maschutka!" Sie warf den Kopf zurück, stand da wie angewurzelt. „Lauf, bring den Bojaren kalte Milch als Reisetrunk!"

Gawrila, der mit zusammengekniffenen Augen verfolgt hatte, wie ihre Fersen blinkten, fragte: „Deine Schwester? Ein schönes Mädel."

„Ach, na ja", meinte der Schmied. „Sie zu verheiraten ist fast noch zu schade. Zu Hause ist sie zu nichts zu gebrauchen. Kann weder weben noch melken, noch Gänse weiden. Weiß nur eins: blauen Ton kneten und Possen treiben, macht eine Katze, die rittlings auf einem Hund sitzt, oder eine Alte am Krückstock, wie lebendig, wahrhaftiger Gott! Knetet Vögel und Tiere, die es gar nicht gibt. Ihr ganzes Kämmerchen ist voll von diesem Plunder. Wir haben schon versucht, ihn rauszuwerfen – da gab es Geschrei und Geheul. Haben es sein lassen..."

„Mein Gott, mein Gott", sagte leise Golikow, „das müßte man sich ja so rasch wie möglich ansehen!" Und wie im heiligen Entsetzen starrte er den Schmied mit aufgerissenen Augen an; der schlug sich auf die Hüften und lachte auf. Wanjuscha und Stjopa lächelten zurückhaltend, obgleich beide nahe daran waren, ebenfalls vor Lachen hervorzuprusten.

Das Mädchen mit dem Kopfschmuck aus Birkenrinde

brachte einen Topf gekochte Milch. Kondrati sagte zu ihr: „Mascha, dieser Mann will deine Püppchen sehen, wozu, das weiß ich nicht. Zeig sie ihm."

Das Mädchen erstarrte, der Milchtopf zitterte in ihren Händen. „Oh, nicht doch, ich zeige sie nicht!" Sie stellte den Topf auf den Rasen, machte kehrt und ging fort, wie im Schlaf, verschwand hinter der Schmiede. Jetzt hielten sich bereits alle Brüder den Bauch und lachten, daß ihnen das Haar in die Stirn fiel. Nur Golikow lachte nicht; die Nase vorgestreckt, blickte er dorthin, wo hinter der Ecke der Schmiede das Mädchen verschwunden war.

Gawrila fragte: „Na, wie steht's, Kondrati Stepanowitsch, was macht unsere Rechnung?"

„Was heißt Rechnung!" Der Schmied wischte sich die Tränen aus den Augen, strich sich den Schnurrbart und glättete, wieder bedächtig geworden, das Bärtchen. „Wenn du den Zaren Peter siehst, übergib ihm einen Gruß. Füg selber hinzu, was sich gehört, und sag, Kondrati Worobjow bitte ihn, ihm nicht zu zürnen, Kondrati Worobjow sei nicht dümmer als die andern. Der Zar wird meine Antwort schon verstehen."

2

Wogende Felder, Birkenhaine, Roggenstreifen, fern ein blauender Wald, und über allem ein Regenbogen; sein einer Fuß verlor sich in der davonziehenden Regenwolke, dort aber, wo sich der Regenbogen mit dem anderen Fuß auf den Boden stützte, gleißten und blinkten goldene Funken.

„Siehst du, Andrjuschka?"

„Ich sehe."

„Moskau..."

„Gawrila Iwanowitsch, das ist wie ein Omen. Der Regenbogen beleuchtet für uns die Stadt."

„Ich begreife es selber nicht, warum sie so funkelt. Du freust dich wohl, daß du die Stadt zu sehen bekommst?"

„Wie kann es anders sein. Ich freue mich, und gleichzeitig ist mir bange."

„Sind wir erst da, dann sofort ins Badehaus. Früh am Morgen lauf ich zum Fürst-Cäsar. Anschließend führe ich dich zur Zarewna Natalja Alexejewna."

„Das ist es gerade, was mir bange macht."

„Hör, Kutscher", sagte Gawrila, diesmal sogar mit einschmeichelnder Stimme, „treib die Gäule an, lieber Freund, ich bitte dich von Herzen, treib sie an."

Nach dem Regen lud die Straße zu rascher Fahrt. Erdklumpen flogen von den Hufen, das Laub der Birken funkelte. Der leichte Wind begann zu duften. Ihnen entgegen kamen leere Wagen mit Bauern, mit einer nicht verkauften Kuh oder einem hinkenden Klepper, die hinten am Wagen angebunden waren. Ein Werstpfahl glitt vorüber mit Adler und Zahl. „Bis Moskau 34 Werst". Wieder tauchten an der Straße armselige Hütten auf, von denen die einen der Straße die Seite, die anderen die Rückwand zukehrten, und auf einem Friedhof hinter silbergrauen Weiden erhob sich die abgebröckelte Kuppel einer kleinen Kirche. Quer über die Straße, unmittelbar vor dem Gespann, lief ein Bübchen mit nacktem Bauch, den Haarschopf schüttelnd, als sei er ein Roß. Der Kutscher bog sich vor und ließ seine Peitsche auf den von Mücken zerstochenen Allerwertesten niedersausen; aber das Bürschlein flitzte nur, als wäre nichts geschehen, zur Seite und folgte mit runden Augen dem Dreigespann.

Wieder ging es bergauf, bergab. Blickte man zur Rechten, wo zwischen den Büschen ein Flüßchen schimmerte, da schritten bärtige Bauern in langen Hemden, einer hinter dem anderen, die Füße breit setzend, über die Wiese, und ihre Sensen blinkten gleichzeitig auf. Blickte man nach links: Am Waldrain, am Rand des Schattens, lag eine Herde, und der Hirtenjunge rannte mit der Peitsche einem scheckigen jungen Stier nach, während sein kluges Hündchen hinter ihm hersprang und seine Ohren über dem Gras dahinflatterten. Wieder ein gestreifter Werstpfahl – 31 Werst.

Gawrila stöhnte auf. „Kutscher, wir haben ja nur drei Werst zurückgelegt!"

Der Kutscher wandte ihm sein munteres Gesicht mit der sorglosen Stupsnase zu, die es sich anscheinend nur zu dem

Zweck zwischen den roten Backen bequem gemacht hatte, um ins Gläschen zu gucken.

„Zähl die Wersten, Bojar, nicht nach den Pfählen, zähl sie nach den Schenken; auf die Pfähle kann man sich nicht verlassen. Paß auf, gleich legen wir los!"

Plötzlich rief er gedehnt aus: „Hehehe, ihr meine Pferdchen!", warf sich zurück und lockerte die Zügel; die langschädligen Pferde, jedes von anderer Farbe, gingen in Galopp über, machten eine scharfe Wendung und blieben vor einer Schenke stehen, einem alten, langgestreckten Haus mit einem Strohwisch auf einer hohen, über dem Tor aufragenden Stange; über der Tür für die, die zu lesen verstanden, ein Aushängeschild, das mit Zinnober auf lichtblauem Grund gemalt die Inschrift trug: „Wirzhaus".

„Bojar, mach, was du willst, die Pferde sind ausgepumpt", sagte fröhlich der Kutscher und nahm die hohe Filzmütze vom Kopf. „Prügle mich tot, wenn du willst; besser aber, laß mir ein Gläschen Schnaps bringen."

Der Schankwirt, in alter Tracht – einem dunkelroten Kaftan mit einem Kragen, der über seine Glatze emporragte –, stand schon beflissen und mit freundlichem Lächeln auf der morschen Türschwelle und hielt auf einem Präsentierbrett drei Gläschen mit grünlichem Branntwein und drei Mohnbrezeln bereit. Da war nichts zu machen, es hieß aus dem Wagen steigen und sich die Füße ein wenig vertreten.

Nach Moskau gelangten sie in der feuchten Abenddämmerung. Die Gutshöfe, Dörfchen, Gehölze, Kirchlein und Zäune wollten kein Ende nehmen. Manchmal streifte das Krummholz einen Lindenzweig, und Regentropfen rieselten auf die Wageninsassen nieder. Überall schimmerte Licht hinter den Butzenscheiben oder den Glimmerfenstern. Auf den Kirchenstufen saßen noch Bettler; Dohlen schrien in den Mauerhöhlen der Glockentürme. Die Räder ratterten über das Holzpflaster. Gawrila packte den Kutscher an der Schulter und zeigte ihm den Weg durch die krummen Gäßchen. „Dort, wo der Mann am Zaun liegt, gerade gegenüber in die Sackgasse. Halt, halt, wir sind da!" Er sprang aus dem Wagen und klopfte ans Tor, das wie eine Truhe mit verzinnten Eisenbändern beschlagen war. Als Antwort ertönten Kettengeklirr und das wütende Gebell der berühmten Browkinschen Wolfshunde.

Schön ist die Ankunft nach langer Abwesenheit im Elternhaus. Man tritt ein: Alles dünkt einem so bekannt, alles ist auf eine neue Art vertraut. Im kalten Hausflur brennt eine Kerze auf der Fensterbank, an den Wänden stehen geschnitzte Bänke für die Bittsteller, damit sie sitzen und in Ruhe warten können, bis der Hausherr sie rufen läßt; dann der leere, warme Flur mit zwei Öfen, hier steht die Kerze, deren Flamme im Zugwind flackert, auf dem Fußboden. Von dort führt links eine mit Stoff bespannte Tür in die unbewohnten holländischen Stuben für vornehme Gäste, die Tür rechts führt in die warmen, niedrigen Gemächer. Geht man geradeaus, so verirrt man sich fast im Gewirr der Gänge, der steilen Treppen, die auf und ab führen, wo sich die Kammern, Kämmerchen, Stübchen, Rumpelkammern und Vorratsräume befinden. Auch der Duft ist im Elternhaus ein ganz besonderer, angenehm und gemütlich riecht es. Und das Gesinde freut sich der Heimkehr, spricht und blickt voll Zärtlichkeit, wartet nur darauf, einen Wunsch zu erfüllen ...

Der Vater, Iwan Artemjitsch, war nicht daheim, er war unterwegs, inspizierte seine Manufakturen. Gawrila wurde von der Beschließerin empfangen, einer beleibten – wie es sich geziemte – und gesetzten Frau mit schwerer Hand und singender Stimme, dann vom Ersten Verwalter, nach Iwan Artemjitschs eigenen Worten ein Satan, ferner von dem unlängst im Ausland engagierten Haushofmeister Karl, dessen Familiennamen niemand aussprechen konnte. Es war dies ein langer und mürrisch dreinblickender Mann mit feisten, vom Nichtstun und der russischen Kost aufgeschwemmten Backen, mit mächtigem Kinn und mit vorgewölbter Stirn, die von dem großen Verstand dieses Mannes zeugte. Nur einen Fehler hatte er, das war auch die Ursache, daß er für ein annehmbares Salär nach Moskau gegangen war: Statt der Nase trug er ein kleines Futteral aus schwarzem Samt und sprach mit etwas näselnder Stimme.

„Nichts will ich, nur baden", sagte Gawrila zu ihnen. „Daß mir zum Abendessen Sülze da ist und eine Fleischpastete, auch eine Gans und sonst noch was Ordentliches. In Pieterburg sind wir bei dem ewigen stinkigen Pökelfleisch und Schiffszwieback ganz von Kräften gekommen."

Die Beschließerin schlug die dicken Hände zusammen und faltete sie. „Ach, Herr Jesus, wie hast du bloß Schiffszwieback essen können!" – „Ach, ach, ach!" sagte auch der Satan von Verwalter und schüttelte bekümmert sein Ziegenbärtchen. Der Haushofmeister verstand kein Wort Russisch. Wie ein Ölgötze stand er da, mit herablassender Würde, den riesigen Plattfuß vorgestreckt, die Hände auf dem Rücken.

Die Beschließerin holte reine Wäsche fürs Bad und erzählte mit singender Stimme: „Ein Dampfbad werden wir dir bereiten; zu trinken, zu essen werden wir dir geben, dich auf Eiderdaunen betten, Väterchen, süß ist der Schlaf im Elternhaus. Bei uns geht alles, Gott sei Dank, seinen Gang; Not und Unglück meiden unseren Hof. Die holländischen Kühe haben alle gekalbt, lauter Färsen; die englischen Schweine haben jedes sechzehn Ferkel geworfen; der Fürst-Cäsar ist in eigener Person zu uns gekommen und hat sie bewundert. Solche Beeren und Kirschen wie in unserem Obstgarten gibt es nirgends. Ein Paradies, ein Paradies ist das Elternhaus! Nur, daß es leer ist, ach, ach! Dein Vater, Iwan Artemjitsch, geht in den Zimmern auf und ab und meint schließlich traurig: ‚Langweilen tue ich mich, Agapowna; ob ich nicht wieder in meine Manufakturen fahren soll?' Geld hat der Vater jetzt so viel, daß er es nicht zählen kann. Wäre Senka nicht da", sie wies mit den Augen auf den Satan von Verwalter, „er würde mit dem Zählen sein Lebtag nicht zu Rande kommen! Eins nur macht uns Kummer: der Schwarznäsige da. Selbstverständlich können wir jetzt ohne eine so wichtige Person nicht auskommen. In Moskau sagt man, es könnte sein, daß Iwan Artemjitsch einen Titel bekommt. Nun, der da wird sich einen Hut mit roten Federn auf den Schädel stülpen, mit dem kugelgeschmückten Stab auf den Boden stoßen, mit seinem Riesenfuß aufstampfen – da läßt sich nichts anderes sagen: Vornehm. Beim König von Preußen war er Haushofmeister, bis man ihm die Nase, so sagt man, abgebissen hat. Anfangs war uns bange vor ihm: ein Ausländer, das ist schließlich keine Kleinigkeit! Ignaschka, der Pferdeknecht, hat ihm das Balalaikaspielen beigebracht. Seitdem klimpert er den ganzen Tag, daß es alle schon über haben. Und fressen tut er! Läuft hinter mir her: ‚Matka, essen!' Ein Esel, wie wir noch keinen gesehen haben. Obgleich sich das vielleicht bei seinem Rang so gehört!? Am Johannistag hatten wir große Tafel; die Zarin Praskowja Fjodorowna beehrte uns, und ohne Karl wäre es uns natürlich nicht leicht gewesen. Seinen Rock tat er an, der Gute, an zehn Pfund Tressen und Litzen mögen daran sein, zog Handschuhe an mit Fingern, aus Wildleder; eine goldene Platte nahm er, stellte einen Pokal darauf, der seine tausend Rubel gekostet hat, beugte das Knie und reichte ihn der Zarin. Nahm dann eine andere Platte, einen anderen Pokal, noch schöner als der erste, und reichte ihn der Zarewna Natalja Alexejewna..."

Während die Beschließerin erzählte, hatte der Stubenknecht, der jetzt seit dem Einzug des Haushofmeisters Kammerdiener genannt wurde, Gawrila den staubigen Rock und das Kamisol abgenommen, das Halstuch aufgeknüpft und machte sich ächzend daran, ihm die Stiefel auszuziehen.

Gawrila zog plötzlich die Beine zurück, sprang auf und rief: „Die Zarewna war bei uns? Was redest du da?"

„Aber ja doch, ja, sie war hier, unsere Schöne; zu Iwan Artemjitschs Linken hat unser Herzliebchen gesessen. Keiner konnte den Blick von ihr wenden, vergaßen darüber Essen und Trinken. Die Hände und Arme mit Ringen und Spangen geschmückt, die Schultern schwanenweiß, dicht über der Brust ein Muttermal, nicht größer als ein Buchweizenkörnchen, alle haben es bemerkt. Ein Kleid trug sie wie Flachsblüten, leichter als Luft, an den Hüften gebauscht, den Saum ganz mit Seidenrosen bestickt, auf dem Kopf aber den Schwanz von einem Feuervogel..."

Was weiter kam, hörte Gawrila nicht. Den kurzen Schafpelz über die Schultern geworfen und mit den tatarischen Pantoffeln schlurfend, eilte er über Gänge und Stiegen in die Badestube. Im feuchten Vorraum zum Bad fiel ihm plötzlich ein: „Agapowna, wo ist denn der Mann, der mit mir gekommen ist?"

Es stellte sich heraus, daß der Haushofmeister Andrjuschka

Golikow den Eintritt ins Haus verwehrt hatte; er saß noch immer auf dem Hof im Wagen. Übrigens fühlte er sich mit seinen Gedanken auch dort wohl. Über den schwarzen Dächern leuchteten die Sterne; es roch nach Kühen, Heuboden und Viehställen – alles war so traulich. Ab und zu wehte der süße Duft blühender Linden herüber. Davon begann das Herz besonders stark zu klopfen. Auf den Ellbogen gestützt, blickte Andrjuschka zu den Sternen hinauf. Was das für Lichter waren, dicht über den tieflilafarbenen Himmel gestreut, ob sie sehr weit weg waren und warum sie dort brannten, das wußte er nicht und dachte auch nicht darüber nach. Aber von dort strömte ihm Ruhe in die Seele. Und wie unendlich klein war er, Andrej, in diesem Wagen! Übrigens, wenn er sich auch klein fühlen mochte, dann doch nicht so, wie es ihn einst der Mönch Nektari lehrte, nicht als demütiger Wurm, nicht als jämmerliches Fleischklümpchen fühlte er sich. Man sollte meinen, kein Tier hätte ertragen, was Andrjuschka in seinem kurzen Leben schon alles erduldet hatte; zertreten, geschlagen, gequält, starb er in Hunger und Kälte tausend Tode. Er aber lauschte nun, wie ein König der Könige, die Augen zu den Lichtern des Alls emporgehoben, auf die geheime Stimme in seiner Brust: Geh, Andrej, laß den Mut nicht sinken, weich nicht vom Wege ab; bald, bald wird sich deine Wunderkraft frohlockend regen, alles wird sie vermögen, aus Häßlichem wirst du eine Welt des Schönen schaffen in deiner Umgestaltung.

Ach, ach! Für diese teuflische Einflüsterung hätte er, als er noch bei dem Mönch lebte, vierzig Tage bei einem Krüglein Wasser an der Kette sitzen, sich die blutigen Striemen insgeheim mit Öl aus dem Lämpchen vor dem Heiligenbild salben müssen. Bei dem Gedanken daran lächelte Andrej gutmütig. Eine Erinnerung glitt ihm durch den Kopf. Ihm fiel ein, wie die Vorstadtkrämer ihn, den König der Könige, einmal auf der Warwarka in einer qualmigen Schenke mit besonderer Wut verprügelt, an den Beinen zur Tür hinausgeschleift und in den schmutzigen Schnee geworfen hatten. Weshalb haben sie ihn geschlagen? Er hatte es vergessen. Es war in jenem unheimlichen Winter gewesen, als an den Mauern der Kitai-Stadt und am Kreml die gehenkten Strelitzen im Winde schaukelten. Damals irrte Andrej hungrig, einen zerfetzten Kittel auf dem nackten Leib, barfuß, voll Verzweiflung und Kummer von Schenke zu Schenke, die Zecher um ein Gläschen Schnaps anbettelnd, in der geheimen Hoffnung, daß man ihn schließlich totschlagen würde – das hatte er sich damals leidenschaftlich gewünscht. So leid tat er sich, daß ihm die Tränen in die Augen traten. Dort in der Schenke war er dem betrunkenen Küster der Warwara-Kirche begegnet, mit den zusammengekniffenen Äuglein, der gespaltenen Nase und dem abstehenden Haarzöpfchen. Er war es, der Andrej beredet hatte, die Stille des Paradieses zu suchen, zum Mönch Nektari zu gehen und mit Löweningrimm den Leib zu kasteien. „Was für Käuze!" flüsterte Andrej. „Den Leib kasteien! Ach, wie schön ist mitunter der Leib!" Und eine andere Erinnerung stieg auf: Ein stiller Abend im Dorf am Palech. Goldener Staub hängt in der Luft, Kühe biegen in ihre Höfe ab und brüllen. Die Mutter, eine hagere Frau mit Bauernschultern, geht zum Tor – man hätte es schon längst wieder instand setzen müssen –, auch der Hof ist ärmlich, verwahrlost. Andrej und seine Brüder, einer immer um ein Jahr jünger als der andere, sitzen auf einem umgekippten Wagen ohne Räder. Sie warten, gedulden sich; mit solch einer Mutter gewöhnt man sich schon an Geduld! Sie öffnet das schief gewordene Tor. Mit den breiten Flanken die Torflügel streifend, trottet mit kurzem freundlichem Muhen die Braune, die Ernährerin, herein. Das Gesicht der Mutter ist finster, böse, bekümmert, die Schnauze der Braunen warm, ihre Stirn mit krausem Haar bedeckt, die Nase feucht, die Augen groß, lilafarben – die Braune wird keinem was antun. Sie stößt, zu den Buben gewandt, die Luft durch die Nüstern und trottet zum Brunnen, um zu saufen. Und gleich hier am Brunnen setzt sich die Mutter auf einen Schemel und beginnt sie zu melken. Schirk-schirk, schirk-schirk, strömt die Milch der Braunen in den Melkeimer. Die Buben sitzen geduldig wartend auf dem Wagen. Die Mutter bringt irdene Krüge herbei und füllt sie in breitem Strahl aus dem Melkeimer. „Na, kommt schon", sagt sie unfreundlich. Als erster trinkt Andrjuschka die warme Milch, soviel nur der Magen faßt. Die Brüder sehen zu, wie er trinkt; der jüngste seufzt sogar tief auf, weil er als letzter an die Reihe kommt ...

„He, du Reisender, komm raus aus dem Wagen!" Andrej erwachte aus seinen Träumen. Vor ihm stand mit bösem Gesicht ein Bürschlein, der Kammerdiener. „Gawrila Iwanowitsch lädt dich in die Badestube ein, ein Dampfbad zu nehmen. Zieh deine Stiefel gleich hier aus, wirf auch Rock und Mütze unter den Wagen. Bei uns ist es nicht so wie in den Bojarenhäusern, bei uns wird man in Lumpen nicht reingelassen."

Vom Bade erfrischt, das Handtuch um den Hals geschlungen, setzten sich Gawrila und Andrej zum Abendessen. Die Agapowna hatte den Haushofmeister in seine Kammer geschickt, damit er nicht störe. Ihre vollen weißen Hände flogen nur so über den Tisch, legten von allem das Beste auf die Teller, füllten die venezianischen Gläser, die aus so freudigem Anlaß hervorgeholt worden waren, mit alten, erlesenen Likören und Schnäpsen. Als die Kerzen heller zu brennen begannen, bemerkte Gawrila in der Ecke einen auf einem Stuhl stehenden, mit Leinwand bedeckten Rahmen.

Die Agapowna stützte bekümmert die Wange in die Hand. „Ich weiß nicht mal, wie ich dir das vor einem Fremden zeigen soll. Sanjuschka, dein Schwesterlein, hat es gerade zum Johannistag aus Holland geschickt. Iwan Artemjitsch, der Gute, bald hängt er es an die Wand, bald wird er ganz trübselig, nimmt es herunter und verdeckt es mit einem Leintuch. Als sie es schickte, schrieb sie: ‚Papachen, genieren Sie sich um Gottes willen nicht; hängen Sie mein Porträt ruhig im Speisesaal auf. In Europa hängt man ganz andere Sachen auf; seien Sie kein Barbar!'"

Gawrila erhob sich vom Tisch, nahm eine Kerze und zog die Leinwand von dem Gegenstand, der in der Ecke auf dem Stuhl stand. Golikow erhob sich ebenfalls, der Atem stockte ihm. Es war ein Porträt der Bojarin Wolkowa, unsagbar schön und unsagbar verführerisch.

„Na, na" war alles, was Gawrila hervorbrachte, als er es mit der Kerze beleuchtete. Der Maler hatte Alexandra Iwanowna im morgenfrischen Meer, auf einer Welle auf dem Rücken eines Delphins ruhend, dargestellt. Sie lag in strahlender Nacktheit und bedeckte sich nur mit der kleinen Hand, an der die Fingernägel wie Perlen schimmerten. In der anderen Hand hielt sie eine mit Weintrauben gefüllte Schale, an deren Rand zwei Täubchen in diese Trauben pickten. Über ihrem Kopf, zur Rechten und zur Linken, stießen in der Luft zwei rundliche Putten, den Kopf nach unten, die Beine nach oben gereckt, mit dicken Pausbacken in Muschelhörner. Alexandra Iwanownas junges Gesicht mit dem feuchten Blick lächelte höchst verschmitzt mit hochgezogenen Mundwinkeln.

„Sieh einer an, die Sanka!" sagte Gawrila, der auch nicht wenig erstaunt war. „Sie ist es ja, Andrjuschka, zu der wir dich nach Holland schicken wollen. Na, sieh zu, daß dich dort der Teufel nicht in Versuchung führt! Eine Venus, die reine Venus! Man begreift schon, daß ihretwegen Kavaliere die Klingen kreuzen und daß es Tote gibt..."

3

Moskaus Beschützer, der Fürst-Cäsar, lebte in seinem geräumigen, vom Urgroßvater überkommenen Hof, der in der Mjasnizkaja-Straße, nicht weit vom Lubjanka-Platz, lag. Hier befanden sich auch seine Hauskirche mit den Wohnungen der Geistlichkeit, seine Tuchwalkereien, Webereien, Gerbereien, Schmiedewerkstätten, Pferde-, Kuh- und Schafställe, Geflügelhöfe und alle möglichen mit Vorräten vollgepfropften Speicher und Keller, alles aus Baumstämmen gezimmert, die keines Mannes Arm hätte umfassen können, und für Hunderte von Jahren gebaut. Das Wohnhaus war von der gleichen Art, ohne das läppische Beiwerk, mit dem man sich in Moskau seit der Zeit des Zaren Alexej Michailowitsch zu brüsten pflegte; es war nicht schön, aber fest gefügt, mit einem vor Alter moosbewachsenen Schindeldach und kleinen Fensterchen hoch über dem Erdboden. Die Sitten und Bräuche im Hause waren ebenso altväterisch. Sollte dies aber jemanden in der Einfalt seines Geistes dazu verleiten, nach alter Gewohnheit in einem bis auf die Fersen herabfallenden und mit langen Ärmeln versehenen Pelz, dazu noch mit einem Bart, zu erscheinen, so verließ er, mochte sein Stammbaum selbst auf Rurik zurückführen, diesen Hof gar bald unter dem Gelächter des Romodanowskischen Gesindes. Sein Pelz war dann in Kniehöhe beschnitten, auf den Wangen sah man einige kurze Haarbüschel, der Bart selber aber ragte aus der Tasche hervor; mochte ihn der Betreffende mit sich ins Grab nehmen, falls er sich schämte, vor Gott ohne Bart zu erscheinen. War beim Fürst-Cäsar große Tafel angesagt, so bereiteten sich viele der Geladenen mit schweren Seufzern dazu vor – solch ein Zwang herrschte auf diesen Gastmahlen, solch unschickliche Possen wurden dort getrieben, solch derbe Späße erlaubte man sich! Was macht nicht schon allein der dressierte Bär einem zu schaffen: Er tritt vor den widerspenstigen Gast, ein Tablett mit einem nicht zu kleinen Glas Pfefferschnaps in den Tatzen, brüllt und nötigt zum Trinken; weigert sich jedoch der Gast und will nicht mehr trinken, so schleudert der Bär das Tablett zu Boden und geht allen Ernstes auf den Gast los. Der Fürst-Cäsar aber schüttelt sich vor Lachen, daß sein Bauch den Tisch ins Wackeln bringt. Und sein kluger, böser, einäugiger Narr mit einem einzigen Hauer im zahnlosen Mund kreischt dazu: „Meister Petz weiß wohl, welch Vieh zu schinden ist!"

Der Fürst-Cäsar pflegte in aller Morgenfrühe aufzustehen, ging dann zur kurzen Frühmesse, bekleidet mit einem Hemd aus dunkelblauer Leinwand, unterhalb der Brust gegürtet mit einem Band, in das das Gebet des Herrn eingewebt war, an den Füßen bunte Saffianstiefel. Wenn die Sonnenstrahlen die wallenden Weihrauchwolken durchbrachen, die Flämmchen der Kerzen und Lämpchen vor den Heiligenbildern verblaßten und der schüchterne kleine Pope mit zitternder Stimme sein „Amen" verkündete, sank der Fürst-Cäsar auf dem kleinen Teppich in die Knie, berührte, schwer ächzend, den frisch gescheuerten Fußboden mit der Stirn, küßte, nachdem man ihm aufgeholfen hatte, das kühle Kreuz und begab sich in den Speiseraum. Dort ließ er sich bequem auf die Bank nieder, strich sich den schwarzen Schnurrbart, nahm ein Glas Pfefferschnaps zu sich, so stark, wie es nur ein Russe vertrug – ein anderer hätte nach solch einem Glas sehr lange nach Luft geschnappt –, aß ein Stück Schwarzbrot mit Salz hinterher und machte sich ans Mahl. Es gab kalte Beetensuppe, Sülze, allerhand Eingemachtes und Mariniertes, auch Nudelspeisen und Braten; er aß, nach Bauernart, bedächtig. Die Hausgenossen, selbst die Fürstin Anastassija Fjodorowna, der Zarin Praskowja Schwester, schwiegen bei Tisch, legten geräuschlos den Löffel hin, langten behutsam mit den Fingerspitzen in die Schüsseln. In den Käfigen an den beiden Fenstern wurden die Wachteln und gelehrigen Stare laut. Einer von ihnen sprach sogar deutlich: „Onkel, ein Schnäpschen..."

Der Fürst-Cäsar trank eine Kanne Kwaß, blieb noch eine Weile sitzen, erhob sich und schritt, daß die Bohlen knarrten, in den Flur, wo man ihm den weiten Tuchrock, den Stab und die Mütze reichte. Wenn sein Schatten, der durch die trüben Scheiben des überdachten Aufgangs sichtbar wurde, langsam die Treppe hinabglitt, stoben alle, die zufällig in der Nähe auf dem Hof waren, nach allen Seiten auseinander. Allein schritt er auf dem mit Ziegeln ausgelegten Steig über den Hof. Sein Hals war dick, und es fiel ihm schwer, den Kopf zu wenden; dennoch bemerkte er mit flüchtigem Seitenblick seiner hervorstehenden Augen alles: wohin einer gelaufen war, wo er sich versteckt hatte, wo irgendeine Kleinigkeit nicht in Ordnung war. Merkte sich alles. Doch er hatte allzuviel zu tun, große Staatsgeschäfte zu erledigen, und häufig fehlte es ihm an Zeit, sich mit Kleinigkeiten zu befassen. Durch ein eisernes Pförtchen im Zaun betrat er den Nachbarhof, wo sich das Preobrashenski-Amt befand. Dort, in den halbdunklen, langen Gängen, rissen vor ihm die Räte und Schreiber stumm die Mützen von den Köpfen, die Soldaten standen stramm und präsentierten das Gewehr.

Der Rat des Preobrashenski-Amts, Prochor Tschitscherin, empfing ihn an der Schwelle der Kanzlei und begann, sobald sich der Fürst-Cäsar unter der schimmelbedeckten Wölbung am Tisch vor dem Fenster niedergelassen hatte, der Reihe nach über die Geschäfte zu berichten. Am gestrigen Tage waren aus Tula vier dort hergestellte Bronzekanonen gebracht worden, dazu ebensoviel eiserne, von gutem Guß. Sollten sie sofort abgeschickt werden, und wohin: nach Narwa oder nach Jurjew? Weiter war im Laufe des gestrigen Tages die erste Kompanie eines neu formierten Regiments völlig eingekleidet worden; nur seien die Soldaten noch barfuß, Schuhe ohne Schnallen kämen nächste Woche; in der Handelskammer seien die Kaufleute Sopljakow und Smurow aus der Schuhwarenreihe bereit, auf das Kreuz zu schwören, daß sie ihr Wort halten würden. Was sollte geschehen? Pulver, Lunten, Kugeln in kleinen Beuteln und Feuersteine, in Säcke verpackt, sind laut Befehl nach Narwa abgegangen. Handgranaten könne man nicht senden, weil der Lagerverwalter Jeroschka Maximow schon zwei Tage betrunken sei und die Lagerschlüssel nicht hergeben wolle; man habe versucht, sie ihm mit Gewalt abzunehmen, er aber drohte in seiner Raserei den Leuten mit dem Hackmesser, mit dem man Kraut hackt. Was sollte geschehen? Gar viele solcher Angelegenheiten trug der Rat Tschitscherin vor. Schließlich nahm er, unter die Wölbung näher ans Fenster tretend, die Geheimakten – Aufzeichnungen der Amtsschreiber bei Verhören ohne und mit Folter – zur Hand und begann sie zu verlesen. Es war schwer zu sagen, ob der Fürst-Cäsar, dessen Hand schwer auf dem Tisch ruhte, zuhörte oder ob er schlummerte, dennoch wußte Tschitscherin genau, daß er den Kern der Sache unbedingt hören würde.

„In dem verfallenen Badehaus auf dem Hofe der Zarewnas Jekaterina Alexejewna und Marja Alexejewna, in dem sich der Expope Grischka verbarg, wurde unter der Diele ein Heft in Quarto, einen halben Finger dick, gefunden", las Rat Tschitscherin das Protokoll mit so eintöniger Stimme vor, als schütte er jemandem trockene Erbsen auf den Schädel. „Auf dem ersten Blatt des Heftes ist geschrieben: ‚Einblick in jegliche Weisheit'. Und auf selbigem ersten Blatt ist weiter unten geschrieben: ‚Im Namen des Vaters und des Sohnes und des Heiligen Geistes ... Es gibt ein Kraut, Seleseka genannt; es wächst in Schluchten und auf ausgebrannten Waldstellen – klein von Wuchs, hat es am Stiel neun Blättchen, oben drei Blüten: hellrot, feuerrot und blau; dies Kraut hat große Kraft in sich, pflück es bei Neumond, zerstampf es, koch es und trink dreimal davon, und du wirst Wasser- und Luftdämonen sehen. Beschwöre sie mit dem Wort: »Nszdttschndsi«, und was du wünschest, wird in Erfüllung gehen.'"

Der Fürst-Cäsar seufzte tief und hob die halbgesenkten Lider. „Wiederhol noch mal das Wort deutlich."

Tschitscherin kratzte sich an der Stirn und sprach, das Gesicht böse verziehend, mit Mühe aus: „Nszdttschndsi." Er warf einen Blick auf den Fürst-Cäsar, der nickte. So las er weiter. „‚Oh, Fürsten, Würdenträger, oh, Tränen und Seufzer! Was ist das, was wir wünschen? Wir wünschen die heutige Zeit und deren Grimm zu bändigen, auf daß die gewohnten Zeiten wiederkehren!'"

„Sieh an, sieh an, sieh!" Der Fürst-Cäsar machte auf seinem Stuhl eine Bewegung, in seinen hervorstehenden Augen glommen Spott und ein Ahnen auf und schwanden wieder. „Das Kraut Seleseka wird verständlich. Aber hat der Expope Grischka eingestanden, daß das Heft ihm gehört?"

„Grischka hat heute nach mehr als zweistündiger Folter gestanden, daß es sein Heft ist. Er habe es auf der Kislowka von einem Unbekannten für vier Kopeken erstanden; auf die Frage aber, warum er es im Badehaus unter der Diele verborgen gehalten habe, antwortete er: ‚Aus Einfalt!'"

„Hast du ihn auch gefragt, wie das zu verstehen sei: ‚Auf daß die gewohnten Zeiten wiederkehren'?"

„Hab ihn danach gefragt. Er bekam fünf Knutenhiebe und antwortete, er habe das Heft des Papiers wegen gekauft, um Hostien darauf zu backen; was aber darin stehe, habe er nicht gelesen und wisse es nicht."

„Ach, der Gauner, der Gauner!" Der Fürst-Cäsar befeuchtete langsam den Finger und blätterte in dem zerlesenen Heft. Einiges las er halblaut vor sich hin: „‚Das Kraut Wacharia von erzgelber Farbe – so einer vergiftete Speisen genossen, gib ihm davon zu trinken, er wird in Kürze oben und unten die Speise von sich geben.' Ein nützliches Kräutlein", meinte der Fürst-Cäsar und glitt weiter mit dem Fingernagel die Zeilen entlang. „‚Im Buche des Cyrillus heißt es: Ein Versucher wird kommen und euch verführen. Die Zeichen seines Kommens sind: das Kraut Nicotiana, genannt Tabak – es wird befohlen werden, es zu brennen und den Rauch zu schlucken und zu

Pulver zu zerreiben und zu schnupfen, und statt Psalmen zu singen, wird man unaufhörlich jenes Pulver schnupfen und niesen. Ein anderes Vorzeichen: das Schaben des Bartes...' Nun gut!" Der Fürst-Cäsar schlug das Heft zu. „Komm, Rat, wir wollen ihn befragen, wer es denn ist, der die heutige Zeit zu bändigen wünscht. Der Expope ist ein durchtriebener und wendiger Mann; um dieses Heft weiß ich schon lange, er ist damit in halb Moskau herumgelaufen."

Die schmale, von Feuchtigkeit zerfressene Ziegelsteintreppe in den Keller, zur Folterkammer hinabsteigend, sagte Tschitscherin, wie immer bekümmert: „Diese Feuchte kommt von unten aus der Erde, die Ziegel sind morsch geworden; bei jedem Schritt kann man sich das Genick brechen, man sollte eine neue Treppe bauen."

„Ja, man sollte es", antwortete der Fürst-Cäsar.

Ihnen voran schritt mit einer Kerze ein Amtsschreiber. Wie der Rat, trug auch er einen fremdländischen, doch arg verschlissenen Rock; um den Hals hing ihm ein Tintenfaß aus Kupfer, aus der halb abgerissenen Tasche lugte eine Papierrolle hervor. Er stellte die Kerze auf den Eichentisch in dem niedrigen Kellergewölbe, wo einige Ratten wie Schatten nach ihren Schlupflöchern in den Ecken auseinanderstoben.

„Wie sich bei uns heuer die Ratten vermehrt haben!" sagte der Rat. „Schon lange will ich die Apotheke um Arsenik bitten."

„Ja, man sollte es."

Unter den Wölbungen sich bückend, schleppten zwei viehisch aussehende Kerle den Expopen Grischka herbei: die Augen verdreht, das Bärtchen wie Wolle verfilzt, das Gesicht mit grünlichem Anflug und hängender Unterlippe. War er tatsächlich nicht imstande, sich auf den Beinen zu halten? Unter den Haken mit dem herabhängenden Seil gestellt, fiel er schlapp hin und blieb wie leblos liegen. Der Rat sagte: „Verhört haben wir ihn, ohne ihm Schaden anzutun, und weggegangen ist er auf eigenen Füßen."

Der Fürst-Cäsar betrachtete eine Weile die kahle Stelle auf Grischkas zerzaustem Kopf.

„Es ist kund", begann er mit schläfriger Stimme, „im vorvergangenen Jahre hast du in Swenigorod in der Eliaskirche den Silberschmuck von den Heiligenbildern abgerissen und in der Blagowestschenski-Kirche den Opferstock aufgebrochen, ebenda aus dem Altarraum den Pelz und die Filzstiefel des Popen gestohlen. Die Sachen hast du verkauft, das Geld versoffen; du wurdest festgenommen und bist aus der Haft nach Moskau geflüchtet, wo du dich bis auf den heutigen Tag in verschiedenen Bojarenhöfen, später aber bei den Zarewnas im Badehaus verborgen hieltest. Gestehst du es? Wirst du Rede und Antwort stehen? Nein? Nun gut. Dies alles ist für dich nur halb so schlimm."

Der Fürst-Cäsar schwieg. Hinter den viehisch aussehenden Kerlen tauchte lautlos der Folterknecht, der Scherge, auf, mit würdevollem, ausgemergeltem, wachsbleichem Gesicht und großem Mund, der zwischen dem flach anliegenden Schnurrbart und dem krausen Kinnbärtchen rot schimmerte.

„Es ist uns kund", fuhr der Fürst-Cäsar fort, „daß du in der Deutschen Siedlung das Weibsbild Uljana, eine Nonne, wiederholt aufgesucht und ihr Briefe und Geld von gewissen Personen übergeben hast. Besagtes Weibsbild Uljana brachte die Briefe ins Nowodewitschi-Kloster zu einer gewissen Person. Von dieser empfing sie ebenfalls Briefe und Sendungen, und du stelltest sie den bereits erwähnten Personen zu. War das der Fall? Gestehst du?"

Der Rat bog sich über den Tisch und flüsterte, mit den Augen auf Grischka weisend, dem Fürst-Cäsar zu: „Er merkt auf, bei Gott, ich sehe es ihm an den Ohren an!"

„Gestehst nicht? Soso. Bleibst verstockt. Umsonst. Uns bereitest du unnötige Mühe und dir selber unnötige Leibesqual. Nun gut. Jetzt erzähl mal: Was waren das für Häuser, die du aufgesucht hast? Wer waren die Leute, denen du aus diesem Heft von dem Verlangen vorlasest, die heutige Zeit und deren Grimm zu bändigen und die gewohnten Zeiten wiederkehren zu lassen?"

Gleichsam aus dem Schlaf erwachend, zog der Fürst-Cäsar die Brauen in die Höhe, und sein Gesicht schwoll an. Der Folterknecht trat leise zu dem mit dem Gesicht auf dem Boden liegenden Grischka, betastete ihn und schüttelte den Kopf.

„Fürst Fjodor Jurjewitsch, nein, heute wird er nicht reden. Wir werden uns nur vergebens mühen. Nach dem Wippgalgen und den fünf Knutenhieben liegt er im Starrkrampf. Wir müssen es auf morgen verschieben."

Der Fürst-Cäsar trommelte mit den Fingernägeln auf den Tisch. Doch Silanti, der Folterknecht, war ein erfahrener Mann: Wenn ein Mensch im Starrkrampf lag, konnte man ihn zu Tode prügeln, ohne etwas aus ihm herauszubekommen. Die Sache aber war von größter Bedeutung: Mit der Festnahme des Expopen Grischka war der Fürst-Cäsar wenn nicht einer Verschwörung, so doch jedenfalls verbittertem Murren und Widersetzlichkeit unter hochgestellten Moskauer Persönlichkeiten auf die Spur gekommen, die noch immer um die Bojarenvorrechte trauerten, wie sie unter der Zarewna Sofja bestanden, welche bis auf den heutigen Tag im Nowodewitschi-Kloster im schwarzen Nonnengewand schmachtete. Doch es war nichts zu machen; der Fürst-Cäsar erhob sich und stieg die morsche Treppe hinauf. Der Rat Tschitscherin blieb zurück und machte sich um Grischka zu schaffen.

4

Der Morgen war feucht, warm, neblig. In den Gassen roch es nach nassen Zäunen und dem Rauch aus den Schornsteinen. Das Pferd watete durch die Pfützen. Am Tor des Preobrashenski-Amtes schwang sich Gawrila aus dem Sattel, und lange bemühte er sich vergeblich, den wachhabenden Offizier herauszurufen.

„Wo steckt er nur, der Satanskerl?" rief er dem schnauzbärtigen Soldaten zu, der vor dem Tor stand. „Woher soll ich das wissen? Die ganze Zeit war er hier, ist dann weggegangen." – „Dann lauf und such ihn!" – „Ich darf nicht weg." – „Nun gut, dann laß mich rein." – „Ich darf niemanden einlassen." – „Dann geh ich eben selbst!" Gawrila stieß ihn beiseite, um das Pförtchen zu passieren, der Soldat aber sagte: „Nur zu, öffne das Pförtchen, und ich werde dich, wie das Reglement befiehlt, mit dem Bajonett aufspießen!"

Da trat auf den Lärm hin endlich der Wachoffizier heraus, der sich bis dahin in der Wachstube hinter dem Tor gelangweilt hatte, ein pockennarbiger Mann mit kleinem Gesicht und ausdruckslosen Augen. Gawrila stürzte ihm entgegen und erklärte, er habe Briefe aus Pieterburg gebracht und müsse sie dem Fürsten Fjodor Jurjewitsch persönlich übergeben.

„Wo kann ich den Fürst-Cäsar sehen? Ist er jetzt im Amt?"

„Mir ist darüber nichts bekannt", antwortete der Wachoffizier und blickte auf einen großen, gestreiften Kater, der widerwillig die nasse Straße überquerte. „Der Kater ist doch vom Hof des Fürsten", wandte er sich an den Soldaten. „Was für ein Geschrei gab's, er sei weg, und dabei treibt es sich hier herum, das Ekel!"

Das Tor kreischte plötzlich in seinen Angeln, öffnete sich weit, und ein Viergespann Rappen mit türkisgeschmücktem Zaumzeug raste heraus. Gawrila fand kaum Zeit, zurückzuspringen. Durch das Fenster der riesigen, ziemlich lädierten, vergoldeten und auf niedrigen Rädern hängenden Kutsche blickte ihn Romodanowski mit seinen Krebsaugen an. Gawrila sprang hastig aufs Pferd, um die Kutsche einzuholen. Doch der Wachoffizier fiel ihm in die Zügel — weiß der Kuckuck, war der von Natur ein so böser Mensch, oder war es wirklich laut Reglement verboten, der Kutsche des Fürsten nachzujagen?

„Laß los!" schrie wütend Gawrila, zog den Zügel an, gab dem Pferd die Sporen und riß es hoch; der Offizier blieb am Zügel hängen und stürzte zu Boden. „Hilfe! Haltet ihn!" hörte Gawrila bereits von weitem, als er über den Lubjanka-Platz galoppierte.

Es glückte ihm nicht, die Kutsche einzuholen; er spie vor Ärger aus und schwenkte über die Neglinnaja-Brücke nach dem Kreml, zum Sibirischen Amt ab. Das noch unter Boris Godunow erbaute, niedrige, langgestreckte Amtsgebäude mit dem rostigen Dach stand auf einem Abhang über der Festungsmauer, mit der Hinterfront zum Moskwa-Fluß. Im Flur und in den Gängen drängten sich Menschen, sie hockten und lagen an den Wänden auf dem Fußboden, aus den knarrenden Türen liefen Amtsschreiber heraus in langschößigen Röcken mit geflickten Ellbogen — vom ständigen Hinundherrutschen auf dem Tisch – und mit Gänsekielen hinterm Ohr. Sie fuchtelten mit Papieren und brüllten streng die mürrischen Sibirier an, die Tausende Werst weit hergekommen waren, sei es, um Schutz zu suchen vor der Willkür eines Wojewoden oder eines bestechlichen Beamten, wie ihn die Welt seit ihrem Anbeginn noch nicht gesehen hatte, sei es, um Privilegien für Bergwerke, Goldfelder, Jagd- und Fischereiunternehmen zu erlangen. Der erfahrene Mann hörte sich das Geschimpfe ruhig an und wandte sich freundlich blinzelnd an den Amtsschreiber. „Wertester Freund und Gönner, vielleicht könnten wir uns irgendwo treffen und uns mal von Herzen aussprechen – bei den Garküchen oder sonstwo, wie es dir paßt ..." Der Unerfahrene aber zog mit hängendem Kopf ab, um morgen und noch so manchen Tag, seine letzten Zehrgroschen in der Herberge lassend, wiederzukommen, zu warten und die Schreiber zu belästigen.

Der Fürst-Cäsar befand sich in der Waffenabteilung. Gawrila fragte niemanden, ob er eintreten dürfe, und drängte sich zur Tür hindurch. Jemand riß ihn am Rock zurück. „Wohin, wohin? Verboten!" Gawrila stieß ihn mit dem Ellbogen zur Seite und trat ins Zimmer. Allein saß der Fürst-Cäsar in dem stickigen, niedrigen Gewölbe, dessen Fenster vom Fensterladen halb verdeckt war, und wischte sich mit einem bunten Tuch den Hals. Ein Stoß von Urkunden, Bittgesuchen und Beschwerden lag vor ihm auf dem Tisch. Als er Gawrila bemerkte, schüttelte er vorwurfsvoll den Kopf.

„Du bist dreist, Sohn des Iwan Artemjitsch! Sieh einer an! Der gemeine Mann kommt heuer unaufgefordert zur Tür herein! Was willst du?"

Gawrila überreichte die Post. Er teilte mit, ihm sei befohlen, die Notwendigkeit dringlichster Zustellung von allerlei Eisenwaren, vor allem von Nägeln, nach Pieterburg mündlich darzulegen. Der Fürst-Cäsar erbrach das Wachssiegel, entfaltete mit seinen dicken Fingern das Schreiben des Zaren, hielt es weit ab von den Augen und bewegte dabei die Lippen. Peter schrieb: „Sire! Ich setze Euer Majestät davon in Kenntnis, daß sich bei uns vor Narwa eine erstaunliche Affäre abgespielt hat, wie Narren Kluge hinters Licht geführt haben. Den Schweden stand ein Berg von Stolz vor Augen, der ihnen unseren Betrug verbarg. Von dieser Mummenschanzbataille, in der von uns ein Drittel der Garnison Narwas getötet oder gefangengenommen wurde, werden Sie vom Augenzeugen dieser Bataille, Gardeleutnant Jagushinski, hören; er wird sich bald bei Ihnen melden ... In puncto Zusendung von Arzneikräutern für die Apotheke in Pieterburg: Bis heute ist auch nicht ein Lot gesandt worden. Worüber ich bereits mehrfach an Andrej Winius geschrieben, der mich jedesmal mit dem Moskauer ‚Sofort‘ vertröstete. Worüber Sie ihn zu befragen geruhen wollen: Warum wird eine so wichtige Sache, die tausendmal teurer ist als sein Kopf, mit solcher Nachlässigkeit traktieret ... Ptr ..."

Als der Fürst-Cäsar mit dem Lesen zu Ende war, führte er jene Stelle des Briefes, wo sich die Unterschrift befand, an die Lippen. Er seufzte schwer auf.

„Schwül ist es", sagte er, „Hitze, Dunst. Viel Arbeit. Dabei schafft man den Tag über nicht mal die Hälfte. Meine Helfer, ach, sind das nette Helfer! Richtig arbeiten will keiner, jeder trachtet nur, sich's leicht zu machen. Und möglichst viel zu erraffen. Was hast du dich denn so herausstaffiert und eine Perücke aufgesetzt? Willst wohl zur Zarewna? Sie ist nicht im Palast, ist in Ismailowo. Wenn du zu ihr fährst, vergiß nicht: Auf der Petrowka steht im Fenster einer Schenke ein wertvoller Star; er spricht so gut russisch, daß alle, die vorbeikommen, stehenbleiben und ihm zuhören. Ich habe ihn selber letzthin aus der Kutsche gehört. Er ist verkäuflich, falls ihn die Zarewna wünscht. Nun geh. Sag draußen dem Rat Nesterow, er möchte nach Andrej Winius schicken; man soll ihn sofort zu mir führen. Da, küß die Hand ..."

5

Am Nachmittag begann es zu regnen. Anissja Tolstaja war, um keine Langeweile aufkommen zu lassen, auf den Gedanken verfallen, im leeren Thronsaal, den schon seit langen Jahren kein Mensch mehr betreten hatte, ein Ballspiel zu veranstalten.

Für die Demoisellen Menschikow, Anna und Marfa, konnte

es nichts Schöneres geben, als sich an solch einem Spiel zu ergötzen; mit flatternden Bändern, die bis an die Ellbogen entblößten, üppigen Arme ausgebreitet, rannten sie kreischend über die knarrenden Dielen hinter dem Ball her. Natalja Alexejewna war heute aus irgendeinem Grunde trübe gestimmt, das Spiel machte ihr keine Freude. Als sie noch ein Kind war, hatte in diesem Saal in allen hoch über der Diele gelegenen Fenstern die Sonne durch die roten, gelben und blauen Butzenscheiben gestrahlt und das vergoldete Leder an den Wänden geglänzt. Das Leder war abgerissen, und man sah die aus Baumstämmen gefügten Wände mit dem herabhängenden Werg. Der Regen fiel pochend aufs Dach.

Natalja Alexejewna wandte sich an Katharina. „Ich liebe den Palast von Ismailowo nicht; er ist groß, öde, ein wahrer Leichnam. Wir wollen irgendwohin gehen und ruhig sitzen."

Sie legte ihre Hand auf Katharinas Schulter und führte sie hinunter in das kleine, ebenfalls verlassene und vergessene Schlafgemach ihrer verstorbenen Mutter Natalja Kirillowna. Wie lange war das schon her, aber noch immer schwebte hier ein unbestimmter, wenn auch schwacher Duft, halb Weihrauch, halb Moschus. Natalja Kirillowna hegte bis an ihr Lebensende eine Vorliebe für orientalische Wohlgerüche.

Natalja warf einen Blick auf die kahle Bettstelle mit den gedrechselten Pfosten, die ohne Vorhang dastand, und auf den kleinen viereckigen trüben Spiegel an der Wand, wandte sich ab und stieß das morsche Fenster auf. Ins Zimmer drang der Duft des Regens, der in den Blättern des Flieders unter dem Fenster, im Huflattich und in den Brennesseln raschelte.

„Setzen wir uns, Katja." Sie nahmen am offenen Fenster Platz. „Ja!" seufzte Natalja. „Schon geht der Sommer zu Ende, und ehe man sich's versieht, ist der Herbst da. Dir macht das nichts aus! Mit neunzehn Jahren zählt man die Tage nicht, mögen sie dahinfliegen wie die Vögel. Weißt du aber, wie alt ich bin? Ich bin ja nur um fünf Jahre jünger als mein Bruder Petruscha. Rechne mal nach. Unser Mütterchen hat mit siebzehn Jahren geheiratet, der Vater war an die vierzig. Er war dick, sein Bart roch stets nach Pfefferminz, und er kränkelte ständig. Ich kann mich nur schlecht an ihn erinnern. Gestorben ist er an der Wassersucht. Anissja Tolstaja hat mir einmal, als sie süßen Likör getrunken hatte, allerhand Geheimes erzählt. Mütterchen war in ihrer Jugend von fröhlichem, sorglosem, leidenschaftlichem Charakter gewesen. Verstehst du mich?" Natalja sah mit verschleiertem Blick Katharina in die Augen. „Was Sofjas Schranzen und Speichellecker nicht alles über sie zusammengeklatscht haben! Kann man ihr aber einen Vorwurf machen? Nach altväterischem Begriff war alles Sünde; eine Frau sein – selbst das war Sünde, ein Gefäß des Satans, die Pforte zur Hölle. Nach unseren, nach den neuen Begriffen aber kam ein reizender Amor geflogen und hat dich mit seinem Pfeil durchbohrt. Wie: soll man sich etwa danach in einer Herbstnacht, mit einem Stein um den Hals, in den Teich stürzen? Nicht die Frau, Amor trägt die Schuld. Anissja erzählte, in Moskau lebte um jene Zeit ein Bojarensohn, Mussin-Puschkin, von engelgleicher oder, besser gesagt, von dämonischer Schönheit, ein kühner, leidenschaftlicher Mann, ein Reiter und Trinker. In der Fastnachtswoche auf dem Eis, auf dem Moskwa-Fluß, forderte er jeden beliebigen zum Faustkampf heraus. Ging stets als Sieger hervor. Heimlich fuhr Mütterchen in einem einfachen, geschlossenen Schlitten dorthin und bewunderte seine Kühnheit. Dann zog sie ihn an ihren Hof als Mundschenk..." Natalja Alexejewna wandte ihren schönen Kopf nach dem kahlen, verlassenen Bett um, ein Fältchen zeigte sich zwischen ihren Brauen. „Plötzlich wurde er als Wojewode nach Pustosersk geschickt. Und nie wieder bekam sie ihn zu sehen... Ich aber, Katharina, ich habe nicht einmal das..."

Der träge Regen rieselte noch immer leise nieder. Es war schwül. Hinter den Nebelschleiern ragten unklar riesige Bäume empor, den Kiefern von Ismailowo kaum noch ähnlich. Die Vögel hatten sich unter dem Dach verborgen, zwitscherten und sangen nicht. Nur eine zerzauste Krähe flog niedrig über die nebelgraue Wiese. Katharina folgte ihr mit sorglosem Blick – sie hatte große Lust, der Zarewna zu sagen, daß die diebische Krähe nach dem Geflügelhof fliege und sicherlich, wie gestern, wieder ein gelbes Kücken davontragen werde. Natalja Alexejewna legte die Ellbogen auf die Fensterbank; ihr Kopf senkte sich unter der Last der Zöpfe, die ihn umwanden. Katharina blickte auf den Hals und die Härchen im Nacken der Zarewna und dachte: Hat das wirklich noch niemand geküßt? Das ist bitter! Sie seufzte, kaum hörbar.

Natalja hatte diesen Seufzer dennoch vernommen, zuckte eigenwillig mit der Schulter und sagte, das Kinn in die Hand gestützt: „Jetzt aber erzähl von dir. Doch nur die Wahrheit. Wieviel Liebhaber hast du gehabt, Katharina?"

Katharina wandte den Kopf ab und flüsterte: „Drei Liebhaber."

„Von Alexander Danilowitsch wissen wir. Und vor ihm? War es Scheremetew?"

„Nein, nein!" antwortete lebhaft Katharina. „Ich kam nur dazu, dem Herrn Feldmarschall Suppe, eine süße estnische Suppe mit Milch, zu kochen und ihm die Wäsche zu waschen. Ach, er hat mir gar nicht gefallen! Zu weinen hatte ich Angst; doch ich hatte mir fest vorgenommen: Ich werde den Ofen heizen und mich mit Kohlendunst vergiften, aber mit ihm leben werde ich nicht. Alexander Danilowitsch hat mich ihm am selben Tag fortgenommen. Ich habe ihn sehr liebgehabt. Er ist lustig und hat mit mir viel gescherzt, wir haben viel gelacht. Vor ihm habe ich mich nicht im geringsten gefürchtet..."

„Und vor meinem Bruder fürchtest du dich?"

Katharina kniff die Lippen ein und zog die Sammetbrauen zusammen, um ehrlich zu antworten. „Ja. Aber mir scheint, ich werde bald aufhören, mich vor ihm zu fürchten."

„Und wer war dein zweiter Liebhaber?"

„Oh, Natascha, der zweite war kein Liebhaber; es war ein russischer Soldat, ein guter Mensch, ich habe ihn nur eine einzige Nacht geliebt. Wie konnte man ihm auch etwas verweigern, hat er mich doch von den schrecklichen Menschen mit Fuchsmützen und krummen Säbeln befreit. Sie schleppten mich aus dem brennenden Haus, zerrissen mein Kleid, schlugen mich mit der Reitpeitsche, damit ich zu kratzen aufhöre, wollten mich in den Sattel heben. Er warf sich auf sie, stieß den einen beiseite, dann den anderen, und wie kräftig! ‚Ach, ihr Kumyßsäufer!' rief er. ‚Wie kann man nur einem Mädel was zuleide tun!' Nahm mich auf die Arme und trug mich zum

Troß. Mit nichts anderem konnte ich ihm danken. Es war schon dunkel, wir lagen im Stroh..."

Nataljas Nasenflügel bebten, und sie fragte hart: „Unter einem Wagen?"

„Ja. Er sagte zu mir: ‚Nur, wenn du willst, Mädel. Das ist ja nur dann süß, wenn das Mädel einen aus freien Stücken umarmt...' Darum nenne ich ihn meinen Liebhaber."

„Und wer war der dritte?"

Katharina antwortete voll Würde: „Der dritte war mein Mann, Johann Rabe, Kürassier Seiner Majestät des Königs Karl von der Marienburger Garnison. Ich war sechzehn, als Pastor Glück sagte: ‚Ich habe dich erzogen, Martha-Kathrin, ich will das Wort halten, das ich deiner seligen Mutter gegeben habe. Ich habe einen guten Mann für dich gefunden.'"

„Erinnerst du dich an Mutter und Vater?" fragte Natalja.

„Wenig. Der Vater hieß Iwan Skawronski. Er war schon als junger Mann aus Litauen, aus Minsk, vom Pan Sapieha nach Estland geflüchtet und hatte bei Marienburg ein kleines Gehöft gepachtet. Dort sind wir alle geboren, vier Brüder, zwei Schwestern und ich, die Jüngste. Dann kam die Pest, die Eltern und der älteste Bruder starben. Mich nahm Pastor Glück zu sich, er ist mir ein zweiter Vater gewesen. Bei ihm bin ich aufgewachsen. Eine Schwester lebt in Reval, die andere in Riga; wo aber die Brüder jetzt sind, weiß ich nicht. Uns hat der Krieg in alle Welt verstreut."

„Hast du deinen Mann geliebt?"

„Dazu war die Zeit zu kurz. Unsere Hochzeit war am Johannistag. Oh, wie vergnügt wir waren! Wir sind zum See gefahren, haben Johannisfeuer angezündet und mit Kränzen auf dem Kopf getanzt; Pastor Glück hat uns auf seiner Fiedel aufgespielt. Bier haben wir getrunken und kleine Würstchen mit Kardamom gebraten. Eine Woche darauf belagerte Feldmarschall Scheremetew Marienburg. Als die Russen die Stadtmauer in die Luft gesprengt hatten, sagte ich zu Johann: ‚Flieh!' Er sprang in den See, und ich habe ihn nie wieder gesehen..."

„Du mußt ihn vergessen."

„Ich muß vieles vergessen, doch ich vergesse leicht." Katharina lächelte schüchtern, die Tränen standen ihr in den Kirschaugen.

„Katharina, hast du mir auch nichts verhehlt?"

„Wie könnte ich wagen, dir etwas zu verhehlen?" stieß Katharina leidenschaftlich hervor, und Tränen rannen ihr über die pfirsichsamtenen Wangen. „Fiele mir noch etwas ein, so könnte ich die ganze Nacht nicht schlafen; beim ersten Tagesgrauen liefe ich zu dir, um es dir zu erzählen."

„Und dennoch – du bist glücklich." Natalja stützte die Wange in die Hand und starrte wieder zum Fenster hinaus wie ein Vogel aus seinem Käfig. Ein krampfhaftes Zittern durchlief ihren zarten Hals. „Für uns Zarentöchter gibt es, soviel Freuden wir uns auch verschaffen mögen, nur einen Weg: ins Kloster. Uns verheiratet man nicht, keiner freit uns. Oder es so schamlos treiben wie Maschka und Katka! Nicht umsonst hat Sofja wie eine grimme Tigerin um die Macht gekämpft..."

Katharina wollte sich gerade niederbeugen und Nataljas Hand mit den blauen Äderchen küssen, die sich vor Verdruß zur Faust geballt hatte, als auf der Wiese ein hochgewachsener Reiter auf sehnigem Roß mit nasser Mähne sichtbar wurde; sein Umhang war naß, und vom Hut hingen die nassen Federn herab. Als er Natalja Alexejewna erblickte, sprang er aus dem Sattel, ließ den Gaul stehen, schritt zum Fenster, nahm den Hut ab, beugte im Gras das Knie und drückte den Hut an die Brust.

Natalja Alexejewna erhob sich hastig. Ihr dicker Zopf fiel in den Nacken, das Blut schoß ihr ins Gesicht, ein Zittern flog darüber hin, ihre Augen strahlten, ihre Lippen öffneten sich.

„Gawrila!" sagte sie leise. „Bist du's? Guten Tag, mein Lieber. So komm doch herein, was stehst du da im Regen..."

Gleich hinter Gawrila fuhr ein zweirädriger Wagen vor; neben dem Kutscher saß ein spitznäsiger, erschrockener Bursche, der sich unter einem Sack vor dem Regen geborgen hatte. Er nahm sofort den Hut ab, stieg jedoch nicht aus. Gawrila trat, ohne die dunklen Augen von Natalja Alexejewna zu wenden, dicht an den Fliederbusch heran.

„Glück und Gesundheit auf lange Jahre!" stieß er hervor, als ginge ihm der Atem aus. „Ich komme mit einem Auftrag des

Zaren. Ich habe dir einen geschickten Maler gebracht mit der Anweisung, das Konterfei einer gewissen aimablen Person anzufertigen. Selbiger soll nachher ins Ausland gesandt werden, in die Lehre. Da sitzt er im Wagen. Verstatte, mit ihm einzutreten..."

6

Einen berittenen Knecht hatte Anissja Tolstaja in den Kreml, ins Proviantamt, nach allerlei Lebensmitteln zum Abendessen und nach Süßigkeiten entsandt, „und... Kerzen, möglichst viel Kerzen!". Ein anderer war nach der Deutschen Siedlung galoppiert, um Musikanten zu holen. Aus dem Schornstein des Küchenhauses stiegen dichte Rauchwolken auf, die Küchenjungen, die Köpfe kurz geschoren, hackten schon eifrig mit den Messern. Dirnen mit geschürzten Röcken liefen durch das hohe, nasse Gras hinter den Kücken her. Die vom Nichtstun träge gewordenen Fischer des Palastes machten sich mit Reusen und Netzen zu den Teichen auf, um nicht minder träge Karpfen zu fischen, welche unbeweglich im Schlamm lagen.

Von den Teichen, die mit Pflanzen überwuchert waren, stieg nach dem Regen Nebel auf, verhüllte die große, morsch gewordene Brücke, die schon keiner mehr betrat, kroch zwischen den Bäumen auf die Wiese vor dem Palast, und das alte Palais begann langsam bis ans Dach in ihm zu versinken.

Die alten Leute, die noch unter Zar Alexej Michailowitsch hier gedient hatten, saßen vor den Türen der Küche und des Gesindehauses und guckten, wie in den Fenstern des vom Nebel verhüllten Palais bald hie, bald da das verschwimmende Licht einer Kerze auftauchte und wieder verschwand. An ihre Ohren schlug das Getrappel eiliger Füße und Gelächter. Man vergönnte es dem alten Hause nicht, in Ruhe zu verfallen und zu vermodern, die Holzwände dem Unwetter und die schadhaften Dächer dem Gußregen zu überlassen. Auch hier war die tolle Jugend mit ihren neuen Sitten eingedrungen. Das rannte treppauf, treppab, von den Dachkammern bis in die Kellergewölbe. Nichts war dort zu finden, nur Spinnen in den Ecken und Mäuse, die ihre Nasen aus den Schlupflöchern steckten...

In Natalja Alexejewna schien der Teufel gefahren zu sein. Am Morgen war sie trübselig gewesen, nach Gawrilas Ankunft bekam sie rote Wangen, war ausgelassen, ersann alle mögliche Kurzweil, daß keiner auch nur eine Minute lang ruhig sitzen bleiben konnte. Anissja Tolstaja wußte nicht, wonach sie zuerst greifen sollte. Die Zarewna hatte ihr gesagt: „Heute soll es ein Gastmahl des Belsazar geben; wir werden vermummt soupieren."

„Mein Augenlicht, bis zu den Heiligen Drei Königen ist es ja noch weit. Und ich weiß auch nicht, hab's nicht gesehen, wie der König Belsazar geschmaust hat..."

„Laß uns im Palast herumstöbern; was wir an Kuriosem finden, schaff in den Speisesaal. Ärgere mich heute nicht, sei nicht eigensinnig!"

Die alten Stiegen knarrten, die verrosteten Angeln der seit langem nicht geöffneten Türen kreischten. Eine Lauferei begann im ganzen Palast, allen voran Natalja Alexejewna mit gerafftem Rock, hinter ihr mit einer Kerze Gawrila, dessen Augen vor Schreck starr blickten. Der Schreck war ihm schon vorher in die Glieder gefahren, als er, noch zu Roß, Natalja Alexejewna im Fenster erblickt hatte, wie sie bekümmert die Wange in die Hand stützte. Es war wie in dem Märchen, das Sanka in der Kindheit auf dem Ofen erzählt hatte: von der Königstochter Märchenschön. Damals tat Iwan, der Zarensohn, mit seinem Roß einen mächtigen Sprung, höher denn der aufragende Baum, unter die dahinziehende Wolke, gerade vor das Spitzbogenfenster, und streifte den Ring von der weißen Hand der Prinzessin...

Auch Andrej Golikow schwirrte der Kopf; ihm war befohlen worden, sich ebenfalls den anderen anzuschließen. Seit dem gestrigen Abend, da er das Bildnis von Gawrilas Schwester, auf dem Delphin liegend, gesehen hatte, wußte er nicht, was Wirklichkeit, was Traum war. Der Atem ging ihm aus, so verwirrten ihn die lichtblonden, rundwangigen Demoisellen Menschikow, die so schön und üppig waren, daß keinerlei Kleiderfalten die Reize ihrer Körper zu verhüllen vermochten. Sie dufteten nach Äpfeln, und es war unmöglich, den Blick von ihnen zu wenden.

In den Rumpelkammern fanden sie nicht wenig Pelze, Kleider und Schmuck jeglicher Art, wie man sie bereits nicht mehr kannte. Sie fanden bauschige, mit Pelz gefütterte Mäntel aus byzantinischem Brokat, kurze Umhänge, Wämser, Leibröcke, pudschwere perlengestickte Hauben – all dies wurde von den Mägden haufenweise in den Speisesaal geschleppt.

In einem Kellergewölbe bemerkten sie hoch oben, unter der Decke, eine kleine Luke. Natalja nahm die Kerze, stellte sich auf die Zehenspitzen und warf den Kopf zurück. „Und wenn er dort drin sitzt?"

Anna und Marfa riefen zugleich voll Entsetzen: „Wer?"

„Der Hausgeist!" antwortete Natalja.

Die Mädchen schlugen die Hände an die Wangen, erblaßten aber nicht, sondern rissen nur die Augen weit auf. Allen wurde unheimlich. Der alte Ofenheizer brachte eine Leiter und lehnte sie an die Wand. Sofort stürzte Gawrila auf sie zu; er hätte jetzt auch gefährlichere Unternehmen nicht gescheut. Er öffnete die Luke und verschwand dort in der Dunkelheit. Man wartete, so schien es, sehr lange, er antwortete nicht von dort und rührte sich nicht. Natalja befahl in schrecklichem Flüsterton: „Gawrila! Komm herunter!" Da zeigten sich die Sohlen seiner Kanonenstiefel, die abstehenden Schöße seines Leibrocks; er stieg herab, ganz von Spinnweben bedeckt.

„Was hast du dort gesehen?"

„Was weiß ich, etwas Graues schimmert dort, etwas Zottiges; mir war es, als streichelte etwas Weiches mein Gesicht..."

Alle riefen: „Ach!" Auf Zehenspitzen hasteten sie aus dem Kellergewölbe und in vollem Lauf die Stiege hinauf; oben erst kreischten Marfa und Anna los. Natalja Alexejewna schlug vor, Hausgeist zu spielen. Man suchte Geheimtüren; öffnete behutsam die Kammern unter den Stiegen, blickte scheu unter alle Öfen, vor Schauder stockte der Atem. Und da stießen sie auf das Schreckliche: In einer mit Spinnweben überzogenen dunklen Ecke erblickten sie zwei grüne, von höllischem Feuer glühende Augen. Halb von Sinnen stürzten sie davon. Natalja stolperte und fiel Gawrila in die Arme – der griff fest zu, und sie hörte sogar, wie sein Herz klopfte, langsam, dumpf, wie ein Mannesherz schlägt... Sie hob die Schulter und sagte leise: „Laß mich."

Darauf ging man daran, das Gastmahl des Belsazar zu richten. Der alte Ofenheizer, mit dem Messingkreuz über dem Hemd und neuen Filzstiefeln an den Füßen, dessen gelber Bart an einen Hausgeist erinnerte, brachte wieder die Leiter herbei. Die aus Baumstämmen gefügten, längst ihres Lederbezugs beraubten Wände des Speisesaals behängte man mit von Motten zerfressenen Teppichen. Der Tisch wurde hinausgeschafft, die Abendtafel unmittelbar auf dem Boden, auf einem Teppich gedeckt. Allen war befohlen, sich nach babylonischer Art um die Tafel zu lagern; den König Belsazar sollte Gawrila darstellen. Man kleidete ihn in ein purpurnes Brokatgewand, das zwar schon fadenscheinig, aber doch schön und mit goldenen Greifen geziert war. Um die Schultern bekam er einen Pelz, wie man ihn vor hundert Jahren getragen hatte. Aufs Haupt setzte man ihm einen perlengestickten Kopfschmuck, der anscheinend noch der Zarin-Großmutter gehört hatte. Natalja Alexejewna wurde als Semiramis in goldene Meßgewänder gekleidet. Um die schweren aufgesteckten Zöpfe wurden ihr bunte Tücher gewunden. Den Hofmägden wurde befohlen, den Hähnen recht schöne Federn aus dem Schwanz zu rupfen; diese Federn wurden ihr in den Turban gesteckt.

Man überlegte, wen Marfa und Anna darstellen sollten. Natalja befahl ihnen, hinter die Tür zu gehen, die Zöpfe aufzuflechten, Kleider und Röcke abzulegen und im Hemd zu bleiben, sintemal die Hemden aus feinem Linnen und lang und sauber waren. Wieder stürzten die Hofmägde zum Teich und brachten Wasserrosen, mit denen Hals, Arme und Haar der Demoisellen Menschikow umwunden wurden. Mit den langen Stielen gürteten sie sich und wurden so Wassernixen von Tigris und Euphrat. Katharina war leicht zu kleiden, sie war die Göttin der Gemüse und Früchte; ihr Name in der Sprache Babylons: Astarte, lateinisch: Flora. Die Mägde liefen davon, zupften Mohrrüben und Petersilie, rupften Lauch und Erbsenschoten, brachten unreife Kürbisse und Äpfel herbei. Katharina war Feuer und Flamme und lachte hell mit heißen Wangen, feuchtem Mund und vor Glück kugelrunden Augen. Ihre Schüchternheit hatte sie längst abgelegt; wie immer lachte sie beim geringsten Anlaß. Sie war eine richtige Flora geworden: von Schoten und Dill umwunden, einen Kranz von Gemüse auf dem Kopf, in der Hand einen Korb mit Stachelbeeren und roten Johannisbeeren.

„Aber wen soll der Maler vorstellen?" fiel es plötzlich Natalja ein. „Wir haben keinen Mohren; er soll der König aus dem Mohrenland sein."

Ein neues Wunder hob für Andrjuschka Golikow an. Frauenhände begannen – war es Wirklichkeit oder Traum? – ihn hin und her zu zerren, hin und her zu drehen, ihn mit Seide und Brokat zu umwinden. Sein Gesicht wurde mit Ruß geschwärzt, ein Metallring wurde ihm in den Nasenflügel geklemmt, denn er sollte unbedingt mit einem Ring in der Nase dasitzen. Ihn dünkte, hätte der Herr ihm Engelsflügel verliehen, er wäre nicht so selig. Mit tiefer Verbeugung traten drei Musikanten aus der Deutschen Siedlung ein, ein Geiger, ein Mundharmonikaspieler und ein Flötenbläser. Auch sie wurden schlecht und recht vermummt.

„Jetzt soupieren! Auf Kissen sitzen, die Beine untergeschlagen, Met und Wein aus Muscheln trinken!"

Wie man sich beim Gastmahl des Belsazar benehmen mußte, wußte keiner so recht. Man ließ sich vor den Speisen und Kerzen nieder, sah sich an, lächelte einander zu, keiner wollte zu essen beginnen.

Da schüttelte Natalja Alexejewna die Hahnenfedern und trug mit gespitzten Lippen dieselben Verse aus dem Gedächtnis vor, die Gawrila bereits in jener Winternacht, in der warm geheizten Kemenate unter dem goldenen Deckengewölbe, von ihr gehört hatte.

„Auf steiler Bergeshöh die hehren Götter thronen,
Cupidos böser Pfeil will sie indes nicht schonen.
Es stöhnt selbst Jupiter: Weh mir, was muß ich leiden,
Ein grimmes Feuer brennt mir in den Eingeweiden.
Ich finde nirgends Ruh, kann meinen Durst nicht stillen,
Ach, gegen Liebespein sind machtlos Trank und Pillen.

Sogar ein Gott kann sich Cupidos nicht erwehren,
Wer soll den Menschen dann nur Schutz und Schirm gewähren?
Nein, besser ist es schon, die Trübsal abzuweisen,
Laßt uns Cupidos Pfeil bei süßem Weine preisen."

Während Natalja vortrug, war ihr Gesicht unter dem riesigen Turban blaß geworden. Sie trank einen Schluck Wein und begann mit Anissja Tolstaja zu tanzen. Die Musikanten spielten nicht laut, aber so, daß jedes Äderchen im Leib mitschwang und sang.

„Tanz mit Katharina!" rief Natalja Gawrila zu, ihn mit den Augen anfunkelnd. Er sprang auf, warf den Belsazarpelz von den Schultern – tanzen konnte er, wenn es sein mußte, den ganzen Tag und die ganze Nacht hindurch! Katharinas Rücken war heiß, schmiegte sich der Hand an; ihre Füße glitten leicht dahin, beim Umherwirbeln flogen ihr Schoten und Kirschen von Kopf und Schultern. Immer feuriger tanzte Gawrila, und immer feuriger spielten die Musikanten auf. Anna und Marfa faßten sich bei den Händen und wirbelten ebenfalls umher. Nur Golikow blieb auf dem Teppich vor den Kerzen sitzen; am Trinken und Essen hinderte ihn der Ring in der Nase. Aber auch das störte ihn in seiner Seligkeit nicht; noch immer klangen in seinen Ohren, von Flötenklängen begleitet, die Verse der Zarewna von den olympischen Göttern. Und immerzu schwebte die nackte Göttin auf dem Delphin vor seinen Augen mit einer Schale, die voll Lockungen war.

Gawrila war einfältigen Herzens; hatte man ihn geheißen, mit Katharina zu tanzen, so tanzte er, ohne die Absätze zu schonen. Und obgleich es ihn mehrmals dünkte, als lächle Natalja Alexejewnas Gesicht schon anders, nicht so fröhlich, als leuchteten ihre Augen nicht mehr so wie zuvor, begriff er trotz allem nicht, daß es längst Zeit sei, Katharina auf ihren Platz neben den Kürbissen und Mohrrüben zu führen. Noch einmal glitt der Zarewnas Gesicht vorüber mit gleichsam vor Schmerz zusammengepreßten Zähnen. Plötzlich schwankte sie, blieb stehen und griff nach Anissja Tolstaja; der Turban mit den Hahnenfedern fiel vom Kopf...

Anissja schrie erschrocken auf: „Der Zarewna ist schwindlig geworden!" und winkte den Musikanten, das Spiel abzubrechen.

Natalja Alexejewna riß sich von ihr los und verließ, den Prunkmantel hinter sich herschleifend, den Saal. Damit fand das Gastmahl des Belsazar sein Ende. Anna und Marfa schämten sich plötzlich, daß sie nur im Hemd dastanden, sie flüsterten einander etwas zu und liefen zur Tür hinaus. Katharina setzte sich erschrocken auf ihren Platz und begann das Grünzeug abzustreifen. Gawrila war finster geworden, stand mit gespreizten Beinen vor dem Teppich mit den Gerichten und starrte mit zusammengezogenen Brauen blinzelnd auf die Kerzenflammen. Anissja war der Zarewna nachgestürzt und bald wieder zurückgekehrt; sie krallte ihre Nägel in Gawrilas Hand.

„Geh zu ihr", flüsterte sie, „bitte sie fußfällig um Verzeihung, du Dummkopf!"

Natalja Alexejewna stand nebenan, vor der Saaltür im Gang; sie blickte durchs offene Fenster auf den Nebel, der vom unsichtbaren Mond erhellt war. Gawrila trat an sie heran. Es war zu hören, wie die Tropfen vom Dach auf die Blätter fielen.

„Bleibst du lange in Moskau?" fragte sie, ohne sich umzuwenden. Er gab keine Antwort, seine Kehle war wie zugeschnürt. „In Moskau hast du nichts zu suchen. Fahre morgen dorthin, woher du gekommen bist."

Sie stieß es hervor, und ihre Schultern hoben sich. Gawrila antwortete: „Womit habe ich dich erzürnt? Mein Gott, wenn du wüßtest... Wenn du wüßtest!"

Da wandte sie sich um und näherte ihr Gesicht mit den rußgeschwärzten Brauen dicht dem seinen. „Ich brauche dich nicht, hörst du, geh, geh!..."

Sie wiederholte: „Geh, geh!" und hob die Arme, um ihn zurückzustoßen, legte aber dann, als hätte sie eingesehen, daß sie gegen einen solchen Riesen nichts ausrichten könne, ihre Arme mit den klirrenden Spangen der Semiramis ihm auf die Schultern. Ihr Kopf neigte sich tiefer und tiefer. Gawrila, der auch nicht begriff, was er tat, bedeckte ihren warmen Scheitel, ihn kaum mit den Lippen streifend, mit Küssen.

Sie wiederholte immerzu: „Nein, nein, geh, geh!..."

Sechstes Kapitel

───

I

Peter Alexejewitsch hatte die Segeltuchjacke abgeworfen und die Hemdsärmel aufgekrempelt. Das rote, am Rand mit Weinblättern bestickte Tüchlein, ein Geschenk aus Ismailowo, hatte er nach Art der portugiesischen Piraten, wie es ihn einst Konteradmiral Pamburg gelehrt, um den Kopf gewunden. Einige Jahre zuvor hätte er auch die Stiefel ausgezogen, um die Wärme des rauhen Decks unter den Füßen zu fühlen. Ein leichter Wind schwellte die Segel. Der Zweimaster „Katharina" glitt leicht wie ein Vogel über das Wasser, gefügig und gehorsam. In seinem Kielwasser folgte die Brigantine „Ulrika", und am Horizont, im Nebelflor, wo sich Wasser und Himmel berührten, hatte die Fregatte „Wachtmeister" alle Segel gesetzt.

Diese Schiffe waren unlängst den Schweden abgenommen worden – es war eine unerwartete und überaus glorreiche Viktoria gewesen: Den Russen waren zwölf Brigantinen und Fregatten, das gesamte Piratengeschwader des Kommodore Leschert, in die Hände gefallen, der zwei Jahre lang auch nicht das kleinste Schiff in den Peipussee durchgelassen, die an der Küste liegenden Dörfer und Gehöfte gebrandschatzt und den die Festung Jurjew belagernden Scheremetew im Rücken bedroht hatte. Der Kommodore war ein kühner Seefahrer. Dennoch hatten ihn die Russen hinters Licht geführt. In einer dunklen Gewitternacht ließ er das Geschwader, sei es, weil er einen Sturm befürchtete, sei es aus anderem Grunde, in die Mündung des Flusses Embach einlaufen und trank sich sorglos an Bord der Flaggjacht „Carolus" einen Rausch an. Als er sich aber im Morgengrauen den Schlaf aus den Augen rieb, kamen von der Küste Hunderte Boote, Flöße und zusammengebundene Fässer rasch auf seine Schiffe zugefahren. „Beide Breitseiten – Feuer auf die russische Infanterie!" schrie der Kommodore. Die Schweden hatten nicht einmal Zeit, Pulver in die Zündlöcher der Kanonen zu schütten und die Ankertaue zu kappen, als die Russen bereits rings um die Schiffe hingen und, Granaten werfend und aus Pistolen feuernd, von den Booten, Flößen und Fässern die Bordseiten emporklommen und die Schiffe enterten. Die Schmach war nicht gering: Fußvolk hatte ein Geschwader erobert! Der Kommodore Leschert sprang vor Wut in die Pulverkammer und sprengte die Jacht; Flammen schlugen aus allen Ritzen und Luken, die Masten, Rahen, Tonnen, die Besatzung und er selbst flogen in einer Rauchwolke mit fürchterlichem Donner in die Luft ...

Die Sonne brannte auf den Rücken, ein leichter Wind liebkoste das Gesicht, am Schiffsbord gleißten blendend auf steiler Woge tanzende Sonnenflecken.

Peter Alexejewitsch kniff die Augen zu. Am Steuerrad stehend, spreizte er die Beine, um sich Kühlung zu verschaffen. Im Takelwerk pfiff und sang es, heiser schrien die Möwen am Heck über dem Kielwasser. Die Segel waren gleich weißen Brüsten von Kraft geschwellt.

Siegreich hielt Peter Alexejewitsch Kurs auf Narwa. Er führte schwedische Fahnen mit sich, die am Fuß des Großmastes niedergelegt waren; vorgestern hatte man Jurjew im Sturm genommen. Noch eine Feder war König Karl aus dem Schweif gerupft! An den Kaiser und an die Könige von England und Frankreich waren Sendschreiben geschickt worden: Wir hätten nun „durch Gottes Fügung unseren alten Erbsitz, das Städtlein Jurjew, vor siebenhundert Jahren vom Großfürsten Jaroslaw Wladimirowitsch zum Schutz der Marken des russischen Landes erbaut, wieder zurückerobert..."

Wenn auch Peter Alexejewitsch nie daran dachte, wie es beispielsweise sein liebwerter Bruder König Karl tat, sich mit Alexander dem Großen zu vergleichen, und er den Krieg als ein hart und schwer Ding, als blutige Alltagsmühe und eine Notwendigkeit für den Staat betrachtete, so hatte er doch diesmal, vor Jurjew, zu seinem militärischen Talent Vertrauen gefaßt und war mit sich höchst zufrieden und stolz: In zehn Tagen – er war von Narwa dorthin geeilt – hatte er das erreicht, was Feldmarschall Scheremetew und dessen ausländische Ingenieure, des hochberühmten Marschalls Vauban Schüler, nie und nimmer für möglich gehalten hätten.

Eine Lust war es auch, einen Blick auf die ferne, bewaldete Küste zu werfen, sich zu sagen, daß sie, die unlängst noch schwedisch war, jetzt russisch ist und daß auch der Peipussee wieder ganz zu Rußland gehört. Aber so ist nun mal der Mensch: Hat er viel bekommen, will er noch mehr. Es kann wirklich nichts Schöneres geben, sollte man meinen, als an einem so lichten Morgen an Bord einer prächtigen Schnaue dahinzugleiten und, Karl zum Trotz, die riesige Andreasflagge am hohen Heck zu führen. Aber nein! Gerade heute wollte ihm – und so heiß, daß die Glieder zitterten – seine Herzliebste nicht aus dem Sinn...

Konnte man sie denn anders nennen – nicht maîtresse, nicht Mädel, nein, die Herzliebste, Augenlicht-Katharina. Peter Alexejewitsch bewegte die Schulterblätter unter dem Hemd und sog die feuchte Luft ein. Wasser und Schiffsplanken rochen nach dem Badehäuschen, und vor seinen Augen erstand Katharina, wie sie an solch einem heißen Tage badete. Hatte sie nun das Tuch mit den Weinblättchen besprochen oder mit ihrem weiblichen Duft getränkt, der Wind blies die Tuchzipfel nach vorn, und prickelnd strichen sie beständig um Nase und Lippen...

Oh, es wußte wohl, was es tat, das lockige, muntere livländische Hexlein! In Jurjew sind die zu Tode erschrockenen städtischen Weiblein überaus niedlich. Und doch kommt keine Katharina gleich; bei keiner wiegt sich so herausfordernd der gestreifte Rock auf den festen Hüften. Bei keiner ist ihm das Verlangen gekommen, ihr die Hände auf die Wangen zu legen, durch die Augen ins Innerste zu blicken und Zähne auf Zähne zu pressen.

Peter Alexejewitsch stampfte ungeduldig mit dem Absatz seines breitschnäbligen Schuhs aufs Deck. Sofort stürzte jemand, wohl aus dem Schlaf geweckt, aus der Messe, schlug die

Tür hinter sich zu und lief die Stiegen hinauf; es war Alexej Wassiljewitsch Makarow. „Hier bin ich, gnädigster Herr..."

Bemüht, nicht auf dieses hagere, pergamentene und hier an Bord befremdlich wirkende Gesicht mit seinen roten Augenlidern zu schauen, stieß Peter Alexejewitsch durch die Zähne hervor: „Das Schreibzeug!..."

Makarow hastete davon und stolperte auf der Treppe. Peter Alexejewitsch fauchte wie ein Kater hinter ihm drein. Eilig kehrte Makarow mit einem kleinen Stuhl, Papier und Tintenfaß zurück; hinterm Ohr starrten Gänsekiele. Peter Alexejewitsch nahm einen davon.

„Stell dich ans Steuer, klammere dich fest an, du Landratte, halt's so. Läßt du die Segel killen, bekommst du das Tauende zu schmecken!"

Er blinzelte Makarow zu, setzte sich auf den Klappstuhl, legte ein Blatt Papier aufs Knie und blickte mit schief gehaltenem Kopf zur Spitze des Großmastes auf, wo ein langer Wimpel flatterte; dann begann er zu schreiben.

Auf die eine Seite des Bogens schrieb er: „An die Damen Anissja Tolstaja und Jekaterina Wassiljefskaja." Auf die Rückseite mit Tintenspritzern und Buchstaben auslassend: „Tante und Mütterchen, Wohlergehen auf viele Jahre! Ich möchte hören, wie es mit Eurer Gesundheit steht. Wir aber leben hier in Arbeit und Not. Keiner ist da, uns was zu waschen, zu nähen; vor allem aber ist es ohne Euch langweilig. Erst vorgestern haben wir den Schweden zu einem flotten Tänzchen aufgespielt, von dem es dem König Carlus schwarz vor Augen werden wird. Bei Gott, seit ich im Dienst bin, habe ich ein so prächtiges Spiel nicht gesehen. Kurz gesagt, mit Gottes Hilfe haben wir Jurjew mit dem Schwert erobert. Was aber Eure Gesundheit angeht, so schreibt mir, bei Gott, nicht darüber, sondern geruht, so bald als möglich selbst zu mir zu kommen, daß ich froheren Mutes werde. Kommt Ihr nach Pskow, so wartet dort auf Bescheid, wohin Ihr weiterfahren sollt; der Feind ist hier nahe... Pieter..."

„Falte und versiegele es, ohne zu lesen", wandte er sich an Makarow und nahm ihm das Steuer aus der Hand. „Bei der ersten Gelegenheit schickst du es ab."

Ums Herz schien ihm etwas leichter geworden zu sein. Hell schlug die Schiffsglocke zwei Glas. Sofort böllerte die Kanone auf der Back, die Segel knatterten, ein angenehmer Geruch von Pulverdampf verbreitete sich.

Die Kommandobrücke betrat der Kommandeur der Schnaue, Kapitän Nepljujew, mit seinem jungen, knochigen, kecken Gesicht, den kurzen Degen mit der Hand festhaltend und zwei Finger am Dreispitz.

„Herr Bombardier, die Admiralsstunde hat geschlagen; geruhen Sie, Ihren Trunk zu sich zu nehmen."

Mit breit lächelndem, speckig glänzendem Gesicht stieg hinter Nepljujew der kleine Felten in einer grünen gestrickten Weste die Treppe herauf. An Bord trug er statt der Kappe des Kochs ein weißes Tuch, das gleichfalls nach Piratenart um den Kopf geschlungen war. Auf einem verzinnten Tablett präsentierte er einen Silberbecher und eine Mohnbrezel.

Peter Alexejewitsch wog den Becher in der Hand, schlürfte nach Matrosenart mit Hochgenuß den starken, nach Fusel riechenden Schnaps und wandte sich, während er sich kleine Brezelstücke hastig in den Mund schob und sie zerkaute, an Nepljujew.

„Über Nacht werfen wir vor Narwa Anker, schlafen werde ich an Land. Hast du die Tiefe peilen lassen?"

„Bei den Narowa-Armen ist am rechten Ufer eine Sandbank, am linken sind's elf Fuß."

„Na schön. Geh."

Peter Alexejewitsch blieb wieder allein auf dem heißen Deck am Steuer. Von dem Trunk strömte ihm Munterkeit durch den ganzen Leib. Bald schnaufend, bald lächelnd, dachte er an die glorreiche Bataille von vorgestern, von der es dem König Karl vor Augen schwarz werden mußte vor Ärger ...

2

Feldmarschall Scheremetew belagerte Jurjew gemächlich und machte es weder sich noch der Armee allzu schwer; er gedachte die Schweden auszuhungern. Seine weitschweifigen Briefe zerknüllte Peter Alexejewitsch und warf sie unter den Tisch. Der Teufel mußte den Feldmarschall verwandelt haben, zwei Jahre lang hatte er kühn und grimmig gefochten, heuer aber lamentierte er vor den schwedischen Mauern wie ein altes Weib. Als im Lager von Narwa endlich Feldmarschall Ogilvy eintraf, den man, weil Patkul darauf bestand, gegen nicht geringen Sold, dreitausend Golddukaten im Jahr, ungerechnet Verpflegung, freien Wein und allerlei sonstige Versorgung, aus Wien in Moskauer Dienste genommen hatte, übergab ihm Peter Alexejewitsch das Kommando und eilte voll Ungeduld nach Jurjew.

Scheremetew hatte ihn nicht erwartet; er schnarchte in der Mittagshitze nach dem Essen in seinem Zelt, im Troß, hinter dem hohen Wall, und erwachte, als ihm der Zar das Buch vom Gesicht riß, das ihn vor den Fliegen schützte.

„Du schläfst in aller Ruhe hinter spanischen Reitern!" schrie der Zar und rollte wild die Augen. „Komm, zeig mir die Belagerungsarbeiten."

Vor lauter Schreck vermochte der Feldmarschall kein Wort hervorzubringen. Er wußte nicht, wie er mit den Beinen in die Hosen kam; weder Perücke noch Degen fanden sich in der Nähe, so mußte er denn mit unbedecktem Kopf aufs Pferd klettern. Schlaftrunken, den französischen Rock ebenfalls verkehrt zugeknöpft, eilte der Militäringenieur Kobert herbei. Während dieser Belagerung hatte er nichts Besseres gewußt, als sich an russischer Kost dick zu fressen; sein Gesicht war ganz in die Breite gegangen. Peter nickte ihm böse vom Pferd herab zu. Zu dritt ritten sie nach den Stellungen.

Hier mißfiel Peter Alexejewitsch alles. Auf der Ostseite, an der Scheremetews Heer die Stadt belagerte, waren die Mauern hoch und die gedrungenen Türme neu befestigt; sternförmig erstreckten sich die Ravelins weit ins Feld hinein, und die Gräben vor ihnen waren voll Wasser. Im Westen bot der wasserreiche Fluß Embach der Stadt sicheren Schutz, im Süden ein Torfmoor. Scheremetew hatte sich in tiefen Schanzen und Laufgräben äußerst vorsichtig und aus Furcht vor den schwedischen Kanonen nicht allzu nahe an die Stadtmauern herangearbeitet. Seine Batterien waren noch ungeschickter aufgestellt; an die zweitausend Bomben hatte er in die Stadt geworfen, hier und da ein paar Häuser in Brand gesetzt, den Mauern aber nicht einmal einen Kratzer beigebracht.

„Ist Ihnen nicht bekannt, Herr Feldmarschall, wieviel Altyn mich jede Bombe zu stehen kommt?" fragte mürrisch Peter Alexejewitsch. „Aus dem Ural schaffen wir sie heran. Du willst wohl diese zweitausend nutzlosen Bomben von deinem Sold bezahlen!" Er entriß ihm das unter die Achsel geklemmte Fernrohr und begann die Mauern zu mustern. „Die Südmauer ist morsch und niedrig. Hab mir's gedacht." Er sah sich rasch nach Ingenieur Kobert um. „Hierher sind Bomben zu werfen, hier sind Breschen zu schießen in Mauern und Tor! Von hier aus muß die Stadt genommen werden! Nicht von Osten! Nicht an Bequemlichkeit denken, bloß weil es dort trocken ist! Den Sieg heißt es suchen, und sei's bis an den Hals im Sumpf!"

Scheremetew wagte nicht zu widersprechen und stieß nur mit schwerfälliger Zunge hervor: „Selbstverständlich. Sie sehen es klarer, Herr Bombardier. Wir haben wohl nachgedacht, sind aber nicht daraufgekommen."

Ingenieur Kobert schüttelte ehrerbietig, mit bedauerndem Lächeln die Hängebacken. „Majestät, die Südmauer und das Turmtor, das sogenannte Russische Tor, sind baufällig, nichtsdestoweniger aber nicht zu nehmen, da man nur durch den Sumpf an sie heran kann. Durch den aber ist nicht durchzukommen."

„Nicht durchzukommen?" schrie Peter Alexejewitsch, zuckte krampfhaft mit dem langen Hals, schlug mit dem Fuß aus und verlor den Steigbügel. „Der russische Soldat kommt überall durch. Wir spielen nicht Schach, wir spielen auf Tod und Leben ..."

Er sprang vom Pferd, entfaltete auf dem Gras eine Karte, den Stadtplan, zog ein Reißzeug aus der Tasche und entnahm ihm Zirkel, Lineal und Bleistift. Er begann abzumessen und Zeichen einzutragen. Der Feldmarschall und Kobert hockten neben ihm nieder.

„Hier mußt du alle deine Batterien aufstellen!" Peter wies auf den Sumpfrand vor dem Russischen Tor. „Verstärke auch auf der anderen Seite des Flusses die Belagerungsgeschütze." Geschickt projizierte er die Trajektorien der Geschosse von den Batterien zum Russischen Tor. Abermals maß er mit dem Zirkel ab.

Scheremetew murmelte: „Das stimmt schon. Das schaffen unsere Kanonen." Kobert lächelte fein.

„Für den Stellungswechsel gebe ich euch drei Tage. Am siebenten beginne ich den Feuerzauber." Peter legte Zirkel und Lineal ins Reißzeug zurück und wollte es in die Rocktasche stecken; aber dort lag das rote, an den Rändern mit Weinblättern bestickte Tuch; er zog es heraus und schob es ärgerlich unter den Rock auf die Brust.

Drei Tage lang gönnte er den Leuten weder Ruhe noch Schlaf. Tagsüber setzte die ganze Armee vor den Augen der Schweden die früheren Belagerungsarbeiten fort; im Infanterie- und Artilleriefeuer wurden Schanzen ausgehoben und Leitern gezimmert. Heimlich in der Nacht, ohne Beleuchtung, spannte man Ochsen vor die Kanonen und Mörser und brachte sie in die neuen Stellungen – an den Rand des Sumpfes und über eine Schiffbrücke ans andere Flußufer. Die Batterien wurden hinter Faschinen und Wällen verborgen.

Kaum war die Sonne über dem Walde aufgestiegen und hatte die morschen Dächer der Südmauer erhellt, kaum waren die Turmzinnen auf dem Russischen Tor aus dem Sumpfnebel hervorgetreten und in der Stadt in der morgendlichen Stille die bläulichen Rauchwölkchen aus den Schornsteinen gequollen, als sechzig Belagerungsgeschütze und schwere Mörser Himmel und Erde ins Beben brachten und zwei Pud schwere Geschosse und mit Lunten versehene Bomben zischend über den Sumpf sausten. Nun dröhnten auch die Batterien jenseits des Flusses. Im Schutz des Pulverschleiers stürzten die Grenadiere vom Regiment Iwan Shidok vor, um Faschinendämme über den Sumpf zu legen.

Peter Alexejewitsch befand sich bei der südlichen Batterie. Er brauchte weder zu schreien noch zu unterweisen, noch sich zu ärgern; er konnte den Kopf nicht schnell genug drehen, um den flinken Bewegungen der Kanoniere zu folgen. Leise stieß er nur im Takt hervor: „Hei – so, so, hei – so, so . . ." Die Zeit reichte kaum für ein flüchtiges „Vaterunser" – und schon waren die Läufe mit Wischern gereinigt, die Kartuschenbeutel hineingeschoben, die Stückkugeln ins Rohr gestoßen, war das Pulver aufs Zündloch geschüttet und das Ziel visiert...

„Alle Batterien!" schrie, daß ihm die blutunterlaufenen Augen aus dem Kopf quollen, der kleine Oberst Netschajew, dem die erste Salve Hut und Perücke vom Kopf gerissen hatte. „Gleiche Distanz. Lunten auf. Feuer!!!" – „Feuer!" wiederholten schallend die Batteriechefs.

Man sah, wie die Kugeln einschlugen, die Turmzinnen niederfielen, das Mauerdach in Flammen geriet und die von den Bomben in Brand gesetzten Häuser der Stadt auflohderten. Auf den spitzen Kirchtürmen begannen die Glocken zu läuten. Schwedische Soldaten in ihren kurzen grauen Waffenröcken stürzten aus dem Tor und machten sich daran, eine Kurtine auszuheben; sie schleppten Baumstämme, Fässer und Säcke herbei; jedesmal, wenn ein Geschoß krepierte, stoben sie auseinander. Immerhin hielten bis zum Abend Turmtor und Mauer stand. Peter Alexejewitsch befahl, die Batterien vorzurücken.

Sechs Tage dauerte der Feuerzauber. Bis zu den Knien, ja bis an die Hüften im Sumpf stehend und hinter versetzbaren Faschinen, mit Erde gefüllten Körben, vor den feindlichen Bomben und Kugeln Deckung suchend, legten Iwan Shidoks Grenadiere Faschinen durchs Moor. Die Gefallenen versanken an Ort und Stelle, die Verwundeten schleppte man auf den Schultern heraus. Die Schweden erkannten die drohende Gefahr, schafften einen Teil der Kanonen von anderen Türmen hierher und verstärkten von Tag zu Tag ihr Feuer. Die Stadt war in Rauch gehüllt. Durch die Pulverschwaden brannte rötlich die Sonne.

Peter Alexejewitsch verließ die Batterie nicht. Er war vom Pulverrauch geschwärzt, wusch sich nicht, aß, was und wie es ihm gerade unter die Hände kam, und schenkte den Kanonieren selber Schnaps ein. Hin und wieder gönnte er sich im Kanonendonner, nahebei, unter einer Protze, eine Stunde Schlaf. Den Ingenieur Kobert hatte er zum Haupttroß zurückgeschickt, weil er, wenn auch ein gelehrter Mann, allzu friedfertig war. „Friedfertige aber sind uns hier nicht vonnöten!"

In der Nacht zum 13. Juli ließ er, als es noch dämmerte, Scheremetew kommen. In diesen Tagen hatte der Feldmarschall mit seiner gesamten Armee im Osten der Stadt Lärm geschlagen, um den Schweden ordentlich angst zu machen. Er war wieder keck geworden, stieg nicht aus dem Sattel, schimpfte und fluchte. Er traf Peter Alexejewitsch bei der verstummten Batterie. Um ihn standen schnauzbärtige Bombardiere, alles alte Bekannte. Sie gehörten zu jenen, die vor Jahren – das waren ergötzliche Zeiten! – vor der „Feste Preßburg" der Kavallerie des Fürst-Cäsar mit Rettichen und Tonkugeln aus ihren hölzernen Geschützen ernstlichen Schrecken eingejagt hatten. Einige hatten die Köpfe mit Lappen verbunden, die Uniformen waren zerfetzt.

Peter Alexejewitsch saß auf der Lafette der größten Kanone, „Salamander", eines in Tula gegossenen Bronzegeschützes. Zum Abkühlen hatte man zwanzig Eimer Essig darübergießen müssen – sie zischte noch. Er kaute Brot und besprach, die Worte hervorsprudelnd, die am Tage geleistete Arbeit. In die Südmauer waren endlich drei Breschen geschossen, die der Feind nicht mehr auszufüllen imstande war. Bombardier Ignat Kurotschkin hatte mehrere Brandkugeln hintereinander in die linke Ecke des Torturmes gejagt. „Wie Nägel hat er sie hineingetrieben! Etwa nicht? Was?" krähte Peter Alexejewitsch wie ein Hahn. Die ganze Ecke des Turmes war eingestürzt, und dieser selbst drohte jeden Augenblick zusammenzubrechen.

„Ignat, wo steckst du denn? Ich sehe dich nicht, komm her!" Und er reichte dem Bombardier seine Pfeife mit der zerkauten Spitze. „Ich schenk sie dir nicht. Hab keine andere bei mir, aber rauche nur. Das hast du gut gemacht. Bleiben wir am Leben, vergeß ich dich nicht."

Ignat Kurotschkin, ein gesetzter Mann mit vollem Schnurrbart, zog den Dreispitz, nahm behutsam die Pfeife in die Hand, bohrte darin mit dem Fingernagel und lächelte dann verschmitzt über das ganze Gesicht. „Es ist ja kein Tabak drin, Majestät . . ."

Die anderen Bombardiere lachten. Peter Alexejewitsch holte den Tabakbeutel hervor – nicht ein Krümchen war darin. In diesem Augenblick trat der Feldmarschall hinzu. Erfreut wandte sich Peter Alexejewitsch an ihn.

„Boris Petrowitsch, hast du was zu rauchen? Bei uns in der Batterie gibt's weder Schnaps noch Tabak." Wieder lachten die Bombardiere. „Sei so gut." Scheremetew überreichte ihm mit höflicher Verbeugung seinen schönen, mit Glasperlen bestickten Tabakbeutel. „Ach, danke schön. Aber gib den Tabakbeutel dem Bombardier Kurotschkin. Ich schenke ihn dir, Ignat; die Pfeife aber bring mir zurück, vergiß es nicht..."

Er schickte die Bombardiere fort und kaute eine Weile knirschend Zwieback. Der Feldmarschall Scheremetew stand schweigend, den Marschallstab in die Hüfte gestützt, vor ihm.

„Boris Petrowitsch, länger dürfen wir nicht warten", sagte mit veränderter Stimme Peter. „Die Leute sind voll Grimm. Die Grenadiere liegen schon tagelang im Sumpf. Schwer ist's! Ich werde Tonnen mit Pech anzünden und die ganze Nacht durch schießen. Schick mir ohne Verzug ein Bataillon Moskauer Schützen von Samochwalows Regiment zur Verstärkung; es sind bärbeißige, tapfere Kerls. Du selbst mach in Gottes Namen deine Sache weiter; opfere nur keine Leute vergebens. Im Morgengrauen befehle ich den Sturmangriff..." Scheremetew ließ die Hand mit dem Marschallstab sinken und bekreuzigte sich. „Geh, Bester!"

Als am Rand des Sumpfes und jenseits des Flusses die Pechfässer aufflammten, eröffneten alle Batterien ein solches Schnellfeuer, wie es die Schweden noch nicht erlebt hatten. Das Tor stürzte ein. Die Kurtine, die Palisaden und spanischen Reiter flogen in Splitter und Fetzen. Die Schweden hatten in dieser Nacht einen Angriff erwartet; durch die Mauerbreschen waren im flackernden Feuerschein der Pechflammen wie Borsten starrende schwankende Bajonette, Helme und Fahnen zu sehen. In der ganzen Stadt wurde Sturm geläutet.

Peter Alexejewitsch blickte, im Graben hinter den Faschinen hockend, durchs Fernrohr. Neben ihm stand der junge Oberst Iwan Shidok. Er stammte aus Orjol und glich in seinem Äußeren einem Zigeuner; die schwarzen Augen glänzten trokken, die Lippen bebten. Vor Wut knirschte er, ohne es zu merken, mit den Zähnen. Die Nacht war kurz; hinter dem Wald, im Osten, färbte sich der Himmel schon grünlich, und die

Sterne waren verschwunden. Länger warten durfte man nicht. Aber Peter Alexejewitsch zögerte noch immer. Plötzlich entrang sich Iwan Shidok aus tiefster Seele ein gramvolles „A-a-a-a-ch!", und er schüttelte den gesenkten Kopf. Peter Alexejewitsch packte ihn an der Schulter. „Geh!"

Iwan Shidok sprang über die Faschinen und lief in gebückter Haltung über den Sumpf. Sogleich zischte eine Rakete auf, schoß empor, platzte und zerstob in grünen Lichtern, dann eine zweite, eine dritte. Die Kanonen verstummten, die Stille war bedrückend. Zwischen den kleinen schwarzroten Erdhügeln des Sumpfes sprangen Leute auf und stapften, im Schlamm versinkend, schweren Schrittes auf das Tor zu. Der ganze Sumpf kam in Bewegung, er wimmelte von Soldaten. Vom Ufer her näherten sich mit gefälltem Bajonett Kompanien der Moskauer Schützen, die ihnen zu Hilfe eilten.

Peter Alexejewitsch ließ das Fernrohr sinken, sog die Luft durch die Zähne und verzog das Gesicht. „Ach", sagte er, „ach!" Aus der zusammengeschossenen Kurtine spien in direktem Beschuß fünf unversehrt gebliebene Kanonen den vorwärts stürmenden Grenadieren Iwan Shidoks ihr Feuer entgegen. Im Sumpf erscholl eine verwegene Stimme: „Hur-r-a-a-a!" Aus der Mauerbresche stürzten, als liefen sie vor unbändiger Freude den Russen entgegen, die Schweden hervor. Ein Handgemenge entspann sich. Geschrei, Gebrüll und Waffengeklirr. Viertausend Mann ballten sich vor den Mauern und dem Tor zu einem Knäuel zusammen.

Peter Alexejewitsch kletterte aus dem Graben und schritt, mit den schweren Kanonenstiefeln über das glucksende Moos stapfend, vorwärts, dabei tastete er immerzu mit den Fingern am Körper herum, als suche er das verlorene Fernrohr oder eine Waffe.

Der kleine Oberst Netschajew holte ihn ein. „Majestät, dorthin dürfen Sie nicht..." Und beide richteten ihre Blicke dorthin.

Peter Alexejewitsch sagte zu ihm: „Schick ihnen Verstärkung!"

„Majestät, das ist nicht nötig."

„Ich sag dir, schick."

„Das ist nicht nötig. Unsere nehmen dem Feind schon die Geschütze weg."

„Du lügst."

„Ich sehe es."

Und wirklich, zuerst eine, dann eine zweite Kanone schleuderten ihre Feuer gegen das Tor. Die riesige Menge der Kämpfenden geriet ins Wanken und flutete durch die Breschen in die Stadt. Netschajew, dem die Tränen aus den hervorstehenden Augen rannen, meinte: „Majestät, jetzt geht das Gaudium los..."

Die Grenadiere und Moskauer Schützen, ergrimmt über den schweren Kampf und darüber, daß der Schwede soviel von den Ihrigen unnötig niedergemacht hatte, hieben und stachen auf den Gegner ein und trieben ihn durch die engen Straßen auf den Marktplatz. Dort schlugen sie in der Hitze des Gefechts vier Trommler nieder, die vom Kommandanten der Festung Jurjew entsandt waren, Schamade zu schlagen. Nur dem Trompeter auf dem Schloßturm, der mit letzter Lungenkraft in die heiser kreischende, die Kapitulation verkündende Trompete stieß, gelang es mit Mühe und nur allmählich, das Gemetzel zum Stillstand zu bringen...

3

Die „Katharina" glitt eine Zeitlang mit gerefften Segeln am Ufer im grünen Waldesschatten dahin. Die Matrosen lagen in den Rahen. Ein Kanonenschuß ertönte, und die Ankerkette rasselte nieder. Eine Schaluppe näherte sich. In ihr stand Menschikow in langem Mantel und einem Hut mit hochragenden Federn. Allein für die Aufschläge hatte der Stutzer wohl nicht weniger als zehn Ellen englisches Purpurtuch aufgewandt. Peter Alexejewitsch blickte, auf die Reling gestützt, von oben auf ihn herab.

Alexander Danilowitsch hob den in spitzem Winkel gebogenen Arm, die Hand am rechten Ohr, zog den Hut und rief, ihn dreimal seitwärts schwenkend: „Vivat! Dem Herrn Bombardier. Vivat zur großen Viktoria!"

„Wart einen Augenblick, ich komme zu dir hinunter", antwortete mit leiser Baßstimme Peter Alexejewitsch. „Was gibt es bei euch Neues?"

„Auch wir sind nicht ohne Viktoria."

„Das ist recht. Und hast du mir beschafft, worum ich dich in meinem Brief gebeten habe? Nicht mal ein Krüglein Bier hatten wir hier."

„Drei Fäßchen Rheinwein sind gestern eingetroffen!" schrie aus vollem Halse Menschikow. „Bei uns ist's nicht so wie bei Scheremetew, bei uns gibt's weder Verzug noch Refüs..."

„Prahle nur, prahle." Peter Alexejewitsch rief den Kapitän Nepljujew herbei und befahl ihm, am nächsten Tag nach der morgendlichen Flaggenparade sofort beide Breitseiten abzufeuern, das Signal „Glorreich erobert" zu hissen und unter Trommelwirbel die schwedischen Fahnen an Land zu bringen. Für den jungen Kapitän bedeutete solch Befehl eine Ehre – er errötete. Peter Alexejewitsch, unter dessen unverwandtem Blick er in Verlegenheit geriet, fügte noch hinzu: „Wir hatten gute Fahrt, Kommodore."

Nepljujew schoß das Blut ins Gesicht, und Schweißtropfen traten ihm auf die Stirn, seine stechenden scharfen Augen wurden vor Erregung feucht – der Zar hatte ihn zum Kommodore, zum Flaggoffizier des Geschwaders, ernannt. Peter Alexejewitsch sagte nichts weiter und stieg, die langen Beine spreizend und mit den Schuhen die geteerte Bordseite schrammend, in die Schaluppe hinab. Er setzte sich neben Menschikow, stieß ihn mit dem Ellbogen in die Seite.

„Ich freue mich, daß du gekommen bist, ich danke dir. Man darf also auch euch zu einer Viktoria gratulieren – habt Schlippenbach geschlagen?"

„Und wie, mijn Herz. Anikita Repnin überfiel ihn mit seiner auf Wagen gesetzten Infanterie in der Nähe von Wenden; Oberst Röhn aber verlegte ihm, wie ich ihm damals geraten habe, mit Kavallerie den Weg zur Stadt. Der Schwede mußte sich uns, wohl oder übel, auf offenem Felde stellen. Wir haben Schlippenbach so zusammengehauen, daß dieser edle Held mit einem Dutzend Kürassieren gerade noch nach Reval retirieren konnte!"

„Aber trotz alledem ist er auch diesmal entkommen. Ach, ihr Teufel!"

„Gerissen ist er über die Maßen... Macht nichts, jetzt ist er ohne Kanonen, ohne Fahnen, ohne Truppen. Anikita Iwanowitsch lamentierte hinterher halb im Dusel: ‚Nicht das tut mir leid, daß mir der Schlippenbach entwischt ist, leid tut mir, daß ich seinen Gaul nicht gekriegt habe. Das Tier hat Flügel!' Ich habe ihm solche Reden untersagt. ‚Du bist kein Krimtatare, Anikita Iwanowitsch', sagte ich, ‚um Pferde mit der Wurfschlinge einzufangen, du bist doch ein russischer General und mußt wie ein Staatsmann denken...' Gezankt habe ich mich mit ihm, schrecklich. Und noch eine Neuigkeit: Aus Warschau ist ein Kurier eingetroffen, König August schickt dir einen Außerordentlichen Gesandten. Schön wäre es, diesen Gesandten schon in Narwa selbst, im Schloß, zu empfangen. Was meinst du, mijn Herz?"

Peter Alexejewitsch hörte dem Geplauder zu und knabberte, die halb geschlossenen Augen auf die grüne Wasserfläche gerichtet, am Fingernagel. „Sind Nachrichten aus Moskau eingelaufen?"

„Ja, wieder Arbeit für dich: Ein Bote vom Fürst-Cäsar ist eingetroffen, mit einem ganzen Sack voll Briefe und Schriftstücke. Auf der Durchreise nach Pieterburg war Gawrila Browkin hier und hat dir aus Ismailowo ein Brieflein mitgebracht." Peter Alexejewitsch musterte Alexander Danilowitsch mit einem raschen Blick. „Ich hab's bei mir, mijn Herz. Dazu noch vier Melonen aus dem Treibhaus; er hat sie in einen Schafpelz gewickelt; beim Abendessen wollen wir sie kosten. In Ismailowo können sie es kaum erwarten, erzählte er, bis du kommst; die Augen haben sie sich rot geweint..."

„Na, da schwindelst du schon!" Das Boot lief mit der Seite auf sandigen Grund auf. Peter Alexejewitsch sprang hinaus und kletterte ans Ufer, wo oberhalb des Wassers Menschikows Zelt stand.

Das Abendessen nahmen sie im Zelt zu zweit ein. Peter Alexejewitsch hieb, auf Sattelkissen hingekauert, wacker ein; als Scheremetews Kostgänger war er tüchtig ausgehungert. Menschikow langte nur träge mit den Fingerspitzen zu und trank um so mehr, die flache Hand auf die breite, den Leib fest umschließende Schärpe gelegt. So saß er da: liebenswürdig, rotwangig, mit verschmitzten Lichtern in den freundlichen blauen Augen. Vorsichtig, um nicht die geringste Unzufriedenheit auf dem abgemagerten und ruhigen Gesicht Peter Alexejewitschs hervorzurufen, erzählte er von dem neuen Feldmarschall Ogilvy.

„Ein gelehrter Mann, dagegen ist nichts zu sagen. Einen ganzen Wagen voll Bücher, in Kalbsleder gebunden, hat er aus Wien mitgebracht, sie liegen bei ihm im Zelt. Als erstes hat er uns – und mit welchem Stolz – erklärt, daß er unsere Kost nicht in den Mund nehmen werde. Wenn er aufwacht, will er statt eines Gläschens Schnaps mit einem Imbiß Schokolade und Kaffee und feinstes Weizenbrot haben, zum Mittagessen frischen Fisch, dabei nicht etwa jeden, es muß unbedingt Aalquappe sein, und dann Wildbret und Kalbsbraten. Ganz bekümmert waren wir – doch hat's der Feldmarschall befohlen, so muß es eben beschafft werden. Ich hab einen Esten, einen Kundschafter, nach Reval gesandt, um Kaffee und Schokolade aufzutreiben; hab ihm fünf Golddukaten aus eigener Tasche mitgegeben. Eine Kuh haben wir an den Pflock gebunden, nur für ihn, und eigens ein sauberes Mädel aufgetrieben zum Melken und Buttern. Hinter seinem Zelt haben wir ihm einen Abtritt gezimmert und ein Schloß davorgehängt. Und den Schlüssel von diesem Abtritt gibt er keinem..."

Peter Alexejewitsch schluckte hastig einen Bissen hinunter und lachte. „Wofür zahl ich ihm denn auch dreitausend Golddukaten, jetzt nimmt er euch Asiaten in die Lehre!"

„Jawohl, der nimmt uns in die Lehre. Am nächsten Tag befahl er alle Regimentskommandeure zu sich, fragte keinen nach Namen und Vatersnamen, gab keinem die Hand, sondern hub an, lang und breit zu erzählen, wie ihn der Kaiser liebe und was für Armeen er befehligt, welche Städte er belagert habe und wie ihm Marschall Vauban sagte: ‚Du bist mein bester Schüler' und ihm eine Tabakdose schenkte. Hat uns alle seine Orden und auch die Tabakdose gezeigt – auf dem Deckel umarmte eine Dirne eine Kanone – und uns entlassen. Hätte er uns wenigstens anstandshalber Schokolade reichen lassen, aber nein. ‚Ich werde', sagte er, ‚bald eine Disposition entwerfen, und dann werdet ihr begreifen, wie man Narwa nehmen muß.' Bis heute schreibt er sie ..."

„Laß nur, laß." Peter Alexejewitsch wischte sich die Hände mit der Serviette ab, nahm den aus einer Kokosnuß gefertigten und mit vergoldeten Götterbildern verzierten Magdeburger Pokal in die Hand und sagte, heiter die Lippen verziehend – seine dunklen Augen lachten nur selten –: „Laß uns, herzliebster Freund, wie einst in Kukui, in lang vergangenen Zeiten, unseres Vaters Bacchus und unserer Mutter, der ruhelosen Venus, gedenken. Gib mal das Brieflein her ..."

Das winzige, mit einem Wachssiegel verschlossene Brieflein, dem der gleiche süße Frauenduft entströmte wie dem Tüchlein mit den Weinblättern, war von Katharina Wassiljefskaja – obgleich es Anissja Tolstaja geschrieben hatte, denn Katharina war des Schreibens unkundig.

„Meinem gnädigsten Herrn, meinem Augenlicht, meinem Glück ... Ich sende Ihnen, gnädigster Herr, meinem Augenlicht, meinem Glück, ein Geschenk – Melonen, die in Ismailowo unter Glas gereift sind, sie sind so süß ... Mögen sie Ihnen, gnädigster Herr, mein Augenlicht, mein Glück, wohl schmecken ... Und noch eins, mein Augenlicht, sehen möchte ich Sie ..."

„Ist nicht viel, was sie da geschrieben hat. Wird aber wohl lange darüber nachgedacht, die Brauen gerunzelt und an der Schürze gezupft haben", meinte spöttisch und leise Peter Alexejewitsch. Er leerte den Pokal, schlug sich aufs Knie, stand auf und verließ das Zelt. „Danilytsch, ruf Makarow; sieh mit ihm die Moskauer Post durch, ich werde mir inzwischen die Beine vertreten."

Der Abend war schwül, der dunkle Wald strömte einen warmen Harzgeruch aus. Das Abendrot, das sich weit über den Himmel ergoß, verglomm trübe, ohne zu leuchten. Die rechte Zeit für Nachtvögel, einsam zu schreien; die rechte Zeit für Fledermäuse, lautlos dem Menschen über den Kopf zu gleiten. Auf der Wiese schimmerten noch hie und da rote Holzfeuer, und die Pferde der mit Menschikow eingetroffenen Eskorte klirrten mit dem Zaumzeug. Die Strümpfe bis an die Knie feucht vom Tau, schritt Peter Alexejewitsch den Fluß entlang. Zuweilen blieb er stehen, um tiefer Atem zu holen. Am Rand einer kleinen Talmulde, die zum Flusse führte, blieb er wiederum stehen. Beunruhigender Modergeruch und Honigduft zogen herüber. Dort braute ein leichter Nebel; vielleicht war es auch ein Rauchwölkchen. Deutlich hörte man eine Stimme, wohl die eines Pferdewärters, eines von jenen Spaßvögeln, die keinen zum Schlaf kommen lassen; immer soll man ihren Schnurren und Fabeln lauschen.

Peter Alexejewitsch wollte schon umkehren, als an sein Ohr die Worte drangen: „Unsinn ist das alles, eine Hexe ist sie, eine Hexe! Sie war eine gemeine Hofmagd, schmierig, ein zerschlissenes Hemd auf dem Leibe. So hat man sie genommen. Nicht jeder Bursche wäre mit ihr zu Bett gegangen. Mischka, stimmt's? Ich sah sie, als sie bereits bei dem Feldmarschall lebte. Läuft aus dem Zelt, gießt das Spülwasser aus, trocknet sich mit der Schürze ab, und wieder ins Zelt zurück, mit den Messern: klipp-klapp. Rundlich, flink. Schon damals sagte ich mir: Dies Püppchen wird nicht umkommen. Ja, ein fixes Mädel!"

Eine einfältige Stimme fragte: „Onkel, was wurde denn weiter aus ihr?"

„Das weißt du nicht? Das Sprichwort hat schon recht: Die Dummen werden nicht alle. Jetzt lebt sie mit unserm Zaren, futtert Pasteten und Pfefferkuchen; den halben Tag schläft sie, die andere Hälfte rekelt sie sich."

Die einfältige Stimme staunend: „Onkel, die muß doch sicher eine besondere Einrichtung haben?"

„Frag doch mal Mischka, der wird dir erzählen, wie sie eingerichtet ist."

Eine tiefe, schläfrige Stimme antwortete: „Hol euch der Teufel, ich kann mich an sie nicht mal erinnern."

Peter Alexejewitsch atmete schwer. Sein Antlitz glühte vor Scham. Schwarz siedete das Blut in seinen Adern vor Zorn. Für solche Reden über des Zaren Ehre schlug der Fürst-Cäsar in Eisen. Sie festnehmen! Aber die Schmach, die Schmach! Was für Gespött! Bist selber schuld, daß sich schon die ganze Armee darüber lustig macht. Hast dir ein Mädel genommen, das unter Mischka gelegen hat!

Und er schritt mit gesenktem Haupte dorthin, auf den trägen Kerl zu, der ihre erste Süße gekostet hatte. Aber eine sanfte Gewalt schien ihn aufzuhalten und alle seine Glieder zu umstricken. Er holte Atem und preßte die Hand auf die gesenkte, feuchte Stirn. Lockeres Püppchen, Katharina! Und greifbar tauchte sie vor ihm auf. Braun, süß, heiß, gutherzig, unschuldig in allem... Zum Teufel, zum Teufel, ich hab ja alles um sie gewußt, als ich sie nahm! Auch um den Soldaten hab ich gewußt!

Er stapfte mit Stelzschritten durch das nasse Steppengras und stieg gemessen die Talmulde hinab. Hinter dem Rauch erhoben sich drei Mann. „Wer da?" schrie grob einer von ihnen. Peter Alexejewitsch brummte: „Ich bin's." Den Soldaten trat vor Schreck kalter Schweiß auf die Stirn; im Nu ergriffen sie die Gewehre und standen stramm, ohne sich zu rühren: das Gewehr vor sich, die Nase keck in die Luft, die runden Augen auf den Zaren gerichtet, bereit, in Feuer und Tod zu gehen.

Ohne sie zu beachten, stieß Peter Alexejewitsch den Schuh ins erloschene Holzfeuer. „Eine Kohle!"

Der mittlere Soldat, der Erzähler und Spaßvogel, hockte eiligst nieder, stocherte in der Asche herum, holte eine glühende Kohle heraus und wartete, sie auf der flachen Hand auf und nieder schnellend, bis der Herr Bombardier seine Pfeife gestopft haben würde. Während Peter Alexejewitsch die Pfeife in Brand steckte, blickte er unter den Brauen hervor zu dem außen stehenden Soldaten hinüber. Das ist er! Ein baumlanger Kerl, kräftig, gut gebaut. Das Gesicht konnte er nicht sehen.

„Wieviel Fuß? Warum bist du nicht bei der Garde? Wie heißt du?"

Der Soldat antwortete streng nach Reglement, aber in jener schleppenden Redeweise, wie sie den Moskauern eigen ist; bei dieser dreisten Art zu reden sträubte sich Peter Alexejewitsch der Schnurrbart.

„Mischka Bludow, vom Newski-Dragonerregiment, Pferdewärter bei der sechsten Schwadron, einberufen sechzehnhundertneunundneunzig, Größe: sechs Fuß, neun Zoll, Herr Bombardier..."

„Seit neunundneunzig kämpfst du und hast noch keinen Rang! Faul? Dumm?"

Der Soldat antwortete mit lebloser Stimme: „Zu Befehl, Herr Bombardier, faul, dumm..."

„Schafskopf!"

Peter Alexejewitsch blies das Flämmchen von der in Zug gekommenen Pfeife weg. Er wußte, ehe er noch im Nebel verschwände, würden sie verständnisvolle Blicke miteinander tauschen; zu lachen würden sie sich nicht getrauen, aber Blicke zuwerfen bestimmt... Die mageren Arme auf dem Rücken und das Gesicht mit der funkensprühenden Pfeife hoch erhoben, verließ er die Talmulde. Im Zelt angelangt, setzte er sich an den Tisch, rückte die Kerze weit von sich und trank gierig – die Kehle war ihm ausgetrocknet – einen Becher Wein. Hinter dem Rauchschleier seiner Pfeife verborgen, sagte er: „Danilytsch... Im Newski-Regiment, in der sechsten Schwadron, ist ein Soldat von Gardemaß... Das ist keine Ordnung..."

In Menschikows blauen Augen lagen weder Staunen noch Verschmitztheit, nur herzliches Verstehen.

„Mischka Bludow. Aber gewiß doch. Der ist mir schon lange bekannt. Wurde mit einem Rubel für die Eroberung Marienburgs belohnt. Der Schwadronchef will ihn nicht fortlassen, er liebt die Gäule, und die Gäule lieben ihn; solch muntere Gäule, wie sie die sechste Schwadron hat, gibt's in unserer ganzen Armee nicht."

„Wirst ihn zum Preobrashenski-Regiment, zur ersten Kompanie, als Flügelmann versetzen."

4

General Horn stieg den Turm hinab und schritt hoch aufgerichtet, mit langen, in flachen Schuhen steckenden Beinen, über den Marktplatz. Wie stets, drängte sich auch jetzt viel Volk vor den Handelsbuden, aber leider gab es mit jedem Tag weniger Eßbares zu kaufen: allenfalls ein Bund Radieschen, eine abgehäutete Katze statt eines Kaninchens oder ein Stück geräuchertes Pferdefleisch. Die verdrossenen Bürgerinnen grüßten den General bereits nicht mehr mit freundlichem Knicks, manche wandten ihm sogar den Rücken zu. Mehrfach hörte er Murren: „Ergib dich den Russen, alter Satan; was läßt du die Menschen für nichts und wieder nichts verhungern!" Aber den General in Harnisch zu bringen war unmöglich.

Als die Stadtuhr neun schlug, stand er vor seinem sauberen Häuschen und trat sich auf dem vor der Schwelle liegenden Vorleger die Füße ab. Eine adrette Magd öffnete die Tür mit tiefem Knicks, er gab ihr den Helm und den aus dem Bandelier gezogenen schweren Degen. Dann wusch er sich die Hände und begab sich mit würdevoller Gemessenheit ins Eßzimmer, in das durch die runden Butzenscheiben des niedrigen, die ganze Wand einnehmenden Fensters nur schwach grünes und gelbes Licht drang.

Am Tisch standen in Erwartung des Generals seine Frau, geborene Gräfin Sperling, eine Dame von schwierigem Charakter, sowie drei Mädchen in krummer Haltung, mit spärlichem Haar, langnäsig wie der Vater, und ein verzogener kleiner Bube, der Liebling der Mutter.

Der General setzte sich, und alle nahmen Platz; mit gefalteten Händen verrichteten sie stumm das Tischgebet. Als der Deckel von den Zinnschüsseln genommen wurde, stieg Dampf auf, aber außer dem Dampf war nichts Verlockendes darin – der gleiche Haferbrei ohne Milch und Salz. Niedergeschlagen und mit Mühe würgten ihn die Mädchen hinunter; der verzogene Bube flüsterte, den Teller zurückschiebend, der Mutter zu: „Ich will nicht, ich will nicht..." Als zweiter Gang wurden die Knochen des alten Hammels vom Vortag und dazu etwas Erbsen gereicht. Statt Bier gab es Wasser. Der General kaute unerschütterlich das Fleisch mit seinen großen gelben Zähnen.

Die Gräfin sprudelte, während sie eine Brotrinde über dem Teller zerkrümelte, hastig hervor: „Sosehr ich mich auch in den vierzehn Jahren unserer Ehe bemüht habe – ich habe Sie nie begreifen können, Karl. Haben Sie denn keinen Tropfen lebendigen Bluts in Ihren Adern? Haben Sie nicht das Herz eines Gatten und Vaters? Der König schickt Ihnen aus Reval einen Schiffszug mit Schinken, Zucker, Fisch, Geräuchertem und

Gebackenem. Wie müßte an Ihrer Stelle ein Vater von vier Kindern handeln? Mit dem Degen in der Faust müßte er sich zu den Schiffen durchschlagen und sie in die Stadt führen. Sie aber haben es vorgezogen, vom Turm aus kaltblütig zuzuschauen, wie die russischen Soldaten den Revaler Schinken verschlingen. Und meine Kinder sind gezwungen, Haferbrei hinunterzuwürgen. Ich werde nicht müde, zu wiederholen: Sie haben statt des Herzens einen Stein in der Brust! Sie sind ein Unmensch! Und diese unglückselige Schwindelbataille! Ich kann mich ja in Europa nicht mehr sehen lassen! ‚Ach, Sie sind die Gemahlin jenes Generals Horn, den die Russen wie einen Tölpel auf dem Jahrmarkt hinters Licht geführt haben!' – ‚Leider, leider', werde ich antworten müssen. Sie wissen ja nicht einmal, daß jede Krämerin in der Stadt Sie einen alten Turmstorch nennt. Und unsere letzte Hoffnung schließlich, General Schlippenbach, der uns Hilfe bringen will, geht bei Wenden zugrunde, Sie aber sitzen da, als wäre nichts geschehen, und kauen unerschütterlich die Schöpsensehnen, als sei das heute der glücklichste Tag Ihres Lebens. Nein, genug! Sie müssen mich und die Kinder nach Stockholm an den Königshof lassen ..."

„Zu spät, Gnädigste, viel zu spät", erwiderte Horn. Seine aufs Fenster gerichteten weißlichen Augen schienen ebensowenig Licht hindurchzulassen wie die Butzenscheiben. „Wir sitzen in Narwa verdammt fest, wie in einer Mausefalle."

Die Gräfin ergriff mit beiden Händen ihre Spitzenhaube und zog sie in die Stirn.

„Jetzt verstehe ich, was Sie bezwecken: daß ich und meine unglücklichen Kinder Gras und Ratten essen sollen!"

Der verzogene Bube lachte plötzlich auf und sah die Mutter an; die Mädchen senkten weinerlich die Nasen bis zum Teller. General Horn war etwas verdutzt; das sei ungerecht, keinesfalls wolle er seine Kinder Gras und Ratten essen lassen! Er beendete jedoch mit der gleichen Gemütsruhe das Frühstück.

Hinter der Tür klirrten schon lange die Sporen seines Adjutanten Byström. Anscheinend war etwas vorgefallen. General Horn nahm die Tonpfeife vom Kaminsims, stopfte sie, schlug

Feuer, zündete an der Lunte einen Fidibus an, setzte die Pfeife in Brand und verließ erst dann das Eßzimmer.

Byström hielt Degen und Helm des Generals in der Hand und atmete hastig. „Exzellenz, im russischen Lager wird eine Bewegung beobachtet, deren Sinn wir nicht begreifen können."

General Horn überquerte wiederum den Platz, der voll aufgeregter Menschen war. Er trug den Kopf hoch, um den Bürgern, die ihn einen alten Storch nannten, nicht in die Augen zu sehen. Er stieg auf den ausgetretenen Stufen der Turmtreppe hinauf. Tatsächlich, im russischen Lager ging etwas Ungewöhnliches vor: Längs des ganzen Halbkreises der die Stadt eng umklammernden Schanzen nahmen die Truppen in Doppelreihen Aufstellung. Von Osten näherte sich rasch eine Staubwolke. Zunächst waren nur heransprengende Dragoner auf kleinen Pferden zu unterscheiden. In einiger Entfernung ritten Zar Peter und Menschikow. Der gelbliche, von den Hufen der Schwadronen aufgewirbelte Staub war so dicht, daß sich General Horns Gesicht vor Anstrengung schmerzlich verzog. Hinter dem Zaren und Menschikow galoppierten Soldaten, die achtzehn gelbe Atlasbanner an Fahnenstöcken hoch in der Luft flattern ließen. In ihren flatternden Falten reckten achtzehn Löwen voll Empörung die Tatzen.

Die Schwadronen, der Zar, Menschikow und die Bannerträger mit den schwedischen Fahnen sprengten an der Belagerungsarmee vorüber, und aus Tausenden Barbarenkehlen erscholl es donnernd: „Hurra-a-a! Viktoria!"

5

Im russischen Lager ging es hoch her. Von der Bastion Gloria aus war gut zu sehen, wie die um das Zarenzelt aufgestellten Kanonen feuerten; an den Salven konnte man sich ausrechnen, wie viele Vivats getrunken worden waren. General Horn, der die Prahlsucht der Russen kannte, erwartete einen Sendboten von dort mit hochmütiger Botschaft. So kam es auch. Aus dem Zarenzelt drängten plötzlich etwa vierzig Personen ins

Freie und schwenkten Pokale und Becher. Einer von ihnen schwang sich in den Sattel und jagte in Richtung der Bastion Gloria davon; ihm nacheilend, folgte ein Trompeter. Der Sendbote zog ein Tuch hervor, wobei er mit seinem Pferd den Kugeln auswich, hob es auf der Spitze des gezückten Degens in die Luft und machte am Fuß des Turmes halt. Der Trompeter warf sich im Sattel zurück und begann aus voller Lunge zu blasen, so daß die vorüberfliegenden Krähen erschraken.

„Parole, Parole!" schrie der Sendbote. „Hier spricht Oberstleutnant Karpow vom Preobrashenski-Regiment!" Er war betrunken, rotbäckig, das lockige Haar vom Wind zerzaust.

General Horn antwortete, sich über die Turmzinne beugend: „Sprich, ich höre. Den Garaus können wir dir immer noch machen."

„Ich tue kund!" schrie, den fröhlichen Kopf in den Nacken werfend, der Oberstleutnant. „Vorigen Freitag ist die Stadt Jurjew durch Gottes Hilfe vom Feldmarschall Scheremetew mit dem Schwert erobert worden. Auf die flehentliche Bitte des Kommandanten und in Anbetracht der wackeren Verteidigung wurden den Offizieren die Degen und einem Drittel der Mannschaft die Gewehre ohne Munition belassen. Fahnen und Musik wurden ihnen jedoch genommen..."

Mit lauter Stimme verdolmetschte Byström diese Worte. Die hinter Horn stehenden Offiziere wechselten entrüstete Blicke. Einer von ihnen schrie außer sich: „Er lügt, der russische Hund!" Oberstleutnant Karpow reckte den Arm und wies auf das ferne Zelt, wo noch die Leute mit den Pokalen standen.

„Meine Herren Schweden, ist denn ein solcher Frieden nicht besser als die blamablen Bataillen von Schlüsselburg, Nyenschanz und Jurjew? Aus diesem Grunde macht euch der Oberbefehlshaber Feldmarschall Ogilvy das Angebot, ehrlich zu kapitulieren und ihm Narwa zu übergeben. Die Parlamentäre sollen ohne Verzug zu Unterhandlungen im Zelt erscheinen. Die Becher sind gefüllt und die Kanonen für die Vivats geladen..."

General Horn antwortete mit dumpfer Stimme: „Nein! Ich werde kämpfen!" Sein Gesicht mit den eingefallenen Wangen und der riesigen Greisennase war ohne Blutstropfen, seine sehnigen Hände zitterten. „Geh! Nach drei Minuten geb ich Befehl zu schießen!"

Karpow salutierte mit dem Degen und rief dem Trompeter zu: „Reit zurück!" Er selbst aber galoppierte nicht davon, sondern sprengte auf seinem kurbettierenden Pferd nach der anderen Seite des Turmes. Die Offiziere stürzten zur Turmzinne; er rief ihnen zu: „Wer von euch war der grobe Gauch, der mich, einen russischen Offizier, angebellt hat, daß ich lüge? Dolmetscher, übersetze rasch! Los, komm heraus, wenn du Mut hast, laß uns Mann gegen Mann kämpfen!"

Die Offiziere brachen in Geschrei aus. Einem von ihnen, einem beleibten Mann, schoß das Blut ins Gesicht; er schüttelte die Fäuste und versuchte, sich von seinen Kameraden loszureißen. Gewehrhähne knackten. Karpow jagte, auf den Hals des Pferdes gebeugt, davon, Schüsse knallten, Kugeln pfiffen hinter ihm her. Etwa zweihundert Schritt vom Turm entfernt machte er halt und begann, das Pferd spornend und wieder zügelnd, auf den Gegner zu warten. Nicht allzu rasch kreischten die Torflügel in ihren Angeln und fiel die Zugbrücke: der beleibte Offizier galoppierte über das Feld, Karpow entgegen. Er war von höherem Wuchs als dieser, auch sein Gaul war größer. Der schwedische Degen war dazu um zwei Zoll länger als der russische. Zum Zweikampf hatte er einen eisernen Küraß angelegt; unter dem aufgeknöpften Leibrock Karpows blähte der Wind die Spitzen.

Wie es Brauch war, begannen die Gegner vor dem Strauß einander mit Schimpfreden zu regalieren. Der eine stieß grimmig belfernd schwere Beleidigungen aus, der andere sprudelte unflätige Moskauer Flüche hervor. Beide rissen ihre Pistolen aus den Satteltaschen, spornten die Gäule an und preschten aufeinander los. Gleichzeitig drückten sie ab. Der Schwede hielt den Degen weit vorgestreckt. Karpow schlug nach Tatarenart unmittelbar vor der Schnauze des Schwedengauls eine Volte, ritt um seinen Gegner herum und feuerte aus der zweiten Pistole. Der Schwede knirschte mit den Zähnen, knurrte und stürzte sich wieder mit solchem Ingrimm auf Karpow, daß diesen nur eines rettete: Er suchte hinter seinem Pferd Deckung, dem der Degen des Gegners tief in den Hals drang. Ach, hab den Gaul zuschanden gemacht, dachte er, zu Fuß komme ich gegen den nicht auf! Doch der Schwede ließ wie schlaftrunken den Degengriff aus der Hand gleiten, wankte und tastete mit der linken Hand nach der Pistole in der Satteltasche. Karpow sprang von dem zusammenbrechenden Gaul, versetzte dem Gegner mit der Klinge einige Hiebe in die Seite unter den Küraß und beobachtete atemlos, wie der Schwede immer mehr im Sattel schwankte. „Kräftig ist der Satan, will nicht verrekken!" Dann lief er hinkend zu den Seinen.

Die Schatten in der Nacht hüllten das Feld ein. Tau war gefallen, längst schon waren die Schüsse verstummt, unter den Kochkesseln loderten die Holzfeuer, jegliches Lebewesen machte sich zum Schlaf bereit, nur das russische Lager wollte nicht zur Ruhe kommen. An seinem westlichen Rand, wo die Brücke geschlagen worden war, bewegten sich immer mehr Lichter, erschollen Kommandorufe und eintönig brüllende Stimmen: „Ho-o-o-ruck! Ho-o-o-ruck!" Holzfeuer, Fackelflammen und Laternenlichter schimmerten jetzt auch weit auf dem rechten Ufer der Narowa bis dicht vor Iwangorod; bald gab es mehr solcher unbeweglichen und sich bewegenden Lichter, als der Augusthimmel an majestätischen Sternen aufzuweisen hatte.

Bei Tagesanbruch war von den Türmen Narwas zu sehen, wie auf der Straße von Jamburg noch immer von Ochsengespannen gezogene riesige Belagerungsgeschütze und schwere Mörser heranrollten. Ein Teil davon wurde über die Brücke ans andere Ufer gebracht; der größte Teil aber schwenkte ab und machte am rechten Ufer inmitten der dort konzentrierten Truppen halt.

General Horn war an diesem Morgen in die Altstadt zur Bastion Honor geritten, die ans Flußufer grenzte. Dort erstieg er den hohen, aus Backsteinen errichteten Ravelin, der für uneinnehmbar galt. Von hier aus konnte er mit bloßem Auge die Bronzeungetüme auf eisernen Rädern sehen, konnte sie zählen und erkannte ohne Mühe Zar Peters Absicht und seinen eigenen Fehler. Die Russen hatten ihn, den alten und erfahrenen Mann, ein weiteres Mal übertölpelt! Bei der Verteidigung hatte er die zwei verwundbarsten Stellen übersehen: die für uneinnehmbar geltende Bastion Honor, die von den neuen Belagerungsgeschützen der Russen in einigen Tagen zusammengeschossen sein würde, und die Bastion Victoria, die die Stadt vom Fluß aus deckte, ein ebenso baufälliger, aus den Zeiten Iwan Grosnys stammender Backsteinbau. Zwei Monate lang hatten die Russen seine Aufmerksamkeit abgelenkt, als bereiteten sie den Sturmangriff gegen die mächtigen Befestigungen der Neustadt vor. Aber schon damals war er natürlich von hier aus geplant. General Horn beobachtete, wie Tausende russische Soldaten in aller Hast Erdwälle aufwarfen und Belagerungsgeschütze gegen Honor, Victoria und das die Flußübergänge schützende Iwangorod aufstellten. Die Russen trafen Anstalten, um den Sturmangriff vom anderen Flußufer her über Schiffbrücken vorzutragen.

„Sehr gut, alles ist klar; das dumme Gespaße hat ein Ende, wir werden kämpfen", brummte Horn und schritt, als sei er wieder jung, lebhaft auf dem Ravelin auf und ab. „Dem werden wir schwedischen Mut entgegensetzen. Und das ist nicht wenig!" Er wandte sich nach einer Gruppe von Offizieren um.

„Hier wird die Hölle los sein!" sagte er und stampfte mit dem Kanonenstiefel auf. „Hier werden wir den russischen Kugeln die Brust bieten! Die Russen beeilen sich, auch wir müssen eilen. Ich befehle, alles zusammenzutrommeln, was in der Stadt mit einem Spaten umgehen kann! Stürzen die Mauern ein, werden wir in den Konterapprochen und auf den Straßen kämpfen. Narwa überlasse ich den Russen nicht!"

Spätabends kehrte General Horn heim und kaute, am Tisch sitzend, mit seinen großen Zähnen das sehnige Fleisch. Die Gräfin war von dem Gerede auf dem Markt so entsetzt, daß sie schwieg, die Entrüstung verschlug ihr den Atem. Das verzogene Büblein fuhr mit dem sabberigen Finger am Tellerrand entlang und sagte: „Die Jungens erzählen, die Russen werden uns alle umbringen."

General Horn trank einen Schluck Wasser, setzte seine Pfeife an der Kerze in Brand, schlug dann die Beine übereinander und antwortete seinem Sohn: „Was läßt sich da machen, mein Söhnchen! Der Mensch hat seine Pflicht zu tun; im übrigen aber vertrau auf Gottes Barmherzigkeit."

6

Jedes andere Schriftstück, das so lang und öde gewesen wäre, hätte Peter Alexejewitsch über den Tisch hinweg seinem Sekretär Makarow hingeworfen. „Lies durch und faß es verständlich!" Dies hier aber war die Disposition des Feldmarschalls Ogilvy. Zog man in Rechnung, daß er vom ersten Mai ab Salär bekam und bisher nichts weiter geleistet hatte, so kam die Disposition das Schatzamt auf siebenhundert Golddukaten zu stehen, Verpflegung und sonstige Versorgung nicht gerechnet. Peter Alexejewitsch las, an seinem schnorchelnden Pfeifchen ziehend und im Takt dazu ächzend, geduldig das in deutscher Sprache abgefaßte Elaborat des Feldmarschalls.

Um die Kerzen kreisten grünlich schillernde Mücken, scheußliche Schnaken flogen ins Licht und fielen versengt auf die auf dem Tisch liegenden Papiere. Ein Schwärmer von halber Spatzengröße schwirrte gegen die Flammen, daß sie fast erloschen. Peter Alexejewitsch zuckte zusammen; er konnte sonderbare und nutzlose Geschöpfe, insbesondere Schaben, nicht ausstehen. Makarow riß sich die Perücke vom Kopf und jagte den Schwärmer, hinter ihm herspringend, aus dem Zelt.

Neben Peter Alexejewitsch saß, die kurzen Beine gespreizt, der mit dem Feldmarschall aus Moskau angekommene Pjotr Pawlowitsch Schafirow, ein kleiner Mann mit feuchten, lächelnden Augen, die alles im Flug zu erfassen trachteten. Peter hatte schon lange sein Augenmerk auf ihn gerichtet: ob er auch genügend klug sei, um treu zu sein, ob seine Schlauheit auch für Großes tauge, ob er nicht allzu habgierig sei? In der letzten Zeit war Schafirow beim Gesandtschaftsamt aus einem einfachen Dolmetscher zu einer wichtigen Person geworden, wenn er auch keinen Rang bekleidete.

„Wieder solch eine Konfusion, ein Abrakadabra!" meinte Peter Alexejewitsch und verzog das Gesicht. Schafirow warf die kleinen, ringgeschmückten Hände hoch, fuhr in die Höhe, beugte sich über das Blatt und übersetzte rasch und genau die unklare Stelle.

„Ach so, das ist alles, und ich dachte, es stecke wunder was für ein Tiefsinn dahinter." Peter tauchte den Gänsekiel ins Tintenfaß und kritzelte auf den Rand des Schriftstücks einige Worte. „In unserer Sprache klingt es einfacher. Übrigens, Pjotr Palytsch, du hast ja mit dem Feldmarschall schon längere Zeit zu tun, ist er was wert?"

Das blaurasierte Gesicht Schafirows zog sich listig, wie das eines Teufels, in die Breite. Er gab keine Antwort, gar nicht einmal aus Vorsicht, sondern weil er wußte, daß Peters durchdringender Blick ohnehin seine Gedanken las.

„Unsere beschweren sich, er sei allzu stolz. Er meidet jede Berührung mit den Soldaten, ekelt sich. Weiß nicht, was einen am russischen Soldaten ekeln kann; heb dem erstbesten das Hemd hoch: Der Leib ist sauber und weiß, Läuse, nun, die findet man vielleicht bei den Troßknechten. Ach, diese Kaiserlichen! Heute morgen bin ich bei ihm eingetreten, er wusch sich gerade in einem kleinen Schüsselchen Hände und Gesicht in demselben Wasser, und hinterher hat er noch hineingespuckt! Vor uns aber ekelt er sich. Seit seiner Ankunft aus Wien war er nicht im Bad."

„War er nicht, war er nicht . . ." Schafirow schüttelte sich vor Lachen und führte dabei die Fingerspitzen an den Mund. „In Deutschland, erzählt er, bringt man, wenn der Herr sich waschen will, einen Kübel mit Wasser, in dem er je nach Belieben den einen oder anderen Körperteil wäscht. Das Badehaus aber sei Barbarenbrauch. Am meisten jedoch entrüstet den Feldmarschall, daß man bei uns so viel Knoblauch ißt, geriebenen und gehackten und einfach so, wie er gewachsen ist, und dies ganz gleich, ob gemeines Volk oder Bojaren. Die erste Zeit hielt er sich stets ein Tüchlein vor die Nase."

„Ist's möglich?" meinte Peter erstaunt. „Warum hast du das denn nicht früher gesagt? Stimmt schon, daß wir viel Knoblauch essen; übrigens ist Knoblauch sehr gesund, soll er sich nur daran gewöhnen."

Er warf die Disposition, die er durchgelesen hatte, auf den Tisch, reckte die Glieder, daß die Gelenke knackten, und wandte sich plötzlich an Makarow.

„Barbar, feg diesen Unrat, die Schnaken, vom Tisch! Laß Wein und einen Stuhl für den Feldmarschall bringen. Und dann, Makarow, hast du eine Angewohnheit: Wenn du zuhörst, atmest du einem den Knoblauchgeruch ins Gesicht. Du mußt den Kopf zur Seite wenden."

Ins Zelt trat Feldmarschall Ogilvy mit strohgelber Perücke, in weißem, mit Goldtressen besetztem Militärrock und kurzen Stulpstiefeln aus weichem Leder. Den emporgehobenen Hut in der einen, den Stock in der anderen Hand, verbeugte er sich und richtete sich sofort wieder in voller Größe auf. Ohne sich zu erheben, wies Peter mit der Hand auf den Stuhl. „Nimm Platz. Was macht die Gesundheit?" Schafirow flitzte heran und übersetzte mit verbindlichem Lächeln die Worte. Der würdevolle Feldmarschall setzte sich etwas lässig, mit vorgestrecktem Bauch, den ausgestreckten Arm auf den Stock gestützt. Er hatte ein gelbliches, volles, aber grämliches Gesicht mit schmalen Lippen; sein Blick – dagegen ließ sich nichts sagen – war kühn.

„Ich habe deine Disposition gelesen, geht an, verständig, verständig." Peter Alexejewitsch zog unter dem Tisch den Stadtplan hervor und entfaltete ihn; sogleich war er von Mükken und Schnaken bedeckt. „Nur eines bestreite ich: Narwa muß nicht in drei Monaten, sondern in drei Tagen genommen werden." Er nickte und verzog die Lippen.

Das gelbe Gesicht des Feldmarschalls wurde ganz lang, als stünde jemand hinter ihm, der dabei geholfen hätte; seine rötlichen Augenbrauen hoben sich fast bis zur Perücke, die Mundwinkel senkten sich, seine Augen sprühten Entrüstung.

„Schon gut, schon gut! Das mit den drei Tagen habe ich nur so in der Hitze gesagt. Laß uns ein bißchen handeln, werden uns auf eine Woche einigen. Aber eine längere Frist gebe ich dir nicht!" Peter Alexejewitsch schnippte ärgerlich das Ungeziefer mit den Fingerspitzen vom Stadtplan. „Die Stellungen für die Batterien hast du klug gewählt. Doch, verzeih, letzthin habe ich selber befohlen, alle Batterien jenseits des Flusses gegen die Bastionen Victoria und Honor zu richten, denn hier gerade ist General Horns Achillesferse..."

„Majestät", rief Ogilvy außer sich, „der Disposition zufolge beginnen wir mit dem Beschuß von Iwangorod und seiner Erstürmung."

„Das dürfen wir nicht. General Horn setzt ja eben seine

ganze Hoffnung darauf, daß wir uns bis zum Herbst mit Iwangorod herumplagen werden. Aber uns stört die Feste wenig, höchstens, daß sie unsere Schiffbrücken etwas unter Beschuß nehmen wird. Weiter, gescheit, gescheit, daß du den Entsatz durch König Karl befürchtest. Anno siebzehnhundert habe ich durch seine Entsatzaktion meine Armee in diesen Stellungen hier zugrunde gerichtet. Du bereitest für diesen Fall eine Gegenaktion vor, sie ist jedoch kostspielig und verwickelt, du verlangst auch viel Zeit dazu. Meine Gegenaktion wird aber darin bestehen, daß ich so rasch wie möglich Narwa nehme. In der Schnelligkeit ist der Sieg zu suchen, nicht in der Vorsicht. Deine Disposition ist ein hochgelehrtes Produkt der Kriegswissenschaft und aristotelischer Logik. Ich aber brauche Narwa sofort, wie ein Hungriger einen Ranft Brot. Ein Hungriger wartet nicht."

Ogilvy führte sein Seidentuch ans Gesicht. Ihm fiel es schwer, mit seinen Gedanken den Syllogismen des jungen Barbaren zu folgen; aber seine Würde gestattete ihm nicht, sich widerspruchslos einverstanden zu erklären. Er schwitzte so stark, daß sein Tuch durchnäßt war.

„Majestät, Fortuna war es genehm, mir bei der Eroberung von elf Festungen und Städten Erfolg zu schenken", sagte er und warf das Tuch in den auf dem Teppich liegenden Hut. „Bei der Erstürmung Namurs umarmte mich Marschall Vauban, nannte mich seinen besten Schüler und schenkte mir an Ort und Stelle, auf dem Schlachtfeld, inmitten der stöhnenden Verwundeten, eine Tabatiere. Bei der Abfassung dieser Disposition habe ich keine meiner Kriegserfahrungen aus dem Auge gelassen; hier ist alles erwogen und ermessen. Bei aller Bescheidenheit behaupte ich aufs bestimmteste, daß die geringste Abweichung von meinen Konklusionen Unheil nach sich ziehen wird. Jawohl, Majestät, ich habe die Frist der Belagerung verlängert, einzig und allein von der Erwägung ausgehend, daß der russische Soldat vorläufig noch kein Soldat, sondern ein Bauer mit Gewehr ist. Er hat bisher nicht den geringsten Begriff von Ordnung und Disziplin. Man wird noch viele Stöcke auf seinem Rücken zerbrechen müssen, um ihn so weit zu bringen, daß er ohne zu denken gehorcht, wie es einem Soldaten geziemt. Dann kann ich überzeugt sein, daß er auf einen Wink meines Marschallstabs hin nach der Leiter greifen und im Kugelregen die Mauer erklimmen wird."

Mit Genuß lauschte Ogilvy seinen eigenen Worten, dabei gleich einem Vogel die Augenlider senkend, Schafirow übersetzte seine weitläufigen didaktischen Konstruktionen in verständliche russische Sätze. Als jedoch Ogilvy nach beendeter Rede zu Peter Alexejewitsch aufblickte, zog er, durchaus nicht im Einklang mit seiner Würde, geschwind die Beine unter den Stuhl, den Bauch aber ein und ließ die Hand mit dem Stock sinken. Peters Gesicht war schrecklich anzuschauen: Der Hals schien doppelt so lang geworden zu sein; zu beiden Seiten des zusammengepreßten Mundes traten zornig schwellend die Backenmuskeln hervor; aus den weit aufgerissenen Augen schienen – bewahre Gott, bewahre Gott! – Furien stürzen zu wollen. Er atmete schwer. Die große sehnige Hand im kurzen Ärmel, die inmitten der toten Schnaken lag, suchte etwas, ertastete den Gänsekiel und zerbrach ihn.

„So also steht es, so also, der russische Soldat ist ein Bauer mit Gewehr!" stieß er aus gepreßter Kehle hervor. „Ich sehe nichts Arges darin. Der russische Bauer ist klug, aufgeweckt, kühn. Mit einem Gewehr aber furchtbar für den Feind. Dies alles verdient keine Stockprügel! Er weiß nicht, was Ordnung ist? Er weiß wohl Ordnung zu halten! Und wenn er es nicht weiß, so ist nicht er schlecht, der Offizier ist schlecht! Hat aber mein Soldat Stockprügel verdient, so werde ich ihn prügeln, du wirst ihn nicht prügeln!"

Ins Zelt traten General Chambers, General Repnin und Alexander Danilowitsch Menschikow. Sie nahmen jeder einen Becher Wein aus Makarows Hand und setzten sich, wie es gerade kam. Ab und zu einen Blick in das Schriftstück des Feldmarschalls mit den eigenen Randnoten werfend und mit dem Bleistift auf dem Plan Linien ziehend und Zeichen machend – er stand vor den Kerzen und erwehrte sich der Mücken –, las Peter dem Kriegsrat jene Disposition vor, die einige Stunden darauf alle Truppen, Batterien und Trosse in Bewegung setzte.

Barhäuptige Frauen stürzten auf den Gaul des Generals Horn zu. Sie packten die Zügel, die Steigbügel, verkrallten sich in die Schöße seines Lederrocks. Abgemagert, vom Ruß der Brände geschwärzt, schrien sie mit hervorquellenden Augen: „Übergib die Stadt, übergib die Stadt!" Die finster dreinschauenden Kürassiere, seine Leibwache, die ebenfalls umringt waren, konnten nicht zu ihm durchdringen. Vom Donner der russischen Geschütze bebten die Häuser auf dem mit verkohlten Balken und zerbrochenen Dachziegeln bedeckten Platz. Es war der siebente Tag der Kanonade. Gestern hatte der General das vernünftige und höfliche Angebot des Feldmarschalls Ogilvy – die Stadt nicht den Schrecken eines Sturmangriffs und der Erbitterung der eindringenden Truppen auszusetzen – abgelehnt. Statt einer Antwort hatte der General dem Unterhändler den zerknüllten Brief des Feldmarschalls ins Gesicht geworfen. Das erfuhr die ganze Stadt.

Mit trüben, wie starblinden Augen betrachtete der General die Gesichter der schreienden Frauen; sie waren von Furcht und Hunger entstellt – das war das Antlitz des Krieges! Er zog den Degen aus der Scheide, schlug mit der Flachseite auf die Köpfe ein und trieb sein Pferd an. Sie schrien: „Schlag uns tot, schlag uns tot! Zerstampf uns!" Er wankte, man versuchte ihn aus dem Sattel zu zerren. In diesem Augenblick erdröhnte eine betäubende Detonation, daß sogar das eiserne Herz des Generals sich zusammenkrampfte. Hinter den Ziegeldächern der Altstadt schoß in einer Rauchwolke eine schwarzgelbe Feuersäule empor – die Pulverkeller waren in die Luft geflogen! Der hohe Turm des alten Rathauses schwankte. Gellendes Geschrei erhob sich, die Menschen stoben auseinander, in die Nebengassen, der Platz lag leer. Den Degen quer über dem Sattel, sprengte der General in Richtung der Bastion Honor davon. Vom anderen Flußufer kamen in steilem Bogen Bälle geflogen, sie wurden schnell größer und fielen zischend auf die Dächer der Stockwerke, deren obere die unteren überragten, und auf die winklige Straße, drehten sich wirbelnd und krepierten. Immer wieder schlug der General die riesigen Sporen in die blutenden Flanken des scheuenden Pferdes.

Die Bastion Honor war von Staub und Rauch umhüllt. General Horn unterschied Haufen von Ziegelschutt, umgestürzte Kanonen, hochgereckte Pferdebeine und eine riesige Bresche in der den Russen zugewandten Seite. Bis auf den Grund waren die Mauern eingestürzt. Grau von Staub, mit einer Wunde im Gesicht, näherte sich ein Regimentskommandeur. Der General wandte sich an ihn. „Ich befehle, den Feind nicht durchzulassen!" Halb vorwurfsvoll, halb lächelnd sah ihn der Kommandeur an. Der General wandte sich ab, gab dem Pferd die Sporen und sprengte durch die engen Gassen nach der Bastion Victoria. Mehrmals mußte er das Gesicht mit dem Lederärmel gegen die Flammen der brennenden Häuser schützen. Im Näherkommen vernahm er das gedehnte Heulen der heranfliegenden Kugeln. Die Russen schossen genau. Die halbzertrümmerten Mauern der Bastion blähten sich, flogen auf und sanken in sich zusammen. Der General schwang sich aus dem Sattel. Ein pausbäckiger Soldat mit einem Gesicht wie Milch und Blut nahm die zugeworfenen Zügel, wich aber beharrlich seinem Blick aus. Mit der behandschuhten Faust stieß ihn der General unters Kinn und kletterte über die herabgestürzten Backsteine auf den noch unversehrten Teil der Mauer. Von hier aus sah er, daß der Sturmangriff begonnen hatte.

Menschikow lief mitten zwischen den untersetzten Schützen des Ingermanland-Regiments über die Schiffbrücke, schwang den Degen und schrie aus voller Kehle. Auch alle Soldaten schrien, was die Lungen hergaben. Gußeiserne Kanonen spien von den hohen Mauern Iwangorods ihr Feuer gegen sie, Bomben fielen klatschend ins Wasser oder flogen, Luftwellen vor sich hertreibend, zischend über ihren Köpfen dahin. Menschikow erreichte das Brückenende, sprang ans linke Ufer, wandte sich um, stampfte mit dem Fuß auf und winkte mit dem Saum seines Umhangs. „Vorwärts, vorwärts!" Gebeugt unter der Last ihrer Ranzen, liefen die Schützen in dichter Masse über die unter ihnen nachgebende Brücke. Ihm aber schien es, als kämen sie überhaupt nicht vom Fleck. „Schneller, schneller!" Wie im Rausch ließ er immer neu ersonnene Schimpfworte vom Stapel.

Hier, am linken Ufer, auf dem schmalen Streifen zwischen dem Fluß und der feuchten Festungsmauer der Bastion Victoria, war wenig Platz. Die heranlaufenden Soldaten ballten sich zusammen, drängten auf die vorderen und verlangsamten den Schritt. Scharfer Schweißgeruch machte sich bemerkbar. Bis an die Knie im Wasser, lief Menschikow nach vorn, überholte die Kolonne und reif: „Trommler vor! Die Fahne voran!" Die Kanonen Iwangorods feuerten jetzt über den Fluß hinweg auf die Kolonne; die Kugeln klatschten am Ufer nieder, daß das Wasser hoch aufspritzte. Sie zerschellten an den Mauern, und ihre glühenden Splitter schlugen brennend, weich und klebrig in die Menschenleiber. Die vorderen Reihen kletterten bereits, ausgleitend und die Arme hochschwingend, über den Ziegelschutthaufen der Bresche zur Mauerzinne empor. Die Trommeln wirbelten. Lauter, immer lauter rollte das Kampfgeschrei durch die Kolonne der Schützen, die die Mauer erklommen. Dort, hinter der Mauer, schrie heiser eine schwedische Stimme auf. Eine Salve krachte. Alles hüllte sich in Rauch. Die Schützen fluteten durch die Bresche in die Stadt.

Die zweite Sturmkolonne marschierte an General Chambers vorbei. Er saß auf einem hohen Roß, das den Kopf im Takt der Trommeln hin und her warf. Er trug einen mit Ziegelstaub geputzten Messingküraß, den er nur bei besonders feierlichen Anlässen anlegte. Den schweren Helm hielt er in der Hand, damit die Soldaten sein rundes, hakennäsiges Gesicht, das einer glühenden Bombe glich, gut sähen. Heiser und gefühllos wiederholte er: „Tapfere Russen, vorwärts! Tapfere Russen, vorwärts!"

An der Spitze der Kolonne – über die Wiese, zur Bastion Honor – eilte im Laufschritt ein Bataillon des Preobrashenski-Regiments; alles ausgesucht große, schnurrbärtige, wohlgenährte Leute, mit kleinen, in die Stirn gezogenen Dreispitzen. Die Soldaten hatten die Bajonette aufgepflanzt; es war Befehl erteilt worden, nicht zu schießen, sondern mit dem Bajonett vorzugehen. Das Bataillon führte Oberstleutnant Karpow. Er wußte, daß sowohl die Seinen als auch die in der Bresche sich verbergenden Schweden auf ihn blickten. Stolz marschierte er, die Brust herausgestreckt, die Nase gehoben, ohne sich nach dem Bataillon umzusehen. Hinter ihm ließen vier Trommler das Kalbfell rasseln, daß die Herzen höher schlugen. Etwa fünfzig Schritt blieben noch bis zur breiten Bresche in der dikken Backsteinmauer – Karpow beschleunigte nicht das Tempo, nur seine Schultern hoben sich. Bei diesem Anblick drängten die Soldaten, aus dem Schritt fallend, nach vorn, die hinteren gegen die vorderen. „Rrrrra-ta, rrrra-ta!" wirbelten die Trommeln. In der Bresche hoben sich langsam Eisenhelme und Gewehrmündungen. „Fort mit den Waffen, Pack, ergebt euch!" schrie Karpow. Mit Degen und Pistole lief er der Salve entgegen. Blitz und Krachen. Pulverrauch schlug ihm ins Gesicht. Ist's möglich, ich lebe? dachte er freudig. Und er fühlte sich jetzt ganz frei von jener überwundenen Angst, bei der sich seine Schultern gehoben hatten. Das Herz lechzte nach Kampf. Aber die Soldaten hatten ihn überholt; vergebens suchte er jemanden, auf den er sich mit seinem Degen stürzen konnte. Er sah nichts als die breiten Rücken der Preobrashenski-Soldaten, die mit ihren Bajonetten gleich Bauern mit Forken zu Werke gingen.

Die dritte, von Anikita Iwanytsch Repnin geführte Kolonne stürzte sich mit Sturmleitern auf die halb zerschossene Bastion Gloria. Von den Mauern empfing man sie mit Schnellfeuer, warf Steine und Balken herab und setzte Fässer mit Pech in Brand, um es auf die Stürmenden zu gießen. Vom Kampf hingerissen, hielt Anikita Iwanytsch auf seinem tänzelnden kleinen Pferd am Fuß des Torturmes fast auf demselben Fleck. Seine riesigen Ärmelaufschläge waren aufgekrempelt. Er schüttelte die Fäuste und schrie mit Fistelstimme, um die Leute aufzumuntern, aus Furcht, daß seine Soldaten auf den Leitern versagen könnten. Einer, dann ein zweiter, dann noch einige stürzten herab, durchbohrt und von der Zinne in die Tiefe gestoßen. Aber – Gott sei Dank! – die Soldaten klommen schon in dichten Haufen und voll Grimm die Leitern empor! Die Schweden fanden nicht mehr

Zeit, die feuerflammenden Fässer umzukippen; die Russen waren bereits auf den Mauern.

Gräfin Sperling griff nach den Händen ihrer Kinder, als ob sie sie immer wieder zählen wollte. Sie sprang auf und lauschte – näher und näher ertönten die Schüsse und das wütende Geschrei der Kämpfenden. Sie rang die Hände und flüsterte heiß mit verzerrtem Mund: „Du hast es gewollt, du Ungeheuer, du starrköpfiger, herzloser Mensch!" Die Mädchen schrien weinend: „Mama, schweig still, laß doch." Das Büblein steckte die Faust in den Mund und sah zu, wie die Schwestern weinten.

In der Nähe ratterten Räder. Die Gräfin stürzte zum Fenster. Ein Pferd mit gebrochenem Bein schleppte humpelnd einen mit aller möglichen Habe beladenen Wagen; Frauen mit Bündeln liefen hinterdrein. „Ins Schloß, ins Schloß! Rettet euch!" schrien sie. Vier Soldaten kamen mit einer Trage vorüber. Und wieder brachte man eine Trage und noch eine und weitere mit den wachsbleichen Gesichtern Verwundeter. Dann erblickte sie einen gebeugten Greis mit einem Sack, einen stadtbekannten reichen Mann, der Geld auf Pfand lieh. Er trug, hastig mit den Pantoffeln schlurfend, ein quietschendes Ferkel unterm Arm. Plötzlich warf er Ferkel und Sack weg und lief davon. Ganz in der Nähe klirrte eine zerbrochene Scheibe. „A-ach!" schrie gedehnt und qualvoll eine Stimme auf. Am gegenüberliegenden Ende des Platzes bemerkte die Gräfin General Horn. Er winkte mit der Hand und wies auf etwas hin. Kürassiere sprengten in schwerem Galopp an ihm vorbei. Der General schlug mehrmals mit dem Degen gegen die Rippen seines taumelnden Pferdes. Er bleckte die Zähne wie ein Wolf, sein Gesicht war rauchgeschwärzt. Im Sattel auf und nieder geworfen, verschwand er im Galopp in einer Gasse. „Karl! Karl!" rief die Gräfin, lief in den Flur und riß die Tür zur Straße auf. „Karl! Karl!" In diesem Augenblick bemerkte sie die Russen, die an den Häuserfronten entlang auf dem menschenleeren Platz vorgingen und zu den Fenstern hinaufblickten. Sie hatten breite Gesichter, langes Haar und trugen auf den Mützen Messingadler.

Die Gräfin war so erschrocken, daß sie stehenblieb und starr zusah, wie sie näher kamen und auf sie und die Kommandantenflagge über der Tür wiesen. Die Soldaten umringten sie, zeigten mit den Fingern auf sie und begannen aufgeregt und zornig zu reden. Einer von ihnen, ein vierschrötiger Bursche mit plattem Gesicht, stieß sie beiseite und trat ins Haus. Als er sie wie ein gewöhnliches Marktweib wegstieß, loderte in ihr all der Haß auf, welcher sie schon lange quälte, der Haß auf ihren alten Mann, der ihr das Leben so verbittert hatte, und der Haß auf diese russischen Barbaren, die soviel Leiden und Schrecken verursachten. Sie krallte sich in den Soldaten mit dem flachen Gesicht fest, zerrte ihn aus dem Flur, zerkratzte ihm Wangen und Augen, biß ihn, stieß ihn mit den Knien, zugleich fauchend und abgerissene Worte hervorsprudelnd. Ganz verstört wehrte sich der Soldat gegen das rasende Weib, stürzte mit ihr zusammen aufs Pflaster. Seine Kameraden, erstaunt ob solchen Weibergrimms, wollten sie auseinanderzerren; in Wut geraten, warfen sie sich auf die beiden und trennten sie endlich. Als sie aber auseinandertraten, blieb die Gräfin mit seitwärts gewandtem Kopf und einem bösen blauen Anflug im Gesicht liegen. Ein Soldat zog ihr den Rock über die entblößten Beine herunter, ein anderer wandte sich zornig nach den drei Mädchen und dem Buben in der Tür um. Das Büblein schrie, von einem Fuß auf den anderen tretend, wortlos und ohne Tränen. Ein Soldat sagte: „Hol sie der Teufel! Machen wir, daß wir hier wegkommen, Jungs!"

In drei viertel Stunden war alles zu Ende. Wie ein Orkan waren die Russen über die Plätze und Straßen des alten Narwa hereingebrochen. Sie aufzuhalten und zurückzuwerfen war bereits unmöglich. General Horn befahl den Truppen, sich auf den Erdwall zurückzuziehen, der die Altstadt von der Neustadt trennte. Der Wall war hoch und breit; hier würden, so hoffte er, Zar Peters Regimenter die steilen Abhänge reichlich mit ihrem Blut tränken müssen.

Der General saß auf seinem Gaul, der den Kopf bis auf die Hufe hängen ließ. Im frischen Wind, der sich erhoben hatte, knatterte seine schwarzgelbe Standarte am hohen Fahnenstock. Ein halbes Hundert Kürassiere hielt, finster dreinschauend und unbeweglich, im Halbkreis hinter seinem Rücken. Von dem hohen Wall konnte der General mehrere Straßen übersehen. Auf ihnen mußten sich die Truppen zurückziehen, aber die Straßen waren nach wie vor menschenleer. Er beobachtete und wartete, die verzogenen Lippen bewegend. Plötzlich zeigten sich am fernen Ende der einen und darauf auch der anderen Straße kleine Gestalten, die quer über den Straßendamm liefen. Er konnte nicht begreifen, was das für Gestalten seien und warum sie über die Straße liefen. Die Kürassiere hinter seinem Rücken begannen dumpf zu murren. Da kam in voller Karriere ein Reiter herangesprengt, schwang sich am Fuß des Walls aus dem Sattel und kletterte, mit der rechten Hand die blutige linke stützend, den steilen Hang hinauf. Es war Adjutant Byström, ohne Degen, ohne Pistole, ohne Hut, mit abgerissenem Rockschoß. „General!" Er hob sein irres Gesicht zu ihm empor. „General! O Gott, mein Gott!"

„Ich höre Sie, Leutnant Byström, sprechen Sie ruhiger."

„General, unsere Truppen sind eingeschlossen. Die Russen wüten. Ich habe noch nie ein solches Gemetzel gesehen. General, fliehen Sie ins Schloß!"

General Horn verlor den Kopf. Jetzt begriff er, was das für Gestalten waren, die in der Ferne über die Straße gelaufen waren. Seine langsamen Gedanken, die ihn sonst stets zu einem festen Entschluß führten, verwirrten sich. Er konnte sich zu nichts entschließen. Seine Füße glitten aus den Steigbügeln und blieben unter dem Bauch des Pferdes hängen. Selbst die gellenden, aufgeregten Ausrufe seiner Kürassiere brachten ihn nicht zu sich. Von zwei Seiten jagten den breiten Wall entlang in gestrecktem Galopp unter schrillem, anwachsendem Geschrei bärtige Kosaken mit schrecklich hohen, keck aufs Ohr geschobenen Schaffellmützen. Sie schwangen ihre krummen Säbel und legten zielend ihre langen Flinten an. Byström preßte, um dieses grausige Bild nicht sehen zu müssen, sein Gesicht an den Gaul des Generals. Die Kürassiere blickten einander an, zogen darauf langsam ihre Pallasche aus den Scheiden und warfen sie auf die Erde; dann saßen sie ab.

Als erster kam ganz erhitzt Oberst Röhn herangeprescht

und packte den Gaul des Generals am Zügel. „General Horn, Sie sind mein Gefangener!"

Horn hob, wie schlaftrunken, die Hand mit dem Degen, und Oberst Röhn mußte, um ihm diesen abzunehmen, die Finger des Generals, die den Degengriff umklammerten, mit aller Kraft auseinanderreißen.

Wäre nicht Feldmarschall Ogilvy zugegen gewesen, Peter wäre schon längst zu seinen Truppen davongesprengt. In drei viertel Stunden hatten sie vollbracht, wozu er sich vier Jahre vorbereitet und was ihn, gleich einem nicht heilen wollenden Geschwür, so geplagt und bekümmert hatte. Aber – hol ihn der Teufel! – nun hieß es, sich zu benehmen, wie es nach europäischem Brauch einem Herrscher geziemte. Würdevoll saß Peter Alexejewitsch auf seinem Schimmel, in der Uniform des Preobraschenski-Regiments, mit Schärpe und neuem, rauhem Dreispitz mit Kokarde. Die rechte Hand mit dem Fernrohr hatte er in die Hüfte gestemmt – zu betrachten gab es vom Hügel hier schon nichts mehr –, seinem Gesicht gab er den Ausdruck drohender Größe. Es war eine Sache, die Europa anging – war's denn etwa eine Kleinigkeit, eine der stärksten Festen der Welt im Sturm zu nehmen?

Offiziere sprengten heran – Peter Alexejewitsch wies mit einer Bewegung des Kinns auf Ogilvy – und erstatteten dem Feldmarschall Meldung über den Verlauf der Bataille. Soundso viele Straßen und Plätze besetzt. Unsere rücken wie eine Mauer vor, der Feind zieht sich überall in Unordnung zurück.

Schließlich stürzten aus dem zertrümmerten Tor der Gloria drei Offiziere und jagten, was die Gäule hergaben, heran. Ogilvy hob den Finger und sagte: „Oh! Gute Meldungen, ich ahne es."

Der erste der Herangaloppierenden, ein Kosakenoffizier, schwang sich in vollem Galopp aus dem Sattel und schrie, den schwarzen Bart zum Zaren Peter emporgestreckt: „Der Kommandant von Narwa, General Horn, hat seinen Degen übergeben!"

„Fürtrefflich!" rief Ogilvy und wandte sich, mit einer graziös einladenden Bewegung der im weißen Elchlederhandschuh steckenden Hand, an Peter Alexejewitsch.

„Geruhen Majestät, sich nach der Stadt zu begeben, sie gehört Ihnen..."

Peter trat ungestüm in den gewölbten Rittersaal des Schlosses. Er schien noch größer, sein Rücken war gestrafft, seine Brust atmete schwer. In der Hand hielt er den blanken Degen. Er warf einen wütenden Blick auf Alexander Danilowitsch – dessen eiserner Küraß war von Kugeln verbeult, das schmale Gesicht eingefallen, das Haar naß von Schweiß, die Lippen trocken. Er warf einen Blick auf den kleinen Repnin, dessen Schlitzaugen freundlich lächelten. Er warf einen Blick auf den rotwangigen Oberst Röhn, der schon Zeit gefunden hatte, einen Becher Wein hinunterzustürzen. Er warf einen Blick auf General Chambers, der wie ein Geburtstagskind vor Selbstzufriedenheit strahlte.

„Ich will wissen", schrie Peter Alexejewitsch sie an, „warum ist in der Altstadt der Metzelei bis jetzt noch nicht Einhalt geboten? Warum wird in der Stadt geplündert?" Er reckte den Arm mit dem Degen. „Ich habe einen von unseren Soldaten verprügelt, er war betrunken und schleppte ein Mädel davon." Peter schleuderte den Degen auf den Tisch. „Herr Bombardier-Leutnant Menschikow, ich ernenne dich zum Stadtgouverneur. Ich gebe dir eine Stunde Zeit, mit dem Blutvergießen und Plündern Schluß zu machen. Du wirst nicht mit dem Rücken büßen, du haftest mir mit dem Kopf!"

Menschikow erblaßte und entfernte sich sofort, den zerrissenen Umhang hinter sich herschleifend.

Anikita Repnin sagte mit sanfter Stimme: „Der Feind hat ein wenig zu spät um Pardon gebeten; darum fällt es auch schwer, unsere Soldaten zur Ruhe zu bringen, so ergrimmt sind sie, einfach nicht zu sagen. Die Offiziere, die ich ausgesandt habe, müssen sie an den Haaren packen und auseinanderzerren. Was aber das Plündern anlangt, das sind die Städter selbst, die da plündern..."

„Festnehmen und hängen – zur Abschreckung!"

Peter Alexejewitsch setzte sich an den Tisch, erhob sich aber sogleich. In den Saal trat Ogilvy, hinter ihm führten zwei Soldaten und ein Offizier General Horn herein. Es wurde still, nur langsam klirrten die Sternchen an Horns Sporen. Er trat vor den Zaren Peter, hob den Kopf, mit den trüben Augen an ihm vorbeisehend, und seine Lippen verzerrten sich zu einem spöttischen Lächeln. Alle sahen, wie Peters Hand vom Tisch, vom roten Tuch auffuhr und sich zur Faust ballte – Ogilvy machte erschrocken einen Schritt auf ihn zu –, wie seine Schultern vor Ekel zusammenzuckten; er schwieg so lange, daß alle müde wurden, den Atem anzuhalten.

„Erwarte keine Ehre von mir!" sagte leise Peter. „Tor! Alter Wolf! Blutgieriger Starrkopf!" Er schleuderte Oberst Röhn einen Blick zu. „Führ ihn ins Gefängnis, zu Fuß, durch die ganze Stadt, auf daß er das triste Werk seiner Hände sehe..."

Mit diesem Kapitel bricht das dritte und letzte Buch des Romans ab. Krankheit und Tod (23. Februar 1945) setzten der Arbeit des Schriftstellers ein Ende.

Anhang

Nachwort

1933 schrieb Maxim Gorki an Alexej Tolstoi: „Sie haben nicht wenige äußerst wertvolle, aber noch ungenügend bewertete Sachen geschrieben, auch ganz mißverstandene, und das ist nicht schlecht, so traurig es auch sein mag. Durchsichtigkeit ist eine löbliche Eigenschaft von Fensterglas. Alles ist sichtbar, als ob es selbst gar nicht vorhanden wäre. Das Fernglas, das Mikroskop, das Teleskop sind auch Glas. Nun, das übrige verstehen Sie selbst. Ich möchte Ihnen sagen, daß Sie für mich trotz Ihrer Arbeit eines Vierteljahrhunderts immer noch ein ‚junger‘ Autor sind, und das werden Sie bis ans Ende Ihrer Tage bleiben. ‚Peter‘ ist in unserer Literatur der erste wirkliche historische Roman – ein Buch auf lange. Kürzlich las ich einen Auszug aus dem zweiten Band – ausgezeichnet! Sie können großartige Sachen schreiben."

Und Tolstoi antwortete: „In diesen Jahren spüre ich wie nie zuvor, daß alles noch vor mir liegt, alles gerade erst seinen Anfang nimmt. Vielleicht stimmt das nicht, aber wichtig ist das Empfinden. Und daran haben Sie entscheidenden Anteil."

Alexej Tolstoi begann seinen Roman „Peter der Erste" zu einer Zeit, als die revolutionäre Veränderung aller Lebensbereiche im jungen Sowjetland das Geschichtsbewußtsein schärfte. Die eigene Geschichte wurde neu entdeckt. Der Anteil der Literatur an diesem Prozeß, aller ihrer Gattungen, war beträchtlich. Olga Forsch, Juri Tynjanow, Alexej Tschapygin erkundeten Mitte der zwanziger Jahre in der historischen Prosa neue Erzählweisen. Mit ihren unterschiedlichen Versuchen, „kraft dichterischen Bildens und Darstellens" menschliche Schicksale am Schnittpunkt epochaler sozialer Umbrüche „ins Leben einzuführen" (Goethe), eröffneten sie dem sowjetischen historischen Roman von Anfang an verschiedene künstlerische Möglichkeiten.

Ende des Jahres 1928 schrieb Alexej Tolstoi die ersten Seiten seines Romans über Peter I. nieder. Der knapp sechsundvierzigjährige Schriftsteller hatte bereits mehrere Romane, Erzählungen und Theaterstücke verfaßt. Der zweite Band der Trilogie „Der Leidensweg", „Das Jahr Achtzehn", war abgeschlossen. Die Hinwendung zur petrinischen Epoche erfolgte jedoch nicht erstmalig. Die Vorgeschichte reicht bis in die Anfänge des Revolutionsjahrs 1917 zurück.

Durch puren Zufall stieß Tolstoi auf die Prozeßakten der Geheimen Kanzlei und der Kanzlei von Preobrashenskoje um die Wende des 17. und 18. Jahrhunderts. Sie waren für ihn eine Entdeckung. Er glaubte, die Sprache dieser Dokumente weise ihm einen Ausweg aus seiner tiefen schöpferischen Krise zu dieser Zeit. „Das war eine Sprache, die die Russen schon an die tausend Jahre sprachen, aber niemand hatte sie je aufgezeichnet (mit Ausnahme des genialen ‚Igor-Liedes')", erinnerte sich Tolstoi 1929. „In den Gerichtsakten von den Folterungen ... sprach, stöhnte, log, schrie vor Angst und Schmerz das Volk des alten Rußlands." Die Skizze „Die ersten Terroristen", im April 1918 mit dem Untertitel „Auszüge aus den Gerichtsakten der Kanzlei von Preobrashenskoje" veröffentlicht, entstand ebenso wie die Erzählung „Die Versuchung" in der Zeit zwischen der Februar- und der Oktoberrevolution. Unmittelbar danach erfolgte mit der Erzählung „Ein Werktag Peters" der erste Versuch, die Persönlichkeit des Zaren in ihrer Widersprüchlichkeit literarisch zu erfassen.

„Die ersten Terroristen" und „Die Versuchung" folgten in Inhalt und Sprache streng den Dokumenten. Sie waren Experiment und Neuansatz in einem. Tolstoi bekannte später, er habe sich gewundert, wie leicht sich die Sprache „in kristallklare Formen" fassen lasse. Für „Ein Werktag Peters" nutzte er weitere Quellen – Tagebücher und Memoiren von Peters Zeitgenossen. Er schilderte jedoch die Persönlichkeit Peters und sein Wirken ganz unter dem Eindruck der erschütternden Protokolle von den Verhören in des Zaren Folterkammern. Peter ist grausam, argwöhnisch, ungerecht, rastlos, von epileptischen Anfällen geschüttelt. „... auf die Anwesenden waren seine runden schwarzen Augen starr gerichtet und brannten wie im Wahnsinn ... Sein Blick saugte sich fest, war stechend, drang durch Mark und Bein, war bald spöttisch, bald höhnisch, bald zornig ... Niemand hatte je gesehen, daß sein Blick ruhig und still war, niemand hatte darin seine Seele erschaut. Und das Volk, das sich in Moskau seiner Augen gut erinnerte, sagte, Peter sei der Antichrist und kein Mensch."

Diese Sicht auf Peters Tätigkeit ausschließlich von „unten" – mit den Augen des darbenden und geprügelten, in die Armee und in die neuen Fabriken gepreßten, in Ketten gelegten und sich auflehnenden Volkes – verschloß dem Autor die Möglichkeit, in des Zaren Reformwerk einen historischen Sinn zu erkennen. Für die innere Unruhe, die Peter durchs Land trieb – von Asow nach Archangelsk, von Demidows Gießereien bei Wyborg nach Berlin und zu den Heilquellen von Olonezk –, fand er keine andere Erklärung als dessen „versessene, unheilbringende Seele, voller Unrast und Gier". Er sah nicht die sozialen Kräfte, die den Zaren stützten. Peter ist vereinsamt inmitten der Millionen Menschen, die er in Bewegung brachte. „Und die Bürde dieses Tages und aller vergangenen wie künftigen Tage legte sich ihm bleischwer auf die Schultern, der eine die menschlichen Kräfte übersteigende Last auf sich genommen hatte: einer für alle." Dadurch rückte Tolstois Peter-Bild in die bedenkliche Nähe von Mereshkowskis Roman „Der Antichrist. Peter und Alexej" (1905).

Mereshkowski konzentrierte alle darstellerischen Mittel auf die unmenschlichen Züge des Zaren: ungebändigte Grausamkeit, zynisches Sich-Ergötzen an den Leiden der von ihm Gefolterten und Verurteilten, maßlose Anforderungen an seine Untergebenen. Die nervösen Zuckungen, die starren Augen, „von deren Blick allein die Menschen in Ohnmacht fallen", betonen das Krankhafte seines Gebarens. Mereshkowski führte die barbarischen, ahumanen Erscheinungen im petrinischen Rußland ausschließlich auf die Person des Zaren zurück, auf dessen innere Zwiespältigkeit, die in der Natur des Menschen liege und mit dem Verstand nicht zu erfassen sei. Eine irrationale, mystische Geschichtskonzeption führte ihn zur Aufbauschung und subjektiven Verzerrung einzelner Details. Die beschriebenen Einzelheiten verdunkeln die wahren Beweggründe von Peters Handlungen, anstatt einen bedeutsamen historischen Vorgang aufzuhellen, den der Zar, obzwar mit barbarischen Mitteln, in Bewegung setzte. Mereshkowskis Peter-Figur wird von irrationalen Kräften und Instinkten getrieben, denen er hilflos ausgesetzt ist. Sein Tun löst sich auf in Zufälligkeiten – ein jäher Einfall, eine unerwartete Stimmung, eine plötzliche unmotivierte Reaktion.

Tolstoi teilte weder Mereshkowskis ästhetische Auffassungen noch dessen mystische Geschichtsphilosophie. Dennoch blieb ihm 1917 der Zugang zu den objektiven Beweggründen von Peters Wirken versperrt. Verhaftet einem idealistischen Weltbild, überhöhte er die Möglichkeiten seiner historischen Figur und räumte ihr einen Spielraum an Handlungsfreiheit ein, der einer einzelnen Person, so bedeutend sie auch gewesen sein mag, ohne die Unterstützung starker gesellschaftlicher Kräfte niemals gegeben ist. „Ich sah alle Flecken auf seinem Wams", stellte der Autor 1933 rückblickend fest. „Peter blieb dennoch ein Rätsel im Nebel der Geschichte."

Ein Jahrzehnt später wandte sich Tolstoi erneut der petrinischen Epoche zu. Im Herbst 1928 schrieb er das Theaterstück „Auf der Folterbank. Peter der Erste". Bemerkenswert ist die neugewonnene Erkenntnis von der historischen Notwendigkeit des Reformwerks Peters. Das Schicksal Rußlands läßt den Zaren nicht mehr wie in der Erzählung gleichgültig – „für das Vaterland, für die Menschen habe ich mein Leben nicht geschont". Archivmaterialien belegen, daß Tolstoi die antizaristische Tätigkeit der Strelitzen, der Raskolniki wie auch die Auflehnung von Peters Sohn Alexej nun als „Konterrevolution" begriff. Das Volk erscheint durchweg, ohne Differenzierungen, als Hauptkraft der Reaktion. Die komplizierten widersprüchlichen Beziehungen zwischen den verschiedenen sozialen Kräften blieben dem Autor nach wie vor verschlossen. Während in „Ein Werktag Peters" das historische Recht ausschließlich auf der Seite des blutig unterdrückten Volkes war, ist dieses Recht im Stück auf der Seite des vom Volk nicht verstandenen Zaren. Am Ende ist Peter tragisch vereinsamt. Seine Reformen sind zum Scheitern verurteilt. Allein über Peters Persönlichkeit war der Epoche nicht beizukommen.

Selbstkritisch stellte Tolstoi 1934 fest: „In der ersten Variante roch ‚Peter' nach Mereshkowski. Jetzt stelle ich ihn als eine überragende, von der Epoche hervorgebrachte Figur dar. Das neue Stück ist voller Optimismus, während das alte von Pessimismus durchdrungen war."

Neue schöpferische Erfahrungen trennten die erste Fassung von der zweiten. Von Februar 1929 bis Mai 1930 arbeitete Tolstoi am ersten Band seinen Romans „Peter der Erste". Den Ende des Jahres 1932 begonnenen zweiten Band schloß er am 22. April 1934 ab. 1938 verfaßte Tolstoi noch eine dritte Variante seines Stücks, nachdem er von 1934 bis 1937 zusammen mit W. Petrow das Drehbuch für einen gleichnamigen Film geschrieben hatte.

Erst im Januar 1944 nahm der Autor die Arbeit am Roman wieder auf. Noch im gleichen Jahr erschienen die ersten fünf Kapitel des dritten Bandes, Anfang 1945 das sechste und zugleich letzte vollendete Kapitel. Am 23. Februar 1945 starb Tolstoi an Lungenkrebs. Sein Peter-Roman blieb unvollendet.

Konstantin Fedin schrieb nach dem Tode Tolstois, Alexej Nikolajewitsch habe mit seinem Buch „Peter der Erste" einen „kostbaren Schlüssel zum schweren Genre", zum historischen Roman, gefunden. Um das „Geheimnis" dieses „kostbaren Schlüssels" bemühten sich sowjetische wie ausländische Schriftsteller und Kritiker.

Als nach dem Krieg, von 1949 bis 1950, erstmalig der gesamte Roman in deutscher Sprache erschien (1931 war lediglich der erste Band in deutscher Übersetzung verlegt worden), untersuchte Alfred Antkowiak in einer Studie, wie „die lebendige Gestalt der Vergangenheit zur aufbauenden Kraft im Ringen der Gegenwart wird". Das von Tolstoi verwirklichte neue Darstellungsprinzip im historischen Roman sah er in der „*Wahrheit des historischen Geschehens*". „Der Roman von Alexej Tolstoi ... handelt vom Genie des Zaren Peter I. Gleichzeitig jedoch, bedingt durch die Erkenntnis, daß jedes schöpferische Genie des Menschen nicht isoliert existiert, sondern auf dem Genie und der Kraft des Volkes fußt und aus ihm hervorgeht, handelt der Roman vom Zaren Peter vom Genius des russischen Volkes."

Nicht zufällig faszinierte Tolstoi unsere Leser seinerzeit gerade durch die meisterhafte künstlerische Lösung eines der kompliziertesten Probleme der historischen Prosa: die lebendige Wechselwirkung zwischen einer hervorragenden Persönlichkeit und den Volksmassen. Ein völlig neues Literaturerlebnis erwartete unsere Leser: „Der Leidensweg" und „Peter der Erste", „Der stille Don" und „Neuland unterm Pflug", „Wie der Stahl gehärtet wurde", Gorkis Romane und Majakowskis große Poeme ... Fadejews „Die Neunzehn" beispielsweise traf damals Hermann Kant als ein „philosophisches Abenteuer". Die „Helden, mit denen man sich identifizieren konnte", waren im Umgang mit der Geschichte souverän. Sie machten selbst Geschichte.

Die Erfahrungen am zweiten Band der Trilogie „Der Leidensweg", „Das Jahr Achtzehn" (1927/28), ließen Tolstoi erstmals in vollem Umfang die enormen Schwierigkeiten bewußt werden, die petrinische Epoche vom Standpunkt des historischen Materialismus zu begreifen und zu gestalten. Die kurze Distanz von Stück und Roman (erster und zweiter Band) läßt eine gewaltige schöpferische Arbeit vermuten. Die Leistung trägt – erstmalig in seinem Werk – die Spuren der Zeit der ersten Planjahrfünfte. „Das erste Jahrzehnt des 18. Jahrhunderts", schrieb Tolstoi Anfang der dreißiger Jahre, „bietet ein erstaunliches Bild davon, wie sich die schöpferischen Kräfte, Energie und Unternehmungsgeist stürmisch entfalten. Die alte Welt kracht in allen Fugen und stürzt zusammen. Europa, das alles andere, nur nicht das erwartet hatte, blickt erstaunt und erschrocken auf das neuentstehende Rußland ... Trotz der unterschiedlichen Ziele ähneln sich die Epoche Peters und unsere Epoche gerade durch die ungestümen Kräfte, den Aufschwung menschlicher Energie und den auf die Befreiung von fremdländischer Abhängigkeit gerichteten Willen."

„Die Arbeit am ‚Peter' bedeutet vor allem in die Geschichte über die marxistisch begriffene Gegenwart eindringen", heißt es in einem Artikel Alexej Tolstois zum 50. Todestag von Karl Marx. „Sie bedeutet vor allem die eigene künstlerische Weltanschauung umarbeiten. Im Ergebnis legt die Geschichte ihre unberührten Schätze frei." Auf die „dialektische Gesetzmäßigkeit des Klassenkampfes" zielten nun Tolstois geschichtsphilosophische Anstrengungen.

Bodo Uhse wurde seinerzeit nicht von der Interpretation des Romans vornehmlich vom Standpunkt der historischen Wahrheit befriedigt, so wichtig diese Errungenschaft auch für die Entwicklung unserer jungen sozialistischen Nationalliteratur war. Ihn als Schriftsteller interessierte vor allem die ästhetische Leistung. 1951 kritisierte er in seinen Betrachtungen zu „Peter der Erste": „Allzu häufig geschieht es heutzutage, daß die Literaturkritik die Ausdrucksmittel des Schriftstellers, Sprache und Stil, aber auch die Technik der Konstruktion nur flüchtig, ja überhaupt nicht berücksichtigt. Dabei sind diese Elemente der Gestaltung von großer Wichtigkeit, denn erst das Geformte ist Kunst."

Uhse analysierte, *wie* Tolstoi den „Schritt vom Roman zum Epos" getan hat, *wie* es ihm gelang, „die Biographie Peters I. auszuweiten zu einem Porträt Rußlands und des russischen Volkes zu jener Zeit, es also nicht bei einem biographischen Roman zu belassen, sondern ein historisches Epos zu schaffen". Und er kam zu der Schlußfolgerung: „Das Entscheidende, Bedeutungsvolle an der historischen Persönlichkeit ist nicht ihre psychologische Entwicklung, sondern ihr gesellschaftliches Wirken."

Diese verallgemeinernde These enthält allerdings den Irrtum, daß psychologische Entwicklung und gesellschaftliches Wirken einer historischen Persönlichkeit im Roman einander ausschließen. Indessen gelangte Uhse nach der Lektüre des Romans „Peter der Erste" nicht zufällig zu dieser Feststellung. Sie trifft mit gewissen Einschränkungen die spezifische Erzählweise Tolstois.

Der Anlage nach ist „Peter der Erste" ein Entwicklungsroman. „Als ich die Arbeit an Peter begann, wollte ich alles in einem Buch fassen. Jetzt erkenne ich meinen Leichtsinn", schrieb Tolstoi im Mai 1929 an den Kritiker Wjatscheslaw

Polonski. Der Werkplan erfuhr ständige Korrekturen. Die Handlung, die mit der Kindheit Peters im Todesjahr des Zaren Fjodor Alexejewitsch, 1682, einsetzt, weitete sich aus. Und erst im Verlaufe des Jahres 1944, beim Schreiben des dritten Bandes, gab Tolstoi die Idee auf, Peters Leben bis zum Tod zu schildern: „Den Roman werde ich nur bis Poltawa weiterführen, vielleicht bis zum Prutfeldzug, das weiß ich noch nicht. Ich möchte nicht, daß die Menschen alt werden. Was soll ich mit alten anfangen?" Bereits Anfang des Jahres hatte er erklärt, im dritten Band wolle er das Grundanliegen des gesamten Romans realisieren: „Peters I. gesetzgebende Tätigkeit, seine Neuerungen zur Veränderung der russischen Lebensweise, die Reisen des Zaren ins Ausland, seine Umgebung, die Gesellschaft jener Zeit... Bilder nicht nur vom russischen Leben, auch vom Westen jener Zeit – Frankreich, Polen, Holland."

Die Fülle an historischen Schauplätzen, Sittenbildern und Personen barg auch Gefahren. Viktor Schklowski signalisierte sie in einem Brief an den Autor nach der Lektüre der ersten fünf Kapitel des dritten Bandes: „Mir kam der Gedanke, hat nicht die politesse die Politik verdrängt, hat nicht Natalja Peter überschattet? Sanka wurde die Venus ihrer Zeit, ein Mythos.

Wenn Sie Peter ebenso greifbar gestalten, mit der gleichen Zwanglosigkeit, frei vom Porträt, so werden Sie erfolgreich sein in unserer großartigen Literatur."

Tolstoi bestätigte diesen Eindruck: „Was Sie zum Auftreten Peters im dritten Band schreiben, stimmt. Ich hatte auch bereits die Befürchtung: Wird er nicht etwa als Statue in den Hintergrund gedrängt? Mich hat es wie im Sturm zur Seite gerissen. Zwei Monate konnte ich nicht arbeiten" (Tolstoi war ernsthaft erkrankt – N.T.), „erst vor wenigen Tagen habe ich wieder begonnen, und zwar gleich mit der Belebung Peters." Diese Notiz bezieht sich offenbar auf den ersten Abschnitt des sechsten Kapitels.

„Das Jahr Achtzehn" war der erste Versuch Tolstois, die auf äußeren Spannungsmomenten aufgebaute Romanstruktur episch aufzubrechen. Unter Spannung verstand er „vor allem die innere Bewegung, den Kampf der Widersprüche und die sich daraus ergebenden Wendungen der Bewegung". Die Verknüpfung von epochalen gesellschaftlichen Veränderungen mit individuellen Schicksalen bereitete nicht geringe Schwierigkeiten. In seiner Autobiographie „Über mich selbst", Anfang des Jahres 1929, also unmittelbar vor Beginn der Arbeit an „Peter dem Ersten", verfaßt, bekennt er: „Mir kann man übermäßige Epik vorwerfen. Aber sie ist nicht die Folge von Gleichgültigkeit, sondern der Liebe zum Leben, zu den Menschen, zum Sein." Die Absicht, ein möglichst umfassendes Epochenbild mit der ganzen Fülle des Lebens zu zeichnen, drängte im Peter-Bild gesetzmäßig einige Spezifika des Entwicklungsromans zurück. Der Gewinn für die Aussage, das historische Schicksal der Gesellschaft wie einzelner Personen, ist beträchtlich. Aber auch Einbußen an psychologischer Tiefe der gestalteten Wandlungsprozesse einzelner Figuren sind nicht zu übersehen.

Verfolgen wir den von Bodo Uhse analysierten „Schritt vom Roman zum Epos" weiter, so erkennen wir folgende Besonderheiten der Schreibweise Tolstois:

Die Handlung ist nicht in der Art einer Chronik nach dem gleichförmigen Ablauf der historischen Ereignisse aufgebaut. Einzelne Begebenheiten werden breit ausgemalt, andere, nicht weniger wichtige, sind ausgespart. Das Sujet enthält viele dramatische Spannungen, in denen reale Konflikte des Geschichtsprozesses ausgetragen werden. Peter, der seine Ziele im Kampf und mit Kampf durchsetzt, ist das entscheidende Bindeglied zwischen den historisch bedeutsamen Geschehnissen. Die Auswahl der vorgeführten wichtigen Begebenheiten erfolgt nach deren Gewicht für die persönliche Entwicklung des Zaren wie für den erfolgreichen Fortgang seiner auf Festigung der Macht Rußlands gerichteten Politik. So wird Peters Niederlage vor Asow viel ausführlicher geschildert als der spätere Sieg, der in seiner historischen Tragweite die Niederlage bei weitem übertraf. Aber die Erfahrungen aus der Niederlage waren für Peter wie für die innere Entwicklung des ganzen Landes von größerer Tragweite als der Erfolg Jahre später. Das gleiche trifft auf die Kämpfe um Narwa zu.

Die harten politischen und sozialökonomischen Auseinandersetzungen an den Knotenpunkten der Handlung stehen unter dem Einfluß von Peters persönlichen Entscheidungen. Tolstoi macht deutlich, daß dem Zaren diese Macht nur gegeben war, weil er als eine bedeutende Persönlichkeit in einem historisch herangereiften Moment die Geschicke des Landes in eine „dauernde, in einer großen geschichtlichen Veränderung auslaufende Aktion" (Engels) lenkte. Die schroffen Eingriffe in das Schicksal Rußlands leitet der Autor nicht mehr wie in seinen ersten Peter-Darstellungen aus der individuellen Veranlagung des Zaren mit Hilfe eines antithetischen Figurenaufbaus ab, dem alle anderen Strukturelemente untergeordnet sind. Die ökonomischen Bedürfnisse der Epoche, damit die objektiven Interessen des Volkes werden als die eigentliche Triebkraft der vom Zaren radikal durchgeführten Maßnahmen sichtbar.

Der Verzicht auf eine Romanstruktur, die ausschließlich dem persönlichen Schicksal des Haupthelden folgt, schließt nicht automatisch den Verzicht auf eine die Handlung dynamisch vorantreibende Figur aus. Peters Entwicklung als Mensch und als Staatsmann vollzieht sich unter dem Einfluß der Umwelt, der gegebenen sozialen Ordnung und vor allem der wachsenden politischen Aufgaben. Die Umwelt formt seine individuellen charakterlichen Eigenschaften. Er wiederum greift verändernd in die Umwelt ein. Der unterschiedliche Reifegrad seiner Entscheidungen wird zu einem dynamischen Moment der Gesamtkomposition aller drei Bände. Diese engen Wechselbeziehungen zwischen dem gesellschaftlichen Wirken des Zaren und der gesellschaftlichen Ordnung Rußlands erschließen erstmalig in einem Roman über Peter I. die Widersprüche zwischen der historisch fortschrittlichen Rolle des Zaren und seinen teilweise barbarischen Methoden, zwischen seinem willensstarken Charakter und seiner zeitweiligen, historisch nicht immer gerechtfertigten Grausamkeit als einen *Grundwiderspruch der Epoche*, deren Schranken Peter nicht durchbrechen konnte. Dadurch wirkt seine Figur auf den Leser bald anziehend und sympathisch, bald abstoßend und befremdend.

Peter ist ein Geschöpf seiner Zeit. Durch sein rastloses Vorwärtsstreben und seine Liebe zu Rußland verkörpert er typische Züge des russischen Volkscharakters. Hier folgte Tolstoi vor allem der Tradition Puschkins, der nach umfangreichen historischen Studien in seinen Dichtungen „Poltawa" und „Der eherne Reiter" sowie in dem Roman „Der Mohr Peters des Großen" die widersprüchliche Figur Peters künstlerisch zu erfassen suchte. Tolstoi ging allerdings noch einen entscheidenden Schritt weiter, indem er tief hineinleuchtete in das Leben der Ärmsten der Armen, die nach Puschkins Worten am empfindlichsten unter dem „Stock", den „mit der Knute" geschriebenen Erlässen eines „ungeduldigen selbstherrlichen Gutsbesitzers" – Peters – zu leiden hatten.

Tolstoi hat nichts beschönigt, nichts überzeichnet. Die tiefe Tragik im Leben des russischen Volkes unter Peters Herrschaft zieht sich als Leitmotiv durch den gesamten Roman. Die wachsende Unruhe der Volksmassen, die im Bauernaufstand unter der Führung Bulawins gipfelte (Tolstoi wollte ihn im dritten Band darstellen), forciert die innere Dynamik der Handlung. Tolstoi brach mit der im historischen Roman tradierten Erzählweise, die unteren Schichten nur als dunkle, ungeformte Masse erscheinen zu lassen. Sie sind sozial differenziert und durch einzelne Gestalten mit individuellen Schicksalen, tiefen Gefühlen und der Sehnsucht nach einem menschlichen Leben verkörpert: Fedka Wasch-dich-mit-Dreck, Owdokim, Zigeuner, Juda, Andrej Golikow, Kusma Shemow ...

Das erste Kapitel, die Widerspiegelung der sozialen Widersprüche und politischen Kämpfe im vorpetrinischen Rußland, ist charakteristisch für die epische Struktur. Der Schriftsteller blickt nicht von „oben", vom Zarenhof, nach „unten", auf das Leben des Volkes. Vom Aspekt der Lebensbedingungen breiter Schichten und ihrer objektiven Interessen werden Ereignisse mit historischer Tragweite gespiegelt. Das Aufbegehren der Strelitzen, der wahnwitzige Widerstand der Raskolniki und ihre Selbstverbrennungen, die Verzweiflungstaten der Räuberbanden, die Flucht der hörigen Bauern in die nördlichen Wälder und ins „freie" Land der Kosaken, der Haß der einfachen Soldaten gegen die Offiziere vor Narwa, der wachsende Protest der zur Zwangsarbeit in die Sümpfe geschickten Menschen beim Bau von Petersburg – diese Erscheinungen im petrinischen Rußland sind jeweils genau beschrieben und sozial motiviert.

Ohne die Entfaltung der schöpferischen Kräfte aus dem Volke hätte Peter niemals seine Reformen durchsetzen können. Den Browkin, Worobjow, Demidow öffnen seine Anordnungen breiten Spielraum für Initiative und Unternehmungsgeist. Das Handwerk blüht auf. Der Schmied Shemow, obwohl zu lebenslänglicher Zwangsarbeit verurteilt, findet in Lew Naryschkins Tulaer Waffenschmiede ein echtes Betätigungsfeld. Der in Ketten gelegte Fedka Wasch-dich-mit-Dreck, ein frisches grellrotes Brandmal auf der Stirn, rammt mit kräftigen Schlägen den ersten Pfahl zu Peters „Paradies" in das schlammige Newa-Ufer. Er wird zum Symbol der mit den Leiden und dem Blut Zehntausender einfacher Menschen aus dem Volke errungenen historischen Siege unter der Herrschaft Peters I.

Das Antichrist-Motiv, das im Roman wieder aufgenommen wird, bestimmt nicht mehr wie in der Erzählung und im Stück den Figurenaufbau Peters. Es ist lediglich ein künstlerisches Mittel zur Wiedergabe der Stimmung und der Leiden der bis aufs Blut ausgepreßten hörigen Volksmassen, die auf Grund der barbarischen Methoden den historisch progressiven Charakter der Tätigkeit Peters nicht begreifen konnten.

Der „Schritt vom Roman zum Epos" ermöglichte Tolstoi eine künstlerisch überzeugende Darstellung des engen Wechselverhältnisses zwischen Peter I. und der geschichtlichen Bewegung der Volksmassen in der ersten entscheidenden Aufstiegsphase des petrinischen Rußlands.

Alexej Tolstoi hat sich über die epische Leistung von „Krieg und Frieden" mehrfach mit großer Bewunderung geäußert, lehnte aber in einem Gespräch über die eigene Arbeitsweise die geschichtsphilosophischen Betrachtungen Lew Tolstois im Roman entschieden ab: „Tolstoi ist ein genialer Schriftsteller. Seine Sprache erreicht ein Niveau, daß es die Augen schmerzt, so klar sehen Sie alles vor sich. Sobald sich Tolstoi jedoch in Philosophie ergeht, wird es schon schlechter. Das bestätigt meine Theorie: Sobald Tolstoi als Künstler schreibt, sieht er die Dinge mit den Augen. Er sieht die Bewegung, den Gestus bis zur Halluzination und findet die entsprechenden Worte.

Sobald er jedoch über abstrakte Dinge schreibt, sieht er nicht, sondern denkt."

Dieses Urteil trifft sehr genau das eigene ästhetische Konzept. „Die historischen Helden müssen so denken und sprechen", äußerte sich einmal Alexej Tolstoi, „wie sie dazu von der Epoche und den Ereignissen dieser Epoche bewegt werden. Ein Buch, in dem Stepan Rasin von der ursprünglichen Akkumulation spricht, wird der Leser unter den Tisch schleudern. Und das zu Recht. Aber mir scheint, über die ursprüngliche Akkumulation muß der Autor Bescheid wissen und nachdenken, und von diesem Gesichtspunkt muß er diese oder jene historischen Ereignisse betrachten."

Alexej Tolstoi ist ein meisterhafter Erzähler. Er beschreibt nicht, er gestaltet. Er malt in der Art der flämischen Genremaler mit kräftigen Farben. Der Leser sieht die Menschen, Sitten, Lebensformen des alten Rußlands plastisch vor sich. Die Figuren leben. Sie sind in der Fülle ihrer Lebensäußerungen und -bedürfnisse gezeichnet. Tolstoi selber liebte das Leben, fand Genuß am Essen, Trinken, an Geselligkeit. Seiner lebensfrohen Natur, vielfach von Freunden beschrieben, verdankt er die Fähigkeit, sich in Peters Protest gegen den „Domostroi", den Sittenkodex im vorpetrinischen Rußland, einzufühlen. Des Zaren ungestillte, fast kindhafte Freude an Trinkgelagen, derben Späßen, Mummenschanz, Feuerwerk ist vom Autor tief nachempfunden, als teile er Peters Drang, sich gegen die alte Vergangenheit aufzulehnen und Aberglauben, Trägheit, Konservatismus, Mystik mit Stumpf und Stiel auszurotten. Bei einigen Figuren spürt der Leser, mit welcher Freude der Autor in ihr Wesen hineingeschlüpft ist, bis zur völligen Identifikation. Seinen blutvollen Gestalten ist nichts Menschliches fremd.

Marx und Engels wandten sich wiederholt gegen die „verhimmelten raffaelischen Bilder", in denen „alle Wahrheit der Darstellung" verlorengeht und die die historische Persönlichkeit „nie in ihrer wirklichen, nur in ihrer offiziellen Gestalt mit dem Kothurn am Fuß und der Aureole um den Kopf" malen. Sie forderten Schilderungen mit „derben rembrandtschen Farben" und wiesen nach, daß es nicht genügt, wenn man diese Personen nur in ihrem Privatleben „im Negligé mit ihrer ganzen Umgebung von subalternen Subjekten sehr verschiedener Art" zeigt. Solche Werke sind, wie Marx und Engels schrieben, „nicht weniger weit entfernt von einer wirklichen, treuen Darstellung der Personen und Ereignisse".

Alexej Tolstoi folgte einem ähnlichen Prinzip.

Der humanistische Grundton seiner Darstellungsweise ist aufs engste mit seiner eigenen Lebenseinstellung verbunden, mit seiner Bewunderung für Peters unbeugsamen Willen, „in Rußland muß alles niedergerissen und von Grund auf neu aufgebaut werden", auch, „daß alles so Hals über Kopf getan werden muß", und immer wieder das Entsetzen: „Welch riesige Arbeit ist noch zu tun!" Spätestens hier wird deutlich, wie die Epoche des sozialistischen Aufbaus zur Zeit der Arbeit an den ersten beiden Bänden Tolstois Blick auf die petrinische Epoche, eine Epoche schroffer gesellschaftlicher Umbrüche, schärfte. Im dritten Band, insbesondere zu Beginn des sechsten Kapitels, das Tolstoi Ende des Jahres 1944 schrieb, zeigt sich unter dem Einfluß der Erfahrungen des zweiten Weltkrieges eine sachlichere, reifere Beziehung zum Krieg „als ein hart und schweres Ding, als blutige Alltagsmühe und eine Notwendigkeit für den Staat".

Peters häufige Verzweiflungsausbrüche – „Was sind das für Menschen?" –, auch die mit barbarischen Mitteln erzwungenen Veränderungen der alten Lebensgewohnheiten unterscheiden sich grundsätzlich von der Menschenverachtung eines Awwakum: „Mensch, Dünger bist du und Kot bist du ... Mir steht es wohl an, mit den Hunden und Schweinen zu leben, stinken sie doch gleich meiner Seele wie die Pest. Vor lauter Sünde stinke ich wie ein verreckter Hund." Peter braucht die Menschen, will sie zu schöpferischer Tat anspornen, wenn es not tut, zur Arbeit prügeln. Der große philosophische Streit der petrinischen Epoche über den Humanismus – auch Tolstois eigene Haltung in diesem Streit – wird nicht in Dialogen oder Autorkommentaren ausgetragen. Die Lösung ergibt sich aus der Handlung, aus der Dramatik des Geschehens. Die historischen Ereignisse enthüllen ihren philosophischen Sinn in der Bewegungsrichtung der Geschichte. Tolstoi ist als Künstler kein Analytiker. Das analytische Denken ist bei ihm stets Vorstufe literarischen Gestaltens.

In den Manuskripten finden sich am Rand flüchtige Skizzen von Peter, Karl, August, fiktiven Gestalten. Die Welt, die Tolstoi schuf, war dinglich. Abstrakte Vorstellungen waren ihm fremd. „Der Schriftsteller muß vor allem sehen und dann das Gesehene erzählen – er muß die sich ständig verändernde Welt der Dinge als unmittelbar am Lebensstrom Beteiligter sehen."

Tolstoi schöpfte sein Wissen, das „Sehen" der Dinge nicht nur aus Büchern. Er bereiste die Stätten der Handlung seines Romans. Er sammelte viele Zeugnisse der petrinischen Epoche: alte Tintenfässer, die sich damals die Schreiber an den Gürtel hängten, Federkiele, eine alte Schiffsuhr, Originalbriefe Peters, alte Landkarten, Zeichnungen, Gravüren... Das war keine Antiquitätensammlung. Er brauchte diese greifbaren, sichtbaren Dinge um sich herum, eine vom Atem der Vergangenheit erfüllte Arbeitsatmosphäre, damit „er die Zeit, die hinter ihm lag, erfühlte", erinnerte sich N. Tolstaja-Krandijewskaja, „realistisch, fleischlich, bis zur visuellen Halluzination".

Über dem Kamin in seinem Arbeitszimmer hing ein Gemälde aus dem 18. Jahrhundert von der Hand eines unbekannten Malers. Die abgebildeten Segelschiffe der petrinischen Epoche – „Peters Schiffe" nannte Alexej Nikolajewitsch dieses Bild – hatte er ständig vor Augen. Der optimistische Ausklang des ersten Bandes nach den schrecklichen Strelitzenhinrichtungen – „als sähe man im Märzwind die schattenhaften Umrisse von Kauffahrteischiffen an der baltischen Küste" – wurde vermutlich davon inspiriert. Peters Schiffe waren für den Autor das Symbol des unaufhaltsamen Aufstiegs Rußlands, trotz Massenfolterungen und -hinrichtungen. An dem Bild hing er ganz besonders. Ohne das Bild könne er den dritten Band nicht schreiben, äußerte er zu Ljudmila Tolstaja.

Vom Stehpult fiel Tolstois Blick auf eine Gipsmaske von Peter I., die der bekannte Künstler Rastrelli 1717 abgenommen hatte. Die Mundpartie ist etwas verzerrt – vermutlich behagte dem Zaren diese Prozedur nicht sehr, kommentierte Tolstoi.

Peters rundes Gesicht, der kräftige Mund, die etwas breite Nase und die runden Augen wurden in der Phantasie des Schriftstellers lebendig, wandelten sich ständig – ein Spiegel seiner rasch wechselnden Stimmungen und Gedanken.

Wie wichtig für den Autor das Sehen seiner Figuren war, geht aus folgenden Überlegungen hervor. Auf dem Ersten Sowjetischen Schriftstellerkongreß 1934 entwickelte Tolstoi seine Auffassungen vom Figurenaufbau in der Dramatik: „Die Kunst des Dialogs kommt vom Erschauen des Gestus und folglich vom tiefen Eindringen in die Psyche der Personen. Die von Ihnen geschaffene Person darf gar nicht erst versuchen, die eigene Psyche zu erklären. Sonst verlieren Sie sie sofort aus dem Blickfeld. Erinnern Sie sich der Dialektik. Die Person wird im Zusammenprall von Widersprüchen, durch Handlungen aufgebaut – schreiben Sie ihre Biographie in den Hieroglyphen ihres Verhaltens." In der Prosa verfuhr Tolstoi ähnlich.

Die psychischen Regungen der Figuren sind stets in äußere Bewegung umgesetzt. Die von Tolstoi vielfach erläuterte Theorie des „bedingten und unbedingten Gestus" ist ein wichtiger Schlüssel, um zu erkennen, wie Tolstoi die Entwicklung seiner Personen sprachlich wiedergab. Er beschreibt innere Haltungen, Stimmungen niemals mit Worten. Er macht sie sichtbar durch Veränderungen im Ausdruck der Augen, der Hände ... Er arbeitet hierbei mit Parallelen, Kontrasten und weckt so beim Leser die Vorstellung vom Anderswerden der jeweiligen Person. Rückerinnerungen sind meistens szenisch gestaltet. Nur selten werden Gedanken durch indirekte direkte Rede oder inneren Monolog vermittelt.

Im Roman wird Peter I. von Tolstoi nicht isoliert gesehen, als „Erklärung einiger ‚rätselhafter' Regungen der Seele", wie in der Erzählung und auch noch im Stück. „Wir lösen die Rätsel, indem wir nach den Ursachen in der Umgebung der Persönlichkeit forschen, in der Wirkung der sozialen Kräfte von außen..." Das „Begreifen der menschlichen Psyche" als die Erschaffung des Menschen im sozialen Milieu ist eine der wichtigsten Erkenntnisse, die Tolstois Schaffensprinzip im Roman „Peter der Erste" bestimmt.

Die Schwierigkeit eines solchen Verfahrens gegenüber der

psychologisch-analytischen Methode zeigt sich dort, wo die Lust am Fabulieren über psychologische Tiefenlotung siegt. So wird Iwan Browkins Wandlung vom armen Bauern zu einem einflußreichen Kaufmann mehr in den äußeren Attributen dieser Wandlung sichtbar. Seine Gedanken als Spiegel einer neuen Beziehung zur Wirklichkeit fassen nicht die tiefen Veränderungen und auch nicht die Widersprüche in seiner Psyche. Die gewählte Erzählweise ließ dem Autor stellenweise nicht genügend Raum, von verschiedenen Blickpunkten solche Prozesse in den fiktiven Figuren anzupeilen.

Die historischen Figuren, vor allem Peter, sind von verschiedenen Seiten gesehen. Der Reichtum und die Wandlungsfähigkeit ihrer Gefühle und Gedanken, die Widersprüche ihres Wesens und ihres Verhaltens werden mit Hilfe von Parallelen, Gegenüberstellungen, Kontrasten zu anderen – vornehmlich historischen – Figuren (Peter, Karl, August) schärfer herausgearbeitet. Wo diese Vielfalt der Blickwinkel auf die Schlüsselpersonen des Romans fehlt, sind die künstlerischen Möglichkeiten unzureichend, um in die Dialektik von „psychologischer Entwicklung" und „gesellschaftlichem Wirken" tief einzudringen. In den Passagen, wo einige gesellschaftliche Erscheinungen nur mit Peters Augen gesehen werden, schleichen sich Ungenauigkeiten ein. Das betrifft vor allem die Bilder vom Leben in der deutschen Vorstadt Kukui, auch Peters Reisen nach Deutschland und Holland. Tolstoi schildert nur „das gute alte Deutschland", nicht aber die schreienden Widersprüche, den Luxus an den kleinen Höfen, die sich auf Kosten von Armut, Leibeigenschaft, erbarmungsloser Ausbeutung in den Rang des französischen Hofes heben wollten. Offenbar arbeitete Tolstoi hier – auch unter dem Einfluß von historischen Dokumenten (so Peters Briefe von unterwegs) – bewußt mit scharfen Kontrasten, um die Reaktion Peters zu motivieren: seine Begeisterung für die westlichen Errungenschaften und seine wachsende Erbitterung über Rückständigkeit und „Asiatentum" in seinem Land als auslösendes Moment seiner Reformen. In der Autorenrede werden diese subjektiven Eindrücke jedoch nicht objektiviert.

Während der Arbeit am zweiten Band, am Vorabend des Ersten Schriftstellerkongresses, wurden in der Sowjetunion Probleme des sozialistischen Realismus öffentlich diskutiert. Zu dieser Zeit war auch der historische Roman erstmalig Gegenstand heftiger Debatten unter Schriftstellern und Kritikern. Tolstoi schaltete sich in diesen Prozeß der Selbstverständigung über neugewonnene literarische Erfahrungen ein. Er lebte damals in Leningrad, hatte Kontakte zu Tynjanow, Olga Forsch, besonders zu Schischkow, mit dem ihn eine herzliche Freundschaft verband. Sie saßen oft bis tief in die Nacht hinein zusammen, lasen aus Manuskripten, rangen um neue Lösungen. Diese schöpferische Arbeitsatmosphäre half Tolstoi, komplizierte Probleme des historischen Romans eigenständig zu lösen.

Schischkow und Tolstoi standen sich hinsichtlich der Arbeitsmethode, des Umgangs mit dem historischen Stoff und der Vorliebe für große historische Bewegungen und Persönlichkeiten am nächsten. Allerdings erreichte Schischkow in dem dreibändigen Roman „Jemeljan Pugatschow" (1938–1945) nicht die vielgerühmte Plastizität und Klarheit der historischen Bilder und Figuren eines Alexej Tolstoi.

Zu Tschapygin, der ebenfalls in Leningrad lebte, hatte Tolstoi keine persönlichen Beziehungen. Sie waren zwei verschiedene künstlerische Naturen. War Tschapygins Roman „Stepan Rasin" (1926/27) vorwiegend der Revolutionsprosa romantischer Prägung Anfang der zwanziger Jahre verpflichtet, so knüpfte Tolstoi an die Errungenschaften der russischen klassischen Literatur, vor allem Puschkin und Lew Tolstoi, an und bildete die epische Linie kräftiger aus – erschloß aus der geschichtlichen Bewegung aller Schichten des Volkes die entscheidenden Faktoren des historischen Fortschritts der Epoche. Aufschluß über die unterschiedliche Erzählweise gibt eine von beiden Autoren verarbeitete Episode aus dem Tagebuch Johann Korbs über seine Rußlandreise 1698/99. Eine russische Bauersfrau hatte ihren Mann ermordet und wurde nach dem Gesetz zur Strafe bei lebendigem Leibe bis an den Hals in die Erde eingegraben und einem schrecklichen Tod preisgegeben. Tschapygin setzt diesen tragischen Vorfall in ein romantisches Abenteuer seines jungen Helden um – die bildschöne Iriniza wird von ihrem furchtbaren Schicksal befreit. Tolstoi hingegen gab dieser Episode im fünften Kapitel des ersten Bandes eine soziale Motivierung. In der Mannesmörderin ist das traurige Los der zu völliger Rechtlosigkeit verurteilten Frau des damaligen Rußlands und ihr spontaner Protest verkörpert. Selbst in der Todesstunde und angesichts des Zaren, von dem sie sich Rettung erhoffen könnte, erlischt nicht ihr Haß auf die sie knechtende Umgebung. Sie bereut nichts. Auf Peters Gemüt legt sich das Bild dieser gequälten Frau mit bleierner Schwere. Er läßt sie erschießen, um ihren Qualen ein schnelles Ende zu bereiten.

Tynjanow und Tolstoi werden häufig als zwei Pole in der sowjetischen historischen Belletristik betrachtet. Die Unterschiede beruhen jedoch weniger auf der Arbeitsmethode, wie häufig angenommen wird: Tynjanow rekonstruiere mit der Exaktheit eines Forschers jedes geschichtliche Detail, während Tolstoi sein farbiges historisches Gemälde der petrinischen Epoche kraft seiner schöpferischen Phantasie, seines Einfühlungsvermögens in die Vergangenheit gezeichnet habe. Der grundlegende Unterschied liegt in der literarischen Verarbeitung von Fakten und Details, in der Personengestaltung und Stoffwahl. Die ersten beiden Romane Tynjanows, „Küchelbecker" (1925) und „Der Tod des Wesir-Muchtar" (1929), sind sehr unterschiedlich geschrieben. Die auf experimentellem Wege gewonnenen literarischen Entdeckungen, in der Literaturkritik heftig umstritten, waren beachtliche ästhetische Leistungen. Tynjanow baute seine historischen Episoden analytisch auf, suchte nach einem maximalen inneren Gehalt eines einzelnen Satzes, einer einzigen Metapher, und erschloß so neue Möglichkeiten, psychologische Haltungen und gesellschaftliche Erscheinungen in ihrer Wechselwirkung künstlerisch ins Bild zu setzen. Die damit verbundene epische Neuleistung ist oft verkannt und Tynjanows Romantyp irrtümlicherweise dem traditionellen biographischen Roman zugeordnet worden. Tolstoi sprach mit großer Hochachtung von Tynjanows Erzähltalent, ging aber selbst einen anderen Weg. Tynjanows wie Tolstois unterschiedliche Verfahren haben bis in die Gegenwart die Ausbildung von zwei verschiedenen Romantypen in der sowjetischen historischen Prosa beeinflußt.

„Peter der Erste" ist als ein hervorragender Beitrag zur Weiterentwicklung des Genres des historischen Romans in die Weltliteratur eingegangen. Romain Rolland hat die Leistung treffend beschrieben: „Ich bin begeistert von der Kraft und dem unbegrenzten schöpferischen Reichtum, die bei Ihnen einfache Komponenten zu sein scheinen. Das ist bei den Intellektuellen eine seltene Gabe. An Ihrer starken und wahren Kunst beeindruckt mich besonders, wie Sie Ihre Figuren in den sie umgebenden Verhältnissen modellieren. Die Figuren sind ein fester Bestandteil der Luft, der Erde, des Lichts, die sie umgeben und formen, und Sie verstehen, mit einem einzigen Pinselstrich die feinsten Schattierungen des Milieus zu zeichnen."

Daß die Gestalt Peters auch heute noch die sowjetischen Schriftsteller fesselt, Tolstois Roman bis heute jedoch unübertroffen ist, bestätigt Sergej Salygin: „Viele Historiker schrieben über Peter I., aber einen lebendigen Peter, seinen komplizierten Charakter sehen wir erst bei Alexej Tolstoi. Vielleicht ist auch das noch nicht das letzte Wort, möglicherweise entwirft ein anderer Romancier ein anderes Bild – doch wir eignen uns Peter nach Tolstoi an."

Nyota Thun